中华传世藏书

續資治通鑑

[清] 毕 沅 ◎ 著

線裝書局

续资治通鉴卷第四十三

【原文】

宋纪四十三　起重光大荒落【辛巳】正月,尽十二月,凡一年。

仁宗体天法道极功全德　神文圣武睿哲明孝皇帝

庆历元年　辽重熙十年【辛巳,1041】　春,正月,辛亥朔,御大庆殿受朝。

丁巳,以太子中舍寿光任颛为三司句当公事。

朝廷既用韩琦等所画攻策,先戒师期。知延州范仲淹言:"正月内起兵,军马粮草,动逾万计,入险阻之地,塞外雨雪大寒,暴露僵仆,使贼乘之,所伤必众。今鄜延路城垒、兵甲、粮草、士马攻守之计已有次第,不患贼之先至,请俟春暖出师。贼马瘦人饥,其势易制,又可扰其耕种,纵无大获,亦不至有它虞。"又言:"顷已下敕招携蕃族首领,臣亦遣人探问其情,欲通朝廷柔远之意。使其不僭中国之号而修时贡之礼,亦可俯从。今鄜延是旧日进贡之路,愿朝廷存此一路,令诸将勒兵严备,贼至则击。乘讨伐未行,容臣示以恩意,岁时之间,或可招纳。不然,臣恐隔绝情意,偃兵无期。若用臣策,岁月无效,然后徐图举兵,先取绥、宥,据其要害,屯兵营田,为持久之计。如此,则茶山、横山一带蕃、汉人户,惧汉兵威,可以招降。或即奔窜,亦是去西贼之一臂。拓疆制寇,无轻举之失也。"戊午,诏从仲淹所请。仲淹又言:"鄜延路入界,比诸路最远,宜先修复城寨,请以二月半合兵万人,自永平寨进筑承平寨,俟承平寨毕功,又择利进筑,因以牵制元昊东界军马,使不得并力西御环庆、泾原之师,亦与俱出三路无异。"朝廷虽许仲淹存鄜延一路示招纳意,仍诏仲淹与夏辣、韩琦等同谋,可以应机乘便,即不拘早晚出师。仲淹前后凡六奏,卒城承平等十二寨,蕃、汉之民相踵复业。

又言:"关中民苦远输,请建鄜州之鄜城县为军,以河中、同、华中下户税租就输之,春夏徙边兵就食,可省籴价什之三,它所减不与。"诏名其军曰康定。

己未,加嘉勒斯赉河西节度使。

壬申,诏:"岁以春分祀高禖,遣两制官摄事。"

是月,元昊使人于泾原乞和,又遣高延德诣延州与范仲淹约。仲淹既见延德,察元昊未肯顺事,且无表章,不敢闻于朝廷,乃自为书谕以逆顺,遣监押韩周同延德还抵元昊。其书曰:

"曩者景德初,两河休兵,中外上言,以灵、夏数州本为内地,请移河朔之兵,合关中之力,

875

以图收复；我真宗皇帝文德柔远，而先大王情向朝廷，心如金石，言西陲者一切不行，待先大王以骨肉之亲，命为同姓，全付夏土，旌旗车服，贵极王公，是我真宗皇帝有天地之造于尔也！自此朝贡之臣，不绝于道，塞垣之下，逾三十年，有耕无战，养生送死，令终天年，此真宗皇帝之至化，亦先大王忠顺之功也。

“自先大王薨，今皇帝遣使厚吊赙之礼，听大王嗣守其国，爵命隆重，一如先大王。大王以青春袭爵，违先君之誓书，遂僭位号，遣人归纳旌节；中外惊愤，请收行人，戮于都市。皇帝念先帝本意，故夏王忠顺之功，不忍一朝骤绝，含容不杀。省初念终，天子何负大王哉！

“传曰：‘名不正则言不顺，言不顺则事不成。’大王世居西土，衣冠言语，皆从本国之俗，何独名称与天子侔？大王建议之初，必谓边城无备，士心不齐，驱马而来，所向可下。今奔冲边地，频年于兹，汉之兵民有血战而死者，无一城一将愿归大王者，与初望无乃异乎？

“大王果以爱民为意，言当时之举，徒由众请，以此谢罪，天子必当复王爵，承先大王保国庇民之志，天下孰不称大王之贤，一也。如众多之请，终不获辞，前所谓汉、唐单于、可汗之称，于本国语言为便，亦不失其贵，二也。但臣贡上国，存中外之体，不召天下之怨，不速天下之兵，使人复康泰，三也。又，大王之国，府用或阙，朝廷每岁必有厚赐，为大王助，四也。又，前来入贡之臣，止称蕃校，以避爵命。按唐方国之礼，常遣宾佐入贡于朝，则不必用蕃校之名。又，唐诸蕃所建官名，未尝与中国相杂，使其持礼而来，则无嫌矣，其有功有德者必可受朝廷之命，五也。时者边臣上言，乞以官爵金帛招致蕃部首领，仲淹亦一面请罢，惟大王告谕首领，不须去父母之邦，但回意中朝，则太平之乐，遐迩同之，六也。国家以四海之广，岂无遗才？在大王之国者，朝廷不戮其家，安全如故，宜善事大王，惟同心向顺，自不失其富贵，而宗族之人必更优恤，七也。又，马牛驼羊之产，金银缯帛之货，有无交易，各获其所，八也。大王听之，则上下同其美利，边民之患息矣。况宗庙有先大王誓书在，诸路之兵，非无名而举。钟鼓之伐，以时以年，大王之国，将如之何？它日虽请于朝廷，恐有噬脐之悔，惟大王择焉！”

二月，辛巳，夏竦言：“昨韩琦、尹洙赴阙，与两府大臣议用攻策，由泾原、鄜延两路进讨，降下出师月日。今范仲淹所议未同，臣寻令尹洙往延州与仲淹再议，而固执前奏，未肯出师。近闻贼聚兵一路以敌王师，若两路协力，分擘要害，尚虑诸将晚进，士卒骄怯，未能大挫其锋。若止令泾原一路进兵，鄜延却以牵制为名，盘旋境上，委泾原之师以尝聚寇，正堕贼计。又，贼遣蕃官骨披等，相约二十八日设誓归顺朝廷。若非惧见进讨，即欲暂款汉兵，大为奔突之计。乞早差近上臣僚监督鄜延一路进兵，同入贼界，免致落贼奸便。”诏以竦奏示仲淹。

甲申，辽北枢密院言：“南、北二大王府泊诸部节度、侍卫、祗候郎君皆出族帐，既免与民戍边，其祗候事，请亦得以部曲代行。”辽主从之。

先是朝廷欲发泾原、鄜延两路兵讨贼，议未决，诏环庆副部署任福乘驿诣泾原计事。会韩琦行边，趋泾州，而谋者言元昊谋寇渭州。己丑，琦亟趋镇戎军，尽出其兵，又募敢勇凡万八千人，使福将以击贼。泾原驻泊都监桑怿为先锋，钤辖朱观、泾原都监武英继之，行营都监王珪、参军事耿傅皆从。琦面授福等方略，以诸寨相距仅四十里，道近且易，刍粮足供，度势未可战则据险设伏，待其归然后邀击之。福等就道，琦亲至城外重戒之。翼日，福自新壕外分轻骑数千趋怀远城、捺龙川，遇镇戎军西路都巡检常鼎、同巡检内侍刘肃，与贼战于张家堡南,斩首数百。贼弃马羊橐驼佯北,怿引骑趋之,福亦分兵自将踵其后。薄暮,福、怿合军屯好水川,朱观、武英为一军屯龙落川,隔山相距五里,约明日会兵,不使贼得逸去。逻者传贼兵少,故福等轻之。路益远,刍粮不继,人马已乏食三日。

福等不知贼之诱也,悉力奔逐。癸巳,至龙竿城北,遇贼大军循川行,出六盘山下,距羊牧隆城五里,结阵以抗官军。诸将乃知堕贼计,势不可留,因前接战。怿驰犯其锋,福阵未成列,贼纵铁骑冲突,自辰至午,阵动,众傅山,欲据胜地,贼发伏自山背下击,士卒多堕崖堑相覆压,怿、肃战死。贼分兵数千断官军后,福力战,身被十馀矢。小校劝福自免,福曰:“吾为大将,军败,以死报国耳!”挥四刃铁简,挺身决斗,枪中颊,绝喉而死。福子怀亮亦死之。

先是琦命渭州都监赵津将瓦亭骑兵二千二百为军断后,是日,与观、英会兵于姚家川。福既死,贼并兵攻观、英等。战既合,珪自羊牧隆城以屯兵四千五百来,阵于观军西,屡出略阵,阵坚不可破。英重伤,不能视军,自午至申,贼兵益至,东偏步兵先溃,众遂大奔,英、津、珪、傅皆死之。惟观以馀众千馀人保民垣,四向纵射,会暮夜,贼引去。泾原部署王仲宝亦以兵来援,与观俱还民垣,距福败处才〔五〕里许,然不相闻也。

始,珪进战,击杀数百人,铁鞭至挠曲,手掌破裂,犹奋自若,马三中箭,三易马,最后得其下马,左右驰击,又杀数十人,飞矢中其目,遂死。英知必败,劝傅避去,傅不答。英叹曰:“君文史,无军责,奈何与英俱死?”观亦戒傅少避贼锋,而傅愈前不顾,身被数枪,乃殒。前一夕,傅在观营,夜,作书遗福,以其日小胜,前与贼大军遇,深以持重戒之,自写题观名以致福军中。傅死后,或言福之败由傅督战太急,福等既违节度,虽死不足与。既而福随军孔目吏彭忠得傅戒福书,具白琦,琦即奏之。尹洙为作《悯忠》《辨诬》二篇。英,太原人。傅,河南人。

方元昊倾国入寇,福所统士卒,皆非素所抚循,既又分出趋利,故至甚败。奏至,帝深悼焉。丁酉,赠任福为武胜军节度使兼侍中,王珪、赵津、武英、桑怿等并赠官,各追封其母、妻及甄录子孙有差。

戊戌,夏人再寇刘璠堡。

己亥,皇子忠正节度使寿国公昕薨,赠太师、中书令、豫王,谥悼穆。

始,朝廷既从攻策,经略安抚判官尹洙,以正月丙子至延州,与范仲淹谋出兵。越三日,仲淹徐言已得旨,听兵勿出。洙留延州几两旬,仲淹坚持不可。辛丑,洙还至庆州,乃知任福等败绩,贼侵刘璠堡未退,因遣权环庆路都监刘政将锐卒数千往援;未至,贼引去。夏竦等劾奏洙擅发兵,降通判濠州。

诏:“京东、西等九路增募乡兵,置宣毅军,大州两指挥,小州一指挥,为就粮禁军,合十万馀人。”用富弼之言也。著作佐郎张方平言其非便,再疏,不报。

三月,辛亥,降知镇戎军、崇仪使朱观为供备库使。时韩琦奏好水之役,观虽力战拒贼,官军死伤者亦多,请降官留任,以责后效也。

任福等既败,朝议因欲悉罢诸路行营之号,明示招纳,使贼骄怠,仍密收兵深入讨击。诏范仲淹体量士气勇怯,如不至畏懦,即可驱策前去,乘机立功。仲淹言:“任福勇于战斗,贼退便追,不依韩琦指踪,因致陷败。此皆边上有名之将,尚不能料贼。今之所选,往往不及,更令深入,祸未可量。以臣所见,延州路乞依前奏且修南安等处三两废寨,安存熟户并弓箭手以固藩篱,俯彼巢穴。它日贼大至则守,小至则击,有间则攻,方可就近以扰之,出奇以讨之耳。"于是行营之号卒不罢,兵亦不复出。

元昊始僭,兵未动也,朝廷即欲讨之。著作佐郎、通判睦州张方平上言:"国家自景德以来,将不知兵,士不知战,骤用之必有丧师蹶将之忧;当含垢匿瑕,顺适其意。虽元昊终于必叛,而兵出无名,吏士不直其上,难以决胜。小国用兵三年,不见胜负,不折则破,我以全力制其后,必胜之道也。"方平所议,盖与吴育同,而议者皆不谓然。

兵既交,天下骚动,方平又献平戎十策,大略请及民力之完,屯重兵河东,示以形势。贼入寇必自延、渭,而兴州巢穴之守虚,我师自麟、府渡河,不十日可至,此所谓攻其所必救,形格势禁之道也。宰相吕夷简见之,谓参知政事宋绶曰:"大科得人矣!"然不果用其策。于是召对,除直集贤院,寻迁太常丞,知谏院。

是月,诏止郡国举人,勿以边机为名,希求恩泽。

夏,四月,辛巳,降陕西经略安抚副使、枢密直学士、起居舍人韩琦为右司谏,知秦州。任福军败,琦即上章自劾。谏官孙沔等请削琦官三五资,仍居旧职,俾立后效。会夏竦奏琦尝以檄戒福见利轻进,帝知罪不专在琦,手诏慰抚之,及是乃夺琦使权。

癸未,降陕西经略安抚副使兼知延州、龙图阁直学士、户部郎中范仲淹为户部员外郎,知耀州。始,韩周等持仲淹书入西界,逆者礼意殊善。行既两日,闻山外诸将败亡,周等抵夏州,留四十馀日。元昊俾其亲信野利旺荣为书报仲淹,别遣使与周俱还,且言不敢以闻乌珠,书辞益慢。仲淹对使者焚其书,而潜录副本以闻;书凡二十六纸,其不可以闻者二十纸,仲淹悉焚之,馀又略加删改。书既达,大臣皆谓仲淹不当辄与元昊通书,又不当辄焚其报。吕夷简诘周不禀朝命,擅入西界。周言经略专杀生,不敢不从。坐削官,监道州税。宋庠因言仲淹可斩,杜衍曰:"仲淹本志欲招纳叛羌耳,何可深罪!"夷简亦徐助衍言,知谏院孙沔又上书为仲淹辨。帝悟,乃薄其责。

甲申,以资政殿学士陈执中为同陕西都部署兼经略安抚缘边招讨等使,知永兴军。仍诏夏竦判永兴军如故,而徙秦凤副都部署、知秦州曹琮以副之。琮在秦州,前后凡四年,刘平、石元孙之败,关辅震恐,琮请籍民为义军以张兵势,于是料简乡弓手数万人。贼寇山外,还天都、劫仪、秦属户,琮发骑士设伏以待之,贼遂引去。琮欲诱吐蕃掎角图贼,得西州旧贾,使谕意。而沙州镇国王子遣使奉书曰:"我本唐甥,天子实吾舅也。自党项破甘、凉,遂与汉隔。今愿率首领为朝廷击贼。"帝善琮策,故使副执中。

乙巳,下德音,降陕西囚死罪一等,流以下释之。特支军士缗钱,赈抚边民被钞略者亲属。

丙午,以陈州布衣郭京为大理评事、陕西都部署司参谋军事。京少任侠,好言兵,范仲淹、滕宗谅数荐之,帝召见,特命以官。

建州布衣徐复赐号冲晦处士。

复学《易》,通流衍卦气法,又精明乐理。胡瑗作钟磬,大变古法,复笑曰:"圣人寓器以声,今不先求其声而更其器,可用乎!"后瑗制作皆不效。范仲淹过润州,见复,问曰:"今以衍卦占之,边境无变异乎?"复言:"西方当用兵。"推其日月,后无少差。

于是与郭京俱召见,帝问天时人事,复对曰:"以京房《易卦》推之,今年所配年月日,当小过也。刚失位而不中,其在强君德乎!"帝又问:"变故与前世何若?"复对曰:"如唐德宗居奉天时。"帝惊曰:"何至此?"复曰:"虽然,陛下无深虑也。德宗性忌刻,好功利,欲以兵服天下,其德与凶运会,故奔走失国,仅乃能免。陛下恭俭仁恕,西羌之变,起自元昊,不得已而应之,时与德宗同而德与之异,卦气虽不得,无它也,不久定矣。"帝称善。命为大理评事,以疾辞,乃赐处士号。

是月,辽罢修鸭绿江浮梁及汉兵屯戍之役。又以东京留守萧萨巴言,弛东京击鞠之禁。

五月,戊午,以右班殿直赵珣为陕西经略安抚招讨都监。珣初随其父振在西边,访得五路徼外山川邑居道里利害,作《聚米图经》五卷。韩琦言于帝,诏取其书,并召珣。至,又上《五阵图》《兵事》十馀篇。帝给步骑,使按阵,既成,临观之。于是陈执中荐珣为沿边巡检使。吕夷简、宋庠共奏:"用兵以来,策士之言以万数,无如珣者。"即擢任之。

珣自以年少新进,未有功,辞都监,受兵万人,赐御铠仗,令自择偏裨参佐,居泾原,兼治笼竿城。麻毡党留百馀帐,处近塞为暴,殉白府,引兵三万,自静边历(擦)〔撩〕吴抵木宁袭贼,俘获数千计。静边将刘沪殿后,为贼所掩,珣登阪望见,纵骑数百,复又拔沪之众以出,士皆叹服。辖戬居窊谷无所属,珣与书招之,遗以绯锦,(镇)〔辖〕戬听命。

左正言孙沔奏:"南郊并逐年圣节,凡文资并许奏荫子孙弟侄,略无定数。若皇亲、后族,多至一二十人,少不下五七人。将国家有数之品名,给人臣无厌之私惠,俾之从政,徒以害民。欲乞今后约束人数,定其久制,以为万世法。"沔累奏皆与大臣牾,又荐田况、欧阳修、张方平、曾公亮、蔡襄、王素可任谏官自代。甲子,沔罢为工部员外郎、提点两浙路刑狱。

出内藏库缗钱一百万,助三司给陕西军费。

乙丑,追封皇长子为褒王,赐名昉。

辛未,参知政事宋庠、枢密副使郑戬并罢,庠守本官,知扬州,戬加资政殿学士,知杭州。先是吕夷简当国,同列不敢预事,独庠数与争论,夷简不悦。帝顾庠颇厚,夷简忌甚,求所以倾庠,未得。及议范仲淹通书元昊事,夷简从容谓庠曰:"人臣无外交,希文何敢如此!"庠以夷简诚深罪仲淹也,遽请斩仲淹。已而夷简以杜衍之言为是,庠遂仓皇失错。论者皆咎庠,不知为夷简所卖也。于是用朋党事,与戬俱罢。

以翰林学士王举正参知政事。既入谢,帝曰:"卿恬于进取,未尝干朝廷以私,故不次用卿。"以知益州任中师、知河南府任布并为枢密副使。

诏夏竦屯鄜州,徙陈执中知泾州。时两人议边事不合,故分任之。

壬申,徙知耀州范仲淹知庆州兼管句环庆路部署司事。

初,元昊反,阴诱属羌为助。环庆酋长六百人约与贼为乡导,后虽首露,犹怀去就。仲淹至部,即奏行边,以诏书犒赏诸羌,阅其人马,立条约:"仇已和断,辄私报之,及伤人者,罚羊百,马二,已杀者斩。负债争讼,听告官为理;辄质缚平人者,罚羊五十,马一。贼大入,老幼入保本寨,官为给食。"诸羌受命,悦服,自是始为汉用。

金署陕西经略安抚判官田况上兵策十四事,帝嘉纳之。

六月,壬辰,诏陕西诸路部署司:"自今西贼犯塞,方得出兵掩击诸族以牵其势,自馀毋得擅行侵掠。"用田况言也。

王尧臣建言："泾原路熟户万四百七十馀帐，曹玮帅本路，威令明著，常用之平西羌。其后边备稍懈，守将惟务姑息，浸成骄黠。自元昊反，镇戎军及渭州山外，皆被侵扰，近界熟户，亦遭杀虏。蕃族之情，最重酬赛，因此衅隙激怒之，可复得其用。请遣人募首领愿效用者，籍姓名并士马之数。及千人，听自推其有谋勇者一人，授以班行及巡检之名，使将领出境。破荡生户，所获财畜，官勿检覆，得首级及伤者，始以物赏，仍依本族职名补选及增俸钱。"诏如所请。

癸卯，命翰林学士王尧臣、聂冠卿、知制诰郭稹看定三馆、秘阁书籍。

丙午，知并州杨偕献《龙虎八阵图》及所制军器，帝阅于崇政殿，降诏奖谕。其后言者以为器重大，缓急难用云。

秋，七月，己酉，帝谓辅臣曰："鄜延都钤辖张亢与本路部署许怀德不能同心协谋，何由了边事？宜令都部署司戒谕。若故为此以求内徙，当悉夺官，安置极边。"

已而亢疏言其所疑者十事，大略谓："将不知兵，未闻深究致败之由而处置之，虽徒益兵马，亦未见必胜之理。又，贼至一处，诸路援兵各逾十程，千里远斗，岂能施勇！如贼已退，乃是空劳，异时更寇别路，必又如此，是不战而自敝也。夏竦、陈执中皆朝廷大臣，凡有边事，当付之不疑。今但主文书，守诏令，每有宣命，则翻录行下，如诸处申禀，则令候朝廷指挥。如此，则何何以大臣主事乎？乞暂许臣赴阙面陈利害。如以臣言狂率不可用，则乞重行降黜。"不报。

壬戌，置万胜军二十指挥。

辽诏："诸职官私取官物者以正盗论，诸敢以先朝已断事相告言者罪之。诸帐郎君等于禁地射鹿，决三百，不征偿；小将军决二百以下，及百姓犯者罪同郎君论。"

甲子，诏："将来南郊，群臣毋得请加上尊号。"

乙亥，中书、枢密院言："陕西沿边蕃部归降者，多在蕃官帐下，请令部署司察其向背者，徙家内地，给闲田以处之。"奏可。亦从田况议也。

是月，元昊寇麟、府二州，折继闵败之。八月，戊寅，诏鄜延部署许怀德等以兵万人援麟、府。

甲申，河北置场括市战马，缘边七州军免括。

丁亥，诏："南郊礼近，中外毋得以皇子生复有贡献。"

罢天下举人纳公卷。初，权知开封府贾昌朝言："自唐以来，礼部采名誉，观素业，故预投公卷。今有弥封、誊录，一切考诸试篇，则公卷为可罢。"诏从之。

戊子，命集贤校理曾公亮、直史馆梁适考试锁厅举人。举人有试官亲戚者，并互送别差官试。锁厅举人自此始。

麟州言："元昊破宁远砦，砦主、侍禁王世熹、兵马监押、殿直王显死之，焚仓库楼橹皆尽。复领兵攻府州，州城险且坚，东南各有水门，崖壁峭绝，下临大河，贼缘崖腹微径鱼贯而前，城上矢石乱下，贼死伤殆尽。转攻城北，士卒复力战，伤者千馀人，贼乃引退，纵兵四掠，又复围丰州。"

麟、府二州皆在河外,因山为城,最为险固。初,河东转运使文洎以麟州饷道回远,军食不足,欲案唐张说出兵故道,复通河关,未及就而卒。及洎子彦博为河东转运副使,遂通道银城,而州有积粟可守。城中素乏水,围既久,士卒渴乏。或劝知州苗继宣取污沟之泥以饰埤,元昊仰视曰:"谍谓我无庸战,不三日,汉人当渴死。今尚有馀以污堞,绐我也!"斩之城下,解围去。

知谏院张方平言:"臣承乏谏省,及今未五十日,凡内臣、外戚、医官之类,迁转者且二十人,大则防、团、刺史,小则近职要司。伏以边陲用兵,将士上功于朝,未尝有特恩殊命及之者。今近戚坐受恩宠,方技杂类,恩泽过当,宜为条约禁止。"诏并依前降指挥,常切遵守。

乙未,元昊陷丰州,知州王馀庆、权兵马监押孙吉、指使侯秀死之。始,王沿在并州,建议乞徙丰州,不报。不逾岁,州果陷。

知谏院张方平言:"夏竦为陕西招讨等使,四路军政实节制之,师惟不出,出则丧败,寇惟不来,来必得志,坐玩寇敌,蹙国损威。乞还竦旧官,与之一郡,遂其自全之计。"

九月,戊申,诏:"锁厅举人,自今文臣许应三举、武臣两举。"庚戌,以鄜延都钤辖张亢为并代〔都〕钤辖,管句麟、府军马公事,代康德舆也。

时元昊已破丰州,引兵屯琉璃堡,纵骑钞麟、府间。二州闭壁不出,民乏水饮,黄金一两易水一杯。亢单骑扣府州城,门关不启。亢曰:"我新军马也。"出所受敕示城上。既入,即开门,纵民采薪刍,汲涧谷。然贼骑犹时出钞掠汉田。亢以州东焦山有石炭穴,为筑东胜堡;下城旁有蔬畦,为筑金城堡;州北沙坑有水泉,为筑安定堡,置兵守之。募人获于外,腰镰与持兵卫送者均其得。

时禁兵败北无斗志,乃募役兵,夜潜隘道,邀击贼游骑,比明,或持首级来献,亢犒劳之,衣以锦袍。禁兵始惭奋曰:"我顾不若彼乎!"又纵使饮博,士窘乏幸利,皆愿一战。亢知可用,始谋击琉璃堡。使谍伏贼寨旁草中,见老羌方炙羊脾占吉凶,惊曰:"明日当有急兵,且趋避之。"皆笑曰:"汉儿方藏头膝间,何敢至此!"亢知无备,夜引兵袭击,大破之,斩首二百馀级,贼弃堡遁去。乃筑宣威寨于步驼沟,捍寇路。

以鄜延都监王信为本路钤辖兼两路都巡检使。信初为鄜延都监,始至之夕,贼众号数万,傅城,军吏气慑,不知所为。信领劲兵二千,夜出南门,与贼战,不利,失其前锋,因案军不动;迟明,潜上东山,整军乘势而下,击走之,追袭,大获而还。葛怀敏败,信又出兵拒贼,俘斩甚众。

戊午,杖杀中书守当官周下于都市,坐于内降度僧敕内伪益童行三十四人也。

事既觉,开封府止按馀人而不问堂吏。知制诰富弼,时纠察刑狱,白执政,请以吏付开封,执政指其坐曰:"公即居此,无为近名!"弼正色曰:"必得吏乃止!"执政滋不悦。

初,刘从德之妻遂国夫人者,尝出入内廷,或云得幸于帝,后获谴,夺封,罢朝谒,久之,出入如故。谏官张方平再以疏论列,皆留中。既而有诏复封遂国,弼缴还词头,封命遂寝。唐制,惟给事中得封还诏书;中书舍人缴还词头,盖自弼始也。

庚申,辽太后射获熊,辽主进酒为寿。未几,辽主猎于马孟山,以草木蒙密,恐猎者误射伤人,命耶律迪古各书姓名于矢以志之,复以石硬寨太保郭三避虎不射,免其官。

辛酉，知秦州韩琦，复为起居舍人；知庆州范仲淹，复为户部郎中。仲淹上疏曰："国家长久之策，莫若于鄜、庆、渭三州各更益兵三万人，拔用有勇略将帅三员，统领训练，预先分定部曲，远设斥候，于春秋西贼举动之时，先据要害，贼来则会驻扎之兵，观利整阵，并力击之。又于西贼未经点集之际，出三州已整之兵，浅入大掠，或破其和市，或招其种落，或更筑垒拓地，广招强人，别立经制，以助正军，属户有助贼者，即会兵密行破荡。诸族见此事势，自然无去就之义，渐可驱使。既不能为乱，则可以严青盐粟帛之禁，勿使与贼交通。朝廷节俭省费，倾内帑三分之一分助边用，以金帛赐逐路帅臣，使行间觇贼，则动静先知，遇盛暑，则那次边就食粮草。如此，则二三年间，贼力渐屈，平定有期矣。"

先是屯田员外郎河内张旨通判府州，州依山无外城，旨将筑之，州将曰："吾州据险，敌必不来。"旨不听。城垂就，寇大至，乃联巨木补其罅，守以强弩。州无井，贼断河饮路，旨夜开门击贼，少却，以官军壁两旁，使民出汲。复以渠泥覆草积，督居民乘城力战。贼死伤者众，遂解去。壬申，迁旨都官员外郎。

(鄜)〔麟〕州都监王凯，全斌曾孙也，数破贼有功。贼围麟州，乘城拒斗，昼夜三十一日，始解去。累迁麟府路沿边都巡检使。与同巡检府谷张岊护粮道于青眉浪，贼大至，与岊相失，乃分兵出其后夹击之，复与岊合，斩首六十五级。又人兔毛川，遇贼众三万，凯以兵六千陷围，流矢中面，斗不解。至暮，贼溃，又斩首百八十六级，自蹂践死者以(数千)〔千数〕。迁南作坊副使。

癸酉，降并代副部署王元、钤辖康德舆、杨怀志等官。先是贼围府州，德舆等案兵不出战，但移文转运副使文彦博，籍民辇运，至境以俟，德舆终不敢出。及丰州陷，才出屯州城外数里，三日而还。居民望见，以为寇复至；皆弃其所赍，入保城郭。彦博以其事闻，故责及之，然止坐不出战，其它则朝廷不悉闻也。

冬，十月，戊寅，修河北诸州城，凡二十二州，以备辽也。

知并州杨偕言："丰州宁远寨已为贼所破。惟麟州孤垒，距府州百四十里，远在绝塞。虽宁远界二州之间，可以为策应兵马宿屯之地，然其中无水泉可守，若议修复，徒费国用。今请建新麟州于岚州合河津黄河东岸裴家山，其地四面绝险，有水泉。"且曰："灵、夏二州，皆汉古郡，一旦弃之，麟州复何足惜！"帝谓辅臣曰："麟州，古郡也，咸平中尝经寇兵攻围，非不可守。今遽欲弃之，是将退而以黄河为界也。其谕偕速修复宁远寨，以援麟州。"

丙戌，辽命东京留守萧孝忠察官吏有廉干清强者，具以名闻。

庚寅，辽以女真太师达雅尔为哈斯罕都大王。

辛卯，辽皇子和啰噶生，辽主第二子也。北府宰相驸马萧萨巴迎辽主幸其第饮宴，辽主命卫士与汉人角抵为乐。壬辰，复饮太后殿。以皇子生，肆赦。是夕，复引公主、驸马及内族大臣人寝殿剧饮。

辽主好微行，数变服入酒肆、佛寺、道观。王纲、姚景熙、冯立等皆因遇于微行，后至显官，枢密使马保忠尝言臣下无勋劳。宜以序进，辽主咈然曰："君不得专邪？"

甲午，徙夏竦判河中府，知永兴军陈执中知陕州。竦任西事，依违顾避，久之无功，又与执中论议多不合，皆上表乞解兵柄。而谏官张方平亦请罢竦统帅，执中又言："兵尚神密，千里禀命,非所以制胜,宜属四路各保疆圉。"与方平议论略同。朝廷是之,于是两人俱罢。

始分陕西为四路,以管句秦凤路部署司事兼知秦州韩琦、管句泾原路部署司事兼知渭州王沿、管句环庆路部署司事兼知庆州范仲淹、管句鄜延路部署司事兼知延州庞籍,并兼本路马步军都部署、经略安抚沿边招讨使。

辽主如中京。

丙申,诏:"三司副使自今遭丧者,并如两制例起复。"时盐铁副使张锡丁母忧,而三司使姚仲孙请特起复之,遂为故事。

己亥,罢诸路铜符、木契。

辛丑,诏令逐路都部署司经置营田,以助边费。

壬寅,知谏院张方平疏言:"臣尝就西边来者询贼中事,多云元昊为寇三年,虽连陷城寨,未能有我尺寸之地,而绝其俸赐,禁诸关市,今贼中尺布可直钱数百,以此揣贼情安得不困!然业与大国为仇,傥有悔心,势未能自通诚款;朝廷虽欲招来,而非时无名,事亦难举。今因南郊大礼,宜推旷恩,以示绥怀之意,或特降一诏,或著之赦文,或择边臣有名望者单使以谕上旨,足彰朝廷德义之厚,而无损威重之体。且贼于其种落自尊大久矣,向者求请,但欲自称乌珠之号,当国者虑害不深,吝此虚名,遂成实祸。陛下若徇其前请,加以岁赐,使天下知陛下深识远虑,为生灵计。"帝喜曰:"是吾心也。"命方平以疏付中书。

十一月,丁未朔,以四方馆使高继宣知并州兼河东路经略安抚沿边招讨使,代杨偕也。

偕尝列六事于朝:一、罢中人预军事;二、徙麟州;三、以便宜从事;四、黜冗帅;五、募武士;六、专补授。且曰:"能用臣言则受命,不然则已。"朝廷难之。偕累奏不止,乃罢知邢州。

诏江、饶、池三州铸钱,兼铸小铁钱三百万缗,以备陕西军务。

壬子,置泾原路强壮、弓箭手。

丙辰,以京城谷贵,发廪粟一百万斛,减价出粜以济贫民。

诏延州:"若元昊专遣人投进表章,即且拘留之,先具事宜以闻。若令伪官持私书,知州须候朝廷处分,然后报之。"始用张方平议也。

回鹘遣使贡于辽。

甲子,朝享景灵宫。乙丑,飨太庙、奉慈庙。丙寅,祀天地于圜丘,大赦,改元。蠲陕西来年夏租十之二,麟、府今年夏秋租及来年夏租,保安军今年秋租尽蠲之。

诏:"元昊背惠以来,屡求归附;然其欲缓我师,专为谲诈,是以拒而弗受。况河西士民素被王化,朕为之父母,岂不闵伤!自今仰边臣但谨守封疆,精练军伍,非因战斗,毋得枉杀老幼及薰烧族帐。国朝将帅之臣,素有捍边勋名者,委中书门下求访其子孙,特与录用。自今功臣不限品数,赐私门立戟,文武臣僚许立家庙,已赐门戟者仍给官地修建,令有司检详制度以闻。"

是月,梁适使陕西还,知庆州范仲淹附奏攻、守二议。

其议攻曰:"臣窃见延安之西,庆州之东,有贼界百馀里侵入汉地,中有金汤、白豹、后桥三寨,为延、庆二州经过道路,使兵势不接,策应迁远。自来虽曾攻取,无招降之恩,据守之谋,汉兵才回,边患如旧。臣谓西贼更有大举,朝廷必令牵制,则可攻之地,其在于此。可用步兵三万,骑兵五千,军行入界,先布信令,大为城寨以据其地;城寨坚完,当留土兵守之,方诸旧寨,必倍其数。使巡检范全、赵明以安抚之,严戒曰:贼大至则明斥候,召援兵,坚壁清野以困之;小至则扼险设伏以待之;居常高估入中及置营田以助之。如此,则可分彼贼势,振此兵威,通得延、庆两路军马,易于应援。又,环州之西,镇戎之东,复有葫芦泉一带蕃部,与明珠、灭藏相接,阻环州、镇戎经过道路。明珠、灭藏之居,北接贼疆,多怀观望。又,延州南安去故绥州四十里,在银、夏川口。今延州兵马东渡黄河,北入岚、石,却西渡黄河,倒来麟、府策应。盖以故绥州一带,贼界阻断。经过道路如此,取下一处,城寨平定,则更图一处,为据守之策,比之朝去暮还,此稍为便稳。"

其(守议)〔议守〕曰:"臣昨在延州,见知青涧城种世衡言,欲于本处渐兴田利,今闻仅获万石。臣观今之边寨,皆可使弓手、土兵以守之,因置营田,据亩定课,兵获羡馀,中粜于官,人乐其勤,公收其利,则转输之患,久可息矣。且使其兵徙家塞下,重田利,习地势,父母妻子共坚其守,比之东兵不乐田利,不习地势,复无怀恋者,功相远矣。守愈久而备愈充,虽贼时为患,不能困我。此假士兵、弓手之力,以置屯田为守之利也。"

十二月,丁丑,司天监上《崇天万年历》。

戊寅,诏陕西四路部署及转运使兼营田〔使〕。

癸未,铸"庆历元宝"钱。

甲申,命丁度、梁适同三司放天下欠负。

己丑,翰林学士王尧臣等上新修《崇文总目》六十卷。景祐初,以三馆、秘阁所藏书间有谬滥及不完者,命官定其存废,因仿《开元四部录》为《总目》,至是上之,所藏书凡三万六百六十九卷。

甲午,韩琦言:"前日山外之战,诸将多亡殁。所部兵众,故不可一概问罪。今不立法制,则各务生全,岂复以亡殁主将为意!若人数不多,则军法可必行。请陕西、河东诸路部署,许亲随兵百五十人,钤辖百人,招讨、都监等七十人,月加给钱二百,其出师临敌,主将亡殁者,并斩。"从之。

丙申,以右千牛卫大将军宗实为右羽林卫大将军。

以才人张氏为修媛。

辽主闻宋讨元昊屡败,欲兴师南伐,复取关南十县,集群臣议。南院枢密使齐王萧惠曰:"宋人西征有年,师老民疲,陛下亲率六军临之,其胜必矣。"北院枢密使楚王萧孝穆曰:"昔太祖南伐,终以无功。嗣圣皇帝仆唐立晋,后以重贵叛,长驱入汴,銮驭始旋,反来侵轶,自后连兵二十馀年,仅得和好。今国家比之曩日,虽曰富强,然勋臣宿将,往往物故。且宋人无罪,无故伐之,其曲在我。况胜败未可逆料。愿陛下熟察!"辽主不听。丁酉,以伐宋诏谕诸道会师于南京,以惠与太弟重元将之。孝穆以年老乞骸骨,不许。

【译文】

宋纪四十三　起辛巳年(公元 1041 年)正月,止十二月,共一年。

庆历元年　辽重熙十年(公元 1041 年)

春季，正月，辛亥朔（初一），皇帝亲自到大庆殿接受百官朝贺。

丁巳（初七），任命太子中舍寿光人任颛为三司句当公事。

朝廷既已采用韩琦等所谋划的进攻策略，便首先规定了出师日期。知延州范仲淹说："正月里出兵，军马粮草，动辄数以万计，踏入艰险阻塞的地方，塞外雨雪霏霏，非常寒冷，大军暴露在外，以至于有些士兵冻僵倒在地上，使贼兵有机可乘，我方损伤兵马一定很多。如今鄜延路城垒、兵甲、粮草、士卒马匹等攻守的计策已经有安排，不惧怕贼兵先来侵袭，请求等到春天暖和的时候再出师征讨。那时，贼军马瘦人饥，容易被制服，又可以扰乱他们的耕种，即使没有大的收获，也不至于有其他担忧。"又说："不久前已经颁下敕令招抚已背离朝廷的蕃族首领，我也派人打探询问他们的情况，想通告朝廷柔远的意思。假使他们不僭用中国的名号而修复按时朝贡的礼节，朝廷也可曲从他们。现在鄜延是以前进贡的道路，希望朝廷存留这一条路，命令诸将率兵严密戒备，贼兵到来就出击。乘讨伐还未开始，容许我把朝廷的意思告诉他们，一年半载，或许可以招纳。不这样的话，我担心隔断彼此情意，偃兵息武不知要到何时。如果采用我的策略，几月内没有成效，然后，慢慢谋图出兵，首先攻取绥、宥，占据对方的要害之处，屯驻军队经营田地，作为持久的计谋。像这样，那么茶山、横山一带的蕃、汉户口，畏惧朝廷的军威，可以招降，或者即使是逃窜它处，也是等于断去西部羌贼的一臂。开拓疆土，制伏顽寇，就不会有轻举妄动的失误了。"戊午（初八），下诏依从范仲淹的请求。范仲淹又说："从鄜延路进入敌界，与其他诸路相比最远，应当首先修复城寨，请求在二月半时集中军队一万人，从永平寨出发修筑承平寨，等到承平寨完功后，再选择有利地形修筑，以此牵制元昊东部边界的军马，使他不能够集中兵力向西抵挡讨伐环庆、泾原的军队，这样，也与三路一起出兵讨伐没有区别。"朝廷虽然同意范仲淹所提出的存留鄜延一路以显示朝廷招纳的建议，但仍然下诏范仲淹与夏竦、韩琦等共同谋划，可以随机应变，即不受早晚出师讨伐所约束。范仲淹前后共上六个奏疏，终于修筑了承平等十二个城寨，蕃、汉之百姓相继恢复了生产。

范仲淹又上疏说："关中百姓苦于远途运输，请求设立鄜州的鄜城县为军，把河中府、同州、华州中下等民户的税租就近输入，春夏之季节迁徙边防军队来此吃粮，可以节省买粮价钱的十分之三，其他所减省还不计入在内。"下诏命名这个军叫康定军。

己未（初九），加封嘉勒斯赍为河西节度使。

壬申（二十二日），下诏："每年在春分时祭祀高禖，派遣两制官员代理祭祀事务。"

这个月，元昊派人到泾原乞求和解，又派高延德到延州与范仲淹相约。范仲淹见到高延德后，察觉元昊不愿归顺侍奉朝廷，而且没有表章，不敢让朝廷知道，于是，自己修书一封，晓谕元昊逆顺的道理，派遣监押韩周与高延德一道返回交给元昊。书信中说：

"从前，景德初年，两河停止战争，朝廷内外纷纷上疏，认为灵、夏几州本是大宋辖内之地，请求调动河朔的军队，汇合关中的力量，图求收复它们；我朝真宗皇帝隆礼修德，柔抚远方，而先大王情向朝廷，心如金石一般坚固，所有声言对西陲用兵的建议都没有被批准，对待先大王用骨肉之亲，赐为同姓，把夏州之地全部托付给先大王，旌旗车服，贵如王公大臣，这是我真宗皇帝对你们有天地造化的大恩啊！从此，向朝廷进贡的使臣，绵延不断地行走在大

885

道上，边塞墙垣之地，超过三十年，只有耕作没有战争，抚养新生者，送葬死亡者，使他们终享天年，这是真宗皇帝的至上教化，也是先大王忠贞顺服于朝廷的功劳。

《范文正公文集》书影

"自从先大王逝世，当今皇帝派遣使臣带着厚重的礼帛前往吊唁，听从大王继承王位，主持国政，爵命隆重，和先大王一样。大王在青春年纪的时候承袭爵号，违背先君的誓书，竟然僭越名位称号，派人归还旌旗节仗；朝廷内外，人人惊讶气愤，请求捕捉使臣，在都市中杀死。皇帝考虑到先帝的本意，以前的夏王的忠贞归顺的功劳，不忍心一朝之间骤然断绝，宽容使者，没有把他们杀掉。思前想后，天子有什么对不起大王的呢！

"古言道：'名不正则言不顺，言不顺则事不成。'大王世代居住在西方，衣冠言语，都依从本国的民俗，为何唯独名称要与天子相同呢？大王产生这种想法的当初，一定认为边城没有防备，士众之心不团结，驱动兵马而来，兵锋所向可以立刻攻下。如今往来冲撞于边境之地，一年多次，汉族的军民只有血战而死的，没有一个城池，一员将领愿意归降大王的；与当初的愿望不是有所不同吗？

"大王果真爱惜百姓，就说当时的举措，只是由于众人的请求，以此向朝廷谢罪，天子一定会恢复大王的爵号，继承先大王保国庇民的志向，天下谁不称颂大王的贤德，这是其一。如果众多的臣民一致请求，终究不能获得推辞，以前所谓的汉朝、唐朝单于、可汗的称号，与大王本国语言最为近便，而且也不失去尊贵，这是其二。只要臣服并按时朝贡朝廷，保存中外的根本大体，不招致天下人的怨恨，不引起天下军马的调发，使百姓恢复安康泰和，这是其三。另外，大王国中，官府的费用有时缺乏，朝廷每年一定有丰厚的赏赐，可以帮助大王补缺，这是其四。另外，前来进贡的使臣，只称蕃校，以回避朝廷的爵号。按照唐朝方国的礼节制度，常常派遣宾客僚佐向朝廷进贡，就不必使用蕃校的名称。另外，唐朝诸蕃所设立的官爵名号，不曾与中国相杂混，使他们遵照仪礼而来，就没有嫌疑了。那些有功劳有品德的人一定可以受到朝廷的任命，这是其五。不久前，有边防大臣上疏，乞求朝廷批准用官爵金帛招引蕃部首领，仲淹也一同请求罢兵，希望大王告诉各首领，不必离开父母之邦，只要回心转意，钦慕朝廷，那么，天下太平的快乐，远近都可以享受了，这是其六。有如四海之广阔的国家，难道没有被遗落的贤才？在大王国家中的，朝廷不杀他们的家眷，使他们安全如故，应当好好地侍奉大王，只要同心向顺，自然不会失去富贵，而宗族之人必然被更加优待抚恤，这是其七。另外，大王拥有马、牛、驼、羊等物产，我朝拥有金、银、缯、帛等货物，相互交通有无，各得其所，这是其八。大王听从我的建议，那么上下就会同享其利，边境百姓的祸患可以避免了。况且宗庙内有先大王的誓书，诸路兵马，并非无理而动。朝廷大军的正式讨伐，经年累月，大王的国家，将用什么来应付呢？将来有一天即使向朝廷请求和解，恐怕也后悔莫及了，希望大王审慎选择！"

二月，辛巳（初二），夏竦上疏说："先前韩琦、尹洙赴朝，与两府大臣商议择用进攻的计策，从泾原、鄜延分两路进讨，并下达了出兵的日期。如今范仲淹所建议的与先前的计划不同，我于是派尹洙到延州与范仲淹再次商议，而范仲淹固执己见，不肯出兵。最近听说贼兵集中兵力为一路以与朝廷大军抗衡，如果分兵两路协力作战，分据要害之地，尚须考虑诸将晚期进兵，士卒骄傲、怯懦，不能够严重地挫败敌军的锋芒。如果只让泾原一路进兵讨伐，鄜延却以牵制敌军为名，盘旋在边境上，用泾原一支孤军来面对聚集起来的敌寇，这样，就正好堕入贼兵的计谋。另外，贼军派遣蕃官骨披等相约二十八日宣誓归顺朝廷。如果不是害怕被讨伐，就是想暂时延缓汉军的行动，为大规模进犯做准备。乞求早日差遣皇帝所亲信的臣僚监督鄜延一路进兵，共同攻入敌境，以免落入贼军的圈套。"下诏把夏竦的奏疏拿给范仲淹看。

甲申（初五），辽国北枢密院说："南、北二大王府到诸部节度、侍卫、祇候郎君都出自族帐，既然免除与百姓一样戍守边疆的事情，那祇候之事，请求也准许用部曲代替施行。"辽国皇帝依从了这个请求。

这以前，朝廷想征发泾原、鄜延两路兵马讨伐羌贼，议论未决，下诏令环庆副部署任福乘驿马到泾原议事。适逢韩琦巡行边务，前往泾州，而侦探消息的人说元昊准备进犯渭州。己丑（初十），韩琦急忙奔趋镇戎军，大军全部出动，又招募果敢勇猛之士一万八千人，让任福率领以迎击贼兵。泾原驻泊都监桑怿为先锋，钤辖朱观、泾原都监武英紧跟其后，行营都监王珪、参军事耿傅都随从出征。韩琦当面授予任福等将领进军的方略，因为诸寨相距仅四十里，道路很近而且很好走，粮草足够供应，审时度势，不必和敌兵正面作战，而应凭据险要设立埋伏，等到敌军回兵时进行截击。任福等已经上道，韩琦又亲自到城外再次告诫他们。第二天，任福从新壕外分出数千轻装骑兵赶赴怀远城、捺龙川，路遇镇戎军西路都巡检常鼎、同巡检内侍刘肃，与贼兵战于张家堡以南，斩敌首几百个。贼军丢马、羊、骆驼佯装败北，桑怿领骑兵追击，任福也分出一队人马亲自率领紧跟其后。傍晚，任福、桑怿汇合部队屯驻好水川，朱观、武英为一军屯驻龙落川，隔山相距五里，约定第二天会合，不使贼兵逃脱。巡逻的人传说贼兵很少，所以任福等很轻视。路途更加远了，粮草接继不上，人马已乏食三天。

任福等不知道这是贼军的诱兵之计，全力追逐。癸巳（十四日），追到龙竿城的北面，遇到贼大军沿川行军，出六盘山下，距离羊牧隆城五里，列下阵势以抵抗官军。诸将才知道中了贼兵之计，情势不能停留，因此大军上前接战。桑怿驱驰战马冲击敌军前锋，任福的军队行阵尚未列成，贼兵就放纵铁骑冲突而来，从辰时到午时，官军阵角被冲松动，众兵向山上靠拢，想占据制胜的要地，贼军发动伏兵从山背上冲击下来，官军士卒大多堕入崖堑，相互叠压，桑怿、刘肃战死。贼军分兵几千断绝官军后路，任福奋力作战，身中十余箭。小校劝任福逃走，以免被擒杀，任福说："我身为大将，军队失败，我应用一死来报答国家！"挥动四刃铁简，挺身决斗，被枪击中面颊，断喉而死。任福的儿子任怀亮也战死。

这以前，韩琦命令渭州都监赵津率领瓦亭骑兵二千二百人为大军断后，这一天，与朱观、武英会兵于姚家川。任福已战死，贼合兵围攻朱观、武英等。战斗已经开始，王珪从羊牧隆城率屯兵四千五百人前来助战，结阵于朱观军队的西边，多次出动略阵，敌阵坚不可破。成英重伤,不能处理军务,从午时到申时,贼兵越来越多,官军偏东的步兵首先溃败,其余众军于是大批奔逃,成英、赵津、王珪、耿傅都战死。只有朱观率余众一千多人退保民垣,向四面射击,到了夜幕降临,贼兵始退去。泾原部署王仲宝也率兵前来增援,与朱观都退还民垣,距离任福战败之处只有五里左右,然而没有听到消息。

起初,王珪加入战斗,击杀几百人,铁鞭以至于被打得弯曲,手掌被震击破裂,仍奋勇杀敌,战马三次中箭,王珪三次换乘战马,最后得到一匹劣马,左右飞驰杀敌,又杀几十人,飞箭射中他的眼睛,于是死了。成英料知一定失败,劝耿傅逃走,耿傅不回答。成英叹息说:"你是文吏,不负军事职责,为何要与成英一同死去?"朱观也劝诫耿傅稍稍躲避贼军锋芒,而耿傅更加勇往直前,身中数枪,于是死去。前一天晚上,耿傅在朱观营寨,夜里,写了一封信给任福,认为当时取得小小胜利,再向前就会与贼兵大军遭遇,深深告诫任福要持重稳妥,自写书信题上朱观的名字寄送任福军中。耿傅死后,有人说任福的失败是由于耿傅督战力急造成的,任福等人既然违反节度,尽管战死也不值得褒奖。不久,任福的随军孔目吏彭忠获得耿傅告诫任福的书信,详细地报告了韩琦,韩琦于是上奏朝廷。尹洙为此作《悯忠》《辨诬》二篇。成英是太原人。耿傅是河南人。

正当元昊举国侵犯的时候,任福所统率的士卒,都不是平常所训练的,不久,又分兵出击,所以造成大败。奏疏上达朝廷,皇帝深深地哀悼。丁酉(十八日),赠封任福为武胜军节度使兼侍中,王珪、赵津、武英、桑怿等也被同时赠封官职,分别追封他们的母亲、妻子以及选拔录用他们的子孙各不同。

戊戌(十九日),夏国军队再次侵犯刘璠堡。

己亥(二十日),皇子忠正节度使寿国公赵昕去世,赠封太师、中书令、豫王,谥号悼穆。

起始,朝廷既已采用进攻的策略,经略安抚判官尹洙,在正月丙子(二十六日)到延州,与范仲淹商量如何出兵。过了三天,范仲淹慢慢地说已经得到圣旨,允许军队不出击。尹洙逗留延州将近二十天,范仲淹坚持不可出兵。辛丑(二十二日),尹洙返回到了庆州,才得知任福等将领的败绩,贼兵侵犯刘璠堡还未退去,因此,派权环庆路都监刘政率领几千猛士前往增援;援兵未到,贼兵已自退去。夏竦等大臣弹劾尹洙擅自调动兵马,尹洙被贬降为通判濠州。

下诏:"京东、京西等九路增加招募乡兵,设置宣毅军,大州设两指挥,小州设一指挥,为就近取得供给的禁军,合计十万多人。"这是采用富弼的建议。著作佐郎张方平认为这种做法有许多不便,两次上疏,都未得到答复。

三月,辛亥(初二),贬降知镇戎军、崇仪使朱观为供备库使。当时,韩琦奏报好水川的战事,朱观虽然奋力作战抵御贼兵,官军死伤的也非常多,请求将他降官留任,以责成他以后为国效力。

任福等已经失败,朝廷因此想全部罢黜诸路行营之号,表面上明确表示招纳的意思,使贼骄傲懈怠,暗地里仍然聚集兵力准备深入讨击。下诏令范仲淹体察测定士气的勇怯,如果还未到畏惧怯懦的地步,就可以驱动到前线去,乘机立功。范仲淹上疏说:"任福勇于战斗,贼兵退去便立即追赶,不依从韩琦的指示,因而招致失败。这都是边境上有名的将帅,尚且不能预料敌情。如今所选拔的将领,往往比不上从前的将领,再让他们深入敌境,祸患不可估量。依我看来,延州路乞求依从前次的奏疏并且修复南安等二三处废弃的营寨,安排熟户并弓箭手以巩固营寨,俯视贼军的巢穴。将来有一天贼军大规模来攻就固守,小规模来攻就给予痛击,有空隙就主动进攻,这样,才可以就近扰乱贼寇,出奇兵讨伐贼寇。"于是行营的称号终于没有罢黜,大军也不再出动。

元昊开始僭越名位,贼兵还未入侵,朝廷就打算讨伐。著作佐郎、通判睦州张方平上疏说:"国家从景德年间以来,将领不知道用兵方略,士卒不掌握作战技能,骤然使用,一定有丧师失将的忧患产生;应当容忍退让,顺适他的想法。即使元昊最终必然反叛朝廷,然而师出无名,官吏将士不与上面保持一致,是难以取胜的。小国用兵三年,不见胜负,不是折服就是已经破亡,我方则用全部兵力乘此机会步步紧逼其后,这是必胜之道。"张方平所议论的,大致与吴育的看法相同,然而议论的人都不认为是这样。

两军既已交战,天下骚动,张方平又献上平定羌戎的十条计策,大略是说请求乘着民力充沛的时候,在河东屯驻重兵,示以形势。贼军入侵一定从延、渭而来,而兴州巢穴的守备空虚,我军从麟、府渡河,不要十天就可到达,这就是所谓攻打对方一定要救助的,形势使对方不得不如此的道理。宰相吕夷简看完后,对参知政事宋绶说:"大科得人了!"然而,终于没有采用他的计策。于是召入朝廷应对,任命为直集贤院,不久,升迁为太常丞,知谏院。

这个月,下诏停止推举人才,不要借边防大事为名,希图得到恩赐和惠泽。

夏季,四月,辛巳(初三),贬降陕西经略安抚副使、枢密直学士、起居舍人韩琦为右司谏,知秦州。任福兵败,韩琦就上表章自我弹劾。谏官孙沔等请求削去韩琦三五资官位,仍任旧职,使立后效。适逢夏竦奏称韩琦曾传檄告诫任福不要见利贸然进兵,皇帝知道罪过不单单在韩琦一人,于是下手诏抚慰他,到这时才削夺韩琦副使的权力。

癸未(初五),贬降陕西经略安抚副使兼知延州、龙图阁直学士、户部郎中范仲淹为户部员外郎、知耀州。起始,韩周等拿着范仲淹的书信进入西夏界内,迎接的人礼遇特别好。行已两日,听说山外诸将败亡,韩周等抵达夏州,逗留四十多天。元昊使他的亲信野利旺荣写信回复范仲淹,另外派使臣与韩周一道回来,而且说不敢把此事让乌珠知道,言辞更加不逊。范仲淹当着使者的面焚烧其回信,而暗中抄录副本奏报朝廷;书信共用了二十六张纸,其中有不可以奏报朝廷的共二十张纸,范仲淹把它全部焚烧,剩下的又略加删改。书信送达后,大臣都说范仲淹不应擅自与元昊通信,又不应当擅自焚烧以后再奏报朝廷。吕夷简诘问韩周没有秉承朝廷命令,擅自进入西夏界内。韩周说经略操生杀大权,不敢不听从。因此被削官,监道州税。宋庠因此上奏说范仲淹的罪过可以处死刑,杜衍说:"范仲淹本来的愿望是要招纳叛羌罢了,怎么可以过深加罪处置呢!"吕夷简也语气舒缓地帮杜衍说话,知谏院孙沔又上书为范仲淹辩解。皇帝明白过来,于是对范仲淹从轻处置。

甲申(初六),任命资政殿学士陈执中为同陕西都部署兼经略安抚缘边招讨等使,知永兴军。仍然诏令夏竦判永兴军和以前一样,而调秦凤副都部署、知秦州曹琮任他的副手。曹琮在秦州,前后共四年,刘平、石元孙的战败,关中和三辅既震惊又恐惧,曹琮请求征集百姓为义军以张大军事势力,于是挑选乡弓手几万人。贼军袭击山外,退还天都,劫掠仪、秦所属民户,曹琮发动骑士设下埋伏等待贼兵,贼兵于是退去。曹琮想诱引吐蕃与官军成犄角之势,从而图谋贼军。他获得西州的旧商人,使其去向吐蕃晓谕此意。而沙州镇国王子派遣使臣奉上书信说:"我国与大唐本是甥舅关系,天子实际上是我的舅舅,自从党项击破甘、凉,于是,与天朝相隔绝。如今,愿率首领为朝廷击贼。"皇帝称颂曹琮的策略,所以任命他为陈执中的副使。

乙巳(二十七日),皇帝颁下恩惠之诏书,陕西囚徒犯死罪的减免一等,流罪以下释放,特别支出军士缗钱,用以赈济安抚边境百姓被抄掠人户的亲属。

丙午(二十八日),任命陈州平民郭京为大理评事、陕西都部署司参谋军事。郭京少年时行侠仗义,好谈论军事,范仲淹、滕宗谅多次推荐他,皇帝召见后,特别任命为官。

建州平民徐复被赐号为冲晦处士。

徐复学习《易》,精通流衍卦气法,又通晓乐理。胡瑗制作钟磬,大改古法,徐复笑着说:"圣人寓器于声,如今,不首先探求其声却变更其器,怎么可以使用呢!"后来,胡瑗所制作的钟磬都不能让人满意。范仲淹经过润州,见到徐复,向他询问说:"如今用衍卦来占卜,边境没有变化异常吗?"徐复回答说:"西部边境当会发生战争。"推算发生的日期,与后来事实相较没有什么差错。

于是和郭京都被召见,皇帝询问他们天时人事,徐复回答说:"用京房的《易卦》来推衍,今年所配年月日,应当是《小过》卦。刚离开位置不在正中,大概在于君主加强德行的修养吧!"皇帝又问:"此次变故与前世什么时候相当?"徐复回答说:"像唐德宗在奉天时。"皇帝大惊,问:"怎么会到这种地步?"徐复说:"尽管这样,陛下也不必深深地忧虑。德宗性情忌狠刻寡,喜好功利,想用军事征服天下,他的德性与凶运相交会,所以奔逃失国,仅能身免。陛下恭顺俭朴、仁慈宽恕,西羌之变,是元昊发起,陛下不得已而应付此事,天时与德宗时相同,而陛下之德与他不同,卦气虽然不好,但也无妨,不久就会安定下来。"皇帝认为很好。任命徐复为大理评事,徐复以疾病为借口力辞,于是赐给处士的名号。

这个月,辽国停止修筑鸭绿江的浮桥以及罢黜汉兵屯田戍守之役。又因东京留守萧萨巴的建议,放松在东京击鞠的禁令。

五月,戊午(初十),任命右班殿直赵珣为陕西经略安抚招讨都监。赵珣起初跟随他的父亲赵振在西部边境,走访获得了五路境外山川邑居道里的利害情况,于是作《聚米图经》五卷。韩琦向皇帝报告此情况,皇帝下诏取来这五卷书,并召赵珣入朝。赵珣到了朝廷,又献上《五阵图》《兵事》十多篇。皇帝交给他步旅骑兵,让他排阵,已经排好阵以后,皇帝亲临观看。于是陈执中推荐赵珣为沿边巡检使。吕夷简、宋庠共同上奏疏说:"用兵以来,策士的议论数以万计,没有比得上赵珣的。"于是赵珣被拔擢任用。

赵珣自认为年轻,新近被拔擢,没有功劳,于是辞去都监之职,接受兵丁一万人,被赐予御用铠仗,令他自己挑选偏裨牙将和参佐驻扎在泾原,兼掌治笼竿城。麻毡一伙人留下一百多营帐,在接近边塞的地方专事暴掠,赵珣禀告州府后,率兵三万,从静边经过揆吴到达木宁,打击贼人,俘获人马数以千计。静边将领刘沪断后,被贼兵所掩杀,赵珣登上山坡看见后,率数百骑兵,又把刘沪的部众救出,将士们都赞叹佩服不已。辖戬在宪谷无所依属,赵珣写信招纳,又给予绨绵,辖戢归刘珣所属,唯其命是听。

左正言孙沔上奏说:"南郊祭祀和每年的圣节,凡是文资官员都允许奏请朝廷庇荫子孙弟侄,毫无定额。象皇亲、后族,多至一二十人,少也不低于五七人。将国家有定数的品名,填充臣子没有满足的私惠,使他们从事政务,只会给百姓带来灾祸。所以我想乞求陛下从今以后限制受惠的人数,定为长久的制度,作为万世不变之法。"孙沔累次奏疏都与其他大臣的意思相抵触,又推荐田况、欧阳修、张方平、曾公亮、蔡襄、王素可以担任谏官以代替自己。甲子(十六日),孙沔降职为工部员外郎、提点两浙路刑狱。

支出内藏库绨钱一百万,补充三司下拨给陕西的军费。

乙丑(十七日),追封皇长子为褒王,赐名赵昉。

辛未(二十三日),参知政事宋庠、枢密副使郑戬一同被罢免,宋庠留守本官,知扬州,郑戬加资政殿学士,知杭州。先前,吕夷简执掌国政,与他地位相等的官员不敢参与事务,只有宋庠多次与吕夷简争论,吕夷简不高兴。皇帝看待宋庠很厚重,吕夷简更加忌恨谋求如何才能罢免宋庠,没有成功。等到讨论范仲淹与元昊通信的事情,吕夷简从容对宋庠说:"臣子不能擅自与外国交往,范仲淹怎么敢这样做呢!"宋庠认为吕夷简确实非常怪罪范仲淹,急忙请求将范仲淹斩首。不久,吕夷简认为杜衍的话是对的,宋庠于是仓皇不知所措。议论的人都怪罪宋庠,却不知宋庠是被吕夷简出卖的。于是引用朋比党附之事,与郑戬都被罢免。

任命翰林学士王举正为参知政事。入朝谢恩后,皇帝说:"你淡泊功名,不曾因私情干请朝廷,所以不拘一格任用你。"任命知益州任中师、知河南府任布同为枢密副使。

下诏令夏竦屯驻麟州、调陈执中知泾州。当时两人议论边防事务不一致,因此分开任职。

壬申(二十四日),调知耀州范仲淹知庆州兼管句环庆路部署司事。

起初,元昊反叛,暗中引诱属羌百姓为协助。环庆酋长六百人相约为贼兵做向导,后来虽然主动表露此事,但仍怀去留之心。范仲淹到来后,立即上奏要巡行边境,用诏书犒赏诸羌,检阅他们的军队,立下条约:"仇恨已经和解,却私下里去报复,以及伤害他人的,罚一百头羊,两匹马,已杀人的处斩。因欠债发生争执的,听凭报告官府处理;动辄捆绑平民作为人质的,罚五十头羊,一匹马。有贼兵大肆侵入,老幼都要加入保卫本寨的行列,官府供给伙食。"诸羌受命,心悦诚服,从此才开始被朝廷所使用。

金署陕西经略安抚判官田况上疏谈兵策十四事,皇帝嘉许地采纳了。

六月,壬辰(十五日),下诏陕西诸路部署司:"从今以后西部羌贼进犯边塞,才许出兵掩击诸族以牵制他的势力,其余不许擅自侵犯掠夺。"这是采用田况的建议。

王尧臣建议说:"泾原路有熟户一万零四百七十多帐,曹玮是本路统帅,号令严明,常用他们平定西羌。此后,边防守备渐渐松懈,守边将领一味姑息迁就,逐渐养成骄横狡猾的不良作风。从元昊反叛,镇戎军及渭州山外,都被侵略骚扰,靠近边界的熟户,也遭到杀害掳掠。蕃族人的性情,最看重报仇雪恨,利用这次杀掳来激怒他们,他们可以再次为朝廷用命。请求派人招募愿意为朝廷效力的首领,记下他们的姓名以及士卒马匹的数字。到了一千人,听凭他们自推一位有谋有勇的人,朝廷授予班行及巡检的名号,使他率兵出境。击破扫荡生户,所获得的财物牲畜,官府不要去检核,得到贼兵首级以及自己受伤时,才开始用财物奖赏他,仍然依照他本族的职官名号补选和增加俸禄。"下诏同意王尧臣所提出的建议。

癸卯(二十六日),命令翰林学士王尧臣、聂冠卿,知制诰郭稹审看校定三馆、秘阁的书籍。

丙午(二十九日),知并州杨偕献上《龙虎八阵图》以及所打制的兵器,皇帝在崇政殿观看,下诏给予奖励。此后,议论者认为兵器重大,紧急时难以使用等等。

秋季,七月,己酉(初二),皇帝对辅政大臣说:"鄜延都铃辖张亢与本路部署许怀德不能同心协力,怎么能处理好边防事务?应当让都部署司告诫晓谕他们。如果故意这样做以达到内调的目的,应当全部剥夺官职,安置到最辽远的边地去。"

不久,张亢上疏谈了他所疑虑的十件事,大略是说:"将帅不懂军事,还未听到深究导致失败的缘由就加以处置,即使增加兵马,也不见得有必胜的把握。另外,贼兵到了一地,各路援兵都分别超过十天的路程,千里远斗,哪里能施展出勇猛来!如果官军到达时,贼兵已退去,就是空劳,他时,贼兵再入侵别的路,官军又一定是如此,这是没有作战而自己就已凋敝了。夏竦、陈执中都是朝廷大臣,凡有边防事务,应当毫不怀疑地托付给他们。如今,他们只是掌管文书,墨守诏令,每有朝廷任命诏令,就抄录颁下,如果各处有所申诉禀告,就让等候朝廷的指挥。像这样的话,何必要大臣主持政事呢?乞求暂且允许我到朝中向陛下当面陈述利害关系。如果陛下认为我所说的话狂妄轻率不可用,就乞请陛下重加贬黜。"朝廷没有答复。

壬戌(十五日),设置万胜军二十个指挥。

辽国下诏:"诸职官私自盗取官物的以正盗论处,有敢于把先朝已经了断的事情转相传告的人,将判其罪。诸帐郎君等在禁地射鹿,杖打三百下以后,不再要求补偿;小将军犯此禁者,杖打二百以下,百姓犯此禁者与郎君同样论处。"

甲子(十七日),下诏:"将来南郊祭祀,群臣不得请求加上尊号。"

乙亥(二十八日),中书、枢密院上奏说:"陕西沿边境蕃部归降朝廷的,大多在蕃官帐下,请求让部署司审察他们的人心向背与否,迁家到内地,分给闲田以安置他们。"此奏被批准。也是依从田况的建议。

这个月,元昊入侵麟、府二州,折继闵击败来寇。八月,戊寅(初一),下诏令鄜延部署许怀德等领兵一万人救援麟、府二州。

甲申(初七),在河北设场搜求购买战马,沿边境的七个州军免于搜求。

丁亥(初十)下诏:"在南郊举行祭祀大礼的时间临近了,朝廷内外不得以皇子降生为借口再有所贡献。"

废除天下举人上交公卷的旧规。起初,权知开封府贾昌朝上疏说:"从唐朝以来,礼部需要采访举人的名誉,观察他们平素的学业,所以预先要交纳公卷。如今有弥封、膳录,一切都可从试卷中了解到,则公卷须交纳的旧规可以废除了。"下诏依从此建议。

戊子(十一日),任命集贤校理曾公亮、直史馆梁适主持锁厅举人的考试。举人中有和考试官是亲戚,都送给别的差官进行考试。锁厅举人从这时开始。

麟州传来消息说："元昊袭破宁远砦，砦主、侍禁王世宣、兵马监押、殿直王显战死，焚烧了全部的仓库楼台。元昊又率兵攻打府州，州城险要而且坚固，东南面各有水门，崖壁陡峭，下临大河，贼兵沿着崖壁中部的小路鱼贯向前，城上箭石乱下，贼兵死伤殆尽。贼兵转而攻击北城，士卒又奋力作战，受伤的有一千多人，这时，贼兵才退去，放纵士卒四下掠夺，又重新包围了丰州。"

麟、府二州都在黄河以外，依山建城，最为险固。起初，河东转运使文洎因向麟州运饷之道路迂回遥远，军粮不足，想按照唐朝张说出兵的旧道，再次打通河关，工程尚未完成就逝世了。到文洎的儿子文彦博为河东转运副使，于是打通了到银城的道路，因而，州中有积粮可以固守。城中一向缺水，被包围了很久，城中士卒干渴疲乏。有人劝知州苗继宣取污沟之泥涂在矮墙上，元昊抬头看见，说："谍探说我军勿需作战，不出三天，城中兵民就会渴死。如今城中还有水用来修整城墙，这是欺骗我！"斩谍探于城下，撤去包围离去了。

知谏院张方平上疏说："我滥竽谏省，到现在还未满五十天，凡是内臣、外戚、医官之类升迁转换官职的将近二十人，大则任防、团、刺史，小则任近职要司。我认为边陲用兵，将士上奏战功于朝廷，朝廷不曾有特殊的恩泽和任命给予他们。而如今，近臣、外戚坐受恩宠，方技杂类，朝廷给予他们的恩泽超过他们应该享受的标准，应当订立条规约定加以禁止。"下诏这一切都要按照从前颁下的旨意办理，平常要切实遵守。

乙未（十八日），元昊攻陷丰州，知州王余庆、权兵马监押孙吉、指使侯秀战死。起初，王沿在并州任职，建议请求迁徙丰州，朝廷没有答复。不过一年，丰州果然被攻陷。

知谏院张方平上疏说："夏竦为陕西招讨等使，四路军政大事实际上受他节制，官军或者守而不出，一出师就招致丧败，贼寇或者不来攻击，一来攻击就必然会得逞其志，坐视寇敌纵横，使国土缩减、国威受损。乞求还复夏竦原来的官职，给他一郡，成全他自我保全的计划。"

九月，戊申（初二），下诏："锁厅举人，从今以后，文臣允许应举三次，武臣允许应举两次。"

庚戌（初四），任命鄜延都钤辖张亢为并代都钤辖，管句麟、府军马公事，代替康德舆。

当时元昊已攻陷丰州，领兵屯驻琉璃堡，放纵骑兵在麟、府两地间抄掠。二州闭门不出，百姓缺乏饮水，一两黄金换一杯水。张亢单人匹马来到府州城，门关不开。张亢说："我是新任命的军马公事。"拿出所授的敕令给城上人看。进城后，随即打开城门，任凭百姓砍柴割草，到山涧去汲水。然而贼军骑兵还时常出动抄掠汉人田产。张亢依凭州东焦山有石炭洞，特为修筑东胜堡；下城旁边有蔬菜田，特为修筑金城堡；州北沙坑有水泉，特为修筑安定堡，派兵守备。招募人在城外收割，收割的人与拿兵器保卫护送的人平分所收获的物产。

当时，禁兵失败，没有斗志，于是征募役兵，夜里暗藏在山隘道路之旁，截击贼敌的游动骑兵，等到天亮，有的拿着敌人的首级来献功，张亢犒赏慰劳他们，赠锦袍给他们。禁兵开始惭愧激奋，说："我等难道不如他们吗！"又放纵他们豪饮聚赌，士卒们困窘，希望获得财利，都愿意与敌作战。张亢知道可以使用了，才开始谋划进击琉璃堡。派谍探埋伏在贼军寨堡旁的草丛中，看见一老羌人正烧炙羊脾占卜吉凶，并大惊道："明天定会有急兵来袭，我们暂且避一避。"其他人都大笑，说："汉人小儿正把头埋藏在两膝间，哪敢来这里！"张亢由此知道

893

敌人没准备,乘夜晚率兵袭击,重创贼敌,斩敌首二百多个,贼军丢弃寨堡逃走了。于是修筑宣威寨于步驼沟,捍御寇敌的道路。

任命鄜延都监王信为本路钤辖兼两路都巡检使。王信当初为鄜延都监时,刚到任的那一天晚上,贼兵号称数万,攻城,军兵士吏心惊肉跳,不知怎么办。王信领精兵二千,夜里开出南门,与贼兵作战,不利,前锋被挫败,于是按兵不动;天快亮时,悄悄爬上东山,整军乘势而下,击败贼兵,乘胜追击,大获而还。葛怀敏败逃,王信又出兵抗御贼军,俘获斩首敌兵很多。

戊午(十二日),用刑杖打死中书守当官周卞于都市,因为他在宫内颁降的剃度僧人的敕令内擅自增加童行三十四人。

事情已被发觉,开封府只审问其余的人却不问罪堂吏。知制诰富弼,当时正纠察刑狱,告诉了执政大臣,请求把堂吏交付给开封府,执政大臣指着自己的座位对他说:"你马上就要拥有此位,不要太讲求名誉!"富弼正颜厉色说:"一定要得到堂吏才停止!"执政大臣更加不高兴。

起初,刘从德的妻子遂国夫人,曾出入内廷,有人说得到了皇帝的宠幸,后来受到罪责,被夺去封号,不得朝谒,过了较长一段时间后,又出入内廷如故。谏官张方平又上疏议论,都被扣留在禁中。不久,有诏令又封她为遂国夫人,富弼把将要发下去的诏令题目交还,这一封诏于是被搁置了。唐朝制度,只有给事中可以封还皇帝下达的诏书;中书舍人交还皇帝诏书的题目,是从富弼开始的。

庚申(十四日),辽太后射猎获得一只熊,辽国皇帝进酒为太后祝寿。不久,辽国皇帝在马孟山打猎,因草木茂密,恐怕打猎的人误射伤人,命令耶律迪古分别在箭上写上姓名作为标记,又因石硬寨太保郭三避开老虎而不射,免去他的官职。

辛酉(十五日),知秦州韩琦,又被封为起居舍人;知庆州范仲淹,又被封为户部郎中。范仲淹上疏说:"寻求国家长治久安的策略,没有比得上在鄜、庆、渭三州分别再增兵三万人,选拔任用勇猛有韬略的将帅三人,统领训练,预先分配好部属,在远处设防侦察的士兵,在春秋之季,西部羌贼大举侵犯的时候,抢先占据要害之地,贼兵前来就会合各驻扎之兵,看到有利时机,调整好阵容,一起出动,全力攻击。另外,在西部羌贼清点集合尚未完成的时候,出动三州已整装好的军队,浅入敌境大加掠取,或者破坏他们的市场,或者招降他们的种族部落,或者再修筑堡垒、拓展地盘,广泛招集强壮之人,另外成立建制,以帮助正规军,属户有协助贼军的,就会合兵士秘密进行扫荡。诸族看见这种形势,自然没有了去就的想法,这样,就逐渐可以被朝廷所驱使。这些部族不能为乱以后,就可以严格执行青盐、粮食、布帛等的禁令,不要让他们与贼人交往贸易。朝廷节俭省费,拿出内库的三分之一作为边防用度,把金帛赐给各路帅臣,使他们派出谍探侦察敌情,那么,贼兵有任何动静,我方都会预先知道,遇到盛暑,就移师第二防线就食粮草。如此,则二三年间,贼兵的力量就会渐渐衰弱了,平定羌贼的日期也就不远了。"

这以前,屯田员外郎河内人张旨通判府州,府州背依大山没有外城,张旨准备修筑,有府州将领说:"我州据有险要地势,敌贼一定不会来。"张旨没有听从。外城将要完成时,寇贼大规模到来,于是张旨命令把大木头联结起来填补缺口,配以强弩坚守。州内无井,贼兵堵断供饮河水的道路,张旨夜里打开城门袭击贼兵,贼兵稍退,张旨令官军站立两旁,使百姓出城汲水。又用水渠的淤泥混合草木以修城墙,督促居民登上城头奋力作战。贼兵死伤很多,于是解围而去。壬申(二十六日),升迁张旨为都官员外郎。

麟州都监王凯是王全斌的曾孙,多次破贼有功。贼兵包围麟州,他登城拒敌,连续苦战三十一天,包围始被解除。累次升迁为麟府路沿边都巡检使。与同巡检府谷张岊在青眉浪守护粮道,贼兵大量拥至,与张岊相失散,于是分兵到贼兵背面,前后夹击,又与张岊会合,斩敌首六十五个。王凯又率军入兔毛川,遇到贼兵三万人,王凯率六千兵马陷入包围,流箭射中他的面庞,他仍力战不已。到天黑,贼兵溃退,又斩敌首一百八十六个,贼兵自相践踏而死的数以千计。后被升迁为南作坊副使。

癸酉(二十七日),贬降并代副部署王元、钤辖康德舆、杨怀志等人的官职。先前,贼兵围困府州,康德舆等人按兵不出战,只是移文转运副使文彦博,借百姓之力运送粮草,到边境等待,康德舆始终不敢出战。到丰州已陷,才出城屯驻在州城外数里的地方,三日后返城。居民看见,认为贼寇又来了,都丢弃自己所携带的东西,入城郭保守。文彦博把此事上奏朝廷,所以罪责及于康德舆等人,然而只是因为不出战而处罚他们,其他的事情,朝廷并不都知道。

冬季,十月,戊寅(初二),修整河北各州城,共二十二州,以防备辽国。

知并州杨偕上疏说:"丰州宁远寨已被贼兵攻破。只有麟州一座孤城,距府州一百四十里,在辽远的绝塞。虽然宁远处在二州之间,可以作为策应兵马提供住宿屯兵的地方,然而其中没有水泉可以驻守,如果商议修复,白白浪费国家的费用。现在,我请求建立新麟州在岚州合河津黄河东岸的裴家山,其地四面都险要,又有水泉。"而且说:"灵、夏二州,都是汉朝的古郡,这二州都一下放弃了,麟州又有什么值得可惜!"皇帝对辅佐大臣说:"麟州是古郡,咸平年间曾被敌寇围攻,不是不可以坚守。如今急忙想丢弃掉,这是要把军队撤退而把黄河当作边界。晓谕杨偕言快修复宁远寨,以援助麟州。"

丙戌(初十),辽国命东京留守萧孝忠考察官吏,若有廉洁、干练、清正、果断的,开具名单,上奏朝廷。

庚寅(十四日),辽国任命女真太师达雅尔为哈斯罕都大王。

辛卯(十五日),辽国皇子和啰噶降生,他是辽国皇帝的第二个儿子。北府宰相驸马萧萨巴迎请辽皇帝驾幸他的府第宴饮,辽皇帝命卫士与汉人角抵为乐。壬辰(十六日),又在太后殿宴饮。因皇子降生,赦免罪犯。这晚,又引公主、驸马及内族大臣到寝殿狂饮。

辽皇帝喜欢微服出行,多次变换服饰到酒馆、佛寺、道观等地。王纲、姚景熙、冯立等人都是因皇帝微服出行才遇见的,后来都位居显要官职,枢密使马保忠曾进谏说臣下没有功勋劳绩,应当以年龄大小为序而进升,辽皇帝不高兴,说:"君主不能专断吗?"

甲午(十八日),调夏竦判河中府,知永兴军陈执中知陕州。夏竦主持西部军事,犹豫不决,顾虑重重,因而回避贼寇,很久也没有功劳,又与陈执中议论边事时大多不一致,他们都上表乞请解除自己的兵权。谏官张方平也请求罢去夏竦统帅之权,陈执中又说:"用兵之道,贵在神秘,千里受命,不是取敌制胜的方法,应兵分四路使各自保卫自己的范围。"与张方平的议论大略相同。朝廷认为很对,于是两人都被罢职。

开始划分陕西为四路,即管句秦凤路部署司事兼知秦州韩琦、管句泾原路部署司事兼知渭州王沿、管句环庆路部署司事兼知庆州范仲淹、管句鄜延路部署司事兼知延州庞籍,并兼本路马步军都部署、经略安抚沿边招讨使。

辽皇帝到中京。

丙申(二十日),下诏:"三司副使从今以后遭遇丧事,都照两制的例子起用恢复。"当时盐铁副使张锡的母亲去世,三司使姚仲孙请求特别给予起用恢复他,于是成为惯例。

己亥(二十三日),罢黜诸路的铜符、木契。

辛丑(二十五日),下诏令各路都部署司经办设置营田,以补充边防用费。

壬寅(二十六日),知谏院张方平上疏说:"我曾接近从西部边境来的人,向他们打听贼军中的事情,他们大都说,元昊为寇三年,虽然接连攻陷城寨,但未能得到我方尺寸之地,并且断绝他的俸给和赏赐,禁闭各关市,如今羌贼中一尺布可值几百钱,以此揣测,贼情怎么会不困窘呢!然而,元昊已经与大国成为仇敌,假若有悔改之心,按情势不能自己诉说归诚的忠心;朝廷虽然想招降,但没有时机和理由,事情也很难办。如今,借举行南郊大礼的时机,应当推恩广德,以此表示安抚关怀的意思,或者特此颁一诏令,或者写在赦令中,或者挑选边境大臣中有名望的单独出使以传达圣上旨意,这样,足以显示朝廷恩德仁义的厚重,却无损于朝廷的威严、庄重。况且,贼人在他们的种族部落中妄自尊大已很久了,以前所请求的,只不过想自称乌珠之号罢了,执掌国政的大臣对不答应的危害考虑不深,吝惜这一虚名,于是酿成实在的祸害。陛下不如依从他们以前请求的,加上每年的赏赐,使天下人都知道陛下见识深、思虑远,能为百姓考虑。"皇帝高兴地说:"这正合我的心思。"命令张方平把奏疏交付给中书。

十一月,丁未朔(初一),任命四方管使高继宣知并州兼河东路经略安抚沿边招讨使,代替杨偕。

杨偕曾向朝廷提出六项建议:一、禁止中人干预军事;二、迁麟州于他处;三、允许将帅按机行事;四、黜退多余的将帅;五、征募武士;六、有补授大权。并且说:"能采纳我的建议,我就接受朝命,不然的话,我就不会接受任命。"朝廷认为难以接受。杨偕连续上奏疏不停,于是罢免为知邢州。

下诏令江、饶、池三州铸钱,兼铸小铁钱三百万缗,以预备陕西军事所需。

壬子(初六),设置泾原路强壮、弓箭手。

丙辰(初十),因京城谷价昂贵,从仓库里支出米粟一百万斛,降价出卖以救济贫穷百姓。

下诏给延州:"如果元昊专门派人投进表章,就暂且拘留,先把有关事情写好上奏朝廷。如果派伪官手持私信而来,知州必须等候朝廷处分,然后再回复。"开始采纳张方平的建议。

回鹘派遣使臣向辽国进贡。

甲子(十八日),朝廷在景灵宫举行祭祀。乙丑(十九日),祭祀太庙、奉慈庙。丙寅(二十日),在圜丘祭祀天地,大赦天下,更改年号。免除陕西第二年夏季租赋的十分之二,免除麟、府今年夏秋季租赋和第二年的夏季租赋,保安军今年的秋季租赋全部免除。

下诏："元昊违背朝廷恩惠以来,多次请求归附;然而,他想拖缓我军,专门搞诡谲欺诈的行为,所以拒绝他的请求。何况河西的士吏百姓一向受朝廷的教化,朕是其父母,怎能不怜悯感伤!从今以后,希望守边大臣只需小心守卫封疆,精心操练军马,不是因为战斗,不准许乱杀老幼和薰烧族帐。我朝将帅大臣,一向有捍卫边防的功勋之称的,委托中书门下寻求探访他们的子孙,特别加以录用。从今以后,有功之臣不限品级,赐私门立戟,文武臣僚允许建立家庙,已赐门戟的,官府仍划给官地进行修建,令有关机构详细检查制度后,上奏朝廷。"

这一月,梁适出使陕西返回,知庆州范仲淹随附奏报攻、守两条策略。

其进攻之策说:"我私下看见延安的西部,庆州的东部,有羌贼边界一百多里侵入我朝之地,其中有金汤、白豹、后桥三座寨堡,是延、庆二州必经的道路,使官军兵势不能连接,策应迂曲遥远。很长时间以来,朝廷虽曾攻取过三寨,然而没有招降的恩惠,据守的计谋,官军刚回,边患又依旧。我认为羌贼再有大举进犯,朝廷一定会命令牵制,那么,可以进攻以作牵制的地方,就在于此。可用三万步兵,五千骑兵,大军进入敌界,首先公布命令,大修城寨以据有其地;城寨坚固完整,应当留下士兵防守,比之于旧寨,人数一定要加倍。让巡检范全、赵明安抚士兵,严厉告诫他们:贼兵大规模到来,就要小心侦察,召集援兵,坚壁清野以困住来敌;小规模到来,就扼守险要,设立埋伏以等待;平时高度重视商人,使货物进入寨中,以及设置营田来帮助解决军需。这样,就可以分解贼方的势力,振奋我方的兵威,勾通延、庆两路军马,容易策应救援。另外,环州之西、镇戎之东,又有葫芦泉一带的蕃部,与明珠、灭藏相接,是环州、镇戎经过道路上的阻碍。明珠、灭藏所居之地,北面与羌贼相接壤,大多怀有观望之心。另外,延州南安距离旧绥州四十里,在银、夏川口。如今延州兵马东渡黄河,北入岚、石,却又西渡黄河,与麟、府二州策应。这是因为旧绥州一带,被贼方疆界阻断的缘故。经过的道路如此迂曲,攻取一处后,等到城寨平定,再谋图另一处,作为据守的策略,与朝去暮还相比,这种方法较为便当稳妥。"

其防守之策说:"我以前在延州,听见知青涧城种世衡说,打算在本地逐渐采取耕作之策以获得田利,如今听说仅获得一万石。我看如今的边境城寨,都可以使用弓手、士兵来镇守,顺便设置营田,按亩制定上交之数额,上交后的余额归士卒所有,允许卖给官府,士卒乐于耕作,官府坐收其利,这样,调拨运输的麻烦,可以长时间减除了。而且让士卒把家迁徙到塞下,他们重视田利,熟悉地势,父母妻子共同严密防守,与东来之士卒不乐于田利,不熟悉地势,又无可怀恋相比,作用相差很远了。防守越久,装备也就越充足,即使贼兵不时为患,也不能困住我军。这是借士兵、弓手的力量,设置屯田作为防守之策的好处。"

十二月,丁丑(初二),司天监奉上《崇天万年历》。

戊寅(初三),下诏陕西四路部署及转运使兼营田使。

癸未(初八),铸造"庆历元宝"钱。

甲申(初九),命令丁度、梁适会同三司免去天下百姓所欠的赋税。

己丑(十四日),翰林学士王尧臣等人献上新修订的《崇文总目》六十卷。景祐初年,因三馆、秘阁所藏书籍中杂有谬滥及不完整的,命令官员详考后,确定保留或丢弃,于是仿照《开元四部录》作《崇文总目》,到这时献上,所藏书籍共三万零六百六十九卷。

甲午（十九日），韩琦奏言道："前些天的山外之战，诸将有很多战死。所属士卒众多，所以不可一概问罪。如今不订立法制，则士卒各个自顾自己生还，哪里还会把主将的存亡放在心上呢！如果人数不多，军法就可以从严执行。请求允许陕西、河东诸路部署随附亲兵一百五十人，钤辖一百人，招讨、都监等七十人，每月增加俸钱二百，出师临敌，主将阵亡的，全部斩首。"朝廷批准了。

丙申（二十一日），任命右千牛卫大将军宗实为右羽林卫大将军。

封才人张氏为修媛。

辽皇帝听说大宋讨伐元昊屡次失败，打算出师南伐，再夺取关南十县，召集群臣商议。南院枢密使齐王萧惠说："宋军西征多年，士气低落，百姓疲困，陛下亲自率领六军南伐，胜利是一定的。"北院枢密使楚王萧孝穆说："从前，太祖南伐，始终没有成功。嗣圣皇帝灭唐国、立晋国，后来因石重贵反叛，长驱进入汴梁，銮驾刚刚返回，汉人就赶过来进攻，从此连战二十多年，仅得和好。如今，国家与以前相比，虽说富强，然而有功勋、能征战的大臣、将帅，大多已去世。况且宋人并无罪过，无故南伐，理亏在我方。更何况胜败不可预料。希望陛下深思！"辽皇帝不听。丁酉（二十二日），把南伐宋朝的诏令传谕诸道，并令会师于南京，任命萧惠与太弟耶律重元为统帅。萧孝穆以年老为由乞求退休，辽皇帝没有批准。

续资治通鉴卷第四十四

【原文】

宋纪四十四　起玄黓敦牂【壬午】正月，尽九月。

仁宗体天法道极功全德　神文圣武睿哲明孝皇帝

庆历二年　辽重熙十一年【壬午，1042】　春，正月，庚戌，诏："近分陕西缘边为四路，各置经略安抚招讨等使，自今路分部署、钤辖以上，许与都部署司同议军事，路分都监以下，并听都部署等节制，违者以军法论。"

知庆州范仲淹请给枢密院及宣徽院宣头空名者各百道，缓急书填，以劝赏战功及招降蕃部；从之。

丁巳，命翰林学士聂冠卿权知贡举。初，端明殿学士李淑侍经筵，访以进士诗、赋、策、论先后，淑奏请先策，次论，次赋，次贴经墨义，而敕有司并试四场，通校工拙，毋以一场得失为去留。诏有司议，稍施行焉。

自元昊反，军兴，用度不足，因听人中刍粟予券，趋京师榷货务受钱若金银；入中它货予券，偿以池盐。由是羽毛、筋角、胶漆、铁炭、瓦木之类，一切以盐易之。猾商奸人，乘时射利，与官吏表里为奸，虚费池盐，不可胜计。盐直益贱，贩者不行，公私无利。朝廷知其弊，戊午，用三司使姚仲孙请，以度支判官范宗杰为制置解盐使，往经度之。

始，诏复京师榷法。宗杰请："凡商人以虚估受券，及已受盐未鬻者，皆计直输亏官钱。内地州、军民间盐，悉收市入官，为置场增价而出之。复禁永兴等十一州商贾，官自辇运，以衙前主之。又禁商盐私入蜀，置折博务于永兴、凤翔，听人入钱若蜀货易盐，趋蜀中以售。"诏皆用其说。宗杰，雍子也。

京兆府布衣雷简夫，隐居不仕，枢密副使杜衍荐之。召见，论边事甚辩，帝悦，令中书检真宗用种放故事。吕夷简言有口才者未必能成事，请试之。乃以为校书郎、秦州观察判官。简夫，有邻孙也。

壬戌，诏以京西闲田处内附蕃族无亲属者。

遣使河北募兵，及万人者赏之。

癸亥，诏磨勘院考提点刑狱功罪为三等，以待黜陟。

辛未，秦州筑东西关城成，赐总役官吏金帛有差。初，知州韩琦言："州东西居民及军营万馀家,皆附城而居,无所捍御,请筑外城凡十里。"至是成之。

辽主谋亲帅师南伐,意未决,乃幸旧相张俭第,使尚食先往具馔,俭却之,进葵羹、干饭。辽主食之而甘,徐问以南伐之策,俭极陈利害,且曰:"第遣一使问之,何必远劳车驾!"辽主悦而止。复即其第赐宴,器玩悉与之。是月,辽遣南院宣徽使萧特默、翰林学士刘六符来,使取晋阳及瓦桥以南十县地,且问兴师伐夏及沿边疏浚水泽、增益兵戍之故。

二月,丁丑,诏权御史中丞贾昌朝侍讲迩英阁。故事,台丞无在经筵者,帝以昌朝长于讲说,特召之。

知秦州韩琦请降枢密院空名宣头五十道,以赏属羌之有功者,从之。

知保州王果,先购得辽人南伐谕稿以闻,且言:"辽人潜与元昊相结,将必渝盟;请自广信军以西缘山口出入之路,预为控守。"诏札付河北安抚司,密修边备。果,饶阳人也。

旧制,诸州荐贡者,既试礼部,则引试崇政殿廊。知制诰富弼言:"历代取士,悉委有司,独后汉文吏课笺奏,副上端门,亦未闻天子亲试也。至唐武后载初之年,始有殿试,此何足法哉! 必虑恩归有司,则宜使礼部次高下以奏,而引诸殿庭,唱名赐第,则与殿试无所异矣。"辛巳,诏罢殿试。而翰林学士王尧臣、同修起居注梁适,皆以为祖宗故事,不可遽废。癸未,诏复殿试如旧。

丙戌,天章阁侍讲林瑀,落职通判饶州。先是瑀奉诏撰《周易天人会元纪》,其说用天子即位年月日辰,占所直卦以推吉凶。且言:"自古圣王即位,必直乾卦。"御史中丞贾昌朝,尝面折瑀所言不经。及是瑀又言:"帝即位,其卦直需,其象曰:'君子以饮食宴乐。'愿陛下频出宴游,极水陆玩好之美。"帝骇其言。昌朝即劾奏瑀邪说罔上,不宜在经筵。乃黜瑀,而命崇文院检讨临淄赵师民为崇政殿说书。

乙未,诏:"真定府、定州、天雄军、澶州各备兵马刍粮及器甲。"又诏:"河北路州军城隍应修者悉修之。"又诏:"河北诸州强壮,自三月后并赴州阅习,委知州择其强劲者,刺手背为义勇军;不愿者释之而存其籍,以备守葺城池。"于是强壮浸废。诏始下,人情讻讻,河北转运使李昭述乘疾置日行数舍,开谕父老,众始安。昭述,宗谔子也。

辛丑,保静军节度使、新知澶州王德用入见,流涕言:"臣前被大罪,陛下幸赦不诛,今不足辱命。"帝慰劳曰:"河北方警,藉卿威名镇抚耳。"赐手诏遣之。

壬寅,辽主如鸳鸯泺。

三月,甲辰朔,诏殿前指挥使、两省都知举将才。

丁巳,命杜衍宣抚河东。

辛酉,参知政事晁宗悫以疾罢。

〔乙丑〕,赐礼部奏名进士合肥杨(置)〔寘〕等及诸科及第、出身、同出身八百三十九人。(置)〔寘〕,察弟也。

己巳,辽使萧特默、刘六符至京师,致辽主书,略曰:"粤自世修欢契,时遣使轺。切缘瓦桥关南是石晋所割,迄至柴氏,兴一旦之狂谋,掠十县之故壤,人神共怒,庙社不延。至于贵国,肇创基业,〔寻〕与敝境,继为善邻。暨乎太宗,于有征之地才定并汾,以无名之师直抵燕蓟,羽召精锐,御而获退,遂致弥年有戍境之劳,继日备渝盟之事,始终反覆,前后谲诈。窃审

900

专命将臣,往平河右,炎凉屡易,胜负未闻。兼李元昊,于北朝久已称藩,设罪合加诛,亦宜垂报。迩者郭稹特至,杜防又回,虽略具音题,而但虞诈谍。已举残民之伐,曾无忌器之嫌,营筑长堤,填塞隘路,开决塘水,添置边军。既潜稔于猜嫌,虑难敦于信睦。倘思久好,共遣疑怀,曷若以晋阳旧附之区,关南元割之县,俱归当国,用康黎人!如此,则益深兄弟之怀,长守子孙之计。缅维英悟,深达惘悰。"

先是〔正月己巳〕,边吏言辽使且至,帝为之旰食,历选可使辽者,群臣皆惮行。宰相吕夷简举右正言富弼,入对便殿,叩头曰:"主忧臣辱,臣不〔敢〕爱其死。"帝为动色。壬申,命弼为接伴使。弼以二月丙子发京师,至雄州,久之,特默等始入境。遣中使慰劳,特默称足疾不拜,弼谓曰:"吾尝使北,病卧车中,闻命辄拜。今中使至而君不起,此何礼也?"特默瞿然起,遂使人掖而拜。及特默等至,命御史中丞贾昌朝馆伴。廷议不许割地,而许以信安僖简王允宁女与辽之皇子梁王洪基结婚,或增岁赂;独弼以结婚为不可。

初,辽太弟重元者,挟太后势,尝自通书币。帝欲因今使答之,令昌朝问六符,六符辞曰:"此于太后则善,然于本朝不便也。"昌朝曰:"既如此,而欲以梁王求和亲,皇帝岂安心乎?"六符不能对。

辛未,授弼礼部员外郎、枢密直学士,将使弼报聘故也。弼曰:"国家有急,唯命是从,臣职也,奈何逆以官爵赂之!"固辞不受。

是春,范仲淹巡边至环州,州属羌阴连贼为边患。仲淹谓种世衡素得羌心,而青涧城已坚固,乃奏徙世衡知环州以镇抚之。

有牛(客)〔家〕族努额者,崛强未尝出,闻世衡至,遽郊迎。世衡与约,诘朝至其帐。是夕,大雪深三尺,左右曰:"地险不可往。"世衡曰:"吾方结诸羌以信,不可失期。"遂缘险而进。努额方卧帐中,谓世衡必不能至,世衡蹴而起,努额大惊,率其族罗拜听命。又有兀二族,受贼伪职,世衡招之不至,命蕃官慕恩出兵讨之。其后百馀帐皆自归,莫敢贰。因令诸族置烽火,有急则举燧,介马以待。又课吏民射,有过失,射中则释其罪;有辞某事,辄因中否而与夺之。由是人人精于射,贼不敢复近环州。

夏,四月,甲戌朔,辽主颁南征赏罚之令,欲使宋边臣告急于朝也。

戊寅,命权御史中丞贾昌朝等议裁减浮费。

庚辰,诏以右正言富弼为回谢国信使,西上阁门使符惟忠副之。复书曰:"昔我烈考章圣皇帝与大契丹昭圣皇帝弭兵讲好,通聘著盟,肆余纂承,共遵谟训,边民安堵,垂四十年。兹者专致使臣,特诒缄问,且以瓦桥内地,晋阳故封,援石氏之割城,述周朝之复境。系于异代,安及本朝!粤自景德之初,始敦邻宝之信,凡诸细故,咸不置怀。况太宗皇帝亲驾并郊,匪图燕壤,当时贵国亟发援兵,既交石岭之烽,遂举蓟门之役,义非反覆,理有因缘。元昊赐姓称藩,禀朔受禄,急谋狂僭,俶扰边陲,向议讨除,已尝闻达,杜防、郭稹传导备详,及此西征,岂云无报!聘轺旁午,屡闻嫉恶之谈,庆问交驰,未谕联亲之故,忽窥异论,良用惘然!谓将轸于在原,反致讥于忌器。复云营筑堤埭,开决陂塘,昨缘霖潦之馀,大为衍隘之患,既非疏导,当稍缮防,岂蕴猜嫌,以亏信睦!至于备塞隘路,阅习兵夫,盖边臣谨职之常,乃乡兵充籍之旧,在于贵境,宁撤戍兵!一皆示以坦夷,两何形于疑阻!顾惟欢契,方保悠长;遽兴请地之言,殊非载书之约。谅惟聪达,应切感思。自馀令弼口陈。"书词,翰林学士王拱辰所撰也。

初,辽人书言太宗举无名之师,一时莫知所答。拱辰独请问曰:"河东之役,本诛僭伪,辽人寇石岭关,潜假兵以援贼,太宗怒反覆,既平继元,遂下令北征,安得谓之无名!"帝喜,谕执政曰:"非拱辰详识故事,殆难答也。"刘六符尝谓贾昌朝曰:"南朝塘泺何为者哉?一苇可航,投棰可平。不然,决其堤,十万土囊遂可逾矣。"时议者亦请涸其地以养兵。帝问拱辰,对曰:"此六符夸言耳。设险守国,先王不废,且祖宗所以限戎骑也。"帝深然之。

壬午,右正言、知制诰刘沆出知潭州。

始,沆使于辽,馆伴杜防强沆以酒,沆沾醉,拂袖起,因骂之曰:"我不能饮,何强我至是!"辽使来,以为言,故出之。寻又降知和州。因诏:"使辽及接伴、送伴臣僚,每燕会毋得过饮,其语言应接,务存大体。"

戊子,降诏奖谕知延州庞籍等,以籍兴修桥子谷寨成也。

始,元昊陷金明、承平、塞门、安远、栲栳寨,破五龙川,边民焚略几尽。籍既至,稍葺治之。戍兵十馀万,未有壁垒,散处城中,畏籍严,无敢犯法。金明西北有浑州川,其土平沃,川尾曰桥子谷,为敌出入隘道。籍使部将狄青将万馀人筑招安寨于谷旁,却贼数万。募民耕植,得粟以济军。周美袭取承平寨,王信筑龙安寨,悉复贼所据故地,筑清水等十一堡。

甲午,徙知澶州王德用为真定府定州路都部署。

丙申,右正言田况言:"朝廷择将以备北边,乃用杨崇勋、夏守赟、高化等,物情未协,恐误机事。"诏各选通判、幕职官往助之。知谏院张方平亦言:"朝廷处置北鄙,虽增兵饬垒,事为之备,然所遣将率,未尽推择。使杨崇勋在镇、定,夏守赟在瀛洲,刘涣在沧州,张耆在河阳,陛下得高枕乎?莫若取陕西偏裨之知名者如狄青、范全辈,召之赴阙,量其材器,稍迁用之,追崇勋等使奉朝请。比富弼使归,幸而盟好未渝,即各还之本路;若辽兵南向,且使分捍北方。事机所悬,乞赐裁察!"

己亥,以知秦州韩琦为秦州观察使,知渭州王沿为泾州观察使,知延州庞籍为鄜州观察使,知庆州范仲淹为邠州观察使。

五月,癸卯朔,徙并代钤辖张亢为高阳关钤辖。初,麟州犹未通,馈路闭隔,敕亢自护南郊赏物送麟州。贼既不得钞,随以兵数万趋柏子寨,邀我归路,亢所将才三千人,亢激怒之曰:"若等已陷死地,前斗则生,不然,为贼所屠无馀也。"士皆感厉。会天大风,顺风击之,斩首六万馀级,夺马千馀匹,乃修建宁寨。贼数出争逐,战于兔毛川,亢自以大阵抗贼,而使骁将张岊以短兵强弩数千伏山后。亢以万胜军皆京师新募,疲兗不能战,贼目曰东军,素易之,而虎翼卒勇悍,阴易其旗以误贼。贼果趋东军而值虎翼卒。搏战良久,发伏,贼大溃,斩首二千级。不逾月,筑清塞、百胜、中候、建宁、镇川五堡,麟州路始通。亢复奏:"今所通特往来之径耳,旁皆虚空无所阻;若增筑并边诸栅以相维持,则可以广田牧,河外势益强。"议未下,而朝廷虑辽将渝盟,乃徙亢高阳。

庚戌,河北都转运使李昭述请修澶州北城,从之。先是河决久未塞,昭述但以治堤为名,调农兵八万,逾旬而就。刘六符过之,真以为治堤也,及还而城具,甚骇愕。

壬子,出诏书:"减皇后及宗室妇郊祀所赐之半,著为式。"又诏:"皇后、嫔御进奉乾元节回赐物亦减半,宗室外命妇回赐权罢,边事宁日听旨。"于是皇后、嫔御各上俸钱五月以助军费,宗室刺史以上亦纳公使钱之半。荆王元俨尽纳公使钱,诏以半给之。

癸丑,命知贝州、供备库使开封张茂实为回谢国信副使,以符惟忠道病卒,从富弼请也。

甲寅,诏三馆臣僚上封事及听请对。

戊午,建大名府为北京。释河北诸州军系囚。严饬行宫增制仓廒、营舍,并给赏钱,毋得科率。初,范仲淹知开封,建议城洛阳以备急难。及辽人将渝盟,言事者请从仲淹之请,吕夷简谓:"辽人畏壮侮怯,遽城洛阳,无以示威,反长彼势;宜建都大名,示将亲征,以伐其谋。"诏既下,仲淹又言:"此可张虚声耳,未足恃也。城洛阳既弗及,请速修京城。"议者多附仲淹议,夷简曰:"此囊瓦城郢计也。使辽人得渡河,而固守京师,天下殆矣!故设备宜在河北。"卒建北京,识者韪之。

己未,以知天雄军程琳知大名府兼北京留守司。

庆州之西北马铺寨,当后桥川口,深在贼腹中,范仲淹欲城之,度贼必争,密遣子纯祐与蕃将赵明先据其地,引兵随其后。诸将初不知所向,行至柔远,始号令之,版筑毕具,旬日城成,是岁三月也,寻赐名大顺。贼觉,以骑三万来战,佯北,仲淹戒勿追,已而果有伏。大顺既成,白豹、金汤皆截然不敢动,环庆自是寇益少。

癸亥,新邠州观察使范仲淹、鄜州观察使庞籍,并复为龙图阁直学士,从所请也。

初,仲淹上表言:"臣守边数年,羌人颇亲爱臣,呼臣为龙图老子。今改观察使,则与诸族首领名号相乱,恐为贼所轻;且无功,不应更增厚禄。"辞其切至,表三上,乃从之。

甲子,召江南东路转运使杨察入为左正言、知制诰。察在部,专以举官为急务,或讥之,察曰:"此按察职也。掎拾羡馀,则俗吏能之矣。"

乙丑,罢左藏库月进钱。帝语辅臣曰:"此《周官》所谓供王之好用者。朕宫中无所费,其斥以助县官。"

真定府、定州路都部署王德用入朝奏事,命为宣徽南院使,判成德军,未行,改判定州兼三路都部署;徙判定州杨崇勋判成德军。崇勋老不任事,故徙之。

德用至,日教士卒习战,顷之,皆可用。辽使人来觇,或请捕杀之。德用曰:"彼得实以告,是服人以不战也。"明日,大阅于郊,提枹鼓誓师,进退坐作,终日不戮一人。乃下令,具粮粮,听鼓声,视吾旗所乡。觇者归告其国中,谓汉兵将大入。既而复议和,兵乃解。时发兵屯定州几六万人,皆寓居逆旅及民间,无一敢喧呼暴横者。将校相戒曰:"吾辈各务敛士卒,勿令扰我菩萨。"

以高阳关路钤辖张亢权知瀛州兼本路部署司事,夏守赟疾故也。

丁卯,徙知成德军张存为河北转运使。先是存上言:"辽与元昊为婚,恐阴相首尾。河北城久不治,宜留意。"于是悉城河北诸州,俾存督察之。

戊辰,诏:"有司申明前后条约,禁以销金、贴金、镂金等为服饰,自宫廷始,民庶犯者必置法。"

六月,甲戌,出内藏库银一百万两,绸绢各一百万匹,给边费。

壬午,辽主御含凉殿,放进士王寔等六十四人。

辽禁鬻毡、银于宋。

癸未,徙知杭州郑戬知并州兼河东路经略安抚沿边招讨使,寻改知郓州。杭州有钱塘湖,溉民田数十顷,钱氏置撩清军以疏导淤滞。既纳国后,不治,葑土堙塞,为豪族僧坊所占冒,湖水益狭。戬发属县丁夫数万辟之,民赖其利。事闻,诏杭州岁治如戬法。

丙戌,建定州北平寨为北平军。

戊子,以枢密副使任中师为修建北京使,以入内副都知皇甫继明佐之。

乙未,以天章阁待制明镐知并州兼河东经略安抚沿边招讨使。时边任多纨袴子弟,镐忧其误军事,乃取尤不职者杖之。疲软子弟皆自解去,更奏择习事者守堡塞。军行,倡妇多从之。会有忿争杀倡妇者,镐不问。倡妇闻之,皆散去。

是月,侍御史雍丘鱼周询劾判河阳张耆典藩无状,乞令就京邸养病;寻徙耆判陈州,又徙寿州。

秋,七月,壬寅朔,知谏院张方平疏请废枢密院,并其职事于中书,不报。

丙午,枢密副使任布罢知河阳。

布任枢密,数与宰相吕夷简忤。布长子逊,素狂愚,夷简知之,乃怵使言事,许以谏官。逊即上书历诋执政,且斥布不才。布见其书,匿之。夷简又趣逊以书上。逊复上书置匿者。帝问知匿者乃布也,布谢:“臣子少有心疾,其言悖缪,惧辱朝廷,故不敢宣布。”侍御史鱼周询因劾布,布遂罢去。逊尚留京师,望除谏官,夷简寻以它事黜之。

戊午,以右仆射、平章事吕夷简判枢密院事,户部侍郎、平章事章得象兼枢密使,加枢密使晏殊同平章事。初,富弼建议,宰相兼权枢密使,帝曰:“军国之务,当悉归中书,枢密非古官。”然未欲遽废,故止令中书同议枢密院事。及张方平请废枢密院,帝乃追用弼议,命夷简判院事,而得象兼使,殊加同平章事,使如故。

初,富弼、张茂实以结婚及增岁币二事往报辽人,惟所择。弼等至辽,特默已加同政事门下平章事,刘六符为行宫副部署。辽主命六符为馆伴。六符言北朝皇帝坚欲割地,弼曰:“此必志在败盟,假此为名。南朝有横戈相待耳。”六符曰:“南朝坚执,事安得济?”弼曰:“北朝无故求割地,南朝不即发兵,而遣使好辞更议,此岂南朝坚执乎?”

及见辽主,弼曰:“两朝继好,垂四十年,一旦忽求割地,何也?”辽主曰:“南朝违约,塞雁门,增塘水,治城隍,籍民兵,此何意也? 群臣竞请举兵,朕以为不若遣使求关南故地,求而不得,举兵未晚。”弼曰:“北朝与中国通好,则人主专其利而臣下无所获。若用兵,则利归臣下而人主任其祸。故劝用兵者,皆为其身谋,非国计也。”辽主惊曰:“何谓也?”弼曰:“晋高祖欺天叛君,求助于北,末帝昏乱,神人弃之。是时中国狭小,上下离叛,故北朝全师独克,虽虏获金币,充牣诸臣之家,而壮士健马物故大半,此谁任其祸者? 今中国提封万里,所在精兵以万计,北朝用兵,能保必胜乎?”曰:“不能。”弼曰:“胜负未可知,就使其胜,所亡士马,群臣当之欤,抑人主当之欤? 若通好不绝,岁币尽归人主,群臣何利焉!”辽主大悟,首肯者久之。弼又曰:“塞雁门者,备元昊也。塘水始于何承矩,事在通好前,地卑水聚,势不得不增。城隍皆修旧,民兵亦旧籍,特补其阙耳,非违约也。”辽主曰:“微卿言,不知其详。然朕所欲得者,祖宗故地耳。”弼曰:“晋高祖以卢龙一道赂契丹,周世宗复伐取关南,皆异代事。宋兴已九十年,若各欲求异代故地,岂北朝之利乎?"辽主无言,徐曰:"元昊称藩尚主,南朝伐之,不先告我,何也?"弼曰:"北朝向伐高丽、黑水,岂尝报南朝乎? 天子令臣致意于陛下曰:'向不知元昊与弟通姻,以其负恩扰边,故讨之,而弟有烦言。今击之则伤兄弟之情,不击则不忍坐视吏民之死,不知弟何以处之?'"辽主顾其臣国语良久,乃曰:"元昊为寇,岂可使南朝不击乎?"

既退,六符谓弼曰:"吾主耻受金帛,坚欲十县,如何?"弼曰:"南朝皇帝尝言:'朕为人子孙,岂敢妄以祖宗故地与人! 昔澶渊白刃相向,章圣尚不与关南,岂今日而肯割地乎! 且北朝欲得十县,不过利其租赋耳,今以金帛代之,亦足坐资国用。朕念两国生民,不欲使之肝脑涂地,不爱金帛以徇北朝之欲。若北朝必欲得地,是志在背盟弃好,朕独能避用兵邪? 澶渊之盟,天地神祇,实共临之。今北朝先发兵端,过不在朕。天地鬼神,其可欺乎!'"六符谓其介曰:"南朝皇帝存心如此,大善。当共奏,使两主意通。"

翼日,辽主召弼同猎,引弼马自近,问所欲言,弼曰:"南朝惟欲欢好之久耳。"辽主曰:"得地则欢好可久。"弼曰:"南朝皇帝遣臣闻于陛下曰:'北朝欲得祖宗故地,南朝亦岂肯失祖宗故地邪? 且北朝既以得地为荣,则南朝必以失地为辱。兄弟之国,岂可使一荣一辱哉? 朕非忘燕蓟旧封,亦安可复理此事,正应彼此自谕耳。'"既退,六符谓弼曰:"皇帝闻公荣辱之言,意甚感悟。然金帛必不欲取,惟结婚可议耳。"弼曰:"结婚易生衅,况夫妇情好难必,人命修短或异,不若增金帛之便也。"六符曰:"南朝皇帝必自有女。"弼曰:"帝女才四岁,成婚须在十馀年后。今欲释目前之疑,岂可待哉?"弼揣辽人欲婚,意在多得金帛,因曰:"南朝嫁公主故事,资送不过十万缗耳。"由是辽人结婚之意缓,且谕弼还。弼曰:"二议未决,安敢徒还! 愿留毕议。"辽主曰:"俟卿再至,当择一事受之,宜遂以誓书来也。"弼还奏,复授弼吏部郎中、枢密直学士,又辞不受。

癸亥,弼与茂实再以二事往,于是吕夷简传帝旨,令弼草答辽人书并誓书,凡为国书二,誓书三。议婚则无金帛。若辽人能令夏国复纳款,则岁增金帛二十万,不则十万。弼奏于誓书内增三事:一,两界塘淀毋得开展;二,各不得无故添屯兵马;三,不得停留逃亡诸色人。弼因请录副以行。中使夜赍誓书五函并副,追及弼于武强授之。弼行至乐寿,自念:"所增三事,皆辽人前约,万一书词异同,则彼必疑,吾事败矣。"乃密启副封观之,果如所料,即疏报。又遣其属宋诚、蔡挺诣中书白执政。帝欲知北事,亟召挺对便殿,乃诏弼,三事但可口陈。弼知此执政阴谋,乃以礼物属茂实,疾驰至京师,日欲晡,叩阁门求对,阁门吏拘以旧制当先进名,对仍翼日。弼责之,遂急奏,得入见,曰:"执政为此,欲致臣于死。臣死不足惜,奈国事何!"帝急召吕夷简等问之。夷简从容曰:"此误耳,当改正。"弼语益侵夷简。晏殊言:"夷简决不为此,直恐误耳。"弼怒曰:"殊奸邪,党夷简以欺陛下!"遂诏王拱辰易书。其夕,弼宿学士院,明日乃行。

八月,戊子,出内藏库缯钱十万修北京行宫。时任中师奏行宫大抵摧圮,请更修之。帝令创修寝殿及角楼,馀皆完补而已;其自京至德清军行宫、馆驿、廨舍,亦量加葺治。

九月,辛丑朔,以太常博士阳翟孙甫为秘阁校理,枢密副使杜衍所荐也。初,衍守京兆,辟甫知府司录事,吏职纤末皆倚办。甫曰:"待我如此,可以去矣。"衍闻之,不复以小事属甫。衍与语,必引经以对,言天下贤俊,历评其才性所长,衍曰:"吾辟属,乃得益友。"

初，命吕夷简判枢密院事，既宣制，黄雾四塞，风霾终日，朝论甚喧。参知政事王举正，言二府体均，判名太重，不可不避，右正言田况复以为言；夷简亦不敢当；丙午，改兼枢密使。

陕西转运司言："近添就粮兵士七万人，粮赐几三百万缗，乞加详议。"诏三司擘画以闻。知谏院张方平，请选择近臣分使诸道，就诸边臣，与之深议所以丰财啬用，守备经远之计。即如沿边骑兵，计畜一骑可以赡卒五人。西戎出善马，地形险隘，我骑诚不得与较也。多留马军，既不足用，徒费刍荄。今方北备契丹，乃是用骑之地。乞以陕西新团士兵，多换马军东归，一以省关中之挽输，一以备河北之战守。

富弼、张茂实以八月乙未至辽，翼日，引弼等见辽主，辽主曰："姻事使南朝骨肉睽离，或公主与梁士不相悦，固不若岁增金帛。但须于誓书中加一'献'字乃可。"弼曰："'献'乃下奉上之辞，非可施于敌国。南朝为兄，岂有兄献于弟邪？"辽主曰："南朝以厚币遗我，是惧我也，'献'字何惜？"弼曰："南朝皇帝重惜生灵，故致币帛以代干戈，非惧北朝也。今陛下忽发此言，正欲弃绝旧好，以必不可冀相要耳。"辽主曰："改为'纳'字如何？"弼曰："亦不可。"辽主曰："誓书何在？取二十万者来。"弼既与之，辽主曰："'纳'字自古有之。"弼曰："古惟唐高祖借兵于突厥，故臣事之。当时所遗，或称'献'、'纳'，亦不可知。其后颉利为太宗所禽，岂复更有此礼？"辽主见弼词色俱厉，度不可夺，曰："我自遣使与南朝议之。"于是辽主留所许岁增金帛二十万誓书，壬寅，遣耶律仁先、刘六符来议"献""纳"字。

乙巳，弼等还至雄州，诏："即以弼为接伴使，有朝廷合先知者，急置以闻。"弼奏曰："彼求'献'、'纳'二字，臣以死拒之，其气折矣，不可复许。"

乙丑，辽北院枢密副使耶律仁先、汉人行宫副部署刘六符入见，以誓书来。仍议文书称"贡"，论者难之。仁先曰："曩者石晋报德本朝，割地以献，周人攘而取之，是非利害，灼然可见。"议论相持不决。朝廷用晏殊议，以"纳"字许之。

闰月，庚辰，复命右正言、知制诰富弼为吏部郎中、枢密直学士，弼又固辞。先是弼数论事忤吕夷简，因荐弼使辽，欲因事罪之。馆阁校勘欧阳修上书，引颜真卿使李希烈事乞留弼，不报。而弼受命不少辞，自初奉使，闻一女卒，再奉使，闻一男生，皆不顾而行；得家书，不发而焚之，曰："徒乱人意耳。"

壬午，以太子中允、通判秦州尹洙直集贤院。洙上奏命令数更，恩宠过溢，赐予不节，词甚切直。

癸巳，泾原副都部署葛怀敏与元昊战，殁于定川寨。

先是元昊声言入寇，是月辛未朔，王沿命怀敏将兵御之。己卯，至瓦亭寨，遣本寨都监许思纯、环庆都监刘贺以蕃兵五千余人为左翼，天圣寨主张贵为殿后。戊子，进屯五谷口。知镇戎军曹英、泾原路都监赵珣、西路都巡检李良臣、孟渊，皆自山外来会，沿边都巡检使向进、刘湛为先锋，赵瑜总奇兵为援。

及大军次安边寨，给刍秣未绝，怀敏即离军，夜，至开远堡北一里而舍。庚寅，领大军自镇戎军西南，又先引从骑百馀以前。走马承受赵政以为距贼近，不可轻进，怀敏乃少止，晚，趋养马城。曹英及泾原都监李知和、王保、王文、镇戎都监李岳、西路都巡检使赵璘等分兵屯镇戎城西六里，夜则入城自守，凡三日，至是亦趋养马城见怀敏，闻元昊徙军新壕外，乃议质明掩袭。赵珣谓怀敏曰："贼远来,利速战,宜依马栏城布栅,扼贼归路,固守镇戍以便饷道,俟其衰击之,可必胜。不然,必为贼所屠。"怀敏不听,命诸将分四路趋定川,刘湛、向进出西水口,赵珣出莲华堡,曹英、李知和出刘璠堡,怀敏出定西堡。

既而知和与英督军夜发。辛卯,刘湛、向进行次赵福新堡,遇贼,战不胜,保向家峡。而赵珣、曹英、李良臣、孟渊等将趋定川,怀敏且令援赵福堡;未行,谍言贼已屯边壕上,复召珣等入定川。会李知和麾下蕃落将报贼五千人列定川寨北;顷之,王文、李知和、定川寨主郭纶又报已拔栅逾壕。怀敏命赵珣与其子宗晟先行,日几午,怀敏入保定川寨。贼毁板桥,断其归路,别为二十四道以过军环围之,又绝定川水泉上流。刘贺帅蕃兵斗于河西,不胜,众溃。

怀敏为中军,屯寨门东偏,曹英等阵东北隅。贼四面俱至,先以锐兵冲中军,不动,回击曹英。会黑风自东北起,部伍相失,阵遂扰,士卒攀城堞争入。英面被流矢,仆壕中,怀敏所部兵见之亦奔骇。怀敏为众所拥,蹂躏几死,舆至瓮城,久之乃苏。怀敏选士据门桥,挥(刀手)〔手刀〕以拒入门者。赵珣等拥刀斧手前斗,及以骑军四合御贼,贼众稍却。然大军无斗志,赵殉累驰入,劝怀敏还军中。是夕,贼〔大〕聚,(大)围城四隅,临西北呼曰:"尔得非部署厅上点阵图者邪? 尔固能军,乃入我围中,今将何往!"夜四鼓,怀敏召诸将计议,莫知所出,遂谋结阵走镇戎军。赵珣请自笼竿城往,曰:"彼无险,且出贼不意。"众不从。及旦,怀敏束马东南驰二里许,至长城壕,路已断,〔贼〕周围之,怀敏及诸将曹英等十六人皆遇害,军士九千四百余人,马六百余匹,悉陷于贼。怀敏子宗晟与郭京等还保定川。贼长驱直抵渭州,幅员六七百里,焚荡庐舍,屠掠居民而去。

自刘平败于延州,任福败于镇戎,葛怀敏败于渭州,贼声益震。然所以复守巢穴者,盖鄜延路屯兵六万八千,环庆路五万,泾原路七万,秦凤路二万七千,有以牵制其势故也。

戊戌,诏河北都转运司、沿边安抚司:"今辽再议和好,其告谕居民,诸科徭悉罢之。"

【译文】

宋纪四十四　起壬午年(公元 1042 年)正月,止九月。

庆历二年　辽重熙十一年(公元 1042 年)

春季,正月,庚戌(初五),下诏:"近来,把陕西沿边境地区分为四路,每路分别设置经略安抚招讨等使,从今以后,每路所分的部署、钤辖以上官员,允许与都部署司一同商议军事,每路所分的都监以下官员,都要听从都部署等节制,违背此令的官员将按军法论处。"

知庆州范仲淹请求朝廷给予枢密院及宣徽院宣头空名的文书各一百道,在急切需要时填上名字,以此方法来劝勉和奖赏战功及招降蕃部;朝廷依从了。

丁巳(十二日),任命翰林学士聂冠卿权知贡举。起初,端明殿学士李淑为皇帝讲解经传史鉴,皇帝问他进士考试时诗、赋、策、论的先后次序,李淑奏请先考策,其次是论,再其次是赋,最后是考贴经墨义,并且要敕令有关部门,四场考试都要进行,然后,总计优劣,不要以一场的得失为依据而或高中或落第。下诏令有关部门讨论,逐渐施行。

自从元昊反叛,军旅兴起,用度不足,因此听凭运粮草到边城给予兑换券,然后到京师的榷货务对换成钱或者金银;运送其他货物到边城也给予兑换券,用池盐来报偿。因此,羽毛、筋角、胶漆、铁炭、瓦木之类,全部用盐来交换。奸猾商人,乘时谋利,与官吏相互勾结,白白浪费掉的池盐,不可胜计。盐价更加低贱,贩运者不再贩运,公私都不能获利。朝廷察知其中的弊端,戊午(十三日),采用三司使姚仲孙的请求,任命度支判官范宗杰为制置解盐使,前往经营管理。

起始,下诏恢复京师的榷法。范宗杰奏请说:"凡是商人以虚价接受兑换券,以及已经换得池盐还未出卖的,都要计算价值,上交欠官府的钱。内地州、军民间的食盐,都收买放入官仓,设置市场加价而出卖。再禁止永兴等十一州商贾贩卖,官府自为运输,命衙前主持此事,禁止商人把盐私自运入蜀地,在永兴凤翔设置折博务,允许百姓纳钱或蜀货来交换食盐,然后,到蜀地出卖。"下诏全部采用他的建议。范宗杰是范雍的儿子。

京兆府平民雷简夫,隐居不仕,枢密副使杜衍推荐他。皇帝召他进见,谈论边防事务时,非常能言善辩,皇帝很高兴,命令中书按检真宗皇帝录用种放的旧例。吕夷简说有口才的人未必能做成事情,请求皇帝暂时试用他。于是,任命他为校书郎、秦州观察判官。雷简夫是雷有邻的孙子。

壬戌(十七日),下诏用京西的空闲田地安置内附蕃族中没有亲属的人。

派遣使臣到河北募兵,达一万人的有赏。

癸亥(十八日),下诏磨勘院考定提点刑狱的功罪为三等,以留待将来贬黜或提升时参考。

辛未(二十六日),秦州修筑东西关城,工程完成后,赐给总役官吏金帛不等。起初,知州韩琦建议说:"州东西的居民及军营有一万多家,都贴近城外居住,无所捍卫、抵御的屏障,请求修筑共十里的外城。"到这时完成了。

辽国皇帝打算亲自率兵南伐,主意还未拿定,于是驾幸旧相张俭府第,派尚食官员先去准备饭食,张俭辞退了尚食官员,向皇帝进奉葵羹、干饭。辽皇帝吃后感觉很甜美,徐徐询问南伐宋朝的策略,张俭极力陈述南伐的利弊,并且说:"只需派一位使者来问就可以了,何必劳动陛下远远而来!"辽皇帝很高兴,取消了原先的计划。又在张俭的府第赐宴,器物、玩好全部给了张俭。这个月,辽国派遣南院宣徽使萧特默、翰林学士刘六符来宋朝,使他俩向宋朝索取晋阳及瓦桥以南十个县的土地,并且问宋朝兴兵讨伐西夏及沿边地带疏浚水泽、增加兵马戍卫的原因。

二月,丁丑(初三),下诏令权御史中丞贾昌朝侍讲迩英阁。旧例,台丞没有为皇帝讲解经传史鉴的,皇帝因贾昌朝善长讲说,特别召他来讲解。

知秦州韩琦请求给予枢密院空名宣头五十道,来奖赏内属羌人中有功劳的,朝廷依从了这一请求。

知保州王果,先获得辽国准备南伐、晓谕各地的底稿,奏报朝廷,并且说:"辽国人暗中与元昊相勾结,将来一定会背叛盟约;请求下诏令从广信军以西沿山口出入的道路,抢先进行控制驻守。"下诏把此奏章交给河北安抚司,密密整修边防设施以做准备。王果是饶阳人。

旧制,诸州推荐的贡举人,礼部考试后,就被引领到崇政殿廊下再进行考试。知制诰富弼上疏说:"历代选取士人,全部委托有关部门办理,只有后汉文吏考牋奏,把副本交上端门,也没有听说天子有亲试的。到唐武后载初年间，才开始有殿试，这有什么值得效法呢！如果考虑到恩德归于有关部门了，就应当让礼部排定高下次序后，奏报朝廷，然后，引领到殿庭唱名赐第，就与殿试没有什么差别了。"辛巳(初七)，下诏罢黜殿试。然而，翰林学士王尧臣、同修起居注梁适，都认为这是祖宗以来的惯例，不能立即废除。癸未(初九)，下诏恢复殿试像原来一样。

丙戌(十二日)，天章阁侍讲林瑀，降职为饶州通判。先前，林瑀奉诏编撰《周易天人会元纪》，他主张用天子即位的年月日辰，占卜所遇卦以推算吉凶。并且说："自古圣王即位，一定会遇到乾卦。"御史中丞贾昌朝，曾当面斥责林瑀所说的荒诞不经。到这时，林瑀又说："皇帝即位，所遇是需卦，卦象说：'君子以饮食宴乐。'希望陛下经常出外宴游，尽情享受水陆玩好之美。"皇帝对他的话感到惊骇。贾昌朝立即上奏弹劾林瑀用邪妄之说欺骗皇上，不应当在侍讲的位置。于是贬黜林瑀，而任命崇文院检讨临淄人赵师民为崇政殿说书。

乙未(二十一日)，下诏："真定府、定州、天雄军、澶州各自准备兵马粮草及兵器盔甲。"又下诏："河北路州军城隍应该维修的全部加以维修。"又下诏："河北诸路强壮，从三月后都要到州里参加检阅和训练，委托知州选择其中坚强有力的，刺手背作为义勇军；不愿意的，就放回去，但保留他的名籍，以准备防守修治城池。"于是强壮旧制逐渐废弛。诏令刚下达时，人人心情不安，河北转运使李昭述带病每天巡行数舍，开导劝谕父老百姓，众人才安定。李昭述是李宗谔的儿子。

矛 辽

辛丑(二十七日)，保静军节度使、新知澶州王德用入朝拜见皇帝，流泪说道："我以前身负重罪，陛下赐恩，赦而不杀，如今不值得辱没陛下的宠恩。"皇帝抚慰他说："河北正告警，借你的威名去镇定安抚罢了。"赐给手诏派他赴任。

壬寅(二十八日)，辽皇帝到鸳鸯泺。

三月，甲辰朔(初一)，下诏令殿前指挥使、两省都知荐举有将帅之才的人。

丁巳(初四)，命令杜衍宣抚河东。

辛酉(十八日)，参知政事晁宗悫因病被罢免。

乙丑(二十二日)，赐礼部奏名进士合肥人杨寘等以及诸科及第、出身、同出身八百三十九人。杨寘是杨察的弟弟。

己巳(二十六日)，辽国使臣萧特默、刘六符到达京师，送上辽皇帝的书信，大略是说："自从先世修订和好契约以来，时常派遣使节往来。只因瓦桥关以南是后晋石敬瑭所割让的，到了柴荣，逞一时的狂谋，掠去我十县的旧土，人神共为愤怒，因而柴氏的庙社才不能延续。至于贵国，刚开创基业不久就与我结为友好的邻邦。到了宋太宗时，在征讨的地区刚安定好并汾地区,就以无名之师直接进抵燕蓟,我朝紧急召集精锐,抵御后获得贵国退兵,于是导致年年有戍边之劳,每天都要防备背盟之事发生,始终反反复复,前前后后都很熟悉。私下审知,贵国专任将帅,前往平定河右,寒暑多年,胜负还未见分晓。李元昊对北朝称藩已很久。设若罪当加以诛杀,也应预先通报一声。近来郭稹特此而来,杜防又回,虽然略知音讯,但只是担心有欺诈。既已举行过残害百姓的征伐,就一点也不会有投鼠忌器的顾虑,修筑长堤,填塞险隘道路,开塘决水,增添边防军队。既然暗中习惯于猜嫌,那么,要求两国讲信修睦,我考虑是很难的了。如果想长久保持友好关系,共同排遣掉怀疑之心,不如把原附我国的晋阳地区,割让给我国的关南十县,都归还给我国,从而使百姓康泰!能这样,就更加加深了兄弟的情义,使子孙永远安乐。遥想您的聪悟,一定能深深了解我的诚意。"

这以前,正月己巳(二十四日),边界官吏报告说辽国使臣将要到达,皇帝为此食不甘味,逐次挑选可以出使辽国的官员,群臣都畏惧到辽国去。宰相吕夷简举荐右正言富弼,召入便殿应对,富弼叩头说:"主上的烦忧就是臣下的耻辱,我不敢吝惜自己的性命。"皇帝为此动容。壬申(二十七日),任命富弼为接伴使。富弼在二月丙子(初二)从京师出发,到达雄州后,很长时间,萧特默等人才进入宋境。皇帝派遣中使慰劳他们,萧特默声称脚有病,不肯下拜,富弼对他说:"我曾出使到贵国,因病卧于车中,听说有君命,立即离车下拜。如今中使到了而你却不起拜,这是什么礼节?"萧特默惊愕而起,于是让人扶着参拜了中使。等到萧特默等人到达京师,皇帝命令御史中丞贾昌朝为馆伴。朝廷商议后决定不答应割地,而答应把信安僖简王赵允宁的女儿与辽国的皇子梁王耶律洪基结为婚姻,或者增加每年给辽国的钱物;只有富弼认为结婚之策不可取。

当初,辽皇太弟耶律重元依恃太后势力,曾私自与宋朝互通书信礼物。皇帝想借现在的使臣回复他,让贾昌朝问刘六符,刘六符推辞说:"这对于太后有利,然而对于本朝却是没有好处的。"贾昌朝说:"既然如此,而打算用梁王来求和亲,皇帝难道能安心吗?"刘六符不能回答。

辛未(二十八日),授予富弼礼部员外郎、枢密直学士,这是将要派富弼到辽国酬答的缘故。富弼说:"国家有急事,惟命是从,这是臣子的职责,为何要用官位爵号来笼络呢!"坚决辞谢,没有拜受。

这年春天,范仲淹巡视边防到环州,环州所属羌人暗中与贼兵勾结为患于边境。范仲淹认为种世衡一向得到羌人的欢心,并且青涧城已非常坚固,于是上奏朝廷调任种世衡知环州以镇压安抚所属羌人。

有一个牛家族人叫努额的,性格倔强,从未曾出头露面,听说种世衡来了,急忙到郊外去迎接,种世衡与他相约,次日早晨到他的帐中。这一晚,大雪有三尺深,左右的人说:"地形艰险不可前往。"种世衡说:"我正要用诚信与诸羌交结,不可失约。"于是沿险路而去。努额正躺卧在帐中,认为种世衡一定不会来了,种世衡突然到来,努额大惊,率领他的族人罗拜在种世衡身旁,表示愿听从命令。又有兀二族,接受贼人的官职,种世衡招他们前来,他仍不来,种世衡于是命令蕃官慕恩出兵讨伐他们。此后,一百多账都主动归降,不敢有二心。于是命令各族设置烽火台,有紧急事情就举火,戎装以待。另外,又考核官吏与百姓射箭的本领,有过的人，能够射中目标就免除他的罪过；有人因某事而发生争执，就根据是否射中而判断谁对谁错，因此人人精于射箭，贼兵不敢再靠近环州。

夏季，四月，甲戌朔（初一），辽皇帝颁布南征宋朝的赏罚命令，想让宋朝边防大臣向朝廷告急。

戊寅（初五），命令权御史中丞贾昌朝等人商议裁减不必要花费的办法。

庚辰（初七），下诏任命右正言富弼为回谢国信使，西上阁门使符惟忠为副使。回信说："从前，我烈考章圣皇帝与大契丹昭圣皇帝停止战争，谋求和平，互通使节，订立盟约，两朝继承皇位者，都共同遵守这一盟约，边境臣民和平安乐，将近四十年了。现在贵国专门派遣使臣，特意写信询问，并且索要瓦桥关以内的土地，晋阳以前的封疆，援引石敬瑭割让城池，讲述后周的恢复疆土。这都是前代的事，与本朝何干！从景德初年，我朝开始谨守以邻国为宝的信条，凡是各种细小事故，全不放在心上。况且太宗皇帝亲自到并州之郊，并不是为了谋图燕地，当时贵国急忙发出援兵，石岭交锋后，于是又有蓟门之战，这并非我朝反复无常，而是有原因的。元昊被赐予姓氏，向我朝称藩，遵循我朝历法，领取我朝俸禄，如今急谋反叛，僭越名号，开始骚扰边境，以前我朝商议讨伐，已经报于贵国，杜防、郭稹传达得很详细，说到这次的西征，怎么能讲没有通报呢！使臣往来交错，多次听到嫉恶的言谈，庆贺问候不断，未曾听到要联亲的消息，现在忽然听到不同的言论，令人确实不知所措！原认为两朝应相互为援，反招致投鼠忌器的讥讽。再说营筑堤坝、开决陂塘，先前，由于雨水过多，大有泛滥成灾之势，既然无法疏导，当然要稍加修缮和加固，岂料因此而生嫌，以至于有损于信义与和睦！至于防备边塞，修整道路，检阅、训练兵卒，这是边防将臣谨守职责的常规，也是把乡兵编在名籍的惯制，如果是贵国，难道能撤走戍守的军队吗！假如一切都示以坦诚，两国何至于会产生嫌疑阻隔！只有谨守盟约，才能保证长久的和平，而如今贵国突然提出割地的要求，实在不是遵守盟约所应采取的做法。想到您的聪明和通达，您一定会深切地思考的。其余的话由富弼口头陈述。"信中的词句是由翰林学士王拱辰撰写的。

起初，辽国的书信中说宋太宗举无名之师，一时间众臣不知如何答复。只有王拱辰请求回答说："河东之战，原来是为了诛灭北汉，辽国军队侵袭石岭关，暗中借兵以援助贼军，太宗怒其反复无常，所以在平定刘继元后，就下令北征，怎么能说太宗师出无名呢！"皇帝很高兴，对执政大臣说："若不是王拱辰熟悉历史，简直难以答复。"刘六符对贾昌朝说："南朝的池塘湖泊有什么用呢？一根芦苇就可以渡过去，投下马鞭就可填平。不这样的话，决开护堤，放掉水，用十万个土包一填也就可以过去了。"当时议论的人中也有人请求把水放干以后用来养兵。皇帝以此询问王拱辰，王拱辰回答说："这是刘六符在夸海口罢了。设置险要守卫国家，先王从未放弃这种方法，况且祖宗也是靠此来阻挡戎敌骑兵的。"皇帝深以为然。

壬午（初九），右正言、知制诰刘沆出知潭州。

起始，刘沆出使到辽国，馆伴杜防强迫刘沆饮酒，刘沆大醉，拂袖而起，于是骂杜防说："我不能饮酒，为何强迫我喝这么多的酒！"辽国使臣来访，把这件事说了出来，故而刘沆被贬出京师。不久又再降知和州。因此下诏："出使辽国以及接伴、送伴臣僚，每次宴会不得饮酒过量，言谈举止，一定要存大体。"

戊子(十五日),下诏奖励知延州庞籍等人,因庞籍兴修桥子谷寨已竣工。

起始,元昊攻陷金明、承平、塞门、安远、栲栳寨,击破五龙川,边境百姓房屋财产被焚烧掠夺一空。庞籍到来后,稍加修葺整治。戍守的十多万军卒,没有寨堡,分散住在城中,畏惧庞籍的严明,没有人敢犯法。金明寨西北有浑州川,土地平旷肥沃,川尾叫桥子谷,是敌人出入的要道。庞籍派部将狄青率一万多人在谷旁建筑招安寨,击退数万贼兵。招募百姓来此耕种,收获粮食以接济军队。周美袭取承平寨,王信修筑龙安寨,全部恢复贼兵所占据的故地,修筑了清水等十一堡。

甲午(二十一日),调知澶州王德用为真定府定州路都部署。

丙申(二十三日),右正言田况上奏说:"朝廷选择将帅以防备北部边境,竟然用杨崇勋、夏守赟、高化等人,不懂军事协调,恐怕会误了国家大事。"下诏各选通判、幕职官前往协助他们。知谏院张方平也上奏说:"朝廷处理北方边防之事,虽然增加兵力、修建堡垒,每事都做准备,然而所选派的将帅,不是在全国进行推荐和选拔的。即使派杨崇勋在镇、定,夏守赟在瀛州,刘涣在沧州,张耆在河阳,陛下就得以高枕无忧了吗?不如选取陕西偏裨牙将中知名的如狄青、范全等人,召他们入京,根据他们的才干,稍稍升迁使用他们,追回杨崇勋等人,使他们担任奉朝请之职。等到富弼出使回来后,如果盟约未撕,就让他们各回本路;如果辽兵向南侵犯,就暂且使他们分率军队捍卫北方。这是国家大事所在,乞请圣裁。"

己亥(二十六日),任命知秦州韩琦为秦州观察使,知渭州王沿为泾州观察使,知延州庞籍为鄜州观察使,知庆州范仲淹为邠州观察使。

五月,癸卯朔(初一),调并代钤辖张亢为高阳关钤辖。起初,麟州还不能通行,运粮之路被贼兵阻隔,敕令张亢亲自护送南郊祭祀的赏赐物品到麟州。贼兵既然不能抢掠,随即率数万兵前往柏子寨,截击宋军的回来之路,张亢所率领的只有三千人,张亢激发士卒并使他们愤怒,说:"你等已深陷死地,只有向前勇斗才会生还,不然的话,就会被贼兵杀得干干净净。"士卒都感奋。恰逢天刮大风,顺风击杀,斩敌首六万多颗,夺取马匹一千多,于是修筑建宁寨。贼军多次出兵争逐,在兔毛川展开战斗,张亢亲自率大军抵抗贼兵,而派骁将张岊率短兵强弩数千人埋伏在山后。因为万胜军都是从京师招募的,疲弱不能作战,贼军称之为东军,向来轻视万胜军,而虎翼卒英勇强悍,所以,张亢暗中互换两部的旗帜以使贼军判断失误。贼兵果然奔赴东军而来,却遇到了虎翼卒。激战很长时间,官军突然发出伏兵,贼军大败,斩敌首二千颗。不过一个月,修筑了清塞、百胜、中候、建宁、镇川五处堡垒,麟州的道路才开始通行。张亢又上奏说:"如今所打通的只是往来的小路,路旁都虚空毫无建筑;如果加筑沿边诸栅使它们相互维持,就可以广泛地耕田放牧,河外的势力就会更强大。"此事还未议定,而朝廷担心辽国将要背弃盟约,于是调张亢为高阳关钤辖。

庚戌(初八),河北都转运使李昭述请求批准修筑澶州北城,朝廷依从了。先前,河堤溃决长时间没有堵塞,李昭述只是以治理河堤为名义,调农兵八万人,过了十天就完成了。刘六符经过这里,真以为是修治河堤,等到回来时城池已经完工,非常惊愕。

壬子(初十),发出诏书:"减去皇后及宗室妇女郊祀时所赏赐物品的一半,定为准则。"又下诏:"皇后、嫔御进奉乾元节所回赐的物品也减去一半,宗室外命妇的回赐暂且罢黜,等边防之事安宁的时候再听旨安排。"于是皇后、嫔御每人献上五个月的俸钱以补充军事用费，宗室刺史以上官员也交纳公使钱的一半。荆王赵元俨把公使钱全部交纳，皇帝下诏给他一半。

癸丑(十一日)，任命知贝州、供备库使开封人张茂实为回谢国信副使，因符惟忠路途上得病而死，这是依从富弼的请求而任命张茂实为副使的。

甲寅(十二日)，下诏令三馆臣僚上密封奏疏议论国事以及允许他们请求面见皇帝应对。

戊午(十六日)，建立大名府称为北京。释放河北诸州军的囚犯。严告行宫官员，增建仓库、营舍，都要给赏钱，不得科派。起初，范仲淹知开封，建议修洛阳城以防备急难之事。到辽国将要背弃盟约时，言事者奏请朝廷依从范仲淹的请求，吕夷简说："辽国人畏惧强壮之人，欺侮怯懦之人，急忙修筑洛阳，不仅不能向辽国人显示我朝威风，反而会助长他们的气势；应当在大名建立行都，以示陛下将亲征，以打乱辽国的谋划。"诏书已经下发，范仲淹又奏说："这只可虚张声势罢了，不足依恃。修筑洛阳既然不行，请尽快修筑京城。"议论者大多附和范仲淹的意见，吕夷简说："这是囊瓦修郢城之计。假使辽军得以渡过黄河，而我却固守京师，那么，天下就危险了！所以设城备防应当在河北。"最终修建了北京，有识之士认为这是对的。

己未(十七日)，任命知天雄军程琳知大名府兼北京留守司。

庆州的西北马铺寨，地处后桥川口，深入在贼国的腹地，范仲淹想在此修筑城堡，考虑到贼兵一定会来争夺，秘密派遣儿子范纯佑与番将赵明先占据这一地方，亲率士卒紧随其后。诸将一开始不知往哪里去，走到柔远，才开始发出号令，修筑城堡的工具齐备，十天左右就完成了，时间在这年的三月，不久，赐名为大顺。贼兵发觉，派三万骑兵来进攻，敌军佯装败北，范仲淹告诫将士不要追击，后来发现果然有埋伏。大顺建成后，白豹、金汤都不敢轻举妄动，环庆从此贼寇更少了。

癸亥(二十一日)，新邠州观察使范仲淹、鄜州观察使庞籍，都恢复为龙图阁直学士，这是依从他们的请求。

起初，范仲淹上表说："我守卫边防多年，羌人对我很亲切友好，称呼我为龙图老子。如今改为观察使，就与诸族首领的名号相混乱，恐怕被敌贼轻视；况且我没有功劳，不应该再增加优厚的俸禄。"言辞非常恳切，三次上表，于是朝廷依从了他的请求。

甲子(二十二日)，召江南东路转运使杨察入朝封为左正官、知制诰。杨察在任上，专门以荐举官吏为急切办理的事务，有的人因此讥讽他，杨察说："这是按察的职责，至于征敛赋税来献给上司，那是一般俗吏也能办的事。"

乙丑(二十三日)，罢黜左藏库每月的进奉钱。皇帝告诉辅佐大臣说："这是《周官》所谓供给王所喜欢用的。朕在宫中无所花费，罢黜进奉钱，把它用来帮助国家。"

真定府、定州路都部署王德用入朝奏事，任命为宣徽南院使，判成德军，还未去上任，改为判定州兼三路都部署；调判定州杨崇勋判成德军。杨崇勋年老不能处理事务，所以调动他。

913

王德用到任后，每天教士卒演练战事，不久，士卒人人可用。辽国派人偷看，有人建议把偷看的人捕捉杀掉。王德用说:"那人回去后,报告了实际情况,这是不用打仗而使他们屈服的上策。"第二天,在郊外大规模检阅士卒,亲自擂鼓誓师,士卒进退坐作都合要求,王德用一整天没有杀一人。于是下令,准备干粮,听清鼓声,按军旗所指的方向进退。偷看的人回国后,报告了实情,认为宋军将大规模入侵。不久两国又议和,士卒才解散。当时征发的士兵屯驻在定州的将近有六万人,都住在旅店及百姓家中,没有一人敢大呼小叫或对百姓蛮横粗暴的。将校相互告诫说:"我等各自务必要看好士卒,不要让士卒烦扰我们的菩萨。"

任命高阳关路钤辖张亢权知瀛洲兼本路部署司事,这是夏守赟有病不能视事的缘故。

丁卯(二十五日),调知成德军张存为河北转运使。先前,张存上疏说:"辽国与元昊是姻亲,恐怕他们暗中相呼应。河北的城池长时间没有修治,应当留意于此。"于是,河北诸州城全部加以修治,派张存前往督导察验。

戊辰(二十六日),下诏:"有关部门要申明前后颁布的条约,禁止用销金、贴金、镂金等作为服饰,从宫廷开始,百姓中有犯此禁令的一定按法处置。"

六月,甲戌(初三),支出内藏库银一百万两,紬和绢各一百万匹,供给边防费用。

壬午(十一日),辽皇帝亲临含凉殿,外放进士王寔等六十四人到京外任职。

辽国禁止卖毡、银给宋朝。

癸未(十二日),调知杭州郑戬为知并州兼河东路经略安抚沿边招讨使,不久改为知郓州。杭州有钱塘湖,灌溉民田几十顷,钱氏设置撩清军来疏导淤滞不通的地方。钱氏归顺宋朝后,钱塘湖长时间没有人治理,杂草繁密,淤泥堆积,以至于堵塞水道,又被豪族僧坊所占据,湖泊显得更加狭小。郑戬征发所属县中的丁壮数万人加以开辟,百姓因此而得利。此事被皇帝知道后,下诏令杭州官员,每年治理钱塘湖都要按郑戬治理时所采用的方法。

丙戌(十五日),把定州北平寨改建为北平军。

戊子(十七日),任命枢密副使任中师为修建北京使,入内副都知皇甫继明为辅佐。

乙未(二十四日),任命天章阁待制明镐为知并州兼河东经略安抚沿边招讨使。当时,在边防线上任职的多是纨绔子弟,明镐担忧他们会误了军事,于是抓住那些很不称职地施以杖责。办事软弱无能的纨绔子弟都自动解职离去,明镐又奏请朝廷选派懂得边防事务的官员来镇守堡塞。军队出发,有很多娼妇跟从。适逢有人因争吵而杀死娼妇,明镐不加问罪。娼妇们听到此事后,都离散而去。

这个月,侍御史雍丘人鱼周询弹劾判河阳张耆为官无功,乞求让他到京城的府邸养病;不久调张耆判陈州,又调到寿州任职。

秋季,七月,壬寅朔(初一),知谏院张方平上疏请求废除枢密院,把它的职事并到中书省,朝廷没有答复。

丙午(初五),枢密副使任布被降职为知河阳。

任布在枢密副使任上,多次与宰相吕夷简忤逆。任布大儿子任逊,一向狂妄愚蠢,吕夷简知道后,就引诱他,使他向皇帝上疏言事,答应任他为谏官。任逊随即上疏逐个诋毁执政大臣,并且指斥任布没有才能。任布看见后,就把奏疏藏了起来。吕夷简又催促任逊上疏朝廷。任逊又上疏要处罚藏匿的人。皇帝问后知道藏匿者是任布,任布谢罪说:"我儿子从小就有病,言辞悖逆荒谬,我担心辱没朝廷,所以不敢宣布。"侍御史鱼周询因此弹劾任布,任布于是被罢职离开枢密院前往河阳。任逊还留在京师,希望拜他为谏官,吕夷简很快就用其他事情把任逊贬黜了。

戊午(十七日),任命右仆射、平章事吕夷简判枢密院事、户部侍郎、平章事章得象兼枢密使,加封枢密使晏殊为同平章事。起初,富弼建议宰相应兼权枢密使,皇帝说:"军国大事,应当全部归于中书处置,枢密并非古官。"然也不打算很快废弃,所以只令中书同议枢密院事。到张方平请求废除枢密院时,皇帝才采用富弼以前的建议,命吕夷简判枢密院事,而章得象兼枢密使,晏殊加封为同平章事,使和从前一样。

起初,富弼、张茂实以结为婚姻和增加岁币两件事前往告知辽国人,听由他们选择。富弼等人到达辽国,萧特默已加封为同政事门下平章事,刘六符为行宫副部署。辽皇帝任命刘六符为馆伴。刘六符说辽皇帝坚决要求宋朝割让土地,富弼说:"这一定是想毁弃盟约,借此为名罢了。大宋只有横刀立马等待着了。"刘六符说:"你们宋朝如此固执,事情怎么能办妥?"富弼说:"你们辽国无故要求大宋割让土地,大宋没有立即发兵征讨,而是派遣使臣好言好语再次商议,这哪里是宋朝坚持固执呢?"

到拜见辽皇帝后,富弼说:"两朝友好,将近四十年了,如今忽然要求宋朝割让土地,这是为什么呢?"辽皇帝说:"你们宋朝违背盟约,堵塞雁门,增修塘坝,整治城池,征集民兵,这是什么意思?群臣竞相请求举兵南伐,朕认为不如先派遣使臣求取关南的旧地,求而不得,再举兵南伐也不晚。"富弼说:"辽国与大宋如果相通友好,那么,人主就专享其利而臣下无所收获。如果两国用兵,那么,利益就归于臣下而人主招致祸患。所以,那些劝说皇帝用兵的人,都是为自身谋利益,而不是从国家大局出发的。"辽皇帝惊讶道:"这怎么说?"富弼说:"晋高祖欺天叛君,求助于辽国,晋末帝昏乱,神人唾弃了他。当时中国地域狭小,上下离叛,所以辽国能够保全军队而获胜,虽然掠获的金币,充满诸臣的家庭,但是壮士、健马伤亡大半,这由谁来承担祸患呢?如今,中国封疆万里,所拥有精兵数以万计,辽国用兵,能够保证一定取胜吗?"辽皇帝:"不能。"富弼说:"胜负难以预料,就算是辽国获胜,然而所伤亡的壮士、健马,是由群臣承担呢,还是由人主承担?如果相通友好不断,岁币全部归人主所有,群臣有何利益!"辽皇帝恍然大悟,长时间点头,表示同意。富弼又说:"堵塞雁门是防备元昊,塘坝始建于何承矩,其事在两国相通友好之前,地势低洼,雨水汇聚,堤坝不能不加增。所修治的城池都是以前的,民兵也是以前的名籍,只不过是补缺罢了,不是违背盟约。"辽皇帝说:"不是你说,朕还不知道那详细情况呢。然而朕所想得到的,是祖宗的旧地。"富弼说:"晋高祖用卢龙一道贿赂契丹,周世宗又征伐取得了关南,都是前代的事了。宋朝勃兴已有九十年,如果各自都想索求前代的旧地,这难道对辽国有利吗?"辽皇帝无言以对,缓缓说道:"元昊对我称藩,娶我公主,宋朝征伐他,不先告诉我,为什么?"富弼说:"辽国以前征伐高丽、黑水,难道曾报告宋朝的吗?天子令我向陛下致意说:'以前不知道元昊与弟有姻亲,因为他辜负天恩,扰乱边境,所以讨伐他,而弟有不满之言。如今出兵攻击元昊就会伤害我们兄弟的情谊,不出兵攻击却不忍坐看官吏百姓惨死,不知道弟如何处置这件事?'"辽皇帝转头与大臣们用本国话讲了很久,才说:"元昊作乱,怎么可以不让南朝出兵攻击呢!"

915

退出宫廷后,刘六符对富弼说:"如果我主认为接受金帛是耻辱,而坚持要宋朝割让十县,怎么办?"富弼说:"大宋皇帝曾说'朕为子孙,怎么敢轻易地把祖宗旧地送给别人!以前澶渊城下刀光剑影,章圣皇帝尚且不把关南之地让与别人,难道今天却愿割地吗!况且辽国想得到十县,不过是想获得其地的租赋罢了,如今用金帛代替,也足以资补国用的了。朕念及两国百姓,不想使他们肝脑涂地,所以,不吝惜金帛来满足辽国的欲望。如果辽国一定要得到土地,这是志在背盟弃好,朕怎么能避开用兵呢?澶渊之盟,实际上是天地神祇共同看到的。如今辽国首先引起军事争端,过失不在朕。天地鬼神,难道可以欺骗吗!'"刘六符对他的副手说:"宋朝皇帝有这样的善心,很好,我们应当一起上奏,使两主心意相通。"

第二天,辽皇帝召富弼与他一同打猎,使富弼的马靠近自己,问富弼想说什么,富弼说:"宋朝只想两国永远欢好罢了。"辽皇帝说:"得到土地就可使两国欢好永久。"富弼说:"宋朝皇帝派我对陛下说:'辽国想得到祖宗的旧地,宋朝难道肯失掉祖宗的旧地吗?况且辽国既然以得到土地为荣耀,那么,宋朝一定以失掉土地为耻辱。两国是兄弟,难道可以让一个荣耀一个耻辱吗?朕并没有忘记燕蓟以前的疆土,但又怎么能再提出此事呢,两国正应该彼此自我安慰罢了。'"打猎回来后,刘六符对富弼说:"皇帝听到你关于荣辱的说法,心中很是感慨,因而醒悟了。然而不想获取金帛,只有结为婚姻一事可以商议。"富弼说:"结为婚姻容易产生衅隙,况且夫妇不一定感情很好,人命长短不同,不比增加金帛来得方便。"刘六符说:"宋朝皇帝自己一定有女儿。"富弼说:"皇帝的女儿才四岁,成婚必须在十多年后。如今打算尽释目前的嫌疑,怎么可以等待呢?"富弼猜想辽人想要结为婚姻,用意在于得到更多的金帛,因此说:"宋朝公主出嫁的旧例,嫁妆的价值不超过十万缗。"于是,辽人很少提到两国应结为婚姻的方案了,并且告诉富弼,让他返回。富弼说:"两件事还未决定,怎么敢空手回去!愿意留下来,等待事情完全议妥。"辽皇帝说:"等你再来的时候,我定当选择其中一件事情接受,应该把誓书也带来。"富弼还国奏报朝廷,朝廷又授予富弼吏部郎中、枢密直学士的官职,富弼又辞谢而没有接受。

癸亥(二十二日),富弼与张茂实又以结婚和岁币二事前往辽国,于是吕夷简传达皇帝的旨意,命令富弼起草答复辽国的书信及誓书,共写了国书二份,誓书三份。如果议定两国结为婚姻,就没有锦。如果辽国能使夏国重新向宋朝称藩,那么,给辽国的金帛每年增加二十万,不然的话,只有十万。富弼上奏说在誓书内应增加三件事:第一,两国边界地区的塘淀不得再开辟扩展;第二,双方都不准无故增添屯驻边境的兵马;第三,双方都不准收留对方各种逃亡的人。富弼于是请求抄录副本前往辽国。中使连夜带着誓书五函及副本,在武强追上富弼,把誓书及副本交给富弼。富弼走到乐寿,自思:"所增加的三件事,都是与辽人先前约好的,万一誓书中的词句不相同,则辽人一定会猜疑,我的任务就完不成了。"于是秘密地打开副本观看,果然如预料的一样,立即上疏奏报。又派他的属下宋诚、蔡挺到中书去告诉执政大臣。皇帝想了解北方的形势,急忙在便殿召蔡挺回话,于是下诏给富弼,三件事只可口头陈述。富弼知道这是执政大臣的阴谋,于是把礼物交托给张茂实,自己则快马加鞭来到京师,天色将晚,他叩击阁门请求应对,阁门吏拘泥于旧制,说应当先通报名字,应对还须在第二天。富弼斥责阁门吏,于是阁门吏急忙奏报皇帝,富弼才得以觐见皇帝,富弼说:"执政大臣这样做,是想把我置于死地。我死不足惜,可国家大事怎么办!"皇帝急忙召见吕夷简等人询问情况。吕夷简从容地说:"这是失误而已,应当改正。"富弼话锋更加直指吕夷简。晏殊说:"吕夷简决不会做这样的事,只恐怕是失误罢了。"富弼愤怒地说:"晏殊奸佞邪妄,党同吕夷简以欺骗陛下!"于是下诏令王拱辰改写誓书。这一晚,富弼住在学士院,第二天才出发。

八月,戊子(十七日),支出内藏库缗钱十万来整修北京行宫。当时任中师奏报行宫大部分已毁坏,请求重新修整。皇帝令全面修整寝殿及角楼,其余都只要修补使之完整而已;从京师到德清军的行宫、馆驿、廨舍,也要适当加以修补治理。

九月,辛丑朔(初一),任命太常博士阳翟人孙甫为秘阁校理,这是枢密副使杜衍所推荐的。起初,杜衍守京兆,征辟孙甫为知府司录事,吏职中很小的事情都让孙甫去办理。孙甫说:"待我如此,可以离开了。"杜衍听到后,不再把小事交给孙甫办理。杜衍和孙甫谈话,孙甫一定引经据典来回答,谈论天下的贤才俊士,逐个评论他们才性的长处,杜衍说:"我原本是征辟属吏,却竟然得到了一位好朋友。"

起初,任命吕夷简判枢密院事,宣布以后,黄色大雾充塞四方,狂风咆哮了一整天,朝中议论纷纷。参知政事王举正,说二府规模相当,用判的名称太重了,不可不回避,右正言田况也这样认为。吕夷简也不敢担当;丙午(初六),吕夷简被改为兼枢密使。

陕西转运司奏称:"近来增添吃粮的兵士七万人,所赐予的粮食将近三百万缗,乞求朝廷详加讨论。"下诏令三司计算以后再奏报。知谏院张方平,请求选择亲近的大臣分别出使各道,接近各边防大臣,与他们深入讨论丰富财物、节减费用、守卫边防、谋求长远的计策。比如,沿边的骑兵,估计用养一名骑兵的费用可以养五名步兵。西戎出产宝马良驹,再加上那里的地形险隘,我朝骑兵确实不能和他相较量。因此,大量保留骑兵,没有多大的实际用处,只是白白浪费料草。如今,北方正在作防备辽国入侵的准备,那里才是使用骑兵的地方。乞求用陕西的新团士兵,大量替换骑兵使其到东方来,这样,一来可以减省关中的运输费用,二来可以加强河北的战与守的能力。

富弼、张茂实在八月乙未(二十四日),到达辽国,第二天,有人引领富弼等进见辽皇帝,辽皇帝说:"两朝结为婚姻的事会使宋朝的骨肉分离,或许公主与梁王互相不喜欢,所以不如每年增加金帛。但必须在誓书中加一个'献'字才可以。"富弼说:"'献'字是下奉上所用的词,不可施用于敌对的国家。宋朝为兄,难道可以有兄献于弟吗?"辽皇帝说:"宋朝把丰厚的金帛送给我,是畏惧我朝,对'献'字为何吝惜呢?"富弼说:"宋朝皇帝爱惜生灵,所以用金帛来代替干戈,并不是畏惧辽国。如今,陛下忽然说出这样的话,正是想弃绝以前的友好关系,用一定不可能的事相要挟罢了。"辽皇帝说:"改用'纳'字怎么样?"富弼说:"也不可以。"辽皇帝说:"誓书在哪里? 拿出那封每年增加二十万的。"富弼给他后,辽皇帝说:"用'纳'字自古就有。"富弼说:"以前只有唐高祖向突厥借兵,所以用臣子的礼节与突厥交往。当时的交往中,或许称'献'、'纳',也不可详知。后来,颉利可汗被唐太宗擒获,哪里再会有这样的礼节?"辽皇帝看见富弼声色俱厉,估计自己战胜不了富弼,就说:"我自会派遣使臣与宋朝商议这件事。"于是,辽皇帝留下宋朝答应的每年增加金帛二十万的誓书,壬寅(初二),派耶律仁先、刘六符来宋朝商议"献""纳"字。

乙巳(初五)富弼等人返回到了雄州，朝廷下诏："就任命富弼为接伴使，若有朝廷应当首先知道的，急速传报朝廷。"富弼上奏说："辽国要求用'献'、'纳'二字，我坚决拒绝了，它的嚣张气焰已遭受打击，朝廷不可以再答应。"

乙丑(二十五日)，辽国北院枢密副使耶律仁先、汉人行宫副部署刘六符入见皇帝，把誓书也带来了。他们仍然要求文书中应称"贡"，议论者纷纷责难他们。耶律仁先说："从前，石敬瑭回报本朝的大恩大德，割让土地献给本朝，而后周又用武力夺取，谁对谁错，灼然可见。"议论相持不决。朝廷采用晏殊的建议，用'纳'字答应了他们。

闰月，庚辰(初十)，再次任命右正言、知制诰富弼为吏部郎中、枢密直学士，富弼又坚决辞谢了。先前，富弼多次在议论事情时触犯了吕夷简，吕夷简因此推荐富弼出使辽国，打算借此事加罪与他，馆阁校勘欧阳修上疏，引用颜真卿荐李希烈出使的例子乞请留下富弼，朝廷没有答复。而富弼接受了使命，毫不推辞，第一次奉诏出使时，听说一个女儿去世，第二次奉诏出使时，听说妻子生了一个儿子，他都没有回去看一看就出发了；接到家信，不打开就把它烧了，说："打开书信只会扰乱人心而已。"

壬午(十二日)，任命太子中允、通判秦州尹洙为直集贤院。尹洙上奏说皇帝的命令朝令夕改，恩宠过度，赐予没有节制，言辞非常恳切率直。

癸巳(二十三日)，泾原副都部署葛怀敏与元昊军队作战，战死于定川寨。

先前，元昊声称将要入侵，这一月辛未朔(初一)，王沿命令葛怀敏率兵抵御。己卯(初九)，大军抵达瓦亭寨，葛怀敏派遣本寨都监许思纯、环庆都监刘贺率五千多番兵为左翼，天圣寨主张贵断后。戊子(十八日)，大军进驻五谷口。知镇戎军曹英、泾原路都监赵珣、西路都巡检李良臣、孟渊，都从山外来此会合，沿边都巡检使向进、刘湛为先锋，赵瑜总领奇兵作为后援。

到大军驻扎安边寨，粮草供给尚未结束，葛怀敏即离开大军，夜行军，到开远堡北面一里的地方住了下来。庚寅(二十日)，葛怀敏率领大军从镇戎军西南出发，又先率一百多随从骑兵走在大军前面。走马承受赵政认为已经距离贼兵很近了，不可轻易进军，葛怀敏才稍稍停了下来，晚上，前趋养马城。曹英及泾原都监李知和、王保、王文、镇戎都监李岳、西路都巡检使赵璘等分率士兵屯驻在镇戎城西六里，夜晚就进入城内固守，共三天，这时也前往养马城会见葛怀敏，听说元昊把军队调设在新壕外，于是大家商议乘黎明时加以包围袭击。赵珣对葛怀敏说："贼兵远道而来，利于速战速决，我军应当依凭马栏城布设栅栏，控扼贼兵的归路，固守镇戎城以便于粮草运输，等到敌人衰弱时再出击，一定可以取胜。不然的话，我等一定会被贼兵杀害。"葛怀敏不听从他的建议，而命令诸将分四路前往定川：刘湛、向进从西水口出发，赵珣从莲华堡出发，曹英、李知和从刘瑶堡出发，葛怀敏从定西堡出发。

不久，李知和与曹英督率军队连夜出发。辛卯(二十一日)，刘湛、向进率军走到赵福新堡，遇到贼军，与敌作战没有取胜，便退保向家峡。而赵珣、曹英、李良臣、孟渊等率兵前往定川，葛怀敏又令他们救援赵福堡；军队还未出发，谍探报告说贼兵已经屯驻在边壕上了，于是葛怀敏又召令赵珣等率兵开发定川。适逢李知和部下蕃落将报告说有五千贼兵布置在定川寨的北面；不久，王文、李知和、定川寨主郭纶又报告说贼兵已经拔掉栅栏越过城壕。葛怀敏命令赵珣与他的儿子葛宗晟先走，将近中午，葛怀敏率军进入定川寨。贼兵破坏了板桥，断绝了大军的归路，另外，贼兵分为二十四道以通过军队，把定川寨团团围住，又断绝定川寨水泉的上流。刘贺率番兵与贼兵战于河西，不能取胜，众兵溃散。

葛怀敏为中军，率军屯驻在寨门的偏东，曹英等率军驻扎在东北角。四面贼兵都到了，首先用精锐军队冲击中军，没有成功，于是回军攻击曹英。恰遇黑风从东北刮起，士卒相互散失，阵角于是大乱，士卒攀登城墙争着入城。曹英面中流箭，倒在壕沟中，葛怀敏所部的士兵看到后也大惊失色，争相奔跑。葛怀敏被众兵士推挤，几乎死去，抬到瓮城，很长时间才苏醒过来。葛怀敏挑选士卒据守在门桥边，挥动大刀以阻挡那些要进入城内的士卒。赵珣等簇拥着刀斧手上前与敌争斗，又用骑兵众力抵御贼军，贼军才稍稍退却。然而，大军已丧失斗志，赵珣屡次驰马入城，劝说葛怀敏回到军中。这一晚，贼兵越来越多，围城四方，在城西北的贼军大呼说："你不是部署厅上点阵图的那个人吗？你确实很能治军，而今却陷入我们包围之中，现在要到哪儿去呀！"夜里四鼓时，葛怀敏召集诸将商议计策，大家都没有很好的退兵之策，于是谋划合兵前往镇戎军。赵珣请求从笼竿城出发，说："那里无险，并且出贼敌意料之外。"众人不听从他的建议。到了天亮，葛怀敏放马向东南方向跑了二里左右的路，到长城壕，道路已被断绝，贼兵包围了他们，葛怀敏及诸将曹英等十六人都遇害而死，九千四百多军士，六百多匹马，都陷于贼军手中。葛怀敏的儿子葛宗晟与郭京等人还保定川寨。贼军长驱直入到了渭州，在方圆六七百里的范围里，焚烧庐舍，屠杀掠夺居民后离去。

从刘平败于延州，任福败于镇戎，葛怀敏败于渭州，贼兵的声势更加令人震惊。然而，贼兵仍守着巢穴，是因为鄜延路屯驻兵马六万八千人，环庆路五万人，泾原路七万人，秦凤路二万七千人，这些兵马对贼兵的势力有所牵制的缘故。

戊戌（二十八日），下诏河北都转运司、沿边安抚司："如今宋辽两国再次议定和好，希望告诉百姓，各种科敛徭役全部罢黜。"

续资治通鉴卷第四十五

【原文】

宋纪四十五　起玄黓敦牂【壬午】十月,尽昭阳协洽【癸未】八月,凡十一月。

仁宗体天法道极功全德　神文圣武睿哲明孝皇帝

庆历二年　辽重熙十一年【壬午,1042】　冬,十月,丙午,以右正言、知制诰富弼为翰林学士。弼言于帝曰:"增金币与辽和,非臣本志,特以朝廷方讨元昊,未暇与北方角,故不敢以死争耳,功于何有,而遽敢受赏乎! 愿陛下益修武备,无忘国耻。"卒辞不拜。

辽使之还也,辽主命耶律仁先同知南京留守事,刘六符加同中书门下平章事。及岁币至,命六符为三司使以受之。

己酉,以鄜延钤辖王信为本路部署,鄜延都监狄青为泾原都监兼知原州,左藏库副使景泰为本路钤辖兼知镇戎军;皆赏其破贼功也。后三日,信及青各兼本路经略安抚招讨副使。

知秦州韩琦,尝奏本路兵备素少,请益军马;朝廷以诸处未可抽那,诏琦详度以闻。琦奏曰:"自元昊寇抚西鄙,陕西点民为弓手以助防守,有警则赴集,无事则归农,武艺废而不修,禁约轻而易犯。至有雇人应名,更相为代,官中了不可别,每遇上州防(托)〔拓〕,多结众逃避,以此州郡徒有人数,若倚之战,适足败事。臣谓拣刺士兵,自是祖宗旧法。今或只刺手背及充保毅弓箭手名目,终与民不殊。请黥为禁军,人给刺面钱二千,无用例物。"诏从琦请,简陕西弓手,悉刺面充保捷指挥,仍给例物。凡刺保捷军一百八十五指挥。

癸丑,赠泾原路副都部署葛怀敏为镇西军节度使兼太尉,谥忠隐,子宗晟等皆迁官。泾原钤辖曹英以下十六人,并赠官有差。怀敏通时事,善候人情,故多以材荐之;及用为将,而刚愎轻率,昧于应变,遂至覆军。

甲寅,以翰林学士王尧臣为泾原路安抚使,内侍副都知蓝元用副之。始,尧臣还自陕西,请先备泾原,弗听。及葛怀敏败,帝思其言,故复遣尧臣往。于是前所格议,多见施行,复任韩琦、范仲淹为统帅,实自尧臣发之。

以河东都转运使文彦博知渭州兼泾原路都部署、经略安抚沿边招讨使。

丙辰,知制诰梁适报使于辽。

戊午,发定州禁军二万二千人屯泾原。

庚申,诏恤将校阵亡,其妻女无依者养之宫中。

丙寅,辽遣林牙萧偕来报撤兵。

丁卯，泾州观察使知渭州王沿降知虢州，坐葛怀敏之败也。沿始教怀敏驻军瓦亭，及怀敏趋镇戎，沿驰书戒勿入，第背城为寨，以嬴师诱贼，至则发伏击之，可有功。怀敏弗听，进至定川，果败。贼乘胜犯渭州，沿率州人乘城，多张旗帜为疑兵，贼引去。先是沿子豫谓怀敏非将才，请奏易之；沿不听，故及。

原州属羌敏珠尔、密藏二族，兵数万，与元昊首尾隔绝，邻道范仲淹闯泾原欲袭讨之，(乙)〔己〕巳，奏言："二族道险不可攻，前日高继嵩尝已丧师。平时犹怀反侧，今讨之，必与贼为表里，南入原州，西扰镇戎，东侵环州，边患未艾。宜因昊贼别路大入之际，即并兵北取细腰胡芦泉为堡障，以断贼路，则二族自安，而环州、镇戎径道通彻，可以无忧矣。"后二岁，遂筑细腰胡芦诸寨。

十一月，壬申，诏阁门："自今契丹使，不以官高下，并移坐近前。"

辛巳，徙知渭州文彦博为秦凤路都部署兼知秦州，知泾州滕宗谅为环庆路都部署兼知庆州，知瀛洲张亢为泾原都部署兼知渭州，俱加经略安抚招讨使。复置陕西四路都部署、经略安抚兼沿边招讨使，命韩琦、范仲淹、庞籍分领之。仲淹与琦开府泾州，而徙彦博帅秦，宗谅帅庆，皆从仲淹请也。初，葛怀敏败于定川，诸郡震恐，宗谅顾城中兵少，乃集农民数千，戎服乘城，又募勇敢，谍知贼远近形势，报旁郡使为备。会仲淹引环庆兵来援，时天阴晦者十日，人情忧沮，宗谅乃大设牛酒，迎犒士卒，又籍定川战殁者，哭于佛祠，祭酹之，因厚抚其孥，使各得所欲。于是士卒感发增气，边民稍安，故仲淹荐以自代。

甲申，以泰山处士孙复为试校书郎、国子监直讲。范仲淹、富弼皆言复有经术，宜在朝廷，故召用之。

丁亥，辽群臣上辽主尊号曰聪文圣武英略神功睿智仁孝皇帝，册皇后曰贞懿宣慈崇圣皇后。大赦。梁王洪基进封燕国王。又进封齐王萧惠为韩王，以首议南伐，得增岁币也。

己丑，降向进、高惟和、李禹珪、吴从周〔等官〕，郝从政、赵瑜(等官)并落职，坐定川之败也。

辛卯，诏知永兴军郑戬兼管句陕西转运司计度粮草公事。戬建言："凡军行所须，愿下有司相缓急，析为三等，非急切者，悉宜罢去。"先是衙吏输木京师，浮渭泛河多漂没，既至，则斥不中程，往往破家不能偿。戬岁减三十馀万，又奏罢括籴以劝民积粟。长安故都，衣冠子弟多豪恶，戬治之颇严，甚者至黥窜，人皆慑息。

十二月，壬寅，置武学教授。

甲辰，辽封皇太弟重元子呢噜古为安定郡王。呢噜古性阴很，辽主尝曰："此子目有反相。"然恩礼如初。

己酉，辽主以宣献皇后忌日，与皇太后素服饭僧于延寿、闵忠、三学三寺。

辛亥，辽命蠲预备伐宋诸部租税一年。

壬子，辽以吐浑、党项多鬻马于夏国，命谨边防。

己未，辽主以宋贺使在邸，微服往观之。

壬戌，诏："韩琦、范仲淹、庞籍已带四路招讨使，其诸路招讨使、副并罢。"先是知庆州滕宗谅言："自定川丧师，朝廷命韩琦等都统四路，则逐路帅臣当禀节制，其官号不可同。"故有是诏。

丁卯，辽禁丧葬杀牛马及藏珍宝。

是冬，宰相吕夷简感风眩不能朝，帝手诏拜司空、平章军国重事，俟疾损，三五日一入中书；夷简力辞。复降手诏曰："古谓髭可疗疾，今剪以赐卿。"又问群臣可任两府者，其宠遇如此。夷简平生朝会，出入进止，皆有常处，不差尺寸。一日朝见，误忘一拜，外间谨言吕相失仪。汉州张纮曰："是天夺之魄，殆将亡矣！"后旬馀，遂感风眩云。

是岁，密诏知延州庞籍招纳元昊："元昊苟称臣，虽仍其僭号亦无害；若改称单于、可汗，则固大善。"籍以为元昊骤胜方骄，若中国自遣人说之，彼益倔强。

时元昊使李文贵在青涧城，籍乃召文贵谓之曰："汝之先王及今王之初，皆不失臣节，汝曹忽无故妄加之名，使彼此之民肝脑涂地，皆汝群下之故也。我国家富有天下，虽偏师小衄，未至大损，汝一败则社稷可忧矣。汝归语汝王：若能悔过称臣，朝廷所以待汝王者，礼数必优于前。"文贵顿首曰："此固西人日夜之愿也。"籍乃厚赆遣之。

元昊国中疲困，欲纳款而耻先言，及文贵还，闻籍言，大喜，使文贵复持旺荣等书抵籍议和。籍嫌其言不逊，未敢复书，请于朝。诏籍复书许其和，而称旺荣为太尉。籍复请曰："太尉，天子上公，使旺荣称之，则元昊不可得臣矣。其书自称宁令，彼之官名，称之无嫌。"昭从籍言。既而旺荣等又以书来，欲仍其僭号而称臣纳款，籍曰："此非边臣所敢知也。"时方议修复泾原城寨，籍恐元昊败其功，故与往复计议，不绝其请。

三年　辽重熙十二年【癸未，1043】　春，正月，辛未，辽遣使谕夏国与宋和。

壬申，辽以北面林牙萧革为北院枢密副使。革善谀悦，与近习相比昵，由是名达于上。尝侍宴，辽主谓革曰："朕知卿才，故自拔擢，卿宜勉力。"革曰："臣不才，误蒙圣恩，惟竭愚衷，安敢怠！"

泾原安抚使王尧臣言备御之策，凡五事："其一，镇戎军接贼界天都山止百馀里，西北则有三川、定川、刘璠等寨，皆汉萧关故地，最是贼冲，其寨主、监押，当令本路主帅举辟材勇班行。若谓昨来怀敏之败，定川诸寨不足捍御，遂为弃地，则两路更无保障，贼马可以直抵城下矣。其东南师子、拦马、平泉三堡，俟春当益营筑，为泾、渭之屏蔽，不尔，其势不攻而自下。一路隔绝，更无斥候，镇戎遂为孤垒矣。其二，渭州笼竿、羊牧隆城、静边、得胜四寨，在六盘山外，内则为渭州藩篱，外则为秦、陇襟带，土地饶沃，生齿繁多，请建置为军，择路分都监一员知军，专提举四寨。及令修浚城堑，添屯军马，及时聚蓄粮草，以为备御。其三，原州西至环州定边寨，与敏珠尔、密藏等族一带蕃部相接，其首领至多，素无保聚，不相维统，向背离合，所守不常。须择武臣知环、原二州，相为表里，使招辑蕃部，但不为贼用，庶少减泾、原之患。其四，仪州地控山险，州城低薄，壕堑浅狭，三分军民，二分在外，贼至虽能城守，居民必大遭剽掠，亦宜预虑之。其五，泾州虽为次边，然缘河大川，道路平易，实近里控扼之会，其张村直入州路，宜营作关栅，或断为长堑，以遏奔冲。望下韩琦、范仲淹相度施行。"从之。

辛巳，诏辅臣议蠲减天下赋役。

戊子，诏录将校死王事而无子孙者亲属。

辛卯，诏陕西沿边招讨使韩琦、范仲淹、庞籍，凡军期(中)〔申〕覆不及者，皆便宜从事。又建渭州笼竿城为德顺军。皆用王尧臣议也。

初，曹玮开山外地，置笼竿等四寨，募弓箭手，给田，使耕战自守。其后将帅失抚御，稍侵夺之，众怨怒，遂劫德胜寨主姚贵闭城叛。尧臣适过境上，作书射城中，谕以祸福，且发近兵讨之。吏白尧臣曰："公奉使且还，归报天子耳；贵叛，非公事也。"尧臣曰："贵土豪，颇得士心，然初非叛者；今不乘其未定速招降，后必为朝廷患。"贵果出降。尧臣为申明约束，如玮之旧，乃归。

壬辰，录唐狄仁杰后。

癸巳，延州言元昊遣伪六宅使、伊州刺史贺从勖来纳款。先是庞籍因李文贵还，再答旺荣等书，约以元昊自奉表削僭号，始敢闻于朝。于是文贵与从勖持元昊书至保安军，其书自称"男邦尼鼎定国乌珠郎霄上书父大宋皇帝"。从勖又致辽使人谕令早议通和之意。又言："本国自有国号，无奉表体式，其称乌珠，盖如古单于、可汗之类。若南朝使人至本国，坐蕃宰相上。乌珠见使人时，离云床问圣躬万福。"从勖因请诣阙，籍使谓之曰："天子至尊，荆王叔父也，犹称臣。今名体未正，不敢以闻。"从勖曰："子事父，犹臣事君也。使从勖至京而天子不许，请归更议之。"籍乃具以闻，且言："元昊辞稍顺，必有改事中国之心；愿听从勖诣阙，更选使者往其国申谕之，彼必称臣，凡求丐之物，当力加裁损。"时元昊与辽有衅，故请款塞，而当时议边事者虚揣臆度，讫不得其要领。

丙申，王尧臣又言："韩琦、范仲淹、庞籍既为陕西四路都部署沿边经略安抚招讨等使，四路当禀节制，而诸路尚带经略使名者九人，各置司行事，名号不异，所禀非一。今请逐路都部署、副部署并罢经略，只充沿边安抚使、副。"从之。

吕夷简数求罢，帝优诏未许。陕西转运使孙沔上言："祖宗未尝以言废人。景祐以前，纲纪未甚废，犹有感激进说之士。观今之政，是可恸哭，而无一人为陛下言者，由宰相多忌而不用正人也。自夷简当国，黜忠言，废直道，及以使相出镇许昌，乃荐王随、陈尧佐代己，盖引不若己者为自固之计，欲使陛下复思己而召用也。陛下果召夷简，还自大名，入秉朝政，于兹三年，以姑息为安，以避谤为智，西州累以败闻，契丹乘此求赂，兵奸货悖，天下空竭，刺史牧守，十不得一。法令变易，士民怨咨。今夷简以病求退，陛下手和御药，亲写德音，乃谓恨不移疾于朕躬，四方传闻，有泣下者。夷简在中书二十年，三冠辅相，所请无不行，有宋得君，一人而已，未知何以为陛下报！今契丹复盟，元昊款塞，天下日望和平，因此振纪纲，修废坠，选贤任能，节用养士，则景德、祥符之风复见于今矣。若恬然不顾，遂以为安，臣恐土崩瓦解，不可复救。而夷简意谓四方已宁，欲因病而去，苟遂容身，不救前过，以柔而易制者升为腹背，以奸而可使者任为羽翼，使之在廊庙，布台阁，是张禹不独生于汉，李林甫复见于今也。"书闻，帝不之罪，议者喜其謇切。夷简谓人曰："元规药石之言，闻此恨迟十年。"人亦服其量云。

二月，壬寅，辽禁关南汉民弓矢。

丙午，赐陕西招讨韩琦、范仲淹、庞籍钱各百万。

庚戌，右正言梁适使延州，与庞籍议所以招怀元昊之礼，于是许贺从勖赴阙。

乙卯，韩琦、范仲淹等言："今元昊遣人赴阙，将议纳和。如不改僭号，则不可许。如卑词厚礼，从乌珠之称，亦宜防其后患。"集贤校理余靖亦言必不可许。

辛酉，国子监请立四门学，以士庶人子弟为生员，以广招延之路；从之。

三月，壬申，夷简再辞位，帝御延和殿召见，敕乘马至殿门，命内侍取杌子舆以前，夷简引避久之，诏给扶，毋拜。戊子，罢相，守司徒，军国大事与中书、枢密院同议。

以晏殊为平章事兼枢密使,判蔡州夏竦为户部尚书、充枢密使,权御史中丞贾昌朝为参知政事,右正言、知制诰富弼为枢密副使。弼以奉使,昌朝以馆伴使劳,故俱擢用。弼辞不拜。

时吕夷简罢相,辅臣皆进官。侍御史弋阳沈邈言:"爵禄所以劝臣下,今边圉屡警,未闻庙堂之谋有以折外侮,而无名进秩,臣下何劝焉!"

辛卯,辽主如南京。

癸巳,以侍御史鱼周询为起居舍人,职方员外郎王素为兵部员外郎,集贤校理欧阳修为太常丞,并知谏院。周询固辞。又以集贤校理余靖为右正言,谏院供职。时陕右师老兵顿,京东、西盗起,吕夷简既罢相,帝遂欲更天下弊事,故增置谏官,首命素等为之。

甲午,改枢密副使富弼为资政殿学士兼翰林侍(讲)〔读〕学士。弼时再上章辞所除官曰:"臣昨奉使契丹,彼执政之官,汉使所未尝见者,臣皆见之;两朝使臣昔所讳言者,臣皆言之;以故得详知其情状。彼惟不来,来则未易御也,愿朝廷勿以既和而忽之。臣今受赏,彼若一旦渝盟,臣不惟蒙朝廷斧钺之诛,天下公论,其谓臣何!臣畏公论,甚于斧钺,愿收新命,则中外之人必曰:'使弼不受赏,是事未可知,其于守备决不敢懈弛。'非臣务饰小廉,诚恐误国事也。"帝察其意坚,特改命焉。

夏,四月,戊戌朔,幸琼林苑,阅骑士。

庚子,夏遣使进马驼于辽。

癸卯,以金署保安军判官事邵良佐假著作郎,使夏州。先是良佐与贺从勖诣阙,馆于都亭西驿。承受使臣取元昊书至中书、枢密院,谕从勖以"所赍来文字,名体未正,名上一字又犯圣祖讳,不敢进,却令赍回。其称男,情意虽见恭顺,然父子亦无不称臣之礼。自今上表,只称旧名,朝廷当行封册为夏国主,赐诏不名,许自置官属。其宴使人,坐朵殿之上;或遣使往彼,一如接见契丹使人礼。如欲差人于界上承领所赐,亦听之。置榷场于保安军,岁赐绢十万匹、茶三万斤,生日与十月一日赐赍之,许进奉乾元节及贺正,其沿边兴复寨栅并如旧。"仍命良佐与从勖等同往,议定以闻。

甲辰,以韩琦、范仲淹并为枢密副使,知永兴军郑戬为陕西四路马步军都部署兼经略安抚招讨等使,驻军泾州。琦、仲淹凡五让,不许,乃就道。富弼曰:"琦、仲淹并授枢密副使,然议者云,西寇未殄,若二人俱来,或恐阙事。愿陛下采公论,一召来处内,一授职在边,或二人一岁一更,均其劳逸,内外协济,无善于此。"

乙巳,以枢密副使、吏部侍郎杜衍充枢密使,宣徽南院使、忠武节度使夏竦赴本镇。先是以枢密使召竦于蔡州,台谏交章论"竦在陕西,畏懦不肯尽力,尝出巡边,置侍婢中军帐下,几致军变。又,元昊常榜塞下,得竦首者予钱三千。为贼所轻如此。"且言:"竦挟诈任数,奸邪倾险,与吕夷简不协,夷简畏其为人,不肯引为同列,既退而后荐之,以释宿憾。"御史沈邈,又言竦阴交内侍刘从愿,其言尤切。会竦已至国门,言者请毋令入见。谏官余靖又言:"竦累表引疾。及闻召用,即兼驿而驰。若不早决,竦必坚求面对,叙恩感泣,复有左右为之解释,则圣听惑矣。"御史中丞王拱辰对帝极言,帝未省,遽起,拱辰引帝裾毕其说。前后言者合十八疏,帝乃罢竦而用衍代之。

924

己酉,以馆阁校勘蔡襄为秘书丞、知谏院。初,王素、余靖、欧阳修除谏官,襄作诗贺之,辞多激劝。三人者以其诗荐于帝,寻有是命。

丙辰,以春夏不雨,遣使祠祷岳渎。

己未,以翰林学士王尧臣为户部郎中,权三司使事。尧臣始受命,言于帝曰:"今国与民皆弊矣,在陛下任臣者如何。"因请自择僚属,帝纳其言。尧臣取陕西、河东三路未用兵前及用兵后岁出入财用之数会计以闻。

庚申,以盐铁判官吕绍宁为淮南转运使。绍宁至淮南,驱上羡钱十万。谏官欧阳修请却所上钱,并治绍宁欺罔之罪,以戒奸吏刻剥。

吕夷简虽罢相,犹以司徒预议军国大事,于是谏官蔡襄疏言:"夷简被病以来,两府大臣受事于夷简之门。夷简为相,首尾二十馀年,功业无闻,今以病归,尚贪权势,不能力辞,伏乞特罢商量军国大事,使两府大臣专当责任,无所推避。"甲子,夷简请罢预议军国大事,从之。

是月,国子监直讲石介作《庆历圣德诗》。介笃学尚志,乐善疾恶,喜声名,会吕夷简罢,章得象、晏殊、贾昌朝、韩琦、范仲淹、富弼同时执政,而欧阳修、蔡襄、王素、余靖并为谏官。夏竦既拜,复夺之,以杜衍代,因大喜曰:"此盛事,歌颂吾职,其可已乎!"诗所称多一时名臣,其言大奸,盖斥竦也。诗且出,孙复闻之,曰:"介祸始于此矣。"

五月,丁卯朔,日有食之。

庚午,录系囚。

江、淮岁漕不给,京师乏军储,大臣以为忧。枢密副使范仲淹,言国子博士宣城许元可独倚办,辛未,擢元江、淮、两浙、荆湖制置发运判官。元曰:"以六路七十二州之粟,不能足京师者,吾不信也。"至则命濒江州县留三月粮,馀悉发之,远近以次相补,引千馀艘转漕而西。未几,京师足食。

癸酉,命王拱辰、田况与三司同议减放州县科配。

乙亥,忻州地大震。诏本路转运、经略司安恤百姓,毋弛边备。

盐铁副使林潍出知滑州。

初,入内都知张永和建议,请收民房钱十之三以助军费,事下三司,王尧臣持不可。永和密使人致意曰:"能行此,则大用矣。"明日,入见,具为帝言,因曰:"此衰世事,唐德宗所以致乱者,非平时可行也。"潍畏永和势,助之甚力。尧臣奏罢潍,以河北转运使张昷之为盐铁副使,议乃定。

戊寅,以虞部员外郎杜杞权发遣度支判官事,太常博士燕度权发遣户部判官事,皆王尧臣所荐也。权发遣三司判官始此。杞,镐之子;度,肃之子也。

庚辰,幸相国寺、会灵观祈雨。

癸未,置御史官六员,罢推直官,从御史台请也。

乙酉,以侍御史席平知润州。中丞王拱辰言其议论无取,故出之。

丁亥,置武学于武成王庙,以太常丞阮逸为武学教授。

戊子,雨,辅臣称贺。帝曰:"天久不雨,朕每焚香上祷于天。昨夕寝殿中忽闻微雷,遽起冠带,露立殿下,须臾雨至,衣皆沾湿。移刻雨霁,再拜以谢,方敢升阶。自此尚冀槁苗可救也。"章得象曰:"非陛下至诚,曷以致天应若此!"帝曰:"比欲下诏罪己,彻乐减膳,又恐近于崇饰虚名,不若夙夜精心密祷为佳耳。"

辛卯，筑钦天坛于禁中。

乙未，谏官欧阳修言："韩琦、范仲淹到阙以来，只是逐日与两府随例上殿，呈奏寻常公事，陛下亦未曾特赐召对，从容访问。今西事未和，边陲必有警急，乞陛下因无事之时，出御便殿，特召琦等从容访问，使尽陈西边事宜合如何处置。至如两府大臣，每有边防急事，或令非时召见聚议，或各令自述所见，只召一两人商量，此乃祖宗之朝并许如此，不必拘守常例也。"

辽诏复定礼制。

辽主如山西。

是月，忻州地震。

虎翼卒王伦叛于沂州。

六月，丙午，辽诏："世选宰相、节度使族属及身为节度使之家，许葬用银器，仍禁杀牲以祭。"

庚戌，辽诏："汉人宫分户绝，恒产以亲族继之。"

辛亥，准布部长遣其弟朝于辽。

癸丑，知谏院欧阳修言："近日四方贼盗渐多，皆由国家素无御备，而官吏赏罚不行也。今沂州军贼王伦，所过楚、泰等州，连骑扬旗，如履无人之境，而巡检、县尉反赴贼召，其衣甲、器械皆束手而归之，此可谓心腹之大忧。请自今，贼所经州县夺衣甲，官吏并追官勒停，巡检、县尉仍除名，勒从军自效，俟破贼日则许叙之。"甲子，右正言余靖言："今官吏弛事，细民聚而为盗贼，不能禁止者，盖赏罚不行也。若非大设堤防以矫前弊，则臣忧国家之患，不在西北而起于封域之内矣。乞朝廷严捕贼赏罚，及立被贼劫质、亡失器甲除名追官之法。"并从之。

初，辽北院枢密使萧孝穆，以谏南伐言不用，徙南院，以其弟孝忠为北院枢密使。未几，孝忠疾，仍以孝穆为北院枢密使，徙封齐国王。秋，七月，丙寅朔，孝忠卒，辽主特释系囚。

辽耶律罕班再为北院大王，入朝。辽主从容谓曰："卿守边任重，当实府库，赈贫乏，以报朕。"罕班既受命，愈竭忠谨，知无不言，便益为多。

戊辰，以翰林学士苏绅知河阳。先是王素、欧阳修等为谏官，数言事，绅恶之。会京师闵雨，绅请对，言："《洪范》五事，言之不从，是谓不义，厥咎僭，厥旸。"绅意盖指谏官也。时除太常博士马端为监察御史，绅所荐也。修即上言："端性险巧，往年常发其母阴事，母坐杖脊。端为人子，不能以礼防闲，陷其母于过恶，又不能容隐，使其母被刑，理合终身不齿官联，岂可更为天子法官！苏绅与小人气类相合，宜其所举如此也。"绅由是黜，端寻亦出外。

己巳，徙宣徽南院使、忠武节度使夏竦判亳州。竦之及国门也，上封章疏示焉。竦既还镇，言者犹不已。会韩亿致仕，竦请代之，故有是命。竦至亳州，上书自辨，凡万馀言，诏付学士批答。孙抃为之辞，略曰："图功效莫若罄忠勤，弭谤言莫若修实行。"竦得之，恨甚。

御史中丞王拱辰请用朔望日退御后殿，召执政之臣，赐坐，讲时政得失。帝曰："执政之臣，朕早暮所与图事者，又何朔望之拘也！"辛未，诏："自今中书、枢密院臣僚，除常程奏事外，如别有所陈，或朕非时留对者，不限时刻。"

丙子，参知政事王举正罢为礼部侍郎、知许州。初，谏官欧阳修、余靖、蔡襄咸言举正懦默不任职,请以范仲淹代之,举正亦自求罢。丁丑,以枢密副使范仲淹为参知政事,资政殿学士富弼为枢密副使。仲淹曰:"执政可由谏官而得乎?"固辞不拜。弼直携诰命纳于帝前,口陈所以牢避之意,且曰:"愿陛下坐薪尝胆,不忘修政。"帝许焉。乃复以诰命送中书。弼因乞补外,累章不许。

壬午,罢陕西管内营田。

甲申,以枢密副使任中师为河东宣抚使,范仲淹为陕西宣抚使。仲淹既辞参知政事,愿与韩琦迭出行边,帝因付以西事。而仲淹又言河东亦当为备。中师尝守并州,帝即命使河东。两人留京师,第先移文两路云。

乙酉,元昊复遣吕你如定等与邵良佐俱来,所要请凡十一事,其欲称男而不为臣,犹执前议也。

先是欧阳修言:"贼使此来,意极不逊,须有以挫之,方能抑其骄慢。今若便于礼数之间过加优厚,则彼谓我为怯,知我可欺,议论之间,何由屈折!伏乞将元昊一行来人,凡事减勒,无令曲加优厚。"至是修又言:"闻朝廷欲以殿中丞任颛馆待元昊所遣来人,臣窃谓事体之间,所系者大。兵交之使,来入大国,必先窥伺将相勇怯,觇察国家强弱。若见朝廷威怒未息,事意莫测,必内忧斩戮,次恐拘留,使其偶得生归,自为大幸,则我弱形未露,壮论可持。今若过加厚礼,先为自弱,使其知我可欺,则议论愈益难合。必欲成就其事,尤须镇重为先,况其议未必成,可惜空损事体。前次元昊来人至少,朝廷只以一班行待之,今来渐盛,遂差朝士,若其后来者更盛,则必须差近侍矣。是彼转自强,我转自弱。况闻邵良佐昨来自彼,仅免屈辱而还。今元昊来人,欲乞更不差官馆待,送置驿中,不须急问;至于监视馈犒,传道语言,一了事班行足矣。"修虽有此议,然不能从。

以著作佐郎邵良佐为著作郎,仍赐五品服,赏使夏州之劳也。

先是元昊书至,既未肯称臣,及如定等来,又多所要请。两府厌兵,欲姑从之,独韩琦以为不可,屡请对于帝前。晏殊曰:"众议已同,惟韩琦独异。"帝顾问琦,琦历陈其不便。帝曰:"更审议之。"及至中书,琦持不可益坚,殊变色而起。琦退,复上章言:"屈意与和,恐有后患。望令中书、枢密院再三论难,使朝廷得大体,契丹无争端,以此议和,庶为得策。"

谏官蔡襄言:"元昊始以兀卒之号为请,及邵良佐还,欲更号'吾祖',足见羌、戎悖慢之意。纵使元昊称臣,而上书自称曰'吾祖',朝廷赐之诏书亦曰'吾祖',是何等语邪?"时欧阳修、余靖亦以为言。修又曰:"方今不羞屈志,急欲就和者,多不忠无识之人。而陕西之民亦欲急和,请因宣抚使告以朝廷非不欲和而贼未逊顺之意,然后深戒有司,宽其力役可也。其馀小人之论,望绝而不听。"

庚寅,元昊遣使上表于辽,请出师南伐,辽主不从。

甲午,枢密副使韩琦上疏曰:"臣闻汉文帝时国富刑措,而贾谊上书以为可痛哭太息。臣窃睹时事,谓可昼夜泣血,非直痛哭太息者,盖以西北二边,祸衅已成,而上下泰然,不知朝廷之将危,宗社之未安也。近者契丹遣使求关南之地,邀献纳之名,其轻视中国,意盖可见。而元昊僭号背恩,北连契丹,欲成鼎峙之势,累岁盗边,官军屡衄,今乘定川全胜之气,遣人约和,则知其计愈深而甚可虞也。议者或谓昨假契丹传导之力,必事无不合,岂不思契丹既能使元昊罢兵,岂不能使元昊举兵乎?臣恐契丹谓朝廷事力已屈,堕其誓约,长驱部众,直趋大河,复使元昊举兵深寇关辅,当是时,未审朝廷以何术御之? 臣是以夙夕思惟,辄画当今所宜先行者七事:一曰清政本。宜诏中书、枢密院,凡苟碎眇末之务,悉归有司,使从容谋议,专论大计。二曰念边事。今政府但循旧制,才午即出,勿遽金署;谓宜须未正方出,延此一时以专边论。三曰擢材贤。宜仿祖宗旧制,于武臣中不次超擢以试其能。四曰备河北。自契丹通好三十馀年,武备悉废,宜选转运使二员,密受经略,责以岁月,使营守御之备。五曰固河东。前岁昊贼陷丰州,掠河外属户殆尽,麟、府形势孤绝;宜责本道帅臣,度险要,建城堡,省转饷,为持久之计。六曰收民心。祖宗置内藏库,盖备水旱兵革之用,非私蓄财以充己欲也。自用兵以来,财用匮竭,宜稍出金帛以佐边用。七曰营洛邑。今帝都无城隍之固以备非常,遽议兴筑,则为张皇劳民,不若阴葺洛都以为游幸之所,岁运太仓羡馀之粟以实其廪庾。"帝嘉纳之。

是月,获王伦。

八月,丙申,辽主谒庆陵。

戊戌,诏谏官日赴内朝。

己亥,出内藏库绸绢三百万,下三司以助经费,用韩琦之言也。

辛丑,辽燕国王洪基,加尚书令,知北南院枢密使事,进封燕赵国王。

丁未,以枢密副使范仲淹为参知政事,资政殿学士富弼复为枢密副使。弼犹欲固辞,会元昊使入辞,群臣班紫宸殿门,上俟弼缀枢密院班乃坐,又使章得象谕弼曰:"此朝廷特用,非以使契丹故也。"弼不得已乃受。晏殊以弼其女之婿,引嫌求罢相,又求解枢密,俱不许。

修媛张氏,宠冠后庭,忽感疾,进白帝曰:"资薄宠厚,所以召灾,愿贬秩为美人。"帝许之,戊申,以修媛张氏为美人。

癸丑,以枢密副使韩琦为陕西宣抚使。先是范仲淹及任中师分路宣抚,逾月皆未行。琦言于帝曰:"贼请和无它,则二人遥领宣抚事可矣。彼若未副所望,必乘忿盗边,当速遣仲淹;河东则臣方壮,可备奔走。中师宿旧大臣,毋劳往也。"诏琦代仲淹宣抚陕西,而中师卒不行。

以大理寺丞张子奭为秘书丞,与右侍禁王正伦使夏州。子奭,齐贤孙也。

戊午,罢武学。

庚申,辽裕悦耶律洪古卒。辽主闻之,曰:"惜哉善人!"亲临奠焉。

甲子,准布贡于辽。

【译文】

宋纪四十五 起壬午年(公元 1042 年)十月,止癸未年(公元 1043 年)八月,共十一个月。

庆历二年 辽重熙十一年(公元 1042 年)

冬季,十月,丙午(初六),任右正言、知制诰富弼为翰林学士。富弼告诉仁宗皇帝赵祯说:"增加钱币与辽国议和,不是臣的本来意思,仅仅是因为国家正在征伐元昊,没有精力与北方的辽国较量、争斗,故此我不敢以死相争,我有什么功劳,竟然敢领封受赏呢? 渴望陛下修缮装备,不要忘记国家的耻辱。"他终于推辞不肯接受。

辽国的使臣回国以后,辽主任命耶律仁先同知南京留守事,刘六符加同中书门下平章事。待到宋朝纳贡钱币送到时,辽主命刘六符为三司使来接受。

己酉(初九),命鄜延钤辖王信为本路部署,鄜延都监狄青为泾原都监兼任原州知州。左藏库副使景泰为本路钤辖并兼主持镇戎军。全是嘉奖他们攻破贼军的战功。三日后,任王信、狄青分别兼任本路的经略安抚招讨副使。

秦州知州韩琦,曾经奏报本路的兵马准备向来很少,请求增加人马。朝廷由于各个地方不能抽调移挪,下诏韩琦详查后再报告。韩琦进奏说:"自从元昊侵袭西疆,陕西征召百姓作为弓箭手来帮助防御,有紧急情况就聚集起来,无战事就归还务农,武艺荒废而不修炼,禁行的条约太轻而容易违犯。甚至有人雇佣他人来冒名顶替,互相替代,官府根本无法辨别,每当遇到州里进行防务,很多人结众逃跑,因此州郡空有人数,假如依赖这些人作战,正好足以败坏大事。臣认为挑选刺面的士兵,自是祖宗的老办法。如今有的仅刺手背以及充任保毅弓箭手的名目,到底与百姓没有什么区别。请求在他们面部刺字作为禁军,每人给二千刺面钱,不用其他常用的东西。"皇帝下诏依从韩琦的请求,挑拣陕西弓手,全部刺面充任保捷军指挥,仍发给常用的东西。共有一百八十五人刺面,作为保捷军指挥。

癸丑(十三日),赠给泾原路副都部署葛怀敏为镇西军节度使兼太尉,赐谥号忠隐,他的儿子葛宗晟等人也都迁升官职。泾原钤辖曹英以下十六人,一并追赠不同的官职。葛怀敏通晓时事,善于体贴人情,因此很多人认为他有才干而荐举他;到他被用为大将后,却刚愎轻率,不懂得灵活应变,最终导致全军覆没。

甲寅(十四日),任命翰林学士王尧臣为泾原路安抚使,内侍副都知蓝元用为副使。起先,王尧臣从陕西返回,请求先防备泾原路,朝廷不听从。到葛怀敏失败了,皇帝想起王尧臣的话,于是再派他前往。在这以前被阻遏的建议,大多又被采纳施行。又任命韩琦、范仲淹为统帅,其实这也来自王尧臣的建议。

任命河东转运使文彦博为渭州知州,兼任泾原路都部署、经略安抚沿边招讨使。

丙辰(十八日),知制诰梁适作为使者回复辽国。

戊午(十六日),调发定州禁军二万二千人驻扎泾原。

庚申(二十日),皇帝下诏抚恤阵亡的将校家属,他们的妻子儿女没有依靠的,将他们接养到皇宫中。

丙寅(二十六日),辽国派林牙萧偕来回复,说他们撤兵。

丁卯(二十七日),泾州观察使、渭州知州王沿降职为虢州知州,他是因葛怀敏失败而获罪的。起初,王沿叫葛怀敏在瓦亭驻军,到葛怀敏向镇戎军进发时,王沿急速写信告诫他不能深入,暂且背向城池安营扎寨,用残

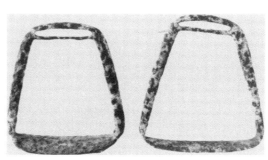

军用马蹬 辽

弱的军队去引诱敌兵,敌兵到来,再出兵攻击,可建战功。可葛怀敏不听。进军到定川,果真失败了。敌兵乘胜侵袭渭州,王沿率领渭州百姓登上城墙,竖起许多旗帜来迷惑敌人,敌兵退走了。在这以前,王沿的儿子王豫认为葛怀敏并不是将才,请求王沿上奏换掉他;王言没

有听从，因此受牵获罪。

原州属下敏珠尔、密藏二族，有兵数万，与元昊相联系，隔绝邻道，范仲淹听说泾原路想袭击讨伐他们，己巳(二十九日)，上奏说："这二族道路险阻不可进取。前些日子高继嵩就已战败过。平时就心怀反叛之心，现在讨伐他们，必定与贼兵里应外合，从南攻进原州，向西困扰镇戎，向东侵犯环州，边境内祸患不能停息。应当趁李元昊的贼兵从别路进犯之际，即刻集中兵马向北夺取细腰葫芦泉，修堡垒、建屏障，以便断绝敌兵的归路。那么这二族自然会安定而且环州、镇戎之间的道路畅通无阻，可以不再担忧了。"二年以后，便修筑细腰葫芦各寨。

十一月，壬申(初三)，仁宗下诏阁门官员："从今以后，契丹国使到来，不论官位高低，一并移其座位靠近面前。"

辛巳(十二日)，渭州知州文彦博调任秦凤路都部署兼秦州知州；泾州知州滕宗谅调任环庆路都部署兼庆州知州；瀛洲知州张亢迁任泾原路都部署，兼任渭州知州。都加经略安抚招讨使的职位。重新设置陕西四路都部署、经略安抚兼沿边招讨使，命韩琦、范仲淹、庞籍分别领受这些职务。范仲淹与韩琦在泾州建府，而调文彦博统领秦州的兵马，滕宗谅执掌环庆路兵马，这些都是采纳了范仲淹的建议。当初，葛怀敏在定川战败，各州郡震惊恐慌，滕宗谅见城中兵少，便召集农民数千人，穿上军服登上城墙，又招募勇士，派人侦探敌人的远近形势，告诉旁邻的州郡让他们有所准备。恰巧范仲淹率领环庆兵来增援，当时天气阴沉已有十日，人心忧愁沮丧，滕宗谅就大摆牛肉、美酒欢迎犒劳军士，又记载定川战死者的名字，在佛祠里痛哭，并洒酒祭奠他们，趁机优抚他们的妻室，使他们的要求得到满足。于是士兵感情激发锐气增加，边境百姓逐渐安定，所以范仲淹推举滕宗谅代替自己的职位。

甲申(十五日)，任命泰山处士孙复为试校书郎、国子监直讲。范仲淹、富弼都说孙复有经术，应该在朝中任官，所以又召他入朝任用。

丁亥(十八日)，辽国群臣上书辽帝尊称聪文圣武英略神功睿智仁孝皇帝，册皇后称贞懿宣慈崇圣皇后。大赦天下。梁王洪基被晋封为燕王。又进封齐王萧惠为韩王，原因是他最先提议南伐宋朝，使得辽国增加岁币。

己丑(二十日)，贬降向进、高惟和、李禹珪、吴从周等人的官职，郝从政、赵瑜等也被罢官，是因定川战败而降罪。

辛卯(二十二日)，皇帝下诏令执掌永兴军的郑戬兼管办理陕西转运司计算粮草之事。郑戬建议说："凡是军队行动所需的东西，希望下交给掌管部门考虑缓急，分为三个等次，不是急需的，停止供给。"早先，衙吏运输木材去京师，在渭水、黄河上运送，漂流丢失较多，到京城被指责不符合规定，衙吏往往倾家荡产也赔偿不起。郑戬每年削减三十余万，又上奏停止逼迫农民卖余粮的括籴制度来规劝百姓储存粮食。古都长安，纨袴子弟大多横行霸道，豪夺凶恶，郑戬对他们管治十分严厉，甚至刺面放逐，子弟们提心吊胆，不敢作恶。

十二月，壬寅(初三)，设置武堂教授武艺。

甲辰(初五)，大辽国王封皇太弟耶律重元的儿子呢噜古为安定郡王。呢噜古性格阴狠，辽帝曾说："这孩子眉眼中有反叛相。"可对待他仍像以前一样恩宠礼待。

己酉(初十)，辽主因为这一天是宣圣皇后忌日，与皇后身着淡素服饰在延寿、闵忠、三学三座寺庙赐饭给僧人。

辛亥(十二日),辽国命令免去准备伐宋诸部落一年的租税。

壬子(十三日),辽国因为吐浑、党项大量卖马给大夏国,下令谨严边防。

己未(二十日),辽兴宗趁宋朝送贺礼的使者驻官邸,便微服去看望他。

壬戌(二十三日),朝廷下诏:"韩琦、范仲淹、庞籍担任四路招讨使职务,其属下各路招讨使、副使全部罢免。"起先,庆州知州滕宗谅说:"自从在定川损兵折将,朝廷命韩琦统领四路。那么各路统帅应当接受他们的安排调动,上下官号不能相同。"因此才有这一诏令。

丁卯(二十八日),辽国严禁在丧葬之时杀牛宰马以及随藏珍宝。

这一年冬天,宰相吕夷简感觉头晕目眩,不能上朝,仁宗手诏拜他为司空、平章军国重事,等到病情稍好,三五天进一次中书。吕夷简极力推辞。皇帝又诏手书说:"古人说胡子可以治疗疾病,现在剪断了赐给你。"又询问群臣中可担任两府官职的人。对他的恩宠可想而知。吕夷简平常入朝拜见,出入进止,都有固定的位置,不差尺寸。有一天上朝见主,不小心忘记了一拜,外边纷纷传说吕夷简有失朝廷礼仪。汉州人张纮说:"上天抢走了他的魂魄,快要死了!"过了十多天,就患了风眩。

这一年,皇帝秘密下诏令延州知州庞籍招纳元昊,说:"元昊如果称臣,即使他仍然假称帝王名号也没关系;如果改称单于、可汗,那么就更好了。"庞籍认为,元昊骤然得胜,假如中原自己派人去说他,他会更加傲慢。

当时元昊的使臣李文贵在青涧城,庞籍把李文贵召来,对他说:"你的先王和如今在位的国王在初登位时,都没有作为臣民礼节,你们忽然无故以妄加之名,使彼此的百姓肝脑涂地,这都是你们下属的原因。我们大宋富甲天下,虽然一小部分军队有小损失,但未有大损伤,而你们一失败,江山社稷就值得担忧了。你回去对国王说:如果能悔过称臣,大宋对他的礼数一定会优于先前。"李文贵叩头说:"这也正是西部百姓日夜所盼望的。"庞籍于是送给他厚重的礼物让他回去。

元昊因为国中疲困,想受纳赠款又耻于先前所说的话,等到李文贵返回,听了庞籍的话十分高兴,派李文贵再拿旺荣等人的信到庞籍那儿议和,庞籍嫌信中语不够逊顺,没敢答复,向朝廷请示。皇帝诏令庞籍回信,允许与他们和好,还称旺荣为太尉。庞籍又上奏说:"太尉是天子上公,这样称旺荣,就无法使无昊为臣子了。他的信中自称宁令,这是他们的官名,这样称呼没有关系。"皇帝下诏同意庞籍的说法。接着旺荣等又给他写信来,想仍用皇帝名号向宋朝称臣纳款,庞籍说:"这就不是防边的臣子敢做主的事了。"当时正在商议修复泾原城寨,庞籍担心破坏他的大事,因此与他往来商议,不拒绝他们的请求。

庆历三年 辽重熙十二年(公元 1043 年)

春季,正月,辛未(初二),辽主派使者告谕夏国与宋朝议和。

壬申(初三),辽国任命北面林牙萧革为北院枢密副使。

萧革善于阿谀奉承取悦他人,与辽主的亲臣亲昵,因此辽兴宗知道他的名字。曾有一次侍陪辽主饮宴,辽兴宗对他说:"朕了解爱卿的才干,必定会加以提拔,爱卿应当努力。"萧革说:"臣才干低下,承蒙我主恩爱,只有竭尽忠心,哪敢懈怠!"

泾原安抚使王尧臣进献防备的计策,一共五件事:"其一,镇戎军接邻敌边界天都山只百

931

余里，西北侧有三川、定川、刘璠等寨，都是汉朝萧关的故地，最是抵御贼军的首要地区，各寨主、监押，应当让本路主帅举荐有特殊才干和勇气的人担任。如果说不久前葛怀敏的失败，定川诸寨不能防御，于是才放弃，那么两路就更没保障，敌人兵马就可以直抵城下了。那东南的师子、拦马、平泉三个寨堡，到春天应当加倍修筑，以作为泾、渭二州的屏障，不然，势必不攻自下。一路隔绝，又没有后备，镇戎就成为孤垒了。其二，渭州的笼竿、羊牧隆城、静边、得胜四个寨堡，在六盘山外，对内就成为渭州藩篱，对外就是秦陇地区的襟带，土地富饶肥沃、人口众多，请将那里建置为军，选挑一路分都监一名来统领军队，专门掌管这四个城寨，再强令修建城池疏浚沟堑，增加军马驻屯，及时集蓄粮草，作为防御贼军的准备。其三，原州向西到环州定边寨，与敏珠儿、密藏等蕃人部落相互接壤，他们的首领很多，从来不聚集在一起，相互间没有统属，总是心背神离，防守没有统一的规定，必须选用武官去担任环州、原州的知州、互为呼应，让他们招降安抚蕃部，只要不被敌人所用，这样才可多少减轻对泾、原的忧虑。其四，仪州的地势受高山控阻，州城地势较低，壕沟又浅又窄，三分之二的军民在城外居住，敌兵来到虽能进城防守，百姓必大遭残杀抢掠，也应事先考虑到。其五，泾州虽离边疆较远，但是沿河大川、道路平坦易行，实在是控制通向内地的要害之地，其中张村在直接通向州城的路上，应营建关隘栅栏，或者修挖长壕，以遏止敌兵长驱直入。希望交付韩琦、范仲淹规划施行。"朝廷许可。

辛巳（十二日），仁宗下诏辅政大臣商议减免天下赋役。

戊子（十九日），朝廷下诏录用将校死亡而没有子孙的亲属。

辛卯（二十二日），朝廷下诏陕西沿边招讨使韩琦、范仲淹、庞籍，凡是军中紧急来不及申报的，都灵活处理，又建立渭州笼竿城为德顺军。都是采用王尧臣的建议。

起初，曹玮开发山外之地，建设笼竿城四寨，招募弓箭手，分给田地，让他们边耕作，边作战自守。后来将帅没有安抚与控制，于是渐渐发生侵夺的行为。大家怨恨愤怒，便劫持德胜寨主姚贵，关上城寨大门进行叛乱。王尧臣正好路过这里，写信用箭射入城中，晓以利害，并且征发邻近的兵讨伐。下属告诉王尧臣说："您奉命出使将归，回去报告朝廷而已；姚贵背叛，不是您的责任。"王尧臣说："姚贵是土豪，很得军心，可起先并不是反叛；现在如不趁他没有下定决心而快速招降他，以后必定是国家的祸患。"姚贵果然出城投降。王尧臣为他重新申明纪律，都与曹玮旧制一样，然后离去。

壬辰（二十三日），录用唐代名臣狄仁杰后裔。

癸巳（二十四日），延州奏报说元昊派伪六宅使、伊州刺史贺从勖来归顺朝廷。在此以前庞籍在李文贵返回时，再回复旺荣等人的信，相约要求元昊自己上表撤去擅自僭越的名号，才敢报知朝廷。于是李文贵与贺从勖拿着元昊的书信来到保安军，元昊在信中自称"儿臣邦尼鼎定国乌珠郎霄上书父大宋皇帝"。贺从勖又写信给辽国使者令他们早日商议和通之意。贺从勖又说："本国自有国号，没有奉表的体制格式。称为乌珠，好比古代单于、可汗之类。如果南朝派使者到本国，就坐在蕃宰相上。乌珠见使者时，离开云床问候大宋皇帝身体万福。"贺从勖趁机请求前往皇帝的宫阙，庞籍派人对贺从勖说："天子至为尊贵，荆王是他叔父，还要对他称臣。如今身体不正，不敢向朝廷报告。"贺从勖说："儿子侍奉父亲，好象臣民侍奉君王。假如贺某到了京师而皇帝却不允召见，便请让我回来重新商议。"庞籍于是写信报告朝廷,并且说:"元昊言语稍有顺服,必定想改变态度侍奉中原的意思;希望允许贺从勖前赴宫廷,再派使臣前往他的国家申明晓谕本意,他们一定俯首称臣,凡是他们请求的东西,应当着力加以减裁。"当时元昊与辽国有隔阂,所以请求归顺朝廷,而当时议论边塞战事的人却乱加揣测,只凭主观臆造,终究不得其要领。

丙申(二十七日),王尧臣又上奏说:"韩琦、范仲淹、庞籍既然已经担任陕西四路都部署沿边经略安抚招讨等使,四路应该由他们禀权管治,而各路还有几人带着经略使的名义,各自置司管理事务,名号没有区别,但领受权限却不一样。如今请求各路都部署、副部署都免去经略使的名号,只允许任沿边安抚使、副使。"朝廷听从了他的意见。

吕夷简多次请求辞职,皇帝下诏抚慰他,不同意免他的职。陕西转运使孙沔上奏说:"祖宗不曾用言语废弃他人的事。景祐以前,朝廷纲纪没有太败坏,还有奋激谏言的人。观看今天的朝政,确实使人恸哭,却没有一个人向陛下进言,因为宰相多嫉贤而不选用正人君子的缘故。自从吕夷简执掌国事之后,黜弃进忠言的人,罢免行直道之事,及至他以使相名义出镇许昌,推荐王随、陈尧佐代替自己出面,那是引荐比不上自己的人代替自己出面,这是引用不如自己的人作为自固之计,是要使陛下再想到他而加以起用。陛下如果召用吕夷简还朝,从大名起入朝秉政,到现在已经三年。他以姑息养奸为自安,以避免谤言为智谋。西州数次报告战败,契丹乘此机会勒索求赂,兵马遭戮,财货不通,天下空虚,刺史和牧守,十个中没一个称职的;法令变更,士大夫和百姓怨恨纷纷。如今吕夷简以病求退,陛下亲手和制御药,亲自书写德音,甚至说恨不得将他的病移到自己身上。四面八方传闻开,真有人为此感动泪下。吕夷简在中书省二十年,三次居于辅政宰相的位置,有所请求,没有不照办的。自从大宋朝建国以来得到君王如此宠幸的只有一人,不知他用什么来报恩陛下!现在契丹恢复盟约,元昊诚意和好,天下时时盼望和平,所以重振朝纲,兴复废荒事业,选贤任能,节约开支,给养兵士,那么景德、祥符时的风气就可以再现于今天了。如果全然不顾,以此为安,臣恐怕土崩瓦解,不可再救。可是吕夷简却认为四方已经安定,想借生病而去职,苟且偷生,不想补救以前过失,让懦弱而又容易掌握的人升任朝廷要职,将奸邪可使的人作为自己爪牙,让他们进升朝廷,布及皇室,这就是张禹不只生于汉朝,李林甫又生于今天了。"奏折上报后,宋仁宗没有加以处分,议论的人喜欢他忠正严厉。吕夷简对人说:"孙元规的话是药石之言,只恨晚了十年听到这些话。"人们佩服他的气量,等等。

二月,壬寅(初四),辽国禁止关南的汉人收藏、使用弓箭。

丙午(初八),赐给陕西招讨使韩琦、范仲淹、庞籍钱各一百万。

庚戌(十二日),右正言梁适被派往延州,与庞籍商议招安元昊的事宜,于是允许贺从勖前去皇帝宫廷。

乙卯(十七日),韩琦、范仲淹等人上奏说:"现今元昊派人前往皇帝宫阙,将商议归顺讲和,如果他不改变擅自僭越的名号,就不能答应他。如果他语词谦逊,礼物丰厚,采用乌珠的称号,也应当防范将来的作乱。"集贤校理余靖也上奏说一定不能允许。

辛酉(二十三日),国子监请求设立四门学,以士大夫及百姓子弟作为学生,以拓宽招贤纳谏的道路,朝廷允诺。

三月,壬申(初五),吕夷简再次辞官,皇帝亲临延和殿召见,诏令乘马到殿门。命内侍用机子放在车舆之前,吕夷简退避许久,皇帝下诏令人搀扶他,不必行礼。戊子(二十一日),罢免吕夷简宰相职务,仍让他守司徒,军国大事让他与中书、枢密院一同商议。

任命晏殊为平章事兼枢密使,蔡州通判夏竦为户部尚书、充任枢密使,权御史中丞贾昌朝为参政知事,右正言、知制诰富弼为枢密副使。富弼因为奉诏出使、贾昌朝因为担任馆伴使的辛劳,所以都受重用被提升。富弼推辞不受。

当时吕夷简罢免宰相的职位,辅政大臣都进升官职,侍御史弋阳人沈邈说:"官爵厚禄是用来劝勉臣子的,而今边关屡报战急,没听到朝臣有抵御外侮的计谋,而没有功名却进升官阶,用什么来劝勉臣下呢!"

辛卯(二十四日),辽主到达南京。

癸巳(二十六日),以侍御史鱼周询为起居舍人,职方员外郎王素为兵部员外郎,集贤校理欧阳修为太常丞,一并主持谏院事宜,鱼周询坚决推辞。又命集贤校理余靖为右正言,在谏院供职,当时陕西军队士兵老化疲惫,京东、京西盗贼四起,吕夷简既然已罢免宰相之职,皇帝想改变天下弊病,所以增加谏官,首先命王素等人担任。

甲午(二十七日),改任枢密副使富弼为资政殿学士翰林侍学士。富弼当时再上表章,推辞所任命的官职说:"臣前些日子奉诏出使契丹,他们的执政官员,汉人使臣所未曾见过的,臣都见到了;两朝使臣所忌讳说的话,我都说了;所以了解到他们详细情况。他们要么不来进犯,要来入侵就很难防御,愿朝廷不要以为已经讲和而忽视这一点。我现在受封赏,他们如果一旦违背盟约,臣不仅要蒙受朝廷斧钺之诛,普天下的议论,将怎样评价臣的行为呢!臣害怕公众舆论,超过受斧钺之苦,愿陛下收回新的任命,那么朝廷里外的人一定会说:'使臣没有受赏,这事情还不可知,他们对于守备绝不敢松懈。'并不是我图虚名而粉饰廉让之心,确实是害怕耽误国家大事。"皇帝见他意志坚决,于是改变了任命。

夏季,四月,戊戌朔(初一),宋仁宗亲临琼林苑,检阅兵马。

庚子(初三),西夏派遣使臣向辽国进献马匹、骆驼。

癸卯(初六),任命金署保安军判官事邵良佐借充为著作郎,派往夏州。在此之前,邵良佐与贺从勖到达京师,住在都亭西驿。承受使臣拿走元昊的书信到中书、枢密院,告诉贺从勖说:"所带来书文,名号体式不正,名号上有一个字犯了圣祖的名讳,不敢进送朝廷,只令将书信带回。信中称儿,心情虽可看出恭顺,可是父子间也没有不称臣的礼仪。从今以后上奏表章,只称旧名,朝廷会册封他为夏国国主,赐给诏书上不称他名字,允许自行设置官府统属,宴请使臣时,坐在朵殿上;或派使臣去那里,完全与接见契丹使臣礼数一样。如要派人在边界领皇帝所赐之物,也允许。在保安军设置榷场,每年赐绢十万匹,茶叶三万斤,在生日与十月一日赐送。允许进奉乾元节及贺正旦,在沿边处兴建修复寨堡栅栏,和以前一样。"仍然命邵良佑与贺从勖一起去,议定后上报朝廷。

甲辰(初七),任命韩琦、范仲淹同为枢密副使,统领永兴军的郑戬为陕西四路马步军都部署,兼任经略安抚招讨等使,驻军泾州。韩琦、范仲淹一共推辞五次,朝廷不允许,于是上道赴京。富弼上奏说:"韩琦、范仲淹同授枢密副使,可人们议论说,西疆敌寇尚未消灭,如果二人都来了,也许会耽误边境防务。望陛下采纳公论,将其中一人招来朝中,另一人守职边界,或者二人一年一换,使他们劳逸均衡,内外协助周济,没有比这更好的了。"

乙巳(初八),命枢密副使、吏部侍郎杜衍充任枢密使,宣徽南院使、忠武节度使夏竦赴本镇。先前,皇帝以枢密使之职征召夏竦到蔡州,御史台、谏官交相上奏章说:"夏竦在陕西,畏畏懦儒,不尽心尽力,曾出行巡视边防,置侍婢中军帐下,几乎引起兵变。另外,元昊常在边塞贴出告示,说是取得夏竦首级的人赏钱三千,他被贼寇轻视到这样地步。"并且说:"夏竦心怀欺诈,多善算计,奸邪危险,与吕夷简不和,吕夷简惧怕其人品,不肯把他视为一路之人,退位后才推举夏竦,是为了消除与他的旧恨。"御史沈邈,又说夏竦暗中结交内侍刘从愿,他的言辞非常恳切。恰恰夏竦到达京门,谈论的人请求不叫他入朝参见。谏官余靖又说:"夏竦多次上表说自己有病。到听见下诏任用他,即刻乘马兼程而至。如果速作决断,夏竦必定会请求当面答对,历数恩情感激泣下,又有左右的人为他解释,那么皇上的视听就会被迷惑了。"御史中丞王拱辰对皇帝极力谏言,皇帝没有省悟,忽然站起,王拱辰拉着皇帝的衣襟将话说完。前后进言有十八次之多,皇帝便罢免了夏竦,而起用杜衍来代替。

己酉(十二日),任命馆阁校勘蔡襄为秘书丞,主持谏院。起先,王素、余靖、欧阳修被任用为谏官,蔡襄作诗来祝贺,言辞多激昂劝勉之意。三人把诗推荐给仁宗皇帝,不久就有了这个任命。

丙辰(十九日),因为春、夏两季不下雨,派使节祈祷五岳四渎。

己未(二十二日),命翰林学士王尧臣为户部郎中,权辖三司使事。王尧臣刚受任,就对皇帝说:"现今国家与百姓都凋敝,只看陛下怎样任用做臣子的人。"于是请求自己挑选幕僚。仁宗皇帝采纳了他的进言。王尧臣取陕西、河东三路兵马未到之前和已用之后所支出的财用之数加以统计,报告给皇帝知道。

庚申(二十三日),任命盐铁判官吕绍宁为淮南转运使,吕绍宁到达淮南,即刻献出剩余的十万钱。谏官欧阳修建议拒绝接收他的钱,并治吕绍宁欺罔之罪,以警戒奸吏刻薄百姓。

吕夷简虽然免去宰相职务,仍以司徒之职预议军国大事,于是谏官蔡襄上奏说:"吕夷简身患疾病以来,两府大臣都到吕夷简门下领受事务,吕夷简做宰相前后二十多年,没听说有什么建功,如今因病归隐,仍然贪图权势,不能极力推辞,臣请求特别罢黜他参与商量军国大事的权力,使两府大臣专门担当此重任,无所推让。"甲子(二十七日),吕夷简请求免去自己参与军国大事的权力,仁宗皇帝允诺。

这个月,国子监直讲石介作《庆历圣德诗》,石介勤学多思,志向高远,疾恶如仇,喜好声名,恰恰赶上吕夷简罢免宰相,章得象、晏殊、贾昌朝、韩琦、范仲淹、富弼同时执政,而欧阳修、蔡襄、王素、余靖同为谏官;夏竦已受任命,又被夺职,用杜衍来代替他,因此,石介非常欢喜说:"这是盛德之事,歌颂它乃是我的职责,怎么能推却呢!"诗中所称颂的大多数当时有名望的臣子,所说的大奸,是指责夏竦的。诗要传出来时,孙复听到了,说:"石介的祸患从此开始了。"

五月,丁卯朔(初一),有日食。

庚午(初四),审理记录在押囚徒。

江、淮每年漕运供应不上,京师缺少军用物资存储,大臣们以此为忧。枢密副使范仲淹,说只有依靠国子博士宣城人许元去办理。辛未(初五),提拔许元为江、淮、两浙、荆湖制置发运判官。许元说:"凭六路七十二州的粮食,不能满足京师,我不相信。"到任后,命令临近长

935

江的州县留三个月的粮食,其余全部发运,远近州县依次互补,率领一千多艘船运载粮食向西去,不多久,京师粮食充足。

癸酉(初七),命令王拱辰、田况与三司一同商议减免各州县的征收之数。

乙亥(初九),忻州地区发生大地震,朝廷下诏令本路转运、经略司安抚赈济百姓,不能松弛边疆的防务。

盐铁副使林潍出任滑州知州。

当初,入内都知张永和建议,请求收取百姓房屋钱十分之三来资助军费。皇上将此事交给三司办理,王尧臣持有不同意见。张永和暗地里差遣人向王尧臣致意说:"如能施行这样建议,确实有大用啊。"第二天,王尧臣入见皇帝,对皇帝详细陈述情况,并趁机说:"这是衰世之事,唐德宗之所以造成战乱,是因为平时并不可去做。"林潍畏惧张永和的权势,竭力赞成行施。王尧臣上奏罢免林潍,命河北转运使张昌之为盐铁副使,这个问题才定下来。

戊寅(十二日),任命虞部员外郎杜杞权发遣度支判官事,太常博士燕度权任发遣户部判官,都是王尧臣所推荐的。权发遣三司判官是从此才产生的。杜杞是杜镐之子;燕度是燕肃之子。

庚辰(十四日),皇帝亲临相国寺、会灵观求雨。

癸未(十七日),设置御史官六名,罢黜推直官,这是依允了御史台的请求。

乙酉(十九日),任命侍御史席平为润州知州。中丞王拱辰说他的议论可取之处不多,所以将他调任外职。

丁亥(二十一日),在武成王庙设立武学,任命太常丞阮逸为武学教授。

戊子(二十二日),下雨,辅政大臣称颂祝贺。皇帝说:"天久旱不雨,我经常烧香对上天祈祷。昨晚睡在宫中,忽然听到隐隐雷声,立刻起床,衣冠整齐地露天站在殿下,过一会儿雨就下了,衣衫全都湿了。过了一刻,又停了,又一次叩拜谢天公,才敢上台阶入室。现在希望干枯的禾苗可以得救了。"章得象说:"如不是陛下心意至诚,怎么能招致上天得如此响应呢!"皇帝说:"起先我下诏罪责自己,撤散歌舞,减少酒宴,又恐怕近于修饰虚名,还不如早晚诚心祈祷,这样效果更好些。"

辛卯(二十五日),在皇宫中修建钦天坛。

乙未(二十九日),谏官欧阳修上奏说:"韩琦、范仲淹到达京师以来,只是每日与两府大臣随例上殿,呈奏寻常公事,陛下也没有专门召见他们当面对答,从容地访问,使他们详尽地陈述西部边境的事情怎样处置。至于两府大臣,每当有边防急事时,或者令不是召见时间召见,聚集商议,或者令他们各自陈述自己的见解。只召一两个人商量,这是在祖宗时期都是允许的,不必据守一般惯例。"

辽下诏再定礼制。

辽主前往山西。

这个月,忻州发生地震。

虎翼卒王伦在忻州叛乱。

六月,丙午(十一日),辽国下诏:"历代宰相、节度使的族属以及本人为节度使的家庭,丧葬时允许使用银器,仍禁止宰杀牲口来祭奠。"

庚戌（十五日），辽国下诏："汉人宫分户绝后无子孙者，家产由亲族继承。"

辛亥（十六日），准布部长差遣他弟弟到辽国朝拜。

癸丑（十八日），主持谏院的欧阳修上奏说："近日来，四面盗贼渐渐增多，都因国家平时没有防备，而官吏的赏罚又不分明的缘故。现在，沂州贼军王伦在所经过的楚、泰等州，骑兵相连，旌旗招展，如入无人之境，而巡检、县尉反而听从贼人招呼，那些衣甲、器械都拱手归附贼人，这可以说是心腹大患。请求从今以后，敌兵所经过的州县，有被夺去衣甲的，官吏一并追查停职，巡检、县尉一律除名，勒令从军效力，等到贼军破败时才允授官。"甲子（二十九日），右正言余靖上奏说："如今官吏办事松弛，平民百姓聚集而成盗贼，不能禁止的原因是赏罚不明。如不大加限制来矫正以前的弊端，臣担心国家的祸患，不在于西北边疆而起源封域之内了。请求朝廷严格执行捕捉盗贼的赏罚条例，以及订立被敌贼捉去作人质、损失武器衣甲的官员除名追官责任的法令。"朝廷全部依允。

起初，辽国北院枢密使萧孝穆，因为进谏劝阻南伐之建议没有被采纳，被调到南院，任命他弟弟萧孝忠为北院枢密使。不久，萧孝忠生病，仍命萧孝穆为北院枢密使，改封齐国王。秋季，七月，丙寅朔（初一），萧孝忠去世。辽兴宗特地赦免释放所拘之囚犯以哀悼他。

辽国耶律罕班再次被命名为北院大王，进入朝中。辽主从容地对他说："爱卿守卫边关任务繁重，应当充实府库、赈济贫乏，来报答朕的恩德。"耶律罕班接受任命，更加尽心尽力，知无不言，做了许多对国家有益的事。

戊辰（初三），任命翰林院学士苏绅为河阳知府。

在此以前，王素、欧阳修等为谏官，多次上奏议论朝政，苏绅厌恶他们。恰逢京师正忧虑下雨的事，苏绅请求答对，说："《尚书》洪范篇所说帝王治理天下五项原则，言不合理时，称为不治，其灾祸征兆是僭行，会受到上天惩罚，常晴不雨。"苏绅之意指谏官。当时，任命太常博士马端为监察御史，是苏绅所推荐的。欧阳修于是上书说："马端秉性奸巧，往年曾揭发他母亲的隐私，他母亲因此受到用杖击背的刑罚。马端为人之子，不能以礼仪来防备别人，使他母亲陷入作恶之中，过后又不能隐瞒，使他母亲受刑，按道义他一生不能做官，怎么还能加升为天子执法官呢！苏绅与小人臭味相投，他推举的人也是如此。"因为这些苏绅被贬职，不久马端也被贬职外放。

己巳（初四），宣徽南院使、忠武节度使夏竦任亳州通判。夏竦到了国门，皇上将攻击他的表章封起来送给他看，夏竦回到本镇后，进言的人还不停止。恰遇韩亿退隐，夏竦请求代他的职位，因此有这个任命。夏竦到达亳州，上书为自己辩解，一共一万多字，皇帝下诏给学士进行批答。孙抃写了答词，大概说："图立功效最好是尽忠勤劳，消除诽谤最好是修实行善。"夏竦得到答词后，对孙抃恨极。

御史中丞王拱辰请求皇帝利用每月初一和十五退朝后，在后殿召集执政之臣，赐给座位，谈论时政得失。皇上说："执政大臣是朕早晚与他们共商国家大事的人，又何必受初一、十五的拘束！"辛未（初六），皇帝下诏："从今以后，中书、枢密院的官员，除按常规上朝奏事外，如还有别的要陈奏上来，或者朕在朝见时间以外留下答对的人，不限时间。"

丙子（十一日），参知政事王举正被降为礼部侍郎、许州知州。起初，谏官欧阳修、余靖、蔡襄都说王举正懦弱缄默、不够称职，请令范仲淹代替他，王举正自己也请求罢免。丁丑

（十二日），任命枢密副使范仲淹为参知政事，资政殿学士富弼为枢密副使。范仲淹说："执政大臣可以由谏官而得到吗?"坚决推辞不受。富弼拿着授官的诰命一直送到皇帝面前，陈述自己坚决推让的原因，并且说："恳求陛下卧薪尝胆，不忘记修整朝政。"仁帝皇帝允许了。尔后，皇帝又把诰命送到中书。富弼趁机请求任外职，多次上表请求，皇帝不允。

壬午（十七日），罢黜陕西管辖内营田。

甲申（十九日），任命枢密副使任中师为河东宣抚使，范仲淹为陕西宣抚使。

范仲淹辞去参知政事后，希望能与韩琦轮流出巡边境，于是皇帝将西疆的边防事务交给他。可范仲淹又说河东也应做准备。任中师曾任并州守备，皇帝任命他为河东宣抚使。两人留在京师，但先用文书通知这两路。

乙酉（二十日），元昊又派吕你如定等与邵良佐一起来，所要请求的共是十一件事，其中有要称儿而不称臣的一件，仍坚持以前的意见。

在此之前，欧阳修上书说："敌方的使臣这次来朝，用意不逊顺，必须想办法使其受挫，才能抑制他们的傲慢之心。如今如果在礼数上过于优厚，他们就会认为我们胆怯，知道我们可欺，议论之间，用什么来屈折他们！臣请求对元昊所派来的使臣们，凡事都降低规格，不必曲意巴结而倍加优待。"说到这欧阳修又说："听说朝廷打算让殿中丞任颛来接待元昊所派来的使臣，臣私自认为这件事关系重大。作为交战一方派出的使节到大国来，肯定首先窥探我们将相的勇怯，观察国家强弱，如果看见朝廷威怒没有停息，意图不可揣测，必定内心忧虑会被斩戮，其次害怕被拘留，假使偶然能活着回去，也以为是大大地侥幸。那么我国的软弱形状没有外露，可以坚持勇壮的言论。现在如果过于给予礼遇，首先就自甘懦弱，使他们知道我们可欺，那么商议问题就很难取得一致。一定想成就一件事，那么必须要慎重为先，何况议和未必能成功，假如白白地损坏朝廷体统就很可惜了。上次元昊派来人很少，朝廷只派一个班行去接待，如今来的逐渐增多，就差遣朝士接待，如果以后来的人更多，那么就必须派近侍来接待了。这样一来他们反而自觉强大，我们反而自觉弱小了。何况听说邵良佐才从那里归来，仅免受屈辱而归。如今元昊派来的使臣，臣想请求不必派官员到馆舍接待，把他安置到驿站里，不必急切地询问;至于监视、馈赠物品、犒劳、传话，一个能干的班行就足够了。"欧阳修虽有此提议，但皇帝没能听从。

任命著作佐郎邵良佐为著作郎，仍赐给五品官服，奖赏出使夏州的功劳。

先前，元昊送来的书信，就不肯称臣，到吕你如定等人来，又提出很多要求。两府大臣已经厌战，想姑息依从，只有韩琦认为不能这样，多次请求在皇帝面前答对。晏殊说："众人意见已经相同，只韩琦一人持异议。"皇帝回头问韩琦，韩琦历数那样做的不利之处。皇帝说："再进行审议。"待回到中书，韩琦坚持意见更加坚决，晏殊很不高兴，脸上变色站起身来。韩琦回去后，又上表说："屈意与元昊议和，恐有后患。希望命令中书、枢密院再三议论，使朝廷得到体面，契丹没有争端，这样议和，可能是有利之策。"

谏官蔡襄上奏说："元昊开始时用兀卒之名号来请求，等到邵良佐回来后，想改变名号'吾祖'，足以表现羌、戎的悖逆傲慢之意。纵然使元昊称臣，而他上书自称为'吾祖'，朝廷赐给的诏书也称他为'吾祖'，这是什么话呢?"当时欧阳修、余靖也这样说。欧阳修又说："如今不以屈志为羞辱，急于想要和谈成功的，大多是不忠之臣和没有见识的人。而陕西百姓也想赶快求和,请求让宣抚使告诉他们,朝廷并非不想议和,是因为敌人不恭逊。然后深切告诫有关官员,可以放宽百姓力役。其余那些小人之言,希望陛下回绝不听从。"

庚寅(二十五日),元昊派遣使者向辽国奏表请求出师南伐宋朝,辽主不从。

甲午(二十九日),枢密副使韩琦上奏说:"臣听说汉朝文帝时国家富有,刑罚废弃,而贾谊上书认为可以痛苦叹息,臣私下观察时事,认为可以昼夜泣血,不仅是痛哭叹息了。因为西北两边,祸患已经形成,而朝廷上下却泰然自若,不知朝廷将遭逢危险,宗庙社稷将没有安宁了。近来契丹派使者索求关南之地,强要我们使用'献''纳'的名义,其轻视中国的意思已非常明显。而元昊僭越名号背叛皇恩,向北联络契丹,想成鼎足之势,连年侵扰边境,官军屡受挫伤。如今他乘定川全胜的气势,派人前来议和,那么就可知他的计谋深而值得忧虑。有的议论者认为,如果上次助契丹传导之力,事情肯定没有不成功的,但他们怎么不想契丹既然能让元昊停止战争,怎么不能使元昊再举兵入侵呢?臣担心契丹认为朝廷能力已受损伤,将违背盟约,率领众兵,直奔黄河,又让元昊举兵深入关中地带,到那时,不想想朝廷还有什么办法抵御外来侵略?臣所以日夜思考,特别列出现在应当先做的七件事:一是清理政本。应当颁诏中书、枢密院,凡是细碎的事务,全归有司办理,使自己从容商议策划、专门讨论国中大事。二是注重边事。如今执政部门因循守旧,才到午时就出来,匆匆忙忙签署文书;臣认为应当到未时正再出来,增加这一时辰,专门讨论边防事务。三是选拔贤才。应当仿效祖宗的旧制,在武将中不分官阶破格提拔以发挥他的才干。四是防备河北。自从与契丹通好三十多年,武备全废弃了;应当选出转运使两名暗中拜受经略,规定一定的时间,做好防御的准备。五是巩固河东。前年元昊攻陷丰州,将河外户属几乎抢劫一空,麟、府二州形势孤立;应当督促本路军事统领,勘察险要,修建城堡,节约转运粮饷,以此为持久之计。六是广收民心。祖宗设置藏库,是准备水旱之灾和军事供给,不是私下积蓄财物来充实自己私欲的,自从用兵以来,财用匮竭,应当稍微拿出钱币玉帛来资助边界之用。七是营建洛邑。如今,帝都没有坚固的城池来防备非常变故,如突然提议兴建,则使百姓人心惶惶。不如暗中修整洛都,以游幸之名而行备武之实,每年将太仓多余之米拿来充实那里的仓库。"皇帝很欣赏地接受了。

这个月,活捉王伦。

八月,丙申(初二),辽帝拜谒庆陵。

戊戌(初四),宋仁宗诏令谏官每天到内朝答对。

己亥(初五),取出内藏库细绢三百万匹,拨交给三司以帮助经营边防的费用,这是采用韩琦的话。

辛丑(初七),辽国的燕王耶律洪基,加任尚书令,主持北南院枢密使事,晋封为燕赵国王。

丁未(十三日),任命枢密副使范仲淹为参知政事,资政殿学士富弼又任枢密副使。富弼仍坚持要辞,正赶上元昊使臣来进辞,群臣排列在紫宸殿门;皇帝等富弼排入枢密院班才坐下,又派章得象告知富弼说:"这是朝廷特别重用你,不是因为出使契丹的缘故。"富弼无奈,才接受任命,晏殊因为富弼是他的女婿,为了避嫌而请求罢去宰相之职,又请求解除枢密副使的职务,皇帝都不允许。

修媛张氏受到皇帝恩宠,在后宫中居于首位,突然她生病了,便进言皇帝:"妾资质浅薄,深受恩宠,因而召来得病之灾,愿贬降为美人。"皇帝同意了。戊申(十四日),修媛张氏被贬为美人。

癸丑(十九日),命枢密副使韩琦为陕西安抚使。

在此之前,范仲淹及任中师分路宣抚,过了一个月还没有去。韩琦对皇帝说:"敌寇请求议和,如没有意外,那么二人遥领宣抚使事。元昊如果不能满足所期望的,必定因愤恨而侵犯边疆,应当迅速派范仲淹到职,至于河东方面,老臣年当益壮,可以奔波守备。任中师是年老旧臣,就不必劳他前往了。"皇帝便诏令韩琦代替范仲淹为陕西宣抚使,而任中师最终还是没去。

任命大理寺丞张子奭为秘书丞,与右侍禁王正伦出使夏州。张子奭是张齐贤的孙子。

戊午(二十四日),罢黜武学。

庚申(二十六日),辽国裕悦耶律洪古去世。辽皇帝知道后,叹息说:"可惜是个好人啊!"辽皇帝亲临祭奠。

甲子(三十日),准布向辽国进贡。

续资治通鉴卷第四十六

【原文】

宋纪四十六　起昭阳协洽【癸未】九月,尽阏逢涒滩【甲申】七月,凡十一月。

仁宗体天法道极功全德　神文圣武睿哲明孝皇帝

庆历三年　辽重熙十二年【癸未,1043】　九月,丁卯,召辅臣及知杂御史以上于天章阁,朝谒太祖、太宗御容及观瑞物。既而帝问御边大略,久之,乃罢。

帝既擢任范仲淹、韩琦、富弼等,每进见,必以太平责之,数令条奏当世务。仲淹语人曰:"上用我至矣。然事有后先,且革弊于久安,非朝夕可能也。"帝再赐手诏督促,既又开天章阁召对,赐坐,给笔札,使疏于前。仲淹、弼皆惶恐避席,退而列奏,言十事:一曰明黜陟,二曰抑侥幸,三曰精贡举,四曰择官长,五曰均公田,六曰厚农桑,七曰修武备,八曰减徭役,九曰覃恩信,十曰重命令。帝方信向仲淹等,悉用其说,当著为令者,皆以诸事画一次第颁下;独请设府兵,辅臣共以为不可而止。

司徒吕夷简固请老,戊辰,授太尉,致仕,朝朔望及大朝会并缀中书门下班。谏官欧阳修言:"夷简为宰相,纪纲大坏。今筋力已衰,合杜门自守,不交人事。纵有未忘报国之意,凡事即合公言,岂可暗入文书,眩惑天德! 乞赐止绝。"于是始命宰臣章得象监修国史。初,夷简罢相为司徒,犹带监修;及致仕,乃以还得象。

赐知谏院王素三品服,余靖、欧阳修、蔡襄五品服,面谕曰:"卿等皆朕所自择,数论事无所避,故有是赐。"

乙亥,枢密副使任中师罢。

丙子,以端明殿学士李淑为翰林学士。谏官欧阳修奏事延和殿,面论淑奸邪,退又上言:"淑朋附吕夷简,在三尸五鬼之数,望早与一外任差遣。"寻令淑知寿州。既仍不行,修又言:"窃闻中书须得淑自上章求出,方敢差除。此乃大臣避怨,不肯为陛下除去,望特出圣旨处分,以彰圣明之德。"

丁丑,诏:"执政大臣非假休,不许私第接见宾客。"从知谏院蔡襄言也。议者以为唐元和用兵时,裴度为相,请私第延见四方贤俊以广谋虑,今一切禁绝宾客,非谏官所宜言也。

是日,群盗晨入金州,劫府库兵仗,散钱帛与其党及贫民,知州王茂先将直兵二十四人御之,不敌,遂走。群盗恣行掠夺,日暮乃出城去。茂先具以闻。

枢密副使富弼言:"伏见西鄙用兵以来,物力穷困,朝廷不能存抚,遂使为盗。今张海、郭邈山等惊扰州县，杀伤吏民，巡检、县尉不敢向前，遂从京师遣兵，仍令中使监督，尚犹迁延日月，倔强山林，以至白昼公行，平入州县，开府库，劫货财，散募凶徒，啸聚渐众。陕府、西京、唐、汝、均、房、金、商、襄、邓千馀里，所在疮痍，诸郡无兵，各不自保。臣思京西诸州贼盗见今往来之处，长吏皆非其人，乞先选转运两人，令往彼体量诸州长吏不才及赃滥老病者，急罢之，令于辖下通判或知县中保举人权充知州，如不足，则朝廷下审官院选人填补。知州得人，则就令选部内知县、县令。昔前汉勃海盗起，丞相举龚遂，遂至郡，盗贼悉平；后汉朝歌盗贼屯聚，乃以虞诩为朝歌长，贼遂骇散；此守宰得人，贼自破灭之验也。"

壬午，辽主谒怀陵。

丙戌，命王洙、余靖、孙甫、欧阳修同编修《祖宗故实》。

先是富弼请选官置局，将三朝典故及诸司所行可用文字，类聚编成一书，置在两府，俾为模范。帝纳其言，故命靖等编修，弼总领之。明年，九月，书成，分别事类，凡九十六门，二十卷。

丁亥，徙知庆州滕宗谅权知凤翔府。时郑戬发宗谅前在泾州枉费公用钱，而监察御史梁坚亦劾奏之，诏太常博士燕度往邠州鞫其事，宗谅坐是徙。

范仲淹言："梁坚奏宗谅于泾州贱买人户牛驴，犒设军士。臣窃见去年葛怀敏败后，向西州军官员惊忧，计无所出。泾州无兵，贼已到渭州，宗谅起遣人户强壮数千人入城防守，时直苦寒，军情愁惨，得宗谅管设环庆路节次策应军马，酒食薪柴并足，众心大喜。虽未有大功，显是急难可用之人，所以举知庆州。仓卒收买牛驴犒军，纵有亏价，情亦可恕。今一旦逐之如一小吏，后来主帅，岂敢便宜行事！欲乞朝廷指挥，宗谅止在任句当，委范宗杰在邠州一面勘鞫。如宗谅显有欺隐入己及乖违大过，臣甘与宗谅同行贬黜。"

壬辰，翰林学士李淑罢知郑州，以权知开封府吴育言淑前在府多袭近吏人故也。

是月，桂阳洞蛮寇边，湖南提刑募兵讨平之。

冬，十月，乙未朔，徙知江宁府刘沆知潭州，经制蛮事。

知光化军韩纲，性苛急，不能抚循，士卒皆怨愤，员僚邵兴率众盗库兵，欲杀纲。戊戌，纲逾城逃，兴等遂焚掠居民，劫其指挥使李美及军士三百馀人趋蜀道，美自缢死。纲，亿长子也。

己亥，辽北院枢密使萧孝穆卒。孝穆廉谨有礼法，为政宽简，时称为国宝臣。追赠大丞相、晋国王，谥曰贞。其弟西北路招讨使孝友以葬兄还京师，拜南院枢密使。

庚子，辽诏诸路上重囚，遣官详谳。

壬寅，以玉清昭应宫田二十二顷赐国子监。

丙午，以盐铁副使张昷之为河北都转运案察使，知谏院王素为淮南都转运按察使，盐铁判官沈邈为京东转运案察使，用富弼、范仲淹等言也。先是仲淹、弼等言："今内外官虽多，然与陛下共理天下者，惟守宰最要耳。比来不加选择，非才、贪浊、老懦者，一切以例除之，其间良吏百无一二，使天下赋税不均，狱讼不平，水旱不得救，盗贼不得除，民无所告诉，而不思叛者，未之有也。救之之术，莫若守宰得人；欲守宰得人，请诏二府通选转运使。转运既得人，即委逐路自择知州；知州已得人，即委逐州自择知县。其不任事者，奏罢之。仍令久其官守，勿复数易，其异政者，宜就与升擢。则官修政举，朝廷唯总其大纲而振举之可也。"帝纳其言，于是晶之等首被兹选。素入辞,帝谓曰:"卿今便去谏院,事有未言者,可尽言之。"

丁未,以右正言余靖为辽太后正旦使。

初,洺州肥乡县,田赋不平,久莫能治,转运使杨偕患之。大理寺丞郭谘曰:"是无难者,得一往,可立决也。"偕即以谘摄令,并遣秘书丞孙琳与其事。谘等用千步方田法括地,得其数,除无地之租者四百家,正无租之地者百家,收通赋八十万,流民乃复。而王素为谏官,建议均天下田赋。欧阳修即言:"谘与琳方田法,简而易行,愿召二人者。"三司亦以为然,且请于亳、寿、汝、蔡四州,择尤不均者均之。于是遣谘与琳先往蔡州,首括上蔡一县,得田二万六千九百三十馀顷,均其赋于民。既而谘言州县多逃田,未可尽括,遂罢。谘,赵州人也。

戊申,诏二府同选诸路提刑。

辽参知政事韩绍芳、三司使刘六符,与参知政事杜防不协,防以六符尝受宋赂,白其事。辛亥,绍芳出为广德军节度使,六符为长宁军节度使;防愈见亲任。

壬子,辽以夏人侵党项,遣延昌宫使高嘉努让之。

甲寅,复置诸路转运判官,仍诏中书、枢密院同选用。

乙卯,诏修兵书,翰林学士承旨丁度提举,集贤校理曾公亮等为检阅官。

己未,范仲淹言:"臣窃见京朝官、使臣、选人等进状,或理会劳绩,或诉雪过犯,或陈乞差遣,其事理分明可行、可罢者,则朝廷便有指挥。内有中书、枢密院未见根原文字及恐审官、三班院、流内铨别有例,难便与夺者,多批送逐司;其逐司为见批送文字,别无与夺,便不施行,号为送杀。以此官员、使臣三五度进状,不能结绝,转成住滞。乞特降圣旨,今后凡进状者,仰逐司主判子细看详,如内有合施行者,即与勘会,具条例情理定夺进呈,送中书、枢密院再行相度,别取进止。如不可施行,亦仰逐司告谕本人始委,庶免官员、使臣、选人等重叠进状,紊烦圣听。"从之。

壬戌,诏二府新定磨勘式。自是法密于旧。

甲子,陕西路经略安抚招讨使郑戬言:"德顺军生户大王家族元宁等以水洛城来献。其地西占陇坻,通秦州往来道路,陇之二水,环城西流,绕带河、渭,田肥沃,广数百里,杂氏十馀落,无所役属。寻遣静边寨主刘沪招集其酋长,皆愿纳质子,求补汉官。今若就其地筑城,可得蕃兵三五万人及弓箭手,共捍西贼,实为封疆之利。"从之。

谏官欧阳修言:"近来传闻燕度勘鞫滕宗谅事,枝蔓句追,囚系满狱,人人嗟怨,自狄青、种世衡等,并皆解体。乞告谕边臣以不枝蔓句追之意,兼令今后用钱,但不入己外,任从便宜,不须畏避,庶使安心用命立功。"修又言:"臣风闻边臣张亢,近为使过公用钱,见在陕西置院根勘,干连甚众。亦闻狄青曾随亢入界,见已句追照对。臣伏见兵兴以来,所得边将,惟狄青、种世衡二人,其忠勇材武,不可与张亢、滕宗谅一例待之。且青本武人,不知法律,纵有使过公用钱,必非故意偷谩,不过失于点检,乞特与免勘。"知渭州尹洙亦言:"青于公用钱物,无豪分私用,不可以细微诖误,令其畏惧。望特旨谕青,庶安心专虑边事。"

辽以北府宰相萧惠为北院枢密使。

十一月,丙寅,上清宫火。寻有诏以宫地为禁军营。

景祐初,置殿中侍御史里行、监察御史里行,凡四人。既而久阙不除,于是诏以两人为额。癸酉,以太常博士赵人李京、殿中丞合肥包拯并为监察御史里行,中丞王拱辰所荐也。

943

京尝知魏县,奉法严正,吏不便之,欲以奇中京,遂相率遁去,监司果议以苛刻斥。知府任布曰:"如此,适堕吏计中矣。"京赖以免。拯尝知天长县,有诉盗割牛舌者,拯使归屠其牛,鬻之。既而又有告杀牛者,拯曰:"何为割某家牛舌而又告之?"盗者惊服。徙知端州,州岁贡砚,前守缘贡率取十倍以遗权贵人。拯命制者才足贡数,岁满,不持一砚归。

初,光化军贼邵兴帅其党趋蜀道,遇提举捉贼上官珙,杀之,又败兴元府兵于饶风岭,本府军校赵明以众降,乃自州北循山而东。捉贼使臣陈曙等领兵追击兴于堵水,及其党皆就禽。壬午,诏并凌迟处死。曙,若拙子也。

谏官欧阳修言:"臣窃见近日盗贼纵横,盖由威令不行。昨王伦既败之后,不诛家族。凡小人作事,亦须先计,成则获大利,不成则无大祸。有利无害,谁不欲反!只如淮南一带官吏,与王伦宴,率民金帛献送,开门纳贼,道左参迎。苟有国法,岂敢如此!而往来取勘,已及半年,未能断遣。古者称罚不逾时,所以威激士众。今迟缓如此,谁有惧心!遂致张海等,官吏依前迎奉,顺阳县令李正己,延贼饮宴,宿于县厅,恣其劫掠,鼓乐送出城外。其敢如此者,盖为不奉贼则死,不奉朝廷不死,所以畏贼过于畏国法。伏望陛下勿行小惠以误大事。其宣毅兵士,必有家族,乞尽戮于光化市中,使远近闻之悚畏,以止续起之贼。其正己闻已有台宪上言,亦乞斩于邓州,使京西一路官吏闻之,知国法尚存,不敢奉贼。"又言:"臣闻江、淮官吏等,各为王伦事奏案已到多时,尚未闻断遣,仍闻议者犹欲宽贷。此由权要之臣多方营救,不思国体,但植私恩。惟陛下以天下安危为计,出于圣断,以厉群下。其晁仲约等,乞重行朝典。"

初,群盗剽劫淮南,将过高邮,知军晁仲约度不能御,谕富民出金帛,具牛酒,使人迎劳,且厚遗之。盗悦,径去,不为暴。事闻,枢密副使富弼议诛仲约,参知政事范仲淹欲宥之,争于帝前。弼曰:"盗贼公行,守臣不能战守,而使民酿钱遗之,法所当诛,不诛则郡县无复肯守者矣。"仲淹曰:"郡县兵械足以战守,遇贼不御,法所当诛。今高邮无兵与械,虽仲约之义当勉力战守,然事有可恕,戮之恐非法意。"帝释然,从之。

癸未,诏:"馆职有阙,以两府、两省保举,然后召试补用。自今见任、前任两府及大两省已上官,不得陈乞子弟亲戚馆职并读书之类。"

丁亥,诏更荫补法:长子不限年,馀子孙年过十五、弟侄年过二十乃得荫。自是任子之恩稍杀矣。

辽以上京岁俭,复其民租税。

庚寅,诏陕西(安)〔宣〕抚使韩琦、副使田况赴阙。谏官欧阳修言:"议和未决,乞仍令琦等在彼经略,以俟和议之决。"

辛卯,同修起居注欧阳修,请自今后,上殿臣僚退,令少留殿门,俟修注官出,面录圣语;从之。

壬辰,诏限职田。

诏详定国朝勋臣名次,本家见无人食禄者,录其下子孙一人。

司天监言五星皆在东方,主中国大安。

944

十二月,乙巳,桂阳监猺贼复寇边。

戊申,以秘书丞张子奭为祠部员外郎,右侍禁王正伦为左侍禁、阁门祗候,并以累使夏州之劳也。

辽改政事省为中书省。

己酉，诏转运使郭辅之等攻讨蛮、猺，并就便招抚之。

戊午，以南京府学为国子监。

庚申，许广州立学。

是月，澧州献瑞木，有文曰“太平之道”。谏官欧阳修言：“知州冯载，本是武人，不识事体，便为祥瑞以媚朝廷。方今元昊叛逆，契丹骄傲，加以西则泸戎，南则湖、岭，无一处无事。内则百姓困弊，盗贼纵横。以臣视之，实未见太平之象。臣顷见太平州曾进芝草，今又进瑞木，窃虑四方相效，争造妖妄。其所进瑞木，伏乞勿示臣僚，仍速诏天下，凡有奇兽、异禽、草木之类，并不得进献。”从之。

是岁，河北降赤雪。河东地震，五六(年)〔日〕不止。谏官孙甫请省后宫浮费以消灾谴，帝嘉纳之。

韩琦至陕西，属岁大饥，群盗啸聚商、虢之郊，张海、郭邈山等为之渠率。琦遣属官乘传赍宣抚司榜，收集散军，谕以免罪归所属；仍召谢云行等将沿边士兵入山捕张海等，相继歼衄，禽捕馀党殆尽。是冬，大旱，河中、同、华等州饥民相率东徙。琦即选官分诣州县，发省仓以赈之，奏差提点刑狱许宗寿专切往来提举蒲、华、同三州，所活凡二百五十四万馀人，它州称是。时民力久困，琦乃蠲赋役，察官吏能否，升黜之。又以兵数虽多，而杂以疲老，耗用度，选禁军不堪征战者，停放一万二千馀人。

四年　辽重熙十三年【甲申，1044】　春，正月，戊辰，辽主如混同江。

辛未，降天章阁待制、权知凤翔府滕宗谅知虢州，职如故；并代副部署张亢为本部钤辖。宗谅及亢皆置狱邠州，狱未具而有命，从参知政事范仲淹言也。

先是仲淹力辩宗谅、亢等非有大过，乞免下狱。及是又言：“燕度勘到滕宗谅所用钱数分明，并无侵欺入己。张亢借公用钱买物，事未发前，已还纳讫。又因移任借却公用银，却留钱物准还，皆无欺隐之情。”宗谅及亢由是得免重劾。

壬申，西蕃摩戬入贡。

乙亥，荆王元俨薨。元俨性谨约寡欲，喜儒学，好文词。尝问翊善王涣曰：“元昊平未？”对曰：“未也。”曰：“如此，安用宰相！”及病，帝亲至卧内，手调药，屏人语久之，所献多忠言。及薨，赠天策上将军、徐、兖二州牧、燕王，谥恭肃。

丙戌，诏：“自今臣僚毋得以奏荐恩泽及所授命，为亲属乞赐科名及转官、升陟入通判以上差遣，其亲属尝降官、降差遣，亦毋得乞以恩泽牵复；若因累而为别更名奏荫者，重坐之。”

辛卯，太常礼院上新修《太常新礼》《庆历祀仪》；赐提举、编修官器币有差。

二月，丙申，遣内侍赍奉宸库银三万两下陕西，博籴谷麦以济饥民。

壬寅，知光化军韩纲，除名英州编管，兵马监押许士从，追三官舒州编管，坐弃城也。

广西宜州蛮区希范作乱。希范，思恩人，狡黠，颇知书，尝举进士试礼部。景祐末，与其叔正辞应募从官军讨安化州叛蛮。既而希范击登闻鼓求录用，事下宜州，知州冯伸己言其妄，编管全州。正辞亦尝自言其功，不报。二人皆缺望。希范后辄逋逃归，与正辞率其族人及白崖山酋蒙赶、荔波洞蛮谋为乱，择日杀牛，建坛场，祭天神，推蒙赶为帝，正辞为奉天开运建国桂王,希范神武定国令公、桂州牧,以区丕绩为宰相,馀皆伪立名号,补署四十馀人。前月丙子,率众五百破环州,劫州印,焚其积聚,以环州为武成军。癸卯,事闻,诏转运钤辖司亟发兵捕击之。

乙巳,以上清宫田园、邸店赐国子监。

戊申,遣入内供奉官王昭明往宜州,召募勇敢人入洞捕击蛮贼。

徙知虢州滕宗谅知岳州。时中丞王拱辰言其盗用公使钱,止削一官,所坐太轻,故再谪。

庚戌,辽主如鱼儿泺。

甲寅,罢陕西四路都部署、经略安抚招讨使,复置逐路都部署、经略安抚招讨使,从韩琦议也。

以郑戬为永兴军都部署,兼知永兴军。初,命戬知永兴军,仍兼四路都部署,谏官欧阳修言:"戬虽名都部署,而诸路自各有将,又其大事不令专制,必禀朝廷。假如边将有大事,先禀于戬,又禀朝廷,朝廷议定下戬,戬始下于沿边,只此一端,自足败事。且大事戬既不专,小事又不由戬,则部署一职,虚名可废。若小事一一问戬,处分合宜,尚有迟缓之失,万一耳目不及,处置失宜,则为害不细。欲乞落其虚名,只令坐镇长安,抚民临政,以为关中之重,而使四路各责其将,则名体皆顺,处置合宜。"从之。

丙辰,辽以参知政事杜防为南府宰相。防生子,辽主幸其第,赐其子名旺满努。

丁巳,诏天章阁侍读曾公亮删定审官、三班院、流内铨条贯,从范仲淹请也。

三月,乙丑,以殿中侍御史会稽王丝为荆湖南路体量安抚提举捉贼。

丁卯,以天章阁侍讲杨安国为直龙图阁,崇政殿说书赵师民为天章阁侍讲,并赐三品服。帝以二人久侍经筵,行义淳质,因褒擢之。

己巳,以职方员外郎、同判登闻鼓院张尧佐提点开封府诸县镇公事。谏官余靖言:"尧佐,修媛之世父,进用不宜太遽。顷者郭后之祸,起于杨、尚,不可不监。"帝曰:"朕岂以女谒进人,亦因臣僚论荐而后用。如物议不允,当更授以一郡。"帝虽有此言,尧佐竟不出。

甲戌,命盐铁副使鱼周询、宫苑使周惟德往陕西,同都转运使程戡相度铸钱及修水洛城利害以闻。先是韩琦以修水洛城为不便,奏罢之,郑戬固请终役。琦还自陕西,戬罢四路都部署,改知永兴,又极言城水洛之便,役不可罢,命刘沪、董士廉督役如故。知渭州尹洙及泾原副都部署狄青相继论列,以为修城有害无利。议者纷纷不决,故遣周询等行视。戬初命泾原都监许迁将兵为修城之援,及戬罢统四路,洙亟召迁还,又檄沪、士廉罢役,且召沪、士廉。蕃部皆遮止沪、士廉等,请自备财力修城。沪、士廉亦以属户既集,官物无所付,又恐违蕃部意,别生它变,日增版趣役;洙再召之,不从,洙亟命瓦亭寨都监张忠往代,沪又不受。洙怒,命青领兵巡边,追沪、士廉,欲以违节度斩之。青械二人送德顺军狱,时周询等犹未至也。蕃部遂惊扰,争收积聚,杀吏民为乱,又诣周询等诉。周询等具奏,诏释沪、士廉,令卒城之。

参知政事范仲淹言:"刘沪、董士廉元禀四路都部署节制往修水洛城,即非二人擅兴。况刘沪是沿边有名将佐,累有战功,国家且须爱惜,不可轻弃。董士廉是朝廷京官,亦与将佐一例枷勘,更未合事理。伏望圣慈特遣中使乘驿往彼,委鱼周询、周惟德取勘刘沪等所犯因依情罪闻奏,仍送邠州拘管,听候朝旨。"

范仲淹等意欲复古劝学,数言兴学校,本行实,诏近臣议。于是宋祁、王拱辰、张方平、欧阳修等八人合奏曰:"教不本于学校,士不察于乡里,则不能核名实。有司束以声病,学者专于记诵,则不足尽人材。谨参考众说,择其便于今者,莫若使士皆土著而教之于学校,然后州县察其履行,学者自皆修饬矣。"乙亥,下诏令州县皆立学,本道使者选属部官为教授,三年而代;选于吏员不足,取于乡里宿学有道业者,三年无私遣,以名闻。士须在学习业三百日,乃听预秋赋;旧尝充赋者,百日而止。亲老无兼侍,取保任,听学于家。三场,先策,次论,次诗赋,通考为去取,而罢贴经墨义。又以旧制用词赋,声病偶切,立为考式,一字违忤,已在黜落,使博识之士,临文拘忌,俯就规检,美文善意,郁而不申。如白居易《性习相近远赋》,独孤绶《放训象赋》,皆当时试于礼部,对偶之外,自有意义可观。宜许仿唐体,使驰骋于其间。士子通经术,愿对大义者,试十道,以晓析意义为通,五通为中格;三史科取其明史意而文理可采者;明法科试断案,假立甲乙罪,合律令法意、文理优者为上等。

庚辰,录唐郭子仪后。

壬午,以国子监直讲石介直集贤院,兼国子监直讲。时韩琦乞召试介,诏特除之。

甲申,免衡、道州、桂阳监民经猺贼劫掠者赋役一年。

丙戌,丁度等上《答迩英圣问》一卷。帝指其中事体大者六事,付中书、枢密院,令奉行之。

丁亥,辽以宣政殿学士杨佶参知政事。

高丽贡于辽。

诏权停贡举。

先是辽人犯法,例须汉人禁勘,受枉者多。太弟重元请五京各置警巡使,从之。

夏,四月,乙未,监察御史里行李京言:"近闻契丹筑二城于西北,南接代郡,西交元昊,广袤数百里,尽徙沿边生户及丰州、麟州被虏人口居之,使绝归汉之路。违先朝誓书,为贼声援,其畜计不浅。况国家前年方修河北沿边故满城、阴城,再盟之后,寻即罢役。请下河东安抚司诘其因依,或因贺乾元节使人还,责以信誓,使罢二城,以破未然之患。"从之。

丙申,诏:"湖南民误为征猺军所杀者,赐帛存抚其家。"

丁酉,以宜州蛮区希范叛,命京西转运案察使杜杞为广南西路转运案察使兼安抚使。

戊戌,帝谓辅臣曰:"自昔小人多为朋党,亦有君子之党乎?"范仲淹对曰:"臣在边时,见好战者自为党,而怯战者亦自为党,其在朝廷,邪正之党亦然,惟圣心所察耳。苟朋而为善,于国家何害也!"

初,吕夷简罢相,夏竦授枢密使,复夺之,代以杜衍,同时进用富弼、韩琦、范仲淹在二府,欧阳修等为谏官,石介作《庆历圣德诗》,言进贤退奸之不易。奸,盖斥夏竦也,竦衔之。而仲淹等皆修素所厚善,修言事一意径行,略不以形迹嫌疑顾避。竦因与其党造为党论,目衍、仲淹及修为党人。修乃作《朋党论》上之,略曰:"臣谓小人无朋,惟君子则有之。小人所好者利禄,所贪者财货。当其同利之时,暂相党引,及其见利而争先,或利尽而交疏,则反相贼害。君子则不然,所守者道义,所行者忠信,所惜者名节。以之修身,则同道而相益;以之事国,则同心而共济;终始如一,此君子之朋也。为人君者,但当退小人之伪朋,用君子之真朋,则天下治矣。"于是为党论者恶修,摘语其情状,至使内侍蓝元震上疏言:"范仲淹、欧阳修、尹洙、余靖,前日蔡襄谓之四贤。斥去未几,复还京师。四人得时,遂引蔡襄以为同列。以国家爵禄为私惠,胶固朋党,递相提挈,不过三二年,布满要路,则误朝迷国,谁敢有言?"帝不信。

己亥,帝以上封者言河东刍粮不继,数请废麟州,命右正言欧阳修往河东与转运使议之。初,河东转运使张奎于晋州铸铁钱,而民多盗铸,又,晋州矾岁课益亏,并下修计度之。

庚子,以度支判官李绚为京西转运案察使。时范雍知河南,王举正知许州,任中师知陈州,任布知河阳,并二府旧臣,绚皆以不才奏之。居半岁,召入,修起居注。绚,邛州人。

己酉,监修国史章得象上新修《国朝会要》。

壬子,判国子监王拱辰等言:"首善当自京师。今国子监制度狭小,不足以容学者,请以锡庆院为太学,葺讲殿,备临幸,以潞王宫为锡庆院。"从之。

始,狄青械刘沪、董士廉送德顺军狱,寻有诏释二人,令往水洛城讫役,须勘到罪状,别听旨。丙辰,谏官欧阳修言:"自西事以来,擢用边将,能立功效者殊少。惟范仲淹筑大顺城,种世衡筑青涧城,刘沪筑水洛城;沪尤为艰勤,功不在二人下。今若曲加轻沮,则武臣无复为朝廷作事。且沪若不在水洛,恐它人不能绥抚,苟别致生事,则蕃部更难招(缉)〔辑〕,望圣意断而行之。"余靖亦言:"乞早降指挥谕鱼周询,如所筑新城实利,即应留沪等专守此城,招抚蕃部,仍以此意诫敕狄青、尹洙,今后行事不可如此仓卒。朝廷若以沪与青等既有私隙,不欲令在一路,则宁移青等,不可移沪,以失新附之心。"

命集贤校理历城张掞往江、淮、两浙路转运司体问利害事。

是月,辽南院大王果实,奏党项等部叛降夏国。未几,西南面招讨都监罗汉努等,奏山西部族节度使吉里以五部叛入西夏,乞南北府兵援送实威塞州户。诏:"富者遣行,馀留屯田天德军。"

五月,壬戌朔,枢密副使韩琦、参知政事范仲淹并对于崇政殿,陈攻守之策,数刻乃罢。

辽都监罗汉努,奏所发部兵与党项战不利,元昊遣兵助叛党,招讨使萧普达、四捷军祥衮张佛努殁于阵。

先是郑戬奏修水洛城,乞令韩琦不预商量,琦言:"臣任西边,在泾原、秦凤两路,于水洛城事,比它人知之甚详。"遂陈所见利害凡十三条,诏札与鱼周询、郑戬等。而周询及戬已先具奏修城之利,且言:"水洛城惟女墙未完,弃之诚可惜,宜遂令讫役。"乃诏戬等卒城之。丁卯,遣内殿崇班陈惟信往泾原路催修水洛城。

戊辰,辽征诸道兵会西南边以讨元昊。

己巳,徙知庆州孙沔知渭州,知渭州尹洙知庆州,用欧阳修议也。

庚午,录系囚。

壬申,幸国子监,谒至圣文宣王。有司言旧仪止肃揖,帝特再拜。赐直讲、大理评事孙复五品服。遂幸昭烈武成王庙;又幸玉津园,观种稻,宴从臣。寻召复为迩英阁祗候说书,杨安国言其讲说多异先儒,乃罢之。

癸酉,抚州上金谿县所得生金山,重三百二十四两,帝令藏于龙图阁瑞物库。

乙亥,卫尉寺丞丘浚,降饶州军事推官、监邵武军酒税。浚坐作诗讪谤,执政欲重诛之,帝曰:"狂夫之言,圣人择焉。古有郎模哭市,其斯人之徒欤!"乃薄其罪。

丁丑,欧阳修言:"臣亲至河外,相度移、废麟州,其城壁坚完,地形高峻,乃是天设之险。移、废二说,未见其可。乞减寨卒以纾民力,委土豪以资捍御。"

戊寅,诏募人纳粟振淮南饥。

丙戌,元昊始称臣,自号夏国主,复遣尹与则、杨守素来议事。

己丑,省河南府颍阳、寿安、偃师、缑氏、河清五县并为镇,又析王屋县隶河南府,始用范仲淹议也。

鄜延经略司言西贼寇青涧城,宣武副都头刘岳等与战,败之。诏功第一迁两资,次迁一资。

六月,辛卯朔,辅臣列奏,答手诏所问五条。韩琦、范仲淹又奏陇西、河北画一利害事,陕西八事,河北五事。已而仲淹又奏:"西贼议和,变诈难信,愿早罢臣参知政事,知边上一郡,带安抚之名,足以照管边事,乞更不带招讨、部署职任。"

元昊遣使乞援于准布,准布执其使以闻于辽,且乞以兵助战,许之。甲午,辽主驻永安山,以将伐元昊来告。

丙申,辽命翰林都林牙萧罕嘉努、耶律庶成编集上世以来事迹。

癸卯,改知渭州孙沔复知庆州,知庆州尹洙知晋州。始,朝廷欲卒城水洛,故令洙与沔易任,沔以病辞,乃别徙洙。于是渭州阙守,诏委狄青。谏官余靖言:"泾原山川广宽,道路平易,边臣制御不住,可以直图关中。如此形势,安得轻于人!假如贼人图守镇戎,狄青既是部署,岂得不出救援?青出之后,何人守城?贼若以一二万人与青相拒,却从间道领众直趋渭州,又使何人守备?以臣观之,渭州必须别得能臣与狄青分职句当,方免朝廷深忧。"又言:"青武人粗暴,不可兼知渭州。"章三上。诏徙青权并代部署。

丙午,高丽贡于辽。

丁未,辽录囚。

开宝寺灵宝塔灾。谏官余靖言:"塔为天火所烧,五行之占,本是灾变,乞更不营造。"时盛暑,面奏,靖素不修饰,帝入内云:"被一汗臭汉熏杀,喷唾在吾面上。"其优容谏臣如此。

庚戌,以天章阁待制王素知渭州。

壬子,以参知政事范仲淹为陕西、河东路宣抚使。始,仲淹放逐数年,陕西用兵,帝以仲淹士望所属,拔用护边。及召还执政,中外想望其功业,仲淹亦感激眷遇,以天下为己任,遂与富弼日夜谋虑,兴致太平。然规模阔大,论者以为难行。及案察使出,多所举劾,人心不自安。任子之恩薄,磨勘之法密,侥幸者不便。于是谤毁浸盛,而朋党之论滋不可解。然仲淹、弼守所议弗变。

先是石介奏记于弼,责以行伊、周之事,夏竦欲因是倾弼等,乃使女奴阴习介书,久之,习成,遂改伊、周曰伊、霍,而伪作介为弼撰废立诏草,飞语上闻。帝虽不信,而仲淹、弼始恐惧,不敢自安于朝,皆请出按西北边,未许;适有边奏,仲淹固请行,乃使宣抚陕西、河东。

枢密副使富弼言:"朝廷以契丹发兵会元昊讨岱尔族,路出河东境外,疑是变诈。它时虽欲背盟自逞,必寇河北,第以河东为掎角之地而已。伏乞陛下更令范仲淹且相度河东,未宜调发。"时仲淹疑辽败盟,欲大发兵为备;杜衍谓辽必不来,兵不可妄出。仲淹争议帝前,诋衍,语甚切。仲淹尝以父行事衍,衍初不为恨,既退,仲淹犹力争。韩琦曰:"若尔,则琦当请行,不须朝廷一人一骑。"仲淹怒,再求对,首奏琦语。然兵卒不发,仲淹亦不以为忤也。

先是仲淹受命主西事,弼主北事。弼条上河北守御十二策,且言:"臣奉使契丹日,于河

949

北往回十馀次,询于沿边土豪并内地故老,博采参较,得之甚详,以至稽求载籍,质证时务,用是裒聚撰述,以副(升)〔陛〕下委任之意。伏望陛下令两府会议,可者速行之,其不可者更相致诘而是正之。"

秋,七月,戊寅,封宗室德文东平郡王,允让汝南郡王,允弼北海郡王,允良华原郡王,从蔼颍国公,从煦安国公,宗说祁国公,宗保建安郡王,宗达恩平郡王,宗望清源郡王。帝始用富弼议,次第封拜宗室,以德文属尊且贤,方汉东平王苍故事,封东平,仍诏德文等十人并列本班之上,少前。

甲申,夷人寇三江砦,渭井监官兵击走之。

丙戌,诏:"诸路转运使、副、提点刑狱,察所部知州、军、知县、县令有治状者,以名闻,议旌擢之。或不如所举,令御史台劾奏,并坐上书不实之罪。"从范仲淹奏也。

【译文】

宋纪四十六　起癸未年(公元1043年)九月,止甲申年(公元1044年)七月,共十一月。

庆历三年　辽重熙十二年(公元1043年)

九月,丁卯(初三),在天章阁召集辅政大臣和知杂御史以上官员,朝拜太祖、太宗圣容并观赏吉祥物。接着,仁宗皇帝询问边防的策略,过了很长时间才结束。

宋仁宗提拔任用范仲淹、韩琦、富弼等人以后,每当他们朝见时,必定督促他们要以实现天下太平为己任,并多次要他们详细奏报当前的要务。范仲淹对人说:"皇上对我十分器重,但是,办事有先有后,况且在人们习惯已久的情况下改革旧的弊政,不是很快就能办到的。"宋仁宗两赐手诏加以督促,过了不久,又开天章阁召他们进见对答,并赐给座位、笔墨纸砚,要他们当场写出建议。范仲淹、富弼都很惶恐,避席不坐,退出后逐条上奏,所奏有十件事:第一严明贬黜和升迁,第二抑制侥幸心理,第三精选人才,第四选拔各级官吏,第五平均公田,第六注重农桑,第七整治军备,第八减少徭役,第九广施恩惠,第十有令必行。宋仁宗这才相信范仲淹等人,他们的建议全被采纳,应当列为法令的,都依照以上所提的事项顺次颁行;唯独奏请设立府兵的建议,因为辅政大臣都认为不妥而没有实行。

司徒吕夷简一再请求退休,戊辰(初四),授予他太尉衔,允许他退休,逢初一、十五朝会及大庙会时列在中书门下。谏官欧阳修上奏说:"吕夷简当宰相时,朝中政纪腐败。现在他精力衰竭,应在家中闭门思过,不应参与政事,纵然有报国之心,凡事应当在公开的场合讲,怎么能私呈文书,以迷惑皇上的视听,请陛下予以禁止。"于是才命宰相章得象监修国史。当初,吕夷简被罢免宰相后还担任司徒一职,并带监修国史的头衔;直至他退休,才将此职务授给章得象。

仁宗皇帝赐给知谏院王素三品官阶,余靖、欧阳修、蔡襄五品官阶,当面对他们说:"你们都是我亲自选拔的,多次议论朝政均不避讳,因此才有这些赏赐。"

乙亥(十一日),枢密院副使任中师被解职。

丙子(十二日),任命端明殿学士李淑为翰林学士。谏官欧阳修在延和殿上奏,当面奏斥李淑为人奸诈,退朝后又进言道:"李淑依附吕夷简,属于三尸五鬼之列,盼望尽快授予他一个京师以外的官职。"皇帝立即诏令李淑任寿州知州。过了很长时间仍然没有前往寿州供职,欧阳修又上奏说:"我听说中书必须等到李淑本人上书要求到京外任职,才敢差遣任命。这是大臣避免结怨成仇,不肯为陛下除去这个祸害,请皇上特下圣旨处理,以显示皇上的英明。"

丁丑(十三日),宋仁宗下诏说:"执政大臣如果不是休假期间,不准在私宅接见宾客。"这是采纳知谏院蔡襄的建议。议论的人都认为,唐代元和年间战争的时候,裴度任宰相,曾请求在自家接见四方有识之士,以集思广益,如今一律禁止会见宾客,不是谏官所应该建议的。

就在这一天早晨,一群盗贼闯入金州,抢劫府库中的兵器,散发钱财、布帛给他们的同党和贫苦百姓。知州王茂先率领卫士二十四人进行抵抗,但不是盗贼的对手,于是逃走,盗贼们在城中大肆掠夺,到傍晚才离城而去。王茂先向皇帝详细奏明此事。

枢密副使富弼上奏说:"我看到,自从西边用兵以来,国家财力困乏,朝廷不能体察安抚百姓,致使他们成为盗贼。如今张海、郭邈山等盗贼惊扰州县,杀伤官吏、百姓、巡检、县尉不敢出头,只好从京师调兵遣将,并令中使监督,但还是拖延时间,使盗贼啸聚山林,甚至白天公然出动,如入无人之境地进入州县,打开府库,抢劫财物,到处招募人马,啸聚的盗贼越来越多。陕府、西京、唐、汝、均、房、金、商、襄、邓等州县千余里的范围,到处满目疮痍,这些州郡没有军队,都无法自保。臣以为京西各州如今盗贼往来出没之处,主要官员都不称职,请陛下先挑选两名转运使,命他们前往这些州郡对主要官吏进行考察,对没

富弼像

有才智以及贪赃枉法、年老多病之人,立即撤职。命令他们在所属的通判和知县中间荐举有才智之人,暂且担任知州之职,如果人数不够,朝廷就令审官院选拔人才填补。有了知州,就命令他们在州内选用知县、县令。从前在西汉时,勃海郡发生盗贼,丞相举荐龚遂,龚遂到达勃海郡后,盗贼全被平定;东汉时,京师地区盗贼群集,朝廷于是以虞诩为京师长官,盗贼遂即惊骇奔散;这就是长官用人得当,盗贼便不攻自破的证据。"

壬午(十八日),辽兴宗拜谒怀陵。

丙戌(二十一日),宋仁宗诏命王洙、余靖、孙甫、欧阳修共同编纂修订《祖宗故实》。

起初,富弼请求设官置局,将前三朝的典章制度以及各司所通行可用的文书,分类收集编成一书,存于两府之中,以此成为施政的典范。皇帝采纳了他的建议,因此命令余靖等人进行编订,由富弼负责领导。第二年九月编成。此书,按事情分类,一共九十六门,二十卷。

丁亥(二十三日),调庆州知州滕宗谅暂且任凤翔府知府。

当时郑戬告发滕宗谅以前在泾州时滥用公款,而且监察御史梁坚也上奏弹劾过他,皇帝下诏,令太常博士燕度到邠州去审理此案,结果滕宗谅被降职调走。

范仲淹上奏说:"梁坚揭发滕宗谅在泾州之时用低价买进百姓的牛、驴,用来犒赏军士。我认为,去年葛怀敏战败以后,位于西面的州军中官员们惊恐万状,束手无策。泾州没有军队防守,而敌人已到渭州,滕宗谅立即派遣数千名强壮的百姓进城防守。当时正赶上严寒,军中的情况悲愁凄惨,幸而得到滕宗谅所属的环庆路按段依次策应军马,粮草都很齐备、充足,因而众军士非常高兴。滕宗谅虽然未立大功,显然他也是危难中可以启用的人才,因此举荐他为庆州知州。他在仓促之中收买牛驴犒劳三军,纵然有亏缺之价,情有可原。现在一旦将他当小吏放逐,以后的主帅怎敢见机行事!我想请朝廷特下诏令,使滕宗谅先不贬谪,留在任上主管公事,并指派范宗杰在邠州同时进行调查处理,如果滕宗谅明显犯有隐瞒欺骗、私吞财物以及渎职的重大罪行,我甘愿与滕宗谅一同受贬。"

壬辰(二十八日),翰林学士李淑被罢免调往郑州任知州。这是由于开封府权知吴育上奏说,李淑以前在开封府过于亲近吏人,以致被贬官。

就在这个月,桂阳的洞蛮在边境作乱,湖南提刑招募军队平定了他们。

冬季,十月,乙未朔(初一),调任江宁知府刘沆为潭州知州,负责管理蛮人事务。

主管光化军的长官韩纲,性情暴戾,不能安抚部众,军士都心中怨恨不满。军中小官邵兴率众盗取武库中的兵器,想杀掉韩纲。戊戌(初四),韩纲越城而逃。邵兴等于是焚烧房屋,抢掠居民,挟持指挥官李美以及三百兵卒直奔蜀道,李美上吊自杀。韩纲是韩亿的大儿子。

己亥(初五),辽国北院枢密使萧孝穆去世。萧孝穆廉洁严谨遵守礼法,为政宽厚简约,当时被誉为国家的宝贵的栋梁。死后被追赠为大丞相、晋国王,赐谥号为"贞"。他的弟弟西北路招讨使萧孝友因安葬他的哥哥而返回京师,被授予南院枢密使之职位。

庚子(初六),辽国主下诏命令各路上报重犯人数,并派官员详细审判定罪。

壬寅(初八),皇帝把玉清昭应宫二十二顷田赏赐给国子监。

丙午(十二日),皇帝采纳了富弼、范仲淹等人的建议,任命盐铁副使张昷之为河北都转运按察使;知谏院王素为淮南都转运按察使;盐铁判官沈邈为京东转运按察使。

当初范仲淹、富弼上奏说:"如今朝廷内外官吏虽多,但与陛下共同治理天下的,只有地方长官至为重要。近年来录用官吏不加选择,无才无德之徒,贪污浑浊以及年老懦弱之辈一概按先例授予官职。现在官吏当中,称职的很少很少,致使天下赋税不均,司法诉讼不平,水旱灾难不能救济,盗贼不能被平息,百姓有冤无处去伸,这种情况,不想反叛,怕是难有了。挽救的途径,最好是地方长官选任得当;想用地方长官得当,则要陛下诏令二府全面选拔转运使;转运使选用得当,就派各路自己选用知州;知州选用得当,就派各州自己选任知县。对那些不称职的官吏,上奏罢免他们的官职。并让官员长期任职,不要经常换人调动,对有优异政绩的,应当提拔重用。这样,官员就忠于职守、修治政事,朝廷只要统揽全局,掌握决策方针而加以监督就可以了。"宋仁宗采纳了他们的建议,于是张昷之等人首先被选中。王素入朝辞行时,宋仁宗对他说:"你现在即将离开谏院,有什么还没说的,尽可以讲来。"

丁未(十三日),任命右正官余靖为祝贺辽太后寿诞大使。

当初,洺州肥乡县的田赋不公平,长期不能纠正,转运使杨偕对此忧愁不安,大理寺丞郭谘说:"这事好办,如果让我去一趟,定能迎刃而解。"杨偕立即任命郭谘摄肥乡县令,并派秘书丞孙琳协助办理这件事。郭谘用千步方田法丈量土地,得到准确的亩数;免去无地而交租税的四百多户,有地而不交地租的一百多家,增收八十万赋税,流浪异地的百姓于是回来复业。而当时王素为谏官,建议平均天下的田赋,欧阳修上奏说:"郭谘和孙琳的方田法,既简便而又可行,请皇上诏令此二人入朝。"三司官员也认为这样做得好。而且请求在亳、寿、汝、蔡四州,对那田赋不均的进行平均。于是派遣郭谘与孙琳前往蔡州,首先丈量上蔡县的土地,得地数为二万六千九百三十多顷,把赋税平均摊派给百姓。不久郭谘上奏说不少州县隐瞒田地,不能全部丈量,于是停止这件事。郭谘是赵州人。

戊申(十四日),宋仁宗诏令二府一同选任各路提刑。

辽国参知政事韩绍芳、三司使刘六符二人和参知政事杜防关系不好。杜防因刘六符接受宋朝的贿赂,向辽主禀告此事。辛亥(十七日),韩绍芳出任广德军节度使,刘六符为长宁军节度使,杜防受到辽主的非常信任。

壬子(十八日),辽国因西夏侵犯党项,派遣延昌宫出使高嘉努,进行批评。

甲寅(二十日),重新设置各路转运判官,仍然诏令中书、枢密院一同选任。

乙卯(二十一日),宋仁宗下诏编修兵书战册,翰林学士承旨丁度任提举,招集有才之士进行编修、审校,曾公亮等人为检阅官员。

己未(二十五日),范仲淹进言说:"我见到京师的朝廷官员、使臣、选人等所进的诉状,有的陈述功劳业绩,有的要求为自己平反昭雪,有的陈述情况请求委任官职,其中理由充分明显可行的、不行的,朝廷便有明断。其中有中书、枢密院没有见到原始材料以及害怕审官、三班院、流内铨另有条例,难以判断定夺的,大多批送各司,而各司见到批送的文本,没有定夺的意见,就不施行,称为送杀。因此官员多次呈送奏表,不能了结,便成积案停滞不办。请皇上特降旨意,从今以后,凡是送呈奏章的,都要交给各司主要官员详加审看,如果其中有可以施行的,立即加以审核,据事实按条例定夺后呈报,送呈枢密院、中书再作审察,另作定夺。如果不能施行的,也由各司告知本人缘由,这样可免除官员、使臣、选人等重复上表而干扰陛下视听。"仁宗皇帝采纳了他的建议。

壬戌(二十八日),宋仁宗下令二府新定磨勘式。从此,法令比以前更加精审严密。

甲子(三十日),陕西路经略安抚招讨使郑戬进言:"德顺军生户大王家族元宁等人前来,将水洛城献给朝廷,水洛城向西占据陇坻,处于通往秦州的交通要道,陇上的两条河,绕城向西流去,环绕于黄河、渭水之间,土地肥沃,阔达数百里,杂居氐人部落十多个,此处没有归属。不久派遣边塞主刘沪召集氐族的酋长,他们都愿意派他们的儿子来做人质,请求授予他们官职。现在如果利用那里筑起城墙,就可得到番兵三五万及弓箭手等,一起防御西部边境的盗贼,确实对保卫边疆有利。"宋仁宗采纳了他的建议。

谏官欧阳修上奏说:"近来听说燕度审理滕宗谅一事,牵涉细枝末节,所关押的囚犯充满牢狱,以致人人叹息抱怨,从狄青、种世衡等,一概人心涣散。请求陛下告谕边境大臣,朝廷并不想纠缠枝蔓,同时命令今后取用钱币,只要不入私囊,可以灵活处理,不需要畏惧回避,这样可以使他们拼命立功报国。"欧阳修又说:"我听说,边防大臣张亢,近来因为大量使用公用钱,正在陕西置院被彻底清查审理,涉及人员很多。我还听说狄青曾经跟随张亢进入边界,现已追查对证。我以为战争发生以来,所得到的边防将领,只有狄青、种世衡二人,他们的忠诚、勇敢、治国安邦之才，不可与张亢、滕宗谅一样对待。况且狄青是个武将，不懂法令，纵然有滥用公用钱之过错，一定不是故意的偷窃欺骗，只不过是有失检点而已，乞求皇上特诏免于追查审理。"渭州知州尹洙也上奏说："狄青花费公用钱物，没有一点挪作私用，不能因微小的过失而使他畏惧。请皇上特别下诏告谕狄青，可使他安心筹划边防大事。"

辽国任命北府宰相萧惠为北院枢密使。

十一月，丙寅（初二），上清宫发生火灾。随后不久，皇帝下诏以上清宫土地用作禁军营地。

景祐初年，朝廷设置中侍御史里行、监察御史里行，总共四个人。不久，官位长期空缺而未加授官，到这时下诏以两人为满额。癸酉（初九），任命太常博士赵人李京、殿中丞合肥人包拯同为监察御史里行，这是御史中丞王拱辰推举的。

李京曾经任魏县县令，他廉洁奉公，执法严明，左右官吏觉得很不便利，想用阴谋诡计对他中伤，于是相继逃走。监察部门果然对李京进行弹劾。知府任布说："如果这样，正好中了奸吏的诡计了。"李京依靠他才得以免罪。

包拯曾任天长县知县，有一个人告状说盗贼割去了他家的牛舌头，包拯叫他回家去将牛杀了卖掉。随后不久，又有人来告他私自杀牛，包拯说："你为什么割去他家的牛舌头，而又来告他杀牛呢？"盗贼于是吃惊而认罪。包拯调任端州知州，州里每年向朝廷进贡端砚，以前的知州大多利用进贡的机会多取十倍，用来送给朝中的权贵。包拯命令制作者只作进贡的数额，他任期满时，没有拿走一块端砚。

起初，光化军叛逆邵兴率领他的党徒直奔蜀道，遇到提举上官洪捉拿叛逆，把上官洪杀了，又在饶风岭打败兴元府兵，兴元府军校赵明率众投降，于是邵兴从州北沿山向东。讨逆使臣陈曙等领兵在堉水追击邵兴，邵兴及他的党徒全部被捕。壬午（十八日），邵兴等人一同被凌迟处死。陈曙是陈若拙的儿子。

谏官欧阳修上奏说："我以为，现在盗贼猖獗，是由于朝廷严令没有行使的缘故。先前王伦败亡以后，没有诛灭他的家族。凡是小人反叛，也必须先作打算，事成可获大利，不成功也没有大祸。有利无害，谁不想反叛！例如淮南一带的官吏，与王伦一起花天酒地，率领老百姓献送金钱布帛，开城门迎接盗贼，卑躬参拜。如果有国法，怎么敢如此胡作非为！而朝廷派员往来取证审查，已经有半年多了，还没有定夺。古人说处罚不过时，以此威严地激励众人。而现在这样缓慢，哪一个人有恐惧之心！于是导致张海等谋反，官员像从前一样献媚奉迎，顺阳县县令李正己，邀请反贼饮酒作乐，让他们在县厅上住宿，任凭反贼肆意抢劫掠夺，用鼓乐之礼欢送他们出城。他敢这样做，实在是因为不奉迎反贼就死，而不迎奉朝廷则不死，因此害怕反贼胜于国家的法令，我希望皇上不要施行小恩以误国家大事。那些宣毅士卒，一定有家族，请皇上在光化市中把他们的家族全部杀尽，使远近之人听后心里恐惧，以禁止后起之反贼。那个李正己听说已有御使上奏，也请求在邓州斩首，使京西一路官员听到这件事，知道还有国法，不敢迎奉反贼。"欧阳修又奏道："我听说江淮官吏，各个因王伦一事而被弹劾，奏章早已到达，至今还没有听说有定夺，仍然听说决断者还想对他们宽容。这是由于当政大臣多方营救，不考虑国家的法令和国家的安危，只想培植势力，私自施恩。希望皇上以天下安危为大计，亲自裁决，以激励群臣。至于晁仲约等，也请依照朝廷的法律严加惩处。"

起初,众盗劫掠淮南,将经过高邮县,知军晁仲约估计不能抵抗他们,就告谕富裕的百姓拿出金帛,准备酒肉,派人迎接犒劳,而且赠送丰厚的财物,盗贼欢喜,直接离开,没有施行暴乱抢劫。此事被朝廷得知后,枢密副使富弼上奏建议处死晁仲约,参知政事范仲淹想保护他,在宋仁宗面前争执起来。富弼说:"盗贼肆意横行,守城官吏不能抵抗,又不能守住城池,而叫百姓凑钱赠送盗贼,依法应当处死,不杀就没有人肯守郡县了。"范仲淹说:"郡县的军队、武器充足,能够防御盗贼,而遇到盗贼不加抵抗,那么依法应当处死。现在高邮没有军队与武器,虽然晁仲约的职责应是勉力抗抵守城,然而情有可原,杀了他恐怕并非是制定法律的本意。"宋仁宗茅塞顿开,采纳了范仲淹的建议。

癸未(十九日),皇帝诏令:"馆职不满时,由两府、两省举荐,然后招来,经考试合格后补用。从现在起,现任、前任两府及大于两省以上的官员,不准上奏为自己的子弟请求授予馆职和读书之类的官。"

丁亥(二十三日),朝廷下诏更改荫补法:长子年龄不受限制,其余的子孙年满十五周岁、弟侄年满二十周岁,才能享受荫补。从此以后,任子之恩稍微有所减弱。

辽国因为上京粮食减产,减免那里百姓的租税。

庚寅(二十六日),下诏令陕西宣抚使韩琦、副使田况赴京。谏官欧阳修说:"议和之事还未决定下来,乞请仍然令韩琦等在那里任职,以等待和议的决定。"

辛卯(二十七日),同修起居注欧阳修,请求从今以后,上殿的臣僚人等退出后,令他们在殿门前稍停留一会儿,等到修撰起居注的官员走出来,当面记录下皇帝的言辞;皇帝依从了。

壬辰(二十八日),下诏限制职田。

下诏详细排定大宋朝的功勋大臣的名次,他们的本家没有人为官享受国家俸禄的,可以录用他们的子孙一人。

司天监奏称五星都出现在东方,表示中国非常平安。

十二月,乙巳(十二日),桂阳监的瑶贼又入侵边界。

戊申(十五日),任命秘书丞张子奭为祠部员外郎,右侍禁王正伦为左侍禁、阁门祗候,都是因为他们多次出使到夏州的功劳。

辽国改政事省为中书省。

己酉(十六日),下诏令转运使郭辅之等人攻讨蛮、瑶,并且就便招降安抚他们。

戊午(二十五日),把南京府学改为国子监。

庚申(二十七日),允许广州设立学校。

这个月,澧州献上一祥瑞之木,上面写有文字:"太平之道"。谏官欧阳修上奏说:"知州冯载,本是武人,不明事体,于是制作祥瑞之木以谄媚朝廷。现如今,元昊反叛,辽国骄横,加上西面的泸戎,南面的湖、岭,没有一处没有事故。国内百姓困顿凋敝,盗贼往来纵横。依我看来,实在没有出现太平的迹象。我不久前看见过太平州曾进奉灵芝草,如今又有人进奉祥瑞之木,我私下里只担心四方竞相仿效,争着制造虚妄之事。所进奉的祥瑞之木,恳请陛下不要拿给臣僚们看,再尽快下诏天下,凡是奇兽、异禽、草木之类,都不准进献。"皇帝依从了他的建议。

这一年,河北降下了红色的雪。河东发生地震,五六天不停。谏官孙甫请求减省后宫的不必要花费以消除灾祸,免于被上天所责备,皇帝称善,于是采纳了这个建议。

韩琦到陕西,正逢这一年发生大饥荒,群盗聚集在商、虢的郊外,张海、郭邈山等人是他们的首领。韩琦派遣手下官员乘着驿车,带着宣抚司的榜文,收集散兵,告诉他们免除他们的罪过,立即还归所属部队;仍然召令谢云行等人率领沿边的士兵入山搜捕张海等盗贼,相继被歼灭,其余党徒也被捕获殆尽。这一年冬季,大旱,河中、同、华等州的饥饿百姓相继向东迁徙。韩琦于是选派官吏分别到各个州县,打开省中的仓库以赈济饥饿的百姓,奏请朝廷派提点刑狱许宗寿专门往来,提举蒲、华、同三州,共救活了二百五十四万多人,其他各州与这三州情况相似。当时,百姓的财力早已困乏,韩琦于是减免百姓的赋役,考察官吏的能力大小,然后或提升或黜退。又认为兵数虽然很多,但杂有年老疲弱之人,耗费钱财,于是挑拣禁军中不能征战的士卒,辞退了一万二千多人。

庆历四年 辽重熙十三年(公元 1044 年)

春季,正月,戊辰(初五),辽国主前往混同江。

辛未(初八),贬降天章阁待制、权知凤翔府滕宗谅知虢州,职掌与原来相同;并代副部署张亢为本路钤辖。滕宗谅与张亢都在邠州受审,案子尚未结束而有这一命令,这是朝廷依从参知政事范仲淹的建议。

先前,范仲淹极力辩说滕宗谅、张亢等人没有大的过失,乞求使他们免于下狱。到这时又说:"燕度调查到滕宗谅所花费的钱数一清二楚,并没有侵吞公款、中饱私囊的行为。张亢借用公家钱买东西,事情还未暴露前,就已归还交纳清楚。又因为调动而借用了公用银,已留下钱物准备代还,都没有欺瞒隐漏的情况。"滕宗谅及张亢由此得以免于重大处罚。

壬申(初九),西蕃摩戬向朝廷进贡。

乙亥(十二日),荆王赵元俨去世。赵元俨性情谨慎简约、清心寡欲,喜欢儒学、爱好文辞。曾问翊善王涣说:"元昊平定了没有?"王涣回答说:"没有。"赵元俨说:"这样,还用宰相干什么!"等到他生病的时候,皇帝亲自来到他的卧室内,亲手为他调制药物,他屏退左右的人,与皇帝谈了很长时间,所进献的多是忠言。去世后,皇帝赠封他为天策上将军、徐、兖二州牧、燕王,谥号恭肃。

丙戌(二十三日),下诏:"从今以后,大臣们不许以奏荐恩泽及所授命,为亲属乞求赐予科名,以及转官、升迁入通判以上差遣官职,他的亲属曾被降官、降差遣的,也不许乞求以恩泽而恢复原职;如果有因犯罪而更改名字奏请荫庇的,从重论处。"

辛卯(二十八日),太常礼院献上新修的《太常新礼》《庆历祀仪》;赐予提举、编修官不等的钱物。

二月,丙申(初三),派内侍带着奉宸库银三万两到陕西,大量收购谷麦以赈济饥贫的百姓。

壬寅(初九),知光化军韩纲,被除名后,送交英州管束,兵马监押许士从,追夺三官,送交舒州管束,都因弃城而逃的缘故。

广西宜州蛮人区希范作乱。区希范是思恩人,性情狡黠,对经书颇有了解,曾被举荐在礼部参加进士考试。景祐末年,区希范与他的叔父区正辞应募加入官军,讨伐安化州叛乱的蛮人。不久，区希范击打登闻鼓请求被录用为官，这件事交到了宜州那里，知州冯伸已说他狂妄，送交全州加以管束。区正辞也曾自报其功绩，没有答复。二人都很失望。区希范后来就逃跑回去，与区正辞率领他们的族人及白崖山酋长蒙赶、荔波洞蛮人共谋作乱，选定日期杀牛，建立坛场；祭祀天神，推举蒙赶为皇帝，区正辞为奉天开运建国桂王，区希范为神武定国令公、桂州牧，任区丕绩为宰相，其余人等都各立名号，任命了四十多人。上月丙子（十三日），率五百徒众袭破环州，劫走州印，焚烧州中积聚的财物，改环州为武成军。癸卯（初十），此事传到朝廷，下诏令转运钤辖司急速发兵围捕进击区希范等人。

乙巳（十二日），把上清宫的田园、邸店赐给国子监。

戊申（十五日），派入内供奉官王昭明前往宜州，招募骁勇果敢之士入洞追捕打击叛乱的蛮贼。

调知虢州滕宗谅知岳州。当时中丞王拱辰弹劾他盗用公使钱，只削一官，处罚太轻，因此再次贬降。

庚戌（十七日），辽国主前往鱼儿泺。

甲寅（二十一日），罢黜陕西四路都部署、经略安抚招讨使，恢复设置各路都部署、经略安抚招讨使，这是依从韩琦的建议。

任命郑戬为永兴军都部署，兼知永兴军。起初，任命郑戬知永兴军，仍然兼四路都部署，谏官欧阳修上奏说："郑戬虽然名义上是都部署，可是诸路自身分别有将帅统兵，另外，大事不让郑戬全权处理，必须禀报朝廷。假如边防将领有大事，应禀告郑戬，郑戬再禀报朝廷，朝廷议定后再下达给郑戬，郑戬才开始下达到沿边，只此一项，就足以坏了大事。而且大事郑戬既不能专断，小事又不需他处理，那么部署这一职称，徒有虚名，可以废除了。如果小事一一询问郑戬，处置适当，尚且有迟缓的失误，万一耳目达不到的时候，处置不适当，那么为害就匪浅了。因此，我想乞求摘除他的这一虚名，只要求他坐镇长安，抚慰百姓、听理政事，作为关中辖区的重臣，而使四路将领各负其责，则名称和实际就会很相顺，处置也就会得当。"朝廷依从了他的建议。

丙辰（二十三日），辽国任命参知政事杜防为南府宰相。杜防生了儿子，辽皇帝驾幸他的府第，赐他的儿子名字为旺满努。

丁巳（二十四日），下诏令天章阁侍读曾公亮删定审官、三班院、流内铨的条例，这是依从范仲淹的请求。

三月，乙丑（初三），任命殿中侍御史会稽人王丝为荆湖南路体量安抚提举捉贼。

丁卯（初五），任命天章阁侍讲杨安国为直龙图阁，崇政殿说书赵师民为天章阁侍讲，并赐给三品官服。皇帝因为他二人在经筵侍讲了很长时间，品行淳朴，所以褒奖并提升他们。

己巳（初七），任命职方员外郎、同判登闻鼓院张尧佐为提点开封府诸县镇公事。谏官余靖进言说："张尧佐是张修媛的伯父，加官晋爵不应太快。不久前的郭后之祸，起源于杨、尚，不可不引以为鉴。"皇帝说："朕怎么会因女宠有所请托而任用某人呢，张尧佐也是因为有大臣们的举荐，然后才加以任用的。如果大家议论觉得这一任命不合适，朕定当改授他到某一郡去任职。"皇帝虽然说了这样的话，可是张尧佐终究没有被改授官职。

甲戌（二十日），命令盐铁副使鱼周询、宫苑使周惟德前往陕西，同都转运使程勘共同审察铸钱及修筑水洛城的利弊，然后奏报朝廷。先前，韩琦认为修筑水洛城没有好处，奏请罢黜，而郑戬坚决请求把工程完工。韩琦从陕西返回京师，郑戬被罢免四路都部署，改知永兴，又极力陈述修筑水洛城的好处，工程不可停下，命令刘沪、董士廉督造城池如故。知渭州尹洙及泾原副都部署狄青相继加入议论行列，他们认为修筑水洛城有害无利。议论纷纷，朝廷无法决定，所以派鱼周询等人前往审察。郑戬起初命泾原都监许迁率兵作为修筑水洛城的后援，到郑戬被罢免统辖四路的权力后，尹洙急忙把许迁召回，又传檄刘沪、董士廉停止筑城，并且把他俩召回。蕃部的士众都拦住刘沪、董士廉等人，请求自己筹备物资、出劳力来修筑水洛城。刘沪、董士廉也认为属户已经召集起来，公家财物无所交托，又恐怕违背了蕃部的想法，另生它变，所以每天增加筑城工具，催促加紧施工；尹洙再次要求召回他们，他们不听，尹洙急忙命令瓦亭寨都监张忠前往工地替换他们，刘沪又没有接受。尹洙恼怒，命令狄青领兵巡视边防，追回刘沪、董士廉，打算以违抗节度之罪斩杀他俩。狄青捆绑二人把他们送到德顺军的监狱里，当时鱼周询等还没有到达。蕃部于是发生混乱，争抢积聚的财物，杀害官吏百姓作乱，又到鱼周询等人那里申诉。鱼周询等人把这件事详细地奏报了朝廷，皇帝下诏释放刘沪、董士廉，命令他们把城池修完。

参知政事范仲淹上奏疏说："刘沪、董士廉原是秉承四路都部署的调度前往修筑水洛城的，这就不是他二人擅自兴建。何况刘沪是沿边有名的将领，屡获战功，国家应该爱惜有加，不可以轻易遗弃。董士廉是朝廷京官，也和将领一样被施以枷锁并审讯，更加不符合事理。希望陛下特派中使乘驿车到那里，委派鱼周询、周惟德提取并审讯刘沪等人，根据他们所犯的罪状，写成奏书上报朝廷，刘沪等人仍送给邠州拘管，听候朝廷发落。"

范仲淹等人想恢复古风劝人向学，多次奏称要兴建学校，以品行忠实为本，皇帝下诏令近臣们议论此事。于是宋祁、王拱辰、张方平、欧阳修等八人共同上奏说："教育不以学校为本，士人不从基层进行考察，就不能名副其实。有关考试部门束缚于形式方面的毛病，学者专注于记忆背诵，就不能充分发掘人才。我等谨参考各家学说，选择其中便利于当今的，不如使士人都是本地人而在学校教育他们，然后州县考察他们的品行，学者自然都会注意自我修养了。"乙亥（十三日），下诏令州县都建立学校，本道使者挑选所属的官吏为教授，三年一替换；所挑选的官吏人员不够时，可以从本地那些学业上有所造就的人中选取，还须三年中没有过失的，把名字奏报朝廷。士子必须在学校学习了三百天后，才允许参加秋天的考试；以前曾参加过考试的，只要一百天就可以。父母年老没有人侍奉，取保后，允许在家学习。考试分三场，先考策，其次考论，最后考诗赋，三场全部考完以后再决定取舍，停止考贴经墨义。又因旧制考试用词赋，声律、对偶等是否有毛病，都列为考试的格式要求，有一个字违反要求，就已被黜退而落选了，使博闻强记之士，在作文时受到限制，屈从规格要求，华美的文采、深刻的意旨，受到压抑而不能够畅快地表达出来。如白居易的《性习相近远赋》，独狐绶的《放训象赋》，都是当时在礼部应试时写就的，对偶之外，另有可观的意义。应当允许仿照唐朝的作文样式，使士子在作文时能纵横驰骋。士子通晓经术，愿意求对大义的，考十道题，以明析意义的为通过，通过五道的为中格；三史科录取明晓史意并且文理可取的；明法科考断案，假定甲、乙等罪，以符合律令法意、文理优胜的为上等。

庚辰（十八日），录用唐朝郭子仪的后裔。

壬午(二十日),任命国子监直讲石介直集贤院,兼国子监直讲。当时,韩琦乞请朝廷征召试用石介,皇帝下诏特意加以任命。

甲申(二十二日),免除衡、道州、桂阳监的百姓被瑶贼劫掠的一年的赋税和徭役。

丙戌(二十四日),丁度等人献上《答迩英圣问》一卷。皇帝把其中事关重大的六件事,交给中书、枢密院,令他们遵照执行。

丁亥(二十五日),辽国任命宣政殿学士杨佶为参知政事。

高丽向辽国进贡。

下诏令暂且停止贡举。

先前辽人犯法,按例须由汉人收审,被冤枉的人很多。太弟耶律重元请求在五京分别设置警巡使,辽皇帝批准了。

夏季,四月,乙未(初四),监察御史里行李京上奏说:"最近听说辽国在西北修筑了两个城池,南面与我朝代郡相接壤,西面与元昊相交接,方圆几百里,把沿边的生户及丰州、麟州的被掳掠人口全部迁徙到那儿定居,使他们断绝了回归宋朝的道路。这样做,违背了先朝两国所订的誓书,为贼人声援,其中含有的计谋很深。况且国家前年正在修治河北沿边的故满城、阴城,再次订立盟约之后,很快就停止了工程。请求下诏令河东安抚司诘问他们这样做的理由,或者借祝贺乾元节的使臣返回的机会,要求他们应信守誓言,使停止修筑两城,以防患于未然。"朝廷依从了。

丙申(初五),下诏:"湖南百姓有被征讨瑶贼的大军所误杀的,赐给币帛,安抚其家人。"

丁酉(初六),因宜州蛮人区希范叛乱,任命京西转运按察使杜杞为广南西路转运按察使兼安抚使。

戊戌(初七),皇帝对辅佐大臣说:"自古以来,小人多为朋党,也有君子的党吗?"范仲淹回答说:"我任职边防时,看见好战的人自成一党,而怯战的人也自成一党,在朝廷,邪正的党派也是这样,只在于陛下留心审察而已。假如结为朋党而做好事,对国家有什么妨害呢!"

起初,吕夷简被罢黜相职,夏竦被授为枢密使,不久又被夺去此职,用杜衍为枢密使,同时提拔富弼、韩琦、范仲淹使他们在二府任职,欧阳修等为谏官,石介作《庆历圣德诗》,说进用贤才斥退奸人的不容易。奸人是指夏竦,夏竦因此怀恨在心。范仲淹等人都与欧阳修一向交往很深厚,欧阳修议论事情一意而行,丝毫不因行为令人产生嫌疑而有所顾虑和回避。夏竦因此与他的党徒制造朋党的舆论,视杜衍、范仲淹及欧阳修为同党之人。欧阳修于是作《朋党论》上献朝廷,大意是说:"我认为小人没有朋党,只是君子才有。小人所喜好的是利禄,所贪图的是财货。当他们有共同利益的时候,暂且相引为党,等到看见利益时就争先恐后,或者利益分完后就交情日益疏远,那时,他们反而相互谋害。君子不是这样,所固守的是道义,所遵行的是忠信,所爱惜的是名节。用这些来修身养性,就会因志同道合而相互得益;用这些来治国为民,就会同心同德而共济时艰;操行始终如一,这是君子的朋党。作为皇帝,只需斥退小人的伪朋党,任用君子的真朋党,那么天下就会大治了。"于是制造朋党舆论的人厌恶欧阳修,摘编他的言语并加以窜改,指使内侍蓝元震上疏说:"范仲淹、欧阳修、尹洙、余靖,以前蔡襄称他们为四贤。斥退没有多久,又都返回京师。这四人得势后,就引蔡襄为他们同列。把国家的爵禄作为私人的恩惠,交结朋党,相互提携,不过二三年,其党人就已占满了国家的主要官职,那么他们欺瞒朝廷、迷误国家,谁敢说什么呢?"皇帝不相信。

己亥(初八),皇帝因为上密封言事的人说河东粮草供应不上,屡次请求废除麟州,命令右正言欧阳修前往河东与转运使商议此事。起初,河东转运使张奎在晋州铸造铁钱,而百姓大量盗铸,另外,晋州的矾矿每年课征的税款越来越少,这些事情一并交给欧阳修,由他考虑谋划。

庚子(初九),任命度支判官李绚为京西转运按察使。当时范雍知河南,王举正知许州,任中师知陈州,任布知河阳,都是二府旧臣,李绚上奏朝达,说他们都没有实才。过了半年,李绚被召入朝廷,掌修起居注。李绚是邛州人。

己酉(十八日),监修国史章得象献上新修撰的《国朝会要》。

壬子(二十一日),判国子监王拱辰等上奏说:"最好的学校应当出自京师。如今国子监规模很小,不足以容纳求学的人,请求把锡庆院改为太学,整修讲殿,为陛下驾临做准备,把潞王宫改为锡庆院。"皇帝依从了。

起始,狄青捆缚刘沪、董士廉把他们送到德顺军的狱中,不久有诏书到来,命令释放二人,并令他们前往水洛城以干完工程,等找到了罪状,再另外听候朝廷发落。丙辰(二十五日),谏官欧阳修上奏说:"自从西部战事兴起以来,拔擢任用边防将领,能够建立功勋的很少。只有范仲淹修筑大顺城,种世衡修筑青涧城,刘沪修筑水洛城;刘沪尤其艰难劳苦,功绩不在范仲淹、种世衡二人以下。如今如果曲意加以轻视和阻碍,那么武臣就不会再为朝廷做事了。而且刘沪如果不在水洛,恐怕其他人不能安抚当地人,假使另外滋生出事变来,蕃部就更加难以招抚了,希望陛下果断采取行动。"余靖也上奏说:"乞请陛下早日颁下命令告诉鱼周询,如果所修筑的新城确实有利,就应该留下刘沪等人专门驻守此城,招抚蕃部,再用此意告诫狄青、尹洙,以后办事不可如此仓促草率。朝廷如果认为刘沪与狄青等业已产生矛盾,不打算让他们在一路,那么宁可调动狄青等人,不可调动刘沪,以免失去新归附蕃部的人心。"

命令集贤校理历城人张掞前往江、淮、两浙路转运司体察打探利弊的事情。

这一月,辽国南院大王果实,上奏说党项等部叛降了夏国。不久,西南面招讨都监罗汉努等人,奏报山西部族节度使吉里率五部反叛,逃入西夏,乞请朝廷派南北府兵护送迁往威塞州的民户。下诏:"富裕户遣送出发,其余留下的民户在天德军屯田。"

五月,壬戌朔(初一),枢密副使韩琦、参知政事范仲淹一同在崇政殿应对,陈述攻守的策略,过了数刻才结束。

辽国都监罗汉努,奏报所派的部队与党项作战没有取胜,元昊派兵帮助党项军,招讨使萧普达、四捷军祥衮张佛努战死于阵前。

先前,郑戬上奏建议修筑水洛城,乞请朝廷不要让韩琦参与此事,韩琦上奏说:"我在西部边防任职时,是在泾原、秦凤两路,对于水洛城的事情,比其他人知道的要详细得多。"于是陈述所看到的利弊,共十三条,皇帝下诏将此札送与鱼周询、郑戬等人。而鱼周询及郑戬已首先详细奏报了修筑水洛城的好处,并且说:"水洛城只有女墙尚未完工,现在停下工程确实可惜,应当立即下令把工程干完。"于是下诏令郑戬等把水洛城修筑完。丁卯(初六),派遣内殿崇班陈惟信前往泾原路催促修筑水洛城。

戊辰(初七),辽国征调诸道兵马会聚西南边境以讨伐元昊。

己巳(初八),调知庆州孙沔知渭州,知渭州尹洙知庆州,这是采用欧阳修的建议。

庚午(初九),审讯所看押的囚犯。

壬申(十一日),皇帝驾幸国子监,拜谒至圣文宣王。有关部门说,按旧的仪礼只需严肃地拱手行礼,皇帝特地拜了两次。赐予直讲、大理评事孙复五品官服。于是驾幸昭烈武成王庙;又驾幸玉津园,观看种稻,宴请随从臣僚。随后召令孙复为迩英阁祇候说书,杨安国说孙复所讲说的先儒有很多不同,于是罢除了孙复的官职。

癸酉(十二日),抚州献上在金谿县所获得的生金山,重三百二十四两,皇帝命令把它藏在龙图阁瑞物库。

乙亥(十四日),卫尉寺丞丘浚被贬降为饶州军事推官、监邵武军酒税。丘浚因作诗讽刺、诽谤而获罪,执政大臣打算从重处罚,皇帝说:"狂人说的话,圣人也可从中有所采择。古代有邹模在闹市中哭泣,丘浚也许是他的徒弟吧!"于是从轻发落了他。

丁丑(十六日),欧阳修奏言道:"我亲自到黄河以外,考察思忖迁移、废弃麟州,麟州城墙坚固完好,地势高而险峻,实在是上天所设的绝险之地。迁移、废弃二说,都不可取。乞请减少守寨之兵卒来缓解百姓的人力、物力的负担,委任土著酋豪以负捍卫守御城寨之责。"

戊寅(十七日),下诏招募富户交纳粮食以赈济淮南的饥贫百姓。

丙戌(二十五日),元昊开始称臣,自号为夏国主,又派遣尹与则、杨守素前来商议有关双方的事情。

己丑(二十八日),省去河南府颍阳、寿安、偃师、缑氏、河清五县,都改为镇,又分出王屋县隶属于河南府,开始采用范仲淹的建议。

鄜延经略司称西贼寇进犯青涧城,宣武副都头刘岳等与贼兵作战,将贼兵打败。皇帝下诏立一等功的升迁两资,二等功的升迁一资。

六月,辛卯朔(初一),辅佐大臣列奏,答对皇帝手诏中所询问的五条。韩琦、范仲淹又奏说陕西、河北采用划一边防策略所带来的利弊,陕西八件事,河北五件事。不久,范仲淹又上奏疏说:"西贼议和,多变善诈难以让人相信,希望早日罢免我的参知政事一职,令我主持边境上一个郡的事务,带着安抚的名号,就足以管理边防之事,乞请不再带招讨、部署等前往任职。"

元昊派使者向准布乞求援助,准布捉住使者向辽国报告,并且乞请辽国派兵来助战,辽国答应了。甲午(初四),辽皇帝进驻永安山,以将要讨伐元昊告知宋朝。

丙申(初六),辽国命令翰林都林牙萧罕嘉努、耶律庶成收集编撰上世以来的事迹。

癸卯(十三日),改知渭州孙沔恢复知庆州,知庆州尹洙知晋州。起初,朝廷打算把水洛城修完,所以令尹洙与孙沔交换职位,孙沔以有病推辞,于是另外调动尹洙。于是渭州空缺了知州一职,下诏委任狄青为渭州和州。谏官余靖上奏说:"泾原山川广阔,道路平整,如果边防大臣控制不住,贼人可以直接图谋关中。如此重要的地方,怎么能轻易授予人呢!假如贼人围困镇戎军,狄青既然是部署,哪有不出兵救援之理? 狄青出兵之后,谁来守城呢?"贼人如果用一二万人与狄青相周旋,却从小路率大军直扑渭州,那么又让谁来守备呢? 以我看来,渭州必须另外选一有才能的大臣与狄青分职任事,才能免除朝廷的深深忧虑。"又说:"狄

961

青是武人,性情粗暴,不可兼知渭州。"奏章上了三次。下诏调任狄青为权并代部署。

丙午(十六日),高丽向辽国进贡。

丁未(十七日),辽国审讯囚犯。

开宝寺灵宝塔发生大灾。谏官余靖奏称说:"灵宝塔被天火所烧,用五行来推占,这本是灾变,乞请不要再营造宝塔了。"当时正值盛暑,余靖是当面进奏,余靖向来不注重修饰,皇帝回宫后,说:"差点被余靖的一身臭汗熏死,唾沫喷到了我的脸上。"皇帝优待容忍谏臣达到了这种程度。

庚戌(二十日),任命天章阁待制王素知渭州。

壬子(二十二日),任命参知政事范仲淹为陕西、河东路宣抚使。起初,范仲淹被放逐多年,陕西用兵,皇帝因范仲淹是士卒们众望所归的,所以拔擢任用他守护边防。到被召还京师执掌国政时,朝廷内外人人都期望他能建立功业,范仲淹也感激皇帝知遇之恩,以天下为己任,于是与富弼日夜谋划思考,兴致太平。然而规模太大,议论者认为很难施行。等按察使派出后,检举弹劾了很多官员,使人心不能自安。由父任而得官的恩惠被削减了,根据政绩决定或升降的为官法制严密了,使心怀侥幸的人深感不便。于是诽谤诋毁之言论四起,而朋党之论变得更加不可消除。然而范仲淹、富弼坚守所议定的事情,不加改变。

先前,石介向富弼上陈书面意见,希望富弼以伊尹周公之事律己,夏竦想借此倾覆富弼等人,于是令一女奴暗中模仿石介的书体,过了一段时间,模仿成功,于是改伊尹、周公为伊尹、霍光,而且伪作石介为富弼撰写的废立诏书的草稿,流传出去让朝廷知道。皇帝虽然不相信,但范仲淹、富弼开始恐惧了,不敢自我安处于朝廷,都请求出京按察于西北边防,朝廷没有答应;适逢有边境的奏书,范仲淹坚决要求出行边防,于是派他宣抚陕西、河东。

枢密副使富弼奏称道:"朝廷因为辽国发兵会合元昊讨伐岱尔族,大军出入河东境外,所以怀疑其中有诈。将来辽国即使打算背弃盟约、自我逞强,也一定攻击河北,只是把河东作为夹击牵制之地罢了。恳请陛下更改命令让范仲淹暂且到河东一带考察筹划,不应该立即调动军队。"当时范仲淹怀疑辽国撕毁了盟约,打算大规模调集军队以作为准备;杜衍认为辽兵一定不会来进攻,官军不可轻举妄动。范仲淹在皇帝面前争辩,诋毁杜衍,语词很严厉。范仲淹曾用对待父亲的礼节来对待杜衍,杜衍起初并不怨恨,退出后,范仲淹还在极力争辩。韩琦说:"如果是这样,那么我韩琦自当请求前往,不要朝廷的一兵一卒。"范仲淹气怒,再次请求应对,一开始就把韩琦的话报告了皇帝。然而大军终于没有调发,范仲淹也没有因此而感到不快。

先前,范仲淹受命主持西部边防事务,富弼主持北部边防事务。富弼逐条上奏守御河北的十二策,并且说:"我奉命出使辽国的时候,在河北往来了十几次,询问了沿边的土豪和内地的故老,博采众说,相互比较,了解得到的情况很详细,以至于考求于书籍,对证于时事,用这种方法把收集到的东西加以整理、撰写,以符合陛下委任我的本意。希望陛下令两府会同商议,可行的就快速施行,不可行的就相互诘问,由此再加以改正。"

秋季,七月,戊寅(十九日),封宗室赵德文为东平郡王,赵允让为汝南郡王,赵允弼为北海郡王,赵允良为华原郡王,赵从蔼为颍国公,赵从煦为安国公,赵宗说为祁国公,赵宗保为建安郡公,赵宗达为恩平郡公,赵宗望为清源郡公。皇帝开始采用富弼的建议,按次序封拜宗室,因赵德文辈分最高而且贤能,仿照汉朝东平王刘苍的旧例,封他为东平郡王,仍然诏令把赵德文等十人都列在本班之上,稍微靠前一些。

甲申(二十五日),夷人入寇三江砦,清井监官兵把夷人击退。

丙戌(二十七日),下诏:"诸路转运使、副使、提点刑狱,考察所属知州、军、知县、县令中有政绩的,把名字奏报朝廷,议定后给予表扬或提拔。假如有的并不像荐举人所说的那样,就令御史台弹劾举荐之人,并且以上书不合实际情况而加以处罚。"这是依从范仲淹的奏请。

续资治通鉴卷第四十七

【原文】

宋纪四十七　起阏逢涒滩【甲申】八月,尽旃蒙作噩【乙酉】九月,凡一年有奇。

仁宗体天法道极功全德　神文圣武睿哲明孝皇帝

庆历四年　辽重熙十三年【甲申,1044】　八月,辛卯,命参知政事贾昌朝领天下农田,范仲淹领刑法,事有利害,其悉条上。

初,仲淹建议:"周制,三公分兼六官之职,汉以三公分部六卿,唐以宰相分判六曹。今中书,古天官冢宰也;枢密院,古夏官司马也。四官散于群有司,无三公兼领之重,而二府惟进擢差除,循资级,议赏罚,检用条例而已。上不专三公论道之任,下不专六卿佐王之职,非法治也。臣请仿前代,以三司、司农、审官、流内铨、三班院、国子监、太常、刑部、审刑、大理、群牧、殿前马步军司,各委辅臣兼判其事,凡创置新规,更改前弊,官吏黜陟,刑法轻重,有利害者,并从辅臣予夺;其事体大者,二府佥议奏裁。臣愿自领兵赋之职,如其无补,请先黜降。"章得象等皆以为不可,久之乃降是命,然卒不果行。

甲午,以枢密副使富弼为河北宣抚使。先是辅臣奏事垂拱殿,帝曰:"契丹主受礼云州,将袭我河东,两府宜设备。"弼退而上言:"河北平坦,河东险阻,河北富实,河东空乏,河北无备,河东有备,契丹必不舍河北而袭河东。臣近奏河北守御之策,乞守要郡,自行其事,不惟训兵备敌以安元元,至于身羞国耻,庶几可刷。"于是命弼宣抚河北。其实弼欲出避谗谤也。

保州巡检司云翼卒拥都监韦贵据城叛,知州刘继宗渡城濠溺水死。知广信军刘贻孙与走马承受宋有言临城谕之,叛兵有欲降者,计未决,而诸路各进兵来讨,遂复固守拒命。

戊戌,以右正言余靖为回谢使,使于辽,其复书略曰:"若以元昊于北朝失事大之体,则自宜问罪。或谓元昊于本朝稽效顺之故,则何烦出师!矧延州昨奏,元昊已遣杨守素将誓文入界,傥不依约,则犹可沮还;如尽遵承,则亦难却也。"

以右正言、知制诰欧阳修为河北都转运按察使。帝谕修曰:"勿为久居计,有事第言之。"修对以谏官乃得风闻,今在外,使事有指,越职,罪也。"帝曰:"事苟(宣)〔宜〕闻,不可以中外为辞。"谏官蔡襄、孙甫奏留修,不许。

以余靖知制诰,仍知谏院;以知谏院蔡襄直史馆,同修起居注。

诏入内供奉官刘保信往视保州兵乱。

庚子,命右正言田况度视保州,仍听便宜行事。

壬寅,降敕榜招安保州叛军,仍诏知雄州王德基牒报北界,恐缘边人户惊扰也。

甲寅,朝议以诸道兵集保州城下,未有统辖,因诏宣抚使富弼促行,往节制之。再降敕榜招安,仍令田况等且退兵,选人赍敕入城,若遂开门,即一切抚存;如尚拒命,则益兵进攻,其在营同居骨肉,无老幼皆戮之。

先是知定州王果率兵趋保州,攻城甚急,会有诏招安,贼不肯降,登陴呼曰:"得李步军来,我降矣。"李步军,谓昭亮也。诏遣昭亮。是日,昭亮至,与况同谕贼,贼终未信。右侍禁洛阳郭逵径逾壕诣城下,谓贼曰:"我班行也,汝下索,我就汝语。"贼乃下索,即援之登城,谓贼曰:"朝廷知乱不由汝,由官吏遇汝不以理。今赦汝罪,又以禄秩赏汝,使两制大臣奉诏书来谕汝,汝何疑!"贼皆相顾动色曰:"果如此乎?"乃更召其所知数人登城。贼信之,争投兵下城,降者一千余人,遂开门纳官军。其造逆者四百二十九人,况具得其姓名,令杨怀敏率兵入城,悉坑杀之。降卒二千余人,悉分隶诸州宣抚使。富弼恐后生变,与都转运使欧阳修相遇于内黄,夜半,屏人谋,欲使诸州同日诛之。修曰:"祸莫大于杀已降,况胁从乎?既非朝命,诸州有一不从,为变不细。"弼悟,乃止。

乙卯,帝谓辅臣曰:"如闻诸路转运案察、提点刑狱司发摘所部官吏细过,务为苛刻,可降敕约束之。"先是监察御史刘湜言:"转运使掎摭州县,苛束官吏,人不得骋其材。"包拯言:"诸道转运使自兼案察及置判官以来,体量部下官吏,颇伤烦碎。欲乞于郊禋赦书内特行约束,凡官吏先被体量者,情非故犯,咸许自新。"于是降敕约束诸路案察使,备载台官所上之言。

欧阳修奏曰:"自差诸路案察,虽未有大效,而老病昏昧之人,望风而惧,近日致仕者渐多,州县方欲澄清,而朝廷自沮其事。乞令两府召台官上言者至中书,问其何路案察之人因挟私怨,苟有迹状,乞下所司辨明,若实无人,乃是妄说。其近降札子,乞赐抽还,不使四方见朝廷自沮案察之权,而为贪赃老缪之吏所快。"

先是夏遣使朝于辽,辽主怒其对不以情,羁之。丁巳,夏复遣使来,辽主询以事宜,又不实对,辽主答之。

戊午,诏:"自今除台谏官,毋得用见任辅臣所荐之人。"

徙知沧州刘涣知保州。涣至逾月,云翼军又谋反,涣以单骑至,械其首恶,诛之,一军帖然。

九月,辛酉,田况奏保州平。壬戌,诏:"保州官吏死乱兵而无亲属者,官为殡敛;战殁兵官并优恤;民田蹂践者蠲其租。"

河北都转运案察使、天章阁待制张昷之落职知越州。缘边都巡检杨怀敏尝领兵至保州,特免罚。初,昷之闻保州乱,自魏驰至城下,召诸部将分攻城,使人谓怀敏曰:"不即来,当以军法从事。"既至,就坐,又以兵自卫,昷之斥去之,故怀敏深恨昷之,尝密奏:"杀昷之则贼降矣。"富弼力为昷之辨,帝意解,犹坐前事落职。

戊辰,寿州言太尉致仕申国公吕夷简卒。帝涕下曰:"安得忧公忘身如夷简者!"赠太师、中书令,谥文靖。夷简当国柄最久,虽数为言者所诋,帝眷倚不衰。然所斥士旋复用,其于天下事屈伸舒卷,动有操术。后配食庙庭。始,王旦奇夷简,谓王曾曰:"君其善交友之。"卒与曾并居相位。后曾家请御篆墓碑,帝因惨然思夷简,书"怀忠碑"三字以赐之。

965

庚午,平章事兼枢密使晏殊,罢为工部尚书,知颖州。殊初入相,擢欧阳修等为谏官,既而苦其数论事,或面折之,及修出为河北都转运使,谏官奏留修,不许。孙甫、蔡襄遂言:"庄懿诞生圣躬,为天下主,而殊被诏志庄懿墓,没而不言。"又奏论殊役官兵治僦舍以规利。殊坐是黜。然殊以庄献方临朝,故志不敢斥言。而所役兵乃辅臣例宣借者,又役使自其甥杨文仲,时谓非殊之罪云。

壬申,参知政事贾昌朝言:"用兵以来,天下民力颇困,请下诸路转运司,毋得承例折变,科率物色;其须科折者,并奏听裁。即有宣敕及三司移文而于民不便者,以闻。"从之。

辽主亲征元昊,会大军于九十九泉,以太弟重元、北院枢密使韩国王萧惠将先锋兵,东京留守赵王萧孝友率师以从。

丙子,以荆湖南路体量安抚王丝为广南东路转运案察使兼本路安抚。丝在湖南凡十月,蛮既衰息,乃徙广东。

丁丑,元昊复遣杨守素来议事。

甲申,以枢密使、吏部侍郎杜衍同中书门下平章事兼枢密使。衍务裁侥幸,每内降恩,率寝格不行,积诏至十数,辄纳帝前。谏官欧阳修入对,帝曰:"外人知杜衍封还内降邪?凡有求于朕,每以衍不可告之而止者,多于所封还也。"

以参知政事贾昌朝充枢密使,资政殿学士、知青州陈执中为参知政事。

先是傅永吉以诛王伦故骤迁,得入见,帝面奖之,永吉谢曰:"臣非能有所成也,皆陈执中授臣节度,臣奉之,幸有成耳。"因极言执中之美。未几,帝谓宰相曰:"执中在青州久,可召之。"遂召执中参知政事。于是谏官蔡襄、孙甫等争言执中刚愎不学,不可任以政。帝命中使赍敕告即青州赐之,且谕意曰:"朕用卿,举朝皆以为不可;朕不惑人言,力用卿耳。"明日,谏官上殿,帝作色迎谓之曰:"岂非论陈执中邪?朕已召之矣。"谏官乃不敢言。

丁亥,宴宗室太清楼,射于苑中。

初,元昊以誓表来上,其词曰:"两失和好,遂历七年,立誓自今,愿藏盟府。其前日所掠将校民户,各不复还;自此有边人逃亡,亦无得袭逐,悉以归之。臣近以本国城寨进纳朝廷,其栲栳、镰刀、南安、承平故地及它边境蕃、汉所居,乞画中央为界,于界内听筑城堡。朝廷岁赐绢十三万匹、银五万两、茶二万斤,进奉乾元节回赐银一万两、绢一万匹、茶五千斤,贺正贡献回赐银五千两、绢五千匹、茶五千斤,中冬赐时服银五千两、绢五千匹,及赐臣生日礼物银器二千两、细衣著一千匹、杂帛两千匹,乞如常数,无致改更。乞俯颁誓诏,世世遵承。傥君亲之义不存,或臣子之心渝变,使宗祀不永,子孙罹殃。"冬,十月,庚寅,赐誓诏,谕国人,藏书祖庙。

辛卯,太子太师致仕陈尧佐卒,谥文惠。

甲午,诏河北沿边安抚司械送辽驸马都尉刘三嘏至涿州。三嘏,六符之兄也,尚同昌公主,与公主不谐,逃至广信军。辅臣议厚馆三嘏以觇其国阴事,谏官欧阳修亦请留之。帝以问杜衍,衍曰:"中国主忠信,若违盟誓,纳叛亡,其曲在我。且三嘏舍近亲而遁逃,谋身若此,恶足与谋国!"帝从衍言。辽人得三嘏,杀之。

知谏院蔡襄以〔亲〕老乞乡郡,己酉,授右正言、知福州。襄与孙甫俱论陈执中不可执政,既不从,于是两人俱求出。而襄先得请,时甫使辽未还也。

范仲淹言:"麟、府二州,山川回环五六百里,皆蕃、汉人旧耕耘之地,自为西贼所掠,今尚有三千馀人散处黄河东涯。自来所修堡寨,只是通得麟、府道路,其四面别无城寨防守,边户至今不敢复业,粮草踊贵,官中大费钱帛籴买,河东百姓又苦馈运。今二州之人皆愿修起城寨,若只以河西兵马粮草般移应用,自可办事。况折氏强盛之时,府州只屯汉兵二千,今虽残破,兵马常及万馀。如招辑蕃、汉人户,从而安居,强人壮马又可得数千,却减屯汉兵,兹诚守御之长计也。"因奏张亢得〔前〕所增广堡寨,宜使就总其役。

诏既下,而明镐持不可,屡牒止亢。亢曰:"受诏置堡寨,岂可得经略牒而止邪!"督役愈急。卒事,乃上章自劾,朝廷不问。蕃、汉归者数千户,岁减戍兵万人,河外遂安。皇祐中,韩琦经略河东,按堡寨处,多北汉名将杨业所度者,益知亢有远略云。

辽主之西征夏也,元昊上表谢罪,继遣使奏,欲收叛党以献。辛亥,进方物,辽主命北院枢密副使萧革迓之。壬子,辽军于河曲,革言元昊亲率党项三部来,辽主命革诘其纳叛背盟,元昊伏罪。赐酒,许以自新,遣之。

辽主欲还,萧惠曰:"元昊忘奕世恩,萌奸计,车驾亲临,不尽归所掠。天诱其衷,使彼来迎,天与不图,后悔何及!"辽主从之,督数路兵掩袭。夏人已有备。诘旦,夏人列拒马于河西,蔽盾以立,惠击败之。夏师退,惠麾先锋及右翼邀之,夏师千馀人突出。大风忽起,飞沙眯目,萧孝友一军先乱。夏人乘之,辽师大溃,蹂践而死者不可胜计。驸马萧呼敦为所执,辽主单骑突出,几不得脱,元昊命勿追。

桂阳蛮降,授蛮酋三人奉职。

直集贤院兼国子监直讲石介通判濮州。富弼等出使,谗谤益多,人多指目介,介不自安,遂求出。

元昊遣使如辽,以先被执者来归,辽主命所留夏使亦归其国。

十一月,戊午朔,司天言日当食不食。

辛酉,辽主第将校功罪,欲诛萧孝友,以太后救免。

壬戌,以西界内附香布为团练使。

甲子,监进奏院刘巽、集贤校理苏舜钦,并除名勒停;直龙图阁兼天章阁侍讲、史馆检讨王洙,落侍讲、检讨,知濠州;集贤校理刁约通判海州,江休复监蔡州税,王益柔监复州税,并落校理;降太常博士周延隽为秘书丞,集贤校理章岷通判江州,直集贤院、同修起居注吕溱知楚州,殿中丞周延让监宿州税,馆阁校勘宋敏求签署集庆军节度判官事,将作监丞徐绥监汝州叶县税。益柔,曙之子;敏求,绥之子也。

先是杜衍、范仲淹、富弼等同在政府,多引用一时闻人,欲更张庶事,御史中丞王拱辰等不便其所为。而舜钦乃仲淹所荐,其妻又衍女,舜钦年少能文章,议论稍侵权贵。会进奏院祠神,舜钦循例用鬻故纸公钱,召妓乐,会宾客,拱辰廉得之,讽其属鱼周询、刘元瑜等劾奏,因欲摇动衍。事下开封府劾治,于是舜钦及巽俱坐自盗除名,洙等同时斥逐。拱辰等喜曰:"吾一举网尽之矣!"

狱事起,枢密副使韩琦言于帝曰:"昨闻宦者操文书逮捕馆职甚急,众听纷骇。舜钦一醉饱之过,止可付有司治之,何至是!"帝悔见于色。

益柔亦仲淹所荐,拱辰既劾奏,宋祁、张方平又助之,力言益柔作傲歌,罪当诛,盖欲因益

967

柔以累仲淹也。章得象无所可否,贾昌朝阴主拱辰等议。及辅臣进对,琦独言:"益柔少年狂语,何足深治!天下大事固不少,近臣同国休戚,置此不言,而攻一王益柔,此其意有所在,不特为傲歌也。"帝悟,稍宽之。

时两府合班奏事,琦必尽言,事虽属中书,琦亦对帝陈其实,同列尤不悦,帝独识之,曰:"韩琦性直。"

丁卯,辽改云州为西京。

己巳,诏曰:"朕夙食厉志,庶几治古。而承平之敝,浇竞相蒙,人务交游,家为激讦,更相附离,以沽声誉,至阴招贿赂,阳托荐贤。又,案察将命者,悉为苛刻,构织罪端,奏鞫纵横,以重多辟。至于属文之人,类亡体要,诋斥前圣,放肆异言,以讪上为能,以行怪为美。自今委中书、门下、御史台采察以闻。"

范仲淹上表乞罢政事,知邠州,诏不许。

知潞州尹洙上疏言:"去年朝廷擢欧阳修、余靖、蔡襄、孙甫相次为谏官,臣甚庆之,所虑者任之而不能终耳。夫今世所谓朋党,甚易辨也。陛下试以意所进用者姓名询于左右曰:某人为某人称誉;必有对者曰:此至公之论。异日其人或以事见疏,又询于左右曰:某人为某人营救;必有对者曰:此朋党之言。昔之见用,此一臣也,今之见疏,亦此一臣也,其所称誉与营救一也。然或谓之公论,或谓之朋党,是则公论之与朋党,常系于上意,不系于忠邪也。惟圣明裁察!"

诏如天禧故事置谏官六员。

己卯,改上庄穆皇后谥曰章穆,庄献明肃皇太后曰章献明肃,庄懿皇太后曰章懿,庄怀皇后曰章怀,庄惠皇太后曰章惠。先是礼官言:"旧制,后谥皆冠以帝谥,孝字连太祖谥,德字连太宗谥;唯真宗诸后不然,请改庄为章。"至是始用其议。

庚辰,朝享景灵宫。时雨雪连日,至是大霁。辛巳,享太庙、奉慈庙。壬午,合祭天地于圜丘,大赦。复西京、河阳府所废县。京西、湖南、北经贼剽劫处,第蠲其租。

十二月,己丑,辽主如西京。

壬辰,加恩百官。左千牛卫大将军宗敏,缘郊恩请封所生母范氏,许之。宗室得封所生母自宗敏始。宗敏,信安郡王允宁子也。

乙未,遣祠部员外郎张子奭等册元昊为夏国主,更名曩霄,约称臣,奉正朔,改所赐敕书为诏而不名,许自置官属。使至京,就驿贸易,燕坐朵殿。朝廷遣使至其国,相见以宾客礼。置榷场于保安军及高平寨,第不通青盐。子奭既行,寻有诏即所在止之,候契丹使至别议。富弼深言其不便,曰:"若北使未至而子奭先去,天下共知事由我出。若候北使至方行,则是以讲和之功归于契丹。万一北使知我尚未封册,词或不顺,又不可却拒元昊而曲就契丹。如此,则是朝廷举动坐为契丹所制,而又前后反覆,大为元昊所薄矣。伏乞断自宸衷,速令子奭行封册之典。"

己亥,高丽遣使贡于辽。

环、原之间,属羌有敏珠尔、密藏、康诺三族最大,素号强梗。其北有二川,交通西界,宣抚使范仲淹,议筑古细腰城断其路。于是檄知环州种世衡与知原州蒋偕共主其事。世衡时卧病,即日起兵,会偕于细腰,使甲士昼夜筑城,先遣人以计款羌人,果不来争。又召三族酋长槁之,谕以官筑此城,为汝御寇。三族既出不意,又亡外援,因遂服从。城成而世衡卒。世衡在边数年,积谷通货,所至不烦县官,益兵增馈,善抚士卒,得人死力。及卒,羌酋朝夕临者数日,青涧及环人皆画像祠之。

仲淹复檄蒋偕筑堡大虫巇,堡未完而为敏珠尔、密藏伺间邀击,偕辄从间道遁归,伏经略使庭下请死。王素将赦其罪,令复往毕功以自赎,狄青曰:"偕轻而无谋,往必更败。"素曰:"偕死则部署行矣。"青乃不敢言。偕卒完所筑堡,致其酋长而还。

戊申,夏释萧呼敦归于辽。时辽都监耶律哈哩济方以贺生辰来使,馆于白沟驿。及设宴,优人嘲萧惠河西之败,哈哩济曰:"胜负兵家常事。我嗣圣皇帝俘石重贵,至今兴中有石家寨。惠之一败,何足较哉!"后辽主闻之,曰:"优伶失词,何为伤两家交好?"鞭哈哩济二百,免其官。

辛亥,置保安、镇戎军榷场。

五年 辽重熙十四年【乙酉,1045】 春,正月,庚申,辽以侍中萧虚烈为南院统军使,封辽西郡王。

己巳,三司言更造锡庆院乏财费多,而北使锡宴之所不可阙;诏复以太学为锡庆院如故,别择地建太学。

庚午,辽主如鸳鸯泺。

甲戌,以秘阁校理孙甫知邓州。

先是甫言陈执中,不听,数请补外。帝尝问丁度:"用人以资与才孰先?"度对曰:"承平宜用资,边事未平宜用才。"甫又劾奏:"度所言盖自求大用,请属吏。"帝谕辅臣曰:"度在侍从十五年,数论天下事,未尝及私,甫安从得是语!"度知甫所奏误,力求与甫辨。宰相杜衍以甫方使辽,寝其奏,度深衔之,且指甫为衍门人。及甫自辽还,呕命出守。度侍经筵岁久,帝每以学士呼之而不名。尝问蓍龟占应之事,对曰:"卜筮,圣人之所为,要之一技而已,不若以古之治乱为监也。"

罢河东、陕西诸路招讨使。

乙亥,复置言事御史,以殿中侍御史梅挚、监察御史李京为之。

丙子,辽遣使来告讨夏人回。

辽主之归自伐夏也,留耶律仁先镇边,未几,召为契丹行宫都部署。仁先奏复王子班郎君及诸宫杂役,从之。时夏人乞款,辽主以其前后反覆,命左伊勒希巴萧迪里往觇诚否。迪里因为夏主陈述祸福,听命,乃还。

赐润州草泽邵悚号冲素处士,知州王琪荐悚守道丘园,素有节行故也。悚上表固辞,许之。

甲申,夏遣使进鹘于辽。

乙酉,以参知政事范仲淹知邠州兼陕西四路缘边安抚使,枢密副使富弼为京东、西路安抚使、知郓州。

仲淹、弼既出使,谗者益甚,两人在朝所施为亦稍沮止,独杜衍左右之。帝颇惑谗言,仲淹愈不自安,因疏乞罢政事。帝欲听其请,章得象曰:"仲淹素有虚名,一请遽罢,恐天下谓轻黜贤臣,不若且赐诏不允。若仲淹即有谢表,是挟诈要君,乃可罢也。"帝从之。仲淹果表谢,帝愈信得象言。于是弼自河北还,将及国门,右正言钱明逸希得象等意,言:"弼更张纷扰,凡所推荐,多挟朋党,所爱者尽意主张,不附者力加排斥,倾朝共畏,与仲淹同。"又言:"仲淹去年受命宣抚河东、陕西,闻有诏戒励朋党,心惧张露,称疾乞医;才见朝廷别无行遣,遂拜章乞罢政知邠州,欲固己位以弭人言,欺诈之迹甚明,乞早废黜。"疏奏,即降诏罢仲淹、弼。

是夕,并锁学士院草制罢衍,而衍不知也。陈执中在中书,数与衍异议,而蔡襄、孙甫之乞出也,事下中书。甫本衍所举用,于是中书共为奏言:"谏院今阙人,且留甫等供职。"既奏,帝颔之。衍退归,即召吏出札子,令甫等供职。衍及得象既署,吏执札子诣执中,执中不肯署,曰:"向者上无明旨,当复奏,何得遽尔!"吏还白衍,衍取札子焚之。执中因潜衍曰:"衍党二人,欲其在谏院,及臣觉其情,遂焚札子以灭迹。"帝入其言。丙戌,衍罢为尚书左丞、知兖州,制辞略曰:"自居鼎辅,靡协岩瞻,颇彰朋比之风,难处咨谋之地。"学士承旨丁度笔也。

枢密使、工部侍郎贾昌朝,依前官平章事兼枢密使,宣徽南院使兼枢密副使王贻永为枢密使,资政殿学士、知郓州宋庠参知政事。帝既罢范仲淹,问章得象:"谁可代者?"得象荐庠弟祁,帝雅意属庠,乃复召用。

以翰林学士权知开封庞吴育、龙图阁直学士知延州庞籍并为枢密副使。育初尹开封,范仲淹在政府,因白事,数与仲淹迕。既而仲淹安抚河东,有奏请,多为当国者所沮,育独取可行者固执行之。

二月,戊子朔,分遣内臣往诸路选汰羸兵,诸州宣毅军过三百人者无得更募,用韩琦议也。

辛卯,诏曰:"比京朝官因人保任,始得叙迁。朕念廉士或不能以自进,其罢之。"时监察御史刘元瑜言:"近年考课之法,自朝官至员外郎、郎中、少卿监,须清望官五人保任,方许磨勘,适长奔竞,非所以养士廉耻也。望酌祖宗旧规,别定可行之制。"故降是诏。

康定初,元瑜尝言:"范仲淹以非罪贬,既复天章阁待制,宜在左右。尹洙、余靖、欧阳修,皆坐朋党斥逐,此小人恶直丑正也。"及仲淹迹危,元瑜即希章得象、陈执中意,起奏邸狱,劾宰陆经。又言:"前除夏竦为枢密使,谏臣数人摭其旧过,召至都门而罢之。自兹以进退大臣为己任,以激讦阴私为忠直,荐延轻薄,扇为朋比。近除两府,出自圣断,独党人以进用不出于己,议论哗然,臣恐复被疏罢矣。前日孙甫荐叶清臣,毁丁度,效此也。"磨勘保任之法,实仲淹所建,仲淹既黜,故元瑜亟奏罢之。

知制诰余靖言:"臣伏睹近降中书札子,今后臣僚奏荐子孙亲属,内长子、长孙皆不拘年甲;诸子、诸孙须年十五已上,弟侄等并须年二十已上,方得奏荐;所奏亲属,并须在五服内者。窃以朝廷推恩延赏,皆欲嗣续门户,其有老登郎署,晚得职司,其亲子孙则限以年幼不得陈乞,乃旁荫疏远房从年长之人,是舍亲用疏,遗近取远,殆非国家善善及子孙之意。臣亲弟年已及格,不碍新条;但缘年老臣僚不得荫其亲子孙,旁奏疏属,于理不便。乞特降指挥,令不拘年甲,以广赏延之典。"从之。

壬辰,夏国主曩霄初遣使来贺正旦。自是岁以为常。

戊戌,讲《诗》,起《鸡鸣》,尽《南山篇》。先是讲官不欲讲《新台》,帝曰:"《诗》三百,皆圣人所删定。义存劝戒,岂当有避!"乃命自今讲读经史毋得辄遗。

以兵部员外郎兼侍御史知杂事赵及权判吏部流内铨。初,铨吏匿员阙,与选人为市,及奏阙至即榜之。吏部榜阙自及始。

诏陕西、河东经略司："夏国虽复称臣，其令边臣益练军，毋得辄弛边备。其城垒器甲，逐季令转运、提点刑狱司按察之。"从枢密副使吴育言也。

知制诰余靖言："昨闻西人与契丹约和，寻复侵掠，恐契丹忿怨不解，又遣使来告西伐，将命者不绝，蠹耗财用。臣今奉使契丹，欲先谕以元昊反覆小人，其去就不足为两朝重轻，设或携叛，亦是常事，彼此只边上关报，更不专遣使臣。"从之。

庚子，辽主驻撒剌泺。

乙巳，以马军都虞候公廨为太学。

庚戌，御迩英阁，进读《三朝经武圣略》，出阵图数本，并陕西僧所献兵器铁浑拨，以示讲读官。

癸丑，桂阳监言唐和等复内寇。

三月，戊午，御迩英阁，讲《诗·匪风篇》曰"谁能烹鱼，溉之釜鬵"，帝曰："《老子》谓'治大国若烹小鲜'，义与此同否？"丁度对曰："烹鱼烦则碎，治民烦则散。非圣学深远，何以见古人求治之意乎！"

杜衍、范仲淹、富弼既罢，枢密副使韩琦上疏言："陛下用杜衍为相，方及一百二十日而罢，必陛下见其过失，非臣敢议。范仲淹以夏人初附，自乞保边，朝廷因而命之，固亦有名。至于富弼，天与忠义，昨使契丹，蹈不测之祸，以正辨屈强敌，忘身立事，古人所难。去年秋，契丹点集大兵，声言讨伐元昊，朝廷未测虚实，弼以河朔边备未完，又自请行，在外半年，经久御戎之术，固已畜于胸中。事毕还朝，甫及都门，未得一陈于陛下之前，而责补闲郡，中外不知得罪之因。臣恐自此天下忠臣义士，指弼为戒，孰肯为国家用？所损岂细哉！臣窃见近日李用和多疾，陛下欲召李昭亮赴阙管殿前司事，而武臣中求一代昭亮者，皆难中选。臣谓陛下不若因此改弼知定州，仍兼部署之职，遣一中使宣谕，令赴阙奏覆河北公事毕赴任，俟其陛对，慰而遣之。弼素禀忠义，又感此恩，唯思效死，岂敢更以内外职任为意！如此，则朝廷以北事专委弼，以西事专委范仲淹，使朝夕经营，以防二边之变，朝廷实有所倚。"疏入，不报。而董士廉又诣阙讼水洛城事，辅臣多主之。琦不自安，恳求补外。辛酉，琦罢枢密副使，加资政殿学士，知扬州。

甲子，广西转运使杜杞，言宜州蛮贼区希范平。杞初至真州，先遣急递以檄谕蛮，听其自新。比至宜州，蛮无至者。杞得州校吴香及狱囚区世宏，脱其械，与衣带，使入峒说谕，不听。乃勒兵攻破白崖、黄泥、九居山寨及五峒，焚毁积聚，斩首百馀级，复环州。希范与蒙赶散走，杞使香趣赶出降。杞谓将佐曰："蛮依险阻，威不足制则恩不能怀，所以数叛。今特以穷蹙来降，后必复动，莫如尽杀之以绝后患。"乃击牛马，为蔓陀罗酒，大会环州，坐中，伏兵发，禽诛七十馀人，取五藏画为图，释尪病被胁与因败而降者百馀人。后三日，又得希范，醢之以遗诸谿洞。

丙子，诏礼部贡院增天下解额。贡院请以景祐四年、庆历元年科场取解进士人数内，择一年多者令解，及二分为率，就试人虽多，所增人数各不过元额之半，总诸州军凡增三百五十九人。诏遂为定额。

范仲淹既去，执政以新定科举入学预试为不便，且言诗赋声病易考，而策论汗漫难知，祖宗以来,莫之有改,得人常多。帝下其议,有司请如旧法。乃诏曰:"科举旧条,皆先朝所定,宜一切如故。前所更令,宜罢之。"

监察御史包拯言:"臣伏睹先降敕节文,应奏荫选人年二十五已上,遇南郊大礼,限半年内许令赴铨投状,京官每年春季赴国子监投状,并差两制官于逐处考试,内习词业者或论或诗赋,习经业者各专一经,试墨义等及格者,与放选注官及差遣。自敕下之后,天下士大夫之子弟,莫不靡然向风,笃于为学,诏书所谓'非惟为国造士,是乃为臣立家',实诲人育材之本也。近闻有臣僚上言,欲议罢去,则务学者日以怠惰,一旦俾临民莅政,犹未能操刀而使之割也。或前条制有未尽事件,望只令有司再加详定,依旧施行。"

枢密副使庞籍言曩霄已受封册,望早令延州、保安军立定封界。

甲申,诏:"师兴以来,陕西军士暴露良苦,民疲转饷。其降系囚罪一等,杖笞释之;边兵赐缗钱;民去年逋负皆勿责,蠲其租税之半。麟、府州尝为羌所寇掠,除逋负视此。进士一举、诸科两举,并与免今年取解。"

丙戌,罢入粟授官,从殿中丞张庚所请也。

是月,欧阳修上疏曰:"臣闻士不忘身,不为忠信;言不逆耳,不为谏诤。伏见杜衍、韩琦、范仲淹、富弼等,皆陛下素所委任之臣,一旦相继而罢,天下士皆素知其可用之贤,不闻其可罢之罪。臣职虽在外,事不审知,然臣窃见自古小人谗害忠贤,其识不远,欲广陷良善,则不过指为朋党,欲摇动大臣,则必须诬以专权。其故何也?夫去一善人而众善人尚在,则未为小人之利。欲尽去之,则善人少过,难为一二求瑕,惟指以为朋党,则可一时尽逐。至如大臣已被知遇而蒙信任者,则不可以它事动摇,惟有专权是人主之所恶,故须此说方可倾之。臣料衍等四人各无大过,而一时尽逐,弼与仲淹委任既深,而忽遭离间,必有朋党专权之说,上惑圣聪。臣请详言之:

"昔年仲淹以忠言闻于中外,天下争相称慕,当时奸臣诬作朋党,犹难辨明。自近日陛下擢此数人并在两府,察其临事,可以辨也。盖衍为人清审而谨守规矩,仲淹则恢廓自信而不疑,琦则纯正而质直,弼则明敏而果锐,四人性既不同,所见各异,故议事多不相从。如衍欲深罪滕宗谅,仲淹力争而宽之;仲淹谓契丹必攻河东,请急修边备,弼力言契丹必不来;又如尹洙亦号仲淹之党,及争水洛城事,琦则是洙而非刘沪,仲淹则是刘沪而非洙。此四人者,可谓公正之贤也,平居则相称美,议事则廷争无私,而小人谗为朋党,可谓诬矣。

臣闻有国之权,诚非臣下所得专。夫权者,得名位则可行,故行权之臣,必贪名位。自陛下召琦与仲淹于陕西,琦等让至五六,陛下亦五六召之。弼三命学士,两命枢密副使,每一命未尝不恳让愈切,而陛下用之愈坚。臣但见避让太繁,不见其专权贪位也。及陛下坚不许辞,方敢受命,然犹未敢别有所为。陛下开天章阁,召而赐坐,授以纸笔,使其条列,然众人避让,弼等亦不敢独有所建。又烦圣慈出手诏,指定姓名,专责其条列大事而行,行之已久,冀其有效。弼性虽锐,然亦不敢自出意见,但举祖宗故事,请陛下择而行之。自古君臣相得,一言道合,遇事而行,更无推避。弼等蒙陛下委任,督责丁宁,而犹迟缓自疑,作事不果,然小人巧谮,已曰专权,岂不诬哉!

972

至如两路宣抚,国朝累遣大臣,况中国之威,近年不振,故元昊叛逆一方,劳困及于天下,契丹乘衅违盟,书词侮慢,陛下但以边防无备,屈志买和。弼等见中国累年侵陵之患,感陛下不次进用之恩,各自请行,力思雪耻,沿山傍海,不惮勤劳,欲使武备再修,国威复振。臣见弼等用心,本欲尊陛下威权,未见其侵权而作过也。陛下于千官中选得此数人,一旦罢去,使群邪相贺,此臣所以为陛下惜也!"

疏入,不报,指修为朋党者益恶焉。

夏,四月,丁亥朔,司天言日当食而阴晦不见,宰臣率百官称贺。

是日,御崇政殿,录系囚,遣监察御史刘元瑜等往三京疏决。御史李京言:"陛下因天戒修省,避正殿,减常膳,故精意感格,日当食而阴云蔽亏。然臣窃有疑者,自宝元初,定襄地震,十年未已,岂非西、北二边有窥中国之意乎?二月雷发声,八月收声。今孟夏雷未发声,岂非号令之不信乎?愿陛下饬边臣,备捍御,戒辅臣,谨出命,以厌祸于未形。又,尚美人弃外馆多年,比闻复召入。臣虑假媚道为蛊惑,宜亟绝之。苗继宗嫔御子弟,乃缘恩私为府界提点。宜割帷薄之爱,重名器之分,庶几不累圣政。"帝嘉纳之。

夏国主曩霄初遣使来贺乾元节。自是岁以为常。

戊申,章得象罢为镇安节度使、同平章事、判陈州。得象在中书八年,方陕西用兵,帝锐意天下事,进用韩琦、范仲淹、富弼,使同得象经画当世急务,得象无所建明。琦等皆去,得象居位自若。监察御史里行孙抗数以为言,而得象亦十二章请罢,帝不得已,乃许之。

以工部侍郎、参知政事陈执中依前官平章事兼枢密使。

庚戌,以枢密副使吴育参知政事,翰林学士承旨丁度为枢密副使。

辛亥,高丽遣使贡于辽。

癸丑,徙知陈州、资政殿学士任中师知曹州。中师自言:"臣家本曹人,今老矣,愿得守曹,营归休之计。"帝怜而许焉。

五月,夏人归石元孙。谏官御史奏元孙军败不死为国辱,请斩于塞下,宰相陈执中谓宜如所奏。贾昌朝独曰:"在《春秋》时,晋获楚将谷臣,楚获晋将知罃,亦还其国不诛。"因入对,探袖出《魏志·于禁传》,奏曰:"前代将臣,败覆而还,多不加罪。"帝乃贷元孙。癸亥,削除官爵,编管全州,其子弟恩泽并追夺。

知制诰余靖,前后三使辽,益习外国语,尝对辽主效其国语。侍御史王平、监察御史刘元瑜等劾靖失使者体,请加罪。元瑜又言靖知制诰,不当兼领谏职。庚午,出靖知吉州。

癸未,诏吏部流内铨:"自今试初入官选人,其习文词者试省题诗或赋论一首,习经者试墨义十道,并注合入官;如所试纰缪,试墨义凡九不中,令守选,候放选再试;又不中,与远地判司。其年四十以上,依旧格读律,通,即与注官。仍命两制一员同考试之。"

闰月,殿前副都指挥使、建武节度使李用和以老乞解军职,戊子,授宣徽北院使。命步军副都指挥使、淮康军留后李昭亮为武宁节度使、殿前副都指挥使,代用和也。时承平久,将帅多因循,军士纵弛。昭亮本将家子,习军事,既统宿卫,一切尚严。万胜、龙猛军蒱博争胜,彻屋椽相击,市人惶骇。昭亮捕斩之,杖其军主,诸军股栗。及帝祀南郊,有骑卒亡所挟弓,会赦,当释去,昭亮以为宿卫不谨,不可贷,卒配隶下军。禁兵自是颇肃。

丙午,夏国主曩霄遣使谢册命。

壬子,诏:"三后厌代,多历年所,令礼官稽考故籍,议升祔之礼。"

癸丑,河北都转运按察使欧阳修言:"转运使虽合专掌金谷,不与兵戎之事,然向被朝廷

973

密旨,令熟图本道利害,阴为边备。今沿边知州武臣不过诸司使、副,通判即是常参初入京朝官,并得尽闻机事,而臣之本司独不得与;非欲侵挠边臣之权,盖调用军储,须量边事之舒急,以至案察将史,亦当知处事之当否。请自今,许令本司与闻边事。"从之。

辽主清暑于永安山。

六月,癸亥,以泽州进士刘羲叟为试大理评事。羲叟精算术,兼通《大衍》诸历,尝注司马迁《天官书》及著《洪范灾异论》,欧阳修荐之,召试学士院,而有是命。

丁卯,减益、梓州上供绢岁三之一,红锦、鹿胎半之。

辽主谒庆陵。

壬申,太常礼院言:"奉诏,议升祔三后事。谨案唐肃明皇后,本中闱之正,昭成皇后,缘帝母之尊,开元中并祔睿宗之室。国朝懿德、明德、元德三后,亦同祔太宗庙。恭惟章献明肃皇太后,母仪天下,辅成丕业,章懿皇太后,诞生圣躬,恩德溥大,伏请迁祔真宗庙,序于章穆皇后郭氏之次。章惠皇太后虽先朝遗制,尝践太妃之贵,然至明道中始加懿号,与章怀皇后事体颇同,伏请迁于皇后庙,序于章怀之次。又,太者生事之礼,不当施于宗庙,况太庙诸室,皇后并无四字之名,伏请改上章献明肃皇太后曰章献皇后刘氏,章懿皇太后曰章懿皇后李氏,章惠皇太后曰章惠皇后杨氏。乞再行集议,以示奉先谨重之意。"诏两制及待制、御史中丞同议以闻。

己卯,准布大王率诸酋长朝于辽。

庚辰,夏遣使贡于辽。

秋,七月,辛丑,贬知潞州尹洙为崇信节度副使,坐前在渭州贷公使钱用也。

壬寅,翰林学士王尧臣等言:"礼官议改上章献皇后、章惠皇后谥,揆诸礼意,窃所未安。盖谥告于庙,册藏于陵,无容异时更有轻改。矧升祔庙祜,本极孝思之报,若裁损尊名,恐非严奉之仪。而又博询典故,参质人情,有增崇之文,无追减之例,其章献明肃之号,伏请如旧。章惠皇太后,拥佑圣躬,义专系子,礼须别祠,请仍称章惠皇太后,仍旧享于奉慈庙。"乃诏中书门下覆议,请如礼官及学士等所议,奉章献、章懿升配真宗庙室,其尊谥如故;章惠仍享奉慈别庙,皆得礼之变,顺祀无违。乙巳,诏恭依礼官所议,奉章献明肃皇太后、章懿皇太后序于章穆皇后之次。

戊申,诏:"自今罪殊死,若祖父母年八十以上及笃疾无期亲者,以其所犯闻。"

广州地震。

辽主驻中会川。

八月,知秦州田况遭父丧,辛酉,起复,况固辞。又遣内侍持手诏敦谕,况不得已乞归葬阳翟,托边事求见,泣请终丧,帝恻然许之。帅臣得终丧自况始。

自真宗封禅之后,不复校猎,废五坊之职。直集贤院李东之上言:"祖宗校猎之制,所以顺时令而训戎事也。陛下临御以来,未尝讲修此礼。愿诏有司草仪,撰日命殿前、马步军司出兵马以从猎于近郊。"壬戌,诏枢密院讨详先朝校猎制度以闻。

甲子,以监察御史包拯为贺正使,使于辽。馆伴者谓拯曰:"雄州新开便门,乃欲诱纳北人以刺候疆事乎?"拯曰:"欲刺知北事,自有正门,何必便门!本朝岂尝问涿州开门邪!"议遂折。及拯使还,具奏:"臣奉命出境,彼中情伪,颇甚谙悉,自创云州、作西京以来,添置营寨,招集军马,兵甲粮食,积聚不少,但以西讨为名,其意殊不可测。缘云州至并、代州甚近,从代州至应州,城壁相望,只数十里,地绝平坦,此中外所共出入之路也。自失山后五镇,此路尤难控扼,万一侵轶,则河东深为可忧。不可信其虚声,弛其实备。兼闻代州以北,累年来蕃户深入南界,侵占地土,居止耕佃甚多,盖边臣畏懦,不能画时禁止。今若不令固守疆界,必恐日加慈蔓,窥伺边隙,浸成大害。欲乞今后沿边要冲之处,专委执政大臣,精选素习边事之人以为守将。其代州尤不可轻授,如得其人,责以实效,虽有微累,不令非次移替,则军民安其政令,缓急不致败事矣。"

庚午,荆南府、岳州地震。

癸酉,诏:"夏国比进誓表,惟延州、保安军别定封界,自馀皆如旧境。其令陕西、河东严戒边吏,务守疆土,无得辄有生事。"

甲戌,河北都转运案察使欧阳修知滁州,权发遣户部判官苏安世监泰州盐税,出内供奉官王昭明监寿春县酒税。初,修有妹适张龟正,卒而无子,有女实前妻所生,甫四岁,无所归,其母携养于外氏,及笄,修以嫁族兄之子晟。会张氏在晟所与奴奸,事下开封府。权知府事杨日严前守益州,修尝论其贪恣,因使狱吏附致其言以及修。谏官钱明逸遂劾修私于张氏,且欺其财。诏安世及昭明杂治,卒无状;乃坐用张氏奁中物买田立欧阳氏券,安世等直牒三司取录问吏人而不先以闻,故皆及于责。安世,开封人也。狱事起,诸怨修者必欲倾修,而安世独明其诬,虽忤执政意,与昭明俱得罪,然君子多之。

鄜延经略司言夏国未肯明立封界,诏保安军移文宥州,令遵守誓约指挥。

壬午,监察御史李京言:"去年保州军乱之后,缘边兵骄,小不如意则哗言动众。近又永宁军士潜谋窃发,边氓远近不安。尝观唐自至德以后,河朔兵骄,镇、魏尤甚,济以奸臣跋扈,朝廷威令不行,斯盖不早制之失。今沿边主兵之臣,既不遴择,及军士作过,一概被罪,遂使骄兵增气,动要姑息,守臣避祸,但务因循,不早制之,将复有至德之弊。宜下两府案边吏罢懦不任事及绮纨子弟,一切罢之。其有军士作过,本非长吏生事者,只坐召祸之人。所贵骄卒畏威而革心,守臣竭节以专事,非特张纪律之本,亦所以制机事之先也。"

九月,庚寅,诏:"文武官已致仕而所举官犯罪当连坐者,除之。"从翰林学士张方平请也。方平言:"坐缪举而许首免,盖责其当察所举者之不法也。致仕官既谢事,不当与在职者同责。"遂著为令。

辛卯,以重阳曲宴近臣、宗室于太清楼,遂射苑中。

〔癸巳〕,诏近臣考先朝正史、实录为《景德御戎图》。

庚子,置南京留守司御史台。

甲辰,徙江南东路转运案察使杨纮知衡州。纮尝言:"不法之人不可贷,如使肆贪残于一郡一邑,害良民万家,不若去之,不利一家耳。"闻者望风解去。然竟坐苛刻下迁。纮,亿从子,为亿后,其为江东转运案察使,富弼所荐也。

【译文】

宋纪四十七　起甲申年(公元 1044 年)八月,止乙酉年(公元 1045 年)九月,共一年有余。

庆历四年 辽重熙十三年（公元 1044 年）

八月，辛卯（初二），任命参知政事贾昌朝总领天下农田事务，范仲淹总领刑法，事情如有利弊，要全部分条上奏。

起初，范仲淹建议说："周朝的制度，三公分别兼任六官的职务，汉朝以三公分领六卿，唐朝以宰相分判六曹。如今的中书是古代的天官冢宰；枢密院是古代的夏官司马。其余四官分散于群官之中，没有用三公兼领来表示重视，而二府只掌管官员的任用、提拔、差遣、拜除，根据官资品级、议论奖赏或处罚，按照条例行事而已。上没有专掌象三公那样治国论道的品员，下没有专察六卿辅佐帝王的职官，这不是依法治国。我请求仿效前代，对于三司、司农、审官、流内铨、三班院、国子监、太常、刑部、审刑、大理、群牧、殿前马步军司，都分别委任辅佐大臣兼判其事，凡是创立设置新的规范，更改以前的弊端，官

范文正公政府奏议二卷内页

吏的升降，刑法的轻重，有利弊的地方，都听从辅佐大臣全权处理；其中，事情较大的，由二府会商，然后奏报朝廷裁决。我愿意亲自兼领兵赋的职务，如果毫无功绩，请朝廷首先贬黜我。"章得象等都认为不可以，过了很长时间皇帝才降下这个命令，然而终于没有彻底实行。

甲午（初五），任命枢密副使富弼为河北宣抚使。此前，辅佐大臣在垂拱殿奏事，仁宗说："契丹主收受云州之礼，将要侵袭我河东之地，两府应当预设准备。"富弼退朝后，又向皇帝上奏说："河北地势平坦，河东地势险阻；河北物产丰富、百姓殷实，河东物产稀少、百姓贫乏；河北没有战备，河东有战备。契丹一定不会舍弃河北而来侵袭河东。我最近奏报了河北守土御敌的策略，乞求防守要郡，自行其事，不仅是训练兵马防备敌寇来到达使百姓平安的目的，甚至于我自身及国家的耻辱，也许都可以洗刷了。"于是朝廷任命富弼宣抚河北。其实富弼是想出朝以躲避谗言和毁谤。

保州巡检司云翼卒拥戴都监韦贵据城叛乱，知州刘继宗渡城濠时溺水而死。知广信军刘贻孙与走马承受宋有言到城下告谕叛兵，叛兵中有想投降的，还未商量好，而诸路已分别发兵前来讨伐，叛兵于是又固守城池拒绝投降。

戊戌（初九），任命右正言余靖为回谢使，出使到辽国，答复的书信大略是说："若因元昊对辽有失侍奉大国的体统，则自应兴师问罪。又有人认为元昊对宋朝拖延效顺的缘故，则宋朝自会处置，又何必麻烦贵国出师呢！况且延州日前奏报，元昊已派遣杨守素带着誓约文书进入边界地带，如果不依从当初的约定，则还可以阻止把他遣送回去；如果完全遵照当初的约定，则也难以却辞了。"

任命右正言、知制诰欧阳修为河北都转运按察使。皇帝晓谕欧阳修说："不要作长久居留的打算，有事的话只管上奏。"欧阳修应对说，只有谏官才可以据传言上疏言事，如今我在外任职，有具体的职责范围，超越职位，是有罪的。皇帝说："如果事情应当让朝廷知道的，你不可以用内外之类的话来推辞。"谏官蔡襄、孙甫奏请留下欧阳修，朝廷没有批准。

任命余靖知制诰，仍知谏院；任命知谏院蔡襄直史馆，同修起居注。

下诏令入内供奉官刘保信前往保州考察军兵变乱的事。

庚子（十一日），命令右正言田况审视保州情况，并允许他先处置后奏报的权力。

壬寅（十三日），降下敕令榜文招安保州的叛乱军兵，仍然诏令知雄州王德基传报北界情况，这是朝廷担心沿边百姓因兵乱而受惊扰。

甲寅（二十五日），朝中议论认为诸道军队已会集保州城下，没有统一的管理，皇帝因此诏令宣抚使富弼立即出发，前往保州统一指挥各路军队。再次降下敕令榜文进行招安，并令田况等暂且退兵，选人拿着敕令到城中去，如果随即打开了城门，就全部加以安抚；如果还拒绝投降，就加兵进攻，在营中与叛兵一同居住的亲属，不分老幼全部杀戮。

先前，知定州王果率兵赶赴保州，不分时日连续攻城，适逢有诏进行招安，贼兵不肯投降，登上城墙喊道："如果李步军来，我们就投降了。"李步军是指李昭亮。下诏派李昭亮前往保州。这一天，李昭亮到了，与田况一同告谕贼兵，贼兵始终不肯相信。右侍禁洛阳人郭逵径直越过壕沟来到城下，对贼兵说："我与李昭亮同一班次行列，你们放下绳索，让我靠近你们说话。"贼兵于是放下绳索，郭逵于是攀援绳子登上了城池，对贼兵说："朝廷知道叛乱不是由于你们自身的缘故，而是由于官吏对你们不讲道理造成的。如今朝廷已赦免你们的罪过，又用禄秩封赏你们，派两制大臣手奉诏书来告谕你们，你们还有什么疑虑呢！"贼兵都相对而视激动地变了脸色，说："真的是这样吗？"于是再召他们所认识的几个人登上城池。贼兵相信了，争着放下兵器，走下城墙，投降的有一千多人，于是打开城门，迎纳官军。造反的有四百二十九人，田况详细地开列了他们的姓名，命令杨怀敏率兵入城，把这些人全部活埋了。降兵二千多人，全部分配隶属于诸州宣抚使。富弼担心这些人以后会产生变故，与都转运使欧阳修相逢于内黄，半夜，屏退左右商议此事，打算令诸州在同一天把这些降兵全部诛杀。欧阳修说："祸患没有比杀害已经投降的人再大的了，更何况这些人仅是被迫而作乱的人呢！既然不是朝廷的命令，假如诸州有一州不依从的话，发生的变故一定不小。"富弼醒悟了。于是作罢。

乙卯（二十六日），皇帝对辅佐大臣说："如果听到诸路转运按察、提点刑狱司指摘所属官吏细小的失误，过于苛刻，可以降下敕令对他们加以约束。"先前，监察御史刘湜上奏说："转运使指摘州县，对官吏过于苛刻，使官吏不能尽量展示自己的才能。"包拯上奏说："诸道转运使自从兼任按察及置判官以来，考察部下官吏，非常烦琐细碎。我想乞请陛下在郊祀的敕书内对他们特加约束，凡是先被考察的官吏，如果不是故意犯法的，都允许他们改过自新。"于是降下敕令约束诸路按察使，详细记载各台官所上奏的言论。

欧阳修上奏说："自从差遣诸路按察以来，虽然没有大的成效，然而年老多病昏庸愚昧的官员，望风而惧，近日退休的官员渐渐多了起来，州县的吏治正待澄清，而朝廷却自己阻碍此事。乞请令两府召集台官中上疏言事的人到中书，询问他们是哪一路按察官员官报私仇的，假如有此迹象，乞求交给所属部门辨别清楚，如果实际上没有这样的人，那么只是有人妄加言说。最近所降下的札子，乞请收还，不要让四方之人看见朝廷自己阻碍按察使的权力，而让那些贪赃枉法、年老多误的官吏快乐。"

先前，西夏派使臣向辽国朝贡，辽国主对于使臣不用实情回答所问非常气恼，把使臣扣押了起来。丁巳（二十八日），西夏再次派使臣到辽国，辽国主询问他有关事宜，使臣又没有从实应对，辽国主令人鞭笞了他。

戊午(二十九日),下诏:"从今以后,任命台谏官员,不得任用在职辅佐大臣所推荐的人。"

调知沧州刘涣知保州。刘涣到任后一个多月,云翼军又谋反,刘涣单枪匹马前往,捆绑了首恶之人,后杀了他,整个云翼军立刻平静下来了。

九月,辛酉(初三),田况上奏说保州已平定。壬戌(初四),下诏:"保州官吏因兵乱而死且无亲属的,官府为他殡葬;战死的兵士和官吏都给予优抚;百姓田地被践踏的减免他的田租。"

河北都转运按察使、天章阁待制张峕之被贬改任为知虢州。缘边都巡检杨怀敏曾率兵到保州,特免于处罚。起初,张峕之听说保州发生兵乱,从魏地飞驰来到城下,召集众部将分别攻城,派人对杨怀敏说:"不马上赶来,就按军法论处。"杨怀敏来到后,就座,又派兵士保卫自己,张峕之大声呵斥卫士离去,所以杨怀敏非常屈恨张峕之,曾秘密上奏说:"杀掉张峕之,贼兵就投降了。"富弼极力为张峕之辩解,皇帝的怒气才消解,但还是因前事而被降职。

戊辰(初十),寿州报告已退休的太尉申国公吕夷简去世。皇帝流下了眼泪,说:"哪里还能找到忧公忘身象吕夷简一样的人呢!"追赠为太师、中书令,谥号文靖。吕夷简主持国政时间最长,虽然多次受到上疏言事者的责难,但皇帝仍非常信赖他。然而,他所斥退的官员不久就又被起用,他对于天下的事情屈伸自如,做事非常有方法。后来配享于帝庙中。起始,王旦认为吕夷简很奇异,对王曾说:"希望你与他好好地交个朋友。"最终吕夷简与王曾并居相位。后来王曾家请求皇帝用篆字写墓碑,皇帝想起了吕夷简,心情惨然,于是写"怀忠碑"三个字赐给他们。

庚午(十二日),平章事兼枢密使晏殊,被罢免为工部尚书,知颍州。晏殊刚开始被拜除为宰相时,拔擢欧阳修等为谏官,不久,晏殊又苦于他们多次议论朝廷大事,有时当面折辱他,等到欧阳修离朝任河北都转运使时,谏官奏请留下欧阳修,朝廷没有答应。孙甫、蔡襄于是上奏说:"庄懿皇太后生育陛下,使陛下成为天下之主,而晏殊受诏撰写庄懿皇太后的墓志,对此事避而不谈。"又上奏说晏殊役使官兵修治所租之房以谋取私利。晏殊因此被贬降。然而晏殊是因为庄献皇太后正临朝理事,所以在墓志中不敢说到那件事。而所役使的官兵是辅佐大臣依例可以借用的,另外,役使的官兵来自他的外甥杨文仲,当时人认为这不是晏殊的罪过。

壬申(十四日),参知政事贾昌朝上奏说:"用兵以来,天下百姓财力很是疲困,请求下令诸路转运司,不得按旧例进行折变、科征各种东西,以免增加百姓负担;其中必须科征、折变的,都要上奏朝廷,听候裁决。如果有宣敕及三司公文而对于百姓不利的,要奏报朝廷。"朝廷采纳了他建议。

辽国主亲自率大军征讨元昊,在九十九泉会合各路大军,命皇太弟耶律重元、北院枢密使韩国王萧惠统帅先锋兵,东京留守赵王萧孝友率军随后出发。

丙子(十八日),调荆湖南路体量安抚王丝为广南东路转运按察使兼本路安抚。王丝在湖南共十月,蛮贼既已被制止,于是调任广东。

丁丑(十九日),元昊又派杨守素来商议事情。

甲申(二十六日),任命枢密使、吏部侍郎杜衍为同中书门下平章事兼枢密使。杜衍对想依侥幸得官的人力加制止,每次皇帝从宫内降下恩旨,杜衍大多扣住而不执行,所积诏书多达十几个时,就拿到皇帝面前。谏官欧阳修入朝应对,皇帝说:"外人知道杜衍封还朕从内宫降下的恩旨吗?凡是有求于朕,朕常常因不可告诉杜衍而停止不办的,比杜衍所封还要多。"

任命参知政事贾昌朝充任枢密使,资政殿学士、知青州陈执中为参知政事。

先前,傅永吉因为诛杀王伦的缘故而骤然升迁,得以入朝觐见皇帝,皇帝当面夸奖他,傅永吉辞谢说:"有这样的成绩并非我有什么才能,都是陈执中把处置之方法告诉我,我遵奉他的策略,幸而有所成绩罢了。"于是极力称赞陈执中。不久,皇帝对宰相说:"陈执中在青州已很长时间,可以召他来京。"于是召陈执中入京并任命为参知政事。于是谏官蔡襄、孙甫等争相攻击陈执中刚愎自用、不学无术,不可以任用他执掌朝政。皇帝命中使带着敕令到青州交给陈执中,并且告诉他:"朕任用你,满朝官员都认为不可以;朕不受人言所迷惑,坚持任用你。"第二天,谏官上殿,皇帝变了脸色,迎着谏官说:"莫不是关于陈执中之事吗?朕已召他入朝了。"谏官才不敢说话。

丁亥(二十九日),在太清楼宴请宗室,在苑中射箭。

起初,元昊派人送来誓表,表中说道:"两国失去友好和平,已经七年了,从今天起立下誓约,愿意把它收藏在盟府。以前所掠夺的将校及百姓,双方各不归还;从此以后,有边境之人逃亡,也不允许袭击、追逐,把逃亡之人全部归还。我最近把本国的城寨奉献给朝廷,其中栲栳、镰刀、南安、承平旧地及其他边境蕃、汉所居之地,乞请划定中央为界线,在界线以内任凭修筑城堡。朝廷每年所赐之绢十三万匹、银五万两,茶二万斤,进奉乾元节回赐银一万两、绢一万匹,茶五千斤,祝贺正旦贡献回赐银五千两,绢五千匹,茶五千斤,中冬所赐时服银五千两,绢五千匹,以及赐给我的生日礼物银器两千两,细衣著一千匹,杂帛二千匹,乞请按上列的定数,不再更改。乞请朝廷屈尊颁下誓诏,我一定代代遵守不渝。假若君亲的大义不存,或者臣子的心有所改变,就让宗庙的祭祀不能长久,子孙遭受祸殃。"冬季,十月,庚寅(初二),朝廷颁下誓诏,告谕全国官吏百姓,把誓书藏在祖庙中。

辛卯(初三),太子太师已退休的陈尧佐去世,赐给的谥号为文惠。

甲午(初六),下诏令河北沿边安抚司用枷锁押送辽国驸马都尉刘三嘏到涿州。刘三嘏是刘六符的哥哥,娶同昌公主为妻,与公主关系不和谐,逃到了广信军。辅佐大臣建议优待刘三嘏以打探辽国的秘密之事,谏官欧阳修也奏请留下他。皇帝以此事询问杜衍,杜衍说:"中国一贯讲求忠信二字,如果违背盟誓,收纳对方叛亡之人,过错就在我方。而且刘三嘏舍弃近亲而逃遁,谋划自身尚且如此,哪里值得与他谋划国家大事呢!"皇帝听从了杜衍的话,遣返刘三嘏。辽国人得到刘三嘏后,把他杀了。

知谏院蔡襄以双亲年老为辞,乞请到家乡的州郡任职,己酉(二十一日),朝廷授予他右正言、知福州。蔡襄与孙甫都上奏论述陈执中不可以执掌国家大政,朝廷既然不依从,于是两人都请求到京外任职。蔡襄的请求首先得到批准,其时,孙甫出使到辽国还没有回来。

范仲淹上疏说:"麟、府二州,山川道路回环往复五六百里,都是蕃、汉百姓以前的耕耘之地,自从被西贼掠夺后,如今还有三千多人散处在黄河东岸。从来所修筑的堡寨,只是打通了麟、府的道路,其四面再无其他城寨可以防守了,边境百姓至今不敢恢复生产,粮草价格昂贵,官府花费大量钱帛来买粮草,河东百姓又苦于运输。如今二州之人都愿意修筑城寨,只需把河西兵马粮草搬借来使用,二州之人自己就可把事情办好。况且折氏强盛的时候,府州只屯驻有汉兵二千人,如今虽然残破,兵马也常常达一万多。如果招集蕃、汉百姓,来此定居,又可获得几千强人壮马,减少了屯驻的汉兵,这确实是守御的长久之计。"因此上奏说张亢曾增修过堡寨,应当派他前往总体负责这项工程。

诏令已经颁下,而明镐坚持说不可以,多次发公文制止张亢。张亢说:"我受诏书之令而建置堡寨,怎能因经略使的公文就停止了呢!"于是更加加紧督催工程。工程完工后,张亢就上表章自我弹劾,朝廷没有问罪。归附的蕃、汉百姓有几千户,每年减少屯戍官兵一万人,河外于是安定下来。皇祐年间,韩琦经略河东,考察堡寨所建之处,大多是北汉名将杨业所曾筹建的地方,韩琦更加知道张亢有深谋远略了。

辽国主率军西征西夏,元昊向辽上表谢罪,接着派使臣上奏,打算收捕叛党献给辽国。辛亥(二十三日),元昊向辽国进献地方特产,辽国主命北院枢密副使萧革迎接使臣。壬子(二十四日),辽国大军驻防河曲,萧革报称元昊亲自率领党项之部前来,辽国主命令萧革质问他收纳叛党、背弃盟约之事,元昊认罪。辽国主赐酒给元昊,允许元昊改过自新,让他回去了。

辽国主打算还回,萧惠说:"元昊忘掉世所受的恩惠,萌生奸计,如今陛下亲临,元昊却不把所掠夺的财物尽数奉还。上天诱发了他的衷心,使他来迎接陛下,这是上天的赠予而我朝却不谋图,将会后悔莫及!"辽国主听从了他的话,督率数路兵马一起掩杀。西夏人已经有了准备,次日凌晨,西夏人把骑兵陈列在河西,以盾为掩护,萧惠把它击败了。西夏军队败退,萧惠指挥先锋军与右翼军拦击,西夏军队中一千多人突围而出。忽然大风四起,飞沙吹进了眼睛,萧孝友一军首先乱了阵脚。西夏军队乘机猛攻,辽国军队大败而逃,被践踏而死的不计其数。驸马萧呼敦被西夏俘虏,辽国主单人匹马突围而出,差点没有脱身,元昊命令不要追击。

桂阳蛮人投降,授职官给三位蛮人酋长。

任直集贤院兼国子监直讲石介通判濮州。富弼等出任使职,谗言诽谤之人更加多了,大都对石介指指点点,石介无法自安,于是请求到京外任职。

元昊派使臣到辽国去,把以前被捉的人送还辽国,辽国主命令把先前扣留的西夏使臣放出,也让他回国。

十一月,戊午朔(初一),司天官员说应当发生日食,却没有发生。

辛酉(初四),辽国主评定将校的功罪,打算诛杀萧孝友,因太后救助而免于一死。

壬戌(初五),任西部边界中内附的香布为团练使。

甲子(初七)监进奏院刘巽、集贤校理苏舜钦,一并被除名勒令停职;直龙图阁兼天章阁侍讲、史馆检讨王洙,被削夺侍讲、检讨之职,知濠州;集贤校理刁约通判海州,江休复监蔡州税,王益柔监复州税,都被削夺校理之职;贬降太常博士周延隽为秘书丞,集贤校理章岷通判江州,直集贤院、同修起居注吕溱知楚州,殿中丞周延让监宿州税,馆阁校勘宋敏求为签署集庆军节度判官事,将作监丞徐绶为监汝州叶县税。王益柔是王曙的儿子;宋敏求是宋绶的儿子。

此前,杜衍、范仲淹、富弼等同在政府执掌国家大事,大量引用当时的知名人士,打算改革一些具体事项,御史中丞王拱辰等对他们的做法感到不满。而苏舜钦是范仲淹荐举的,他的妻子是杜衍的女儿,苏舜钦年纪虽轻但能写一手好文章,议论朝政时稍微侵犯了权贵。适逢进奏院祭祀神灵,苏舜钦按例用卖旧纸所得的公钱,召请伎乐,大会宾客,王拱辰查访后得知此事,暗示他的下属鱼周询、刘元瑜等上奏弹劾,王拱辰想借此动摇杜衍的地位。此事交给了开封府审理,于是苏舜钦及刘巽都因自盗公物罪被除名,王洙等同时受到斥责并被放逐到外地任职。王拱辰等高兴地说:"我一网把他们打尽了!"

此案发生后,枢密副使韩琦对皇帝说:"昨日听说宦官手拿文书逮捕馆职人员非常急迫,众人听了后都纷纷感到惊骇。苏舜钦不过是因为醉酒而犯了小小的过失,只要交付给有关部门处理就可以了,何至于如此!"皇帝脸上现出了后悔的表情。

王益柔也是范仲淹所荐举的,王拱辰既上奏弹劾王益柔,宋祁、张方平又推波助澜,极力述说王益柔作傲歌,罪当诛杀,这是想借诛杀王益柔之事,从而累及范仲淹。章得象对此事不置可否,贾昌朝暗中主张王拱辰等人的议论。到辅佐大臣入朝应对时,韩琦独自说:"王益柔因年轻说了些狂妄之话,哪里值得大加究治呢!天下大事本来就不少,亲近大臣应该与国家休戚与共,把这些弃置不淡,却来攻击一个王益柔,这表明他们这样做别有用意,不仅仅是为傲歌的缘故。"皇帝醒悟,对此事稍加宽恕。

当时两府合班奏事,韩琦必定尽其所言,事情即使属于中书的职责范围,韩琦也对皇帝陈述真实情况,和他同班列的人尤其感到不快活,只有皇帝非常了解他,说:"韩琦性情耿直。"

丁卯(初十),辽国改云州为西京。

己巳(十二日),下诏说:"朕废寝忘食,励精图治,希望能达到古代的那种天下状况。然而太平日久产生了多种弊端,世道浇漓、竞相欺蒙,人人注重交往游乐,家家喜欢直言攻讦别人,又加上相互攀附,沽名钓誉,以至于暗中收受贿赂,表面假托荐举贤才。另外,受命负责按察的人,都过于苛刻,罗织罪名,或上奏弹劾、或严加审讯,从重处罚官吏。至于写文章的人,不知文体要旨,只知诋毁前代的圣贤,放肆奇言怪语,以讪谤上级为能,以行为怪诞为美。从今以后,委托中书、门下、御史台严加查访,然后上奏朝廷。"

范仲淹上表乞请罢免自己的参知政事一职,改为知邠州,朝廷下诏不允许。

知潞州尹洙上疏说:"去年朝廷提拔欧阳修、余靖、蔡襄、孙甫等人相继为谏官,我感到非常高兴,所忧虑的是任用他们而不能长久。今世所谓的朋党,非常容易分辨。陛下试着把打算进用的官员的姓名告诉左右之人并询问说:某人称赞某人;一定有回答说:这是最公正的言论。将来有一天那人或许因事上疏,陛下再询问左右说:某人营救某人;一定有回答说:这是朋党的言论。以前被任用,是这一个人,如今上疏言事,也是这一个人,他所称赞的与所营救的是一样的。然而有时被认为是最公正的言论,有时被称为朋党,这样看来,所谓的公论与朋党,常常取决于陛下的主观意见,而不取决于那人的忠贞或邪佞。惟请陛下考察与裁决!"

下诏按天禧年间的旧例设置谏官六人。

己卯(二十二日),改上庄穆皇后的谥号为章穆,庄献明肃皇太后为章献明肃,庄懿皇太后为章懿,庄怀皇后为章怀,庄惠皇太后为章惠。前此,礼官说:"按旧制,皇后的谥号都用皇帝的谥号开头,孝字连太祖谥号,德字连太宗谥号;只有真宗皇帝的诸后不是这样,请求依旧制改庄字为章字。"到这时才开始采纳礼官的建议。

庚辰(二十三日),皇帝在景灵宫祭祀。那时雨雪连续下了几天,到这时晴空万里。辛巳(二十四日),祭祀太庙、奉慈庙。壬午(二十五日),在圜丘合祭天地,大赦天下。恢复西京、河阳府所裁撤的县。京西、湖南、湖北被贼人劫掠的地方,暂且减免田租。

十二月,己丑(初二),辽国主前往西京。

壬辰(初五)皇帝对百官加恩晋爵。左千牛卫大将军赵宗敏,借郊祀加恩的时机请求朝廷封他的亲生母亲范氏,皇帝答应了。宗室得以加封自己的亲生母亲是从赵宗敏开始的。赵宗敏是信安郡王赵允宁的儿子。

乙未(初八),派遣祠部员外郎张子奭等册封元昊为夏国主,改名为曩霄,相约向宋称臣,遵奉宋朝的历法,改所赐的敕书为诏而不直接称名,允许他自己设置官属。使者到达京城,在驿馆里进行贸易,设宴时坐在朵殿。朝廷派遣使臣到他的国家,相见时采用宾客的礼仪。在保安军及高平寨设置榷场,只是不准交易青盐。张子奭走后不久,有诏书令张子奭在所达到的地方停下来,等候辽国使者来到后再作商议。富弼深刻阐述这样做的不利,说:"如果辽国使者未到而张子奭已先去了,天下人就都知道事情是由我朝自己决定的。如果等到辽国使者来了才出发,那么,这就把讲和的功劳归于辽国了。万一辽国使者了解到我朝尚未册封元昊,或许出言不逊,又不可以拒绝元昊之请求而曲就辽国。如果这样,那么朝廷的一举一动都要受辽国的制约,而且又前后反复,就会大大地被元昊轻视了。乞请陛下果断决定,迅速命令张子奭施行封册的典礼。"

己亥(十二日),高丽派使者向辽国进贡。

环、原之间,所属羌人中有敏珠尔、密藏、康诺,这三族最强大,向来号称强梗。他们的北面有两条河流,与西部的边界相交,宣抚使范仲淹,建议修筑古细腰城来断绝他们与元昊相交通的道路。于是发出公文令知环州种世衡与知原州蒋偕共同主持这件事。种世衡当时正卧病在床,接到公文后当天发兵,在细腰与蒋偕相会,令兵士不分昼夜加紧修筑城池,首先派人用计策蒙骗羌人,羌人果然不来争夺。又召来三族酋长,对他们进行犒赏,并告诉他们官府修筑此城是为他们抵御贼寇。三族既感到出乎意料,又没有外援,因而就服从了。城池修好后,种世衡去世了。种世衡在边防线上多年,积聚粮食、运输货物,所到之处从不麻烦政府,要政府添兵增粮,种世衡对士卒厚加抚爱,士卒都愿意以死相报。等到种世衡死后,羌人酋长连续几天早晚都前来吊唁,青涧及环州人们都画下种世衡的形象来祭祀他。

范仲淹又用公文令蒋偕在大虫巉修筑城堡,城堡还未完工而被敏珠尔、密藏乘机袭击,蒋偕于是从小路逃脱了,跪拜在经略使的庭下请死。王素准备赦免他的罪过,令他再前往那儿把工程干完,自己赎回上次的罪过,狄青说:"蒋偕轻狂而没有谋略,再往必定再败。"王素说:"蒋偕死了,部署就应该前往了。"狄青于是不敢说话了。蒋偕终于把城堡修筑完工了,并招致酋长一同回来。

戊申(二十一日),西夏释放萧呼敦回归辽国。当时,辽国都监耶律哈哩济正因祝贺生辰来大宋出使,住在白沟驿馆。到设宴款待他时,有优伶嘲讽萧惠的河西之败,耶律哈哩济说:"胜败乃兵家常事。我朝嗣圣皇帝俘虏石重贵,到今天兴中府还有石家寨。萧惠的河西之败,有什么值得计较的呢!"后来,辽国主听到此事后,说:"优伶言词失误,你却为何要伤害两国的友好关系呢?"耶律哈哩济被鞭笞二百下,免去了他的官职。

辛亥(二十四日),设置保安、镇戎军榷场。

庆历五年 辽重熙十四年(公元1045年)

春季,正月,庚申(初三),辽国任命侍中萧虚烈为南院统军使,封为辽西郡王。

己巳(十二日),三司奏称重新建造锡庆院所缺财物太多,而辽国使者赐宴的地方又不能没有;下诏再把太学改为锡庆院,像原来一样,另外选择地址修建太学。

庚午(十三日),辽国主前往鸳鸯泺。

甲戌(十七日),任命秘阁校理孙甫知邓州。

前此,孙甫称说陈执中的才干,请求朝廷加以重用,朝廷没有听从,孙甫于是多次请求到外地任职。皇帝曾询问丁度:"在用人时,资格和才干,哪一个是要首先考虑的?"丁度回答说:"天下太平时应当以资格用人,边境战事还未平定时,应当以才干用人。"孙甫又上奏弹劾:"丁度之所以这样说,是因为希望自己被朝廷重用,请交给所属官吏进行处理。"皇帝告诉辅佐大臣说:"丁度任侍从已有十五年,多次议论天下大事,不曾顾及私情,孙甫此话是从何谈起!"丁度知道孙甫所上奏的话误会了自己,极力要求与孙甫就此事加以辩论。宰相杜衍因孙甫正出使辽国,压下了他的奏折,丁度深恨杜衍,并且指孙甫是杜衍的门人。到孙甫从辽国回来,急忙命令他到京外任职。丁度侍从皇帝为皇帝讲解经传史鉴很长时间了,皇帝常常用学士来称呼他而不直接叫他的名字。皇帝曾向丁度询问蓍草龟卜占应方面的事情,丁度回答说:"卜筮是圣人所做的,用一句话来说,只不过是一种技艺而已,不如以古代的治乱兴衰作为镜鉴。"

罢黜河东、陕西诸路招讨使。

乙亥(十八日),恢复设置言事御史,任命殿中侍御史梅挚、监察御史李京担任此职。

丙子(十九日),辽国派使者来宋告诉朝廷,讨伐西夏的辽军已返回。

辽国主率军讨伐西夏回来后,留下耶律仁先镇守边防,不久,召他来京,任命为辽国行宫都部署。耶律仁先奏请免除王子班郎君及诸宫杂役,辽国主依从了。当时西夏人向辽国乞求和好,辽国主因为西夏前后反复无常,命令左伊勒希巴、萧迪里前往察看西夏是否有诚意。萧迪里于是向元昊陈述利害关系,元昊表示服从命令,萧迪里才回国。

赐润州草民邵餗号为冲素处士,知州王琪推荐邵餗,说他安平守道,一向很有气节、操行,所以朝廷赐予此号。邵餗上表坚决推辞,朝廷允许了。

甲申(二十七日),西夏派遣使臣向辽国进奉鹘鸟。

乙酉(二十八日),任命参知政事范仲淹知邠州兼陕西四路缘边安抚使,枢密副使富弼为京东、西路安抚使,知郓州。

范仲淹、富弼出朝任使职后,进谗的人更加多了,两人在朝时所施行的政策也被逐渐破坏,只有杜衍略加维护。皇帝非常迷惑于谗言,范仲淹更加不能自安,因此上疏乞请罢免自己的参知政事一职。皇帝打算答应他的请求,章得象说:"范仲淹向来很有虚名,一有请求,朝廷马上将他罢免,恐怕天下人认为陛下轻易黜退贤臣,不如暂且下诏不允许他的请求。如果范仲淹随即就上谢表,这表明他是利用欺骗手段要挟君王,到那时就可以罢免他了。"皇帝

983

听从了章得象的话。范仲淹果然上表章表示谢恩，皇帝更加相信章得象的话了。此时，富弼从河北回京，将到国门，右正言钱明逸揣摩到章得象等人的意思，便上奏说："富弼更替规章制度、扰乱人心，凡是他所推荐的人，大多被挟制为朋党，所喜爱的就极力主张，不依附自己的就大力排斥，满朝官员人人都畏惧他，与范仲淹是一类的人。"又上奏说："范仲淹去年受命宣抚河东、陕西，听说有诏书严厉告诫结成朋党的人，范仲淹心里害怕自己被暴露出来，赶忙称病求医；刚见朝廷别无差遣，就上表章乞请罢去参知政事一职而改知邠州，打算稳固自己的地位以消除人们的言论，欺诈的迹象非常明显，乞求早日将他废黜。"此疏上奏后，皇帝立即下诏罢免范仲淹和富弼。

这一晚，还锁上学士院草拟制书罢免杜衍，而杜衍却不知道。陈执中在中书，多次与杜衍的意见不相同，蔡襄、孙甫乞求出京任职，这件事交给了中书处理。孙甫本是杜衍所荐举任用的，于是中书共同上奏说："谏院如今缺人，暂且留下孙甫等到那里任职。"上奏后，皇帝点头表示同意。杜衍退朝回来后，就召属吏开好札子，令孙甫等在谏院任职。杜衍及章得象已经签署名字后，属吏拿着札子到陈执中办公之处，陈执中不肯署名，说："先前，皇帝并没有明确的意旨，应当再次上奏，怎能如此草率！"属吏回来报告了杜衍，杜衍取过札子并把它烧了。陈执中因此诬陷杜衍说："杜衍与蔡襄、孙甫二人结为朋党，想把他们安插在谏院，等到我察觉他的隐情后，就焚烧了札子以毁灭证据。"皇帝相信了陈执中的话。丙戌（二十九日），杜衍被罢免为尚书左丞、知兖州，制书中的文字大略是说："自从位居宰辅之职，没有协助皇帝安邦治国的功绩，使朋党比附之风愈演愈烈，难于再处在咨询谋划的地位上。"这是学士承旨丁度的文笔。

枢密使、工部侍郎贾昌朝，依同前官任平章事兼枢密使，任命宣徽南院使兼枢密副使王贻永为枢密使，任命资政殿学士、知郓州宋庠为参知政事。皇帝罢免范仲淹后，问章得象："谁可以代替范仲淹？"章得象推荐宋庠的弟弟宋祁，皇帝看中宋庠，于是又召他入朝加以重用。

任命翰林学士权知开封府吴育、龙图阁直学士知延州庞籍同为枢密副使。吴育起初任开封府尹，范仲淹在中书，吴育因报告事务，多次与范仲淹发生冲突。不久，范仲淹安抚河东，有上奏请求，大多被执政者所阻，吴育独自择取其中可以施行的坚持执行。

二月，戊子朔（初一），分派内臣前往诸路裁汰老弱残兵，诸州宣毅军超过三百人的，不得再行招募，这是采用韩琦的建议。

辛卯（初四），下诏说："近来京师朝官必须有人保任，才能叙用升迁。朕考虑廉洁之士或许不能自己找人保任而被进用，因而废除这种制度。"当时监察御史刘元瑜上奏说："近年考核政绩之法，从朝官到员外郎、郎中、少卿，必须有清正有名望的官员五人一起保任，才允许磨勘升迁，这种制度恰好助长了奔走钻营的风气，不是培养士人注重廉耻的方法。希望朝廷参酌祖宗的旧规，另外制定可以施行的制度。"所以皇帝颁下了这份诏令。

康定初年，刘元瑜曾上奏说："范仲淹无罪受贬，既然恢复他的天章阁待制一职，就应留在陛下的身旁。尹洙、余靖、欧阳修，都因朋党之说而被斥退，这是小人们嫉贤妒能的伎俩。"等到范仲淹有被罢退的迹象时，刘元瑜立即揣摩到章得象、陈执中的心意，上奏兴起邸狱，弹劾放逐陆经。又上奏说："先前任命夏竦为枢密使，谏官多人指摘他以前的过失，夏竦被召来到了京城大门时又被罢去此职。从此谏官们以进退大臣作为自己的责任,以揭发别人的隐私作为忠贞正直,推举征用轻薄之人,朋比为奸。最近任命的两府大臣,出自陛下的英明决断,只有朋党之人因为任用大臣不是出于他们自己的意思而议论纷纷,我恐怕刚任命的大臣又会被疏远或罢免了。几天前孙甫荐举叶清臣,诋毁丁度,就是这种情况。"磨勘保任的方法,事实上是范仲淹所制定的,范仲淹既被黜免,所以刘元瑜急忙奏请罢黜这种制度。

知制诰余靖上奏说:"我看最近下发的中书札子,今后臣僚上奏荐举子孙亲属,长子、长孙都不限制年龄;其他诸子、诸孙必须十五岁以上,弟弟、侄子等都必须二十岁以上,才允许上奏荐举;所上奏荐举的亲属都必须在五服以内。我认为朝廷推行恩典、广延封赏,都是要大臣们的子孙延续门户,而有些人年老才进入郎署,晚年才被授予官职,他们的嫡亲子孙因年幼限制而不能上陈要求朝廷给予恩赏,于是朝廷只能荫封他们的疏远支系中年龄较大的人,这是弃亲而用疏、舍近而求远,恐怕不符合国家褒奖有功德的人并延及他们子孙的本意。我的亲弟弟年龄已经达到规定要求,并不会因为采用新条规而受阻隔;我只是认为年老的臣僚不能荫及其嫡亲子孙,只能上奏荐举其疏远的亲属,于情理不合。乞请陛下特别颁发指示,规定荫封时不限制年龄,以广延封赏的恩典。"皇帝依从了。

壬辰(初五),夏国主曩霄第一次派遣使臣前来祝贺正旦。从此,每年都是这样。

戊戌(十一日),讲解的官员为皇帝讲解《诗经》,从《鸡鸣》篇开始,到《南山篇》结束。此前,讲解的官员不打算讲解《新台》篇,皇帝说:"《诗》三百篇,都是由圣人所删定。内容里含有规劝告诫的意思,怎么可以回避!"于是命令从今以后讲读经史不允许随便遗漏。

任命兵部员外郎兼侍御史知杂事赵及权判吏部流内铨。起初,流内铨的官吏隐瞒了人员缺额的情况,与候选人做交易,赵及奏请凡有缺额时立即张榜公布。吏部张榜公布有空缺名额是从赵及开始的。

下诏给陕西、河东经略司:"夏国虽然重新向宋称臣,但是要命令边关大臣更加注意训练士卒,不得随便松弛边防战备。对于城池、堡垒、器杖、衣甲,每季都要令转运、提点刑狱司加以巡察。"这是采用枢密副使吴育的建议。

知制诰余靖上奏说:"听说最近西夏与辽国约和,不久又侵扰掠夺,恐怕辽国对西夏的愤恨不能消解,又派使臣前来告诉将要西伐之事,受命往来的人就会络绎不绝,空耗国家的财物费用。我如今奉命出使辽国,打算先告诉辽国,元昊是反复小人,他的去就不值得两朝重视,假使一时反叛,也是常事,双方只需在边关上通报一声就行了,不必再专门派遣使臣相互通告。"朝廷依从了。

庚子(十三日),辽皇帝进驻撒刺泺。

乙巳(十八日),改马军都虞候公廨为太学。

庚戌(二十三日),皇帝驾临迩英阁,进读《三朝经武圣略》,拿出数本阵图,以及陕西僧侣所献的兵器铁浑拨,给讲读官员观看。

癸丑(二十六日),桂阳监报告说唐和等再次入侵内地。

三月,戊午(初二),皇帝驾临迩英阁,讲解官员为皇帝讲解《诗·匪风篇》中的诗句:"谁能烹鱼,溉之釜鬵",皇帝说:"《老子》中说的'治大国若烹小鲜',意义与这一句相同吗?"丁度回答说:"烹鱼时过于烦琐就会把鱼弄碎,治理国家过于烦琐就会使百姓离散。若不是陛下学问深远,怎么可以察见古人渴求天下大治的意思呢!"

杜衍、范仲淹、富弼被罢职后,枢密副使韩琦上疏说:"陛下任命杜衍为宰相,刚到一百二十天就罢免了他,一定是陛下看到了他的过失,这不是我所敢于议论的。范仲淹因西夏刚刚归附,自己乞请到边关任职,朝廷因此加以任命,这本身也能说得通。至于富弼,是上天赐予朝廷的忠义大臣,先前出使辽国,面对难以预测的灾祸,以刚正的雄辩使强敌屈服,忘掉自己身处危境,一心一意为国家做事,这是古人也难以办到的。去年秋天,辽国点集大兵,声言将讨伐元昊,朝廷未测虚实,富弼认为河朔边防的战备还不完善,又主动请求出行,在外半年,全面持久的抵御戎敌的策略,肯定已在他的心中形成了。事情办完后赶回京城,刚到大门,还未来得及向陛下陈述之前,朝廷已降旨,令他到一闲郡任职,朝廷内外都不知道他得罪的原因。我恐怕从此以后天下的忠臣义士,都把富弼作为自己的鉴戒,谁还肯为国家出力呢?这样一来,国家所受到的损失还小吗!我看见近几天李用和多病,陛下打算召李昭亮来朝掌管殿前司事,而武臣中想找一个代替李昭亮的人,都很难找到合适的人。我认为陛下不如因此改任富弼知定州,仍兼部署一职,派一个中使去宣告,令富弼入朝奏陈河北公事以后前往定州赴任,等到他与陛下答对时,陛下加以慰问后再派他上任。富弼向来秉承忠义二字,又加上感念陛下的这个恩典,以后,富弼就只想着如何为国效力,哪里敢再计较什么内外职任呢!如果这样,那么朝廷把北部边防之事专门委托给富弼处置,把西部边防之事专门委托给范仲淹处置,使他们早晚经营,以防备二处边境的突变,朝廷就实实在在有所倚靠了。"此疏送上后,没有回音。而董士廉又入朝诉讼水洛城的事情,辅佐大臣大多支持他。韩琦无法安下心来,恳切请求出任外职。辛酉(初五),韩琦被罢黜枢密副使一职,给资政殿学士的名号,出任知扬州事。

甲子(初八),广西转运使杜杞,奏报宜州蛮贼区希范已被平定。杜杞刚到真州时,就首先派人飞快传递公文告诉蛮贼,允许他们主动改过自新。等到到了宜州,蛮贼无一人前来。杜杞获得一州校吴香及一个狱中囚犯区世宏,打开他的枷锁,给予衣服穿带,让他们入峒劝说,蛮贼不听。杜杞于是率军攻破白崖、黄泥、九居山寨及五峒,焚烧积聚的财物,斩首一百多人,收复环州。区希范与蒙赶散开逃去了,杜杞派吴香催促蒙赶出来投降。杜杞对将校们说:"蛮贼倚恃险阻,如果用威势不能加以制服,那么用恩惠也就不能笼络他们,所以蛮人屡次反叛。如今只是因无计可施才投降的,以后一定会再次反叛,不如把他们全部杀光以杜绝后患。"于是杜杞击杀牛马,制作蔓陀罗酒,在环州大规模宴请蛮人,宴会正在进行,突然伏兵四起,擒拿并诛杀了七十多人,取出他们的五脏画成图,释放有病被胁从和因战败而投降的一百多人。三天后,又抓获区希范,把他剁成肉酱,送给各溪洞的蛮人。

丙子(二十日),下诏令礼部贡院增加天下选送入京参加进士考试的人员名额。贡院请求在景祐四年、庆历元年科场中录取的进士人数内,选择一年人多的,令各地选送,在此基础上再增加十分之二,这样一来,参加考试的人虽然增多,但所增的人数都不超过原额的一半,总计各州军共增加三百五十九人。皇帝下诏,以此作为定额。

范仲淹被罢职后,执政大臣认为新制定的科举入学预试方法很不便利,并且说诗赋声律的毛病容易找出,而策论漫无边际难以严格把握。祖宗以来,科举考试的方法没有任何改动,却也常常获得很多有用的人才。皇帝把这一建议交给大臣们讨论,有关部门请求仍然按照以前的方法来考试。于是皇帝下诏说："以前的科举条例,都是先朝所制定的,应当一切如故。此前所有更改的命令,应全部废除。"

监察御史包拯上奏说:"我看见先前降下的敕令节文,应奏荫选人年龄二十五岁以上,遇到南郊祭祀的大典,在半年内允许前往流内铨投递文状,京官每年春季到国子监投递文状,并且差遣两制官员在各处进行考试,其中研习词业的在考试时或者考策论或者考诗赋,研习经业的分别只考一经;考试墨义等及格的,允许放选注官及差遣。自从敕令下发以后,天下士大夫的子弟,无不倾心学习,学习态度一丝不苟,诏书中所说的'不仅是为国家培养人才,而且是为个人建立功业,'实在是培育人才的根本。最近听说有臣僚上疏,想建议废除这一措施,如果是那样的话,那么刻苦勤学的人就会日见懒惰,一旦让他们当政处理事务,他们不可能把事情处理得很好。或许以前的条例制度还有未完善的地方,祈望陛下下令让有关部门再加以详细的讨论并制定,依旧施行。"

枢密副使庞籍奏称曩霄已接受封册,希望陛下及早下令让延州,保安军与元昊划定边界。

甲申(二十八日),下诏:"师旅兴起以来,陕西的官兵风餐露宿、十分辛苦,百姓疲于运输粮饷。在押因犯降罪一等,原判为杖笞刑的释放回家;边防士卒赐给缗钱;百姓去年所欠交的租税都不再追缴,减免租税的一半。麟、府二州遭羌贼掳掠,对所欠的租税处理方式与陕西相同。进士一举、诸科两举,今年都免予选取。"

丙戌(三十日),罢黜交纳粮食授予官职的制度,这是依从殿中丞张庚的请求。

本月,欧阳修上疏说:"我听说,士人若不是奋不顾身,就不能算作忠信;所说的话若不是让人感到不快,就不能算作是谏诤。我看杜衍、韩琦、范仲淹、富弼等,都是陛下一向委以重任的大臣,一旦相继而被罢职,天下士人都向来知道他们有可以任用的贤才,没有听说他们有可以被罢职的罪过。我虽然在外任职,对于事情不能知道得很详细,然而我发现自古以来小人谗害忠贤,他们的见识不远,想大批地陷害良善之人,不过是指为朋党而已,想扳倒大臣,就必须诬告他们专权。这是什么缘故呢?除去一位忠善之人而众多忠善之人还在,这对于小人来说未必有利。如果想全部除去,可是因为忠善之人过失很少,很难一一加以指出,所以只好指为朋党,这样就可以全部除去了。至于大臣中皇帝深深了解而被信任的,无法用其他方法来动摇其地位,只有专权是君主最厌恶的,所以必须用这种办法才可以把大臣扳倒。我料想杜衍等四人都没有大的过错,而同时被逐出朝廷,富弼与范仲淹已经深受皇帝所信任,而忽然遭到离间,一定有人用朋党专权之说来迷惑陛下。请允许我对此向陛下详细论述:

"以前,范仲淹因进奏忠言而闻名中外,天下人争相称颂仰慕,当时有奸臣诬告他为朋党,还难于分辨清楚。从近日以来陛下拔擢这几个人一并在两府任职。考察他们如何处理事务的,就可以分辨清楚的。杜衍为人清正审慎而谨守规矩,范仲淹则恢宏自信而不疑,韩琦则纯正而质朴刚直,富弼则明敏而果断,四人性情既然不同,每人见解又各不相同,所以议事大多情况下不一致。比如,杜衍打算从重治罪滕宗谅,范仲淹极力争辩而从轻处罚;范仲淹认为辽国一定会进攻河东,奏请朝廷赶快整修武器装备,富弼极力陈述辽国一定不会攻击河东;又如,尹洙也被称为是和范仲淹一党,在争辩关于水洛城的事件时,韩琦则同意尹洙而反对刘沪,范仲淹则同意刘沪而反对尹洙。这四个人,可以称得上是公正无私的贤臣,平时相处则互相称颂赞美,议论国家大事时则当廷争执,不顾私情,可是如今小人却指他们为朋党,这可说是诬陷了。

"我听说国家的权力,确实不是臣下所能专擅的。对于权力,获得声名地位就可以行使,所以行使权力的大臣,一定贪恋声名地位。自从陛下想把韩琦与范仲淹从陕西召回,韩琦等辞让了五六次,陛下也五六次地召他们回朝。富弼三次被任命为枢密直学士,两次被任命为枢密副使,每次任命,富弼没有不更加恳切地辞让的,而陛下任用他的决心也一次比一次坚定。我只看见他多次辞让,没有看见他专擅权力贪恋地位。等到陛下坚决不允许他们辞让,他们才敢接受任命,然而还是不敢另有所为。陛下开天章阁,召见他们并赐予座位,授给纸笔,要他们逐条开列大事,然而众臣避让,富弼等也不敢单独有所建议。又烦劳陛下亲自发出手诏,指定他们的姓名,专门责成他们逐条列出大事而施行,施行很长时间,希望能有所成效,富弼性情虽然敏锐,然而也不敢自出己见,而只是列举祖宗的旧制,请陛下亲自选择后而施行。自古以来君臣相得,莫过于一拍即合,遇到事情就果断施行,更没有推辞避让的情况发生。富弼等承蒙陛下委以重任,督责再三,不时叮咛,而还是迟缓自疑,做事不果断,然而小人巧言谗语,已说他们专擅权力,岂不是诬陷吗!

"至于两路宣抚,朝廷多次派遣大臣,何况中国的武威,近年来一直不振,所以元昊反叛于一方,劳顿困苦达于天下之人,辽国乘机违背盟誓,书信的措辞轻侮傲慢,陛下只因为边防没有准备,因而委曲求和。富弼等看见中国连年遭敌国的侵凌之患,感念陛下破格任用的恩典,都分别请求前去边关,力图雪此国辱,因而,他们沿山傍海,不怕劳苦,想使军事实力进一步加强,重振国威。我认为富弼等人的用心,本意是想尊崇陛下的权威,并没有发现他们有侵权行为从而导致做出过分的事情来。陛下在千名左右的官员中选取这几个人,一时间把他们全部罢职,这只会使奸邪小人们互相庆贺罢了,这就是我为陛下感到痛惜的原因!"

此疏上奏后,没有答复,指欧阳修为朋党的人更加憎恶他了。

夏季,四月,丁亥朔(初一),司天监报告说应当发生日食,由于天阴而看不到,宰相率领百官向皇帝祝贺。

此日,皇帝驾临崇政殿,审查在押的囚犯,派遣监察御史刘元瑜等前往三京对所存案件加以审理。御史李京上奏说:"陛下因上天发出告诫而自我反省,回避正殿,降低日常膳食标准,因此精诚所至,感动日月,应当发生的日食却由阴云遮蔽了太阳亏缺的地方。然而我私下里仍有所怀疑,从宝元初年,定襄发生地震,十年未停,岂不是西、北两边有窥视中国的意图吗?二月出现雷声,八月就没有了。如今初夏还未出现雷声,岂不是号令失去威信了吗?希望陛下告诫边防大臣,做好边防准备;告诫辅佐大臣,发出命令要谨慎,以防患于未然。另外,尚美人被遗弃在外馆多年,最近听说又被召入宫中。我担心她假借妖媚之术以蛊惑陛下之心,应当赶快与她断绝往来。苗继宗是嫔御子弟,是因私恩而被任命为府界提点。陛下应当割舍男女间的情爱,重视职官的名分,这样或许不至于累及朝政。"皇帝认为建议提得很好,于是采纳了。

夏国主曩霄初次派遣使臣来朝廷,祝贺乾元节。从此,每年都是这样。

戊申(二十二日),章得象被罢免为镇安节度使、同平章事、判陈州。章得象在中书任职八年，当时，正是陕西用兵，皇帝着力于天下事务的时候，朝廷进用了韩琦、范仲淹、富弼三人，使他们与章得象谋划当前的紧急事务，章得象无所建树。韩琦等都被罢职，而章得象仍高居宰相之位，泰然自若。监察御史里行孙抗多次上奏谈论此事，而且章得象也连续上十二道表章请求朝廷罢免自己的职务，皇帝不得已，于是才允许他辞职的请求。

任命工部侍郎、参知政事陈执中依前官平章事兼枢密使。

庚戌(二十四日)，任命枢密副使吴育为参知政事，翰林学士承旨丁度为枢密副使。

辛亥(二十五日)，高丽派遣使臣向辽国进贡。

癸丑(二十七日)，调知陈州、资政殿学士任中师知曹州。任中师自己说："我本是曹州人，如今年纪大了，愿意到曹州任职，谋图退官休闲之计。"皇帝同情他，于是答应了他的要求。

五月，西夏归还了石元孙。谏官御史上奏说石元孙兵败而不死是国家的耻辱，请求将他斩首于寨下，宰相陈执中认为应当批准谏官御史的奏疏。唯独贾昌朝说："在春秋时，晋国俘获楚国将领谷臣，楚国俘获晋国将领知罃，也把他们归还而没有诛杀。"于是入朝应对，从袖中取出《魏志·于禁传》，进奏道："以前朝代的将臣，失败后又返回国家，大多不加以治罪。"皇帝于是宽恕了石元孙。癸亥(初八)，削减官爵，送交全州管制，他的子弟所受的恩泽被同时剥夺。

知制诰余靖，前后三次出使辽国，更加了解辽国的语言，他曾用辽国的语言与辽国主对话。侍御史王平、监察御史刘元瑜等弹劾余靖有失使者的体统，请求朝廷处罚他。刘元瑜又说余靖官居知制诰，不应当再兼领谏官职务。庚午(十五日)，放余请出京任知吉州事。

癸未(二十八日)，下诏吏部流内铨："从今以后，对初次入官选人的考试，研习文辞的考省题诗或赋论一首，研习经业的考墨义十道，都要注明是否合格可以授官的字样；如果考试中出现错误，考墨义的共有十道不合格，命令守选，等放选时再次考试；又不合格，就出任地的判、司之类的职官。年龄在四十岁以上的，按原来的制度读律，通顺的话，就授予官职。仍命两制一员共同进行考试。"

闰月，殿前副都指挥使、建武节度使李用和因年老乞求解除军职。戊子(初三)，授予他宣徽北院使的职务。任命步军副都指挥使、淮康军留后李昭亮为武宁节度使、殿前副都指挥使，代替李用和。当时，太平时间很长，将帅大多因循守旧，军队纪律松弛。李昭亮本是将门后代，通晓军事，统领宿卫兵以后，对士兵要求一切从严。万胜、龙猛军因赌博而发生争斗，拆下房屋的椽子相互攻击，市人都吓得惊惶不已。李昭亮把这些人捕获并斩首，对军主施行杖刑，诸军都胆战心惊。在皇帝举行南郊祭祀时，有一骑兵丢失了所携带的弯弓，适逢大赦，应当将这名骑兵释放，而李昭亮认为这是宿卫不谨慎造成的，不可宽恕，终于把这名骑兵下调到所隶属军队中去。禁兵从此非常整肃。

丙午(二十日)，夏国主曩霄派遣使者前来答谢朝廷的册命。

壬子(二十七日)，下诏："三后去世，已经多年，命令礼官查考旧规，商议升祔之礼。"

癸丑(二十八日)，河北都转运按察使欧阳修上奏说："转运使虽然理当专门掌管金谷事务，不参与军事方面的事情，然而从前曾接朝廷的密旨，命令熟悉了解本道的要害之地，暗中做好边防准备。如今沿边知州武臣不过是诸司使、副使，通判即使是常参初入京朝，都能够知道全部的机要事情，只有我的本司不能够参与；我并非想侵夺边防大臣的权力，而是因为调动使用军需储备，必须根据边防事务的缓急而有所不同，甚至于考查将领官吏，也应当了解他们处理事务是否得当。请求从今以后，允许让本司也能够参与到边防事务中去。"朝廷同意了。

辽国主在永安山避暑。

六月，癸亥（初九），任命泽州进士刘羲叟为试大理评事。羲叟精通算术，兼通《大衍》等诸家历法，曾为司马迁的《天官书》做注，以及撰写了《洪范灾异论》，欧阳修向朝廷推荐了他，朝廷召他在学士院进行了考试，因而下达了这一任命。

丁卯（十五日），减去益、梓州百姓每年上供绢数的三分之一，红锦、鹿胎减去一半。

辽国主拜谒庆陵。

壬申（十八日），太常礼院上奏说："尊奉诏书，讨论升祔三位皇后的事情。考察唐肃明皇后，本来是中官正位，昭成皇后，因是皇帝母亲的缘故而得尊贵，开元年间，她们都附祭于睿宗的庙室。本朝懿德、明德、元德三位皇后，也应一同附祭于太宗庙室。敬想章献明肃皇太后，是天下母亲的风范，辅佐而成皇帝大业，章懿皇太后，养育陛下，恩德广大，请求迁到真宗庙一同祭祀，排在章穆皇后郭氏之后。章惠皇太后虽然由于先朝的遗制，曾荣升太妃的贵位，然而到了明道年间才加皇太后的懿号，与章怀皇后的情况十分相同，请求把她的牌位迁到皇后庙，排在章怀皇太后的后面。另外，"太"字是用于活人的礼节，不应当施用于宗庙之中，况且太庙诸庙室，皇后都没有四个字的名称，请求改奉章献明肃皇太后为章献皇后刘氏，章懿皇太后为章懿皇后李氏，章惠皇太后为章惠皇后杨氏。乞请再次召集大臣进行商议，以表示对祖先尊奉慎重的意思。"下诏令两制及待制、御史中丞共同商议后奏报朝廷。

己卯（二十五日），准布大王率领诸酋长向辽国朝贡。

庚辰（二十六日），西夏派使臣向辽国进贡。

秋季，七月，辛丑（十八日），贬降知潞州尹洙为崇信节度副使，这是由于他先前在渭州贷用公使钱的缘故。

壬寅（十九日），翰林学士王尧臣等上奏说："礼官商议改奉章献皇后、章惠皇后的谥号，考察各种礼制，我等认为原议不妥。谥号告于庙中，封册藏于陵里，不允许日后再有轻易改动。另外，把皇后附祭于宗庙，本来是为了尽孝心，如果抑损尊号，恐怕不是尊奉的礼节。而且我等又广泛地查考了典章旧制，又参酌人情，历来只有增加崇奉的文字，并无日后减损尊号的旧例，章献明肃的谥号，乞请如旧。章惠皇太后，拥护保佑陛下，把情义全部投入到子嗣身上，按照礼节应另建祠堂，请求仍称章惠皇太后，仍依旧在奉慈庙祭祀她。"于是，皇帝下诏令中书门下复议，中书门下复议后，请求按礼官及学士们的建议，奉章献、章懿升配真宗庙室，谥号如故；章惠仍然在奉慈庙中祭祀，都按礼仪的变化，依次祭祀，不要违反。乙巳（二十二日），下诏依礼官的建议，奉章献明肃皇太后，章懿皇太后位于章穆皇后的后面。

戊申（二十五日），下诏："从今以后，按罪当诛杀的，如果祖父、母年龄在八十以上以及患重病而无近亲照顾的，把他的犯罪情况奏报给朝廷。"

广州发生地震。

辽国主驻中会川。

八月,知秦州田况为父守丧而辞职,辛酉(初八),朝廷让他官复原职,田况坚决辞谢。皇帝又派内侍拿着手诏敦促他复职,田况不得已乞请归葬父亲于阳翟,借边防事情求见皇帝,哭泣着请求皇帝让他为父亲守丧到期满,皇帝也很理解,于是答应了田况的请求。将帅大臣能够守丧期满再复职的是从田况开始的。

从真宗封禅以后,不再校猎,废除了五坊之职。直集贤院李东之上奏说:"祖宗施行校猎的制度,是为了顺应时令节气而训练军事的。陛下登基以来,未曾实行过这种制度。希望陛下下诏令有关部门草拟仪式,挑选日期命殿前、马步军司出动兵马跟从陛下到近郊射猎。"壬戌(初九),下诏令枢密院讨论先朝的校猎制度后,详细地奏报朝廷。

甲子(十一日),任命监察御史包拯为贺正使,出使到辽国。辽国的陪伴人员对包拯说:"雄州新开了一个便门,是打算引诱纳降辽人以打探边疆的事情吗?"包拯说:"如果想探知辽国事情,自有正门,何必要便门! 我朝难道曾问过你们涿州开门的事情吗!"此议于是不再被辽人提起。到包拯出使回来后,详细奏报朝廷说:"我奉命出使辽国,辽国的情况,我非常了解,辽国自从创设云州、建西京以来,添置营垒寨堡,招兵买马,聚草囤粮,只以西讨元昊为名,然而他们的意图深不可测,从云州至并、代州很近,从代州至应州,城池相望,只相隔数十里,地势非常平坦,这是天下人共同出入的道路。自从失去山后五镇,这条道路更加难以控制,万一遭侵袭,那么河东之形势就非常值得忧虑了。不可相信辽国的表面作法,而放松自己的实际战备。又听说代州以北,多年来蕃户深入我朝界内,侵占土地,定居下来进行耕作生产的非常多,这是边防大臣畏惧懦弱,不能限时加以禁止。如今,如果不命令边防大臣固守疆界,我恐怕蕃户一定会日胜一日侵占我土地,窥探边防的漏洞,酿成大患。我想乞请今后在沿边的要冲之地,专门委任执政大臣,精心挑选一向知习边防大事的人作为守将。其中代州尤其不可轻易授予某人,如果任用得当,就要求他干出实效来,即使有小的过错,也不要随意替换,这样一来,军民安于他的政令,即使有紧急之事也不至于导致失败了。"

庚午(十七日),荆南府、岳州发生地震。

癸酉(二十日),下诏:"西夏近来送达的誓表,只要求在延州、保安军另外商定边界,其余都和以前的疆界一样。命令陕西、河东将帅大臣严厉告诫边防将士,一定要小心防守疆土,不得随便惹是生非。"

甲戌(二十一日),降河北都转运按察使欧阳修为知滁州事,权发遣户部判官苏安世监泰州盐税,出内供奉官王昭明监寿春县酒税。起初,欧阳修有一妹妹嫁给张龟正,张龟正去世而没有儿子,有一女儿是前妻所生的,刚四岁,无所归依,她的母亲即欧阳修的妹妹就把她带回欧阳家,此女到了成年后,欧阳修把她嫁给了自己族兄的儿子欧阳晟。适逢张氏在欧阳晟家与家奴通奸,此事被交给开封府处置。权知府事杨日严以前为益州知州,欧阳修曾议论说他贪婪恣肆,因此杨日严让狱吏附会张氏的口供以至于牵连到欧阳修。谏官钱明逸于是弹劾欧阳修与张氏有私情,并且用欺骗手段霸占了她的财产。下诏令苏安世与王昭明一同审理此案,关于欧阳修的事最终并无证据;于是欧阳修因用张氏妆奁中的钱物购买田产却立欧阳氏的契约一事,苏安世等因径直用公文向三司提取此案的记录而没有事先通报,所以都受到处罚。苏安世是开封人。此案发生后,怨恨欧阳修的人都想重重处罚欧阳修,而苏安世独自辨明欧阳修所受的诬陷,这样做虽然违逆了执政大臣的意图,并因此与王昭明一起被处

991

罚,然而君子们都很称赞他俩。

　　鄜延经略司奏称西夏不肯明确设立封界,朝廷下昭令保安军发公文给宥州,让他们遵守誓约指挥。

　　壬午(二十九日),监察御史李京上奏说:"去年保州军乱之后,沿边的兵士骄纵蛮横,稍不如意就喧哗鼓动。近来又有永宁军的士卒暗中谋划叛乱,边境百姓远近不安。我曾考察过唐朝从至德以后,河朔之兵骄纵,镇、魏尤其严重,再加上奸臣跋扈,朝廷的威令不能施行,这都是不及早制止的过失。如今,沿边主管军事的大臣,既不遴选,等到有军士犯了过失,就一概被治罪,于是使骄纵之兵气焰更加嚣张,朝廷要求大臣将帅处置要宽容,防守大臣为了避祸,只求因循守旧,对这些情况不及早加以制止,将又会出现至德年间那样的弊病。应当令两府考察边防士吏,有疲弱怯懦不能担任职务以及纨绔子弟,全部加以罢黜。如果有军士犯过失,并非是长官引起的,就应只处罚招引祸患的人。重要的是使骄纵士卒畏惧朝廷严威而洗心革面,防守大臣竭心尽力于边防大事,这不仅可以伸张国法的本质,也可以使重大事情在事发之前就处置停当。"

　　九月,庚寅(初八),下诏:"文武官员已经退休了而所荐举的官员犯了法应当连坐的规定,从今后加以废除。"这是依从翰林学士张方平的请求。张方平进奏说:"因举荐失误而允许首先揭发以免罪,这是要求举荐人应当考察所举荐的人的不法行为。退休官员既然已经不再任事,就不应当与在职官员作同样的要求。"于是下了此道诏书并定为法令。

　　辛卯(初九),因重阳节而宴请近臣、宗室于太清楼,随后到苑中射箭。

　　癸巳(十一日),下诏令近臣考证于先朝正史、实录,作《景德御戎图》。

　　庚子(十八日),设置南京留守司御史台。

　　甲辰(二十二日),调江南东路转运按察使杨纮任知衡州事。杨纮曾上奏说:"不法之人不可宽贷,如果让他肆意贪残于一郡一邑,将会损害众多的良民百姓,不如除去他,这样只会对一家产生不利而已。"闻听的人都望风而逃。然而杨纮竟被判为苛刻而遭降职。杨纮是杨亿的侄子,过继给杨亿,他任江东转运按察使,是富弼举荐的。

续资治通鉴卷第四十八

【原文】

宋纪四十八　起旃蒙作噩【乙酉】十月,尽强圉大渊献【丁亥】三月,凡一年有奇。

仁宗体天法道极功全德　神文圣武睿哲明孝皇帝

庆历五年　辽重熙十四年【乙酉,1045】　冬,十月,乙卯,辽遣使来致元龙车及所获夏国羊马。

辛酉,祔章献明肃皇后、章懿皇后神主于太庙,大赦天下。

"诸路转运使昨带案察之名,比闻过为烦苛,吏不安职,至有晓谕州县,俾互相告论;有伤风化,无益事体,其并罢之。"时执政沮改范仲淹、富弼所行事,因肆赦,遂有此命,初,议者请覃恩百官,且优赐军士。参知政事吴育曰:"无事而启侥幸,谁为陛下建此议者?请治之。"已而帝语辅臣曰:"外人怨执政,宜防喧哗。"育曰:"此必建议者欲以动摇上听,愿毋虑。臣既以身许国,何惮此邪?"帝遣中使察视山东盗贼,还奏:"盗不足虑,而兖州杜衍,郓州富弼,山东尤尊爱之,此为可忧。"帝欲徙二人淮南。育曰:"盗贼无足虑。然小人乘时以倾大臣,非国家之福。"议遂格。

甲子,辽主望祀木叶山。

己巳,诏送伴辽使刘湜:"北界近筑寨于银坊城,侵汉界十里,其以誓约谕使人,令毁去之。"

庚午,帝御内东门,赐从官酒三行,奏钧容乐。幸琼林苑门,赐从官食。遂猎于杨邨,宴幄殿,奏教坊乐,遣使以所获獐兔驰荐太庙。既而召父老临问,赐以饮食茶绢,及赐五坊军士银绢有差。

辛未,始班历于夏国。

庚辰,罢宰臣兼枢密使。时贾昌朝、陈执中言:"国初以两司对持大柄,向以关陕未宁,兵议须一,复兹兼领。今西夏来庭,边防有序,当还使印,庶协邦规,臣等愿罢兼枢密使。"既降诏许之,又诏枢密院:"凡军国机要,依旧同商议施行。"

十一月,壬午朔,回鹘遣使贡于辽。

枢密院请自今进退管军臣僚、极边长吏、路分兵马钤辖以上,并与宰臣同议;从之。

丁亥,冬至,宴宗室于崇政殿。

辛卯,诏提点京东路刑狱司体量石介存亡以闻。先是介受命通判濮州,归家待次。是岁七月,病卒。夏竦衔介甚,且欲倾富弼,会徐州孔直温谋叛,搜其家,得介书,竦因言:"介实不死,弼阴使入契丹谋起兵,弼为内应。"执政入其言,故有是命,仍羁管介妻子于它州。

初,徐州人告直温等挟妖法诱军士为变,而转运使不受,呕诣提点刑狱吕居简。居简令无言有不受者,复与转运使合谋捕直温等。既就诛,濮州复有谋叛者,民相摇惊溃。居简驰往,得其首恶,诛之,阅兵享士,奸不得发。居简,蒙正之子也。时亦有诏下兖州核介死虚实,知州杜衍会官属语之,众莫敢对。泰宁节度掌书记高苑龚鼎臣独曰:"介平生直谅,宁有是邪!愿以合族保其必死。"衍悚然,探怀中奏稿示之,曰:"老夫既保介矣,君年少,见义必为,安可量哉!"

国子监直讲孙复责监虔州税。孔直温败,索其家,得遗复诗故也。

诏以边事宁息,盗贼渐衰,知郓州富弼、知青州张存,并罢安抚使,知邠州范仲淹,罢陕西四路安抚使,其实谗者谓石介谋乱,弼将举一路兵应之故也。仲淹先引疾求解边任,是日,改知邓州。

初,翰林学士叶清臣居父丧,言者尝请起复为边帅,既而不行。至是免丧,宰相陈执中与清臣有隙,不欲清臣居内,乃申用其言。庚子,改除翰林侍读学士、知邠州。

壬寅,以殿中侍御史刘湜为礼部员外郎兼侍御史知杂事。议者谓湜探宰相意深致尹洙罪,故得优擢。

甲辰,辽以同知北院宣徽事萧阿剌为北府宰相。

十二月,癸丑,以知潞州郭承祐为并代副部署,兼知代州。始,杜衍奏罢承祐军职,至是复之。及包拯还自契丹,言:"河北边帅宜精选,而代州尤不可轻授。今朝廷委任郭承祐,恐必败事。乞早令召还,别用能者。沿边守将畏懦不胜任者,亦乞速赐移易。"

辽主观汉军习炮射击刺。癸亥,辽主决滞狱。

六年 辽重熙十五年【丙申,1046】 春,正月,乙酉,辽主如混同江。

禁辽人以奴婢鬻与汉人。

戊子,王尧臣罢三司使,为翰林学士承旨兼端明殿学士、群牧使。尧臣主计凡三年,前使姚仲孙借内藏钱数百万,久不能偿,尧臣悉案籍偿之,而军国之费犹沛然有馀,未尝加赋于民也。益、梓、夔三路转运使皆乞增盐井课,岁可得钱十馀万,尧臣固不从。帝问其说,对曰:"庸蜀僻远,恩泽鲜及,而贡入常倍,民力由此困。朝廷既未有以恤之,而又牟利焉,是重困也,虽小有益,将必大损矣。"帝善其对。然权幸因缘多见裁抑,京师数为飞语,及帝之左右往往有谗其短者,帝一切不问,而尧臣为之自若。已而言于帝曰:"臣母老,愿解烦剧。"既罢,帝慰劳之,尧臣顿首曰:"非臣之能,惟陛下信用臣耳。"

礼部尚书、知河南府范雍卒,赠太子太师,谥忠献。雍好谋而少成,颇知人,喜荐士。狄青初为小校,坐法当斩,雍贷之,卒为名将。

甲午,命翰林学士孙抃权知贡举。

丙申,以翰林学士、知制诰苏绅知河阳。绅锐于进取,善中伤人,衣冠惮疾之。言者斥其状,故命出守,绅自扬州复入翰林未三月也。是岁,卒于河阳。绅与梁适同在两禁,人以为险诐,语曰"草头木脚,陷人倒卓"。

戊申,徙广南戍兵善地,以避瘴毒。

二月,壬子朔,赐太傅致仕张士逊月俸百千。

乙卯,辽主如长春河。

癸亥,荆湖南路转运使周沆言:"本路蛮寇未息,而官军久戍,请岁给公使钱一千贯以犒设将校。"从之。沆又言:"蛮骤胜方骄,未易怀服,宜须秋冬进兵。蛮地险气毒,其人骁悍,善用铤盾,北军不能与之角。请选邕、宜、融三州澄海忠敢,知其山川,习其伎艺者三千,捣巢穴,馀兵络山足,出则猎取之,俟其势穷力屈,然后可抚也。"朝廷用其策,卒平蛮寇。

戊寅,青州地震。

诏陕西经略安抚及转运司:"朝廷开纳夏国,本欲宽财息民。自其受封进誓,已及一年,而调度犹不减用兵时;其议裁节诸费及所增置官员、指使、使臣今无用者,悉条奏之。"从枢密使庞籍言也。

权同知礼部贡举张方平言:"今之礼部程式,定自先朝。由景祐之初,有以变体而擢高等者,后进传效,皆忘素习。迩来文格日失其旧,各出新意,相胜为奇。至太学盛建,而讲官石介益加崇长,因其好尚,浸以成风,以怪诞诋讪为高,以流荡猥琐为赡,逾越绳墨,惑误后学;朝廷累下诏书戒饬,而学者乐于放逸,罕能自还。今贡院试者,间有学新体赋至八百字以上,每句或有十六字、十八字,而论或千二百字以上,策或置所问而妄肆胸臆,条陈它事,岂国家取贤敛材以备治具之意邪!其增习新体而澶漫不合程式者,悉已考落。请申前诏,揭而示之。"诏从其请。时御史王平又请赋毋得过四百字。而礼部复谓才艺所取,一字之多,遂至黜落,殆非人情。自是复以旧数为限。

三月,辛巳朔,日有食之。御崇政殿,录系囚,杂犯死罪以下递降一等,杖以下释之。

乙酉,辽以太后应圣节,减死罪,释徒以下。

庚寅,登州地震,岠嵎山摧。自是震不已,每岁震则海底有声如雷。

丁酉,辽主诏诸道岁具狱讼以闻。

高丽贡于辽。

壬寅,赐进士穰人贾黯等及第、出身、同出身有差。癸卯,赐诸科及第并出身。甲辰,赐特奏名诸科同出身及诸州长史、司马、文学。

夏,四月,辛亥朔,辽禁五京吏民击鞠。

(壬子)〔甲寅〕,降河东转运使李昭遘知泽州,坐使辽时其从者尝盗辽之银杯也。昭遘从者既杖死,诏以银杯送还。议者谓盗已正法,送杯于体有损。判大名夏竦亦奏乞罢送,不听。知雄州王仁旭直纳军资库,人称其得体。

戊午,辽罢遥辇帐戍军。

壬戌,辽以北女真详衮萧臬陆为奚六部大王。

甲子,辽主清暑永安山。

甲戌,蒲卢毛朵曷懒河百八十户附于辽。

辽主以左中丞萧惟信为燕赵国王傅。辽主谕之曰:"燕赵左右多面谀,不闻忠言,浸以成

995

性。汝当以道规诲,使知君父之义;有不可使居王邸者,具以名闻。"惟信性好学,长于辩论,及为王傅,能辅导以礼。

丙子,徙知定州王德基知雄州兼沿边安抚使。初,守臣畏生事,未尝出猎,德基至,乃纵骑猎境上。关城居民甚众,而故堞堕坏,久莫敢修,德基豫调兵夫筑完之。辽岁遣使贻果饵,前皆改服以见,德基接以常礼;及每移文至者,例以郡官主劳,至是以指使代焉。

己卯,权御史中丞张方平言:"中书、枢密院比岁除授,多预批圣旨,俟半年或一二年后与转官或改职。夫迁除之体,率有常规,若因劳应赏而擢之不次,孰曰不然!如其事出侥幸,纵赊日月,曷厌群议!譬之贾人交易于市,作为契卷,立期待偿。非唯滋长滥恩,实亦有亏治体。请自今文武官辄援前比而希迁改者,并明行责降。"从之。

五月,甲申,雨雹,地震。

戊子,减邛州盐井岁额缗钱一百万。川、峡四路盐课,县官之所仰给,然井原或发或微,而责课如旧,任事者多务增课以为功,往往贻患后人。朝廷切于除民疾苦,尤以远人为意,有司上言,辄为蠲减,前后不可悉数。

丙申,诏陕西市蕃部马。

丁酉,京东人刘蚕、刘沔、胡信谋反,伏诛。

六月,庚戌朔,降御前札子下夏安期等:"比令与陕西诸路经略安抚司议减节边费,其务悉心经画,以成朝廷悠久之利。"

诏夏竦与河北监司察帅臣、长吏之不职者。

初,吴育在翰林,荐唐询为御史;未至,母丧。服除,育方参政事,而宰相贾昌朝与询有亲,育数为昌朝言,询用故事当罢御史,昌朝不得已以询知庐州。凡官外徙者皆放朝辞,而询独许入见。中丞张方平因奏:"询材质美茂,宜留备言职。"诏许之,育争不能得。询由是怨育而附昌朝。

癸丑,辽以西京留守耶律玛陆为汉人行宫都部署,参知政事杨佶出为武定军节度使。时武定亢旱,苗稼将槁,佶视事之夕,雨泽沾足,百姓歌颂之。

丁巳,流星出营室南,大如杯,其光烛地,隐然有声,北行至王良没。

辛酉,诏河东经略使郑戬裁减本道边费。

癸亥,帝谓辅臣曰:"比有上言星变者,国家虽无妖异,亦当修警,况因谪见乎!夫天之谴告人君,使惧而修德,亦犹人君知臣下之过,先示戒饬,使得自新,则不陷于咎恶也。"贾昌朝等皆引咎再拜。

戊辰,辽主御清凉殿,放进士王棠等六十八人。棠,涿州新城人,博古善属文,时称得人。

辛未,知益州文彦博言:"益、(彰)〔彭〕、邛、蜀、汉五州,非用马之地,而逐州共屯军马凡二千馀人,请皆易以步军。"诏易三之一。

参知政事吴育与宰相贾昌朝不相能,监察御史唐询既怨育,遂希昌朝意上奏曰:"贤良方正直言极谏、茂材异等科,由汉涉唐,皆不常置,若天见灾异,政有阙失,则诏在位荐之。本朝稽用旧文,讫真宗世,三建此科。陛下即位,增科为六,初应诏才数人,后乃至十馀人,今殆至三十馀人。一中此科,曾未累岁,悉至显官。请自今,不与进士同时设科,若因灾异非时举擢,宜如汉故事亲策,罢秘阁之试。"疏上,帝刊其名付中书,育奏疏驳之。帝是育言,即诏礼部:"自今制科随进士贡举,其著为令;仍须近臣论荐,毋得自举。"帝因谓辅臣曰:"彼上言者乞从内批,以今乃知其欺妄也。"育又奏:"阴邪沮事,正当明辩,愿出姓名案劾,以明国法。"育本由制策进,帝数称其贤,以为得人,故询力肆排诋,意在育,不在制科也。育弟娶李遵勖妹,有六子而寡。询又奏:"育弟妇久寡,不使改嫁,欲用此附李氏自进。"大抵希昌朝意,且欲报怨;帝讫不听。

秋,七月,三司使王拱辰言:"太祖时兵十二万,太宗时十八万,章圣时四十万,今倍之。兵在精不在众,冗散坐食,非计也。三司虽总财用大计,而事实在外,请诸道帅臣并任其责。"乙酉,诏判大名府夏竦、知并州郑戬、知永兴军程琳并兼本路计置粮草,从拱辰言也。

辽阘王遂格卒。

庚寅,河东经略司言雨坏忻、代等州城壁。

乙未,辽以前南府宰相耶律喜逊为东北路详衮。

丙申,以知吉州余靖分司南京,许居韶州。初,靖为谏官,尝劾奏太常博士茹孝标不孝,匿母丧,坐废。靖既失势,孝标因与知谏院钱明逸言靖少游广州,犯法受笞,明逸即劾奏靖不宜在近侍。靖闻之,不自安,求侍养去。会朝廷下广州案得其实。靖初名希古,举进士,未得解,曲江主簿善遇之。知韶州者疾主簿,捃其罪,无所得,唯得与靖接坐。主簿既以违敕停任,而靖受笞后,乃改名取解它州及第。案牍具在,故有是命。

辽籍诸道军。

丁酉,辽主如秋山。辛丑,辽禁扈从践民田。

辽翰林都林牙并修国史萧罕嘉努,见辽主猎,未尝不谏,会有司奏,猎于秋山,熊虎伤死数十人,罕嘉努书于册。辽主见而命去之,罕嘉努既出复书。它日,辽主见之,曰:"史笔当如是。"辽主尝问罕嘉努曰:"我国家创业以来,孰为贤主?"罕嘉努以穆宗对。辽主怪之,曰:"穆宗嗜酒,喜怒不常,视人犹草芥,卿何以谓之贤?"罕嘉努曰:"穆宗虽暴虐,省徭轻赋,人乐其生,终穆之世未有过。近日秋山伤死者众,臣故以穆宗为贤。"辽主默然。

壬寅,帝谓宰臣曰:"前日除李用和子璋为阁门副使,今次子珣求为通事舍人。朕已谕之曰:'朝廷爵赏,所与天下共也,傥戚里之家,兄弟补迁,如己所欲,朕何以待诸勋旧乎?'"贾昌朝对曰:"母后之家,自昔固多蒙恩泽。今陛下能重惜爵赏,不肯轻授,非惟示天下以至公,亦保全外戚之福也。"

癸卯,以马军副都指挥使许怀德为静安军留后。言事官上章论奏者相继,御史中丞张方平言:"怀德安援体例,侥幸陈乞,堕紊军制,干挠朝章,乞夺军职,付环卫,或除一郡。"帝不听。

乙巳,户部副使夏安期等,言与鄜延经略使沈邈已减罢官员、使臣四十四人。

八月,〔己未〕,诏:"臣僚子孙,恃荫无赖,尝被刑者,如再犯私罪,更毋得以赎论。"时邵武军言:"故秘书监致仕龚曙之孙,屡犯屠牛法,当以荫免。"帝特命加真刑,而更著此条。

癸丑,高丽国王钦卒,子徽嗣。

壬戌,诏陕西、河东经略司:"西人虽纳款称臣,然其心诡谲难信。恐诸路乘罢兵之后,渐弛边备,其益务练兵卒,完城壁! 若寇至,有不如诏者,亟以名闻。"

癸亥,策试贤良方正能直言极谏太常博士钱彦远策入第四等,擢祠部员外郎、知润州。彦远,易之子,明逸之兄也。钱氏父子兄弟并以制策登科,当时以为盛事。

癸酉,以参知政事吴育为枢密副使,枢密副使丁度为参知政事。育在政府,遇事敢言。知永静军向绥,疑通判江中立谮己,因诬以罪,迫令自杀。育欲坐绥死,宰相贾昌朝颇营助之,得轻比,育遂争论帝前,殿中皆失色。育论辩不已,乃请曰:"臣所辩者职也,顾力不胜,愿罢臣职。"乃与度易位。度为枢密副使,在庞籍后。时籍女嫁参知政事宋庠之子,庠固言于帝,以亲嫌不可共事,故越次用度。始,昌朝与育争,帝欲俱罢二人,御史中丞张方平将对,昌朝使人约方平助己,当以方平代育。方平怒,斥遣之曰:"此言何为致于我哉!"既对,极论二人邪正曲直,然育卒罢。世皆以方平实为昌朝地也。

甲戌,以监察御史唐询知湖州,竟以宰相亲嫌罢也。

九月,庚寅,以户部副使夏安期为陕西都转运使。安期与诸路经略安抚司议边事,凡奏省官员及汰边兵之不任役者五万人。

时数有灾异,户部员外郎兼侍御史知杂事梅挚引《洪范》上变戒曰:"王省惟岁,谓王总群吏,如岁兼四时,有不顺则省其职。今日食于春,地震于夏,雨水于秋,一岁而变及三时,此天意以陛下省职未至而丁宁告戒也。伊、洛暴涨,漂庐舍,海水入台州,杀人民,浙江溃防,黄河溢埽,所谓水不润下。陛下宜责躬修德,以回上帝之眷祐,阴不胜阳,则灾异衰止而盛德日起矣。"又言:"权陕西转运使张尧佐非才,由宫掖以进,恐上累圣德。"及奏减省资政殿学士员,召待制官同议政,复百官转对。帝谓大臣曰:"梅挚言事有体。"以为户部副使。

癸卯,登州地震。帝曰:"山东连岁地震,宜防未然之变,其下登州严武备。"

甲辰,辽禁以置网捕狐兔。

冬,十月,丁未朔,诏:"比遣张子奭往延州与夏国议疆事,其丰州地,当全属汉界。或所议未协,听以横阳河外向所侵耕四十里为禁地。若犹固执,即以横阳河为界。"初,夏国既献卧贵疱、吴移、已布等九寨,又纳丰州故地,欲以没宁浪等处为界。下河东经略郑戬。戬言:"没宁浪等处并在丰州南,深入府州之腹,若如其议,则麟、府二州势难以守,直宜以横阳河为界。"帝乃以戬所上地图付子奭往议之。

己酉,辽主驻中会川。

辛未,诏发兵讨湖南猺贼。

十一月,己卯,遣著作佐郎楚建中往延州,同议夏国封界事,以张子奭道病故也。

以权御史中丞张方平为翰林学士、权三司使。

自开宝以来,河北盐听人贸易,官收其算,岁为额钱十五万缗。上封者尝请禁榷以收遗利,余靖时为谏官,言:"昔者太祖皇帝特推恩意以惠河朔,故许通盐商,止令收税。今若一旦榷绝,价必腾踊;民苟怀怨,悔将何及! 乞令仍旧通商,无辄添长盐价以鼓民怨。"其议遂寝。及王拱辰为三司使,复建议悉榷二州盐,下其议于本路,都转运使鱼周询亦以为不可,且言:"商人贩盐,与所过州县吏交通为弊,所算十无二三。请敕州县以十分算之,听商人至所鬻州县并输算钱,岁可得缗钱七十余万。"三司奏用其策,帝曰:"使人顿食贵盐,岂朕意哉!"

于是三司更立榷法而未下也，方平见帝，问曰："河北再榷盐，何也？"帝曰："始议立法，非再也。"方平曰："周世宗榷河北盐，犯辄处死。世宗北伐，父老遮道泣诉，愿以盐课均之两税钱而弛其禁。今两税，盐钱是也，岂非再榷乎？且今未榷也，而契丹常盗贩不已；若榷之，则盐贵，契丹盐益售，是为我敛怨而使彼获利也。彼盐滋多，非用兵莫能禁；边隙一开，所得盐利，能补用兵费乎？"帝大悟曰："卿语宰相立罢之。"方平曰："法虽未下，民已皆知，宜直以手诏罢之，不可自有司出也。"帝大喜，命方平密撰手诏，下之，且刊诏北京。其后父老过诏书下，必稽首流涕。

癸未，湖南猺贼寇英、韶州界。

丁亥，辽以南院枢密使萧孝友为北府宰相，以契丹行宫都部署耶律仁先为南院大王，以北府宰相萧革同知北院枢密使事，以知伊勒希巴事耶律信先为汉人行宫都部署。萧革席宠擅权，南院宣徽使耶律义先疾之，因侍宴，言于辽主曰："革狡佞喜乱，一朝大用，必误国家。"辽主不纳。它日，侍宴，辽主命群臣博，负者罚一巨觥。义先当与革对，怃然曰："臣纵不能进贤退不肖，安能与国贼博哉！"革佯言曰："公相谑不既甚乎？"辽主亦止之曰："卿醉矣！"义先厉声诟不已，辽主大怒，皇后解之曰："义先酒狂，醒可治也。"翼日，辽主谓革曰："义先无礼，当黜之。"革曰："义先之才，岂逃圣鉴！然天下皆知其忠直，今以酒过为罪，恐咈人望。"辽主以革犯而不校，眷遇益厚。革之矫情媚上，多此类也。义先郁郁不得，然议事未尝少沮。后又于辽主前博，义先祝曰："向言人过，冒犯天威；今日一掷，可表愚款。"俄得堂印，辽主愕然。义先，仁先之弟也。

辛丑，帝猎于城南之韩邨。自玉津园去辇乘马，分骑士数千为左右翼，节次旗鼓，合围场，径十馀里，部队相应。帝按辔中道，亲挟弓矢，屡获禽。是时道旁居民或畜狐兔凫雉，驱入场中，帝因谓辅臣曰："畋猎所以训武事，非专务获也。"悉令纵之。至棘店，御帐殿，召问所过父老，子孙供养之数，土地种植所宜，且叹其衣食粗粝而能享寿，人加慰劳。还，次近郊，遣卫士更奏技御驾前，两两相当，掉鞭挟槊以决胜。又谓辅臣曰："此亦可观士之材勇也。"免所过民田在围内租税一年。

乙巳，辽赈南京贫民。

十二月，壬申，辽曲赦徒以下罪，以是日为圣宗在时生辰也。辽主溺浮屠法，务行小惠，数降赦宥，释死囚甚众，圣宗之风替矣。

七年 辽重熙十六年【丁亥，1047】 春，正月，丙子朔，御大庆殿受朝。

己卯，辽主如混同江。

甲申，知大宗正事允让，请自今宗室辄有面祈恩泽者，罚一月俸，仍停朝谒；从之。

丁亥，诏河北所括马死者限二年偿之。

戊子，尚书左丞、知兖州杜衍，以太子少师致仕。时年方七十，正旦日上表，还印绶。贾昌朝素不喜衍，遽从其请。议者谓衍故宰相，一上表即得谢，且位三少，皆非故事，盖昌朝抑之也。

癸巳，以知制诰杨伟权知谏院。伟尝曰："谏官宜论列大事，细故何足论！"然时讥其亡补。

壬寅,诏减连州民被猺害者来年夏租。

二月,丁未,诏流内铨:"应纳粟授官人,不除司理、司法参军泊上州判官;资深无过犯,方注主簿、县尉;如循资入县令、录事参军者,诠司依格注拟,止令临监物务。"从御史知杂李东之所请也。

己酉,诏取益州交子三十万于秦州,募人入中粮粟。

丙辰,命内侍二员提举月给军粮。时侍御史棣州吴鼎臣言:"诸军班所给粮多陈腐,又斗升不定,请以内侍纠察之。"翼日,诸监仓官进呈军粮,帝谕曰:"自今当足其数以给之。"时卫士皆在殿下,殿前都指挥使李昭亮因相率罗拜以谢。然军粮自江、淮转漕至京师,又积年而后支,上军所给斗升仅足,中下军率十得八九,虽遣内侍提举,终不能行也。

庚申,辽主如鱼儿泺。辛酉,禁群臣遇宴乐奏请私事。诏世选之官从各部耆旧择材能者用之。

先是,枢密使马保忠言于辽主曰:"强天下者儒道,弱天下者吏道。今之授官,大率吏而不儒。崇儒道则乡党之行修,修德行则冠冕之绪崇,自今非圣帝明王孔、孟之教者,望下明诏痛禁绝之。"辽主不听。

三月,癸未,诏求宽恤民力之事,听官吏驿置以闻;上其副于转运司,详其可行者辄行之。

毁后苑龙船。初,有司请修以备幸,诏特毁之。

丁亥,以旱罢大宴。癸巳,诏曰:"自冬讫春,旱暵未已,五种弗入,农作失业。朕惟灾变之来,应不虚发,殆不敏不明以干上帝之怒,咎自朕致,民实何愆! 与其降疾于人,不若移灾于朕。自今避正殿,减常膳,中外臣僚,指当世切务,实封条上。三事大夫,其协心交儆,称予震惧之意焉!"

帝每命学士草诏,未尝有所增损。至是杨察当笔,既进诏草,以为未尽罪己之意,令更为此诏。

辽主如黑水泺。遣使审决双州囚。

乙未,贾昌朝罢为武胜节度使、同平章事、判大名府兼河北安抚使;枢密副使、右谏议大夫吴育罢为给事中,归班。昌朝与育数争论帝前,论者多不直昌朝。时方闵雨,昌朝引汉灾异册免三公故事,上表乞罢。御史中丞高若讷在经筵,帝问以旱故,若讷因言:"阴阳不和,责在宰相。《洪范》:'大臣不肃,则雨不时若。'"帝用其言,即罢昌朝等;寻复命育知许州。

以河阳三城节度使、同平章事、判大名府夏竦依前官充枢密使。故事,文臣自使相除枢相,必纳节还旧官,独竦不然。初,降制召竦为宰相,谏官御史言:"大臣和则政事起,竦与陈执中论议素不合,不可使共事。"越三日,遂贴麻改命焉。

以知益州、枢密直学士文彦博为右谏议大夫、枢密副使。

帝因李东之建议,再畋近郊。南城之役,卫士不及整马而归,夜,有雉殒于殿中,谏者以为不祥。是月,将复出,谏者甚众,御史成都何郯言尤切直,遂罢出猎。又诏停建州造龙凤茶。

丁酉,改枢密副使文彦博参知政事,以权御史中丞高若讷为枢密副使。

己亥,赐天章阁待制兼侍讲曾公亮三品服。故事,待制入谢,未始赐服。至是帝御迩英阁面赐之。

公亮自修起居注,当迁知制诰,贾昌朝其友婿也,避嫌,故使待制天章阁。昌朝罢既半岁,乃命知制诰。

壬寅,降宰臣工部侍郎陈执中为给事中,参知政事、给事中宋庠为右谏议大夫,工部侍郎丁度为中书舍人。先是贾昌朝引汉故事乞罢相,昌朝既罢,执中等复申前请,于是各降官一等而辅政如故。

帝之幸西太一宫也,日方炎赫,却盖不御,及还而雨沾足。

是日,辽大雪。

〔癸卯〕,诏权停贡举。

【译文】

宋纪四十八　起乙酉年(公元1045年)十月,止丁亥年(公元1047年)三月,共一年有余。

庆历五年　辽重熙十四年(公元1045年)

冬季,十月,乙卯(初三),辽国派使臣送来元龙车及俘获西夏国的羊、马。

辛酉(初九),将章献明肃皇后、章懿皇后的神主附入太庙,大赦天下囚犯。

"各路转运使以前兼带有按察使的名义,近来听说他们过于烦琐苛刻,使得属下掾吏不安于职守,以至于有人晓喻州县,让他们互相告发;这有损于风尚教化,对国事和政体也没有好处,因而就一并取消。"当时执政官员急于更改范仲淹、富弼推行的政治措施,因而大肆宽赦,于是颁布这项命令。

起初,议事的人请求施恩惠给百官,并且优厚赏赐军中士兵。参知政事吴育说:"无事也赏赐就会开启人们的侥幸心理,谁向陛下提这个建议的?请予以治罪。"片刻,皇帝对辅政大臣说:"朝廷外的官员怨恨执政大臣,应防备他们喧哗闹事。"吴育说:"这肯定是提建议的人想以此动摇皇上的决定,希望不要顾虑。臣下既然以身许国,还怕这个邪吗?"皇帝派宫中使臣视察山东盗贼的情况,回来奏报说:"盗贼不足以担忧,而兖州的杜衍,郓州的富弼,山东地区的百姓特别尊重爱戴他们,这才是值得担忧的事。"皇帝想调迁这两人到淮南任职。吴育说:"盗贼不足以忧虑。但小人乘机推倒大臣,这不是国家的幸福。"这个议论就搁置下来了。

甲子(十二日),辽国君主在木叶山祭祀天地。

己巳(十七日),诏令送伴辽使刘湜说:"北方边界近来在银坊城修筑山寨,侵入汉人的边界十里,将盟誓条约告诉辽国使者,让他们捣毁这些山寨。"

庚午(十八日),皇帝来到内东门,赐随从官员饮酒,接连起身三次,演奏钧容乐。到琼林苑门,赐给随从官员食物。于是在杨邨打猎,在用帷幕搭设的宫殿中举行宴会,演奏教坊音乐,派使臣把捕获的獐、兔飞奔送到太庙进献。接着召来乡村父老慰问,赐给饮食、茶叶、绢帛,又赐给五坊的军士银子、绢帛各不等。

辛未(十九日),开始向西夏国颁布历法。

庚辰(二十八日),撤除宰臣兼枢密使一职。当时贾昌朝、陈执中上书说:"建国初期,由

1001

中书门下和枢密院两司分掌政治、军事大权,后来因关陕地区尚未平定,军政必须统一管理,这才恢复这种兼领的情况。如今西夏来朝,边防井然有序,这就应当交还枢密使的大印,使国家法规相互协调,臣等愿意免除兼枢密使一职。"因而下诏准许,又下诏枢密院说:"凡军国机要大事,依旧共同商议后施行。"

十一月,壬午朔(初一),回鹘派使者向辽国进贡。

枢密院请求今后升降管军的臣僚、边境的长官、路分兵马钤辖以上的官员,都与宰臣共同商议;准从。

丁亥(初六),冬至,在崇政殿宴请宗室。

辛卯(初十),诏令提点京东路刑狱司核查石介是死是活,然后奏报。先前,石介接受诏命通判濮州,他回家暂作停留。这年七月病故。夏竦特别怀恨石介,并且想排挤富弼,适逢徐州孔直温策划叛乱,搜查他家,找到有石介的信件,夏竦因而上书说:"石介其实没死,富弼暗中派他到契丹策划起兵,富弼作内应。"执政大臣把他的这话转招给皇帝,所以有这一诏令,同时在其他州监管石介的妻子儿女。

起初,徐州有人上告孔直温等人借助妖法诱导军中士兵叛变,而转运使不予受理,这人马上到提点刑狱吕居简报告。吕居简要他不要说不受理的事,就又与转运使合谋逮捕孔直温等人。诛杀孔直温等人后,濮州又有图谋反叛的人,百姓惊恐溃逃。吕居简驰往濮州,抓到了首恶分子,将其诛杀,检阅士兵,犒赏将士,奸恶叛乱才没有爆发。吕居简是吕蒙正的儿子。当时也有诏书下达兖州要查核石介死亡的虚实真假,知州杜衍召集官属通告诏令内容,众人都不敢应对。泰宁节度掌书记高苑人龚鼎臣一人说:"石介平生正直诚实,怎么会有这种事呢!我愿以全族人的性命保证他一定死了。"杜衍表现出惊恐的样子,从怀中拿出奏稿给他看,说:"老夫已经担保石介了,你还年轻,见义勇为,前程怎可估量啊!"

国子监直讲孙复责贬为监虞州税。这是因为孔直温谋叛败露后,搜查他家时,查得他写给孙复的诗的缘故。

诏令说由于边境乱事已平息,盗贼势力逐渐衰弱,知郓州富弼、知青州张存,一起免去安抚使职。知邠州范仲淹免去陕西四路安抚使职。其实际原因是进谗言的人说石介策划叛乱,富弼将派一路兵马响应的缘故。范仲淹先前以有病为由请求解除边防重任,这天,改知邓州。

起初,翰林学士叶青臣为父亲守丧,有人曾请求起用叶清臣再担任边境军队的将帅,接着又没有任命。到这时叶清臣服丧期满,但宰相陈执中与叶清臣有矛盾,不想叶清臣居官朝廷,于是重申别人提出的让他守边的话。庚子(十九日),改任叶清臣为翰林侍读学士,知邠州。

壬寅(二十一日),任命殿中侍御史刘湜为礼部员外郎兼侍御史知杂事。议论的人说刘湜探知宰相的心意重治尹洙的罪,所以得到特别提拔。

甲辰(二十三日),辽国任命同知北院宣徽事萧何阿剌为北府宰相。

十二月,癸丑(初二),任命知潞州郭承祐为并代副部署,兼知代州。起先,杜衍奏请撤销郭承祐的军职,到这时予以恢复。待包拯出使契丹回来,上书说:"河北地区边疆的将帅应精心挑选,而代州地区的将帅尤其不可轻易任命。如今朝廷委任郭承祐,恐怕一定会坏事。请求早日将他召回,另外起用能干的人。沿边境的守将有畏惧怯懦不能胜任的人,也请求迅速调换。"

辽国君主观看汉军演习开炮射击、搏斗刺杀。癸亥(十二日),辽国君主裁决滞留下来的案件。

庆历六年　辽重熙十五年(公元1046年)

春季,正月,乙酉(初四),辽国君主来到混同江。

禁止辽国人把奴婢卖给汉人。

戊子(初七),王尧臣免去三司使职,任命为翰林学士承旨兼端明殿学士、群牧使。王尧臣主管财政计划共有三年,前任三司使姚仲孙借支内藏钱几百万,很久不能偿还,王尧臣都按借钱的凭据催他偿还,因而国家军政费用还充裕有余,不曾向人民增加赋税。益、梓、夔三路的转运使都请求增加盐井的税收,每年可收得钱十多万,王尧臣坚决不予听从。皇帝问他的理由,他回答说:"庸蜀地区偏僻遥远,朝廷的恩泽很少到达,而贡赋却常常比别处加倍,百姓财力因此贫困。朝廷既没有用什么去抚恤他们,反而又向他们牟取税利,这是加重他们的贫困,即使增税有小的收益,将来必定会有重大损失。"皇帝赞赏他的回答。然而权贵宠幸大臣却寻找机会常常裁抑他的主张,京城中也多次出现对他的流言蜚语,甚至皇帝的左右近臣也往往对他谗毁揭短,皇帝一律不予追查,而王尧臣对此也处之泰然自若。不久,他向皇帝请求说:"臣下的母亲年岁已老,希望解除这繁重的职务。"辞职后,皇帝慰劳他。王尧臣叩头说:"不是臣下有才能,只是陛下信任臣下罢了。"

礼部尚书、知河南府范雍去世,追赠为太子太师,谥号为忠献。范雍喜好谋略但成就并不多,善于了解别人的才能,喜欢荐举人才。狄青起初是一名小校,因犯法当斩首,范雍宽赦了他,后来,狄青终于成为名将。

甲午(十三日),任命翰林学士孙抃权知贡举。

丙申(十五日),任命翰林学士、知制诰苏绅知河阳。苏绅锐意进取,喜欢中伤别人,官员们都害怕和疾恨他。言事官员上书指斥他的行为,所以命令他任地方官。苏绅从扬州再次进入翰林院还不到三个月。这年,他在河阳去世。苏绅与梁适都

流金花鸟镂空银冠　辽

在两禁任职,人们认为他们阴险不正,称之为:"草字头木字脚,陷害善良倾倒绝卓。"

戊申(二十七日),将戍守广南的士兵迁到条件好的地区,以避开瘴气的毒害。

二月,壬子朔(初一),赐给以太傅退休的张士逊每月俸禄一百贯钱。

乙卯(初四),辽国君主到长春河。

癸亥(十二日),荆湖南路转运使周沆上奏说:"本路的蛮夷贼寇尚未平息,而官军长期戍守,请求每年发给公使钱一千贯以犒劳将校。"准从。周沆又上书说:"蛮人陡然得胜,正值骄狂之时,不容易怀柔臣服,宜在秋冬季节进兵。蛮人地区地势险要,瘴气有毒,那些人又骁勇剽悍,善于使用长矛、盾牌,北方的军兵不能与之较量。请挑选邕、宜、融三州沿海的忠诚勇敢、熟悉山川地貌、精通武艺的士兵三千,去捣毁贼寇巢穴,其余士兵包围在山脚上,贼寇一出来就捕获;等他们势力穷竭时,就可以安抚了。"朝廷采用了他的策略,最终平定了蛮夷贼寇。

戊寅(二十七日),青州发生地震。

诏令陕西经略安抚及转运司:"朝廷开恩接纳西夏国,本想因此而宽松财赋,休息民力。自从西夏接受封号进呈誓约以来,已有一年,而国家的财政支出仍不少于用兵的时候;请讨论裁减各项费用以及增置的官员、指使、使臣中如今用不着的人,全部条例奏报。"这是采纳枢密使庞籍的建议。

权同知礼部贡举张方平上书说:"现在礼部的规章格式,都是先朝制定的。景祐初年开始,有人因变换文章体式而被提升为高等,后来的人相继效法,都忘记了平素习用的格式。近来文章格式日益失去了旧有的格式,各自推出新意,争相求奇。待到太学兴建,而讲官石介等人又更加推崇助长,因为他们的喜好崇尚,渐渐演成风尚,以怪诞毁谤为高超,以放荡琐碎为充实。超越规矩,惑乱贻误后来的学子;朝廷多次下诏告诫训饬,而学者却乐于放荡、纵逸,很少能自动返用过去格式的。如今贡院应试的人,间或有人学作新体赋达到八百字以上,每句十六字,或十八字;而论则有人写达一千二百字以上,有人对策卷所问置而不答却大肆妄抒胸臆,条例陈述其他事情,这岂是国家选取贤才以备做治理工具的本意呢!那些增加学习新体而散漫不合程式的,全部都已落选。请重申以前的诏令,公布给学人看。"诏令依从他的请求。当时御史王平又请求赋不得超过四百字。而礼部又说依才艺选取人才,多出一字而导致落选,实在不合情理。从此又以原定字数为限。

三月,辛巳朔(初一),出现日食。上崇政殿,清理在押囚犯,杂犯死罪以下的人递减一等罪行,杖刑以下的予以释放。

乙酉(初五),辽国由于太后应圣节,减免死刑罪犯,释放徒刑以下的罪犯。

庚寅(初十),登州发生地震,岠嵎山塌陷。从此地震不断,每年地震时海底就发生雷一样的声音。

丁酉(十七日),辽国君主诏令各道每年详细报告刑狱诉讼的情况。

高丽向辽国进贡。

壬寅(二十二日),赐进士穰人贾黯等人及第、出身、同出身各不同。癸卯(二十三日),赐诸科进士及第和出身。甲辰(二十四日),赐特别奏报姓名诸科进士同出身以及任命为各州长史、司马、文学。

夏季,四月,辛亥朔(初一),辽国禁止五京的官吏百姓打球。

甲寅(初四),贬降河东转运使李昭遘知泽州,他因在出使辽国时随从的人曾偷盗辽国的银杯而受牵连。李昭遘的那个随从已受杖刑致死,诏令把银杯交还辽国。议论的人说偷盗的人已经正法,送还银杯有损体面。判大名府夏竦也奏请不要送还,不予听取。知雄州王仁旭直接纳入军资库,人们称他做得得体。

戊午(初八),辽国撤销遥辇帐戍军。

壬戌(十二日),辽国任命北女直详衮萧呆陆为奚六部大王。

甲子(十四日),辽国君主到永安山避暑。

甲戌(二十四日),蒲卢毛朵曷懒河有一百八十户人家归附辽国。

辽国君主任命左中丞萧惟信为燕赵国王的王傅。辽国君主告喻他说:"燕赵国王左右的人大多阿谀奉承,让人听不到忠实的话,逐渐演成定性。你应用道义规劝教诲燕赵国王,使他懂得君主父亲的名义;有不能让再居王府的人,都报上他们的名字。"萧惟信为人好学,善于辩论,待做了王傅,能以礼义辅导燕赵国王。

丙子(二十六日),调迁知定州王德基知雄州兼沿边安抚使。起初,边境上的守卫大臣怕生出事端,未曾出外打猎,王德基到任后,就纵骑到边境上打猎。边关城中居民很多,而旧有城墙多被损坏,很久不敢修复,王德基出任就调遣兵卒修筑完工。辽国每年派使者送果品,以前的守官都更换服装接见,王德基则以平常的礼节接见;每次转交公文的人到来,按惯例由州郡长官慰劳,到现在改由指派代表替代慰劳。

己卯(二十九日),权御史中丞张方平上书说:"近年来中书门下、枢密院官员的授任,大多预先批下圣旨,待半年或一二年后才予以转官或改职。迁升任命的体制,都有常规,如果因有功劳应该奖赏而不按次序提升,谁说不对!如果事情出于侥幸,纵然时间长久,又怎能压住群臣的议论!譬如商人在市场上交易,写下契约证券,规定日期等待报偿。不仅只是滋长滥施恩泽,实际上也有损于治国的体制。请求今后文武官员若总是援引前例而希望迁升的人,一并明确地进行斥责降职。"准从。

五月,甲申(初五),落冰雹,发生地震。

戊子(初九),减免邛州盐井每年上交定额中的缗钱一百万。川、峡四路的盐税是国家财政收入所仰赖的,然而盐井产盐或多或少,官府都照旧课税,主管官员多极力增加课税作为功劳,往往给后任留下祸患。朝廷急于解除百姓疾苦,尤其留意边远地区的百姓的疾苦,有关官员上书进言增税,朝廷总是予以减免,先后减免的数目不可尽数。

丙申(十七日),诏令陕西购买蕃人部落的马匹。

丁酉(十八日),京东人刘苴、刘沔、胡信策划反叛,被处死。

六月,庚戌朔(初一),降下御前札子给夏安期等人说:"近日已命令你们与陕西各路经略安抚司商议减省边防费用,你们务必精心筹划,以促成朝廷长久的利益。"

诏令夏竦与河北监司考察帅臣、长吏中不称职的人。

起初,吴育在翰林任职时,荐举唐询为御史;唐询还未上任,他母亲去世。服丧期满,吴育正任参知政事,而宰相贾昌朝与唐询是亲戚,吴育多次跟贾昌朝说,唐询依照惯例应当免去御史之职,贾昌朝不得已让唐询知庐州。凡官员调往外地都在放朝时辞行,而唐询唯独准许进见。御史中丞张方平因而上奏说:"唐询才干、气质兼优,最好留下担任言事官。"诏令准许,吴育谏争不成。唐询因此怨恨吴育而依附贾昌朝。

癸丑(初四),辽国任命西京留守耶律玛陆为汉人行宫都部署,参知政事杨佶出任武定军节度使。当时武定大旱,禾苗都要干枯了,杨佶上任的当晚,就下了充足的雨水,百姓因而歌颂他。

丁巳(初八),流星出现在营室的南面,大如杯子,光亮照到地上,隐约有声音,向北飞行到王良星附近才消失。

辛酉(十二日),诏令河东经略使郑戬裁减本道边防费用。

癸亥(十四日),皇帝对辅政大臣说:"近来有上书谈论星象变化的人说,国家即使没有妖异怪事,也应当保持警惕,何况天象出现遣告呢!上天遣告人君,让他畏惧而修养德性,也就像人君了解到臣下有过失,先行饬戒,使他改过自新,使他改过自新,不至于让他发展下去犯下大的罪恶。"贾昌朝等人都引咎自责连连叩头。

戊辰(十九日),辽国君主到清凉殿,放榜录取王棠等六十八名进士。王棠是涿州新城人,博通古史,善于作文,当时称之为得到了人才。

辛未(二十二日),知益州文彦博上书说:"益、彭、邛、蜀、汉五州,不是使用骑兵的地方,而各州共屯骑兵二千余人,请全部换成步兵。"诏令调换三分之一。

参知政事吴育与宰相贾昌朝相处不和,监察御史唐询已怨恨吴育,于是迎合贾昌朝的意思上奏说:"贤良方正、直言极谏、茂材异等科,从汉代到唐代,都不是经常设置的,如果天上出现灾异,政事有缺陷失误,就诏令在位官员荐举人才。本朝沿用旧有条文,到宋真宗时,共三次设此科。陛下即位后,将这科增加为六个科目,起先响应诏令的只有几人,后来就增加到十几人,如今将近三十多人。一旦中了此科,不到几年,都升为显要官员。请今后不与进士同时设置此科,倘若由于出现灾变怪异,不能按时推举提升,应该仿照汉代的旧例由皇上亲自策试,取消秘阁的考试。"奏疏呈上,皇帝在奏疏上删除他的名字后交给中书门下讨论,吴育上奏疏予以反驳。皇帝赞同吴育的意见,就下诏礼部说:"今后制科随进士科一同贡举,将这条写入法令;仍然要亲近大臣评议推荐,不得自我推举。"皇帝因而对辅政大臣说:"那些上书言事的人乞求内廷批示,如今才知道他们的欺妄行为。"吴育又上奏说:"有些人暗藏邪恶之心败坏政事,应当明察,希望公布他们的姓名予以查明弹劾,以申明国家法令。"吴育原本是由制科对策晋升的,皇帝多次称赞他贤能,认为真正得到了人才,所以唐询极力排斥诋毁制科,其用意就是针对吴育,不在于制科本身。吴育的弟弟娶李遵勖的妹妹,生下六个孩子后成了寡妇。唐询因而又上奏说:"吴育的弟媳寡居很久,吴育不让她改嫁,想以此依附李氏来自己进升。"这些大抵都是仰观贾昌朝的心意,并且想报复吴育;皇帝都不予听取。

秋季,七月,三司使王拱辰进言说:"太祖时有军队十二万,太宗时有十八万,真宗时有四十万,而今又增加了一倍。兵在于精不在于多,兵多闲散,只坐吃军粮,不是好办法。三司虽总揽财政收支,而实际开支却在朝廷外,请各道帅臣都负起责任。"乙酉(初七),诏令判大名府夏竦、知并州郑戬、知永兴军程琳都兼管本路粮草的计划安排,这是听从王拱辰的意见而颁布的诏书。

辽国豳王遂格去世。

庚寅（十二日），河东经略司奏报说雨水冲坏了忻、代等州的城墙。

乙未（十七日），辽国任命前任南府宰相耶律喜逊为东北路详衮。

丙申（十八日），授命知吉州余靖分司南京，准许居住在韶州。当初，余靖担任谏官，曾经上奏弹劾太常博士茹孝标不守孝道，隐匿母亲去世的消息，茹孝标因而被免去官职。余靖失势之后，茹孝标趁机跟知谏院钱明逸说，余靖年轻时在广州，因犯法而受笞刑，钱明逸就上奏弹劾说余靖不宜任近侍官员。余靖听到后，心中不安，请求离任去侍养父母。恰逢朝廷下令广州查核，了解到实情。余靖原名余希古，应试进士，没有考上，曲江县主簿好好待他。知韶州的官员疾恨这位主簿，搜集他的罪状，没有找到什么，只知他与余靖有交往。这位主簿因违反敕令停职，而当时余靖受到笞刑后，就改名在其他州考取进士。记载这些事的公文都在，所以有这项命令。

辽国登记各道的军队。

丁酉（十九日），辽国君主上秋山。辛丑（二十三日），辽国禁止扈从践踏民田。

辽国翰林都林牙并修国史萧罕嘉努看到辽国君主打猎，没有不进谏的，碰巧有关官员上奏，秋山打猎时，熊虎咬伤咬死几十人，萧罕嘉努写入史册中。辽国君主看到后命令他删去，萧罕嘉努出来后又写上去。后来，辽国君主看到了，就说："史官就应当如此。"辽国君主曾问萧罕嘉努说："我们国家自创业以来，谁是贤明的君主？"萧罕嘉努回答是穆宗耶律璟。辽国君主觉得奇怪，说："穆宗嗜好饮酒，喜怒无常，把人看成草芥，你为什么称他贤明。"萧罕嘉努说："穆宗虽然暴虐，但减轻徭役赋税，人民生活安乐，在整个穆宗统治时期没有什么过失。而近来秋山打猎死伤的人很多，臣下所以认为穆宗贤明。"辽国君主默然无语。

壬寅（二十四日），皇帝对宰臣说："过去任命李用和的儿子李璋为阁门副使，如今他的次子李珣又请求担任通事舍人。我已晓谕他说："朝廷的封爵与奖赏是天下人共同享有的，倘若偏爱亲戚，让兄弟补缺升官，随己所欲，我怎么对待各位功勋旧臣呢？"贾昌朝回答说："皇帝母后的家族，自古以来本来就要更多地蒙受皇上的恩泽。现在陛下能珍惜封爵和奖赏，不肯轻易授人，不仅向天下表示陛下极为公正，也保全了外戚的幸福。"

癸卯（二十五日），任命马军副都指挥使许怀德为静安军留后。言事官上奏章评论的人接连不断，御史中丞张方平上书说："许怀德妄引政体旧例，侥幸向陛下陈述请求，破坏和搞乱军队编制，扰乱朝廷典章，请求夺去他的军职，任命为环卫官，或一郡的长官。"皇帝不予听从。

乙巳（二十七日），户部副使夏安期等人，奏报说与鄜延经略使沈邈一起已减去罢免官员、使臣四十四人。

八月，己未（十二日），诏令："臣僚的子孙，若是依恃荫庇的无赖之徒，曾受过刑罚的，如果再犯私罪，就不得再赎罪了。"当时邵武军的官员奏报说："已故退休秘书监龚曙的孙子，屡次违犯屠牛法，应当因荫庇而赦免。"皇帝特地命令正式处以刑罚，并另外制定这条法令。

癸丑（初六），高丽国国王王钦去世，他儿子王徽继承王位。

壬戌（十五日），下诏陕西、河东经略使："西方的人虽然已纳贡称臣，然而他们居心诡诈，难以相信。怕各路在裁减兵员后，渐渐放松边境防卫，请更加注意训练兵卒，修缮城墙！

倘若敌寇袭来,有没依诏令行事的人,迅速奏报他们的姓名。"

癸亥(十六日),策试贤良方正能直言极谏科,太常博士钱彦远在这次策对中进入第四等,提升为祠部员外郎、知润州。钱彦远是钱易的儿子,钱明逸的哥哥。钱氏父子兄弟都通过制科策对考试考上而进入仕途,当时人认为这是了不起的事。

癸酉(二十六日),任命参知政事吴育为枢密副使,枢密副使丁度为参知政事。吴育在官府执政,遇事敢于发言。知永静军向绥怀疑通判江中立诬陷自己,因而诬告江中立有罪,迫使江中立自杀。吴育想治向绥死罪,宰相贾昌朝极力营救,得以从轻处罚,吴育于是在皇帝面前争论,殿中大臣都大惊失色。吴育论辩不止,于是请罪说:"臣下辩论是自己的职责,想到力不胜任,愿意罢免臣下的职务。"于是就与丁度调换了职位。丁度任枢密副使,班位在庞籍后面。当时庞籍的女儿嫁给参知政事宋庠的儿子,宋庠坚定地对皇帝说,为避亲戚的嫌疑不能在同一官署共事,所以越级任用丁度。起先,贾昌朝与吴育相争,皇帝想一起罢免这两人,御史中丞张方平将要进入内廷应对,贾昌朝派人约请张方平帮助自己,并以张方平代替吴育为条件。张方平大怒,斥责来人说:"这种话怎么对我说呢!"应对时,他详细评论了两个人的邪正曲直,但吴育最后还是被罢免了。世人都认为张方平实际上是站在贾昌朝这边的。

甲戌(二十七日),任命监察御史唐询知湖州,终因与宰相是亲戚的嫌疑而免职。

九月,庚寅(十三日),任命户部副使夏安期为陕西都转运使。夏安期与各路经略安抚司讨论边境事务,共上奏减省官员及裁减不称职的士兵五万人。

当时多次发生灾荒怪异的事,户部员外郎兼侍御史知杂事梅挚援引《洪范》篇而呈上警戒灾变的疏奏说:"'王省为岁',就是说君王总领群臣,就像一年包容四季一样,如政事不顺利就反省自己的职责。如今春天出现日食,夏天发生地震,秋天出现暴雨大火,一年之中有三季发生灾变,这里上天认为陛下反省自己的职责还不充分才叮咛告诫的。伊水、洛水的河水暴涨,冲走房屋,海水灌入台州,淹死百姓,浙江大堤溃坏,黄河水溢大堤,这就所谓'水不润下'。陛下应该责备自己修养美德,以回答上帝的眷念保祐,如果阴不能胜过阳,那么灾异就会衰减停止,而盛德就日渐兴起了。"还说:"权陕西转运使张尧佐没有才学,凭后宫关系提升,恐怕会连累陛下的圣德。"以及上奏减省资政殿学士的人员,招待制官共同商讨政事,恢复百官转对的制度等建议,皇帝对大臣说:"梅挚评论政事都讲到点子上了。"任命他为户部副使。

癸卯(二十六日),登州发生地震。皇帝说:"山东连年地震,应该预防还未产生的事变,下令登州加强武装戒备。"

甲辰(二十七日),辽国禁止用网捕猎狐狸、兔子。

冬季,十月,丁未朔(初一),诏令:"近日派张子奭到延州与西夏国商议疆界的事,丰州地区应当属于汉人的疆界内。如商议不决,可以横阳河外一向所侵耕地四十里作为双方禁地。如果他们还坚决争执,就以横阳河为界。"起先,西夏国献出卧龙疣、吴移、已布等九寨,又献纳丰州故地,想以没宁浪等地为界。朝廷把这一要求下达给河东经略使郑戬。郑戬上书说:"没宁浪等地都在丰州以南,深入到府州的腹地,若接受他们的要求,麟、府两州势必难以防守,只宜以横阳河为界。"皇帝就把郑戬呈上的地图交给张子奭前往延州谈判。

己酉（初三），辽国君主驻留在中会川。

辛未（二十五日），下诏发兵讨伐湖南瑶族乱贼。

十一月，己卯（初三），派著作佐郎楚建中前往延州，共同商议与西夏国划分疆界的事宜，这是由于张子奭在途中病故的缘故。

任命权御史中丞张方平为翰林学士、权三司使。

从开宝年间以来，河北地区的盐听任商人贸易，官府征取盐税，每年盐税总额达十五万缗。上秘奏的人曾请求禁止买卖以收取余利，当时余靖担任谏官，上书说："过去太祖皇帝特别施恩惠给河朔地区，所以允许盐商自由买卖，只命令收取盐税。如今一旦禁止自由买卖，盐价必定飞涨；百姓如果心怀怨恨，后悔都来不及！请求仍旧允许自由通商，不使盐价上涨而激起百姓的怨恨。"这个建议就搁置下来了。待王拱辰担任三司使，又建议这两州的盐全由官方买卖，把这个建议下交该路征求意见，都转运使鱼周询也认为不可行，还说："商人贩卖食盐，与所经过州县官吏勾结作弊，征收的盐税还达不到总额的二三成。请敕令州县按十分征税，听凭商人到所贩卖的州县一起交纳税钱，每年可收取税钱七十万缗。"三司上奏采用他提出的措施，皇帝说："让人们突然吃上昂贵的食盐，岂是我的心意啊！"

在三司改订专营法还未下达的时候，张方平谒见皇帝，问道："河北地区又由官府专营食盐，是怎么回事？"皇帝说："只开始讨论订立法令，不是再度专营。"张方平说："周世宗专营河北地区的食盐，违犯就要处以死刑。周世宗北伐，乡亲父老挡道哭诉，愿意把盐税放入两税中征收而解除贩盐的禁令。现在的两税中就算进了盐税的钱，岂不是又要实行官府专营了吗？况且如今还没有专营，契丹就盗贩私盐不止；如实行官府专营，盐价更贵，契丹的盐就销售更多，这就使我们激起百姓怨恨而使他们获利。他们的盐私贩很多。不用武力就不能禁止；边境矛盾一揭开，征收的盐税之利，能够弥补用兵的花费吗？"皇帝恍然大悟说："你告诉宰相立即取消专营。"张方平说："法令虽未下达，人民已都知道了，应直接用手写诏书下令取消，不能经由有关部门下发。"皇帝大为欢喜，命令张方平秘密撰写诏书，下发，并且在北京刊布诏书。后来，乡亲父老经过诏书之下，都叩头流涕。

癸未（初七），湖南瑶族乱贼侵扰英州、韶州边界。

丁亥（十一日），辽国任命南院枢密使萧孝友为北府宰相，任命契丹行宫都部署耶律仁先为南院大王，任命北府宰相萧革同知北院枢密使事，任命知伊勒希巴事耶律信先为汉人行宫都部署。萧革恃宠专权，南院宣徽使耶律义先疾恨他，趁侍从君主宴饮之时，对辽国君主说："萧革狡诈奸佞喜欢捣乱，一旦重用，必定误国。"辽国君主不予采纳。又一天，侍从宴饮，辽国君主命令群臣赌博为乐，输者罚酒一大杯。耶律义先轮到与萧革对赌，耶律义先失望地说："臣下纵然不能提携贤才退黜不肖，怎么能与国贼对博呢！"萧革假装没听懂地说："您的玩笑不也太过分了吗？"辽国君主也制止他说："你喝醉了！"耶律义先厉声辱骂不止，辽国君主大怒，皇后劝解说："耶律义先酒醉发狂，醒酒后可治他的罪。"第二天，辽国君主对萧革说："耶律义先昨天无礼，应当罢黜他。"萧革说："耶律义先的才能，怎能逃过圣上的明鉴！但天下人都知道他忠诚耿直，如今由于饮酒犯过而治罪，恐怕违背了人们的愿望。"辽国君主认为萧革被人冲犯而不计较，待遇他更加优厚了。萧革掩饰实情取媚皇上，大多如此。耶律义先郁郁不得志,但议论政事未曾气馁。后来又到辽国君主面前赌博,耶律义先作祝说:"以前讲别人的过失,冒犯圣上天威;今天一掷,可以表示我的忠心。"一下子,他投中了堂印,辽国君主很吃惊。耶律义先是耶律仁先的弟弟。

辛丑(二十五日),皇帝在京城南面的韩邨狩猎。从玉津园下辇车骑马,将骑士几千人分成左右两翼,用旗鼓指挥前进步骤,合拢围猎场,方圆十多里,部署各队相互呼应。皇帝手执辔头走在中央,亲自引弓射箭,多次射得飞禽。当时道路两边的居民有人喂养了狐狸、兔子、野鸭、野鸡,也被赶入围猎场中,皇帝因而对辅政大臣说:"田猎只是用来进行军事训练,并非专门为了猎获。"命令全部放走。来到棘店,走进用帷帐搭成的殿堂,召见询问所经过地区的父老乡亲,了解他们子孙供养情况,土地上适宜种植什么等,并且赞叹他们衣食粗糙,却能享有高寿,对每个人都给予慰劳。返回时,走在近郊路上,命卫士在御马面前轮流表演武艺,两人一对,从容横槊,一决胜负。又跟辅政大臣说:"这也可以看出士兵的才艺和勇气。"免除所经过的在围猎场内的农田的租税一年。

乙巳(二十九日),辽国赈济南京的贫民。

十二月,壬申(二十七日),辽国特赦徒刑以下的罪犯,因为这天是辽圣宗在世时的生辰。辽国君主兴宗耶律宗真沉溺于佛教,只管施行小恩小惠,多次降下赦免的诏令,释放了很多死囚,辽圣宗耶律隆绪的治国遗风就逐渐消失了。

庆历七年 辽重熙十六年(公元1047年)

春季,正月,丙子朔(初一),到大庆殿接受群臣朝拜。

己卯(初四),辽国君主前往混同江。

甲申(初九),知大宗正事赵允让请求今后宗室如有当面祈求皇帝恩泽的人,罚停他一个月俸禄,还停止朝拜谒见;准从。

丁亥(十二日),诏令河北路领养国家的军马而让马死亡的,限令两年内偿还。

戊子(十三日),尚书左丞,知兖州杜衍,以太子少师退休。当时年龄已七十岁,正月初一呈上表请,归还印信绶带。贾昌朝一向不喜欢杜衍,因而马上同意他的请求。议论的人认为杜衍以前担任宰相,一呈上表书就得以辞官,况且他还是位至三少之一的少师,这都没有成例,大概是贾昌朝抑制他的缘故吧。

癸巳(十八日),任命制诰杨伟权知谏院。杨伟曾经说:"谏官应该评论国家大事,细碎琐事不值得谈论。"然而时人讥刺他于事无补。

壬寅(二十七日),诏令减免被瑶族乱贼侵害的连州居民来年夏季的田租。

二月,丁未(初二),下诏流内铨说:"应该交纳粮谷而授官的人,不任命为司理、司法参军以及上州的判官;资历深而没犯过失的,才能任命为主簿、县尉;如依资历升为县令、录事参军的,铨选部门依照条文的规定安排,只任命为监物务。"这是依从御史知杂李东之的奏请。

己酉(初四),诏令在益州支取交子三十万给秦州,招募人员运送粮食给中央。

丙辰(十一日),命令二名内侍去提取月给军粮。当时侍御史棣州吴鼎臣上书说:"各军班所发给的粮食多已陈腐,斗升大小没有标准,请派内侍纠察处理。"第二天,各监仓的官员呈送军粮,皇帝晓谕他们说:"今后应当足数供给。"当时卫士都在殿堂下面,殿前都指挥使李昭亮就率领卫士拜谢。然而军粮从江、淮地区漕运周转到京师,又存放多年后才支给,上等军得到的数量可以达到斗升标准,下等军就只能得到十分之八九了,即使派内侍提取发放,也始终不能如数执行。

庚申(十五日),辽国君主来到鱼儿泊。

辛酉(十六日),禁止群臣在宴乐时上奏请求私事。诏令世选的官员从各部旧臣中选拔有才能者担任。

先前,枢密使马保忠向辽国君主进言说:"儒道使天下强盛,吏道使天下衰微,而如今授官任职,大多任用吏员而不用儒士。尊崇儒道乡里百姓就会注重修养,修养出好的德行就会注意礼仪冠冕的等级次序。今后不是圣明帝王和孔孟的学说,希望陛下明确诏令深切禁止根绝。"辽国君主不予采纳。

三月,癸未(初九),下诏凡请求宽恤民力的事,允许官吏通过驿传奏报;副本上交转运司,详细审查,可实行的事就予以实行。

毁掉后苑的龙船。起初,有关官员请求修理以备游幸时乘用,特地下诏毁掉。

丁亥(十三日),由于天旱,取消大型宴会。癸巳(十九日),下诏说:"自去年冬天到今年春天,干旱不已,五谷无收,农民不能耕种。我想灾害变化的袭来,应该不是随便发生的,大概是我并不聪明敏捷,触怒了上帝,罪过是我招致的,人民又有什么罪!与其降灾给人民,不如把灾祸转移给我。从今天开始避开正殿不住,减少日常膳食规格,朝廷内外的臣僚,指出当世急切的政务,逐条列出密封奏上。三事大夫要协力齐心,以合乎我惊恐畏惧上帝的本意!"

皇帝每次命令学士草拟诏书,都未曾增改。现在杨察执笔,已呈上诏书的草稿,皇帝认为没有充分表达罪责自己的心意,下令改写这一诏书。

辽国君主来到黑水泊。派使者审理判决双州的囚犯。

乙未(二十一日),贾昌朝罢贬为武胜节度使、同平章事、判大名府兼河北安抚使;枢密副使、右谏议大夫吴育罢贬为给事中,归回朝班。贾昌朝与吴育多次在皇帝面前争论,议论的人大多认为贾昌朝不对。当时正为无雨发愁,贾昌朝援引汉代遇上灾害变异就罢免三公的旧例,上表请求撤职。御史中丞高若讷在经筵讲席,皇帝向他询问天旱的原因,高若讷趁机说:"阴阳不调合,责任在宰相。《洪范》中记载:'大臣不恭敬,雨水就不会依时节降落。'"皇帝采用了他的话,就罢免贾昌朝等人;不久又命令吴育知许州。

任命河阳三城节度使、同平章事、判大名府夏竦以先前所任的官职充任枢密使。按旧例,文臣从使相升任枢相,必须交还信节和原官职的委任状,唯独夏竦不是这样。起初,降下制书征召夏竦为宰相,谏官和御史就上书说:"大臣和睦,政事才好开展,夏竦与陈执中平常的观点总不统一,不能让他们共事。"过了三天,就用贴麻诏书改命他职。

任命知益州、枢密直学士文彦博为右谏议大夫,枢密副使。

皇帝由于李东之的建议,又到近郊去田猎。到南郊打猎那次,由于卫士来不及备马出来,便回来了,晚上,有一只野鸡死在殿中,谏议的人们都认为不吉祥。这月,又准备出去打

1011

猎,谏议的人很多,御史成都人何郯的言辞尤为深切耿直,于是就取消了这次出猎的行动。又下诏停止建州制作龙凤茶。

丁酉(二十三日),改任枢密副使文彦博为参知政事,任命权御史中丞高若讷为枢密副使。

己亥(二十五日),赐给天章阁待制兼侍讲曾公亮三品官的官服。按惯例,待制入内廷谢恩,未曾赐过官服。到这时皇帝到迩英阁当面赏赐给他。

曾公亮从任修起居注后,应当升迁为知制诰,但贾昌朝是他的连襟,为了避嫌,所以让他待制天章阁。贾昌朝被罢免半年后,才任命他为知制诰。

壬寅(二十八日),贬降宰臣工部侍郎陈执中为给事中,贬降参知政事、给事中宋庠为谏议大夫,贬降工部侍郎丁度为中书舍人。起先,贾昌朝援引汉代旧例请求罢免宰相职位,贾昌朝罢免后,陈执中等人又提出他这一请求,于是各人降官一等,但依旧辅政。

皇帝到西太一宫去时,正值烈日炎炎,他取下伞盖不用;待回宫时,雨水充足。

这天,辽国下大雪。

癸卯(二十九日),下诏暂时停止贡举。

续资治通鉴卷第四十九

【原文】

宋纪四十九　起强圉大渊献【丁亥】四月,尽著雍困敦【戊子】三月,凡一年。

仁宗体天法道极功全德　神文圣武睿哲明孝皇帝

庆历七年　辽重熙十六年【丁亥,1047】　夏,四月,乙巳朔,辽主闻太后不豫,驰往视疾。丙午,太后愈,辽主复如黑水泺。

己酉,诏曰:"前京东转运使薛绅,任文吏孔宗旦、尚同、徐程、李思道为耳目,伺察州县细过以滋刑狱,时号四瞪。前江东转运使杨纮,判官王绰,提点刑狱王鼎,皆苛察相尚,时号三虎。是岂称朕忠厚待人之意!纮既降知衡州,而绅等故在;其降绅知陕州,鼎知深州;绰方居丧,候服除日取旨。自今毋皆复用为部使者。宗旦等四人,并与远小处差遣。"绰,益都人,鼎,沿子,与纮三人者,皆范仲淹等所选用也。天章阁待制侍讲杨安国,因讲筵为帝言三虎、四瞪事,故有是诏。

绰先为刑部详覆官,有廖均者,挟当路权势雪罪,中书连旧例送刑部,官属无敢违者,绰独以为救一定而例有出入,今废救用例,非有司所敢闻也。执政虽深恶之,然卒不能屈。迁通判雄州,城久坏,守将虑违辽人誓书,不敢修,绰以为今但修之而已,非有所增广,于誓书固无害也。既兴役,辽人果来问。绰报以前语,仍缓其使,及使反而役已毕,辽亦不复问。杜衍、富弼尤称其才。及丧除,责通判莱州。

庚戌,以京东转运使包拯为直集贤院、陕西转运使。

壬子,御正殿,复常膳,仍赐二府《喜雨诗》。

乙卯,陈执中、宋庠、丁度皆复所降官。

丁卯,上封者言:"诸路转运司广要出剩,求媚于上。民输赋税,已是太半之赋,又令加耗,谓之润官。江西诸路州军体例,百姓纳米一石,出剩一斗,往往有聚敛之臣,加耗之外,更要一斗。江西一路,岁以百万石为准,每石取米一斗,以百万石计之,所收已及十万石,十万石耗米入官,则下民必食贵米。此但粗引一路之弊耳,况天下之广,赋税之饶,其弊无极。臣恐诸路转运司尚有似此无名刻削,愿陛下阅其奏目,或有横加收敛,名为出剩,乞赐黜贬为便。"帝览之,曰:"古称聚敛之臣过于盗贼,今如此掊敛,是为朕结怨于民也。"亟下诏止绝之。

辽以太后疾愈,赦境内。

己巳,诏谏官除朝参外,非公事毋得出入请谒。

五月,丙子,以东头供奉官李玮为左卫将军、驸马都尉,选尚福康公主。玮,用和次子,帝追念章懿太后不已,顾无以厚其家,乃使长女降焉。

知谏院王贽言:"臣僚章疏内,有事合更张者,送两制及台谏官等同议,动经半年有馀,未见结绝,素无条约,务在因循。欲乞今后应批状下两制及台谏等官同定者,乞限五日内聚议,半月内连书奏上;如议论不同,即许别状以闻。"从之。

戊寅,诏武臣非历知州、军无过者,毋授同提点刑狱。

己丑,补降猺唐和等为峒主。

以知青州、翰林学士、户部郎中叶清臣兼龙图阁直学士为永兴军路都部署兼本路安抚使、知永兴军。帝初欲进清臣官为谏议大夫,宰相陈执中曰:"此太优,乞且令兼龙图阁〔直〕学士。"帝许之。故事,新除知永兴军者,当有锡赉,执中曰:"清臣近已得赐。"遂不与。清臣愈恨,过阙,请对,于帝前数执中之短,且力辞龙图阁直学士不拜,帝锡赉之,亦不受。然帝遇执中如故。

水洛城都监刘沪卒。其弟渊将护丧东归,居人遮道号泣,请留葬水洛,立祠城隅,岁时祀之。经略司言:"熟户蕃官牛奖通等愿得沪子弟主其城。"乃复命沪弟淳为水洛城都监。

己亥,命翰林学士杨察除放天下欠负。

辛丑,诏:"西北二边有大事,自今令中书、枢密院召两制以上同议之。"

六月,戊申,辽主清暑于永安山。

丁巳,准布部长朝于辽,献方物。

戊午,辽诏士庶言事。

壬戌,置北京留守司御史台。

诏:"臣僚移任求朝见者,留京师毋得过十日。"

先是夏竦言石介实不死,富弼阴使入契丹谋起兵,朝廷疑之。弼时知郓州,亟罢京西路安抚使。既而北边安堵,竦谮不验。弼自郓州徙青州,仍领京东路安抚使。

竦在枢府,又谮介说契丹弗从,更为弼往登、莱结金坑凶恶数万人欲作乱,请发棺验视。侍御史知杂事韩城张昇及御史何郯尝极论其事。郯奏:"此事造端,全是夏竦,意本不在石介。缘范仲淹、富弼在两府日,竦尝有枢密使之命,以群议不从,即行罢退。竦疑仲淹等排摈,以介曾被仲淹等荐引,故欲深致介恶以污忠义之臣。皆由畴昔之憾未尝获逞,昨以方居要位,乃假朝廷之势有所报耳。其石介存殁,乞更不根问,庶存大体。"帝不听,复诏监司体量。

中使持诏至奉符,提点刑狱吕居简曰:"今破家发棺,而介实死,则将奈何?且丧葬非一家所能办,必有亲族门生及棺敛之人,苟召问无异,即令具军令状保之,亦可应诏矣。"中使曰:"善!"及还奏,帝意果释。介妻子初羁管它州,事既辨明,乃得还。

秋,七月,辛巳,诏两制及太常礼院议增真宗谥。

壬午,以户部副使张尧佐为河东都转运使。

辛卯，辽主如庆州。

辛丑，禁贡馀物馈近臣。

八月，丁未，赐汝州龙兴县处士孔旼粟帛。旼，孔子四十六代孙，性孤洁，喜读书。有田数百亩，赋税常为乡里先；遇岁饥，分所馀周不足者，未尝计有无。闻人之善，若出于己。动止必依礼法，环所居百里人皆爱慕，见旼于路，辄敛衽以避。葬其父，庐墓三年，卧破棺中，日食米一溢，壁间生紫芝数十本。州以行义闻，故有是赐，又诏给复其家。

丙辰，加真宗谥曰膺符稽古成功让德文明武定章圣元孝，从张方平等议也。

戊午，改文明殿学士为紫宸殿学士。文明殿，禁中已无之，学士自程羽、李昉后亦不以除授，而"文明"二字又同真宗谥。用宋庠议也。

初置天章阁直学士，位在龙图阁直学士之下。

乙丑，析河北为四路，各置都部署。

九月，甲戌，降知渭州张亢知磁州。时三司给郊赏，州库物良而估贱，三司所给物下而估高，亢命均其直以便军人。转运使奏亢擅减三司所估，枢密使夏竦挟故怨，因黜亢。御史宋禧继言亢尝以库银市易，复降知寿州。

自七月至于是月，辽主日射猎于楚不沟、霞列、系轮、石塔诸山。

冬，十月，壬寅朔，以集贤殿修撰范阳张揆为天章阁待制兼侍读学士。揆著《太玄集解》，召见延和殿，令揲蓍，得《断首》，且言："《断首》，准《易》之《夬》卦，盖阳刚以决阴柔，君子进而小人退之象也。"帝悦，故有是命。

辛亥，辽主如中京。

太子太傅致仕李迪既归濮州，其子东之为侍御史知杂事，奉迪来京师。帝数遣使劳问，欲召见，以羸疾辞。壬子，迪卒，赠司空、侍中，谥文定。帝篆其墓碑曰"遗直之碑"，又改迪所葬郓城之〔邓侯〕乡曰遗直乡。

丙辰，辽定公主行妇礼于舅姑。

乙丑，河阳、许州地震。

庚午，铁骊仙门朝于辽，辽主以其始入贡，加其使为右监门卫大将军。

十一月，戊寅，辽主祀木叶山。己丑，如中京，朝太后。

壬辰，辽禁漏泄宫中事。

丙申，朝享景灵宫。丁酉，享太庙、奉慈庙。戊戌，冬至，祀天地于圜丘。大赦。

是日，贝州宣毅卒王则据城反。则本涿州人，岁饥，流至贝州，自卖为人牧羊，后隶宣毅军为小校。贝、冀俗妖幻，相与习《五龙滴泪》等经及图谶诸书，言释迦佛衰谢，弥勒佛当持世。初，则去涿，母与之诀别，刺福字于背以为记，妖人因妄传福字隐起，争信事之。而州吏张峦、卜吉主其谋，党连德、齐诸州，约以明年正旦断澶州浮梁，乱河北。会其党潘方净，怀刃以书谒北京留守贾昌朝，事觉被执，不待期亟叛。

时知州张得一，方与官属谒天庆观，则率其徒劫库兵，得一走保骁捷营。贼焚门，执得一，囚之。兵马都监田斌以从卒巷斗，不胜而出。城扉阖，提点刑狱田京、任黄裳持印弃其家缒城出，保南关。贼从通判束鹿董元亨取军资库钥，元亨拒之，杀元亨。又出狱囚，囚有憾司理参军王奖者,遂杀奖。既而节度判官李浩、清河令齐开、主簿王(滦)〔淏〕皆被害。则僭号东平郡王,以张峦为宰相,卜吉为枢密使,建国曰安阳。榜所居门曰中京,居室厩库,皆立名号。改年曰得圣,以十二月为正月。百姓年十二以上,七十以下,皆涅其面曰"义军破赵得胜"。旗帜号令,率以佛为称。城以一楼为一州,书州名,补其徒为知州,每面置一总管。然缒城下者日众,于是令守者五伍为保,一人缒,馀悉斩。

贾昌朝遣大名府钤辖郝质将兵趋贝州。十二月,辛丑朔,昌朝以贝州反书闻。内出札子下中书、枢密院,亟择将领往扑灭之。仍令澶州、孟州、定州、真定府豫设守备,毋致奔逸。

壬寅,遣入内押班麦允言、西京作坊使王凯往贝州捕杀军贼,仍诏贾昌朝发精兵卫之。

高阳关都部署王信闻贝州乱,亟领本部兵傅城下。甲辰,以信为贝州城下招捉都部署。

戊申,加恩百官,王贻永封遂国公,夏竦英国公,章得象郇国公,王德用祁国公。

旧制,将相食邑万户,即封国公。王旦为相,过万户,而谦抑不受。是岁,郊恩,中外将相唯竦满万户,中书请封英国公,因诏节度使带平章事未满万户皆得封,于是贻永、得象、德用皆封国公。

庚戌,以权知开封府明镐为河北〔体量〕安抚使。

辛亥,辽主谒太祖庙,观太宗《收晋图》。

癸丑,辽主问太后安。

甲寅,徙知沧州高继隆知贝州,遣内侍何诚用赍敕榜招安贝州军贼。御史中丞高若讷言:"河朔重兵所积处,今释贝州不讨,后且启乱阶,为辽人笑。"不听。

乙卯,辽以太后疾愈,命杂犯死罪以下减一等论,徒以下免。

庚申,辽南府宰相杜防、韩绍荣奏事有误,各以大杖决之,出防为武定军节度使。

三司使张方平言:"勘会陕西用兵以来,内外所增置禁军八百六十馀指挥,约四十有馀万人,内马军一百二十馀指挥,若马数全足,计六万有馀匹;其系三路保捷、振武、宣毅、武卫、清边、蕃落等指挥并本道士兵,连营仰给约二十馀万人,比屯驻戍兵当四十万人。又自庆历三年以后,增添给送西北银绢,内外文武冗官,日更增广,所以三司经用不赡。天下山泽之利,茶盐酒税诸色课入,比之先朝以前,例皆大有增剩,可谓无遗利矣。而有司调度,交见匮乏,直以支费数广,不量入为出所致耳。方今急务,莫先食货,食货不足,何以为国!伏望令中书、枢密院审加计议,裁于圣断。早为之所,犹须效在累年之后;如救焚援溺,则益不及矣。"

壬戌,高丽贡于辽。

八年 辽重熙十七年【戊子,1048】 春,正月,辛未,夏国主曩霄殂,伪谥曰武烈皇帝,庙号景宗,墓曰泰陵。

曩霄凡七娶:一曰米母氏,舅女也,生一子,以貌类它人,杀之。二曰索氏。三曰都罗氏,早死。四曰咩迷氏,生子阿理,谋杀曩霄,为卧香乞所告,沉于河,杀咩迷氏。五曰雅尔氏,裕勒且从女也,颀长,有智谋,曩霄畏之,戴金起云冠,令它人不得冠。生三子,曰宁明,喜方术,从道士学辟谷,气忤而死。次宁令格,曩霄以貌类己,特爱之,以为太子。次薛埋,早死。后复纳玛伊克,皆山女,营天都山以居之。雅尔之族宣言:"吾女嫁二十年,止故居,而得玛伊克女,乃为修内!"曩霄怒。会有告裕勒且兄弟谋以宁令格娶妇之夕作乱,曩霄遂族裕勒且、刚哩、凌城通等三家。既而雅尔氏诉"我兄弟无罪见杀"，曩霄悔恨，下令访遗口，得裕勒且妻阔于三香家，后与之私通，雅尔氏觉之，乃出之为尼，号密藏大师。六曰耶律氏。七曰玛伊克氏，初欲纳为宁令格妻，曩霄见其美，自娶之，号为新皇后。宁令格愤而杀曩霄，不死，劓其鼻而去，匿黄芦鄂特彭家，为鄂特彭所杀。曩霄遂因鼻创死，年四十六。

密藏氏初为尼，寓于兴州之戒坛院，既娠而曩霄死。曩霄遗言，立从弟委格宁令。其大酋诺伊尚都等与密藏鄂特彭议所立。密藏，大族也，鄂特彭为之长。众欲如遗言立委格宁令。鄂特彭独弗许，曰："委格宁令非子，且无功，安得有国！"诺伊尚都曰："国今无主，然则何所立？不然，尔欲之乎！尔能保有夏土，则亦众所愿也。"鄂特彭曰："予何敢哉！夏自祖考以来，父死子继，国人乃服。今密藏尼娠先王之遗腹，幸而生子，则可以嗣先王矣，谁敢不服！"众曰："然。"遂立密藏尼为太后。曩霄死三月而生男，是为谅祚。以毛惟昌、高怀正之妻更乳之，而政在密藏氏。惟昌、怀正皆汉人，本裕勒且帐下，故亲待之。已而怀正贷银夏人，惟昌窃衣曩霄所与盘龙服，皆为鄂特彭所族。

乙亥，明镐以贝州城峻，不可攻，谋筑距闉，度用工二万人，期三十日可与城齐。而贼亦于城上设战棚，与官军相当，名曰喜相逢。距闉将成，为贼所焚，火三日不灭。乃用军校刘遵计，即南城凿地道，而日攻其北以牵制之。

贝州民有汪文庆、郭斌、赵宗本、汪顺者，自城上系书射镐帐，约为内应，夜，缒绁以引官军，既纳数百人，焚楼橹，贼觉，率众拒战。初，官军既登，欲专其功，断绁以绝后来者。及与贼战，兵寡不敌，与文庆等复缒而下。是夜，城几克。丙子，授文庆、斌西头供奉官，宗本、顺右侍禁。

丁丑，以参知政事文彦博为河北宣抚使，本路体量安抚使明镐副之。镐督诸将攻贝州城，久不下。帝忧之，问辅臣策安出，彦博乞自往讨贼，故遣彦博宣抚而改镐为副。先是枢密使夏竦恶镐，恐其成功，凡镐所奏请，辄从中沮之。彦博既受命，因言军事中覆不及，愿得专行。戊寅，诏许彦博以便宜从事。彦博请用将作监主簿鞠真卿等三人掌机宜文字，许之。镐所奏辟殿中丞王起等四人，仍听随军。贝州贼谋窃出要劫辽使，明镐谍知之，遣殿侍安素伏兵西门。壬午，贼果以三百人夜出，伏发，皆就获。

是日，江宁府火。初，南唐大建宫室府寺，其制皆仿帝京。时营兵谋乱，事觉，伏诛。既而火，知府事、集贤殿学士李宥惧有变，阖门不救，延烧几尽，唯存一便厅，乃旧玉烛殿也。寻责宥为秘书监直，令致仕。宥奏火事云："不意祸起萧墙，变生回禄。"会新有卫士之变，朝廷恶其言，故责特重。

乙酉，降空名告敕宣头札子三百道，下河北宣抚使，以备赏战功。是日，文彦博至贝州城。

丁亥，辽主如春水。

乙未，日赤无光。

官军攻贝州城北甚急，贼尽锐御之。而南城所穴地道潜达城中，贼初不觉也。闰月，庚子朔，文彦博夜选壮士二百，衔枚由地道入，右班殿直曹竭等导之。既出，登城，杀守陴者，垂绁引官军。贼纵火牛，官军稍却。军校杨遂以枪中牛鼻，牛还走，贼众惊溃。王则开东门遁，閤门祇候张绚缘壕与战,死之。王信捕得则,馀党保村舍,皆焚死。则自反至败,凡六十五日。

辛丑,文彦博遣李继和来告贝州平,赐继和锦袍、金带。彦博请斩王则于大名府,夏竦言恐所获非真盗,当覆视之,诏以槛车送则京师。

王则之以贝州反也,深州卒庞旦,与其徒谋以元日杀军校、劫库兵应之。前一日,有告者,知州王鼎夜出,檄遣军校摄事于外邑,而阴为之备。翼日,会僚吏,置酒如常,叛党愕不敢动。鼎刺得实,徐捕首谋十八人送狱,狱具,俟转运使至审决。未至,军中凶凶,谋劫囚,鼎谓僚吏曰:“吾不以累诸君。”独命取囚桀骜者数人斩于市,众皆失色,一郡帖然。转运使至,囚未决者半,讯之,皆伏诛。

壬寅,升冀州为安武军。

甲辰,曲赦河北,赐平贝州将士缗钱,战殁者官为葬祭;兵所践民田,除夏秋税。改贝州为恩州。

丁未,以秘阁校理张瑰为两浙转运使。瑰十年不磨勘迁官,朝廷奖其退静,故用之。

戊申,以文彦博为礼部侍郎、平章事,明镐为端明殿学士、给事中,马军都虞候王信为威德军留后。自馀兵官各以功次迁转及赐缗钱有差。

赠马遂为宫苑使。遂,开封人,以三班奉职为北京指使,闻王则叛,诣留守贾昌朝请击贼。昌朝使持榜入城招降,则盛服见之,与饮茶。遂谕以祸福,辄不答。遂将杀则而无兵杖自随,时张得一在侧,遂欲其助己,目得一,得一不动。遂奋起,投杯抵则,扼其喉,击之流血,而左右卒无助者。贼党攒刃聚噪,至断其一臂,犹詈则曰:“妖贼,恨不斩汝万段!”贼执遂,缚而支解之。则仓猝被殴伤,病数日乃起。事闻,帝叹息久之。则既诛,乃追赠遂,封其妻为旌忠县君,赐冠帔,官其子五人。后得杀遂者,使其子剖心而祭之。

癸丑,辽主射虎于侯里吉。

乙卯,判大名府兼北京留守司贾昌朝加检校太师,进封安国公,以恩州平也。翰林侍读学士杨偕言:“贼发昌朝部中,至出大臣讨之乃平。昌朝为有罪,不当赏。”弗听。

辛酉,崇政殿亲从官颜秀、郭逵、王胜、孙利等四人谋为变,杀军校,劫兵杖,登延和殿屋,入禁中,至寝殿。时皇后侍帝,夜半,闻变,帝遽欲出,后闭閤抱持,遣宫人驰召都知王守忠等以兵入卫。贼至福宁殿下,斫宫人,伤臂,声彻帝所。宦者何承用虑帝惊,绐奏宫人殴小女子,后叱之曰:“贼在殿下杀人,帝且欲出,敢妄言邪!”后知贼必纵火,乃遣宦者持水踵贼,贼果以烛焚帝,水随灭之。是夕,所遣宦者,后亲翦其发以为识,谕之曰:“贼平加赏,当以汝发为证。”故宦者争尽死力。仓猝处置,一出于后。颜秀等三人寻为宿卫兵所诛,王胜走匿宫城北楼,经日乃得,捕者即支分之,卒不知其始所谋。

枢密使夏竦言于帝,请御史同宦官即禁中鞫其事,且言不可滋蔓,使反侧者不安。参知政事丁度曰:“宿卫有变,事关社稷,此而可忍,孰不可忍!”固请付外台穷治党与。自旦争至食时,帝卒从竦议。甲子,降内侍杨景宗、邓保吉、杨怀敏、刘永年、赵从约、王从善等五人皆外迁;独怀敏领职如故,竦庇之也。

先是有诏释景宗等罪,御史中丞鱼周询、侍御史知杂事张昇、御史何郯等言:“殿廷所置宿卫,本为人主预备非常。今卫士所为凶悖,意不可测,兼后来获贼馀党,累传圣旨令未得杀死,而全不依禀,盖是本管臣僚惧见捕获之后,勘鞠得情,所以容众殴死,以图灭口,欲轻失职之罪。情状如此,理无可恕。太祖朝,酒坊火发,本处兵士因便作过,太祖以本坊使副田处岩等不能部辖,并处极法。今乘舆咫尺,贼乱窃发,凶恶之状,无大于此。而居职者既不能察举,当宿者又不即禽捕,未正典法,何以塞公议!伏乞重行黜降,用振威罚。"景宗等既外迁,郏等又再具奏,乞黜怀敏。帝令中书召郏等,谕以独宽假怀敏之故。郏等又言:"卫士持刃直入禁庭,欲凌犯乘舆,为大臣者宜深责有司失察之罪,如杨景宗等,并当诛戮以谢天下;若以其过非自取,止可贷其正坐,并宜流窜以戒百职。景宗等罚既甚轻,怀敏又独异众,盖两府大臣畏陛下左右之怨怒,不能坚执祖宗之法也。伏望一例责授外任,以协公论。"

帝语辅臣以宫庭之变,美人张氏有扈跸功,夏竦即倡言宜讲求所以尊异之礼。宰相陈执中不知所为,翰林学士张方平见执中言:"汉冯婕妤身当猛兽,不闻有所尊异。且舍皇后而尊美人,古无是礼。若果行之,天下谤议必大萃于公,终身不可雪也。"执中瞿然而罢。

初,谏官言:"江宁,上始封之地,守臣视火不谨,府寺悉焚,宜择材臣缮治之。"命司农卿林潍代李宥,潍固辞不行,乃降潍知袁州,改命龙图阁直学士张奎知江宁府。奎既至,简材料工,一循旧制,不逾时复完。

丙寅,磔王则于都市。

以知洪州、直集贤院李绚为荆湖南路转运使。时五谿蛮寇湖南,择转运使,帝曰:"有馆职善饮酒者为谁?今安在?"辅臣未喻,帝曰:"是往岁城邠州者,其人才可用。"辅臣以绚对,遂除之。绚乘驿至邵州,戒诸部按兵无动,使人谕蛮以祸福。蛮悦,罢兵受约束。

初,元昊犯延州,并边皆恐。绚通判邠州,城陴不完。绚方摄守,即发兵治城,僚吏皆谓当言上待报,绚不听。帝闻之,喜,因诏它州悉治守备。

丁卯,诛张得一,其兄弟悉坐降官,妻子论如律。得一知贝州,视事八日而乱作。贼置得一州廨之西,日具食饮。初,贼取州印,语曰:"用讫却见还。"每见贼,必呼曰大王,先揖而坐,坐必东向,又为则草僭拟仪式。贼平,得一付御史台劾治。狱具,朝廷议贷死,中丞高若讷谓:"守臣不死自当诛,况为则屈乎?"于是坐弃市。得一,耆之子也。

是月,臣僚上言:"皇城司在内中最为繁剧,祖宗任为耳目之司,勾当官四员,多差亲信有心力人。近年员数倍多,并不选擢。乞今后只差四员,选有心力沉厚之人,更不许人指射陈乞;如违,并以违制论。"从之。

二月,癸酉,杨怀敏落入内副都知,复为左藏库使、滑州钤辖,始从御史言也。何郏击怀敏尤力,帝谕郏曰:"古之谏臣尝有碎首者,卿能行此否?"对曰:"古者帝不从谏,故臣有碎首。今陛下从谏如流,何用如此!若必碎首,则美归臣下而过在君上也。"帝欣纳之。

颁《庆历善救方》。帝始阅福建奏狱,多以蛊毒害人者,福州医工林士元能以药下之,遂诏录其方。又命太医集诸方之善治蛊者为一编,诏丁度为序而颁之。

丙子,翰林侍读学士、左谏议大夫杨偕为工部侍郎,致仕。召见,宴劳,赐不拜。及卒,遗奏上《兵论》一篇。帝怜之,特赠兵部侍郎。偕性刚而忠朴,敢为大言,数上书论天下事,议者以为迂阔难用。与人少合,然亦能有所容。初,蔡襄等劾奏偕,出知杭州。会襄谒告过杭,而轻游里市,或谓偕,盍言于朝,答曰:"襄尝以公事诋我,我岂可以私报邪!"

1019

〔丁丑〕，夏遣杨守素来告其主曩霄之丧，命开封府判官曹颖叔为祭奠使，六宅使邓（报）〔保〕信为吊慰使，赐绢布羊米面酒如例。夏亦遣使告于辽，辽遣使如夏慰奠。

戊寅，改知荆南范仲淹复知邓州。仲淹在邓二年，邓人爱之。及徙荆南，众遮使者请留仲淹，仲淹亦愿留，诏从其请。

己卯，赐瀛、莫、恩、冀州缗钱二万，赎还饥民鬻子。

壬午，贬三司户部判官韩综知滑州。综前使辽，辽主问其家世，综言父亿在先朝已尝持礼来使，辽主喜曰："与中国通好久，父子相继奉使，宜酌我酒。"综率同使者五人起为寿，辽主亦离席酬之，欢甚。既还，宰相陈执中以为生事，故责之。寻改知许州。

乙未，以侍御史宋禧为兵部员外郎、同知谏院。先是禧鞫卫士狱于内侍省，不能究其本谋。狱既具，内侍又使禧自为牒，称无敢漏泄。已而乞遍于宫省置防谨火烛牌，及伐禁中临檐巨木，畜罗江犬以备盗。朝论非笑，因号曰宋罗江。开封府判官曹颖叔言禧为制使辱命，请置于法，不听，至是又擢谏官。

是月，辽命士庶言国家利便，不得及己事。奴婢所见，许白其主，不得自陈。

三月，甲辰，诏礼部贡举。

以京西转运使任颛权判三司都理欠凭由司。

初，夏遣吕你如来纳款，要请凡十一事，其尤者欲去臣称男。选颛押伴，一切责以大义，词屈而去。及孙延寿再使，虽上表已称臣，而犹欲以青盐通中国及自买卖，又乞增岁赐至三十万。诏惟许榷场及添赐五万，其议多颛所陈者。曩霄既为其下所杀，遣杨守素告哀，而守素乃康定中为曩霄谋不称臣、纳所赐节者也。颛适奏计京师，帝留颛馆伴。颛问守素曩霄所以死，守素不能对，终其去，不敢桀骜。中书拟颛知凤翔府，帝曰："任颛应接杨守素事毕，宜备朝廷缓急委任，凤翔不难得人。"执政有不悦颛者，因命以此官。

甲寅，幸龙图、天章阁，召近臣、宗室观太宗《游艺集》、真宗《幸澶州诗碑》及三朝瑞物。又出手诏赐辅臣曰："间者西垂备御，天下绎骚，趣募兵师，急调军食，虽常赋有增而经用不给。加以承平浸久，进仕多门，人浮政滥，员多缺少。又，牧宰罕闻奏最，将帅艰于称职，岂制度未立，不能变通于时邪？简擢靡臻，不能劝厉于下邪？西北多故，敌情靡常，献奇谲空言者多，陈悠久实效者少，思济此务，罔知所从，悉为调画之。"又诏翰林学士、三司使、知开封府、御史中丞曰："欲闻朕躬阙失，左右朋邪，中外险诈，州郡暴虐，法令非便民者，及朝廷几事，其悉以陈。"皆给笔札，令即坐上对。时枢密使夏竦知执中不学少文，故为帝画此谋，意欲困执中也。执中方力辞，未许。参知政事宋庠进曰："两汉对策，本延岩穴之士；今备位政府而自比书生，非所以尊朝廷，请至中书合议上对。"许之。论者以为知体。

是日，翰林学士张方平既退朝，会锁院草制，方平即条对所问，夜半，与制书俱上，曰："向因夏人阻命，诸路增置禁军约四十二万馀人，通三朝旧兵且八九十万人，其乡军义勇、州郡厢军、诸军小分剩员等不在此数。凡此冗兵，非惟困天下财用，方且成天下祸阶，若不早图，后无及矣。望严令天下禁止召募，命逐路转运使、提点刑狱，分案所部，拣选疲老，便与放停。若虽系禁军而羸弱愿退就厢军，亦听从便。

"今入官之路，徼幸攀援，日生新例，乞令中书、枢密院各具逐年诸色入仕名目及人数，取其徼幸弊滥尤甚者,逐色别立条约,稍加裁损。其属三司、殿前司、群牧司等处酬奖条贯,亦乞重行详定。

"臣闻先朝,虽将相大臣之子孙,犹多白衣未仕者。今自少卿监以上,辄每岁任一人,不亦过乎?祖宗之时,文武官不立磨勘年岁,不为升迁资序,有才用名实之人,或从下位便见超擢。无才用名实之人,有守一官十馀年不改转者,其任监当或知县、通判、知州,有至数任不得迁者。故当时人皆自勉,非有劳效,知不得进。自祥符之后,朝议益循宽大,故令守官及三年,即例得磨勘,贤不肖莫知所劝。愿陛下稍革此制,其应磨勘叙迁者,必有劳绩可褒,或朝廷特敕择官保任者,即与转迁,足以见圣恩急才爱民之意也。

"至于将帅之任,宜久于其职。祖宗任李汉超、郭进等,远或二十年,近犹八九年,略其细故,不轻有移易。今则不然,武臣指边郡,谓之边任,借为发身之地。历边任者,曾无寸劳,不数年径列横行、刺史、防、团、廉察,能饰厨传,熟于人事者,即以为才。而又移换改易,地形山川未及知,军员仕伍未及识,吏民士俗未及谙,已复去矣。愿陛下鉴祖宗故事,重爵赏以待功劳,责久任以观能效,亦驭将帅之一节也!"

帝览奏惊异。诘旦,更赐手札,问诏所不及者。方平即日复上对曰:"臣观古今治乱之变,不在其它,只在上下之势合,事无大不成;上下之势离,事无小不败。比年以来,朝廷颇引轻险之人,布之言路,违道干誉,利口为贤,败坏雅俗,遂成险薄。内则言事官,外则案察官,多发人闺门暧昧,年岁深远累经赦宥之事。而又诸色小人,下至吏胥僮仆,观时得逞,敢于犯上,创造词说,朝廷便行,济以爱憎,何所不至!故自将相而下,至于卿大夫,慴慴危恐,一动一为,辄曰恐致人言,苟且因循,求免谤訾,何暇展布心体,为国立事哉!愿陛下留神,务在通上下之情;欲上下之情合,在审于听受而已。"帝览奏,益异之,书"文儒"二字以赐。

壬戌,以霖雨录系囚。

癸亥,御迎阳门,召知制诰、待制、谏官、御史等诏之曰:"朕欲闻朝政得失,兵农要务,边防备御,将帅能否,财赋利害,钱法是非,与夫逸人害政,奸盗乱俗,及所以防微杜渐之策,悉对于篇。"是日,知制诰曾公亮以母病在告,亦遣内侍赐诏令上对。

殿中侍御史何郯既对诏所问,又言:"天下利害,非一日可尽条陈,欲乞特颁诏旨,告谕两制、两省臣僚,自今有闻朝政阙失,政令过差,军机利害,虽非本职,并许上章论列,仍委中书置籍具录所上章疏。遇欲进用臣僚,令取有裨补多者,用为选首。所冀亲侍之人,各知责任,务图倾竭,以助政化。"

翰林侍读学士叶清臣在永兴,条对甲寅诏书所问,其言多劘切权贵,且曰:"陛下欲抑奔竞,此系中书。若宰相裁抑奔竞之流,则风俗敦厚,人知止足;宰相用险佞之士,则贪荣冒进,浸成波靡。向有职在(营)〔管〕库,日趋走时相之门,入则取街谈巷言以资耳目,出则窃庙谟朝论以惊流辈,一旦皆擢职司以酬所任。比日人士,竞踔此风,出入权要之家,时有三尸、五鬼之号,乃列馆职,或置省曹。且台谏为天子耳目,今则尽为宰相肘腋,宰相所恶,则捃以微瑕,公行击搏;宰相所喜,则从而唱和,为之先容。中书政令不平,赏罚不当,则钳口结舌,未尝敢言;人主纤微过差或宫闱小事,即极言过当,用为讦直。供职未逾岁时,迁擢已加常等。宋禧为御史,劝陛下宫中畜犬设棘以为守卫,削弱朝礼,取笑外国,不加诃谴,擢为谏官。王

1021

逵两为湖南、江西转运使,所至苛虐,诛剥百姓,徒配无辜,特以宰相故旧,不次拔擢,遂有河东之行。如此,是长奔竞也!"其它所列利害甚众。

【译文】

宋纪四十九　起丁亥年(公元1047年)四月,止戊子年(公元1048年)三月,共一年。

庆历七年　辽重熙十六年(公元1047年)

夏季,四月,乙巳朔(初一),辽国君主听说太后不大舒适,飞骑前去看望病情。丙午(初二),太后康复,辽国君主又回到黑水泊。

己酉(初五),下诏说:"以前,京东转运使薛绅,任用文吏孔宗旦、尚同、徐程、李思道作为耳目,侦察州县的细小过失来制造案情,当时号称四瞪。前任江东转运使杨纮、判官王绰,提点刑狱王鼎,都争相崇尚苛察,当时号称三虎。这些人怎么符合我忠厚待人的心意!杨纮已降知衡州,而薛绅等人仍在原位;将薛绅降为知陕州,王鼎降知深州;王绰正在服丧,等他服丧期满时领旨。今后他们都不得启用为部使者。孔宗旦等四人都差遣到偏远的小地方去。"王绰是益都人;王鼎是王沿的儿子,与杨纮共三人都是范仲淹等人选拔任用的。天章阁待制侍讲杨安国,趁为皇上讲经筵时,谈到三虎、四瞪等事,所以颁布这一诏令。

王绰以前是刑部详覆官,有个叫廖均的人,依仗当路权势人物翻案,中书把廖均的报告连同援引的判例送交刑部,官员们没有敢违抗的,唯独王均认为敕令是固定的,而判例总有出入,现在抛开敕令而依照判例,这不是有关官员敢听从的。执政大臣即使对他深恶痛绝,但最终不能让他屈从。调迁通判雄州后,那里的城墙损坏很久了,守将顾虑会违背与辽国人订立的誓词,不敢修复,王绰认为现在只是修整而已,并没有增大扩展,本来就不妨碍誓词的事。开始动工修复时,辽国果然派人来问。王绰用前任留下的话来搪塞他,并拖延使者的归期,等使者回去时工役已经完成了,辽国也不再来问什么。杜衍、富弼尤其称赞他的才干。到服丧期满,斥责他通判莱州。

庚戌(初六),任命京东路转运使包拯为直集贤院、陕西转运使。

壬子(初八),升正殿,恢复日常膳食,还赐给二府《喜雨诗》。

乙卯(十一日),陈执中,宋庠、丁度都恢复降官前的原职。

丁卯(二十三日),呈上密奏的人说:"各路转运司都要征收所谓出剩的名目,来向皇上献媚。百姓缴纳的赋税已是超过收入的一大半的数额了,又让他们交加耗,称之为润官。江西各路州军收税的规定是,百姓交纳米一石,出剩为一斗,往往还有些聚敛的臣子,在加耗之外,还要征收一斗。江西一路每年征税以百万石作为基数来推算,每石多取米一斗,以一百万计算,就要多收达十万石,这十万石加耗的米收入官府,下面的百姓吃的米价就一定贵了。这只是粗略引用一路征税的弊端,何况天下广大、赋税饶多,这其中的弊端也就无边无极了。臣下恐怕各路转运司还有像这样的而不安什么名目的刻骨剥削,希望陛下审阅他们上奏的名目,倘或有横加征敛,称之为出剩的名目,请求陛下给予删除这些名目为好。"皇帝阅览这份密奏后,说:"古代称聚敛的大臣比盗贼还厉害,如今这样地征敛是使我与百姓结怨啊!"马上下诏禁绝这种做法。

辽国因为太后病愈,在境内大赦。

己巳(二十五日),诏令谏官,除了上朝参见之外,不是公事不得出入内宫请求谒见。

五月,丙子(初二),任命东头供奉官李玮为左卫将军、驸马都尉,挑选他娶福康公主。李玮是李用和的次子,皇帝追念章懿太后不已,想到没什么厚待她家里的,就将长女下嫁给李玮。

知谏院王贽上书说:"臣僚的章奏、奏疏送入内宫,凡有事关改变政策措施的,就送给两制及台谏官等共同商议,动辄要经过半年多,也未见了结,对此平时也没有条文约束,只是沿袭惯例。我想请求今后批示下发两制及台谏等官共同裁定的公文,请限在五天内集体议决,半月内连同原奏章公文奏上;如议论后观点不一致,即允许另做出书面意见奏报。"准从。

戊寅(初四),诏令:武臣如不是担任过知州、知军时没有过失的人,不能授任同提点刑狱。

己丑(十五日),补封投降的瑶人唐和等人为峒主。

任命知青州、翰林学士、户部郎中叶清臣兼龙图阁直学士为永兴军路都部署兼本路安抚使、知永兴军。皇帝起先想提升叶清臣任谏议大夫,宰相陈执中说:"这太优待了,请暂且让他兼龙图阁直学士。"皇帝同意这么做。依惯例,新授任知永兴军,应当有赏赐,陈执中说:"叶清臣最近已得到赏赐。"于是不予赏赐。叶清臣更加怨恨陈执中,路过内宫,请求应对,趁机在皇帝面前多次揭陈执中的短,并且极力辞谢龙图阁直学士官职不拜受,皇帝赏赐他,也不领受。但皇帝对待陈执中却依旧如此。

水洛城都监刘沪去世。他弟弟刘渊将要护丧东归,当地居民拦路哭泣,请求留下安葬在水洛城,在城中建立祠庙,每年按时祭祀他。经略司奏报说:"汉化蕃人官员牛奖通等人希望任用刘沪的子弟主管水洛城。"于是又命令刘沪的弟弟刘淳担任水洛城都监。

己亥(二十五日),命令翰林学士杨察负责免除天下拖欠的债务。

辛丑(二十七日),诏令:"西部和北部两边境如有重大政事,今后就让中书、枢密院召集两制以上官员共同讨论。"

六月,戊申(初五),辽国君主到永安山避暑。

丁巳(十四日),准布部落的酋长向辽国朝贡,进献地方特产。

戊午(十五日),辽国下诏士人百姓,讨论政事,提出建议。

壬戌(十九日),设置北京留守司御史台。

诏令:"臣僚调任时请求朝见的人,停留在京师不得超过十天。"

以前,夏竦说石介其实没死,富弼暗地里派他到契丹策划起兵,朝廷怀疑这事。富弼当时知郓州,马上撤销他京西路安抚使的职务。不久北部边境安然无事,夏竦的谗言没有应验。富弼从郓州调到青州,依旧领任京东路安抚使。

夏竦在枢密院任职时,又谗毁石介说是契丹人不听从他,就改而为富弼到登州、莱州勾结金矿工人中的凶恶之徒好几万人准备作乱,请求打开石介的棺材验尸。侍御史知杂事韩城人张昇及御史何郯曾详细论析过这件事。何郯上奏说:"这事的肇始,都在夏竦那里,但他的用意却根本不在于石介。追溯到范仲淹、富弼在两府的时日,夏竦曾经有枢密使的任命,

1023

由于群臣争议不同意,很快就罢免了。夏竦疑虑是范仲淹等人排挤他,由于石介曾得到范仲淹等人的推荐,所以狠狠加重石介的恶名来玷污忠义之臣的名声。这都是由于昔日的怨恨没有酬报的结果,不久前他身居要职,就假借朝廷的力量进行报复。石介的死活,请求再不要深究了,以便保存朝廷大体。"皇帝不予听从,又下诏监司详细调查。

中使奉诏来到奉符,提点刑狱吕居简说:"现在挖墓开棺后,看到石介确实死了,那将怎么办呢?而且丧葬的事不是一家人能够办理的,必定有亲戚、门生及亲手装棺入殓的人,如果召来询问确是石介无异,就让他们写下军令状作保,也可以落实诏令的要求了。"中使说:"好!"及回京师奏报,皇帝的疑义果然消失了。石介的妻子儿女先拘管在其他州郡,事情辨明后才得以放回家。

秋季,七月,辛巳(初八),诏令两制及太常礼院讨论增加宋真宗的谥号。

壬午(初九),任命户部副使张尧佐为河东路都转运使。

辛卯(十八日),辽国君主来到庆州。

辛丑(二十八日),禁止把进贡的剩余物品馈赠给亲近大臣。

八月,丁未(初五),赐给汝州龙兴县的隐士孔旼粮食和绢帛。孔旼是孔子四十六代孙,为人孤僻高洁,喜欢读书。拥有田地几百亩,在乡里总是带头缴纳赋税;遇到饥荒年成,就把自己有余的粮食周济给缺粮的人,他周围方园百里的人都爱戴仰慕他,当看到孔旼走在路上,总是提起衣襟为他让路。孔旼安葬父亲后,在墓旁搭草庐守墓三年,睡在破旧的棺材里,每天只吃一溢米的饭,后来,墙壁缝中长出了几十根紫色的灵芝草。他在州里以德行、大义闻名,所以有这个赏赐。又下诏免除他家的赋税。

丙辰(十四日),增加宋真宗的谥号为膺符稽古成功让德文明武定章圣元孝,这听从了张方平等人的建议。

戊午(十六日),将文明殿学士改成紫宸殿学士。文明殿在宫中已没有了,文明殿学士在程羽、李昉后也不再任命,而"文明"二字又与宋真宗的谥号相同。这是采用宋庠的建议。

天章阁直学士刚设置时,官位在龙图阁直学士之下。

乙丑(二十三日),将河北路分为四路,各设置都部署。

九月,甲戌(初三),贬降知渭州张亢知磁州。当时三司发放郊祭时的赏赐,州府库中的物品好但估价低贱,三司提供的物品差但估价高昂,张亢命令平均其价值以便于发给军人。转运使上奏说张亢擅自降低三司的估价,枢密使夏竦心怀旧怨,因而贬黜张亢。御史宋禧接着奏说张亢拿国库中的银子去到市场上交换,又贬降他知寿州。

从七月到这个月,辽国君主每天都在楚不沟、霞列、系轮、石塔等山射猎。

冬季,十月,壬寅朔(初一),任命集贤殿修撰范阳人张揆为天章阁待制兼侍读学士。张揆撰著《太玄集解》,皇帝在延和殿召见了他,命他占筮,占得"断首"卦,他就说:"'断首'卦,依准于《易》中的'夬'卦,是阳刚决定阴柔,君子进用而小人贬退的迹象。"皇帝看了很高兴,所以颁布有这一任命。

辛亥(初十),辽国君主前往中京。

太子太傅李迪退休回到濮州,他儿子李东之担任侍御史知杂事,奉陪他父亲李迪来到京师。皇帝多次派人慰劳,想召见他,他以体弱多病为由辞谢了。壬子(十一日),李迪去世,追赠为司空、侍中,谥号为文定。皇帝用篆体题写他的墓碑为"遗直之碑",又将李迪安葬的鄄城邓侯乡改为遗直乡。

丙辰(十五日),辽国规定公主要向公婆行儿媳的礼节。

乙丑(二十四日),河阳、许州发生地震。

庚午(二十九日),铁骊仙门向辽国朝贡,辽国君主认为他们刚开始来进贡,加封来使为右监门卫大将军。

十一月,戊寅(初八),辽国君主在木叶山祭祀。己丑(十九日),前往中京,去朝见太后。

壬辰(二十二日),辽国禁止泄漏宫中事情。

丙申(二十六日),到景灵宫举行朝祭。丁酉(二十七日),在太庙、奉慈庙祭祀。戊戌(二十八日),冬至,到圜丘祭礼天地;颁布大赦。

这天,贝州宣毅军士兵王则占据州城造反。王则原本是涿州人,遇上饥荒年成,流落到贝州,自己卖身替别人牧羊,后来在宣毅军中当小校。贝州、冀州地区民俗妖幻,相互诵习《五龙滴泪》等经书和图谶等书,说释迦佛衰落了,弥勒佛应当掌管世界。起初,王则离开涿州,他母亲与他告别时,在他背上刺福字作为标记,妖人因而谣传福字将悄悄兴起,争相信奉他。而州中吏员张峦、卜吉替他主谋,在德州、齐州等地串连党羽,相约在明年正月初一弄断澶州浮桥后,在河北叛乱。正好碰上其党羽潘方净怀藏利刃,持信竭见北京留守贾昌朝,事情败露被抓捕,不等相约的日期就急匆匆地反叛了。

当时的知州张得一,正与下属官员拜谒天庆观,王则率领党徒抢动兵库中的武器,张得一赶去保守骁捷营。叛贼焚烧营门,抓获张得一,囚禁起来。兵马都监田斌指挥手下士兵坚持巷战,不能取胜,就退出州城。城门关闭,提点刑狱田京、任黄裳随带官印,丢下家眷,用绳索吊出城墙外,保守南关。叛贼到通判束鹿人董元亨那里拿军资库钥匙,董元亨拒不交出,他们就杀害董元亨。又放出被关押的囚犯,囚犯中有人怨恨司理参军王奖,于是杀死王奖。接着节度判官李浩、清河令齐开、主簿王湙都被杀害。王则僭号东平郡王,以张峦为宰相,以卜吉为枢密使,建国号为安阳。将自己居住的门题为中京。起居的房屋和马厩、仓库等都立了名号。改年号为得圣,以十二月为正月。百姓年龄在十二岁以上、七十岁以下的,都在脸上刺下"义军破赵得胜"的字样。旗帜和号令都用佛教名词称呼。城区以一楼作为一州,书写州名,补任他的党徒为知州,每一方面设一总管。但用绳索逃去城外的人日益增加,于是命令守城的人每五人为伍、五伍为保,有一人用绳逃去城外,其余的都要斩首。

贾昌朝派大名府钤辖郝质率兵赶到贝州。十二月,辛丑(初一),贾昌朝将贝州反叛的情况奏报朝廷。内宫传出札子给中书、枢密院,责成迅即选出将领赶往扑灭。还命令澶州、孟州、定州、真定府预先建置好防守设备,不可让叛贼逃跑。

壬寅(初二),派入内押班麦允言、西京作坊使王凯赶往贝州捕杀叛军,并诏令贾昌朝调精兵防卫。

高阳关都部署王信听到贝州发生叛乱,立即率领本部军队布置在城下。甲辰(初四),任命王信为贝州城下招捉都部署。

戊申(初八),施恩给百官,册封王贻永为遂国公,封夏竦为英国公,封章得象为郇国公,封王德用为祁国公。

依旧制,将相的食邑满万户,就可册封为国公。王旦任宰相,食邑超过万户,却谦恭不接受国公的封号。这年,郊祭后施加恩典,朝廷内外将相只有夏竦的食邑达到万户,中书请求封他为英国公,因而下诏节度使兼平章事没有达到万户的都可以受封,于是王贻永、章得象、王德用都受封为国公。

庚戌(初十),任命权知开封府明镐为河北体量安抚使。

辛亥(十一日),辽国君主拜谒太祖庙,观看辽太宗的《收晋图》。

癸丑(十三日),辽国君主向太后问安。

甲寅(十四日),调迁知沧州高继隆知贝州,派内侍何诚用带敕榜招安贝州的叛军。御史中丞高若讷说:"河朔地区是重兵囤积的地方,如今放下贝州叛军不予讨伐,以后将开启叛乱的先例,被辽国人笑话。"不予采纳。

乙卯(十五日),辽国由于太后病愈,命令杂犯死罪以下的罪犯减罪一等判处,徒刑以下的免罪。

庚申(二十日),辽国南府宰相杜防、韩绍荣上奏政事有误,各判处大杖杖刑,贬黜杜防为武定军节度使。

三司使张方平上书说:"审核陕西用兵打仗以来,内外增设禁军指挥八百六十多人,士兵约四十多万人,其中骑兵指挥一百二十多人,如果马的数量全部满额,共计六万多匹;那些隶属于三路的保捷军、振武军、宣毅军、武卫军、清边军、蕃人部落等指挥加上本道的士兵,连营供给的部队约二十多万人,加上屯驻戍兵当有四十万人。另外,自从庆历三年以后,增添供应西北地区银钱绢以及朝廷内外文武冗官的费用日益增加,所以三司的经费不够用。全国山川水泽所征的税,茶盐酒税等各种课税收入,比起前朝,各方面都有很大增加,可以说再也没有遗留的课税可增收的了。然而有关部门的调用,交相出现匮乏,这只是由于支出费用多次增加,不量入为出造成的而已。当今的紧迫政务,没有比经济更重要的了,经济上不富足,凭什么治好国家!祈望让中书、枢密院详核谋议,由圣上裁断。早日做好安排,成效还必定在多年之后才出现;就像扑灭火灾、援救落水者一样,慢了就更加来不及了。"

壬戌(二十二日),高丽向辽国进贡。

庆历八年 辽重熙十七年(公元1048年)

春季,正月,辛未(初二),西夏国的君主赵元昊去世,伪谥号为武烈皇帝,庙号为景宗,陵墓叫泰陵。

赵元昊共七次娶妻:第一个叫米母氏,是他舅舅的女儿,生下一个孩子,由于孩子长相像别人,就把她杀了。第二个叫索氏。第三个叫嘟罗氏,早死。第四个叫咩迷氏,生下儿子阿理,谋杀赵元昊,被卧香乞告发,把他沉到河里淹死,并杀死咩迷氏。第五个叫雅尔氏,是裕勒且的侄女,身材高大且有智谋,赵元昊畏惧她,她头戴金起云冠,就命令他人不能戴这种冠。生了三个儿子,大的叫宁明,喜欢迷信方术,跟道士学辟谷导引术,因气不顺畅而死。次子叫宁令格,赵元昊认为长得像自己,特别疼爱,立为太子。小儿子叫薛理,早死。后来又要了玛伊克,是皆山的女儿,在天都山立营帐居住。雅尔氏家族说:"我族的女儿嫁给她二十年,只居住在故宫;而娶了玛伊克的女人,就为她修宫殿!"赵元昊大怒。恰逢有人报告说裕勒且兄弟谋划在宁令格娶妻的晚上举行叛乱,赵元昊就族灭裕勒且、刚哩、凌城逋等三家。不久,雅尔氏申诉说:"我的兄弟无罪被杀。"赵元昊就悔恨起来,下令寻访族灭中遗留下来的人,在三香家里找到裕勒且的妻子阎氏,后来与她私通,被雅尔氏发觉,就使她出家当尼姑,法号叫密藏大师。第六个叫耶律氏。第七个叫玛伊克氏,最初是娶来做宁令格的妻子的,赵元昊见她貌美,就自己娶了过来,号称新皇后。宁令格因气愤而杀赵元昊,没有杀死,就割下他的鼻子逃走了,躲藏在黄芦鄂特彭家里,被鄂特彭杀死。赵元昊就因鼻伤而死,死时四十六岁。

密藏氏最初当尼姑时,住在兴州的戒坛院,她已身怀有孕而赵元昊死了。赵元昊留下遗言,立堂弟委格宁令为君主。国中大酋长诺伊尚都等人与密藏鄂特彭讨论立君主的事。密藏族是国中的大族,鄂特彭是这族的酋长。众人想按遗言立委格宁令为君主。唯独鄂特彭不同意,他说:"委格宁令不是赵元昊的子嗣,又没有战功,怎能享国为君!"诺伊尚都说;"现在国家没有君主,那么究竟立谁呢?不然的话,你想当君主吗?你能捍卫西夏国的疆土,这也是大家的愿望。"鄂特彭说:"我哪里敢想啊!夏国从祖考以来,一直是父亲死后由儿子继位,国人才服从。如今密藏氏怀有先王的遗腹子,有幸生下儿子,就可以继承先王的王位,谁敢不服从!"众人说:"对。"于是立密藏氏为太后。赵元昊死后三个月生下男孩,这就是赵谅祚。由毛惟昌、高怀正的妻子轮流哺乳他,而政务就由密藏氏掌握。毛惟昌、高怀正都是汉人,原本是裕勒且的属下,所以待他们亲厚。不久,高怀正因借贷白银给西夏国人,毛惟昌由于私下穿赵元昊赐给他的盘龙服,都被鄂特彭灭族了。

乙亥(初六),明镐认为贝州城池险峻,不可强攻,计划修筑土垒望楼,估计要用劳工两万人,修三十天可与城墙一样高。而叛贼也在城上设立战棚,与官军相对,称之为喜相逢。土垒将要修成时被叛贼焚烧,大火烧了三天还不熄灭。于是采用军校刘遵的计谋,在城南挖地道,而白天在城北佯攻以牵制叛贼的力量。

贝州城居民有汪文庆、郭斌、赵宗本、汪顺等人,把书信系在箭上从城上射向明镐的幕帐,约定作为内应,晚上,放上绳索接应官军,已经接上好几百人入城,焚烧了瞭望高台,叛贼发觉,率部众抵抗。起初,官军已登上城墙的人,想独得功劳,因而砍断绳索以断绝后来上城的人。到与叛贼交战,众寡不敌,与汪文庆等人又援绳下城。这天晚上,州城差点攻克。丙子(初七),授任汪文庆、郭斌为西头供奉官,赵宗本、汪顺为右侍禁。

丁丑(初八),任命参知政事文彦博为河北宣抚使,本路体量安抚使明镐为副使。明镐督导诸将攻打贝州城,久攻不下。皇帝忧虑,询问辅政大臣计策怎么定,文彦博请求亲自前往讨伐叛贼,所以任命文彦博为宣抚使,改任明镐为副使。先前,枢密使夏竦厌恶明镐,生怕他取得战功,凡明镐上奏请求,就从中作梗。文彦博接受使命后,就提出军情中有些事上奏后来不及等答复,希望能全权处理军务。戊寅(初九),下诏准许文彦博根据情况办事。文彦博请求任用将作监主簿鞠真卿等三人掌管机要文书,应允。明镐奏请征辟的殿中丞王起等四人,仍旧允许留在军中。贝州叛贼谋划暗地出城在途中劫持辽国使者,明镐探知了这一情报,派殿侍安素领兵在西门外埋伏。壬午(十三日),叛贼果然派三百人在晚上出城,伏兵出击,叛贼都被擒获。

这天,江宁府发生火灾。当初,南唐大规模建筑住房、官署,城市规模都仿效帝王居住的京城。这时驻营的士兵策划叛乱,事情被发觉后,这些士兵服罪被杀。接着不久起火,知府事、集贤殿学士李宥怕发生事变,闭门不救,让火势蔓延,江宁府几乎被烧尽,只剩下一个便厅,就是原来的玉烛殿。事后不久责贬李宥为秘书监直,迫令他退休。李宥在报告火灾的奏折中说:"没有料到祸起萧墙,发生大火。"恰巧新近发生卫士的叛变,朝廷厌恶他的这些话,所以责贬他就特别重。

乙酉(十六日),降下空名的嘉奖文书三百份,下发给河北宣抚使,以备奖赏立下战功的将士。这天,文彦博来到贝州城。

丁亥(十八日),辽国君主到春水。

乙未(二十六日),太阳泛红,没发出光芒。

官军攻打贝州城北面非常迅猛,叛贼动用所有精锐力量抵御。而州城南面官军挖掘的地道已达到城中,叛贼当初没有发觉。闰月,庚子朔(初一),文彦博当夜选派壮士二百名,口中衔枚由地道入城,由右班殿直曹竭等人引导。爬出地道后,登上城墙,杀死守城的叛贼,放下绳索接应官军大部队。叛贼放出火牛冲击,官军稍微退却。军校杨遂用枪刺中火牛的鼻子,火牛掉头奔跑,叛贼都惊慌溃散。王则打开州城东门逃跑,阁门祇候张缃沿战壕与他们交战,当场战死。王信抓获了王则,王则的余党退守村舍,都被烧死。王则自反叛到失败,共六十五天。

辛丑(初二),文彦博派李继和前来京城向朝廷报告贝州平定的消息,赐给李继和锦袍、金带。文彦博请求在大名府斩杀王则,夏竦说恐怕抓到的并不是真正的王则,应当审核清楚,下诏命令用槛车把他送到京城。

当王则在贝州反叛时,深州的士兵庞旦,和他的一伙人策谋在元旦杀死军校、抢劫兵器库中的武器响应王则。事前一天,有人报告了官府,知州王鼎当晚出城,用檄书调遣军校在外邑办事,他自己则暗中做准备。第二天,召集僚属官吏,像往常一样摆酒设宴,叛党惊愕不敢妄动。王鼎探得实情,逐步逮捕为首的十八人送到监牢,审问清楚,只等转运使来审讯判决。转运使还没有来时,军中喧闹,谋划劫持囚犯,王鼎就对属下官吏说:"我不能因此而连累各位。"下令只提取囚犯中桀骜不驯的几个人在闹市中斩首,众人都大惊失色,一郡才平定下来。转运使到来,还有一半囚犯没有判决,于是审讯,都服罪诛杀。

壬寅(初三),将冀州升为武安军。

甲辰(初五),在河北地区实行特赦,赐给平定贝州的将士缗钱,战死的人官府给予安葬和祭祀;战斗中践踏的民田,免除夏税和秋税。把贝州改为恩州城。

丁未(初八),任命秘阁校理张瓌为两浙转运使。张瓌十年没有考核升官,朝廷褒奖他谦退恬静,所以予以任用。

戊申(初九),任命文彦博为礼部侍郎、平章事,明镐为端明殿学士、给事中,马军都虞候王信为威德军留后。其余的官兵将士各以功劳大小依次迁升,并赐给他们缗钱各不同。

追赠马遂为宫苑使。

马遂是开封人,担任北京指使、三班奉职,他听到王则反叛,就到留守贾昌朝那里请求去讨伐叛贼。贾昌朝派他带上榜文到城中招降,王则穿上制服来见他,和他一起喝茶。就向王则晓谕祸福,王则总是不答。马遂准备杀死王则,可随身没有带兵器、棍棒,当时张得一在他身旁,他想让张得一帮助自己,向张得一使了个眼色,张得一没有动静。马遂奋身站起,把杯子向王则扔出,扼住王则的喉咙,把王则打得流血,而左右士卒没有帮手的。叛贼的党羽手持兵刃聚集鼓噪,砍断了他的手臂,他还斥骂王则说:"妖贼,恨不能把你斩成万段!"叛贼捉住马遂,绑起来把他肢解了。王则在仓促之间被打伤,病了几天才起床。事情奏报后,皇帝叹息了很久。王则被诛杀后,就追赠马遂,封他妻子为旌忠县君,赐给她帽子、披肩,把他五个儿子封为官吏。后来抓到了杀害马遂的人,就让他儿子剖出这个人的心来祭奠马遂。

癸丑(十四日),辽国君主在侯里吉射虎。

乙卯(十六日),判大名府兼北京留守司贾昌朝加官检校太师,晋封为安国公,这是因为恩州已平定了的缘故。翰林侍读学士杨偕进说:"叛贼发生在贾昌朝部下,待朝廷派出大臣讨伐才得以平定,贾昌朝应该有罪,不应当奖赏。"不予听取。

辛酉(二十二日),崇政殿亲近侍从官颜秀、郭逵、王胜、孙利等四人策划兵变,杀死军校,抢夺兵器,登上延和殿,闯入禁中,直到寝殿。当时皇后侍奉皇帝,半夜里,听到兵变,皇帝想马上出宫,皇后关上门抱住他,派宫女跑出召都知王守忠等人率兵进来保护。乱贼来到福宁殿下,砍剁宫女的手臂,宫女的惨叫声一直传到皇帝的住所。宦官何承用怕皇帝受惊,谎报这是宫女在殴打小女孩,皇后叱责他说:"乱贼在殿下杀人,皇上就想出宫,怎敢胡说呢!"皇后知道乱贼必定会纵火,就派宦官带着水跟着乱贼,乱贼果真用蜡烛烧帘子,宦官随即用水扑灭。这天晚上,派出宦官时,皇后亲自为他们剪下头发作为标志,晓谕说:"乱贼平定后有赏,就用你们的头发作证。"所以宦官都争相拼死卖力。这些应急的安排,都出自皇后。颜秀等三人不久被宫中卫兵杀死,王胜逃到宫城的北楼藏了起来,过了一天才抓到,抓他的人当即就把他肢解了,因而最终不知他们是怎样开始策动作乱的。

枢密使夏竦向皇帝说,请让御史同宦官在宫中追查这件事,还说不可扩大事态,使反复无常的人惴惴不安。参知政事丁度说:"宿卫士卒发生兵变,关系到国家的存亡安危,这可以容忍,还有什么不可容忍的呢!"坚决请求交付外廷彻底查处党羽。他们从平旦争到食时,皇上最后采纳了夏竦的意见。甲子(二十五日),贬降内侍杨景宗、邓保吉、杨怀敏、刘永年、赵从约、王从善等五人的官职,调往外地;唯独杨怀敏任原职如故,这是夏竦给庇护的。

先前,曾下诏免除杨景宗等人的罪责,御史中丞鱼周询、侍御史知杂事张昇、御史何郯等人说:"宫殿、朝廷设置宿卫,本来是为人主预先防备非常事件。现今卫士中出现凶暴悖逆的事,居心叵测,加之后来抓到叛贼余党后,累传圣旨命令不得杀死,而他们全然不依从,大概是主管这事的臣僚怕叛贼活捉之后,在审讯中问到真情,所以让众人把他打死,以图灭口,想以此减轻失职的罪过。事情如此,依理是不可饶恕的。在太祖朝时,酒坊起火,该处士兵趁火打劫,太祖认为本坊使、副使田处岩等人不能管好部下,都处以极刑。如今皇上身旁,乱贼暗暗爆发,凶恶的事状,没有比这个更大的了。而居官守职的人不能检举,宿卫士兵又不立即擒获,不能严正法纪,怎么能堵住公众的议论呢! 请求从重贬降他们的官职,以振兴恩威刑罚。"杨景宗等人已调往外地,何郯等人又再次上奏,请罢黜杨怀敏。皇帝命令中书召何郯等人,告谕他们宽免杨怀敏的缘由。何郯等人又说:"卫士持刀径直闯入禁宫,企图凌犯皇上,作为大臣应该深切责备有关部门疏忽检察的罪责,象杨景宗等人,都应诛杀以谢天下;如果认为这一过失并非自己造成的,也只能宽赦他们主谋之罪,但都应该流放以警戒百官。杨景宗等人的处罚太轻,杨怀敏又更是与众不同,可能是两府大臣畏惧陛下左右近臣的怨恨愤怒,不能坚定地执行祖宗的法令。希望能一律斥责授任外地官职,以符合公众舆论的愿望。"

皇帝与辅政大臣谈论这次宫廷骚乱的事,说美人张氏有护驾之功,夏竦就提议应讲究特殊尊崇的礼法。宰相陈执中不知所措,翰林学士张方平拜见陈执中时说:"汉代冯婕妤用身体挡住猛兽,也没听说过有什么特殊尊崇。况且放开皇后不提而去尊崇美人,古代也没有这种礼法。如果果真实行了,天下的非议一定都会集中到您身上,让您终身不可昭雪。"陈执中猛地惊醒,取消这一做法。

起初,谏官进言:"江宁是皇上最初受封的地方,守卫之臣防火不谨,以至官署都烧掉了,应该选择有才干的大臣去修缮。"命令司农卿林潍替代李宥,林潍坚决推辞不赴任,于是贬降林潍知袁州,改任龙图阁直学士张奎知江宁府。张奎到任后,简选材料,安排工程,一概依照过去的式样修复,没超过预定时间就修复完工。

丙寅(二十七日),在都市中磔斩王则。

任命知洪州、直集贤院李绚为荆湖南路转运使。这时五谿蛮寇扰湖南,朝廷另选转运使去处理,皇帝说:"在馆职中最能喝酒的是谁? 如今在哪里?"辅政大臣不解其意,皇帝接着说:"就是往年修筑邠州城的那位,他有才干可以任用。"辅政大臣说是李绚,于是授任李绚。李绚乘驿车到邵州,告诫各部按兵不动,派人向蛮人晓谕祸福。蛮人欢悦,停止进兵,接受朝廷管理。

起初,赵元昊进犯延州,沿边境地区都惊恐。李绚通判邠州,城墙低矮又残缺不全。李绚接任,就派兵修城,同僚属吏说应当上报朝廷等待回复,李绚不听。皇帝听到这事后欢喜,因而诏令其他州都要修治防守设备。

丁卯(二十八日),诛杀张得一,他的兄弟都受牵连而降官,妻子儿女按法律论处。张得一知贝州,上任八天就有叛乱发生。叛贼把张得一关在州署的西侧,每天送上饭菜。起初,叛贼拿走州府的大印,对他说:"用完后就归还。"每次见到叛贼,他都要称之为大王,先作揖后才坐下,坐总是面朝东面,还替王则草拟僭位的礼仪程序。叛贼给平定后,张得一交付到御史台审讯治罪。结案时,朝廷议定宽免死罪,御史中丞高若讷说:"守卫大臣不拼死效力就应当处死,何况向王则屈服呢!"于是宣判为弃市。张得一是张耆的儿子。

这月,臣僚上书说:"皇城司在宫中的职务最为繁重,祖宗让它担任耳目的职责,句当官四人,多是派的亲信中有心计又能干的人。近年来人员倍增,但并不经挑选就任命。请今后只任命四名,挑选有心计、有勇力、沉着忠厚的人担任,不再准许有人指望陈请;如有违反,都以违反制度论处。"准从。

二月,癸酉(初五),杨怀敏贬为内副都知,又任左藏库使、滑州钤辖,这才开始听取御史的话。何郯抨击杨怀敏尤为卖力,皇帝对何郯说:"古代的谏臣曾有因进谏而碰破头皮的,你能这样做吗?"回答说:"古代帝王不听取谏议,所以谏臣就有碰破头皮死谏的。如今陛下从谏如流,何必这样做!如果一定要碰破头皮,那么美名归于臣下而过错就归于君王了。"皇帝欣然接受了。

颁布《庆历善救方》。皇帝起先批阅福建上奏的案件中,很多是以蛊毒害人的,福州的医生林士元能用药解毒,于是下诏抄录他的医方。又命令太医收集处方中能治蛊毒的编为一编,诏令丁度作序后颁行。

丙子(初八),翰林侍读学士、左谏议大夫杨偕以工部侍郎的身份退休。召见他,设宴慰劳,恩赐他见皇帝可以不下拜。到他去世时,奏上《兵论》一篇。皇帝怜悯他,特追赠为兵部侍郎。杨偕性格刚烈而忠厚朴实,敢于高谈阔论,好几次上书评论天下大事,议论的人认为迂阔难以实行。与别人很少合群,然而也能容忍别人。起初,蔡襄等人上奏弹劾杨偕,他因此出任知杭州。碰巧蔡襄请假回家经过杭州,因而在杭州的里巷中随意游逛,有人报告杨偕,劝他何不报告给朝廷,他回答说:"蔡襄曾经是因公事而诋毁我,我怎么可以用私怨来报复呢!"

丁丑(初九),西夏派杨守素前来报告他们的国君去世的消息,命令开封府制官曹颖叔担任祭奠使,六宅使邓保信为吊慰使,按例赐给西夏使者绢布、羊、米、面、酒等。西夏也派使者到辽国告丧,辽国派使者到西夏慰问祭奠。

戊寅(初十),改任知荆南范仲淹再知邓州。范仲淹在邓州任职两年,邓州人爱戴他。待调到荆南时,众人拦住使者请求留任范仲淹,范仲淹也愿意留下,诏令听从他们的请求。

己卯(十一日),赐给瀛、莫、恩、冀四州缗钱两万,用于赎回饥民卖出去的儿子。

壬午(十四日),贬降三司户部判官韩综知滑州。韩综以前出使辽国,辽国君主问起他的家世,韩综说父亲韩亿在前朝就曾按礼节出使辽国,辽国君主欣喜地说:"与中国通好已久,你们父子相继奉使前来,应该饮一杯我敬的酒。"韩综率同来的使者五人站起为辽国君主祝福,辽国君主也离席酬谢,非常欢乐。回国后,宰相陈执中认为惹出事端,所以斥责他。不久改知许州。

乙未(二十七日),任命侍御史宋禧为兵部员外郎、同知谏院。先前,宋禧在内侍省审讯卫士骚乱事件,不能追查出主谋。审讯完后,内侍又让宋禧自己写出文书,他自称不敢泄漏。不久他请求在宫廷各省设置谨防火烛牌,以及砍伐宫中靠近屋檐的大树,畜养罗江狗以防盗贼。朝廷中的人都非议嘲笑他,因而称之为宋罗江。开封府判官曹颖叔进言说宋禧作为制使有辱使命,请依法处置,皇上不听,到这时又提升为谏官。

范仲淹像

这月，辽国命令士人百姓陈述便利国家的事，不得谈及自己的私事。奴婢的见解，允许告诉他的主人，不得自己向上陈述。

三月，甲辰(初六)，诏令礼部进行贡举。

任命京西转运使任颛暂判三司都理欠凭由司。

当初，西夏派吕你如前来表示归附，提出要求共十一条，其中最突出的是想不称臣而称男。朝廷选派任颛陪同西夏使者，任颛一概用大义予以谴责，致使西夏使者理屈词穷而归。待孙延寿再次来使，虽上表称臣，但仍想把青盐卖出中原以及自由买卖，又请求增加每年的赏赐为三十万。诏令只准许设立榷场以及增加每年赏赐为五万，这些建议多是任颛提出的。赵元昊被部下杀死后，西夏派杨守素来报表，而杨守素正是西夏康定年间替赵元昊出谋不向宋称臣、归还宋赐予的符节的那个人。任颛恰巧到京师奏报考课情况，皇帝留下任颛来陪伴西夏使者。任颛问杨守素，赵元昊是怎么死的，杨守素不能回答，直到回国，他都不敢桀骜不驯。中书拟定任颛知凤翔府，皇帝说："任颛应接杨守素后，应该留在朝廷以防紧急事务时任用，凤翔府不难找到合适的人。"执政官员有不喜欢任颛的人，因而授任他这个官职。

甲寅(十六日)，游幸龙图阁、天章阁，召来近臣、皇家宗室观看太宗的《游艺集》、真宗的《幸澶州诗碑》以及前三朝留下的祥瑞物品。又拿出手诏赐给辅政大臣说："近来西部边境防备守御，全国骚动，赶忙招募军队，迅速调用军粮，即使赋税时常增收，而经费仍供给不上。加之天下太平已久，做官的途径很多，人浮于事，政策混乱，官员多、空缺少。另外，各地长官很少听到有突出表现的，将帅少有称职的，这难道是制度没有确立，不能随时变通吗？还是选拔人才的办法不好，不能劝励臣下呢？西北边境变故多端，敌情无常，进献怪计空话的人很多，陈述长远实用的措施的人很少；思考这些事务，不知所从，你们都要好好谋划。"又诏令翰林学士、三司使、知开封府、御史中丞说："我想听到我自己的过失，左右是否结党为奸，朝廷内外的险恶诈谋、州郡中暴虐事件、法令中不方便百姓的条款，以及朝廷中的有关事，都请奏报陈述。"赐给每人笔纸，命令当场应对。当时枢密使夏竦知道陈执中没有学问、缺少文采，所以替皇上想出这个主意，用意就是想难住陈执中。陈执中正要极力推辞，不予准许。参知政事宋庠进言说："两汉时实行对策，原本是招揽岩穴处士；如今在政府任职而自比于书生，不是尊重朝廷，请到中书共同讨论后呈上对策。"批准。评论的人认为宋庠说得得体。

这天，翰林学士张方平退朝后，恰逢锁院草拟制书，张方平就逐条对答提出的问题，半夜，与制书一起呈上，说;"以前因为西夏人违抗命令，各路增加禁军约四十二万人，加上前三朝原有兵员将近八九十万人，那些乡军义勇、州郡厢军、各军的少数剩余人员等还包括在内。这些冗兵，不仅使国家财政费用困乏，而且将成为天下灾祸的根源，若不及早考虑，以后就来不及了。希望严格命令全国禁止招募士兵，命令各路转运使、提点刑狱，分别检查本部，选出疲弱老兵，予以遣散安置。如果即使属于禁军而身体病弱愿意退出当厢军的，也听便他们。

"如今进入官场的门路上，或依侥幸、或靠攀援，每天都产生新的例子，请求让中书、枢密院各自列出每年各种进入仕途的名目和人数，选取那些侥幸入仕作弊尤为突出的，逐条订出规定，稍微予以裁制。那些属于三司、殿前司、群牧司等官署的奖励条例，也请重新详细审定。

"臣下听说在前朝,即使是将相大臣的子孙,还多是布衣百姓。如今在少卿监以上的官吏,就每人每年任用一名亲人为官,这不也太过分了吗?太祖太宗时,文武官员不确定考核的年岁,不定升迁的资历次序,有才干有名声又有政绩的人,有的从很低的地位便被越级提拔;没有才能名声、政绩的人,有的任一个官职十多年不得改任升迁;担任监官或知县、通判、知州的,有的数任之后还不得升迁。所以当时的人都自我勉励,没有功劳政绩,就知道自己不得进升。从祥符年间以后,朝廷的评议日益沿袭宽大的精神,所以县令、太守任官三年,就按例得以考核提升,贤良与不肖都不能有所劝勉。希望陛下稍微改革这项制度,那些应该考核提升的人,一定要有功劳政绩可以褒奖,或是朝廷特下敕令选官保举任命的,就可以调动升迁,这才足以体现皇恩和急于选拔人才爱护人民的本意。

"至于将帅的任用,应该任职长一些。太祖、太宗任用李汉超、郭进等人,任职长则二十年,短也有八九年,忽略他们小的过失,不轻易调动。如今就不是这样,武臣派到边境州郡,叫作边任,凭借作为发迹的地方。担任边任的人,曾无尺寸功劳,不几年就列入横行、刺史、防御使、团练使、廉察使等官职;能装点驿传、熟悉人事关系的,便视为有才干。另外频繁调动,地形山川尚未了解,军官士卒也来不及认识,官吏百姓的习惯也来不及熟悉,就又调走了。希望陛下借鉴祖宗的办法,重视封爵奖赏以待遇有功劳的人,责令长期任一职以考察他们的能力与成绩,也是驾驭将帅的一种办法。"

皇帝阅览他的上奏后很惊异。第二天早晨,又赐给他手札,询问诏令中不曾提及的事。张方平当天又呈上对策说:"臣下考察古今治乱的变化,关键不在别的方面,只在上下齐心协力,事情没有大到办不成的;如果上下离心离德,事情即使小也没有不失败的。近年以来,朝廷多任用轻薄阴险的人,放在言事的职位上,违背治乱之道,追求名声,以利口善言为贤能,败坏风俗,渐渐形成阴险轻薄的风气。朝廷之内有言事官,朝廷之外有按察官,多是揭露他人房门里的暧昧之事,以及事过多年、屡次赦免过的事。还有各种小人,下至吏属仆人,观察时机能得逞,就敢于犯上,制造谎言,朝廷听了就实行,还掺进自己的爱憎,无孔不入!所以从将相以下,至于卿大夫,人人自危,惴惴不安,一举一动,都说怕招致别人议论,苟且偷安,因循守旧,只求免于毁谤责咎,哪有空闲来施展理想才干、为国家办事呢!希望陛下留意,务必串通上下的情感;想让上下的情感融合,主要只在于审查所听从和所接受的建议而已。"皇帝阅览他的上奏,更加惊异了,书写"文儒"二字赐给他。

壬戌(二十四日),因连降大雨,清理在押的囚犯。

癸亥(二十五日),登上迎阳门,召来知制诰、待制、谏官、御史等人,下诏给他们说:"我想听到朝廷政务的得失,军事、农业的重要事务,边境防御守备的情况,将帅能干与否、财政赋税的利弊,钱法的是非,以及谗毁他人妨害政务、奸淫盗窃扰乱世俗的事;以及如何防微杜渐的对策,都要在文章中对答。"这天,知制诰曾公亮因母亲生病请假,也派内侍赐给诏令让他呈上对策。

殿中侍御史何郯对答诏书所问的问题后,又上书说:"天下的利弊,不是一天可以逐条陈述得完的,想请求特地颁布诏令,告谕两制、两省的臣僚,从今以后听到朝政的缺失,政策法令的偏差,军事机要的利弊,即使不属本职范围,都准许献上章奏评论,仍旧委托中书设置簿籍记录所奏上的章疏。碰上要提升任用臣僚时,就选取那些奏疏中对政事补益较多的人优先考虑。希望那些亲近皇上的人,各自了解自己的责任,只想着尽心竭力的办事,以促进政治和教化的改善。"

　　翰林侍读学士叶清臣在永兴,逐条对答了甲寅诏书所提的问题,其言辞多抨击牵涉到权贵大臣,还说:"陛下想抑制追名逐利的风尚,这就关系到中书。如果宰相裁抑追名逐利之徒,那么风俗就会敦厚,人们就知道止境与满足;宰相如果任用阴险奸佞之辈,那么贪图名誉的人就会进用,逐渐形成泛滥之波。以前有人担任管库之职。却每天奔走当时宰相之门,在宫中就用街谈巷语以资视听,在宫外就暗中用朝廷议论来震惊一般人士,不久就被提升,实现了愿望。近来的士人,竞相追逐这种风气,出入权贵显要的家中,当时有三尸、五鬼的称号,或被列入馆职,或安置在省曹。况且台谏是天子的耳目,如今都成了宰相的亲信。宰相厌恶的人,就找出一些小过失,公开进行抨击;宰相喜欢的人,就跟着附和,替他预先装点。中书的政令如果不公平,赏罚失当,他们就张口结舌,不敢发言;君主有纤细的过失或宫闱中的小事,就极力评论是否恰当,用以表示自己正直。任职不及一年,提升就超过常等。宋禧担任御史,劝陛下在宫中蓄养狗以及设荆棘作为守卫,损害了朝廷的礼法,被外国人耻笑,不加以谴责,反而提升为谏官。王逵两次担任湖南、江西转运使,所到之处苛刻暴虐、诛杀、盘剥百姓,将无辜的人判徒刑、发配,只因为是宰相的故旧,可以越级提拔,因此被任命为河东转运使。如此而行,就是助长追名逐利的风气!"他列举的其他利弊还有很多。

续资治通鉴卷第五十

【原文】

宋纪五十　起著雍困敦【戊子】四月,尽屠维赤奋若【己丑】十二月,凡一年有奇。

仁宗体天法道极功全德　神文圣武睿哲明孝皇帝

庆历八年　辽重熙十七年【戊子,1048】　夏,四月,己巳朔,封曩霄子谅祚为夏国主,以祠部员外郎任颛等为册礼使。

谅祚生甫三月,诸将未和,议者谓可因此时,皆以节度使命诸将,使各统所部,分弱其势,冀绝后患。判延州程琳言:“幸人之丧,非所以示德,不如因而抚之。”知庆州孙沔亦言伐丧非中国体,帝纳其言,遂趣有司行册礼。然议者颇惜其失机会。

参知政事丁度数请罢,御史何郯又言:“度列在三事,于兹累年,上无所益国体,下不能服人心,伏乞断在不疑,退之以礼。”辛未,度罢为紫宸殿学士兼翰林侍读学士。以端明殿学士、权三司使明镐参知政事。文彦博自贝州入相,数推镐功,故度罢而镐代之。

〔甲戌〕,以知永兴军叶清臣为翰林学士、权三司使。

〔丙子〕,诏:“科场旧条皆先朝所定,宜一切无易。”时礼部贡院言:“四年,宋祁等定贡举新制,会明年诏下,且听须后举施行。今秋试有期,缘新制诸州军发解,但令本处官属保明行实,其封弥、誊录,一切罢之。窃见外州解送举人,自未弥封、誊录以前,多采虚誉,即试官别无请托,亦止取本州曾经荐送旧人,其新人百不取一。弥封以后,考官不见姓名,须实考文艺,稍合至公。又,新制,进士先试策三道,次试论,次试诗赋;先考策论定去留,然后与诗赋通定高下。然举人每至尚书省,不下五七千人,及临轩覆较,止及数百人,盖诗赋以声病杂犯,易为去留,若专取策论,必难升黜。盖诗赋虽名小巧,且须指题命事,若记问该当,则辞理自精。策论虽有问题,其间敷对,多挟它说,若对不及五通尽黜之,即与元定解额不敷,若精粗毕收,则滥进殊广。所以自祖宗以来,未能猝更其制。兼闻举人举经史疑义可以出策论题目,凡数千条,谓之《经史质疑》。至于时务,亦钞撮其要,浮伪滋甚,(若)〔难〕为考较。又旧制以词赋声病偶切之类,立为考试,今特许仿唐人赋体,及赋不限联数,不限字数。古今文章,务先体要,古未必悉是,今未必悉非。尝观唐人程试诗赋,与本朝所取名人词艺,实亦工拙相半。俗儒是古非今,不为通论。自二年以来,国子监生,诗赋即以汗漫无体为高,策论即以激讦肆意为工。非惟渐误后学,实恐将来省试,其合格能几何人!伏惟祖宗以来,得人不少,考较文艺,固有规程,不须变更,以长浮薄,请并如旧制。”故降是诏。初,诏外州发解到省,差官覆考。寻罢之,盖虑因此或致抑退寒士故也。

辽复以武定军节度使杜防为南府宰相。

丙子,高丽贡于辽。

辛卯,置河北四路安抚使。初,贾昌朝判大名,已兼河北安抚使。至是以资政殿学士、给事中韩琦知定州,礼部侍郎王拱辰知瀛洲,右谏议大夫鱼周询知成德军,并兼本路安抚使。

御史何郯言紫宸不可为官称。五月,乙巳,诏改旧延恩殿为观文殿,仍改紫宸殿学士为观文殿学士,班次如旧制。

乙卯,知谏院宋禧出为江南东路转运使;己未,改荆湖北路。禧虽罢谏职,犹得为监司,议者非之。

御史何郯言:"枢密使、平章事夏竦,学非而博,行伪而坚;有纤人善柔之质,无大臣鲠直之望;聚敛货殖以逞贪婪,比周权幸以图进取。近者卫兵为乱,突入宫掖,凡在职守,失于防察,宜置大戮,而竦只缘管皇城司内臣杨怀敏素与交通,曲为掩藏,但欲私相为恩,未尝公议其罪。千百具僚,皆谓怀敏失察贼乱,只缘官责,其罪小;夏竦多怀顾慕,不奋臣节,其罪大。今怀敏黜而竦独留,中外之心,无不愤激。伏望与众永弃,示人不私。"辛酉,竦罢枢密使,判河南府。

言者既数论竦奸邪,会京师同日无云而震者五,帝方坐便殿,趣召翰林学士。俄顷,张方平至,帝谓曰:"夏竦奸邪,以致天变如此,亟草制出之!"方平请撰驳辞,帝意遽解,曰:"且以均劳逸命之。"

郯又言:"闻竦乞一殿学士职名,不顾廉耻,冒有陈请,陛下岂宜许其自便,留在朝廷!乞不改前命,仍指挥催促赴任。"从之。

是日,参知政事宋庠加检校太傅,充枢密使。壬戌,以枢密副使庞籍参知政事。

六月,戊辰朔,诏近臣举文武材堪将帅者。

癸酉,河决澶州商胡埽。

庚辰,准布献马驼二万于辽。

壬午,太子太师致仕徐国公张耆卒,赠太师兼侍中,谥荣僖。耆为人重密有智数,太后预政,宠遇最厚,安佚富盛,逾四十年;所历藩镇,人苦其扰。

癸巳,参知政事明镐疽发背,帝亲临视。甲午,卒,赠礼部尚书,谥文烈。镐端挺寡言,所至安静有体,而遇事能断,为世所推重。

乙未,诏:"馆阁官须亲民一任,方许入省府及转运、提点刑狱差遣。"

丙申,司空致仕章得象卒。故事,致仕官乘舆不临奠,帝特往奠之。赠太尉兼侍中,谥文宪。

民间盗铸者众,钱文大乱,物价翔涌,公私患之。于是河东都转运使张奎奏:"晋、泽、石三州及威胜军日铸小铁钱,独留用河东。"铁钱既行,而盗铸者获利十之六,钱轻货重,言者皆以为不便。知并州郑戬请河东铁钱且以二当铜钱一,行一年,以三当一或以五当一;罢官炉日铸,但行旧钱。知泽州李昭遘亦言:"河东民烧石炭,家有囊冶之具,盗铸者莫可诘。而契丹亦能铸铁钱,以易并边铜钱而去,所害尤大。"

是月,翰林学士张方平、宋祁、御史中丞杨察与三司使叶清臣先上陕西钱议,请以小铁钱三当铜钱一，既而又请河东小铁钱亦如之，且罢官所置炉，朝廷皆施用其言。自是奸人稍无利，犹未能绝滥钱也。其后诏商州罢铸清黄铜钱，又令陕西大铜钱、大铁钱皆一当二，盗铸乃止。然令数变，兵民耗于资用，类多咨怨，久之始定。

秋，七月，戊戌，以河北水，令州县募饥民为军。

甲寅，辽录囚，减杂犯死罪。

八月，丁丑，右谏议大夫、权御史中丞杨察，兵部员外郎兼侍御史知杂事张昪并落职，察知信州，昪知濠州。察为御史中丞，论事无所避。会诏举御史，建言："台属供奉殿中，巡纠不法，必得通古今治乱良直之臣。今举格太密，坐细故皆置不取，恐英伟之士或有所遗。"何郯以论事不得实，中书问状，察又言："御史，故事许风闻，今以疑似之间，遽被诘问，臣恐台谏官畏罪缄默，非所以广言路也。"察数以言事忤宰相陈执中，故坐与昪俱黜。

其后监察御史建阳陈旭数言昪宜在朝廷，帝曰："吾非不知昪贤，然言词不择轻重。"旭请其事，帝曰："顷论张尧佐事，云'陛下勤身克己，欲致太平，奈何以一妇人坏之！'"旭曰："此乃忠直之言，人臣所难也。"帝曰："昪又论杨怀敏云：'怀敏苟得志，所为不减刘季述。'何至于此？"旭曰："昪志在去恶，言之不激，则圣意不回，亦不可深罪也。"

知陕州吴育上言："近传三司判官杨仪下狱，自御史台移劾都亭驿，械缚过市，万目惊骇。及闻案具，乃止坐请求常事，非有枉法赃贿。又传所断罪名，法不至此，而出朝廷特旨，恐非恩归主上、法在有司之意也。且仪身预朝行，职居馆阁，任事省府，使有大罪，虽加诛斩，自有宪章。苟不然者，一旦至此，使士大夫不胜其辱，下民轻视其上，非所以养廉耻、示敦厚也。仪罪未断，臣不敢言。今事已往，且无救解之嫌，止祈圣神此后详审庶事，毋轻置诏狱。具案之上，自非情涉巨蠹，且从有司论谳，不必法外重行。如此，足以安人心，静风俗，养廉耻，召和平，天下之幸也。"

丙戌，辽复南京贫户租税。戊子，辽以殿前都点检耶律义先为行军都部署，以中顺军〔节度使〕夏行美副之，伐富努里。

己丑，以河北、京东、西水灾，罢秋宴。

甲午，御迩英阁，读《政要》。

是月，殿中侍御史何郯言："臣昨于六月内曾具奏论，今岁灾异，为害甚大，陈执中首居相位，实任其责，因举汉时以灾异册免三公故事，乞因执中求退，从而罢免，以答天意，未蒙施行。今霖雨连昼夜不止，百姓忧愁，岂非大臣专恣，务为壅蔽，阴盛侵阳所致？况执中所举事，多不副天下人心，怨咨盈耳。如〔向〕(傅)〔传〕式不才，累被人言，不可任以要剧，而执中以私恩用〔传〕式至三司副使。吕昌龄曲事执中，执中宪鞶之，兄弟至为三司判官。此皆圣意所明知，所以〔传〕式、昌龄并罢要职；而执中则释而不问，窃所未安。兼风闻执中以旧识宽减前京东转运使张铸，不案告孔宜温谋反人状罪犯，及以私愤降开封府界提点李肃之差遣，挟情高下，岂是至公？其他专权恣纵，不可尽数。伏望罢免执中，以慰天下之望。"

九月，〔戊午〕，诏三司以今年江、淮所运米二百万斛转给河北州军。

己未，殿中侍御史何郯言："近年大臣罢两府任，便陈乞子弟召试，充馆职或出身，用为恩例。望自今后，馆阁不许臣僚陈乞子弟外，其陈乞及奏举召试出身，候有科场与免取解及南省试，令赴御前与举人同试，以塞私幸。"诏："今后臣僚奏子孙弟侄等乞出身及馆职，如有合该恩例者,类聚一处,候及三五人,送学士院试诗、赋、论三题,仍封弥、誊录考试。其试官,令中书具学士姓名进呈点定,仍精加考试,候点到等第,临时取旨。"

癸亥,三司言韶州天兴场铜岁采二十五万斤,请置监铸钱,诏以为永通监。

冬,十月,壬午,进美人张氏为贵妃,仍令所司择日备礼册命。先是夏竦倡议欲尊异美人,起居舍人、同知谏院王贽,因言贼根本起皇后阁前,请究其事,冀动摇中宫而阴为美人地。御史何郯入见,帝以贽所言谕郯,郯曰:"此奸人之谋,不可不察。"帝悟,乃止。然美人卒用凰跸功进妃位。

甲申,辽南院大王耶律罕班卒,年五十五。罕班平居不屑细务,喜怒不形。尝失所乘马,家僮以同色者代之,数月不觉。死之日,筐无旧储,椸无新衣。辽主闻之悼惜,遣使祭吊,给葬具。

丁亥,以屯田员外郎邠州范祥提点陕西路刑狱兼制置解盐。先是祥请变两池盐法,诏祥乘传陕西,与都转运使程戡共议。而戡与祥议不合,祥寻亦遭丧去。及是祥复申前议,故有是命,使推行之。

其法,旧禁盐地一切通商,盐入蜀者,亦恣不问。罢九州军入中刍粟,令入实钱,以盐偿之,视入钱州军远近及所指东西南盐,第优其直。东南盐又听入钱永兴、凤翔、河中,岁课入钱总为盐三十七万五千大席。授以要券,即池验券,案数而出,尽弛兵民辇运之役。又以延、庆、环、渭、原、保安、镇戎、德顺地近乌白池,奸人私以青白盐入塞,侵利乱法,乃募人入中池盐,予券,优其直,还以池盐偿之,以所入盐,官自出鬻,禁人私售。峻青白盐之禁,并边旧令入中铁炭瓦木之类,皆重为法以绝之。其先以虚估受券及已受盐未鬻者,悉计直使输亏官钱。又令三京及河中、河阳、陕、虢、解、晋、绛、濮、庆成、广济,官仍鬻盐,须商贾流通乃止,以所入缗钱市并边九州军刍粟,悉留权货务钱币以实中都。行之数年,猾商贪贾无所侥幸,关内之民得安其业,公私以为便云。

庚寅,翰林学士、知制诰宋祁落职知许州。

故事,命妃皆发册,妃辞,则罢册礼;然告在有司,必俟旨而后进。又,凡制词既授阁门宣读,学士院受而书之,送中书,结三省衔,官告院用印,然后进内。张美人进号贵妃,祁适当制,不俟旨,写告不送中书,径取官告院印用之,亟封以进。妃方爱幸,冀行册礼,得告,大怒,掷地不肯受,祁坐是黜。初,祁疑进告为非,谓李淑明于典故,因问之,淑心知其误,谓祁曰:"第进,何所疑邪!"祁果得罪去。议者益恶淑倾险云。

甲午,辽主驻独卢金。

十一月,乙未朔,辽遣使括马,以将伐夏故也。

辽主将城西边,命东路统军使耶律多珍相地及造战舰。多珍因成楼船百三十艘,上置兵,下立马,规制坚壮,辽主嘉之。

戊戌,景福殿使、入内都知王守忠领武信留后。寻诏守忠如正任班,它无得援例。守忠遂移阁门,欲缀本品坐宴阁门,从之。

侍御史何郯言:"祖宗典法,未尝有内臣殿上预宴之事,此弊一开,所损不细。伏望指挥下阁门速行改正,一遵旧制。"初,西上阁门使钱晦亦言:"天子大朝会,令宦官齿士大夫坐殿上,必为四夷所笑。"然竟为奏定坐图。及郯又言,守忠自知未允,宴日,辞而不赴。

己亥，作皇帝钦崇国祀之宝。真宗尝为昭受乾符之宝，凡斋醮表章用焉。及大内火，宝焚，止用御前之宝。于是下学士院定其文，命宰相陈执中书付有司别刻之。

乙卯，以起居舍人、直史馆、知谏院王贽为天章阁待制。

张贵妃既得立，甚德贽，密赐贽金币以巨万计。尝谓人曰："我家谏官也。"及将受册礼，欲得贽捧册，中书言摄侍中，故事必用待制以上，于是骤进贽职。

以殿中侍御史何郯为礼部员外郎兼侍御史知杂事。初，台知杂阙，执政欲进其党，帝特用郯，且谕郯曰："卿不阿权势，故越次用卿。"

诏："河北水灾，民流离道路，男女不能自存者，听人收养之，后毋得复取；其佣雇者，自从私券。"

丁巳，李用和兼侍中。

辽封皇子和啰噶为越王，阿伦为许王。赐太弟重元金券。重元子尼噜古，由安定郡王进封楚王。辽主尝与重元宴酣，许以千秋万岁后传位，重元甚喜，骄纵不法。又因双陆赌居民城邑，辽主屡不竞，前后已偿数城。重元恃宠多过，朝臣无敢言者。一日，复博，伶人罗衣轻指其局曰："双陆休痴，和你都输去也。"辽主始悟，不复戏。

壬戌，以畿内物价翔贵，于新城外置十二场，官出米，裁其价以济贫民。

癸亥，赐王贻永、李用和笏头金带。故事，非二府大臣不赐，惟张耆在枢密院兼侍中尝赐之。

时雨潦害稼，坏堤防，两河间尤甚。十二月，乙丑朔，颁德音，改明年元曰皇祐，降天下囚罪一等，徒以下释之。

出内藏钱帛赐三司贸粟，以赈河北流民，所过，官为舍止之，所赉物无收算。

丁卯，贵妃张氏行册礼，群臣表贺。

丙子，诏三司："河北沿边州军客人入中粮草，改作四说之法，每以一百贯为率，在京支钱三十贯，香药、象牙十五贯，在外支盐十贯，茶四十贯。"用权发遣盐铁判官董沔请复行三说之言，而加以末盐为四说也。

庚辰，判大名府贾昌朝言："自九河尽灭，独存漯川，而历代徙决不常，然不越郓、濮之北，魏、博之东，即今澶、滑大河历北京朝城，由蒲台入海者也。国朝以来，开封、大名、怀、滑、澶、郓、濮、棣、齐之境，河屡决，天禧三年至四年夏连决，天台山旁尤甚，凡九载，乃塞之。天圣六年，又败王楚。景祐初，溃于横垅，出至平原，分金、赤、淤三河，经棣、滨之北入海。近岁海口壅阔，淖不可浚，是以去年河败德、博间者凡二十一。今夏溃于商胡，经北都之东，至于武城，遂贯御河，历冀、瀛二州之城，抵乾宁军南，达于海。今横垅故水，尚存三分，金、赤、淤河，皆已堙塞，惟出雍京口以东，大决民田，乃至于海。自古河决为害，莫甚于此。朝廷以朔方根本之地，御备契丹，取材用以馈军师者，惟沧、棣、滨、齐最厚。自横垅决，财利耗半，商胡之败，十失其八九。况国家恃此大河，内固京师，外限戎马，祖宗以来，留意河防，条禁严切者以此。今乃旁流散出，甚至有可涉之处。欲救其弊，莫若东复故道，尽塞诸口。案横垅以东至郓、濮间，堤埽具在，宜加完葺。其堙浅之处，可以时发近县夫，开道至郓州东界。谨绘漯川、横垅、商胡三河为一图上进，惟陛下留省。"诏翰林学士郭劝、入内内侍省都知蓝元用与河北、京东转运使再行相度修复黄河故道利害以闻。

1039

辽主姊秦晋国长公主,始嫁萧特布,改适萧哈里,又适萧呼敦,俱以不谐离婚;是年,乃适韩国王萧惠。

皇祐元年　辽重熙十八年【己丑,1049】　春,正月,甲午朔,日有食之。

辽将伐夏,留其贺正使不遣。己亥,遣使以伐夏来告。

辛丑,命翰林学士虞城赵概权知贡举。

丙午,辽主如鸳鸯泺。

戊申,以河北水灾,罢上元张灯,停作乐。

庚戌,太傅致仕邓国公张士逊卒。车驾临奠,翼日,谓辅臣曰:"昨有言庚戌是朕本命,不宜临丧;朕以师臣之旧,故不避。"文彦博曰:"唐太宗辰日哭张公谨,陛下过之远矣。"赠士逊太师、中书令,谥文懿,御篆其墓碑曰"旧德之碑"。

丙辰,辽主猎于霸特山。行军都部署耶律义先遣人奏富努里之捷。

己未,诏以缗钱二十万市谷种,分给河北贫民。

辛酉,诏曰:"自古为治,必戒苛察,近岁风俗,争事倾危,狱犴滋多,上下睽急,伤累和气,朕甚悼焉!自今言事者,非朝廷得失,民间利病,毋得以风闻弹奏,违者坐之。"殿中侍御史馀杭张掞,言不当禁御史、谏官风闻言事,不报。

癸亥,铸"皇祐元宝"钱。

二月,丁卯,彗出虚,晨见东方,西南指,历紫微至娄,凡一百一十四日而没。诏:"自今月五日不御正殿,其尚食所供常膳,亦宜减省,中外臣僚,极言当世切务。"

以前刑部员外郎张友直为史馆修撰,用其父士逊遗奏也。御史何郯言:"史馆修撰,故事皆试知制诰;友直素无学术,不当得。"乃改集英殿修撰。

戊辰,以河北疫,遣使颁药。

己巳,以龙图阁直学士崇安刘夔为枢密直学士、知郓州兼京东西路安抚使。

时民流京东,盗贼多起,帝将益兵为备,问谁可守郓者,宰相以夔对,遂擢用之。夔至郓,发廪赈饥民,赖全活者甚众,盗贼衰止。赐书褒谕。

辛未,以知青州、资政殿学士富弼为礼部侍郎。

初,河北大水,流民入京东者不可胜数。弼择所部丰稔者五州,劝民出粟,得十五万斛,益以官廪,随所在贮之。择公私庐舍十馀万区,散处其人,以便薪水。官吏自前资待阙寄居者,皆给其禄,使即民所聚,选老弱瘠病者廪之。山林陂泽之利,有可取以为生者,听流民取之,其主不得禁。官吏皆书其劳,约为奏请,使它日得以次受赏于朝;率五日遣人以酒肉饭糗劳之,人人为尽力。流民死者,为大冢葬之,谓之丛冢,自为文祭之。及流民将复其业,又各以远近受粮归。凡活五十馀万人,募而为兵者又万馀人。帝闻之,遣使慰劳,就迁其秩。弼曰:"救灾,守臣职也。"辞不受。前此救灾者,皆聚民城郭中,煮粥食之,饥民聚为疾疫及相蹈籍死,或待哺数日,不得粥而仆,名为救而实杀之。弼所立法,简便周至,天下传以为式。

诏发京师禁军十指挥赴京东西路驻泊,以备盗贼,京东西路钤辖并兼本路安抚都监。京东安抚使富弼,言本路遽增屯禁军,虑摇人心,欲量增一两指挥。诏:"兵已就道,俟将来岁丰,令还京师。"

宣徽北院使、武昌节度使、判延州程琳请代,己卯,加同平章事,再判延州。

琳尝获戎酋,不杀,戒遣之,夏人亦相告毋捕汉民。久之,诈以五百户驱牛羊叩边请降,言辽兵至衙头矣,国中乱,愿自归。琳曰:"辽至彼帐下,当举国取之,岂容有来降者? 吾闻夏人方捕叛者,此其是邪? 不然,诱我也。"拒不受。已而贼果将骑三万临境上,以捕降者为辞。琳先谍知之,闭壁倒旗,戒诸将勿动。贼以为有备,遂引去。

辽耶律义先之讨富努里也,多所招降,乙酉,俘其酋长托德勒以归。辽主手诏褒奖,以功封武昌郡王,改南京统军使。旋请统军司钱营息以赡贫民,未及期而军器完整,民得休息。

自辽人以伐夏来告,边候稍警,帝御便殿,访近臣以备御之策。权三司使叶清臣对曰:"陛下临驭天下二十八年,未尝一日自暇逸,而西北二边,频岁为患,岂非将相大臣不得其人,不能为陛下张威德以致此乎? 庆历初,刘六符来,执政不能折冲樽俎,只烦一介之使,坐致二十万物。匮膏血以奉外敌,此有识之士所为长太息也。今诏问北使诣阙,以西戎为名,即有邀求,何以答之。臣闻誓书所载,彼此无求,况元昊叛边,累年致讨,辽人岂有毫发之助! 今彼国出师,辄求我助,干盟违约,不亦甚乎! 若使辩捷之人判其曲直,我直彼曲,岂不惮服! 苟肆侵凌,方河朔灾伤之馀,野无庐舍,我坚壁自守,纵令深入,其能久居? 既无所因粮,则亟当遁去。然后选择骁勇,遏绝归师,设伏出奇,邀击首尾,若不就禽,亦且大败矣。"

渭井蛮寇边。

三月,庚子,御延和殿,召辅臣观新造浑仪木样,时命日官舒易简、于渊、周琮等参用梁令瓒、李淳风旧制改铸浑仪也。

辛丑,命户部副使包拯往河北提举计置粮草。

乙巳,高昌国贡于辽。

先是燕赵国王洪基有疾,辽主亲诣其帐视之。壬子,以洪基疾愈,赦杂犯死罪以下。

癸丑,赐进士江夏冯京等一百七十四人及第、一百六十人出身、二百九人同出身于崇政殿。甲寅,赐诸科及第并出身五百五十人于观文殿。

诏徙河北阙粮处土兵及戍兵近南州军,候经置边储有备,复令还屯,从包拯言也。广平二监马牧共占邢、洺、赵三州民田万五千顷,前已废其一,然漳河沃壤,民犹不得耕,拯请悉以赋民,从之。

丁巳,乌库遣使送款于辽,五国节度使耶律珊图所招徕也。

庚申,以辽人告伐夏,遣权知开封府钱明逸等报聘,且致赆礼。

夏,四月,甲子,御崇政殿,阅知澶州宋守信所献冲阵无敌流星弩等器八种。

庚午,命包拯与河北四路安抚使、转运司议省冗官及汰军士之不任役者以闻。

癸酉,辽以南府宰相杲锡为南京统军使。

癸未,梓州转运司言渭井监夷人平。

丁亥,右司谏钱彦远上劝农疏曰:"本朝转运使、提点刑狱、知州、通判,皆带劝农之职,徒有虚文,无劝导之实。谓宜置劝农司,以知州为长官,通判为佐官,举清强幕职、州县官为判官,先以垦田顷亩及户口数、陂塘、山泽、沟洫、桑柘著之于籍,然后委劝农官设法劝课,除害兴利,俟岁终农隙,转运司考较而赏罚之。"帝嘉纳焉。

五月,丁酉,以祠部员外郎任颛为河东转运使。帝以河北尝赐内库金帛,今亦以五十万济河东阙乏。颛辞曰:"朝廷始命使,委以经制财用,而遽乞金帛以往,不可。"帝善之。

甲辰,五国酋长各率所部附于辽。

丙午,幸后苑宝岐殿,观刈麦,顾谓辅臣曰:"朕新作此殿,不欲植花卉而岁以种麦,庶知稼穑事之不易也。"

执政庞籍言殿中丞、馆阁校勘范镇有异材,不汲汲于进取。丁巳,特迁直秘阁。

戊午,辽五国节度使耶律珊图授左监门卫上将军。

六月,壬戌朔,辽以韩国王萧惠为河南道行军都统,赵王萧孝友、汉王特布副之。时辽师分三道,惠等所将者为南道,其北道则行军都统耶律达和克将之,中道则辽主自将,尚未发也。

甲子,蠲河北民复业者租赋二年。

乙丑,以太子右清道率府率叔韶为右领军卫将军,仍赐进士及第,寻加文州刺史。叔韶尝献所著文,召试学士院,入优等,特迁之。入谢,命坐赐茶,谓曰:"宗子好学无几,尔独以文章得进士第,前此盖未有也。"又出《九经》赐之。后以图书赐正刺史已上,叔韶不当得,独赐及之。叔韶,德恭之曾孙也。宗室召试自叔韶始。

辽录囚。

丙寅,辽行十二神纛礼。

甲戌,以贾昌朝为观文殿大学士、判都省,朝会班中书、门下,视其仪物。观文殿置大学士自此始,仍诏自今非尝为宰相毋得除。

戊寅,诏中书、枢密非聚议,毋通宾客。

庚辰,准布贡马驼珍玩于辽。

辛巳,复贡于辽,辽人留其使不遣。

〔壬午〕,改命同刊修《唐书》、翰林侍读学士宋祁为刊修官。

乙酉,同知谏院临颍李兑、侍御史知杂事何郯、监察御史陈旭等言:"比岁臣僚有缴奏交亲往还简尺者,朝廷必推究其事而行之,遂使圣时成告讦之俗。自今非情涉不顺,毋得缴简尺以闻;其官司请求非法,自论如律。"从之。

丁亥,监察御史陈旭言:"三馆职事,文儒之高选;近时用人益轻,遂为贵游进取之津要。庆历中尝有诏旨,今后见任、前任两省及两大省以上官,不得陈乞子弟、亲戚入馆阁职事。然挠于横恩,复寝不用。望申明前敕,严为科禁,澄汰滥进,必清其选,使在位者皆得文行充实之人。然后举用故事,特因闲燕,延备访问,于治体不为无益。"诏:"今后近上臣僚,援例奏乞子孙得试者,如试中,只与转官或出身,更不除馆阁。"

辽主行再生礼。

戊子,太子少傅致仕李若谷卒。诏以子淑在近侍,优赠太子太傅,后毋得为例。

诏:"转运使、提点刑狱所(捕)〔补〕官吏受赃,失觉察者降黜。"

秋,七月,丙申,定州雨。初,知定州韩琦言:"河朔久不雨,请祈无所应。若出自圣怀,祷于天地山川,宜获嘉泽。"寻遣秘阁校理张子思持密词祷于北岳。至是以雨足闻。

丁酉,诏臣僚毋得保荐要近内臣。

翰林侍读学士、右谏议大夫张锡,讲书禁中,帝叹其博学,飞白书"博学"二字赐之,因问治道,锡对曰:"节嗜欲者,治身之本;审刑罚者,治国之本。"时贵妃方宠幸,故锡以此讽。帝改容曰:"卿言甚嘉,恨用卿晚。"

戊戌,辽主亲帅师伐夏,以太弟重元、北院大王耶律仁先为前锋。

辛丑,翰林侍读学士、右谏议大夫张锡卒,以白金三百两赙其家,赠工部侍郎。

戊申,以集贤校理李中师为提点开封府界诸县镇公事。中师,开封人,宰相陈执中所荐也。

八月,辛酉朔,辽师渡河,不见敌而还。

辽主所御战舰,即耶律多珍所造之楼船也,辽主喜甚。其后尝亲赐卮酒,问其所欲,多珍曰:"臣幸被圣恩,得效驽力,万死不能报国,又将何求!"辽主益喜,手书多珍衣裾曰:"勤国忠君,举世无双。"

壬戌,工部侍郎、平章事陈执中罢为兵部尚书、知陈州。先是河决民流,灾异数见,执中无所建明,但延接卜相术士。言者屡攻之,因论执中越次用李中师为府界提点及吕昌龄等出入门下,不协众望,而执中亦以足疾辞位,诏从其请。翰林学士孙抃当制,遂除尚书左丞。文彦博、宋庠言恩礼太薄,乃下学士院贴麻,改命之。

以枢密使宋庠为兵部侍郎、平章事,参知政事庞籍为工部侍郎、充枢密使,枢密副使高若讷为工部侍郎、参知政事,翰林侍读学士梁适为左谏议大夫、枢密副使。

甲申,御崇政殿,策试贤良方正能直言极谏,殿中丞吴奎所对入第四等,以奎为太常博士、通判陈州。奎,北海人,尝为广信军判官,昼则治事,夜辄读书不寐。杨怀敏增广北边屯田,至夺民谷地,无敢与抗者。奎上书论其不便,知保州王果亦屡争之;怀敏使人讼果它事,诏置狱推勘,奎为力辩,得免。庆历中宿卫之变,怀敏当番直而得罪轻,奎时监京东排岸司,上疏曰:"臣闻句当皇城司六人,其五已被谪,独怀敏尚留,人咸谓陛下私近幸而屈公法,臣窃为陛下痛惜之!况中外传闻,且获贼之际,陛下宣令勿杀,而左右辄屠之,此必有同谋者,恐事泄露而杀之以灭口。不然,何以不奉诏也?"帝深器之。

卫士王安,与其党相恶,阴置刃衣箧中,从句当引见司杨景宗入禁门。既为阍者所得,景宗辄隐不以闻。御史中丞郭劝请先治景宗罪,章再上,不听,又廷争累日。乙酉,责景宗均州安置。景宗乞尽纳官爵,留居京师,御史何郯极言其不可。既逾月,乃自均州徙邓州。

太子少师致仕石中立卒,赠太子太傅,谥文定。

中立好谐谑,然练习台阁故事,不汲汲近名。初,家产岁入百万钱,末年费几尽。帝闻其病,赐银三百两。既殁,其家至不能办丧。

九月,乙未,以权三司使张尧佐为礼部侍郎、三司使。监察御史陈旭,言尧佐以后宫亲,不宜使制国用,不听。

诏河东、河北经略安抚(司使)〔使司〕:"辽举兵讨夏人,其边要之地,选委将佐,严加备御。"时司天言太阴犯毕宿,主边兵,赵分有忧故也。

乙巳,广南西路转运司言广源州蛮寇邕州,诏江南、福建等路发兵备之。广源州在邕州西南,郁江之原也,峭绝深阻,产黄金、丹沙,颇有邑居聚落。俗椎髻左衽,善战斗,轻死好乱。其先韦氏、黄氏、周氏、侬氏为酋领,互相劫掠。唐邕管经略使徐申厚抚之,黄氏纳职贡,而十三部、二十九州之蛮皆定。自交趾蛮据有安南,而广源虽号邕管(为)〔西〕羁縻州,其实服役于交趾。

初,有侬全福者,知傥犹州,其弟存禄知万涯州,全福妻弟侬当道知武勒州。一日,全福杀存禄、当道,并有其地。交趾怒,举兵掳全福及其子智聪以归。其妻阿侬,本左江武勒族也,转至傥犹州,全福纳之。全福见掳,阿侬遂嫁商人,生子,名智高,年十三,杀其父商人,曰:"天下岂有二父邪!"因冒姓侬,与其母奔雷火洞。其母又嫁特磨道〔侬〕夏卿。久之,智高复与其母出据傥犹州,建国曰大历。交趾复拔傥犹州,执智高,释其罪,使知广源州,又以雷火、频婆四洞及思浪州附益之。然内怨交趾,居四年,遂袭据安德州,僭称南天国,改年景瑞,于是始入寇。

辽萧惠之伐夏也,战舰粮艘,绵亘数百里。既入敌境,侦候不远,铠甲载于车,军士不得乘马。诸将请备不虞,惠曰:"谅祚必自迎车驾,何暇及我! 无故设备,徒自弊耳。"辽主既还,惠犹进师。丁未,营栅未立,夏人奄至,惠与麾下不及甲而走,追者射之,惠几不能脱,士卒死伤不可胜计。

戊午,太白犯南斗。

己未,罢武举。

始,范祥议改盐法,论者争言其不便,朝廷独以为可用,委祥推行之。于是侍御史知杂事何郯言:"风闻改法以来,商旅为官盐长价,获利既薄,少有算请。陕西一路,已亏损课利百馀万贯,其馀诸路,比旧来亦皆顿减卖盐见钱,甚妨支用。兼陕西民间官盐价高,多以卖私盐事败,刑禁颇烦,官私俱不为利,经久何以施行! 臣谓事有百利始可议变,变不如前,即宜仍旧。"冬,十月,壬戌,遣户部副使包拯与陕西转运使议盐法。

丁丑,诏:"妇人所服冠,高无得过四寸,广无得逾一尺,梳长无得逾四寸,仍无得以角为之,犯者重致于法。"

先是宫中尚白角冠梳,人争效之,谓之内样。其冠名曰垂肩,至有长三尺者,梳长亦逾尺。御史刘元瑜以为服妖,请禁止之,故有是诏。妇人多被刑责,大为识者所嗤,都下作歌词以嘲之。

壬午,诏:"马铺以昼夜行四百里,急脚递五百里。"

侍御史知杂事何郯言:"陕西新置保捷兵士,年五十以上及短弱不及等之人,如不愿在军者,许令自陈,减放归农。此等久习武艺,今若放罢,亦须置籍拘管。仍乞以所居乡社相近处,如河北义勇,团作指挥,置人员节级管辖。其边郡每岁以此军番递,防守处亦令比岁减数,非时边上或有警急,其罢放之人尚可追集守城,却代精兵出战,于事又无废阙。方今财力大屈,此亦省费之一端。"枢密使庞籍独以其言为事。省兵之议,实郯发之。

是月,辽北道行军都统耶律达和克率准布诸军攻夏凉州,至贺兰山,获夏国主嫡母及其官僚家属以归。夏以三千人扼险力战,破之,都监萧慈氏弩殁于阵。

十一月,丙申,加赠虢州刺史种世衡为成州团练使。先是,世衡长子古诣阙自言:"父世衡在青涧城,尝遣王嵩入夏国反间,其用事臣雅尔、旺荣兄弟皆被诛,元昊由是势衰,纳款称臣。经略使庞籍掩父功,自取两府。"籍时在枢密院,具言:"嵩入虏境即被囚,元昊委任旺荣如故。元昊欲和,先令旺荣为书遗边将。元昊妻即旺荣妹,元昊黜其妻,旺荣兄弟怨望。元昊既称臣后二年,旺荣谋杀元昊,事觉被诛,非因嵩反间。臣与范仲淹、韩琦,皆豫受中书札子,候西事平除两府,既而仲淹、琦先除,臣次之,非专以招怀之功,文书具在可验。"朝廷虽知古妄言,犹念世衡旧劳,自东染院使赠刺史,录其子之未仕者。古复上书诉赏薄,于是加赠团练使,特授古天兴尉,令御史台押出城,趣使之官。及籍罢,古复辩理,下御史考实,以籍奏王嵩疏为定。诏以其事付史官,听古徙官便郡。

诏:"河北被灾民年八十以上及笃疾、贫不能自存者,人赐米一石,酒一斗。"

辛丑,诏:"民有冤,贫不能诣阙者,听诉于监司以闻。"

戊午,杨怀敏罢内侍副都知,为三陵副使。初,怀敏自高阳关钤辖入奏事,除副都知。知制诰胡宿当制,因言:"怀敏以宿卫不谨,致逆徒窃入宫闱,又不能生致之。议者谓规灭奸人之口,罪在怀敏及杨景宗二人。得不穷治诛死,已为幸矣,岂宜复在左右邪!臣不敢草制,辄封还以闻。"帝疑宿职不当言,翼日,谓宰相曰:"前代有此故事否?"文彦博对曰:"唐给事中袁高不草卢杞制书,近来富弼亦曾封还词头。"帝意解。谏官钱彦远谓宿曰:"仁者必有勇,于公见之矣。"既而它舍人为怀敏草制,彦远及台官论列不已,逾半月,卒罢之。宿闻怀敏除三陵副使,谓人曰:"怀敏必死矣。祖宗神灵所在,大奸岂能逃乎!"无几何,怀敏果卒。

十二月,壬戌,诏:"陕西保捷兵年五十以上及短弱不任役者,听归农;若无田园可归者,减为小分。"凡放归者三万五千馀人,皆欢呼反其家。在籍者尚五万馀人,悲涕,恨不得俱去。陕西缘边,计一岁费缗钱七十千养一保捷兵,自是岁省缗钱二百四十五万,陕西之民力稍苏。

初,枢密使庞籍与宰相文彦博,以国用不足,建议省兵,众议纷然陈其不可,缘边诸将争之尤力,且言兵皆习弓刀,不乐归农,一旦失衣粮,必相聚为盗贼,帝亦疑焉。彦博与籍共奏:"今公私困竭,上下皇皇,其故非它,正由养兵太多耳,若不减放,无由苏息。万一果聚为盗贼,臣请以死当之。"帝意乃决。既而判延州李昭亮复奏陕西所免保捷特多,往往缩颈曲胭,诈为短小以欺官司。籍曰:"兵苟不乐归农,何为欺诈若此乎!"帝深然之。

甲子,遣入内供奉高怀政督捕邕州盗贼。

壬申,观文殿大学士、右仆射、判都省贾昌朝,复为山南东道节度使、同平章事、判郑州。

戊寅,辽庆陵林木灾。

己卯,辽录囚,有弟从兄为盗者,兄弟俱无子,特原其弟。

是岁,夏改元延嗣宁国。

【译文】

宋纪五十　起戊子年(公元1048年)四月,止己丑年(公元1049年)十二月,共一年有余。

庆历八年　辽重熙十七年(公元1048年)

夏季,四月,己巳朔(初一),册封赵元昊的儿子赵谅祚为西夏国君主,任命祠部员外郎任颛等人为册礼使。

赵谅祚出生才三个月,各位将领又不和睦,议论这事的人都说可以利用这个时机,都以节度使任命西夏各将领,让他们各自统帅其部下,分散削弱他们的势力,希望能杜绝后患。判延州程琳进言说:"庆幸他人的丧事,不能体现大德,还不如趁此时安抚他们。"知庆州孙沔也进言说在别人国丧时征伐不是中国的作法,皇帝采纳了他们的意见,于是催促有关官员执行册封礼仪。然而议论的人很是惋惜丢失了这次好机会。

参知政事丁度多数请求辞职,御史何郯又进言说:"丁度在三事大夫之列,在这个位置上已经多年,上无益于国家,下不能服民心,请陛下不要迟疑,用礼节让他体面地退下来。"辛未(初三),丁度降为紫宸殿学士兼翰林侍读学士。任命端明殿学士、权三司使明镐为参知政事。文彦博在平定贝州后入朝当宰相,多次推举明镐的功劳,所以丁度罢免后,由明镐代替他。

甲戌(初六),任命知永兴军叶清臣为翰林学士、权三司使。

丙子(初八),下诏说:"科举考场的原有条例都是先朝制定的,应该一律不变。"当时礼部贡院上书说:"庆历四年,宋祁等人制定贡举的新制度,适逢第二年下诏,说是一定要等以后的贡举施行。今年的秋试就要到了,依新制度,各州、军解送的举人,只要让本州的官员保举证明其生平事迹即可,至于封弥、誊录,都可免去。我们看到各州解送举人,在没有弥封、誊录以前,大多选用虚假的荣誉,即使考官没有别人的请托,也只选取本州曾经荐送过的旧人,新人中一百人难取一人。弥封之后,考官看不到姓名,必须实考作文技巧,稍微合乎公平。另外,新制度规定,进士要先考策题三道,其次考论题,再次考诗赋题。先考策论题确定去留,然后与诗赋题的成绩结合,确定名次的高低。然而举人每次选送到尚书省时,不下五七千人,及至皇上复试时,只有几百人了。大概是诗赋的声韵上容易出错误,便于确定去留;如果专考策、论,必定难以确定升黜。而诗赋虽称为小技,并且必须切题论事,如果记诵回答准确恰当,则言辞自然精审。策、论虽然有考题,但其中的对答可以敷衍发挥,多夹杂其他主张,如果对答不到问题的五成就都要贬黜,这就与原定解送的名额不符,如果好坏都录取,那么混进来的人就特别多。所以从太祖、太宗以来,不能急促改变这一制度。加之听到举人们举出经史中的疑难可以出策论题目,共有几千条,称之为《经史质疑》。至于时事政务,也抄录些简要的问题,虚假更多,难以考核比较。又有旧制度以辞赋声韵错误、对偶反切之类,作为考试题目。如今却只许仿效唐人的赋体,而赋不限联数,不限字数。古今文章,必须先把握体裁,古代的未必都对,今天的未必都错。曾经翻阅唐人考试的诗赋,与本朝录取的名人辞赋比较,实在也是工拙各半。一般儒生是古非今,不能做出通达的评论。自庆历二年以来,国子监的生员,作诗赋就以散漫不合体裁为高超,作策论就以偏激攻讦、肆意发挥为工巧。这不仅渐渐贻误后学,还确实怕将来尚书省考试,能合格的会有几人!通观从太祖、太宗以来,得到的人才不少;考试作文技巧,本来有规定的程式,不必变更,以免助长虚浮浅薄的学风,请求一概依旧制度行事。"所以才颁下这项诏令。起初,下诏各州解送举人到尚书省,派官员复试。不久就取消了,可能考虑到因此或许会抑退贫寒士人的缘故。

辽国又任命武定军节度使杜防为南府宰相。

丙子(初八),高丽向辽国进贡。

辛卯(二十三日),设置河北四路安抚使。起初,贾昌朝判大名府时,已兼河北安抚使。到这时任命资政殿学士、给事中韩琦知定州,礼部侍郎王拱辰知瀛州,右谏议大夫鱼周询知成德军,都兼本路安抚使。

御史何郯进言说紫宸不可作为官衔的名称。五月,乙巳(初八),下诏把以前的延恩殿改为观文殿,交将紫宸殿学士改为观文殿学士,朝班排列和原来的一样。

乙卯(十八日),调知谏院宋禧出任江南东路转运使;己未(二十二日),改任为荆湖北路转运使。宋禧虽然罢去了谏官的职务，但还担任监察官，评论这事的人都表示非议。

御史何郊上书说："枢密使、平章事夏竦，学习歪门邪道很博杂，行为虚伪而顽固；有小人柔媚的品性，没有大臣鲠直的声望；聚敛财物以满足贪婪的欲望，攀附权贵宠幸以实现升迁的企图。近日卫兵骚乱，冲入后宫，凡负有守卫职责的官员，都疏于防卫检查，应该处以死刑，而夏竦只因为掌管皇城司的内臣杨怀敏素来与他有交往，有意替他掩盖罪过，只想私下给予恩情，不曾公正地讨论他的罪责。朝廷百官都说杨怀敏疏忽觉察叛贼作乱，只因为任官的玩忽职守，罪行相对要小；而夏竦多方怀有顾念之情，不顾为臣的职责，罪行相对要大。如今杨怀敏被罢黜而夏竦唯独留任，朝廷内外无不愤慨。诚望陛下与众人永远将他唾弃而不任用，以示没有偏私。"辛酉(二十四日)，夏竦被罢去枢密使，判河南府。

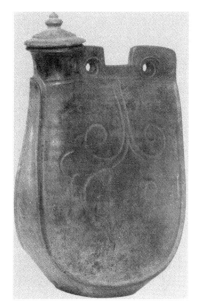

绿釉挂银鸡冠壶　辽

言事的人已多次评论夏竦奸邪，适逢京师在一天之内没有云彩却发生五次地震。皇帝正坐在便殿，迅即召来翰林学士。一阵子，张方平来了，皇帝对他说："夏竦奸邪，以致上天有这样的变异，立即草拟制书将他贬出朝廷！"张方平请求撰写反驳文章，皇帝的心意马上缓解，说："就用均劳逸的名义任命他。"

何郊又进言说："听说夏竦请求一个殿学士的职位，不顾廉耻，贸然求职，陛下怎能让他自选职位，留任朝廷呢！请求不改变以前的命令，依旧指挥催促他赴任。"依从他的意见。

这天，参知政事宋庠加官检校太傅，充任枢密使。壬戌(二十五日)，任命枢密使宠籍为参知政事。

六月，戊辰朔(初一)，诏令亲近大臣荐举文才武略堪当将帅的人。

癸酉(初六)，黄河在澶州商胡埽决口。

庚辰(十三日)，准布向辽国进献马、驼两万匹。

壬午(十五日)，以太子太师退休的徐国公张耆去世，追赠为太师兼侍中，谥号为荣僖。张耆为人稳重缜密有智谋，太后干政时，宠幸待遇他最为优厚，安逸富贵，超过四十年；他任职的藩镇，人们都苦于他的侵扰。

癸巳(二十六日)，参知政事明镐背部长疽，皇帝亲临探望。甲午(二十七日)，去世，追赠为礼部尚书，号为文烈。明镐端庄少语，所到之处能安静得体，遇事能决断，为世人所推重。

乙未(二十八日)，下诏说："馆阁官员必须当一任地方官，才允许进入尚书等省府以及授任转运、提点刑狱等官衔。"

丙申(二十九日)，以司空退休的章得象去世。依惯例，退休的官员去世，皇上不亲临奠祭，皇帝特地为他祭奠。追赠为太尉兼侍中，谥号为文宪。

民间盗铸钱币的人很多,钱的面值大为混乱,物价飞涨,国家和百姓都很担忧。于是河东都转运使张奎上奏说:"晋、泽、石三州以及威胜军每天铸造小铁钱,只在河东使用。"铁钱通行后,盗铸铁钱的获利十分之六,钱币贬值而货物昂贵,言事的人都认为不好。知并州郑戬奏请河东铁钱暂时以两枚当一枚铜钱,通行一年后,以三枚当一枚或以五枚当一枚铜钱;停止官炉每天铸造,只通行原有铁钱。知泽州李昭遘也进言说:"河东路的百姓烧煤,家里有冶炼的工具,对盗铸钱的人无法诘问。但契丹人也能铸铁钱,用来换走边境地区的铜钱,危害更大。"

这月,翰林学士张方平、宋祁、御史中丞杨察与三司使叶清臣首先呈上陕西路钱法的评议,请求用三枚小铁钱当一枚铜钱,接着又请求河东路的小铁钱也这样流通,并且取消官府设置的铸钱炉,朝廷都采用施行了他们的言论。从此盗铸奸人稍微少利,还是不能杜绝滥铸钱币。后来诏令商州停铸清黄铜钱,又命令陕西的大铜钱、大铁钱都以一枚当两枚小钱,盗铸才停止。然而命令多次变更,军民耗费了钱财,多有怨恨,很久才安定下来。

秋季,七月,戊戌(初二),由于河北发生大水,下令当地各州县招募饥民当兵。

甲寅(十八日),辽国清理囚犯,减轻杂犯死罪的罪行。

八月,丁丑(十一日),右谏议大夫、权御史中丞杨察,兵部员外郎兼侍御史知杂事张昇都被免职,杨察知信州,张昇知濠州。杨察担任御史中丞,议论政事无所回避。碰巧诏令荐举御史,他建议说:"御史台官属在殿中供职,纠察不法行为,一定要选任通晓古今治乱的忠良正直的大臣。如今荐举的规定过于细密,因一点小的过错就弃而不取,恐怕遗漏精英人士。"何郯认为他论事不符合实际,中书询问情况,杨察又说:"御史,依惯例准许讽谏,如今在疑似之间,就马上被诘问,臣下恐怕台谏官会因此而畏罪不言,这不是广开言路的办法。"杨察多次言事违背宰相陈执中的心意,所以获罪与张昇一起被贬黜。

后来,监察御史建阳人陈旭多次进言说张昇应留在朝廷,皇帝说:"我不是不知道张昇贤能,但他讲话语言不注意轻重。"陈旭请举出事例,皇帝说:"不久前评论张尧佐的事,他说'陛下克己修身,要想让天下太平,为何因一个女人而破坏了这一目标呢?'"陈旭说:"这才是忠直的言论,是人臣难能可贵的。"皇帝说:"张昇又评论杨怀敏说'杨怀敏如果得志,他的所作所为不亚于刘季述。'为何偏激到这种程度?"陈旭说:"张昇志在除去邪恶,言辞不激烈,皇上就不会改变主意,也不可过分罪责。"

知陕州吴育上奏说:"近来传闻三司判官杨仪被捕入狱,从御史台押送到都亭驿,戴着刑具捆绑经过闹市,万民触目惊心。及至听到案情,才知只是因为请求平常的事务,并没有贪赃枉法和贿赂的事。又传说所判罪名,法令的条文并没有这么重,而是出自朝廷特别的旨意,恐怕这不是恩泽归于皇上,法律由有关部门施行的本意。况且杨仪参与朝政,担任馆阁的职务,在省府负责,即使有大罪,要予以处死,也自有宪章法令为依据。如果不这样的话,一旦受到这样的处分,就使士大夫不胜其侮辱,下面的小民轻视上面的官员,这可不是培养廉耻,表示敦厚的法子。杨仪的罪行还没有判决,臣下不敢谈论。这事已过去,并且没有解救他的嫌疑,只祈求皇上以后详审这些小事,不要轻易下诏立案。立案以后,除非牵涉重大罪行,就听有关部门审理定刑,不必法律之外定罪。这样做,就足以安定人心,净化风俗,培养廉耻,招致和平,这才是天下的幸福啊。"

丙戌(二十日),辽国免除南京贫困户的租税。戊子(二十二日),辽国任命殿前都点检耶律义先为行军都部署,中顺军节度使夏行美为副都部署,征伐富努里。

己丑(二十三日),由于河北、京东、京西路发生水灾,取消秋宴。

甲午(二十八日),到迩英阁,读《政要》。

这月,殿中侍御史何郯进言说:"臣下以前在六月里曾呈上奏章说过,今年的灾荒变异,为害很大,陈执中身居首相职位,实在要对此负责,因而列举汉代因天灾变异罢免三公的旧例,请求趁陈执中请求退位时,接受他的请求予以罢免,以回答苍天的旨意,却没有承蒙施行。如今连日大雨昼夜不停,百姓忧愁不安,这难道不是大臣专权恣睢,蒙蔽圣上,阴气旺盛侵凌阳气造成的吗?况且陈执中所做的事,多不符合天下人心,怨声充耳。如向传式没有才干,屡被别人议论,不可以担任要职,而陈执中却因私人关系任用他做三司副使。吕昌龄曲意逢迎陈执中,陈执中宠爱他,因而兄弟都官至三司判官。这些都是圣上知道的,所以将向传式、吕昌龄都免去要职;而对陈执中就放开不加追究,我深感不安。加之传闻陈执中由于老相识的关系宽减前京东路转运使张铸的罪行,不追查、告发孔宜温谋反的人证、罪证,以及因泄私愤贬降开封府界提点李肃之的差遣之职,挟私情任意升降官员,怎算是公正?其他专权恣睢的行为,不可尽数。恳望罢免陈执中,以安慰天下人的愿望。"

九月,戊午(二十三日),下诏三司将今年江、淮地区运来的米二百万斛转调给河北各州、军。

己未(二十四日),殿中侍御史何郯进言说:"近年来大臣罢免去两府的职任,便陈请让子弟考试任官,充任馆职或赐给出身,并用作施恩的惯例。希望从今以后,馆阁大臣不准许陈请任命子弟以外的亲戚,那些陈请和上奏召试子弟或赐给出身,要等到科场考试时,免除取解及参加尚书省的考试,令他们在皇上面前与举人一同应试,以杜塞私情佞幸。"诏令:"今后臣僚上奏请求赐予子孙、弟弟、侄儿等人出身以任为馆职,如果有符合该恩例的,聚集在一起,等到有三五个人时,送到学士院考试诗、赋、论三种题目,仍旧要用封弥、誊录的方式考。他们的考官,让中书列上学士的姓名呈报后指定,依然认真考试,等定出等级,再临时由圣旨决定。"

癸亥(二十八日),三司进言说韶州天兴场每年采铜二十五万斤,请求设监铸造铜钱,诏令设立永通监。

冬季,十月,壬午(十七日),进封美人张氏为贵妃,并命令主管部门选择吉日依礼仪册命。先前,夏竦提议要尊封美人,起居舍人、同知谏院王贽,因而进言说到乱贼的根源起自皇后的房门前,请求追究这事,希冀动摇皇后的地位而暗中提高美人的地位。御史何郯入宫谒见,皇帝把王贽的话告诉何郯,何郯说:"这是奸人的计谋,不可不察。"皇帝醒悟,就停下了这事。然而美人张氏还是因护驾有功而晋封为贵妃。

甲申(十九日),辽国南院大王耶律罕班去世,时年五十五岁。耶律罕班平时起居不注意琐碎小事,喜怒不露在脸上。曾丢失自己的坐骑,仆人以同色的马代替,他几个月也没有发觉。去世的时候,筐中没有存粮,柜里没有新衣。辽国君主听到后哀悼怜惜,派使者祭奠凭吊,赐给安葬器具。

丁亥(二十二日),任命屯田员外郎邠州人范祥为提点陕西路刑狱兼制置解监。先前,范

1049

祥请求修改两地盐法,下诏让范祥乘驿车到陕西路,与都转运使程戡共同商议。但程戡与范祥的意见不合,范祥不久也因遇丧事去职。到这时范祥又重申以前的提议,所以有这项任命,让他去推行这项措施。

这项措施的办法是,原来禁止产盐地区一律不得通商,盐进入蜀地,也听便不予过问。取消九个州、军输送粮草,命令输入钱币,用盐偿还,视输钱各州、军远近以及所指定需要的东、西、南各地的盐,按等级估计价值。东南地区的盐又听便输钱到永兴、凤翔、河中;每年征收的钱换算成盐是三十七万五千大席。授予证券,在盐池验券,按数付出,完全解除军民运盐的劳役。又由于延、庆、环、渭、原、保安、镇戎、德顺等州靠近乌白池,作奸的人私下运青白盐入塞,侵害官府利益,破坏法令,于是招募人员交纳中池盐,给予证券,提高其价格,回来后用池盐补偿,用他们交来的盐,由官府出售,禁止私人出售。严格执行青白盐的禁令,沿边地区原来命令用铁、炭、瓦木之类行使入中法的,都加重法令予以禁绝。那些以前用虚估的数目取得证券以及已接受盐而尚未出售的人,都计算价值让他们交纳所亏欠的官钱。又命令三京及河中、河阳、陕、虢、解、晋、绛、濮、庆成、广济等地,官府依旧售盐,必待商人贩运流通后才停止,用所征收的缗钱购买沿边九个州、军的粮草,全部留下榷货务的钱币以充实中都。推行了好几年,奸猾商人不能侥幸获利,关内的百姓得以安居乐业,国家百姓都认为好。

庚寅(二十五日),翰林学士、知制诰宋祁贬职知许州。

依旧例,册命妃子都要颁发册书,妃子辞谢,就免去册封礼仪;然而诰命在有关部门,一定等颁旨后才进献。另外,凡是制书授予阁门宣读后,送交中书,署上三省的官衔,由官告院盖印,最后进献内廷。张美人晋封为贵妃,正好轮到宋祁值班写制书,他不等圣旨下达,并且写了诰命不送交中书,径直到官告院盖印,迅疾封好进献。张贵妃正受宠幸,希望举行册封典礼,得到诰书后,大怒,扔到地上不肯接受,宋祁因此被贬。当初,宋祁怀疑这样进献诰命不对,听说李淑熟悉典章制度,因而前去询问,李淑心里知道这不对,却对宋祁说:"只管进献,还怀疑什么呢!"宋祁果然因此获罪离职。议论的人更加憎恶李淑的倾轧阴险。

甲午(二十九日),辽国君主驻留在独卢金。

十一月,乙未朔(初一),辽国派使臣来征调马匹,这是由于即将征伐西夏国的缘故。

辽国君主将要在西部边境筑城,命令东路统军使耶律多珍考察地形,制造战船。耶律多珍因制造了楼船一百三十艘,上面布置士兵,下边装运马匹,形制规格坚固雄壮,辽国君主嘉奖他。

戊戌(初四),任命景福殿使、入内都知王守忠为领武信军留后;不久诏令王守忠象正任的朝班一样,其他人不得援引此例。王守忠于是移到阁门,他想戴本品秩的服饰参加宴会,被依准了。

侍御史何郯进言说:"依祖宗典章法规,不曾有宦官在殿上参加宴会的事,这个弊端一开,损害不小。希望下令阁门迅速改正,一律遵循原来的制度。"当初,西上阁门使钱晦也说:"天子举行大朝会,如让宦官与士大夫一同坐在殿上,必被四周的夷人耻笑。"但他却终于上奏了确定座位的图纸。待何郯又进言时,王守忠自知不妥当,因而在宴会的那天,推辞没有赴宴。

己亥(初五),制作"皇帝钦崇国祀之宝"的大印。宋真宗曾作"昭受乾符之宝"的大印,凡斋戒祭祀用的表章就用这方印。后来大内失火,宝印被焚毁,只能用御前之宝代之。这时就下令学士院拟定文字,命令宰相陈执中书写后交付有关部门另刻一方。

乙卯(二十一日),任命起居舍人、直史馆、知谏院王贽为天章阁待制。

张贵妃被册立后,非常感激王贽,秘密地赐给王贽数以万计的金币。曾对别人说:"是我家的谏官。"待将要接受册封典礼时,她想要王贽捧册书,中书说这是代行侍中的职务,依惯例也必须用待制以上的官员捧,于是马上进升王贽的职务。

任命殿中侍御史何郯为礼部员外郎兼侍御史知杂事。当初,御史台知杂事空缺,执政官员想进用他的党羽,皇帝特意任用何郯,并且告诉他说:"你不阿谀权势,所以越级任用你。"

诏令:"河北发生水灾,人民流离于道路,子女不能养活的,听任别人收养,以后不得又领回;那些受人雇佣的人,就依契据为定。"

丁巳(二十三日),李用和兼任侍中。

辽国册封皇子和啰噶为越王,阿伦为许王。赐给太弟耶律重元金券。耶律重元的儿子尼噜古由安定郡王晋封为楚王。辽国君主曾与耶律重元宴饮,在酣畅时答应自己死后传位给他,耶律重元很欢喜,骄纵枉法。又用"双陆"赌博以有居民的城邑作赌注,辽国君主屡输,前后输掉好几座城邑。耶律重元仗恃宠幸,多有过错,朝臣不敢评议。一天,又赌博,伶人罗衣随意指着赌局说:"双陆不要痴呆,连你都会输掉呢。"辽国君主这才醒悟,不再与他赌了。

壬戌(二十八日),由于京畿内物价昂贵,在新城外面设立十二个市场,由官府出米,减价销售以赈济贫民。

癸亥(二十九日),赐给王贻永、李用和笏头金带。依惯例,不是二府大臣不赐给笏头金带,只有张耆任枢密院兼侍中时曾得过这种恩赐。

当时大雨成灾,淹毁庄稼,冲坏堤防,沿河两岸尤为严重。十二月,乙丑朔(初一),颁布施德诏书,明年改元为皇祐,天下囚犯罪减一等,徒刑以下予以释放。

拨出内藏库的钱帛赐给三司购买粮食,以赈济河北的流民,流民经过时,官府提供住房收留他们,所带物品不予征税。

丁卯(初三),为贵妃张氏举行册封典礼,群臣上表庆贺。

丙子(十二日),下诏三司说:"河北沿边境州、军的商人按入中法交纳的粮草,改用四说法,即每一百贯钱,在京城支付钱币三十贯,十五贯的香药、象牙;在外地支付十贯的盐,四十贯的茶叶。"这是采用权发遣盐铁判官董沔请求又实行三说法的建议,后面加上盐就成了四说法。

庚辰(十六日),判大名府贾昌朝上书说:"自从黄河的九条支流埋没后,只剩下漯河,而历代改道决口,河道变化无常,但也没有超过郓、濮二州以北,魏、博二州以东,即今天澶、滑二州的黄河流经北京朝城、由蒲台入海的这一片地方。本朝以来,开封、大名、怀、滑、澶、郓、濮、棣、齐的境内,黄河屡次决口,天禧三年至四年的夏季接连决口,天台山旁边更为严重,共九年才堵塞。天圣六年,又在王楚决口。景祐初年,在横垄溃决,冲到平原,分成金、赤、淤三条河流,经过棣、滨二州北面入海。近年入海口淤塞,淤泥不可疏通,因此去年在德、博二州之间决堤共二十一处。今年夏季在商胡溃堤,流经北都的东面,到达武城,横贯御河,经过冀、瀛二州的州城,抵达乾宁军南面,流入大海。现在横垄的水流量,还有原来的三分,金、

1051

赤、淤三条河都已堵塞,黄河只能流出雍京口以东,大量冲毁民田,才能流到大海。自古以来黄河决口造成的灾害,没有比这次更严重的。朝廷以朔方作为根据地,用来抵御防备契丹,在征取财物来供给军队的地区中,只有沧、棣、滨、齐等最富厚。横垅决口后,财政收入损失一半,商胡决口后,损失就达到十分之八九。何况国家依靠这条大河,对内巩固京师,对外抵御戎人的军马,自祖宗以来,留意黄河堤防,条例禁令严密深切的原因就在这里。如今黄河四散流出,甚至有可以蹚水过河的地方。想解救这个弊端,莫过于在东面恢复故道,填塞所有决口。考察横垅以东到郓、濮二州之间的地区,大堤和堤埽都在,只要加以修缮即可。那些埋塞较浅的地方,可以定时调发附近县的民夫,开通河道到郓州东部边界地区。谨将漯河、横垅、商朝三条河绘成一图献上,希望陛下留心察看。"诏令翰林学士郭劝、入内内侍省都知蓝元用与河北、京东转运使再勘察测量找出修复黄河故道的利弊上报。

辽国君主的姐姐秦晋国长公主,开始嫁给萧特布,后来改嫁给萧哈里,又改嫁给萧呼敦,都因感情不和而离婚;这年,又嫁给韩国王萧惠。

皇祐元年 辽重熙十八年(公元 1049 年)

春季,正月,甲午朔(初一),出现日食。

辽国将要征伐西夏,留下西夏的贺正使不让回国。己亥(初六),派使者来报告征伐西夏的情况。

辛丑(初八),任命翰林学士虞城人赵概权知贡举。

丙午(十三日),辽国君主来到鸳鸯泊。

戊申(十五日),由于河北发生水灾,取消上元节张灯结彩的活动,停止作乐。

庚戌(十七日),以太傅退休的邓国公张士逊去世。仁宗去祭奠。第二天,向辅政大臣说:"以前有人说庚戌日是我的本命日,不宜吊丧。由于他曾是师臣,所以我不予避忌。"文彦博说:"唐太宗过生日时哭吊张公谨,陛下远远超过他了。"追赠张士逊为太师、中书令,谥号为文懿,亲自篆写他的墓碑为"旧德之碑。"

丙辰(二十三日),辽国君主在霸特山打猎。行军都部署耶律义先派人奏报攻打富努里的捷报。

己未(二十六日),诏令用二十万缗钱购买谷种,分发给河北的贫民。

辛酉(二十八日),下诏说:"自古以来治理国家,必须戒除苛察,近来的风俗,则是争相倾轧,狱讼增多,上下矛盾,关系紧张,损伤和气,我心里很哀痛!今后言事的人,凡不属朝廷的得失,民间的利弊,不得凭传闻弹奏,违者治罪。"殿中侍御史余杭人张褐进言说,不应禁止御史、谏官据传闻言事,不予回复。

癸亥(三十日),铸制"皇祐元宝"钱。

二月,丁卯(初四),彗星出现在虚宿,早晨出现在东方,指向西南,经过紫微星到娄宿,共一百一十四日才消失。诏令:"从本月五日起不上正殿,尚食供应的常膳也应减省,朝廷内外的臣僚,详尽地奏报当今的急务。"

任命前刑部员外郎张友直为史馆修撰,这是采用了他父亲张士逊的遗奏。御史何郯进言说:"史馆修撰,依旧例都要知制诰试任;张友直一向不学无术,不应担任。"于是改任为集英殿修撰。

戊辰(初五),由于河北发生瘟疫,派使臣颁发药物。

己巳(初六),任命龙图阁直学士崇安人刘夔为枢密直学士、知郓州兼京东西路安抚使。

当时百姓流离到京东路,多处出现盗贼,皇帝将增兵守备,问谁可以守卫郓州,宰相报上刘夔,于是提升任用。刘夔到郓州后,打开粮仓赈济饥民,赖此保全存活的人很多,盗贼逐渐消失了。皇上颁赐诏书予以褒奖。

辛未(初八),任命知青州,资政殿学士富弼为礼部侍郎。

当初,河北涨大水,流民进入京东路的人不可胜数。富弼选择所辖的获得丰收的五个州,劝百姓献出粮食,共得十五万斛,加上官仓的粮食,放在各地存贮。选出公私房屋十多万间,分散安置流民,以便于提供薪柴用水。以过去的资历寄居京城的官吏,都发给俸禄,让他们到流民聚居的地方,给老弱贫病的人送发粮食。山林湖泽中有可以采取为生的东西,听任流民采取,其主人不得禁止。官吏的功劳都记录下来,约定以后替他们上奏申请,好在将来得到朝廷的各种等级的奖赏;每五天派人以酒肉饭菜慰劳,因而人人都尽力而为。流民有死亡的,就挖大墓予以埋葬,称之为丛冢,亲自作祭文祭吊。待流民将要回家复业时,又各自根据远近发给粮食回去。共救活五十多万人,招募当兵的还有一万多人。皇帝听到后,派使臣慰劳,提升他的官秩。富弼说:"救灾,这是守臣的职责。"推辞不接受。以前救灾的办法,都是让流民聚居在城里,煮粥给他们吃,饥民聚居后易发生疾病瘟疫,以及相互践踏而死,有的等待施粥,几日也得不到就饿死了,名为赈救,其实却是杀害他的。富弼实行的办法,简便周到,全国作为模式来宣传。

诏令调发京师的禁军十个指挥赶赴京东、京西路驻扎,以防盗贼骚乱,京东、京西路的钤辖都兼任本路安抚都监。京东安抚使富弼进言说,本路突然增加屯驻禁军,怕会动摇人心,想只适量增加一两个指挥。下诏说:"兵已上路,等将来丰收年成,命令返回京师。"

宣徽北院使、武昌节度使、判延州程琳呈请派人代任,己卯(十六日),加封同平章事,再判延州。

程琳曾抓获戎族酋长,不杀,劝诫后遣回,西夏人也相互告诫不抓汉族人。过了很久,那个西夏酋长率五百户人家驱赶牛羊到边境诈降,声称辽国军队打到了街头,西夏国内大乱,他们自愿归降。程琳说:"辽军打到帐下,应当夺取全国,岂能容许有来归降的呢?我听说西夏人正在追捕叛逃的人,这就是这些人吧?不然,就是诱惑我们的。"因而拒不受降。不久敌贼果然率领三万名骑兵来到边境上,声称要追捕投降的人。程琳事先探知这一情况,关闭城门,放下旗帜,告诫各将领不要行动。敌贼认为早有防备,就退走了。

辽国耶律义先征讨富努里时,多次招降,乙酉(二十二日),俘虏富努里献长托德勒回国。辽国君主用手诏予以褒奖,因战功封为武昌郡王,改任为南京统军使。旋即他请求用统军司的钱得的利息救济贫民,不到任期就军器完整,百姓得以休息。

自辽国报告征伐西夏以来,边境地区稍加警戒,皇帝上便殿,向亲近大臣询问防御的计策。权三司使叶清臣回答说:'陛下统治天下二十八年来,未曾有一天闲暇安逸,而西部、北部边境,连年有边患,难道不是将相大臣用人不当,不能为陛下布扬威德造成的吗?庆历初年,辽国派刘六符前来,执政大臣挫折他的傲气、阴谋,结果,辽国只派一个使臣,就每年坐收二十万钱的财物。将膏血奉送给外敌,这是有识之士深为叹息的事。现在下诏慰问辽国使臣的到来,他们以征伐西夏为名,就有要求,我们怎么回答。臣下听说誓书中记明,彼此没有要求;何况赵元昊叛扰边境,我们连年征讨,辽国哪有丝毫的支助!现在他们出师征伐,就求我们帮助,违犯盟约,不也太过分了吗? 如让明辨的人判定是非,则我们是他们非,怎不叫他们畏服! 如果让他们肆意侵凌,正值河朔地区受灾之后,荒野中没有房屋,我们坚壁防守,敌人纵使深入,能长久驻留? 既然没有利用的粮草,就得迅速逃走。然后选择骁勇战将,断绝归路,设下伏兵,出其不意,夹击首尾,如果不能擒获,也要让他们大败而归。"

渭井蛮寇扰边境。

三月,庚子(初八),到延和殿,召来辅政大臣观看新制造的浑天仪的木制模型,当时曾命令日官舒易简、于渊、周琮等人参考梁令瓒、李淳风原先的样品改铸浑天仪。

辛丑(初九),命令户部副使包拯前往河北提举计置粮草。

乙巳(十三日),高昌国向辽国进贡。

先前,燕赵国王耶律洪基患病,辽国君主亲往他帐中探望。壬子(二十日),因为耶律洪基病愈,赦免杂犯死罪以下的囚犯。

癸丑(二十一日),在崇政殿赐予进士江夏人冯京等一百七十四人为及第,一百六十人为出身,二百零九人为同出身,甲寅(二十二日),在观文殿赐予各科及第和出身五百五十人。

诏令调发河北缺粮地区的士兵及戍兵靠近南边的州、军,等边境地区购置储备充足后,再命令返回屯驻,这是依从包拯的言论。广平的两个监马牧共占有邢、洺、赵三州的民田一万五千顷,百姓仍不得耕种,包拯请求全部给百姓,准从。

丁巳(二十五日),乌库派使者到辽国表示归附,这是五国节度使耶律珊图招引来降的。

庚申(二十八日),因辽国通报伐西夏的事,派权知开封府钱明逸等人回报,并赠送礼物。

夏季,四月,甲子(初二),到崇政殿,检阅知澶州宋守信献上的冲阵无敌流星弩等八种兵器。

庚午(初八),命令包拯与河北四路安抚使、转运司讨论减省冗官以及裁汰不能服役的士兵奏报。

癸酉(十一日),辽国任命南府宰相呆锡为南京统军使。

癸未(二十一日),梓州转运司奏报渭井监的夷人已经平定。

丁亥(二十五日),右司谏钱彦远呈上劝农疏说:"本朝的转运使、提点刑狱、知州、通判,都带有劝农的职责,但只是徒有虚名,没有劝导的事实。我认为应设置劝农司,以知州兼任长官,通判为辅佐官,选出清廉强干的幕僚、州县官担任判官,首先将垦田的亩数以及户口数、池塘、山泽、沟渠、桑树、柘树等记录在簿籍上,然后委托劝农官制订法规劝导督责,除害兴利,等年终农闲时,由转运司考核并给予赏罚。"皇帝嘉奖并接受他的建议。

五月,丁酉(初六),任命祠部员外郎任颛为河东转运使。皇帝因曾赐给河北内库黄金绢帛,如今也用五十万接济河东的匮乏。任颛辞谢说:"朝廷刚任命我为转运使,委以管理财政的重任,却马上请求赐给黄金绢帛前往上任,不可。"皇帝认为说得好。

甲辰(十三日),五国酋长各率部下归附辽国。

丙午(十五日),登上后苑的宝岐殿,观看割麦子,转身对辅政大臣说:"我新修这座殿,不想种植花卉而每年种植麦子,是希望知道农事的不容易啊。"

执政大臣庞籍进言说殿中丞、馆阁校勘范镇有奇才,不急于进升。丁巳(二十六日),特别提升范镇直秘阁。

戊午(二十七日),辽国五国节度使耶律珊图授任为左监门卫上将军。

六月,壬戌朔(初一),辽国任命韩国王萧惠为河南道行军都统,赵王萧孝友、汉王特布为副都统。当时辽军分为三路,萧惠统领的是南路,北路则由行军都统耶律达和克统领,中路则由辽国君主亲自统帅,尚未出发。

甲子(初三),免除河北地区百姓恢复产业的人两年的租赋。

乙丑(初四),任命太子右清道率府率赵叔韶为右领军卫将军,还赐予进士及第,不久加官为文州刺史。赵叔韶曾献上他写的文章,召到学士院应试,成绩优等,特地予以升迁。入宫谢恩,命他坐下赐给茶水,对他说:"宗室子弟好学的没有几人,你独以文章获得进士及第,以前可是没有过的。"又拿出《九经》赐给他。依惯例用图书赐给正刺史以上的官员,叔韶不够资格,这里单独赐给他。赵叔韶是赵德恭的曾孙。宗室受召应试从赵叔昭开始。

辽国清理囚犯。

丙寅(初五),辽国举行十二神蠹礼。

甲戌(十三日),任命贾昌朝为观文殿大学士、判都省,朝会的班次同中书、门下,服饰器物也相同。观文殿设大学士从此开始,还诏令今后不是任过宰相的官员不得授予这一职位。

戊寅(十七日),诏令中书、枢密院,不聚会讨论,不得与宾客来往。

庚辰(十九日),准布向辽国进献马、骆驼和珍宝玩物。

辛巳(二十日),西夏向辽国进贡,辽国留下使臣不让回国。

壬午(二十一日),改任同刊修《唐书》、翰林侍读学士宋祁为刊修官。

乙酉(二十四日),同知谏院临颍人李兑、侍御史知杂事何郯、监察御史陈旭等人上书说:"近年来臣僚有人有上交与亲朋往来的书信作物证的,朝廷定要追究其事并予以处理,这就使圣明时代演成告讦的风气。今后凡不是涉及到为逆作乱的事,不得将书信奏报;如官署请求查处非法的事,就按法律论处。"准从。

丁亥(二十六日),监察御史陈旭进言说:"三馆的职务,是文人儒生的最高追求;近来用人日益轻易,就成了富贵子弟晋升的门津。庆历年间曾下诏令,说今后现任、前任两省及两大省以上官员,不得陈请子弟、亲戚补入馆阁任职。然而由于宠幸的阻挠,又停止不执行了。希望申明以前的敕令,严格制订禁令,淘汰滥进的人,一定要清理馆阁的人选,使在位的人都是文才品行充实的人。然后依旧例予以任用,特地置于清静之处,以备咨询,对治理国家不无益处。"诏令:"今后亲近的臣僚,援引惯例奏请子孙应试的,如果考中,只允许转官或赐予出身,不再授予馆阁职务。"

辽国君主举行再生礼。

戊子(二十七日),以太子少傅退休的李若果去世。诏令因他儿子李淑在近侍,优待地追赠为太子太傅,以后不得引以为例。

诏令:"转运使、提点刑狱所补任的官吏贪赃受贿,没被觉察的人将被贬降。"

秋季,七月,丙申(初五),定州下雨。起初,知定州韩琦进言:"河朔地区长期不下雨,祈祷求雨也没有效果。如果出自皇上的心意,向天地山川祈祷,应该会获得甘露。"不久派秘阁校理张子思带上保密的祷词到北岳祈祷。到这时以雨水充足奏报。

丁酉(初六),诏令臣僚不得举荐重要亲近的内臣。

翰林侍读学士、右谏议大夫张锡,在宫中讲解经书,皇帝赞叹他博学,写下飞白书体"博学"二字赐给他,顺便问他治理的方法,张锡对答说:"节制嗜欲是治身的根本;审查刑罚是治国的根本。"当时张贵妃正被宠幸,所以张锡用这话来讽谏。皇帝变了脸色严肃地说:"你说得很好,只恨任用你太晚了。"

戊戌(初七),辽国君主亲率大军攻伐西夏,以皇太弟耶律重元、北院大王耶律仁先为先锋。

辛丑(初十),翰林侍读学士、右谏议大夫张锡去世,用白金三百两赐给他家办丧事,追赠为工部侍郎。

戊申(十七日),任命集贤院校理李中师为提点开封府界各县镇公事。李中师是开封人,这是宰相陈执中推荐的。

八月,辛酉朔(初一),辽军渡过黄河,没有碰到敌军就退兵了。

辽国君主乘坐的战舰就是耶律多珍制造的楼船。辽国君主非常喜欢。后来曾亲自赐给他一杯酒,问他想要什么,耶律多珍说:"臣下荣幸地受到皇恩,得以奉献鲁钝的才智,万死也不能报答,又会有什么要求呢!"辽国君主更为高兴,亲笔在耶律多珍的衣襟上写下"勤国忠君、举世无双"。

壬戌(初二),工部侍郎、平章事陈执中罢贬为兵部尚书、知陈州。先前,黄河决口,百姓流离,灾害怪异多次出现,陈执中对此没有建树,只延请接待占卜星相的术士。议论的人屡次攻击他,趁机评论陈执中越级任用李中师为开封府界提点,以及吕昌龄等人出入他门下,不符众望,而陈执中也以脚病为由提出辞职,下诏批准他的申请。翰林学士孙抃当班撰写制书,于是任命陈执中为尚书左丞。文彦博、宋庠说皇恩礼待太薄,于是下发学士院用贴麻诏书,重新任命。

任命枢密使宋庠为兵部侍郎、平章事,参知政事庞籍为工部侍郎、充任枢密使,枢密副使高若讷为工部侍郎、参知政事,翰林侍读学士梁适为左谏议大夫,枢密副使。

甲申(二十四日),到崇政殿,策试贤良方正能直言极谏的人,殿中丞吴奎的对策进入第四等,任命吴奎为太常博士、通判陈州。吴奎是北海人,曾任广信军判官,白天处理政事,晚上就通晚读书不睡。杨怀敏增加北部边境的屯田,以至于抢夺百姓的土地,没有人敢反抗的。吴奎上书评论这样做不好,知保州王果也屡次谏争;杨怀敏指使别人上告王果其他事情,诏令立案追查,吴奎替王果极力辩解,才得以免罪。庆历年间卫兵叛乱,杨怀敏轮到值班却获罪最轻,吴奎当时任监京东排岸司,上疏说:"臣下听说掌管皇城司的六个人,其中五个人已被贬黜,唯独杨怀敏还留任,人们都认为陛下这是偏私近臣宠幸的人而破坏国家法律,臣下私下为陛下深切惋惜!何况朝廷内外传闻,在抓到叛贼之际,陛下已命令不杀,而左右就杀了,这其中必有同谋,唯恐事情败露,就杀人灭口。不然,为何不遵奉诏令呢?"皇帝很器重他。

卫士王安与其党羽发生矛盾,在衣箱中暗藏刀刃,跟着句当引见司杨景宗进入宫门。被守门的人抓获后,杨景宗却隐瞒不上报。御史中丞郭劝请求先治杨景宗的罪,奏章上了两次了，不被采纳，又当庭争了几天。乙酉（二十五日），贬责杨景宗在均州安置。杨景宗请求交出所有官爵，留居在京师，御史何郯极力进言说不行。过了一个月后，就从均州迁到邓州。

以太子少师退休的石中立去世，追赠为太子太傅，谥号为文定。

石中立喜欢戏言诙谐；但熟悉台阁的惯例，不急于求名。起初，家里的产业每年收入百万钱，到晚年几乎花完了。皇帝听说他患病，赐给白银三百两。死后，他家穷得不能办理丧事。

九月，乙未（初五），任命权三司使张尧佐为礼部侍郎、三司使。监察御史陈旭进言说，张尧佐是后宫嫔妃的亲戚，不宜让他掌管国家的费用，不予听从。

诏令河东、河北经略安抚使司说："辽国举兵征讨西夏，我们在边境要地，要选任好将佐，严加防备。"当时司天说月亮干犯毕宿，表示边境要用兵，这是赵国分野有忧患的缘故。

乙巳（十五日），广南西路转运司奏报说，广源州的蛮人寇扰邕州，诏令江南、福建等路调兵防备。广源州位于邕州西南，是郁江的发源地，峭壁悬绝，险峻难行，出产黄金、丹沙、邑镇村落颇多。居民习惯于头发梳成椎形，衣服左边开衩，善于战斗，看轻生死，喜欢作乱。起先韦氏、黄氏、周氏、侬氏为酋长，互相劫掠。唐代邕管经略使徐申优厚安抚他们，黄氏向朝廷纳贡，而十三部、二十九州的蛮人都安定下来。自从交趾的蛮人占据安南，广源虽然号称邕管西面的羁縻州，其实是向交趾服徭役。

起初，有个叫侬全福的人，知傥犹州，他弟弟侬存禄知万涯州，侬全福的妻弟侬当道知武勒州。一天，侬全福杀死侬存禄、侬当道，吞并他们的土地。交趾愤怒，派兵俘虏了侬全福和他儿子侬智聪回去。他妻子阿侬，本是左江武勒族人，迁到傥犹州，侬全福娶了她。侬全福被掳走后，阿侬就嫁给了一个商人，生下儿子，名叫智高，长到十三岁，杀了做商人的父亲，说："天下怎能有两个父亲的人呢！"因而冒姓侬，与他母亲逃奔到雷火洞。他母亲又嫁给特磨道的侬夏卿。很久之后，侬智高又与他母亲一道出来占据傥犹州，建国号为大历。交趾又攻下傥犹州，抓获侬智高，免除他的罪，使他知广源州，又把雷火、频婆四洞和思浪州附加给他管辖。然而他内心怨恨交趾，四年后，就袭击占据安德州，僭称南天国，改年号为景瑞，到这时开始入境寇扰。

辽国萧惠攻打西夏时，战舰粮船，绵延几百里。进入敌境后，侦察不到远处，铠甲还装在车上。军兵不准乘马。诸将领请求防备突然袭击，萧惠说："赵谅祚一定会亲自迎接我们的皇上，哪有闲暇顾及我！无缘无故防备，只是自找麻烦。"辽国君主已经撤退，萧惠还在进军。丁未（十七日），扎营的木栅还没竖起，西夏军队突然杀来，萧惠与部下来不及穿上铠甲便逃跑，敌人追来射他们，萧惠几乎不能逃脱，士卒死伤的不可胜数。

戊午（二十八日），太白星侵犯南斗星。

己未（二十九日），取消武举。

起始，范祥提议修改盐法，评论的人争着说这样不好，朝廷独自认为可以采用，委托范祥推行新盐法。这时侍御史知杂事何郯进言说："传闻修改盐法以来，商人因为官方的盐涨价，获利很少，因而也收不到多少盐税。陕西路已亏损盐税百多万贯，其余各路，比起以前来也都徒然减少了卖盐的现钱，非常妨碍费用支出。加上陕西民间官方盐价很高，很多人由于贩卖私盐被处罚，刑罚禁令很繁琐，对官府和私人都不利，长久以往怎么施行！臣下认为事情有百利才可谈变革,变了还不如以前,就应沿用旧办法。"冬季,十月,壬戌(初三),派户部副使包拯与陕西转运使商议盐法。

丁丑(十八日),诏令:"妇女戴的冠,高不得超过四寸,宽不得超过一尺,梳子长不得超过四寸,仍然不能用牛角做,犯者依法重惩。"

先前,宫中崇尚白色牛角冠梳,人人争相仿效,称之为内样。这种冠称为垂肩,有长达三尺的,梳长也有超过一尺的。御史刘元瑜看作是服饰的妖祸,请求禁止,所以有这项诏令。许多妇女因而遭受刑罚,很为有识之士嗤笑,京城还作有歌谣加以嘲笑。

壬午(二十三日),诏令:"马铺传递一昼夜走四百里,急脚传递一昼夜赶五百里。"

侍御史知杂事何郯上书说:"陕西路新建的保捷军士兵,年龄在五十以上以及矮小体弱不合规定的人,如果不愿当兵,准许自己陈请,削减放归务农。这些人长期练习武艺,如今若放归,也必须建立名册统一管理。还请求在所居住的乡社相近的地方,如河北义勇一样,集中起来设立指挥,安排人员逐级管辖。那些边境的州郡每年可以派这些兵轮番防卫,防守处也要逐年减少,不定时的戍守或有紧急情况,这些放归的人还可以召集起来守城,换下精兵去作战,对各方面的事都没有损害。现在财经很匮乏,这也是节省费用的一种方法。"枢密使庞籍唯独认为这一主张对。减省兵员的讨论,实由何郯发端。

这月,辽国北道行军都统耶律达和克统领准布各军进攻西夏的凉州,打到贺兰山,俘获西夏国君的嫡母及其官僚的家属而归。西夏以三千人扼守险地奋力作战,击破敌兵,辽国的都监萧慈氏弩战死在阵地上。

十一月,丙申(初七),加赠虔州刺史种世衡为成州团练使。先前,种世衡的长子种古上京城自陈说:"父亲种世衡在青涧城时,曾派王嵩进入西夏国行反间计,西夏的执政大臣雅尔旺荣兄弟都被诛杀,赵元昊因此势力衰落,归顺称臣。经略使庞籍掩没父亲的功劳,自己摘取两府大臣的职位。"庞籍当时在枢密院任职,详细地陈述说:"王嵩进入西夏国境就被囚禁,赵元昊依旧委托信任旺荣。赵元昊想求和,首先让旺荣写信给边境将领。赵元昊的妻子就是旺荣的妹妹,赵元昊贬黜他妻子,旺荣兄弟因而怨恨。赵元昊称臣两年后,旺荣谋杀赵元昊,事情发觉后被诛杀,这不是因为王嵩的反间计的结果。臣与范仲淹、韩琦都预先接受了中书的文书,等西部边事平定后升为两府的职位,不久,范仲淹、韩琦先升迁,臣在他们之后,并非独享招抚怀柔西夏的功劳,文书全在,可以验证。"朝廷虽然明知种古胡说,还是念及种世衡的旧有功劳,从东染院使追赠为刺史,录用他还没有任官的儿子。种古又上书申诉赏赐太薄,于是加赠为团练使,特地授予种古为天兴尉,命令御史台押送出城,促使他赴任。待庞籍罢免后,种古又申辩事理,下交御史考核证实,以庞籍奏上王嵩情况的奏疏为定论。下诏把这些事交付史官,让种古调迁到近便的州郡任职。

诏令:"河北地区遭灾的百姓,年纪在八十岁以上以及病重,贫困不能生存的人,每人赐给米一石,酒一斗。"

辛丑(十二日),诏令:"百姓有冤情,由于贫穷不能到京城上诉的人,听凭上诉给监司,再奏报朝廷。"

戊午(二十九日),杨怀敏被罢免内侍副都知,任命为三陵副使。当初,杨怀敏从高阳关钤辖入京奏事,被任命为副都知。知制诰胡宿当班撰写制书,就说:"杨怀敏由于宫中防卫不严谨,致使叛逆之徒潜入宫中,又不能生擒乱贼。评论的人说他故意灭口,罪责在杨怀敏和杨景宗两人。得以不被穷究处死,已是幸运的了,岂宜又回到皇上左右呢!臣不敢草拟制书,就封合谕旨奏报。"皇帝疑心胡宿的这个职位不当说这些话,第二天,对宰相说:"前代有这样的先例不?"文彦博对答说:"唐代给事中袁高不草拟卢杞的制书,近来富弼也曾封还谕旨。"皇帝的疑虑消除了。谏官钱彦远对胡宿说:"仁人必有勇气,在你身上就体现出来了。"不久其他中书舍人为杨怀敏草拟了制书,钱彦远和御史台官员争论不休,过了半个月,最后搁下了这事。胡宿听到杨怀敏被任命为三陵副使,向别人说:"杨怀敏肯定要死了,那是祖宗神灵所在之地,大好贼岂能逃脱惩罚呢!"没多久,杨怀敏果真死了。

十二月,壬戌(初三),诏令:"陕西的保捷军年纪在五十岁以上以及矮小体弱不能服役的人,听任回家务农;如果没有田园可耕的人,军饷减为小分。"共放回三万五千多人,他们都欢呼返回家园。在军籍的还有五万多人,他们则悲伤涕泣,只恨不能都离去。陕西沿边境地区,估计每年花费缗钱七十贯养一个保捷兵,从此每年要节省缗钱二百四十五万,陕西地区的民力才稍稍苏复。

当初,枢密使庞籍与文彦博,因国家财力不足,建议减省兵员,众人纷纷陈说不可以,沿边各将领争论尤为尽力,并说士兵都练弓习刀,不乐于回去务农,一旦丢失衣食的来源,必定聚集当盗贼,皇帝也疑虑不安。文彦博与庞籍共同上奏说:"现在公私困乏贫竭,上下人心惶惶,其缘故不是别的,正是由于养兵太多而已,如果不裁减放归,就无法休养生息。万一果真聚集当盗贼,臣下请求以死抵罪。"皇帝的决心这才下定。不久判延州李昭亮又奏报陕西放免的保捷军士兵特别多,这些人往往缩颈屈膝,伪装矮小欺骗官员。庞籍说:"士兵如不乐意回去务农,为何欺诈到这种地步呢!"皇帝认为很对。

甲子(初五),派遣入内供奉高怀政督促搜捕邕州盗贼。

壬申(十三日),观文殿大学士、右仆射、判都省贾昌朝,再次担任山南东道节度使、同平章事、判郑州。

戊寅(十九日),辽国庆陵的林木受灾。

己卯(二十日),辽国清理囚犯,有弟弟跟着哥哥作盗贼的情况,兄弟都没有儿子,特意赦免弟弟。

这年,西夏国改年号为延嗣宁国。

【原文】

宋纪五十一　起上章摄提格【庚寅】正月,尽重光单阏【辛卯】五月,凡一年有奇。

仁宗体天法道极功全德　神文圣武睿哲明孝皇帝

皇祐二年　辽重熙十九年【庚寅,1050】　春,正月,庚寅,辽僧惠鉴加检校太尉。

庚子,辽论伐夏诸将士功罪,封耶律达和克为漆水郡王,其所属将校及准布等部长各进爵有差。以萧惠子慈氏努战殁,释惠丧师之罪,赠慈氏努平章事。

辛丑,辽遣使问罪于夏。

壬寅,辽主如鱼儿泺。

癸卯,以岁饥,罢上元观灯。

壬子,命翰林学士承旨王尧臣、入内都知王守忠、右司谏陈旭与三司较天下每岁财赋出入之数以闻。

自康定元年,陕西募人入中并边刍粟,始加数给东南盐,而河北稍用三说法,亦以东南盐代京师所给缗钱,数足即止。及庆历二年,三司又请如康定元年法募人入中,乃诏入中陕西、河东者,持券至京师,偿以钱及金帛各半之。不愿受金帛者,予香药、茶、盐,惟其所欲。而东南盐利特厚,商旅不复受金帛,皆愿得盐。至八年,河北行四说法,盐居其一,而并边刍粟皆有虚数,腾跃至数倍,券至京师,反为畜贾所抑。盐八百斤旧售钱十万,至是止六万;商人以贱估券取盐,不复入钱京师,帑藏益乏。于是诏三司详定,尧臣等请复入钱京师法,视旧入钱数稍增予盐,而并边入中元得券受盐者,河东、陕西入刍粟直钱十万,止给盐直七万,河北又损为六万五千,且令入钱十万于京师,乃听兼给,谓之对贴。自是入钱京师稍复故。

二月,甲申,出内藏库绢五十万,下河北、陕西、河东路,以备军赏。

丁亥,夏将攻辽金肃城,辽南面林牙杲嘉努等击破之,斩首万馀级。

三月,戊子朔,诏罢今年冬至亲祀南郊之礼,以九月择日有事于明堂。先是宋庠议,今年当郊而日至在晦,用建隆故事,宜有所避,因请秋季大享于明堂。帝谓辅臣曰:"明堂者,布政之宫,朝诸侯之位,天子之路寝,乃今大庆殿也,况明道初,合祀天地于此。今之亲祀,不当因循,尚于郊墠寓祭。"己丑,诏以大庆殿为明堂,仍令所司详定仪注以闻。

甲午,遣官祈雨。

戊戌,诏:"〔明堂礼成〕,群臣毋得上尊号。"

辽殿前都点检萧迪里特与夏人战于三角川,败之。

己亥,诏祀明堂,自乘舆服御诸物,务令有司裁简之。

庚子,辽遣殿前副点检耶律益等来告伐夏国还。

癸卯,辽遣西南招讨使萧蒲努等帅师伐夏。甲辰,遣同知北院枢密使萧革按军边城,以为声援。

诏:"宗室子生四岁者,官为给食。"初,诏五岁始给食,知大宗正事允让请且仍旧以三岁,故裁定之。

己酉,以翰林学士赵概为辽国信使。辽主驻息鸡淀,尝因会猎,令概赋《信誓如山河诗》,诗成,侑以玉杯。

诏:"两浙流民男女不能自存者,听人收养,后不得复取。"

癸丑,诏以季秋辛亥大享明堂。先是礼官议王者郊用辛,盖取斋戒自新之义,又,《通礼》祀明堂亦用辛;遂下司天择日,而得辛亥吉,盖九月二十七日也。

丙辰,宋祁上《明堂通议》二篇。

知府州折继闵卒,以其弟继祖领府州军事。

夏,四月,甲子,沙州符骨笃末、似婆温等来贡玉。

乙丑,内出手诏言:"明堂之礼,前代并用郑康成、王肃两家义说,兼祭昊天上帝,已为变礼。祖宗以来,三岁一亲郊,合祭天地,祖宗并配,百神从祀。今祀明堂,正当亲郊之期,而礼官所定,止祭昊天五帝,不及地祇,配坐不及祖宗,未合三朝之制。宜合祭地祇,奉太祖、太宗、真宗并配,而五帝、神州亦亲献,日月河海诸神,悉如圜丘从祀。"因谓文彦博曰:"礼非天降地出,缘人情耳。礼官习拘儒之旧传,舍三朝之成法,非朕所以昭孝息民也。"翼日,彦博奏:"诏书所定亲献之礼,周于五天帝、神州、比圜丘之位,陟降为劳,请命官分献。"帝曰:"朕于大祀,岂敢惮劳!"礼官议从祀神位未决,复谕曰:"郊坛第一龛者在堂,第二、第三龛者设于左右夹庑及龙墀上,在墙内外者列于堂东西厢及后庑,以象坛墙之制,仍先绘图以闻。"

辽主如鱼儿泺。

戊辰,降翰林学士、权知开封府钱明逸为龙图阁学士、知蔡州。

先是,医家子冷青自称皇子,言其母尝得幸掖廷,有娠而出,生青,都市聚观。明逸捕得青,入府,叱明逸曰:"明逸安得不起!"明逸为起坐。既而以为狂,送汝州编管。推官韩绛言青留外将惑众;翰林学士赵概言青言不妄不当流,若诈当诛;即诏概与知谏院包拯追青穷治。盖其母王氏尝执役禁中,出嫁民冷绪,始生女,后生青。青漂泊庐山,数为人言己实帝子,浮屠全大道挟之入京师,欲自言阙下。狱具,皆论不道,诛死。明逸坐尹京师无威望,故及于责。绛,亿之子也。

甲申,高丽贡于辽。

五月,己丑,辽主如凉陉。

癸巳,辽萧蒲努等入夏境,不见敌,纵掠而还。

甲午,礼院上《明堂五室制度图》。

封兖州尼丘山神曰毓圣侯。

丙申,诏国信司罢三番使臣。自与辽通好,其接送使人皆自京差三番使臣,沿路州军,困于须索,谏官包拯、吴奎极言其扰。既罢遣三番,而顿置什物,并令沿路州、军官自办之。

戊申,广南西路转运司言交趾发兵捕广源州贼侬智高,其众皆遁伏山林;诏本路严备之。

六月,丙寅,翰林学士承旨王尧臣等言:"奉诏与太常参议阮逸所上编钟四清声谱法,请用之于明堂者。窃以律吕旋宫之法,既定以管,又制十二钟准为十二正声,以律计,自倍半。说者云:半者,准正声之半以为十二子声之钟,故有正声、子声各十二。子声,即清声也。其正管长者为均,自用正声;正管短者为均,则通用子声而成五音。然求声之法,本之于钟,故《国语》所谓'度律均钟'者也。其编金石之法,则历代不同,或以十九为一虡,或以三十一为一虡,或以十六为一虡,或以二十四为一虡。故唐制以十六数为小架,二十四为大架,天地、宗庙、朝会各有所施。今太常钟县十六者,旧传正声之外,有黄钟至夹钟四声,盖自夷则至应钟四律为均之时,若尽用正声,则宫轻而商重。缘宫声以下,不容更有浊声。一均之中,宫弱商强,是谓陵僭,故须用子声,乃得长短相叙。自角而下,亦循兹法。至它律为宫,其长短尊卑自序者,不当更以清声间之。自唐末多故,乐文坠缺,考击之法,久已不传。今丝竹等诸器旧有清声者,今随钟石教习;本无清声者,未可创意求法,且当如旧。其阮逸所上声谱,以清浊相应,先后互击,取言靡曼,近于郑声,不可用。"诏可。

辽主谒庆陵。

丁卯,以御撰黄钟五音五曲凡五十七声,下太常肄习之。

庚午,辽主谒大安殿。

壬申,辽以将策进士,命医、卜、屠、贩、奴隶及倍父母或犯事逃亡者,不得应举。

丙子,谏官包拯、陈旭、吴奎等言:"三司使张尧佐,凡庸之人,徒缘宠私,骤阶显列,自任用以来,万口交讥。陛下何庇一尧佐,上违天意,下咈人情,而稔成危机乎?实为陛下痛之!"拯又言:"历代后妃之族,虽有才者未尝假以事权,况不才者乎?伏见祖宗以来,当帑廪丰盈,用度充足之际,尚乃精选计臣如陈恕、魏羽辈用之,其馀亦尽一时之选。况今上下窘迫,岂可专任此人!伏望特出宸断,授以它职,别求才杰之士,委而任之。"

辛巳,以屯田员外郎吕公著同判吏部南曹。公著,夷简子也,尝召试馆职,不就。于是帝谕曰:"知卿有恬退之节。"因赐五品服。

辽主策进士于金銮殿。

是月,帝讲书迩英阁,因谓侍臣曰:"古有迁民于宽闲之地者,今闽、蜀地狭,其民亦可迁乎?"丁度对曰:"律令故在,但有司不能举行耳。太(宗)〔祖〕尝徙太原民千馀家于山东,太宗又徙云、应、寰、朔之民于京西诸州。西北之人,勤力谨俭,今富于其乡里者,多当时所徙之民也。民固安土重迁,若地利既尽,要无可恋之理。今蜀民岁增,旷土尽辟,下户才有田三十五亩或五七亩,而赡一家十数口,一不熟则转死沟壑,诚可矜恻。臣以为不但蜀民,凡似此狭乡,皆宜徙之,计口给田,复其家如律令,实利农积谷之本也。"帝纳其言,乃诏京西转运司晓告益、梓、利、夔、福建路,民愿徙者听之。

秋,七月,丁亥,赠美人尚氏为婉仪。

壬辰,辽主驻括里蒲盌。

1062

癸巳,辽以皇子燕赵国王洪基领北南枢密院。

丙申,幸彰信节度使兼侍中李用和第问疾,入见于卧内,擢其次子珣为阁门使,以所居第赐之,并日给官舍傔钱五千。用和缘帝舅,起民间,位将相,而能阖门谢客,推远权势。帝以章懿太后不逮养,故宠外家逾等。及卒,临奠,哭之恸,赠太师、中书令、陇西郡王,特辍视朝五日,制服苑中,谥恭僖,御撰神道碑,仍篆曰"亲贤之碑"。及其妻卒,亦辍朝成服。

戊戌,辽录囚。

戊申,辽以左伊(达)〔勒〕希巴萧唐括为北院枢密副使。

壬子,辽主猎于侯里吉。

八月,己未,以侍御史知杂事何郯为直龙图阁、知汉州,郯以母老请外故也。将行,上疏言:"三司使张尧佐,虽由进士登第,历官无它故,然骤被宠用,人情皆以止缘后宫之亲,非复以才能许之。逾年若大享讫事,众议谓陛下以酬劳为名,必当进用两府。果如众议,命行之日,言事之臣必以死争。用尧佐而黜言者则累德,用言者而罢尧佐则伤恩;累德则损归圣躬,伤恩则怨起近戚。莫若富贵尧佐而不假之以权,如李用和可也。"

乙丑,知杭州、资政殿学士范仲淹奏进建昌军草泽李觏所撰《明堂图义》,诏送两制看详,称其学业优博,授试太学助教。觏尝举茂材异等,不中,亲老,以教授自资,学者尝数十百人。

丙寅,福州草泽郑叔豹上《宗祀书》三卷,述明堂制度及配享冕服之义。

丁丑,诏立冬罢祭神州地祇。初,礼院以黑帝及神州地祇皆当合祭于明堂,请罢立冬之祭。帝以四时迎气不可辍,故罢祭神州地祇。

九月,辛卯,诏明堂礼毕,并以袭衣、金帛、器币、鞍勒马赐夏竦、王德用、程琳、李昭亮。将相在外遇大礼有赐自此始。

丙申,诏太子太保致仕杜衍、太子少傅致仕任布陪祀明堂,令应天府以礼敦遣,仍于都亭驿、锡庆院优备供帐几杖,待其至。衍手疏以疾辞,布将就道,始辞以疾;并遣中使赍赐医药。

庚子,揭御篆"明堂"二字,飞白"明堂之门"四字,诏祀毕藏于宗正寺。

壬寅,夏侵辽边界,漆水郡王耶律达和克遣六院军将谐里击败之。夏人数不得志于辽,始议通使。

时积雨弥旬,帝请祷禁中,甲辰,斋于文德殿,天霁。己酉,朝享景灵宫。庚戌,享太庙。辛亥,大享天地于明堂,以太祖、太宗、真宗配。大赦。文武职官及分司、致仕者,并特与转资;内臣入仕及十年,亦与迁改,不为永例。

诏:"内降指挥,百司执奏毋辄行;敢因缘干请者,谏官、御史察举之。"

初,议肆赦,帝谓辅臣曰:"比有贵戚近习,夤缘请托以图内降,虽颇抑绝,然未免时有侵挠。可于赦文中严切禁止,示信天下。"辅臣对曰:"陛下躬行大祀,辟至公之路,杜私谒之蹊,天下幸甚。然载之赦条,恐未尽圣意。"乃别为手诏,与赦同降。

先是屯田员外郎、知常州庐陵彭思永入为侍御史,极论内降之弊,以为斜封非盛世所宜有。及祀明堂前一日,有传赦书语百官皆迁官者,思永从驾宿景灵宫,亟上言不宜滥恩。时张尧佐以亲连宫掖骤进,王守忠以出入禁闼被宠,参知政事缺员,尧佐朝暮待命,而守忠亦求为节度使。思永欲率同列言之,或曰:"宜俟命出。"思永曰:"宁以先事得罪,命出而不可救,则为朝廷失矣。"遂独奏:"陛下覆此缪恩,岂为孤寒,独以尧佐、守忠故取悦众人耳。外戚秉政,宦官用事,皆非宗社之福也。"疏入,帝震怒,诏诘思永:"安从得此?"谏官吴奎言:"御史许风闻,事有非实,朝廷当含容之,不能容,罪之可也,何必穷究主名?"中丞郭劝亦言思永不宜深罪,帝悟,不复致诘。思永寻罢侍御史,以司封员外郎知宣州,而尧佐、守忠之议遂格。

〔先是〕入内都知麦允言卒,赠司徒、安武节度使。又诏:"允言有军功,特给卤簿,今后不得为例。"同知礼院司马光言:"孔子谓惟器与名不可以假人。夫爵位尊卑之谓名,车服等威之谓器。今允言近习之臣,非有元勋大劳过绝于人,赠以三公之官,给以一品卤簿,其为繁缨,不亦大乎!陛下欲宠秩其人,适足增其罪累耳。"光,池之子也。

冬,十月,丙辰,宰相文彦博以下进官有差。枢密使王贻永,加镇海节度使,进封邓国公。初,议覃恩,高若讷谓文彦博曰:"官滥久矣,未有以节止,今又启之,何也?"彦博不听。

丙寅,大宴集英殿,以明堂礼成饮福也。

庚午,辽主还上京。

辛未,诏文彦博、宋庠、高若讷、王洙编修《大享明堂记》。

夏国主谅祚母没藏氏遣使于辽,乞依旧称藩。辽因其使还,诏别遣信臣至,当徐图之。

壬申,辽释临潢府徒役。

甲戌,辽主如中会川。

乙亥,宴京畿父老一百五十人于锡庆院。

是月,美人杨氏为婕好。景祐初,听入道,居瑶华宫,至是复进位号。

诏:"自今诸处无得申奏及发遣念书童子赴阙。"

十一月,乙酉,召太子中舍致仕胡瑗赴大乐所,同定钟磬制度。先是亲阅大乐,言者以为镈钟、特磬,大小与古制度未合;诏令改作,而太常言瑗素晓音律,故召之。

戊子,命权御史中丞郭劝、知谏院包拯放天下欠负。

壬辰,赐淮南、江、浙、荆湖制置发运使、金部员外郎许元进士出身。

帝尝谓执政曰:"发运使总领六路八十八州、军之广,其财货调用,币帛谷粟岁千百万,宜得其人而久任。今许元累上章求去,朕思之,不若奖励以尽其才。"故特有是赐。

戊戌,权御史中丞郭劝,罢为翰林侍读学士。劝初就明堂斋次,帅众御史求对,论群臣不当迁官,不许。又上疏极言之,讫不从。于是以老求解台任,许之。

召知益州田况权御史中丞。

益州守臣得便宜从事,多擅杀以为威,虽小罪,辄并妻子徙出蜀,至有流离死道路者。况在蜀逾二年,拊循教诲,非有甚恶,不使东迁。蜀人爱之,以比张咏。

庚戌,辽录囚。

壬子,辽以南府宰相韩知白、枢密副使杨绩擅给进士堂帖,出知白为武定军节度使,绩为长宁军节度使。

是月,诏:"观察使已上,自今依大两省、待制例,经两次郊礼,许一次将弟侄子孙恩泽奏补异姓骨肉。"

闰月,乙卯,辽汉王特布为中京留守。

丙辰,出内藏库缗钱四十万,绸绢六十万,下河北使籴粮草。先是河北频年水灾,朝廷蠲民税几尽。至秋,禾稼将登,而镇、定复大水,沿边尤被其害。帝忧军储不给。故特出内府钱帛以助之。

戊午,河南府言前观文殿学士、尚书左丞张观卒。赠吏部尚书,谥文孝。观初为秘书郎,其父居业从事坊州,因上言愿以官授父,真宗嘉之,以居业为京官。及观贵,居业由恩至太府卿。尝过洛,嘉其山川风物,曰:"吾得老于此足矣。"观于是买田宅,营林榭,以适其意。观早起奉药膳,然后出视事,未尝一日易也。居丧,哀毁过人,既练而卒。

己未,以三司使、户部侍郎张尧佐为宣徽南院使、淮康节度使、景灵宫使,以资政殿学士、尚书左丞王举正兼御史中丞,改命田况权三司使。是日,诏:"后妃之家,无得除二府职位。"庚申,又加尧佐同郡牧制置使。

辛酉,赐贵妃张氏从弟卫尉寺丞希甫、太常寺太祝及甫并进士出身,尧佐之子也。

是夜,秀州地震,有声如雷。

癸亥,知谏院包拯等言:"陛下即位仅三十年,未有失德。乃五六年间,超擢张尧佐,群臣皆窃议于下;然而其过不在陛下,在女谒近习及执政大臣。盖女谒近习,动伺陛下之所为,知陛下继嗣未立而有所私,莫不潜有趋向而附结之。执政大臣不思规陛下以大谊,乃从谀顺指,高官要职,惟恐尧佐不满其意,使陛下有私昵后宫之过,此岂爱君之心哉!伏望断以大义,追寝尧佐过越之恩;逼不得已,宣徽、节度使择与其一,仍罢群牧制置使之命,畀之外郡以安全之。"

初,执政希上旨,一日除尧佐四使;又以王举正重厚寡言,同日授御史中丞。朝议意举正或逡巡退避,动经旬浃,则尧佐之命必遂行,论谏弗及矣。甲子,举正遂告谢上殿,力言擢用尧佐不当。其疏曰:"近者台谏论列,陛下虽罢其使任,而复加崇宠,转逾于前,并授四使,又赐二子科名。贤愚一词,无不嗟骇。昔汉元帝时,冯野王以昭仪之兄,在位多举其行能,帝曰:'吾用野王,后世必谓我私后宫亲戚。'本朝太宗皇帝孙妃之父,止授南班散秩。盖保全后宫戚属,不令僭盛以取颠覆。伏望陛下远鉴前古美事,近守太宗圣范,追取尧佐新命,除与一郡,以息中外之议。"不报。戊辰,朝退,举正留百官班廷净,复帅殿中侍御史益都张择行、江陵唐介及谏官包拯、陈旭、吴奎于帝前极言,且于殿庑切责宰相。帝闻之,遣中使谕旨,百官乃退。

己巳,诏:"近者台谏官累乞罢张尧佐三司使;又言亲连宫掖,不可用为执政,若优与官爵,于体差便,遂除宣徽使;兼已指挥:'自今后妃之家,毋得除两府职任。'今台谏官重有章疏,其言反覆,及进对之际,失于喧哗,在法当黜,朝廷特示含容。其令中书取戒厉,自今台谏官相率上殿,并先申中书取旨。"时帝怒未解,大臣莫敢言,枢密副使梁适独进曰:"台谏官盖有言责,其言虽过,惟陛下矜察。然宠尧佐太厚,恐非所以全之。"是日,尧佐亦奏辞宣徽使、景灵宫使。仍诏学士院贴麻处分,而取戒厉卒不行。

辛未,辽以同知北院枢密使萧革为南院枢密使;以南院大王耶律仁先知北院枢密使事,封宋王。

十二月,甲申朔,诏班三品以上家庙之制。

初,宰臣宋庠请令诸臣建立家庙,下两制与礼官详定审度。翰林学士承旨王尧臣等定议:"官正一品、平章事以上,立四庙;枢密使、知枢密院事、参知政事、枢密副使、同知枢密院事、签署院事,见任、前任同。宣徽使、尚书、节度使、东宫少保以上,皆立三庙。馀官祭于寝。凡得立庙者,许嫡子袭爵,世降一等。死即不得作主祔庙,别祭于寝;自当立庙者,即祔其主。其子孙承代,不计庙寝祭,祭并以世数亲疏迁祧。始得立庙者不祧,以比始封;有不祧者,通祭四庙、五庙。庙因众子立而嫡长子在,则祭以嫡长子主之;嫡长子死,即不传其子,而传立庙者之子。凡立庙,听于京师或所居州县;其在京师者,不得于里城及南郊御路之侧。仍别议袭爵之制。"其后终以有庙者之子孙或官微不可以承祭,而朝廷又难尽推袭爵之恩,遂不果行。

初,戎州人向吉等操兵贾贩,恃其众,所过不输物税,州县捕逐,皆散走。成都钤辖司奏请不以南郊赦除其罪,从之。逮捕亲属系狱,至更两赦。有诣阙告讦者,刑部详覆官以为特赦遇赦不原者,虽数赦犹论如法。同判刑部孙锡独奏释之,凡释百二十三人。旧判刑部者多持事往决于中书,锡独不往。锡,真州人也。

丁亥,辽北府宰相赵王萧孝友出为东京留守。

庚戌,辽韩国王萧惠请老,诏赐肩舆入朝,策杖上殿,再辞,乃许之,徙封魏王。诏冬夏赴行在参决疑议。惠性宽厚,自奉俭薄。辽主尝使其恣取珍物,惠曰:"臣以戚属居要地,禄足养廉,奴婢千馀,不为阙乏,陛下犹有所赐;贫于臣者,何以待之?"辽主以为然。故为将虽数败衄,不之罪也。

壬子,夏国主谅祚遣使上表于辽,言遵母训,乞依旧臣属。

是岁,准布数贡于辽。

夏改元天祐垂圣。

三年　辽重熙二十年【辛卯,1051】　春,正月,丙子,诏江宁府、扬州、庐州、洪州、福州并带提辖本路兵甲贼盗公事,益屯禁兵。仍分淮南为两路:扬州为东路,庐州为西路。

戊戌,辽主如混同江。

二月,壬午朔,以太子中舍致仕胡瑗为大理评事兼太常寺主簿,固辞。

甲申,辽遣前北院都监萧友括等使西夏,索党项叛户。

丙戌,文彦博等进《明堂大享记》二十卷、《纪要》二卷;帝为之序,镂版以赐近臣。

己丑,诏徐、宿、泗、耀、江、郑、淮阳七州军采磬石,仍令诸路转运司访民间有藏古尺律者上之。

辽主如苍耳泺。

己亥,诏三司,河北入中粮草复行见钱法。

甲辰,吐蕃贡于辽。

丙午,泾原经略使夏安期上弓箭手阵图。初,安期选弓箭手万三千人,分隶东西路都巡检下。属岁丰稔,召至州,大阅,技艺精强,且言可当正兵五七万。既图上阵法,乃降诏奖谕。

戊申,翰林侍读学士、史馆修撰宋祁,坐其子与张彦方游,出知亳州。

张彦方者,贵妃母越国夫人曹氏客也。受富民金,为伪告敕,事败,系开封府狱,语连越国夫人。知开封府刘沆论彦方死,不敢及曹氏;执政以妃故,亦不复诘。狱具,中书遣比部员外郎杜枢虑问,枢扬言将驳正,亟改用谏官陈旭。权幸切齿于枢。先是御史中丞王举正留百官班,论张尧佐除宣徽使不当,枢独出班问曰:"枢欲先问中丞所言何事而后敢留班。"举正告之故,枢曰:"用此留枢可也。"至是盖累月,执政白以为罪,黜监衡州税。枢,杞之弟也。

初,开封府寡妇胡氏,诉诸贾负息本钱,因尽抱券书至庭;其夫交游书多知名士,沆止为理所负欠而置其书不问。及彦方狱,沆又不问越国及所与交游者,谏官、御史以为言。帝问之,沆对:"胡氏夫,七品正员官;彦方举进士,尝廷试;虽交贵官,与公卿子弟游,无害也。顾臣久在外,偶不识之耳。"帝然其言。

左正言贾黯,自以少年遭遇,果于言事,首论韩琦、富弼、范仲淹可大用。及杜枢贬黜,黯言枢无罪,且旨从中出,恐自此贵幸近习,阴肆谗毁,害及善良,不可不察。时言者或论事无状,辄戒厉穷诘。黯奏:"谏官、御史,迹既疏远,未尝预闻时政,不免采于传闻。一有失实,而诘难沮辱随之,非所以广开言路。请如唐太宗故事,每执政奏事,听谏官一员随入。"时执政患言事官旅进,论议帝前不肯止,遂诏:"凡欲合班上殿者,皆禀中书俟旨。"黯论以为:"今得进见言事者独谏官、御史,若然,言路将壅,陛下不得闻外事矣。请如故便。"皆弗许。

三月,壬子朔,辽主如黑水。

乙卯,命知亳州宋祁就州修《唐书》,易史馆修撰为集英殿修撰。

〔己未〕,谏官包拯、吴奎、陈旭,言工部尚书、平章事宋庠,不载子弟,在政府无所建明;庠亦请去。又言庠闻有劾章,即求退免;表既再上,乃不待答,复入视事。庚申,罢为刑部尚书、观文殿大学士、知河南府。以龙图阁学士、权知开封府刘沆参知政事。议者谓沆不敢穷治张彦方狱,贵妃德之,坐此获进。谏官、御史相继论列,帝不听。

癸酉,广南西路转运司言侬智高奉表献驯象及生熟金银,诏却之。

丙子,魏国大长公主薨。主,太宗第八女。太宗尝发宝藏,令诸女择取之,主独无所取,太宗尤所钟爱。下嫁李遵勖,时遵勖父继昌亡恙,主因继昌生日,以舅礼谒之。帝闻,密以兼衣、宝带、器币助以为寿。

故事,命妇皆服发绌进见,章献明肃太后命以珠错罗巾绦之,又赐金龙小冠,辞不敢服。它日,固命之,然诞节称寿,犹以发绌入见。太后于政事有所访逮,主多语祖宗旧事以讽。居遵勖丧,衰麻未尝去身,服除,不复御华丽。尝宴禁中,帝亲为主簪花,主辞曰:"自誓不复为此久矣。"尝诫诸子以忠义自守,无恃吾以速悔尤。其视它子,与己出均。及病目,帝遣内侍挟太医诊视,禳祷无不至。车驾临幸,侍者掖主迎之。帝命主先坐,设御坐于西,主固辞。乃移榻东南向,因亲舐主目,左右皆感泣。帝亦悲痛曰:"先帝伯仲之籍十有四人,今独存(太)〔大〕主,奈何婴斯疾?"复顾问子孙所欲,主曰:"岂可以母病而邀赏邪!"赉白金三千两,辞不受。帝因谓从臣曰:"大主之疾倘可移于朕,亦所不避也。"主虽丧明,平居隐几,冲澹自若。尝戒诸子曰:"汝父遗令,枢中无藏金玉,时衣才数袭而已。吾殁后,当亦如是。"初以暴疾闻,帝趣驾往,及道,奏不起,乃易服奠哭。追封齐国大长公主,谥献穆。诏乾元节罢乐,宰臣固请,乃已。御制挽辞,仍篆碑首曰"褒亲旌德之碑"。

夏,四月,癸未,诏:"河北民流相属,吏不加恤,而乃饬厨传,交赂使客,以取虚名。自今非犒设兵校,其一切禁之。"

甲申,知谏院吴奎言:"七十而致仕,载之《礼经》。臣下引年而自陈,分之常也;君上推恩而固留,权之至也。近日光禄卿句希仲,吏部郎中、直昭文馆陆轸等,并以年高,特与分司,初欲风动群伦,而在位殊未有引去者。乞早以臣前奏施行。"先是奎及包拯皆言:"在官年七十而不致仕者,并令御史台以时按籍举行。"知制诰胡宿独以为:"文吏当养其廉耻,武吏当念其功旧,今欲一切以吏议从事,殆非优老劝功之意。当少缓其法,武吏察其任事与否,勿断以年,文吏使得自陈而全其节。"朝廷卒行宿言。

辛丑，以河北转运使吕公弼为天章阁待制、河北都转运使。公弼，夷简子也，在职逾年，通御河，漕粟实塞下。又置铁冶佐经用，减近边屯兵，使就食京东以省支移。诸州增壮城兵，专给版筑以宽民役。蠲冗赋及民负责不能偿者数百万计，而官用亦饶。帝以为能，故加秩而因任之。谏官陈旭言公弼藉父馀荫，干求荐引，不当遽有此除，公弼因是乞罢。帝谓辅臣曰："古之君子，贵夫几谏，今则务讦人阴私以沽直名，朕不取也。"

以刑部郎中、知制诰曾公亮为翰林学士。公亮自为集贤校理，即预经筵，凡十馀年，帝每厚遇之。及迁学士，管句三班，三班吏丛猥，老胥抱文书升堂取判者，皆高下在口，异时长官漫不省察，谨占署而已。公亮尽取前后条目置座侧，案以从事，吏束手无能为。后至者皆以为法。

五月，庚戌朔，以恩、冀等州旱，诏长吏决系狱。

癸丑，辽萧友括自夏还。夏国主谅祚之母上表，乞如党项权进马驼牛羊等物。

丁巳，诏："中书堂后官，自今毋得佩鱼；若士人选授至提点五房者，许之。"

己巳，夏遣使如辽求唐隆镇及乞罢所建城邑，辽主以诏答之。

庚午，宰臣文彦博等言："臣等每因进对，尝闻德音，以搢绅之间，多务奔竞，匪裁抑之则无以厚风俗。若恬退守道者稍加旌擢，躁求者庶几知耻。伏见工部郎中、直史馆张瑰，十馀年不磨勘，朝廷奖其退静，特迁两浙转运使；代还，差知颍州，亦未尝以资序自言。殿中丞王安石，进士第四人及第，旧制，一任还，进所业，求试馆职。安石凡数任，并无所陈；朝廷特令召试，亦辞以家贫亲老。馆阁之职，士人所欲，而安石恬然自守，未易多得。大理评事韩维，尝预南省高荐，好古嗜学，安于退静。并乞特赐甄擢。"诏赐瑰三品服；召安石赴阙，俟试毕别取旨；维令学士院与试。安石、维并辞不就。安石，临川人。维，亿之子也。

壬申，初置河渠司，隶三司，命盐铁副使刘湜、判官邵饰领之。

丙戌，辽以所获夏国主嫡母及前后所俘获夏人安置苏州。

【译文】

宋纪五十一　起庚寅年（公元 1050 年）正月，止辛卯年（公元 1051 年）五月，共一年有余。

皇祐二年　辽重熙十九年（公元 1050 年）

春季，正月，庚寅（初二），辽国僧人惠鉴被加封为检校太尉。

庚子（十二日），辽国评定征伐西夏各将士的功罪，封耶律达和克为漆水郡王，他属下的将校以及准布等各部酋长各自进封爵位不等，由于萧惠的儿子萧慈氏努战死，赦免萧惠丧师的罪责，追赠萧慈氏努为平章事。

辛丑（十三日），辽国派遣使者到西夏问罪。

壬寅（十四日），辽兴宗耶律宗其到鱼儿泊。

癸卯（十五日），因年成不好，取消上元节观灯的活动。

壬子（二十四日），命令翰林学士承旨王尧臣、入内都知王守忠、右司谏陈旭与三司查核全国每年的财政收支的账目奏报。

从康定元年以来，陕西招募商人用入中法把粮草运送到沿边各地，开始加倍供给东南地区的盐,而河北路渐用三说法,也用东南地区的盐代替京师所供给的缗钱,给足票证数目即止。到庆历二年,三司又奏请仿康定元年的办法招募商人入中,于是诏令凡在陕西路、河东路用入中法的,带证券到京师,兑换钱币和黄金、绢帛各半。不想要黄金、绢帛的,提供香药、茶叶、食盐等,随其所好。而东南地区的盐的利润特别丰厚,商人不再接受黄金、绢帛,都愿意得到盐。到庆历八年,河北路实行四说法,盐是其一,而运送到边境上的粮草都有虚数,价格上涨了几倍,证券拿到京师,反而被囤积的商贾压低价格。盐八百斤原来可卖得十万钱,现在只能卖六万钱;商人用压低估价的证券换取食盐,不再把钱送到京师,国库的储藏日益匮乏。这时,下诏三司详细审定盐法,王尧臣等人请求恢复入钱京师法,在原来交纳钱币给盐的数目的基础上稍微多给些盐,而运送粮草到边境,用入中法取得证券接受食盐的人,河东路、陕西路运送粮草值钱十万,只供给值七万钱的盐,河北路又减为六万五千,还令他们送入京师十万钱,才准许兼给,称之为对贴。从此送钱到京师才逐渐恢复到以前的状况。

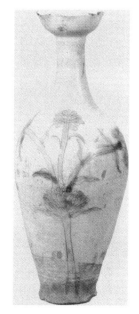

白釉刻花绿彩草花纹瓶　辽

二月,甲申(二十七日),拨出内藏库的绢五十万匹,下交河北、陕西、河东各路,以备作军中奖赏。

丁亥(三十日),西夏将领攻打辽国的金肃城,辽国南面林牙杲嘉努等打败他们,斩首一万多。

三月,戊子朔(初一),诏令取消今年冬至亲自到南部祭祀的典礼,由于九月要选定吉日在明堂祭祀。先前,宋庠提议,今年应当郊祭而冬至在月末,沿用建隆年间的旧例,应该避忌,因此请求秋季在明堂举行大享仪式。皇帝对辅政大臣说:"明堂是颁布政令的宫殿,诸侯朝会之处,天子的正殿,也就是现在的大庆殿,何况明道初年,在这里合祭天地。今年亲自祭祀,不应沿袭旧例,还是到城郊祭坛举行祭祀。"己丑(初二),下诏以大庆殿作明堂,还令有关部门详细制定相应的礼仪奏报。

甲午(初七),派官员祈求下雨。

戊戌(十一日),诏令:"明堂的礼仪制定后,群臣不得上尊号。"

辽国殿前都点检萧迪里特与西夏军在三角川交战,打败西夏军。

己亥(十二日),诏令在明堂祭祀,所有车马、衣服等物品,务必让有关部门裁减。

庚子(十三日),辽国派殿前副点检耶律益等人前来报告征伐西夏国回师。

癸卯(十六日),辽派西南招讨使萧蒲务等人率军攻打西夏。甲辰(十七日),派同知北院枢密使萧革驻军边城,作为声援。

诏令:"宗室的孩子出生四岁后,官府提供粮食。"起初,诏令五岁后才供给粮食,知大宗正事赵允让请求暂且依旧从三岁开始,所以给予裁定。

己酉(二十二日),任命翰林学士赵概为赴辽国的信使。辽国君主驻留息鸡淀时,曾因打猎,命赵概作《信誓如山河诗》,诗作成后,以玉杯饮酒助兴。

诏令："两浙的流民，男女不能自己生存的，子女听任他人收养，以后不得再领回。"

癸丑(二十六日)，诏令于九月的辛亥日在明堂举行大享祭祀。先前，礼官讨论说帝王郊祭选用辛日，大概取斋戒自新的意思，另外，《通礼》祭祀明堂也采用辛日；于是下令司天选择吉日，而推得辛亥日吉利，就是九月二十七日。

丙辰(二十九日)，宋祁献上《明堂通议》二篇。

知府州折继闵去世，由他弟弟折继祖领府州军事。

夏季，四月，甲子(初八)，沙州的符骨笃末、似婆温等人前来进贡玉石。

乙丑(初九)，内宫传出手诏说："明堂祭祀的礼仪，前代兼用郑康成和王肃两家的解说，兼祭昊天上帝，已是变通了的礼仪。祖宗以来，三年亲自郊祭一次，合祭天地，祖宗神主也一并配享，百神也随同祭祀。今年在明堂祭祀，正是亲自郊祭的年份，而礼官制定的礼仪，只祭祀昊天五帝，不祭地神，配坐不列祖宗的位子，不合前三朝的制度。应该合祭地神，奉请太祖、太宗、真宗一并配享，而对五帝、神州也要亲自祭献，日月河海各神，全都在圜丘一同祭祀。"因而对文彦博说："礼仪不是从天地中出来的，而是依据人情制定的，礼官喜欢为儒家原有传承所束缚，舍弃前三朝现成的礼仪，这不是我要宣扬孝道安定民心的做法。"第二天，文彦博上奏说："诏书审定亲自祭献的礼仪，遍及五天帝、神州，排列在圜丘上的神位，要上下往返，很是辛劳，请命令官员分别祭献。"皇帝说："我对这样大型祭祀，岂敢怕辛劳！"礼官讨论从祀的神位，还没有决定，又诏谕说："郊坛第一龛的神位设在堂上，第二、第三龛的神位设在左右庑廊及龙墀上，郊坛墙内外的神位排列在明堂东西厢及后庑，以象郊坛的形制，还是先画出草图奏报。"

辽国君主到鱼儿泊。

戊辰(十二日)，贬降翰林学士、权知开封府钱明逸为龙图阁学士、知蔡州。

先前，医者子弟冷青自称是皇子，声称他母亲曾在宫中得到皇上宠幸，怀孕后出宫，生下冷青，都市的人都来围观。钱明逸逮捕冷青，送入官府，冷青叱责钱明逸说："明逸怎么不起身行礼！"钱明逸因而起身。不久认为他患了癫狂症，送到汝州看管。推官韩绛说冷青留在外面会惑乱百姓；翰林学士赵概说冷青的话不是胡说就不应流放，如是谎言就应处死。于是诏令赵概与知谏院包拯追回冷青彻底审讯。大概他母亲王氏曾在宫中做杂役，出宫后嫁给平民冷绪，开始生一女孩，后生冷青。冷青漂泊在庐山，多次向别人说自己其实是皇帝的儿子，僧人全大道带他进京城，要亲自到宫中陈说。审理揭案，都认为他大逆不道，处以死刑。钱明逸因掌管京师没有威望坐罪，所以遭到斥责。韩绛是韩亿的儿子。

甲申(二十八日)，高丽向辽国进贡。

五月，己丑(初三)，辽国君主来到凉陉。

癸巳(初七)，辽国萧蒲努等人侵入西夏国境，没见到敌军，放肆寇掠而归。

甲午(初八)，礼院献上《明堂五室制度图》。

册封兖州尼丘山山神为毓圣侯。

丙申(初十)，诏令国信司撤销三番使臣。自从与辽国通好以来，接送辽国使者都从京城派遣三番使臣接待，沿路的州、军，都受到他们索求的困扰，谏官包拯、吴奎极力陈说它的骚扰危害。撤销三番使后，辽国使臣的安顿及各种物品，都命令沿路各州、军的官员自行办理。

戊申(二十二日),广南西路转运司奏报交趾发兵追捕广源州的叛贼侬智高,他的部属都逃入潜伏到山林中;诏令本路严加戒备。

六月,丙寅(十一日),翰林学士承旨王尧臣等人说:"奉诏令与太常参议阮逸献上《编钟四清声谱法》,就是请求在明堂上使用的那种。我认为律吕旋宫的方法,既以管定音,又制定十二钟音准为十二正声,依律法推算,自然有倍音和半音。"论说的人说:"半音就是以正声音高的一半为音准推演出十二子声的钟,所以正声、子声各有十二个音。子声就是清声。把正声律管长短均匀排列,自然是正声;把比正声律管短的一套均匀排列,就是子声,那么全部子声就构成子声的五声音阶。但推求乐声的方法,以钟为依据,所以《国语》所谓'度律均钟'就是这样的。至于编排金石的法则,则历代各不相同,有的以十九件为一虡,有的以三十一件为一虡,有的以十六件为一虡,有的以二十四件为一虡。所以唐代的制度以十六件为小架,二十四件为大架,天地、宗庙、朝会各有相应的乐器编排。如今太常寺的钟悬挂十六件为一架,旧传正声之外,另有黄钟至夹钟四声,可能是自夷则至应钟四个音律排在一起时,如果全是正声,则宫声轻、商声重。沿宫声以下不容许有浊声。一列音阶之中,如果宫声弱商声强,就称作陵僭,所以必须用子声,才使得长短有序。自角声以下,也因循这种办法。至于其他音律作为宫声,其中的长短尊卑自成序列的,不必再用清声插在中间。唐代末年以来多次动乱,音乐书籍散缺,研究、演奏的方法,久已失传。如今丝竹等乐器原本有清声的,现在也随钟石乐器教授、传习;本来没有清声的,不可创新意求新法,暂且就照旧。阮逸献上的声谱,由于清声、浊声相对应,先后互击,发出靡曼柔美的声音,近似郑国的靡靡之音,不可采用。"下诏许可。

辽国君主拜谒庆陵。

丁卯(十二日),将亲自撰写的《黄钟五音五曲凡五十七声》下发给太常练习。

庚午(十五日),辽国主谒大安殿。

壬申(十七日),辽国因为将要策试进士,命令行医者、卜者、屠夫、商贩、奴隶以及背叛父母或犯罪逃跑的人不得应举。

丙子(二十一日),谏官包拯、陈旭、吴奎等人上书说:"三司使张尧佐是个平庸的人,只因宠幸,骤然进入显贵官列,从任用以来,万人讥讽。陛下怎么庇护一个张尧佐,上违天意下背人情,而酿成危机呢? 实在为陛下痛心!"包拯又说:"历代皇后、妃嫔的亲族,即使有才干的人也不曾授予职权,何况没有才干的人呢? 我看到从祖宗以来,在国库丰盈费用充足时,尚且精心选用财政大臣如陈恕、魏羽等人,其他人也都是当时的优秀人选。何况如今的财政上下窘迫,岂能专用这种人! 诚望特地裁决,授任他别的职务,另外寻求英杰人士,予以委任。"

辛巳(二十六日),任命屯田员外郎吕公著同判吏部南曹。吕公著是吕夷简的儿子,曾被征召应试为馆职,没有就任。于是皇帝诏谕说:"知道你有恬静退让的节操。"因而赐给五品官服。

辽国君主在金銮殿策问进士。

这月,皇帝在迩英阁讲书,顺便对侍臣说:"古代有把百姓迁到宽闲土地上的做法,如今闽、蜀的土地狭小,那里的百姓也可以迁移吗?"丁度对答说:"法律诏令都在,只是有关官员不能执行而已。太祖曾将太原百姓一千多户迁到山东，太宗把云、应、寰、朔各州的百姓迁到京西路各州。西北的人，勤谨节俭，如今当地乡里富裕的人，大多是当时迁来的百姓。百姓固然安土重迁，如果地利耗用已尽，就没有可留恋的理由。现在蜀地的百姓逐年增加，空地都已开辟，下户只有田三十五亩或者五至七亩，而要赡养一家十几口人，一年收成不好就要辗转饿死在山沟野外，实在可怜。臣认为不仅是蜀地百姓，凡类似的狭小乡村，都应迁徙，按人口供给田地，依法令免除他家的赋税徭役，这实在是利于农业、聚积粮谷的要着。"皇帝采纳他的言论，于是诏令京西转运司告谕益、梓、利、夔各州及福建路，百姓愿迁徙的听任迁徙。

秋季，七月，丁亥（初二），赠封美人尚氏为婉仪。

壬辰（初七），辽国君主驻留在括里蒲盌。

癸巳（初八），辽国任用皇子燕赵国王耶律洪基领北南枢密院。

丙申（十一日），到彰信节度使兼侍中李用和家探视病情，在卧室里看望李用和，提升他的次子李珣为阁门使，把他居住的官第赐给他，并每天拨给官第租金五千钱。李用和凭皇帝舅父的关系，起自民间，位居将相，但能闭门谢客，疏远权势。皇帝由于章懿太后没能奉养，所以格外宠遇舅家。及至李用和去世，亲自祭奠，哭声哀恸，追赠为太师、中书令、陇西郡王，特地停止听理朝政五天，在宫苑中为他服丧，谥号为恭僖，亲笔撰书神道碑，还篆写碑额称："亲贤之碑。"待李用和的妻子去世，也停止上朝而服丧。

戊戌（十三日），辽国清理囚犯。

戊申（二十三日），辽国任命左伊勒希巴萧唐括为北院枢密副使。

壬子（二十七日），辽国君主在侯里吉打猎。

八月，己未（初五），任命侍御史知杂事何郯为直龙图阁、知汉州，这是何郯因母亲年老请求外调的缘故。临行，上疏说："三司使张尧佐，虽然是由进士登第，任官没有其他过失，但骤然被宠信任用，人们都认为他只是凭后宫的亲戚，不是凭才干得到赏识的。明年如大祭完毕，众人议论说陛下以酬劳的名义，必定会迁升两府官员。果真像众人议论的一样，命令颁行之际，言事之臣必以死相争。任用张尧佐而黜降言事的人就会有损威德，采用言事人的话而罢免张尧佐就会损伤皇恩；损害威德就损害皇上自身，损伤皇恩就会引起外戚怨恨。不如使张尧佐富贵而不给予权力，象待遇李用和那样就可以了。"

乙丑（十一日），知杭州、资政殿学士范仲淹上奏进献建昌军百姓李觏撰写的《明堂图义》，诏令送交两制官员详审，称赞李觏学识优异广博，授予应试太学助教。李觏曾被推举为茂材异等，没被录取，双亲年老，他以教学谋生，学生曾有几十上百人。

丙寅（十二日），福州百姓郑叔豹献上《宗祀书》三卷，阐述明堂制度及配享冕服的内容。

丁丑（二十三日），诏令立冬取消祭祀神州地祇。起初，礼院认为黑帝和神州地祇都应该在明堂合祭，请求取消立冬的祭祀。皇帝认为四时迎气不可停息，所以就取消祭祀神州地祇。

九月，辛卯（初七），诏令明堂祭祀礼仪结束，一起把袭衣、金帛、器币、鞍勒马等赐给夏竦、王德用、程琳、李昭亮。将相外任遇上大祭就有赏赐，就从这时开始。

丙申（十二日），诏令以太子太保退休的杜衍、太子少傅退休的任布在明堂陪同祭祀，命令应天府依礼节敦促遣送，还在都亭驿、锡庆院备好上等帷帐、几杖，等待他们的到来。杜衍亲自写下奏疏以有病推辞,任布将要上路时,才以有病推辞;都分别派中使赐给医药。

庚子(十六日),揭开御篆"明堂"二字、飞白书"明堂之门"四字的扁额,诏令祭祀完毕收藏在宗正寺。

壬寅(十八日),西夏入侵辽国边界,漆水郡王耶律达和克派六院军将谐里率兵击败他们。西夏人与辽军交战多次失利,才讨论与辽国互通使节。

当时连续十多天下雨,皇帝在宫中祈祷。甲辰(二十日),在文德殿斋戒,天晴。己酉(二十五日),在景灵宫举行晨祭。庚戌(二十六日),在太庙祭祀。辛亥(二十七日),在明堂举行大型祭祀仪式,由太祖、太宗、真宗配祭。大赦罪犯。文武官员以及南、北、西各京分司官员,退休官员,都特别予以加薪;内臣为官达十年,也予以升迁改任,不作为永久惯例。

诏令:"内廷颁下命令,各部门执奏不立即执行;敢趁这一时间请托求情的,谏官、御史要检举揭发。"

起初,谈论大赦时,皇帝对辅政大臣说:"近来贵戚近臣有一种习气,总是请托求情以求由内廷颁下命令,虽然多被抑制回绝,但未免时常遭到侵扰。可以在大赦文告中严格禁止,向全国表示信誉。"辅政大臣回答说:"陛下亲自举行大型祭祀,开辟最公正的道路,杜绝私请的门径,天下百姓无比幸运。但写入大赦的条文中,恐怕不能充分表达陛下的意图。"于是另作手诏,与大赦令同时颁发。

先前,屯田员外郎、知常州庐陵彭思永入朝任侍御史,极力评论内宫降旨的弊端,认为滥封不是盛世应有的现象。及至明堂祭祀的前一天,有人传说赦书中写有百官都升官的话,彭思永随皇上住在景灵宫,急忙进言说不宜滥施皇恩。当时张尧佐因为是国戚而骤然进用,王守忠由于出入宫禁而受宠信,参知政事一职空缺,张尧佐早晚等待任命,而王守忠也请求任节度使。彭思永想率同僚提出这事,有人说:"宜等任命颁发。"彭思永说:"宁可事先获罪,命令颁发就不可挽救,这就会使朝廷造成失误了。"于是单独上奏说:"陛下广施恩典,岂是为了孤寒人士,只是由于张尧佐、王守忠的缘故而取悦众人而已。外戚执掌朝政,宦官专权用事,都不是宗庙社稷的福气。"奏疏递入后,皇帝震怒,下诏诘问彭思永说:"从哪里听到的这些事?"谏官吴奎说:"御史准许据传闻奏事,说的不属实,朝廷应当包容,不能包容,治罪也可以,何必追究传播消息的人的姓名呢?"中丞郭劝也说彭思永不宜治重罪,皇帝醒悟,不再诘问。彭思永不久被罢免侍御史职务,任命为司封员外郎、知宣州,而张尧佐、王守忠升迁的事也因此搁置下来。

先前,入内都知麦允言去世,追赠为司徒、安武节度使。又下诏说:"麦允言有军功,特赐给仪仗,今后不得作为定例。"同知礼院司马光进言说:"孔子说只有宝器和名分不可以借给别人。爵位的尊卑就是名分,车马服饰的威严等级就是宝器。如今麦允言作为亲近大臣,并没有元勋大功超出他人之处,赠给三公的官位,赐予一品的仪仗,他的荣宠,不也太大了吗!陛下想宠幸提升那个人,恰好增加他的罪过而已。"司马光是司马池的儿子。

冬季,十月,丙辰(初二),宰相文彦博以下的官员都进升各不等。枢密使王贻永加官镇海节度使,晋封为邓国公。当初,讨论广施皇恩时,高若讷对文彦博说:"官职泛滥已久,没有办法节制,如今又开始滥封,为什么呢?"文彦博不听。

丙寅(十二日),在集英殿大摆宴席,由于明堂祭祀典礼完成饮享供神的酒。

庚午(十六日),辽国君主回到上京。

辛未(十七日),诏令文彦博、宋庠、高若讷、王诛编修《大享明堂记》。

西夏国主赵谅祚的母亲没藏氏派使者到辽国,乞求依旧称藩臣。辽国通过这位使者回国的时机,带去诏令说另派信使前来,应当慢慢考虑。

壬申(十八日),辽国释放临潢府的徒役。

甲戌(二十日),辽国君主到中会州。

乙亥(二十一日),在锡庆院宴请京畿的父老一百五十人。

这月,册封美人杨氏为婕妤。景祐初年,听任她入道教,居在瑶华宫,这时又进升位号。

诏令:"今后各处不得申请奏报和遣送念书童子到京城。"

十一月,乙酉(初二),征召太子中舍退休的胡瑗到大乐所,一同制定钟磬制度。先前亲自检阅大乐,言事的人认为镈钟、特磬的大小与古代的规格不合;诏令改作,而太常说明胡瑗一向通晓音律,所以征召他。

戊子(初五),命令权御史中丞郭劝、知谏院包拯放免全国所欠的债务。

壬辰(初九),赐给淮南、江、浙、荆湖制置发运使、金部员外郎许元进士出身。

皇帝曾对执政大臣说:"发运使总领六路八十八州、军的广大地区,他调用的财物,一年的钱币绢帛粮谷达千百万,应找到合适的人长久任用。如今许元屡次上奏章请求辞职,我想对他不如奖励以充分发挥他的才智。"所以这次特别赐予。

戊戌(十五日),权御史中丞郭劝被罢免为翰林侍读学士。郭劝当初到为明堂典礼而斋戒的地方,率众位御史请求应对,评论群臣不应迁升官职,不予应允。又上疏极力评论这事,最终没有听从。于是,他以年老请求解除御史中丞的责任,给予批准。

召命知益州田况权御史中丞。

益州守臣有权看情况办事,多擅自杀人以树立威望,即使犯小罪,也总是被带着妻儿流徙出蜀地,以至于有的人流离失所,死于道路。田况在蜀地任职两年多,安抚教诲,没有大罪恶,不让东迁。蜀人爱戴他,将他比作张咏。

庚戌(二十七日),辽国清查囚犯。

壬子(二十九日),辽国因为南府宰相韩知白、枢密副使杨绩擅自发给进士堂帖,贬出韩知白为武定军节度使,杨绩为长宁军节度使。

这月,诏令:"观察使以上官员,今后依照大两省、待制的例子,经过两次郊祀礼仪,准许一次将弟侄子孙恩荫、奏补异姓亲戚为官。"

闰月,乙卯(初二),辽国任命汉王特布为中京留守。

丙辰(初三),拨出内藏库的缗钱四十万贯,绸绢六十万匹,下交河北让购置粮草。先前,河北路连年水灾,朝廷几乎全部免除了百姓的赋税。到秋季,庄稼将要收割时,镇州、定州又发大水,沿河地区受灾最重。皇帝忧虑军粮储备不上,所以特地拨出内府的钱帛资助河北路。

戊午(初五),河南府奏报前任观文殿学士、尚书左丞张观去世。追赠为吏部尚书,谥号为文孝。张观起初任秘书郎时,他父亲张居业在坊州任职,因而上书说愿意将自己的官职让授给父亲,宋真宗嘉许他,任命张居业为京朝官。待张观显贵,张居业由于恩泽升到太府卿曾经过洛阳,赞叹那里的山川物产,说:"我能老死在这里就满足了。"张观于是购置田地房屋,营建园林楼阁,以满足他的心愿。张观早起奉上药膳,然后出去办公,未曾一天改变过。守丧时,哀恸过人,居丧十三个月的练祭后,他自己也去世了。

己未(初六),任命三司使、户部侍郎张尧佐为宣徽南院使、淮康节度使、景灵宫使,任命资政殿学士、尚书左丞王举正兼御史中丞,改任田况权三司使。这天,诏令:"皇后、妃嫔的亲属,不得升任二府职位。"庚申(初七),又加官张尧佐为同群牧制置使。

辛酉(初八),赐给贵妃张氏的堂弟卫尉寺丞张希甫、太常寺太祝张及甫都为进士出身,他们是张尧佐的儿子。

当晚,秀州发生地震,响声像雷声。

癸亥(初十),知谏院包拯等人说:"陛下即位近三十年,没有放弃德政。而在五六年间,越级提拔张尧佐,群臣都私下评论;然而这个过错不在于陛下,在于宫妃近臣和执政大臣。大概宫妃近臣,窥伺陛下的所作所为,知道陛下继嗣人选尚未确定而怀有私心,莫不暗中趋附交结陛下偏私的那个人。执政大臣不想用大义规谏陛下,而是阿谀顺从陛下旨意,授予高官要职,还唯恐张尧佐不满意,使得陛下有偏私后宫亲属的过失,这岂是爱戴君主之心呢!祈望陛下以大义裁断,追回张尧佐越级的恩典;必不得已,宣徽使、节度使选择授予他一个,还撤销群牧制置使的任命,给予外面州郡的官职让他平安度过一生。"

当初,执政大臣迎合皇上旨意,一日之内授任张尧佐四个使职;又由于王举正敦厚少语,同时授任御史中丞。朝廷大臣议论认为王举正或许会委婉谦让,一拖就是十来天,则张尧佐的任命必然会落实,评论谏争就来不及了。甲子(十一日),王举正就上殿谢恩,极力陈说提升张尧佐不妥当,他上疏说:"近来御史台和谏官议论,陛下虽撤销了他的使职,但又加以尊崇,反而超过以前,同时授予四个使职,又赐给他两个儿子进士科名,贤愚异口同声,无不惊骇。过去汉元帝时,冯野王由于是昭仪的哥哥,在位大臣多推举他的品行才能,元帝说:'我任用冯野王,后世必说我偏私后宫亲戚。'本朝太宗皇帝对孙妃的父亲也只授予南班的闲散官职。大概是为了保全后宫的亲属,不让他们势力过盛而招致败亡。希望陛下远鉴前古美谈,近循太宗的典范,追回张尧佐的任命,授予一郡的官职,以平息朝廷内外的评议。"不予答复。戊辰(十五日),退朝时,王举正留下百官朝班进行廷争,又率领殿中侍御史益都人张择行、江陵人唐介以及谏官包拯、陈旭、吴奎在皇帝面前极力评说,还在殿前廊庑中深切地责备宰相。皇帝听到后,派中使传谕圣旨,百官才退散。

己巳(十六日),下诏说:"近来台谏官屡次请求罢免张尧佐三司使职位;又说是后宫亲戚,不可用来执掌朝政,如果优厚授予官爵,于体制不便,就授任为宣徽使;加之已下令:'今后皇后妃嫔的亲属,不得授任两府职任。'如今台谏官又上章疏,言语重复,在进言应对之际,过于喧哗,依法当予罢黜,朝廷特别表示包容。命令中书予以训诫,今后台谏官相邀一起上殿,都要先申请中书取得许可。"当时皇帝怒气未消,大臣不敢进言,唯独枢密副使梁适进言说:"台谏官有进言的职责,他们言语虽然过火,只想陛下明察。然而宠幸张尧佐太优厚,恐怕不是保全他的办法。"这天,张尧佐也上奏辞去宣徽使、景灵宫使职位。仍旧诏令学士院用贴麻诏书处置,而对台谏官诫励的命令终究没有施行。

辛未(十八日),辽国任命同知北院枢密使萧革为南院枢密使;任命南院大王耶律仁先知北院枢密使事,封为宋王。

十二月,甲申朔(初一),诏令有关朝班在三品以上官员的家庙的制度。

起初,宰相宋庠请求让群臣建立家庙,下交中书省、枢密院与礼官详细审定。翰林学士承旨王尧臣等人商定提议:"官正一品、平章事次上,立四庙;枢密使、知枢密院事、参知政事、枢密副使、同知枢密院事,签署院事,现任、前任与上述相同。宣徽使、尚书、节度使、东宫少保以上,都立三庙。其余官员在寝庙祭祀。凡能立庙的人,准许嫡长子世袭爵位,一代降一等。死后神主不得在庙里合祭,另外在寝庙祭礼;自己可以立庙者,神主就在庙里合祭。其子孙承袭先人职务的,不分庙、寝祭祀,祭祀时都按世代远近亲疏迁祧。最初立庙的人不迁祧,以看作始封爵;有不迁祧的,通祭四庙、五庙。庙由众子设立,但嫡长子在,则祭祀由嫡长子主持;嫡长子死了,就不传嫡长子的儿子,而传立庙的人的儿子主持祭祀。凡立庙,听任立在京师或所居的州县;住在京师的,不得在里城和南郊御用大路旁立庙。还要另外讨论世袭爵位的制度。"后来最终由于有庙的子孙有的官职低微不可以继续祭祀,而朝廷又难以全部推行世袭爵位的恩典,因而没有推行下去。

起初,戎州人向吉等人带着兵器贩卖,恃仗人多,经过的地方不交货物税,州县捕捉时都四散逃跑。成都钤辖司奏请不能在南郊祭祀之际赦免他们的罪行,准从。逮捕他们的亲属入狱,直至经过两次赦令。有人上京城告发,刑部详覆官认为遇上特赦不予赦免的人,即使有多次赦免令也还得依法论处。同判刑部孙锡单独奏请释放他们,共释放一百二十三人。以往判刑部的官员多把事情送到中书决定,唯独孙锡不往中书。孙锡是真州人。

丁亥(初四),辽国北府宰相赵王萧孝友出任东京留守。

庚戌(二十七日),辽国韩国王萧惠请求退休,下诏赐给他坐肩舆入朝、持手杖上殿的特权,再三推辞,才予以接受,改封为魏王。诏令他在冬季、夏季到皇帝住处参与裁决疑难事务。萧惠生性宽厚,生活俭朴。辽国君主曾让他随意拿取珍宝财物,萧惠说:"臣以皇帝亲戚身居要职,俸禄足以养廉,奴婢千余人,不缺人伺候,陛下还给予赏赐;比臣贫穷的人,如何待遇他们呢!"辽国君主认为他说得对。所以他担任将领多次失败,也不予治罪。

壬子(二十九日),西夏国主赵谅祚派使者向辽国上表,声称遵照母亲的训导,乞求依旧臣服。

这年,准布多次向辽国进贡。

西夏改年号为天祐垂圣。

皇祐三年 辽重熙二十年(公元1051年)

春季,正月,丙子(二十四日),诏令江宁府、扬州、庐州、洪州、福州一同带提辖本路兵甲捕捉贼盗等公事,增加屯驻禁兵。还分淮南路为两路:扬州为东路,庐州为西路。

戊戌(疑误),辽国君主到混同江。

二月,壬午朔(初一),任命以太子中舍退休的胡瑗为大理评事兼太常寺主簿,坚决推辞。

甲申(初三),辽国派前任北院都监萧友括等人出使西夏,索回党项族叛逃的人户。

丙戌(初五),文彦博等人进献《明堂大亨记》二十卷,《纪要》二卷;皇帝为之作序,雕版印刷赐给近臣。

己丑(初八),诏令徐、宿、泗、耀、江、郑、淮阳七个州、军采集磐石,还命令各路转运司访求民间收藏的古代尺律上贡朝廷。

辽国君主来到苍耳泊。

己亥(十八日),诏令三司,河北路商人依入中法运送粮草,恢复实行现钱法。

甲辰(二十三日),吐蕃向辽国进贡。

丙午(二十五日),泾原经略使夏安期献上弓箭手阵图。当初,夏安期挑选弓箭手一万三千人,分别隶属于东、西路都巡检属下。连年丰收,召这些人到州城,大规模检阅,技艺精湛高强,还说可以当作正兵五至七万人,把阵法画成图献上朝廷后,便下诏奖励。

戊申(二十七日),翰林侍读学士、史馆修撰宋祁,由于他儿子与张彦方交游而获罪,贬出知亳州。

张彦方是贵妃母亲越国夫人曹氏的门客,他接受富人的黄金,替他撰写假告敕,事情败露,关到开封府的监狱里,供词牵涉到越国夫人。知开封府刘沆判处张彦方死刑,不敢牵涉到曹氏;执政大臣由于贵妃的缘故,也不再追究。结案时,中书派比部员外郎杜枢审核,杜枢扬言将要予以纠正,中书赶忙改派谏官陈旭办理这事。权贵宠幸大臣都切齿痛恨杜枢。先前御史中丞王举正留百官当班时,评论张尧佐任宣徽使不当,只有杜枢出班问道:"杜枢请先问明御史中丞进言什么事,而后敢留在朝班。"王举正告诉了他其中的原委,杜枢说:"如此留下我杜枢可以。"这时事情已过去几个月了,执政官员把这事奏报作为罪证,罢黜他任监衡州税。杜枢是杜杞的弟弟。

当初,开封府的寡妇胡氏,上诉许多商人欠她的利息和本钱,因而把所有证券拿到官府,她丈夫与人来往的书信中牵涉到许多知名人士,刘沆只处理了欠账的事而对那些书信不予过问。到处理张彦方案件时,刘沆又不过问越国夫人及其交往的人,谏官、御史把这些情况奏报给皇上。皇帝问这些事,刘沆对答说:"胡氏的丈夫是正七品官;张彦方举进士,曾经过廷试;虽与显贵官员来往,与公卿子弟交游,没有什么妨害。只是臣长期在外任职,从不认识而已。"皇帝认为说得对。

左正言贾黯自认为年轻就受到恩遇,敢于论事,首先评论韩琦、富弼、范仲淹可委以重任。待杜枢被贬黜,贾黯进言说杜枢无罪,并且圣旨从宫中传出,恐怕从此权贵宠幸近臣,暗中肆意谗毁迫害忠良,不可不明察。当时上书的人有的论事缺乏事实,都被训诫穷究。贾黯上奏说:"谏官、御史,已被疏远,未尝参与听说当时朝政,不免采集传闻。一旦失实,就诘难责辱随之而来,这不是广开言路的做法。请仿效唐太宗的先例,每次执政官员奏事,让一名谏官随同入内。"当时执政官员担心言事官共同入内,在皇帝面前论事不肯停止,于是下诏:"凡要合班上殿的官员,都要报告中书等候许可。"贾黯认为:"如今能进见论事的只有谏官、御史,要是这样,进言的途径将被壅塞,陛下无法听到外面的事情了。请照以前的做法做为好。"都没有赞许。

三月,壬子朔(初一),辽国主到黑水。

乙卯(初四),命令知亳州宋祁就地修撰《唐书》,由史馆修撰改任为集英殿修撰。

己未(初八),谏官包拯、吴奎、陈旭,上书说工部尚书、平章事宋庠,不约束子弟,在政府中无所建树;宋庠也请求辞职。又传说宋庠一听到有弹劾的奏章,就请求辞职,表章再次呈上,还不等答复,又入朝办公。庚申(初九),罢贬为刑部尚书、观文殿大学士、知河南府。任命龙图阁学士、权知开封府刘沆为参知政事。评议的人说刘沆不敢彻底追究张彦方的案件，贵妃感激他，因此得以进升。谏官、御史相继评论，皇帝不予听取。

癸酉(二十二日)，广南西路转运司奏报侬智高上表进献驯象及生熟金银，下诏退回。

丙子(二十五日)，魏国大长公主去世。长公主是宋太宗第八个女儿。太宗曾打开宝库珍藏，要几位女儿自己选取，只有长公主没有拿，太宗尤其钟爱她。她嫁给李遵勖，当时李遵勖的父亲李继昌还健在，在李继昌生日时，她用拜见公公的礼节拜见他。太宗皇帝听到后，私下送上兼衣、宝带、器物、钱币帮助长公主为他祝寿。

依惯例，有封号的妇女都要穿官服束发髻觐见皇上，章献明肃太后要她用珠错罗巾束发，又赐给她金龙小冠，推辞不敢戴。后来，坚决要她戴，然而在生日祝寿时，还是以束发进见。太后对政事有所咨询时，大长公主多是讲太祖太宗时的旧事予以讽谏。为李遵勖服丧时，丧服未曾离身，服丧期满后，也不再穿戴华丽。曾到宫中赴宴，皇帝亲自替她簪花，她辞谢说："我自己立誓不再戴这些饰物很久了。"曾告诫几个儿子："要以忠义约束自己，不要恃仗我的地位做出后悔的错事。"看待别人的孩子，如同自己生的一样。后来患了眼病，皇帝派内侍带太医诊治，为她祈祷无不周备。皇上亲自探望，侍者扶着公主迎接。皇帝命公主先坐，把御坐设在西面，公主坚决辞谢。皇上就把坐榻移成东南向，并亲自舔公主的眼睛，左右的人都感动得落泪。皇帝也悲痛地说："先帝大小十四人，如今只有大长公主在世，为何患上这种病？"又环顾她的子孙后，问有什么愿望，公主说："怎可以因母亲患病而邀赏呢！"赐给白金三千两，推辞不受。皇帝因而对随从臣子说："大长公主的病倘若可以移到我身上，我也不会避开的。"公主虽然失明，平日起居倚靠几案，淡泊自若。曾告诫儿说："你们的父亲遗嘱，棺椁中不藏金玉宝器，穿的衣服只要几套而已。我死后，应当也是如此。"刚听到她病重的消息，皇帝赶忙前往，走到路上，奏报已去世，皇上就换衣哀哭。追封为齐国大长公主，谥号为献穆。下诏乾元节取消娱乐活动，宰相坚决请求，才停发这一诏令。亲笔撰写挽词，还篆写碑额称"褒亲旌德之碑。"

夏季，四月，癸未(初三)，诏令："河北的百姓相继流离，官吏不予抚恤，却整治驿站，争相贿赂使臣，以换取虚名。今后不是犒赏士兵，就一律禁止。"

甲申(初四)，知谏院吴奎上书说："七十岁退休，载入《礼经》。臣下以年老而自己奏请退休，是职分的常规；君上施恩而执意留用，是权威的最高表现。近日光禄卿句希仲，吏部郎中、直昭文馆陆轸等人，都由于年岁已高，特由分管部门办理退休手续，起初想唤起群臣自请退休。乞求早日施行臣下以前上奏的办法。"先前，吴奎和包拯都上奏说："在职官员七十岁而不退休的，都让御史台按时查核官籍办理退休手续。"唯独知制诰胡宿认为："文职官吏应培养他们的廉耻，武职官吏应顾念他们原来的功劳，如今要一律以官吏讨论的按年龄办理退休，恐怕不合优待老臣劝勉功臣的意图。应当稍微缓慢地实行这一措施，武职官吏看他是否能胜任，不按年龄裁断，文职官吏准许自行奏请而保全他们的名节。"朝廷最后采用了胡宿的观点。

辛丑(二十一日)，任命河北路转运使吕公弼为天章阁待制、河北都转运使。吕公弼是吕夷简的儿子，任职一年多，开通御河，漕运粮食充实塞下。又设置铁器冶炼补助财经费用，减少靠近边境的屯兵，让他们在京东路驻扎供应以节省运粮费用。在各州增加强壮的守城兵，专门调用来筑城以宽省百姓徭役。免除杂税以及百姓负债不能偿还的债款好几百万,而官府费用仍然充足。皇帝认为他能干,所以提升官秩加以任用。谏官陈旭进言说吕公弼凭借父亲的荫庇,谋求引荐,不应陡然有这种晋升,吕公弼因此请求撤销任命。皇帝对辅政大臣说:"古代的君子,贵在讽谏,如今却只揭发别人的隐私以换取正直的名声,我不赞同。"

任命刑部郎中、知制诰曾公亮为翰林学士。曾公亮自任集贤校理以来,就参与讲经筵席,共十多年,皇帝每次优厚待他。待升为翰林学士,总管三班,三班属吏众多,老胥吏拿着文书到堂上审阅时,轻重高低随口而定,过去的长官散漫从事,不加省察,只管签名而已。曾公亮拿来所有条规放在座位旁边,按条文办理,属吏束手无策。后来继任的人都采用这个法子。

五月,庚戌朔(初一),由于恩州、冀州等地干旱,诏令他们由长官亲自审判囚犯。

癸丑(初四),辽国萧友括从西夏回国。西夏国主赵谅祚的母亲上表,乞求象党项族一样暂且进献马、驼、牛、羊等物产。

丁巳(初八),诏令:"中书堂以下官员,今后不得佩鱼符;如果士人选任为提点五房的,准许佩鱼符。"

己巳(二十日),西夏国派使者到辽国请求给予唐隆镇以及撤销所建的城邑。辽国君主用诏书作答。

庚午(二十一日),宰相文彦博等人进言:"臣等每次入宫应对,都曾听到陛下谈论,在官员之中,大多忙于奔走,竞相追名逐利,这种风气不予裁抑就无法敦厚风俗。倘若对恬静退让坚守道义的人稍加提拔,急于追求名利的人也许会懂得廉耻。臣等看到工部郎中、直史馆张瓖,十余年来没有考核晋升,朝廷嘉奖他谦退清静,特地迁任两浙转运使;代任还朝后,又被派出知颍州,也未曾以资历、班序自己陈说。殿中丞王安石,进士考试以第四名及第,依旧例,一任还朝,陈述所学,可请求应试馆职。王安石多次任官,并没有陈请;朝廷特别下令征召应试,也以家里贫穷、双亲年迈相推辞。馆阁的职务是士人想追求的,而王安石恬静自守,不易多得。大理寺评事韩维,曾被尚书省推荐,好读古书,喜欢学习,安于谦退清静。一并请求特别恩赐提升。"诏令赐给张瓖三品官服;征召王安石赶赴京城,等应试后再取圣旨;韩维则由学士院考试。王安石、韩维都辞谢不就。王安石是临川人。韩维是韩亿的儿子。

壬申(二十三日),初次设置河渠司,隶属于三司,任命盐铁副使刘湜、判官邵饰主持工作。

丙戌(疑误),辽国将俘获的西夏国主的嫡母以及先后俘获的西夏人安置到苏州。

续资治通鉴卷第五十二

【原文】

宋纪五十二　起重光单阏【辛卯】六月,尽玄黙执徐【壬辰】八月,凡一年有奇。

仁宗体天法道极功全德　神文圣武睿哲明孝皇帝

皇祐三年　辽重熙二十年【辛卯,1051】　六月,丁亥,无为军献芝草三百五十本。帝曰:"朕以丰年为瑞,贤臣为宝。至于草木虫鱼之异,焉足尚哉!知军茹孝标特免罪,仍戒天下,自今毋得以闻。"

戊子,汝州部署杨景宗求为郡,帝谓辅臣曰:"景宗,章惠太后之弟,朕岂不念之!然性贪虐,老而益甚,今与郡,则一方之民受祸矣。"不许。

丁酉,谏官包拯言:"顷岁以来,凡有才名之士,必假险薄之名以中伤之,摈弃不用。欲望圣慈申命宰执,应臣僚中素有才行,先以非辜被遣,如杨纮、王鼎、王绰等,曾叙用未复职任者,并乞复与甄擢,或委之繁剧,必有成效。"戊戌,徙知越州杨纮为荆湖南路转运使。王鼎先知深州,徙知建州,寻亦除提点河北刑狱。鼎前在江东,坐苛察免,及复起,治奸赃愈急,所举劾,于贵势无所避,时盗贩茶盐者众,鼎一切杖遣之。监司屡以为言,鼎不为变。

秋,七月,壬子,诏:"太学生旧制二百人,如不能充数,止以百人为限。"

癸丑,诏:"外任少卿监以下,年七十不任厘务者,其令转运、提点刑狱司以闻;在京委御史台、审官院;尝任馆阁、台谏及提点刑狱,令中书裁处;待制以上,能自引年,则优加恩礼,不须用为定制。"

甲寅,赐陕州草泽魏闲清逸处士。闲,野之子也,世有隐德,知州李昭遘上其行义,故有是赐。

丙辰,诏兖州仙源县复以孔氏子孙知县事。

丁巳,从翰林学士承旨王尧臣等议,雅乐名《大安》。

乙丑,帝谕辅臣曰:"近日职司,以长吏不理闻者多矣,中书未尝施行。夫长吏者,民之性命所系,宜择其甚者罢之,小者易之。"文彦博等惭谢而退。于是鄂州王开、台州吕士宗等,或以衰老,或以弛慢,罢斥、对移者凡十六人。

丁卯,免天平军节度推官鄞人沈起擅去官罪。起因父疾请解,不待报而归。法官论以私罪,帝曰:"若此,何以厚风俗?其除之。"

己巳,知制诰宋城王洙、直集贤院郾城掌禹锡上《皇祐方域图志》五十卷。

乙亥,知秦州吕公绰赴阙,已而中丞王举正、知谏院包拯言:"公绰当其父夷简执政时,多所干预,若遽令代还,恐更图进用。"乃诏复任。公绰通敏有才,然其父执政时,常漏除拜以市恩,时人以比窦申。

丙子,减湖南郴、永、桂阳监丁身米。

初,马氏科民采木,不以贫富,皆科丁取数。国初,量给其直,令随税输米,而重轻不等,贫者苦之。帝命三司取最下数为准,凡岁减十馀万石。

是月,辽主如秋山。

八月,辛巳,特赠给事中孔道辅为工部侍郎。时龙图阁直学士王素入对,语及道辅,帝思其忠,故有是命。

癸未,知定州韩琦,加观文殿学士,再任。

初,明镐引诸州兵平恩州,独定兵邀赏赍,出怨语,几欲噪城下。琦素闻其事,以为不治且乱,及至,即用军制勒习,察其尤无良者,捽首斩军门外。士死攻战,则赒赏其家,籍其孤儿,使继衣廪,威信并行。又效古兵法,作方圆锐三阵,指授偏将,日月训习之,由是定兵精劲冠河朔。京师发龙猛卒戍保州,在道窃取人衣履,或饭饐不与人直,至定,琦悉留不遣,曰:"保州极塞,尝有叛者,岂可杂以骄兵戍之!"易素教者数百人以往。而所留卒,未逾月亦皆就律,不敢复犯法。岁大歉,赈之,活人数百万。诏书褒美。

丙戌,遣使安抚京东、淮南、两浙、荆湖、江南饥民。

辛卯,以张尧佐为宣徽南院使、判河阳,中丞王举正言此授非当,有损圣德,不报。

乙未,以知制诰王洙为辽太后生辰使。至靴淀,辽使刘六符来伴宴,言耶律防善画,向持礼南朝,写圣容以归,欲持至馆中,王洙曰:"此非瞻拜之地也。"六符言恐未得其真,欲遣防再往传绘,洙力拒之。

御史中丞王举正言"陛下滥赏尧佐,乞即黜臣",不报。知谏院包拯、陈旭、吴奎相继言:"尧佐制命复下,物议沸腾,望检会臣等前后奏札,必赐施行。"庚子,诏:"自今张尧佐别有迁改,检会此札子进呈执奏。"仍诏:"除宣徽使自今不得过二员。"

乙巳,冯道曾孙舜卿上道官诰二十通,乞录用。帝谓辅臣曰:"道相四朝,而偷生苟禄,无可旌之节;所上官诰,其给还之。"

是月,汴河绝流。

九月,〔癸丑〕,赐李继隆神道碑额曰"显功"。

乙卯,武宁节度使兼侍中夏竦卒,赠太师、中书令,谥文献。知制诰王洙当草制,封还其目曰:"臣下不当与僖祖同谥。"遂改文正。同知礼院司马光言:"谥之美者极于文正,竦何人,乃得此谥?"判考功新喻刘敞言:"谥者,有司之事也;竦奸邪,而陛下谥之以正,不可也。"光疏再上,敞疏三上,诏更谥文庄。竦为郡,喜作条教,立保伍之法,盗贼不敢发。治军尤严,敢诛杀;而疾病死丧,拊循甚至。尝有龙骑卒戍边,群聚剽劫,州郡莫能止。或密以告竦,竦时在关中,俟其至,召诘之,诛斩殆尽,军中大震。其威略多类此。然性贪,数商贩部中,在并州,使其仆贸易,为所侵盗,至杖杀之。积家财累巨万,自奉尤侈,畜声伎甚众。所在阴间僚属,使相猜阻,以钩致其事;(过)〔遇〕家人亦然。

庚申,赐国子博士梅尧臣同进士出身,仍改太常博士。尧臣,询从子,工于诗,大臣屡荐

1081

尧臣宜在馆阁,召试学士院,而有是命。

丙子,改太子太师王溥谥文献为文康,司空致仕章得象谥文宪为文简,以知制诰王洙言得象谥同周公,溥同僖祖故也。有欲改溥谥为文忠者,天章阁待制兼侍读张揆曰:"溥,周宰相,国亡不死,安得忠!"乃谥文康。

丁丑,诏迩英阁讲读官当讲读者,立侍敷对,馀皆赐坐侍于阁中。天圣以前,讲读官皆坐侍,自景祐以来皆立侍,至是帝屡面谕以经史义旨须详悉询说,因有是诏,遂为制。

教坊官王世昌,自陈年老,乞监永济仓门。帝曰:"世昌本亦士人,以无行检,遂充此职。仓门乃国家粮储出入之所,岂可令此辈主之?宜与在京一庙令。"

是月,辽更定条制。

辽主驻中会川。

冬,十月,己卯朔,诏三司:"解盐听通商,候二年较其增损以闻。"初,包拯自陕西还,力主范祥所建通商法,朝廷既从之。已而判磨勘司李徽之又言不便,乃下其事三司,驿召(详)〔祥〕,令与徽之及两制共议。而议者皆以祥为是,故有是诏。

辽括诸道军籍。

甲申,大理寺言信州民有劫米而伤主者,法当死。帝谓辅臣曰:"饥而劫米则可哀,盗而伤主则难恕;然细民无知,终缘于饥耳。"遂贷之。又曰:"刑宽则民慢,猛则民残,为政常得宽猛之中,使上下无怨,则水旱不作。卿等宜戒之!"

乙酉,新作隆儒殿,在迩英阁后。

乙未,翰林学士兼礼部侍郎、知制诰李淑,落翰林学士。淑初以端明、侍读二学士奉朝请,寻复入翰林。谏官包拯、吴奎言:"淑性奸邪,尝乞侍养其父而不及其母;既得侍养,又复出仕,有谋身之端,无事亲之实。作《周三陵》诗,语涉怨愤,非所宜言。宜夺禁职,以戒怀奸隐慝之臣。"故有是命。

丁酉,殿中侍御史里行唐介,责授春州别驾。初,张尧佐除宣徽、节度、景灵、群牧四使,介与包拯力争,又请王举正留百官班廷论,卒夺尧佐宣徽、景灵二使。顷之,复除宣徽使、知河阳。或谓补外不足争,介以为宣徽次二府,不计内外,独争之。帝谕介,除拟初出中书,介言当责执政。退,请全台上殿,不许;自请贬,亦不报。于是劾宰相文彦博"知益州日,作间金奇锦,因中人入献宫掖,缘此擢执政。及恩州平贼,幸会明镐成功,遂叨宰相。昨除张尧佐宣徽、节度使,臣累论奏,面奉德音,谓是中书进拟,以此知非陛下本意。盖彦博奸谋迎合,显用尧佐,阴结贵妃,外陷陛下有私后宫之名,内实自为谋身之计。"又言:"彦博向求外任,谏官吴奎与彦博相为表里,言彦博有才,国家倚赖,未可罢去。臣见彦博自独专大政,凡所除授,多非公议,恩赏之出,皆有夤缘。三司、开封、谏官、法寺、两制、三馆、诸司要职,皆出其门,更相援引,借助声势,欲威福出于己,使人不敢议其恶。乞斥罢彦博,以富弼代之。臣与弼亦昧平生,非敢私也。"帝怒,却其奏不视,且言将加贬窜。介徐读毕,曰:"臣忠义愤激,虽鼎镬不避,敢辞贬窜!"帝于座急召二府,示以奏曰:"介言它事乃可,至谓彦博因贵妃得执政,此何言也!进用冢司,岂应得预,而乃荐弼!"时彦博在帝前,介面质之,曰:"彦博宜自省,即有之,不可隐!"彦博拜谢不已。帝怒益甚。枢密副使梁适叱介下殿,帝令送御史台劾介。彦博再拜曰:"台官,言事职也,愿不加罪。"不许;乃召当制舍人即殿庐草制而责之。

时帝怒不测，群臣莫敢谏，右正言蔡襄独进言："介诚狂直，然容受尽言，帝王盛德也。"己亥，中丞王举正复上疏言责介太重。帝亦中悔，敕朝堂告谕百官，改介英州别驾，复取其奏以入，遣中使护送介至英州，且戒无令道死。知制诰胡宿言："唐介改贬英州，闻专差中使押之贬所。窃寻向前台谏官贬黜，无此体制。一旦介若因霜露之病，死于道路，四海广远，不可家至户晓，将使朝廷负谤于天下，其伤不小。就使介安全至于贬所，亦不可著为后法。伏望追还使人，以全朝体。"殿中侍御史梁蒨亦言："陛下爱介，故遣中使护送；即不幸介以疾死，天下后世能无以杀疑乎？"帝曰："诚不思此。"亟追还中使。介直声闻天下。

庚子，礼部尚书、平章事文彦博，罢为吏部尚书、观文殿大学士、知许州。

以枢密使庞籍同中书门下平章事，参知政事高若讷，以本官充枢密使。

辛丑，以枢密副使、给事中梁适参知政事，翰林学士承旨、知制诰王尧臣为枢密副使。起居舍人、知谏院吴奎，出知密州。包拯奏乞留奎，且言："唐介因弹大臣，并以中奎，诬惑天听。"帝曰："介昨言奎、拯皆阴结文彦博，今观此奏，则非诬也。"

乙巳，帝谓庞籍曰："谏官、御史，必用忠直淳厚、通世务、明治体者，以革浮薄之弊。"籍既承圣谕，自是中书奉诏举台官，必以帝语载敕中。

十一月，辛亥，诏以"漳、泉州、兴化军，自五代以来，计丁出米甚重，或贫不能输。自今泉州、兴化军旧纳七斗五升者，主户与减二斗五升，客户减四斗五升；漳州纳八斗八升八合者，主户减三斗八升八合，客户减五斗八升八合，为定制。"初，庞籍为福建转运使，请罢漳、泉、兴化军丁米，有司持不可；及籍为宰相，遂行之。

甲子，辽命东京留守司总领户部内省事。

丁卯，辽罢中丞记录职官过犯，令承旨总之。

乙亥，帝谓辅臣曰："江、淮连年荒歉，如闻发运司惟务诛剥，以敷额为能，虽名和籴，实抑配耳。其减今年上供米百万石。"因诏免灾伤人户所输盐米。先是河北饥，三司益增江、淮米以饷河北，及江、淮饥，有司责米数如常岁，度支副使梅挚奏减之。

十二月，庚辰，翰林天文院新作浑仪成，御撰《浑仪总要》十卷，论前代得失，已而留中不出。

乙酉，辽以太后行再生礼，肆赦。

戊子，中书言："诸房人吏稽违案牒者，自来量行罚典，终未革心。欲籍其名目，以轻重为差，其罚数多及情重者，取旨黜逐。"从之。

戊戌，以资政殿学士吴育知陕州。始，命育兼翰林侍读学士，育辞以疾，固请便郡。帝谓近臣曰："育刚正可用，但嫉恶太过耳，宜听其便。"因遣中使赐以禁中良药。不半岁，又徙汝州。

先是包拯请除范祥权本路转运副使，令擘画盐法利害，计置沿边斛斗，事归一局，易为办集。而三司使田况亦请久任祥，使专其事。己亥，以祥为陕西转运副使，仍赐金紫服以宠之。

庚子，诏："文武官年七十以上未致仕者，更不考课迁官；其有功于国，有惠于民，当加赏者，勿拘。"

以益州乡贡进士房庶为试校书郎。庶，成都人，宋祁尝上其所著《乐书补亡》二卷，田况自蜀还，亦言其知音。既召赴阙，庶自言："尝得古本《汉志》云：'度起于黄钟之长，以子谷秬黍中者,一黍之起,积一千二百黍之广度之九十分,黄钟之长一为一分。'今文脱‘之起积一千二百黍’八字。故自前世以来,累黍为尺以制律,是律生于尺,尺非起于黄钟也。且《汉志》‘一为一分’者,盖九十分之一。后儒误以一黍为一分,其法非是。当以秬黍中者一千二百实当中黍尽得九十分,为黄钟之长,九寸加一以为尺,则律定矣。”直秘阁范镇是之,乃言曰:“李照以纵黍累尺管,空径三分,容黍千七百三十;胡瑗以横黍累尺管,容黍一千二百,而空径三分四厘六豪;是皆以尺生律,不合古法。今庶所言,实千二百黍于管,以为黄钟之长,就取三分以为空径,则无容受不合之差,校前三说为是。请如其法,试造尺律,更以古器参考,当得其真。”乃诏王洙与镇同于修制所依庶说造律尺篇,上之。帝召辅臣同观,又令庶自陈其法,因问律吕旋相为宫事,令撰图以进。是时胡瑗等制乐已有定议,特推恩而遣之。镇为论于执政曰:“今律之与尺,所以不得其真,由累黍为之也。累黍为之者,史之脱文也。古人岂以难晓不合之法书之于史,以为后世惑乎!易晓而必合者,房庶之法是矣。今庶自言其法,依古以律而起尺,其长与空径、与容受、与一千二百黍之数,无不合之差。诚如庶言,此至真之法也。”执政不听。

四年　辽重熙二十一年【壬辰,1052】　春,正月,辛亥,徙英州别驾唐介为全州团练副使、监郴州酒税。

辽主如混同江。

王尧臣、王守忠、陈旭等,校庆历、皇祐总四年天下财赋出入,凡金币丝纩薪刍之类,皆在其数,参相耗登,皇祐元年入一亿二千六百二十五万有奇,而所出亡馀;为书七卷,丙辰,上之。诏送三司,取一岁中数以为定式。

庚申,乾宁军献古钟,诏送详定大乐所。

丙寅,听吉州司理参军祝绅持兄服。绅幼亡父母,养于兄嫂,已尝为嫂服,至是又请解官持兄丧。帝曰:“近盖有匿父母丧而干进者,今绅虽所服非礼,然不忘鞠养恩,亦可劝也。可听之,仍候服阕日,与幕职官、知县。”

诏:“昨为唐介显涉结附,合行降黜,亦虑言路或阻,寻与除迁。尚恐言事之臣有所顾忌,御史台、谏院,其务尽鲠直以箴阙失。”

二月,戊寅,帝谓辅臣曰:“东南岁比不登,民力匮乏,尝诏蠲岁漕百万石。今发运使施昌言、许元乃欲分往两浙、江南调发军储,是必谋诛剥疲民,求羡馀以希进耳,宜约束之。”因诏昌言等遵前诏,毋得辄有科率。

庚辰,以兵部郎中考城傅求为户部副使。

庆历末,求自梓州路转运使移陕西。时关中用当十铁钱,盗铸不可胜计,求献策请变钱法。至境,问民所乏,贷以种粮钱,令麦熟纳偿,而薄取其息,民大悦。求急檄州县,凡散二百八十万缗。已而朝廷变法,遂下令,以小铁钱三折大铁钱一。民出不意,破产失业,自经者众,而盗铸亦衰止。所贷得麦四十万斛,商人入粟于边而受钱于中都,岁五百万缗。时河北奏乞钱,朝廷未有以给,求言本道仓廪实,请以所当受钱界之,帝嗟赏。自康定用兵,陕、华以西移税输于边,民力大困,求令输本郡,而转钱以供边籴,民受其惠而兵食亦足。王尧臣详定课绩,上其事实;赐诏褒之。寻召入,权纠察在京刑狱,于是擢副三司。

癸未,命御史中丞王举正与三司同详定冗费。

是月，辽主如鱼儿泺。

三月，丁未，以知谏院包拯为龙图阁学士、河北都转运使。居数月，徙为高阳关路安抚使。因籍一路吏民积岁所负公钱十馀万，悉除之。

丙辰，蠲江南东、西路民所贷种粮。初，帝谓辅臣曰："顷江南岁饥，贷种粮数十万斛，且屡经寝阁，而转运司督索不已。比闻民贫不能尽偿，非遣使安抚远方，无由上达，其蠲之。"

壬戌，出内藏库绢十万，下三司以助军费。

丙寅，河东、陕西都部署司言郭谘所进独辕冲阵无敌流星弩，可以备军用，诏弓弩院如样置之。寻以谘为鄜延路钤辖，给所制弩五百，募士兵教之。既成，经略使夏安期言其便，诏置独辕弩车。

〔戊辰〕，以全州团练副使、监彬州税唐介为秘书丞。

辛未，诏杂买务："自今凡宫禁所市物，皆给实直，其非所阙者，勿得市。"初，帝谓辅臣曰："国朝鉴唐宫市之患，特置此务，以京朝官、内侍参主之，且防扰人。近岁物非所急者一切收市，扰人甚矣。"故降是诏。

夏，四月，戊寅，禁内宿臣寮聚会。

先是内出欹器一，陈于迩英阁御坐前，谕丁度等曰："朕思古欹器之法，试令宫人制之，以示卿等。"命以水注之，中则正，满则覆，虚则欹，率如《家语》、荀卿、淮南之说。帝曰："日中则昃，月盈则亏；朕欲以中正临天下，当与列辟共守此道。"度拜曰："臣等亦愿无倾满以事陛下。"因言太宗尝作此器，真宗亦尝著论。庚辰，帝制《后述》以赐度等。

丙戌，辽遣使来贺乾元节，其国书始去国号，称南、北朝，且言书称大宋、大契丹非兄弟之义。帝召二府议之，参知政事梁适曰："宋之为宋，受之于天，不可改。契丹亦其国名。自古岂有无名之国！"又下两制、台谏官议，皆以讲和以来，国书有定式，不可辄许。乃诏学士院答辽书，仍旧称大契丹、大宋。其后辽复有书，亦自称大契丹如故。初，知制诰韩综为馆伴，北使欲复书如其国但称南、北朝。综谓曰："自古未有建国而无号者。"北使惭，遂不复言。其后北使来，朝廷择馆伴者，时综已卒，帝曰："孰有如韩综者乎？"

初，侬智高贡方物，求内属，朝廷拒之。后复贡金函书以请，知邕州陈珙上闻，不报。智高既不得请，又与交趾为仇，且擅广源山泽之利，遂纳亡命，数出敝衣易谷，绐言峒中饥，部落离散，邕州信其微弱，不设备。乃与广州进士黄玮、黄师宓及其党侬建中、侬智忠等日夜谋入寇。一夕，焚其巢穴，绐其众曰："平生积聚，今为天火所焚，生计穷矣。当拔邕州，据广州以自王，否则必死。"是日，率众五千沿郁江东下，攻破横山寨，寨主张日新、邕州都巡检高士安、钦、横州同巡检吴香死之。

五月，乙巳朔，侬智高破邕州，执知州陈珙、通判王乾祐、广西都监张立。初，贼围城，珙令乾祐守来远门，权都监李肃守大安门，指使武吉守朝天门。张立自宾州来援，既入，珙犒军城上，酒行而城破。珙、立、乾祐及节度推官陈辅尧、观察推官唐鉴、司户参军孔宗旦皆被执，兵死者千馀人。智高阅军资库，得所上金函，怒谓珙曰："我请内属，求一官以统摄诸部，汝不以闻，何也？"珙对尝奏不报；索奏章，不获，遂扶珙出。珙病目，不能视，惶恐呼万岁，求自效，不听，并立、乾祐、辅尧、鉴、宗旦害之。立临刑，大骂不屈，逾月，得其尸如生。

当智高未反时，邕州有白气出庭中，江水溢。宗旦以为兵象，度智高必反，以书告珙。珙

1085

怒,诋之曰:"司户狂邪?"及智高破横山寨,宗旦既载其亲诣桂州,曰:"吾有官守不得去,无为俱死也。"既而贼执宗旦,欲任以事,宗旦叱贼,且大骂,遂被害。

智高既得邕州,即伪建大南国,僭号仁惠皇帝,改年启历,赦境内,师宓以下皆称中国官名。

丙午,以太常丞致仕导江代渊为祠部员外郎。渊事亲孝,举进士甲科,得清水主簿,叹曰:"禄不及亲,何以为!"即还家教授,坐席常满。王拱辰安抚两川,遗书欲起之,托疾不往见。杨日严知益州,又荐之,遂以太子中允致仕。谢绝诸生,著《周易旨要》《老佛杂说》数十篇。至是翰林学士田况上其书,诏优加两官。

庚戌,诏:"国子监直讲,自今选通经有行实、年四十以上者为之。"时侍御史梁蒨言:"近日荐杨忱为学官,忱年少轻肆,不可用。"故降是诏。忱,偕之子也。

癸丑,侬智高入横州;丙辰,入贵州;庚申,入龚州;辛酉,人藤州;又入梧州、封州,知封州曹觐死之。时岭南州县无备,守将多弃城走。封州士卒才百人,又无城隍以守,或劝觐避贼,觐正色叱之曰:"吾守臣也,有死而已,敢言避贼者斩!"贼至,觐率从卒决战,不胜,被执。贼摔使拜,且诱之曰:"从我得美官,以女妻汝。"觐晋曰:"人臣惟北面拜天子,我岂从尔苟生邪!"贼犹惜不杀,徙置舟中。觐不食者两日,探怀中印章授其从卒曰:"我且死,若求间道,以此上官。"贼知其无降意,害之,至死骂贼不绝。

壬戌,侬智高入康州,知州赵师旦、监押马贵死之。师旦,积从子也。

贼既破邕州,顺流东下。师旦使人觇贼,还报曰:"诸州守皆弃城走矣。"师旦叱曰:"汝亦欲吾走邪!"乃大索,得谍三人,斩以徇。而贼已薄城下,师旦止有兵三百,开门迎战,杀数十人。会暮,贼稍却,师旦语其妻,取州印佩之,使负其子以匿,曰:"明日贼必大至,吾知不敌,然不可以去,尔留死,无益也。"遂与贵部士卒固守州城。召贵食,贵不能食,师旦独饱如平时。迟明,贼攻城愈急,左右请少避,师旦曰:"战死与戮死何如?"众皆曰:"愿为国家死。"至城破,无一人逃者。矢尽,与贵俱还,据堂而坐。智高麾兵入,胁师旦,师旦大骂,智高怒,并贵害之。癸亥,入端州,知州丁宝臣弃城走。

甲子,知颍州、资政殿学士、户部侍郎范仲淹行至徐州而卒。

仲淹少有大志,于富贵、贫贱、毁誉、欢戚,不一动其心,而慨然有志于天下,常自诵曰:"士当先天下之忧而忧,后天下之乐而乐也。"每感激论天下事,奋不顾身,一时士大夫矫厉尚风节,自仲淹创之。性至孝,以母在时方贫,其后虽贵,非宾客不重肉,妻子衣食仅能自充。而好施予,置义庄里中,以赡族人。守杭之日,子弟知其有退志,乘间请治第洛阳,树园圃,为逸老地。仲淹曰:"人苟有道义之乐,形骸可外,况居室乎!吾今年逾六十,生且无几,乃谋治第树园圃,顾何待而居乎!吾所患在位高而艰退,不患退而无居也。且西都士大夫园林相望,为主人者莫得常游,而谁独障吾游者?岂必有诸己而后为乐邪?"及卒,赠兵部尚书,谥文正,又遣使就问其家。既葬,帝亲书其碑曰"褒贤之碑"。仲淹为政主忠厚,所至有恩,邠、庆二州之民与属羌皆画像立生祠事之。其卒也,羌酋数百人哭之如父,斋三日而去。

丙寅,侬智高围广州。前二日,有告急者,知州江都仲简以为妄,囚之,下令曰:"有言贼至者斩!"以故民不为备。及贼至,始令民入城,民争以金贝遗阍者求先入,践死者甚众,馀皆附贼,贼势益张。

命知韶州陈曙领兵讨侬智高。朝廷初闻智高反,诏进奏院不得辄报。知制诰吕溱言:"边防警急,一方有盗贼,宜令诸路闻之,共得为备。今欲人不知,此何意也!"

六月,乙亥,起复前卫尉卿余靖为秘书监、知潭州;前屯田员外郎、直史馆杨畋为广南西路体量安抚提举经制贼盗。靖及畋各居父丧。先是靖与知韶州者结缉农兵,完葺保障,共为守御计,朝廷闻而嘉之;又以畋素习蛮事,故有是命。寻改靖广南西路安抚使、知桂州。畋被召,至都门外,辞以丧服不敢见;帝赐以所服御巾,人对便殿,即日加起居舍人、同知谏院而遣之。

甲申,徙知广州仲简知荆南。朝廷但以简能守城,故有是命,不知广人怨之深也。

〔丙戌〕,诏:"诸州军里正、押司、录事,已代而令输钱免役者,以违制论。"先是王逵为荆湖南路转运使,率民输钱免役,得缗钱三十万,进为羡馀,朝廷降诏奖谕。由是诸路尽为掊克,至破产不能偿所负。朝廷知其弊,故条约之。

丁亥,以太子太师致仕王德用为河阳三城节度使、同平章事、判郑州。

时将相王姓者数人,而闾阎妇女小儿皆号德用为黑王相公。德用虽致仕,乾元节上寿,预班廷中,辽使曰:"黑王相公乃复起邪?"帝闻之,遂更付以方镇。

以彰化节度使、知延州狄青为枢密副使。御史中丞王举正,言青出兵伍为执政,本朝所无,恐四方轻朝廷;左司谏贾黯、御史韩赞亦以为言,皆不听。青面涅犹存,帝尝敕青傅药除字,青指其面曰:"陛下擢臣以功,不问门第。臣所以有今日,由面涅耳,愿留此以劝军中,不敢奉诏。"

壬辰,以秘书丞、监郴州税唐介为主客员外郎、通判潭州。

己亥,置广南东、西路、湖南、江西转运判官各一员。庚子,以知宿州朱寿隆提点广南西路刑狱。朝廷惩岭表无备,命完城,贵州守者虐用其人,人不堪命。寿隆驰至州,械守送狱,奏黜之,州人为立生祠。寿隆,台符子也。

秋,七月,乙巳,出内藏库钱三十万缗、绢十万匹,下河北助籴军粮。

丙午,命知桂州余靖经制广南东、西路盗贼。时谏官贾黯言:"靖及杨畋皆许便宜从事,若两人指踪不一,则下将无所适从。又,靖专制西路,若贼东向,则非靖所统,无以使众。不若并付靖经制两路。"靖亦自言:"贼在东而使臣西,非臣志也。"帝从其言,故有是命。

初,魏瓘筑广州城,凿井蓄水,作大弩为守备。及侬智高攻城甚急,且断流水,而城坚,井饮不竭,弩发辄洞中,贼势稍屈。

知英州晋江苏缄,始闻广州被围,谓其众曰:"广与吾州密迩,今城危在旦暮,而恬不往救,非义也。"乃搜募壮勇合数千人,委州印于提点刑狱鲍轲,夜行赴难,去广二十里驻兵。黄师宓为贼谋主,缄使缚其父,斩以徇,贼闻之丧气。时郡民皆旁缘为盗,缄得六十馀人,斩之。招怀其驱胁诖误,使复故业者,凡六千八百馀人。

城被围日久,战数不胜。贼方舟数百,急攻南城。番禺令新喻萧注,先自围中出,募得海上强壮二千馀人,以海船集上流,未发;会飓风夜起,纵火焚贼船,烟焰烛天,大破之,即日发县门诸路援兵及民户牛酒刍粮,相继入城。而转运使成都王罕,亦自外募民兵入城,益修守备。贼知不可拔,围五十七日,壬戌,解去,由清远县济江,拥妇女作乐而行。

攻贺州,不克。遇广东都监张忠于白田,忠战死,虔州巡检董玉、康州巡检王懿、连州巡检张宿、合州巡检赵允明、监押张全、司理参军邓冕皆殁。先是缄与洪州都监蔡保恭，以兵八千人据边渡村，扼贼归路，忠自京师至，夺而将之。临战，谓其下曰："我十年前一健儿，以战功为团练使，尔曹勉之!"于是不介马而前。先锋遇贼奔，忠手拉贼帅二人;马陷泞，不能奋，遂中标枪死。

甲子，广东钤辖蒋偕击贼于路田，兵败，南恩州巡检杨迻、南安军巡检邵馀庆、权宜州巡检冯岳、西路捉贼王兴、苌用和皆殁。

考功议上故司空致仕张齐贤谥曰文定，右仆射陈尧叟曰文忠，太子太傅致仕辛仲甫谥曰康节，赠吏部尚书温仲舒谥曰恭肃，赠户部尚书钱若水谥曰宣靖，赠刑部尚书宋湜谥曰恭质，右屯卫上将军王嗣宗谥曰景庄，威塞节度使冯守信谥曰勤威。自齐贤而下，皆祖宗旧臣也，已葬而未谥，至是其家始请之。

八月，丁丑，以监新淦县税丘浚签署滁州判官事。浚坐作诗刺讥时事，谪官久之。至是淮南安抚陈旭、湖北提点刑狱祖无择表荐之。帝曰："浚无雅行，惟以口舌动人。今旭等称其才，无乃长浮薄!"辅臣言："浚所坐已更赦，宜使自新。"故内徙之。

杨畋既趋广南，又奏请删康定行军约束及赏罚格颁下，并置检法官。己卯，诏谕畋曰:"智高乘飚锐窃发，二广之民日徯官军至，故委卿节制，以歼贼为期。临机趋变，安用中覆!今甲兵大集，不能度形势一举扑灭，乃奏请颁格令，置检法官;此岂应速计邪?贼或顺风下海，掠琼管及海墙诸州，厚戍则兵不足，无备则寇乘之。如能断海道，则不以日月淹滞可也。"

乙酉，降广南东路转运使王罕官，监信州酒税。初，罕往潮州议盐事，闻侬智高围广州，即领兵还，入城为守御备，城得不陷者，罕有力焉，而朝廷未知也。提点刑狱鲍轲自英州挈其孥欲过岭北，至雄州，知州萧勃留之，乃具奏，召罕至雄州计事，罕辄不至。谏官李兑遂劾罕怯懦避贼，端居广州，朝廷亦以罕奏不时达，故及于责。

丙戌，赠张忠为感德节度使，录其父馀庆为左监门卫大将军，赐第一区，给半俸终其身。

丁亥，以萧注为礼宾副使，仍权发遣番禺县事。

戊子，以资政殿学士兼翰林侍读学士、吏部尚书、知汝州吴育为集贤院学士、判西京留守御史台，以育固称疾，求居散地故也。留台旧不领民事，时张尧佐判河阳，民讼久不决者，多诣育，育为辨曲直，判书状尾，尧佐畏恐奉行。

鄜州兵广锐、振武二指挥戍延州，闻其家被水灾，诣副都署王兴求还，不能得，乃相率逃归，至则家人无在者，于是聚谋为盗，州人震恐。知州薛向遣亲吏谕之曰:"冒法以救父母妻子，乃人之常情;而不听汝归，乃武帅不知变之故耳。汝听吾言，亟归收亲属之尸，贷汝擅还之罪;不听吾言，汝无噍类矣。"众径入，拜庭下泣谢，境内以安。向，颜之孙也。

辛卯，改知秦州孙沔为湖南、江西路安抚使，入内押班石全彬副之。沔初入见，帝以秦州事勉之，对曰:"臣虽老，然秦州不足烦圣虑，当以岭南为忧也。臣睹贼势方张，官军朝夕当有败奏。"既而闻张忠死，蒋偕败，帝谕执政曰:"南事诚如沔料。"宰相庞籍因奏遣沔行，仍许沔便宜从事。沔以南方兵连为贼破，气慑不可用，请益发骑兵，且增选偏裨二十人，求武库精甲五千。参知政事梁适谓沔曰:"毋张皇。"沔曰:"前日惟无备，故至此。今指期灭贼，非可以侥幸，乃欲示镇静邪!"居二日，促行，才与兵七百。沔忧贼度岭而北，乃檄湖南、江西曰:"大兵且至，其缮治营垒，多具燕犒。"贼疑，不敢北侵。沔行至鼎州，复诏加广南东、西路安抚使。

以知英州、秘书丞苏缄为供备库使。初，广州以贼遽至，不及清野，故贼得肆略。后缄知贼将走，分兵扼其归路，布槎木、巨石凡四十里。贼至，果不得前，乃绕出数舍，入沙头渡江，由清远县道连、贺州西归，摧伤甚众，缄尽得贼所略去物。

【译文】

宋纪五十二　起辛卯年(公元 1051 年)六月，止壬辰年(公元 1052 年)八月，共一年有余。

皇祐三年　辽重熙二十年(公元 1051 年)

六月，丁亥(初八)，无为军进献灵芝草三百五十株。宋仁宗说："朕以半年为吉兆，以贤良之臣为财宝。至于那些奇异的草木虫鱼，不值得崇尚。今特免知军茹孝标之罪，并劝诫天下，今后不得报告这类事。"

戊子(初九)，汝州部署杨景宗请封为郡守，仁宗对辅政大臣说："景宗是章惠太后弟弟，朕难道不关心他！但他本性贪婪暴虐，老了更是如此，现在如果让他当郡守，则一郡百姓受苦难。"不同意。

丁酉(十八日)，谏官包拯进言："近年来，凡是有名望有才气之人，必被中伤为阴险刻薄，摈弃不用。希望皇上命令宰相等执政大臣，将臣僚中素有才能、过去无辜被贬者，如杨纮、王鼎、王绰等人，曾经叙用而未官复原职者，请求一并复以旧职，或委派他们担当繁重的任务，必定会有成就。"戊戌(十九日)，徙越州知州杨纮为荆湖南路转运使。王鼎先知深州，调任建州知州，不久又任命为提典河北刑狱。王鼎以前在江东，因犯苛察之罪免职，待到重新起用，惩治奸赃之人愈严，检举揭发不避权势，当时偷运贩卖茶盐的人

青白磁水注　北宋

不少，王鼎将他们一并处以杖刑后流放。监察官员多次相劝，王鼎始终不改。

秋季，七月，壬子(初四)，下诏："太学生旧制定为二百人，如果不能满员，只以一百人为限。"

癸丑(初五)，下诏："外任官员职在少卿监以下，年达七十不担任税务之职者，令转运司、提点刑狱司上报；在京的官员则委任御史台、审官院办理；曾经在馆阁、台谏及提点刑狱任职的人，令中书裁决处理；待制以上的人，能自动引退，则多加恩礼，不必作为定制。"

甲寅(初六)，赐陕州草民魏闲以清逸处士。魏闲是魏野的儿子，世代有隐士之德，知州李昭遘上报他的德义，因此获赐。

丙辰(初八)，下诏兖州仙源县，恢复以孔氏子孙知县事。

丁巳(初九)，采纳翰林学士承旨王尧臣建议，将雅乐定名《大安》。

乙丑(十七日)，皇上下诏辅政大臣："近来各职司长官不理事不上奏的人较多，中书省未予处置，长官身系民之性命，应罢免那些罪行严重者，罪轻的也要改任他职。"文彦博等惭

愧而退。于是鄂州王开、台州吕士宗等，或因年老力衰，或因行事迟缓而罢免、调任，共十六人。

丁卯(十九日)，免除天平军节度推官鄣人沈起擅离职守罪。沈起因父病请假，未获回复便回家了。执法官员将其定为私亲罪，皇上说："如果这样，怎么能敦厚风俗？免除他的罪。"

己巳(二十一日)，知制诰宋城人王洙、直集贤院郾城人掌禹锡献上《皇祐方域图志》五十卷。

乙亥(二十七日)，秦州知州吕公绰进京。不久中丞王举正、知谏院包拯进言："吕公绰在其父吕夷简为执政时，多次干预政务，如仓促让他回京，恐怕他会进一步图谋进用。"于是皇上下诏他恢复原职。吕公绰才思敏捷，但他在其父执政时，常泄露授官机密换取别人的拥戴，当时人们将他比作窦申。

丙子(二十八日)，裁减湖南郴、永、桂阳监按丁口交纳的税米。

当初，楚国马氏差派百姓采伐木材，不论户之贫富，全按丁口摊派。宋开国之初，依照木材数量付给报酬，命令按税额交米，而轻重不分等级，家贫者被搞得很苦。仁宗命三司以最低数为标准，全年共减收税米十余万石。

这一月，辽兴宗出巡秋山。

八月，辛巳(初三)，特别授予给事中孔道辅工部侍郎之职，当时龙图阁直学士王素宫廷对策，谈到孔道辅，仁宗念其忠义，因此有这个特赠之令。

癸未(初五)，定州知州韩琦，被加封为观文殿学士，再次任定州知州。

当初，明镐率诸州兵马平定恩州，只有定州兵士请求赏赐，口出怨言，几乎要在城下躁动。韩琦知道这件事后，认为如不加处置将导致部队骚乱，他到达恩州后，即用军纪严加约束，将品行尤为不端者，拉出军门斩首。士卒攻城战死者，则重赏其家人，让孤儿入籍，并让他们继承父亲的职位俸禄，恩威并用。又仿效古人兵法，作方、圆、锐三种阵法，指导传授偏将，天天演习，因此定州兵骁勇为河朔之冠。京师调遣龙猛士卒戍守保州，兵士在路上窃取人家衣物，或是吃饭不付钱的，一到定州，全部被韩琦留下不让走了，他说："保州乃军事要地，曾有人叛乱，怎能杂以骄兵戍守！"于是换以自己平时训练过的几百名士卒代往。而留下的士卒，不过一月便能严守军纪，不敢再犯军法。这一年大歉收，他赈济百姓，使几百万人得以活命，皇上下诏表彰。

丙戌(初八)，仁宗遣使安抚京东、淮南、两浙、荆湖、江南饥民。

辛卯(十三日)，任命张尧佐为宣徽南院使、判河阳，中丞王举正认为这一任命不妥，有损皇上德望，未予答复。

乙未(十七日)，任命知制诰王洙为贺辽太后生辰使。到达靴淀，辽国派刘六符伴宴，刘六符说耶律防长于绘画，曾出使宋廷，绘仁宗像而还，刘六符要把画像带到馆中，王洙说："此非看画之地。"刘六符恐怕画得不像，想派耶律防再往宋廷，王洙坚决反对。

御史中丞王举正进言："陛下赏张尧佐过滥，请罢黜臣下。"仁宗未予答复。知谏院包拯、陈旭、吴奎相继进言："张尧佐任命再次下达，人们议论纷纷，望皇上查对我们前后上奏的札子，一定要赐恩施行。"庚子(二十二日)，下诏："从今张尧佐改为别任，查对这类札子上报。"又下诏："从现在起宣徽使一职不得超过两人。"

乙巳(二十七日),冯道曾孙冯舜卿献上冯道官浩二十通,请求叙用。仁宗对执政大臣说:"冯道虽为四朝宰相,而苟且偷生以保禄位,没有什么可表彰的;将所进献官浩,如数退还。"

这一月,汴河断流。

九月,癸丑(初五),赐给李继隆神道碑,上题"显功"二字。

乙卯(初七),武宁节度使兼侍中夏竦去世,赠予太师、中书令,谥为文献。知制诰王洙当草拟制书,封还这一条目说:"臣子不应与僖祖同谥号(赵朓亦为这一谥号)。"于是改为文正。同知礼院司马光进言:"文正乃谥号中最完美的,夏竦是什么人,得此谥号?"判考功新喻人刘敞进言:"加谥号是有关职司之事;夏竦奸狡不正,而陛下将其加谥为正,这是不行的。"司马光上疏两次,刘敞上疏三次,仁宗下诏改谥号为文庄。夏竦任郡职时,爱立条规,制订保伍之法,盗贼不敢横行。治军极严,敢于诛杀;但对患病及死亡的人,关心照顾极为周到。曾有龙骑卒戍守边境,群聚偷盗抢掠,州郡不能制止。有人密告夏竦,当时夏竦任职关中,等这些龙骑卒来了以后,夏竦召集审问,全部诛杀,军中大为震动。其威严大多如此。但他本性贪婪,多次在辖区从事商贩,在并州让仆人代为经商,仆人侵吞财物被杖至死。夏竦聚财至百万,自己大肆挥霍极为奢侈,还养了不少声伎乐人。在任区暗中离间僚属,使其互相猜疑,从中取事,对自己家人亦如此。

庚申(十二日),赐国子博士梅尧臣同进士出身,仍改任太常博士。梅尧臣是梅询的儿子,长于作诗,大臣们屡荐尧臣宜任职馆阁。征召试用于学士院,因而有了这次任命。

丙子(二十八日),改太子太师王溥谥号文献为文康,以司空退休的章得象谥号文宪改为文简,因为知制诰王洙进言章得象谥号与周公同,王溥谥号与僖祖同。有人要改王溥谥号为文忠,天章阁待制兼侍读张揆说:"王溥身为周相,周亡不以身殉国,怎能言忠!"于是改谥文康。

丁丑(二十九日),下诏令迩英阁讲读官应讲读者,侍奉对策,其余的人则赐座侍阁中。天圣年以前,讲读官都坐侍帝旁,自景祐年以来则立侍帝侧,至此皇上多次面谕以经史义理、要领,须详细论说,于是下了这个诏令,遂为定制。

教坊官王世昌,自称年老,请为永济仓门监守。仁宗说:"王世昌本是士人,只因行为不正,才任教坊之职。永济仓乃国家储粮要地,岂能让这种人把持?给他一个京城中的庙令较为合适。"

这一月辽国更改制定条令制度。

辽兴宗住进中会川。

冬季,十月,己卯朔(初一),下诏三司:"解盐允许商人贩卖,过两年后核实增损情况上报。起初,包拯从陕西回来,极力主张范祥制订的通商法,朝廷已予采纳。不久判磨勘司李徽之又言此法不便,皇上于是让三司论议此事,用驿马召回范祥,让他与李徽之及内外知制诰共议。议论中人们都赞同范祥意见,于是下了这个诏令。

辽国登记核对各道军籍。

甲申(初六),大理寺上报信州有人抢米而使主人受伤,依法应处死刑。皇上对辅政大臣说:"民饥而抢米尚可同情,因偷盗伤主则罪不可恕;但小民无知,终究是因饥荒。"于是予以宽刑赦免。又说："刑法过于松散则百姓怠慢,过于苛严则百姓受到残害,治政要经常做到刚柔适当,上上下下无怨言,则水旱之灾就不会有了,卿等宜以此为戒。"

乙酉(初七),新建隆儒殿,位于迩英殿后。

乙未(十七日),翰林学士兼礼部侍郎、知制诰李淑,被免除翰林学士。李淑起初以端明、侍读两学士奉朝请,不久再入翰林院。谏官包拯、吴奎进言:"李淑本性奸狡不正,曾请侍养其父而不养其母;侍养其父后,又再次出来任官,有图谋私利的目的,而无孝顺亲人的事实。其所作《周三陵》一诗,词句怨愤,说出他所不该说的话。应该免除他内廷之职,以戒奸狡之徒。"于是下了这一诏令。

丁酉(十九日),殿中侍御史里行唐介,降职春州别驾。当初,张尧佐被任命为宣徽、节度、景灵、群牧四使,唐介和包拯力争,又请王举正留下百官在廷内谏论,最终减免张尧佐宣徽、景灵二使。不久又授张尧佐宣徽使、河阳知州之职。有人认为既补为外任便不必再谏争,唐介以为宣徽使一职仅次于二府长官,无内外之分,因而独自谏争。仁宗告谕唐介,张尧佐任命书初步意见出自中书省,唐介说应当责备执政之臣。唐介退出,请求御史台全体官员上殿,仁宗不许。唐介自请贬官,没有批复。于是上奏本弹劾执政大臣文彦博"任益州知州时,织造夹有金丝的奇异锦绫,托宦官入宫中,才升宰相。至于恩州平定叛贼,幸因明镐立下大功,才得以升擢为宰相,前几天张尧佐任职宣徽、节度二使,臣多次上奏,亲听皇上告谕,说是中书省的建议,并非陛下本人意见。这完全是因文彦博奸狡迎合,提升张尧佐,暗中结纳贵妃,在外给陛下加上私偏后宫的名声,而内心完全是为了个人的打算。"又进言:"文彦博一向请为外任,谏官吴奎与文彦博暗中勾结,说文彦博有才能,国家须依赖他,不宜罢免。臣认为文彦博独揽大权,所授官员,大多不合众人意见,所加恩赏,都有个人私情。三司、开封府、谏官、法寺、内外知制诰、三馆、诸司的要职,都是他的门下,和他们更是互相勾结,扩大势力,欲图让大臣们的威望和恩福都握在他一人手中,使人们不敢弹劾他。臣请求罢去文彦博,让富弼代任其职。臣与富弼并无交往,不敢为个人私利。"仁宗大怒,扔下奏章不看,并说要贬斥唐介。唐介将奏章慢慢读完,说:"臣一片忠心出于义愤,虽死不惧,贬斥更不用说!"仁宗于座上急召二府长官,示以奏章,说:"唐介议论别的事倒还可以,至于说文彦博因贵妃才得以为执政大臣,这像什么话!任命执政大臣,岂应让他参与,居然推荐富弼!"当时文彦博在帝前,唐介当面质问,说:"文彦博应当自我检查,这些事实不可隐瞒!"文彦博谢罪不已。仁宗更加恼怒。枢密副使梁适喝令唐介退下殿去,仁宗命送御史台论唐介之罪。彦博再次拜于帝前说:"台官的职责就是言事,希望陛下不予加罪。"仁宗不同意,当即召负责草拟制书的舍人在殿上起草制书谴责唐介。

当时仁宗盛怒,群臣多不敢谏,只有右正言蔡襄进言:"唐介诚然过于狂妄直率,然容纳直言,乃帝王最重要的品德。"己亥(二十一日),中丞王举正又上书言对唐介斥责过重。仁宗也心中懊悔,在朝堂上告谕百官,将唐介改任英州别驾,又将他的奏章取来收入内廷,派遣宦官护送唐介至英州,以防他路途自杀。知制诰胡宿进言:"唐介改贬英州,听说有宦官护送至贬所。我认为以前御史台谏官被贬,并无此先例。一旦唐介因为风霜雨露半道病死,天下人不知内情者多,则使朝廷背上坏名声,损失就大了。就算他能安全到达贬所,此制也不可为后人效仿。望陛下追回使臣,以保全朝廷体制。"殿中侍御史梁蒨也进言:"陛下关心唐介,故派宦官护送;如果唐介不幸病亡,天下后人岂不疑为谋杀吗?"仁宗说:"我当然不曾想到这一点。"急令追回使臣。唐介刚直名闻天下。

庚子(二十二日),礼部尚书、平章事文彦博,被罢为吏部尚书、观文殿大学士、许州知州。任命枢密使庞籍同中书门下平章事,参知政事高若讷,以本官任枢密使。

辛丑(二十三日),任命枢密副使、给事中梁适为参知政事,任命翰林学士承旨、知制诰王尧臣为枢密副使。起居舍人、知谏院吴奎,出任密州知州。包拯上奏请求留任吴奎,而且说:"唐介因为弹劾大臣,牵连吴奎,圣上为其所惑。"仁宗说:"前几天唐介言吴奎、包拯与文彦博暗中勾结,今观此奏折,并不是诬言。"

乙巳(二十七日),仁宗对庞籍说:"谏官、御史,必须用忠诚、正直、淳朴、厚道,通晓事务、熟悉政治制度的人,以革除轻浮浅薄之弊。"庞籍受了圣谕,从此中书省奉旨举荐台官,一定把仁宗的话写在敕令上。

十一月,辛亥(初四),下诏书:"漳、泉州、兴化军,自五代以来,按丁口上交米数太多,有的穷人交不起。从现在起,泉州、兴化军过去交纳七斗五升的,主户减去二斗五升,客户减去五斗八升八合,此为定制。"当初,庞籍任福建转运使,请求罢减漳、泉州、兴化军丁米,有关官员不同意;待庞籍当了宰相,这一措施得以施行。

甲子(十七日),辽国命令东京留守司总领户部内省事务。

丁卯(二十日),辽国罢免中丞记录在职官员的过失犯罪,命令承旨总负其责。

乙亥(二十八日),仁宗对辅政大臣说:"江淮一带连年歉收、饥荒,据说发运司只以盘剥为务,以敷衍税额为能事,虽名为和籴,实为强行摊派。减少今年上供米数一百万石。"于是下诏免去受灾人户应交纳的盐和米。以前河北饥荒,三司增收江、淮米以救济河北,及江、淮出现饥荒,有关官员却要求照常征米,度支副使梅挚奏请减免。

十二月,庚辰(初三),翰林天文院新近制成浑天仪,仁宗亲撰《浑仪总要》十卷,论前代得失,后来留在内廷未发出。

乙酉(初八),辽国因太后行再生礼,大赦天下。

戊子(十一日),中书省上书:"诸房官吏稽查违法的人,向来是根据他的行为依法处置,而他们并非诚心悔过。要逐条登记这些条目,按过失轻重划分等级,对于那些屡受处罚情节严重的人,下圣旨罢免。"听从了这一建议。

戊戌(二十一日),任命资政殿学士吴育为陕州知州。起初,任命吴育兼任翰林侍读学士,他以病相辞,再三要求到州郡任职。仁宗对近臣说:"吴育刚正可加重用,只是疾恶如仇,宜听从他的请求。"于是派宦官赐宫中良药。不到半年,又调任汝州。

先前包拯请求任命范祥兼本路转运副使,命他筹划盐法利弊,规划边境粮食,事务由专门机构负责,容易办理。而三司使田况早就请求让范祥任此职,专办此事。己亥(二十二日),任命范祥为陕西转运副使,仍赐穿金紫官服,示以宠爱。

庚子(二十三日),下诏:"文武官员年龄在七十以上尚未退休的,不再参加考课迁官;其中有功勋于国家,有恩惠于百姓,当加奖赏的,不为限制。"

任命益州乡贡进士房庶为试校书郎。房庶是成都人,宋祁曾代其进献所写《乐书补亡》二卷,田况自蜀地回京,也说他精于乐律。不久召至京师,房庶说:"曾获古本《汉志》,上云:

'度是根据黄钟长度确定的,把中等大小的黑黍放进去,以一粒为起点,达到一千二百粒为九十分,黄钟的长度为一分,'今本《汉志》漏去'之起积一千二百黍'八字。故自前代以来,累积黍粒为尺度以定律音,说明律产生于尺,非尺产生于黄钟。而且《汉志》上说'一为一分',是指九十分之一。后儒们认为一粒黍子为一分,这种方法是不对的。应该以中等子粒黑黍一千二百粒充实放入其中分为九十份,为黄钟长度,九寸再加一份作为尺度,那么音律就定下来了。"直秘阁范镇同意这种观点,于是说:"李照用黍米纵向填实一尺的空管,其内径为三分,能装下一千七百三十粒;胡瑗用黍米横向填一尺的空管,能装下一千二百粒黍米,内径为三分四厘六毫;此两法都是用尺度来制定律,不符古法。现在房庶所说的,是将一千二百粒黍米装入管内,来定黄钟音律,将空管内径定为三分,这样便不会出现有违古法的偏差了。这三种方法比较起来,房庶的方法可取。希望依其法,试着制作度量尺度并用古人留下的器具来做参照,必会成功。"于是下诏令令王洙、范镇一同在修制所依房庶法制作度量衡工具,呈送仁宗。仁宗召集大臣一同观看,又令房庶介绍其法,并询问音律吕和宫的相互关系,令其绘图样进献。这时胡瑗等人制作音律已有定论,特地恩准他继续制作。范镇对执政大臣解释说:"现今音律与尺度,之所以不准确,是因为采用黍米堆积之法,史书脱漏文字的缘故。古人怎会将难于看懂又不正确的方法写在史书上,让后世人疑惑不解呢! 简单易懂正确之法,只有房庶的办法。现在房庶自陈己法,即按古法以音律定尺度,其中的长度与空管内径、空管的容积以及一千二百这个数目,均符合无偏差。正如房庶所言,这是最正确的办法。"执政大臣不同意。

皇祐四年 辽重熙二十一年(公元1052年)。

春季,正月,辛亥(初四),英州别驾唐介调任全州团练副使、监察郴州酒税。

辽兴宗到达混同江。

王尧臣、王守忠、陈旭等人,查对庆历、皇祐共四年全国财赋收支,凡金币、丝纩薪刍之类,均计入总数,平均计算,皇祐元年全年收入一亿二千六百二十五万多,收支两抵无节余;写成书簿七卷,丙辰(初九),上报仁宗。下诏送至三司,取一个中等年份之数为标准。

庚申(十三日),乾宁军进献古钟,下诏送至详定大乐所。

丙寅(十九日),允许吉州司理参军祝绅为其兄服丧。祝绅幼时失去父母,兄嫂将他养大,曾为嫂服丧,如今又请解除官职为兄服丧。仁宗说:"近来尚有不上报父母之丧而图谋迁升的人,现在祝绅服丧虽然不合礼仪,然他不忘抚养之恩,也是值得表彰的。可同意他的请求,待他服丧满后,授予幕僚之类或知县等职。"

下诏:"去年唐介进谏明显地牵涉到结交依托权贵之事,本应将他免官降职,担心言路受阻,不久又让他任职。现在尚担心谏臣不敢尽言,御史台、谏院,你们一定要尽忠直言以补救朝廷过失。"

二月,戊寅(初二),皇上对执政大臣说:"东南地区连年歉收,百姓财力匮乏,曾下诏减征漕运粮一百万石。如今发运使施昌言、许元分别打算从两浙、江南一带征调军粮,百姓肯定会因强征暴敛而疲惫,这不过是求得多余的赋税进献朝廷获取升迁,应加约束。"于是下诏施昌言等人按上次诏令办,不得轻易加派提高比率。

庚辰(初四),任命兵部郎中考城人傅求为户部副使。

庆历末年,傅求由梓州路转运使任内调到陕西。当时关中使用一个当十个的铁钱,不少人盗铸,傅求出主意请变钱法。到达关中后,询问百姓困难,借给粮食种子钱,令其麦熟后偿还,只收少量利息,百姓非常欢喜。傅求马上下令各州县,共贷给百姓钱二百八十万缗。不久朝廷变法,于是下令,用三个小钱换一个大钱。百姓始料不及,破产失业,多人自杀,而盗铸也减少了。所贷出钱共收回麦四十万斛,商人送粮至边境而在中都取钱,年支五百万缗。当时河北路上奏拨给一些钱,朝廷无钱,傅求说本道仓库充实,请求将本道应接受钱款转交河北路,仁宗赞赏不已。自康定一带有战事,陕、华以西均将赋税收入送边关,百姓困苦,傅求下令输送本郡赋税,将卖粮得到的现款,供应边关以作购粮之用。百姓从中获益而兵粮充足。王尧臣详细考察了他的政绩,上报他的情况;仁宗下诏表彰。不久召见他,让他暂时负责纠察京城刑狱,这时将他提升为三司副使。

癸未(初七),下令御史中丞王举正与三司一同详细审定冗费状况。

这一月,辽兴宗到达鱼儿泺。

三月,丁未(初二),任命知谏院包拯为龙图阁学士、河北都转运使。过了几个月,又迁为高阳关路安抚使。于是登记全路吏民历年所欠公款,一并免除。

丙辰(十一日),免收江南东路、西路百姓所贷的种粮。先前,仁宗对执政大臣说:"近年江南歉收,贷给种粮数十万斛,又多次推迟归还,转运司则索讨不停。听说百姓因贫不能还清,要不是遣使安抚天下,这些情况不得上报,免予收取。"

壬戌(十七日),从内藏库取绢十万匹,送至三司助军费。

丙寅(二十一日),河东、陕西都部署司说郭谘所献的独辕冲阵杀敌流星弩,可以装备军队,下令弓弩院按样图生产。不久任命郭谘为鄜延路铃辖,给他五百副弓弩,招募当地人训练。训练好以后,经略使夏安期陈述其优点,下诏添置独辕弩车。

戊辰(二十三日),任命全州团练副使、监郴州税唐介为秘书丞。

辛未(二十六日),下诏杂买务:"自今起凡宫廷购买之物,都依市价付钱,不是缺少之物,不得购置。"先前,仁宗对执政大臣说:"我朝鉴于唐代宫市的危害,特地设置这一机构,让京朝官、内侍共同主持,防止干扰百姓。近年来多购不需之物,骚扰百姓甚为严重。"故下此诏。

夏季,四月,戊寅(初三),禁止宫内宿卫臣僚聚会。

以前宫内有一欹器,陈设于迩英殿御座前,旨谕丁度说:"朕思考古人欹器之法,已令宫人试制,以示众卿。"下令以水注入,水注一半则放得端正,注满则倒下,内无水时则倾斜,大致如《家语》、荀子、淮南子等所言。仁宗说:"太阳正午则西偏,月圆后便缺,朕要以中正适应君临天下,一定与各位臣子共守此准则。"丁度拜谢说:"臣等亦愿保持中正适度为陛下尽职。"因此谈到宋太宗曾做此器,真宗也曾有所评论。庚辰(初五),仁宗著《后述》赐给丁度等人。

丙戌(十一日),辽国派遣使臣来贺乾元节,其国书中第一次去掉国号,称南朝、北朝。并且在国书中说大宋、大契丹没有兄弟情义。仁宗召集二府官员讨论,参知政事梁适说:"宋之所以称为宋,受于上天,不可更改。契丹也是辽国名。自古以来岂有无名之国!"又让两制、台谏官员讨论,都说两国议和以来,国书都有固定形式,不能轻易同意其变改国名。于是下

1095

诏学士院写答辽书,仍称为大契丹、大宋。后来辽国再有的国书,仍称自己为大契丹。当初知制诰韩综任馆伴,辽使回复书信如辽国一样只称南、北朝,韩综对他说:"自古以来没有哪个国家无国号。"辽使惭愧,没有回答。后来辽使来宋,朝廷选择馆伴,当时韩综已去世了,仁宗问:"还有韩综这样的人才吗?"

先前,依智高进献贡物,请求归顺,被宋廷拒绝。后来又进献金物函书再请,邕州知州陈珙上报朝廷,没有答复。依智高得不到同意,又与交趾结仇,且独专广源山泽之利,于是收纳亡命之徒,多次用破旧衣服接取谷物,假称山里饥荒,部落离散,邕州当局信以为真,认为其势弱小,不加防备。于是与广州进士黄玮、黄师宓及其党依建中、依智忠等日夜图谋入侵宋境。一天晚上,点火焚烧了自己巢穴,谎言众人:"我们生平所积财物,今为天火焚烧已尽,我们无法生存。只有攻下邕州,占据广州称王,否则必死无疑。"这一天,依智高率领部众五千沿郁江东下,攻破横山寨,寨主张日新、邕州都巡检高士安、钦、横州同巡检吴香均战死。

五月,乙巳朔(初一),依智高攻破邕州,俘知州陈珙、通判王乾祐、广西都监张立。先前,贼围城,陈珙令王乾祐守来远门,权都监李肃守大安门,指使武吉守朝天门。张立从宾州来救援,入城后,陈珙在城上犒劳兵士,刚刚行酒,城便攻破。陈珙、张立、王乾祐及节度推官唐鉴、司户参军孔宗旦均被俘获,兵士战死一千多人。依智高查看财库,看到自己献上的金函,怒冲冲对陈珙说:"我请求归附,求封一官以统领各部落,你不上奏,这是为什么?"陈珙说已上告朝廷,只是尚未批复。依智高索要奏章,没有得到,于是将陈珙牵出。陈珙生眼疾,不能视物,惊呼万岁,请求自尽,不同意,与张立、王乾祐、陈辅尧、唐鉴、孔宗旦一同遇害。张立遇害前,大骂不屈,过了一个月,其尸如生。

依智高尚未反叛之时,邕州有一道白气自庭院冲出,江水上涨。孔宗旦认为这是战争之兆,估计依智高必反,以书告知陈珙。陈珙大怒,骂孔宗旦说:"司户疯了吗?"等到依智高攻破横山寨,孔宗旦便将亲属送至桂州,说:"我因官任在身不可离去,你们不必同我死在一起。"不久贼俘孔宗旦,要他归顺为其效力,孔宗旦大骂,遂遇害。

依智高攻下邕州后,建立伪大南国,僭称仁惠皇帝,改年启历,大赦境内,黄师宓以下都称中原官名。

丙午(初二),任命以太常丞退休的导江人代渊为祠部员外郎。代渊侍奉父母十分孝顺,举进士甲科,授予清水主簿,叹息说:"官职与亲人无关,有什么用!"于是回家教学,席无虚座。王拱辰安抚两川,写信要见他,辞以疾不见。杨日严任益州知州,再次举荐他,于是以太子中允退休。谢绝各位弟子,著《周易旨要》《老佛杂说》数十篇。这时翰林学士田况进献他的书,下诏优待他加两官。

庚戌(初六),下诏:"国子监直讲,从现在起选用通晓经书有品行,年龄四十岁以上的人担任。"当时侍御史梁蒨进言:"近几天杨忱被荐为学官,杨忱年少轻浮,不宜任用。"因此下了这一诏书。杨忱是杨偕的儿子。

癸丑(初九),依智高攻入横州;丙辰(十二日),攻占贵州;庚申(十六日),进入龚州;辛酉(十七日),攻入藤州;又占领梧州、封州,封州知州曹觐战死。当时岭南州县未设防备,守将多弃城而逃。封州士卒不过百人,又无护城壕可据守,有人劝曹觐逃走,曹觐大声斥责:"我是守城之官,有死而已,再敢说逃跑者斩首!"叛贼一到,曹觐率部下与之决战,兵败被俘。

贼人揪住他要他下跪,且引诱他:"如归顺我等则可封为高官,给你美女为妻。"曹觐大骂:"臣下只向北面拜天子,我岂能跟从你们苟且此生!"贼人还是舍不得将他杀掉,将他转移到船上。曹觐绝食两天,摸出怀中官印交给部卒说:"我不久即死,你从小道,将此官印交给官府。"贼人知道他不会投降,将他杀害,至死骂不绝口。

壬戌(十八日),侬智高攻占康州,知州赵师旦、监押马贵以身殉职。赵师旦是赵积的侄子。

叛贼攻下邕州后,顺流东下。赵师旦派人侦察敌情,回来报告说:"各州长守都弃城走了。"赵师旦大声斥责:"你也要我逃跑吗?"于是开始搜索,抓到三个间谍,将他们斩首示众。这时贼人已攻至城下,赵师旦手下只有三百兵士,于是开城门迎战,杀死几十个敌人。此时天色已晚,贼人稍稍退却,赵师旦告知妻子,取出州印让她佩上,叫她带着儿子躲藏,说:"明天贼人一定会再来,我自知不能抵敌,但不能弃城逃走,你留下同死无益。"于是与马贵一道部署兵士坚守州城。叫马贵吃饭,马贵吃不下,赵师旦如平常一样吃了很多。第二天早晨,贼人攻城愈加激烈,部下请求暂加退避,赵师旦说:"战场上死与被俘死有何区别?"部下都说:"愿为国牺牲。"直到城被攻破,无一人逃走。弓矢已尽,赵师旦与马贵一同回坐官堂。侬智高率兵攻入,胁迫赵师旦,赵师旦大骂。侬智高大怒,把他同马贵一同杀害了。癸亥(十九日),攻占端州,知州丁宝臣弃城逃走。

甲子(二十日),颍州知州、资政殿学士、户部侍郎范仲淹到达徐州后去世。

范仲淹少怀大志,富贵、毁誉、欢乐忧苦,全不放在心上。然而慷慨向往着担当天下重任,常高声自吟:"有识之士应当先天下之忧而忧,后天下之乐而乐。"每当感动奋发地论天下大事,便奋不顾身,一时士大夫纷纷勉励自己崇尚好的风节,这是范仲淹开创的结果。他特别孝顺,因为老母在世时家境贫寒,后来虽然富贵,除非招待客人才用两道肉菜,妻儿的衣食也只够自用。但喜欢救济他人,设义庄于乡里,以赡养同族人。镇守杭州的时候,子弟们知道他有引退之意,趁机劝请他在洛阳置房产,造园圃,以为养老之地。范仲淹说:"人如果有道义上的乐趣,身体便可置之度外,何况居室呢!我今已年过六十,活不过多久了,而谋求建宅第造园圃,要等到什么时候才能居住!我担心的是官位太高难以引退,不担心引退后无住处。况且西都士大夫的园林连绵相望,他们的主人不能常游,而谁能阻止我去游览呢!难道只有自己占有后才有欢乐吗?"及至去世,赠予兵部尚书,谥为文正,又派使臣到他家慰问。安葬时,仁宗亲自在他的墓碑上题写"褒贤之碑"四字。范仲淹主张处理政事要忠诚厚道,他所到之处遍施恩惠,邠州、庆州两地百姓和归属的羌人都画了他的像立于生祠供奉。他死后,羌人首领几百人恸哭如自己父亲去世,斋戒三天才离去。

丙寅(二十二日),侬智高包围了广州。两天前,有人前来告急,知州江都人仲简以为是谎言,将来人囚禁起来,下命令说:"再言贼人来了的斩首!"因此百姓都未加准备。及至贼人到来,才下令百姓入城,人们争着用金物贿赂守门人以求先入,很多人因为践踏而死,其余的人都归顺了贼人,贼势更为浩大。

命令韶州知州陈曙领兵征讨侬智高。朝廷刚得知侬智高反叛时,下令进奏院不得立即通报。知制诰吕溱说:"边防地区情况紧急,一处有盗贼,应让各路知道,共设防备。现今不让人知道,这是什么意思!"

六月，乙亥(初二)，起用前卫尉卿余靖为秘书监、潭州知州，前屯田员外郎、直史馆杨畋被任命为广南西路体量安抚提举经制盗贼。余靖和杨畋均居父丧。先前余靖与韶州知州召集农兵，修缮卫城设施，共同筹划防守办法，朝廷知道后予以嘉奖；又因杨畋素知蛮人情况，因而下了这一诏命。不久改调余靖为广南西路安抚使、桂州知州。杨畋被召见，到达京师城门外，以身着丧服为辞不敢入见；仁宗赐给自带围巾，在便殿入对，当日将他加封起居舍人、同知谏院，派遣前去。

甲申(十一日)，广州知州仲简调任荆南知州。朝廷仅知仲简长于守城，因下此令，却不知广州人对其恨之入骨。

丙戌(十三日)，下诏："各州、军的里正、押司、录事，已被代替而要他们出钱来免除差役者，以违纪论处。"先前王逵任荆湖南路转运使，号召百姓输钱代役，共得钱三十万，作为赋税盈余上交，朝廷下诏表彰，因此各路都以此盘剥百姓，以致有人破产不能偿还债务。朝廷深知其害，故下诏制止。

丁亥(十四日)，以太子太师退休的王德用被任命为河阳三城节度使、同平章事、判郑州。

当时将相中姓王的有几个，但民间妇女小儿都称王德用为黑五相公。王德用虽然退了休，乾元节祝寿时，他也在官员之中，辽国使臣说："黑五相公又做了官吗？"仁宗听了，于是又付以方镇重任。

任命彰化节度使、延州知州狄青为枢密副使。御史中丞王举正，说狄青出身行伍担任执政大臣，本朝无此先例，恐怕邻国小看朝廷；左司谏贾黯、御史韩贽也这么说，均未听从。狄青面部刺的字迹犹在，仁宗曾下令他敷药消除，狄青指着自己的脸说："陛下以战功提拔我，不问门第。臣之所以有今天富贵，全是因为我脸上的字，希望保留下来以励士卒，不敢受命。"

壬辰(十九日)，任命秘书丞、监郴州税唐介为主客员外郎、通判潭州。

己亥(二十六日)，设置广南东、西路，湖南、江西转运判官各一员。庚子(二十七日)，以宿州知州朱寿隆任提点广南西路刑狱。朝廷以岭表无防备为鉴，下令修缮城墙，贵州守城官吏虐待修城墙百姓，百姓不堪忍受。朱寿隆驰至贵州，把知州枷起来关入牢狱，上奏罢免，贵州人为他建造生祠。朱寿隆是朱台符的儿子。

秋季，七月，乙巳(初二)，从内藏库拿出钱三十万缗、绢十万匹，送至河北帮助收购军粮。

丙午(初三)，命令桂州知州余靖负责讨伐广南东、西路叛贼。当时谏官贾黯说："余靖和杨畋都允许可以便宜行事，如果二人指挥不一，则下属将领无所适从。再者，余靖只负责西路，如果叛贼进攻东路，则余靖无权指挥。不如让余靖经制两路。"余靖自己也说："叛贼在东路而将我派往西路，这并非臣愿。"仁宗从其言，故下此令。

当初，魏瓘修建广州城，凿井蓄水，造大弩加紧防备。及至侬智高攻城紧迫，且断绝水源，但城墙坚固，井水充足，弓弩则从洞口射出，贼兵势力受到打击。

英州知州晋江人苏缄，一听到广州被包围，对部下说："广州和英州相邻，现在危在旦夕，而我们坦然不去相救，这是不仁义的！"于是招募壮勇之士几千人，将州印托付给提点刑狱鲍轲，当夜前去救援，在离广州二十里处驻军。黄师宓是贼人主要谋士，苏缄将其父缚来，斩首示众，贼人听到后大为丧气。当时郡中许多人都趁机为盗，苏缄抓获六十余人，斩首；抚劝被迫跟从贼人的百姓,让他们恢复原业,共有六千八百多人。

广州城被围了很久,每次作战不能取胜。反贼动用船只数百,急攻南城。番禺县令新喻人萧注,行前突围出来,招募海上精壮之士二千余人,用海船载集上流,尚未出发;恰好夜起巨风,于是纵火烧敌船,烟火通明,大败贼人,当日调拨县门各路援兵及百姓牛酒粮草,相继入城。且转运使成都人王军,也从外面招募民兵入城,修缮守城设施。贼人知道攻不下广州,包围五十七天后,壬戌(十九日),撤去,从清远县渡江,一路掳掠妇女寻欢作乐而行。

叛贼进攻贺州不能下。与广东都监张忠遭遇于白田,张忠战死,虔州巡检董玉、康州巡检王懿、连州巡检张宿、合州巡检赵元明、监押张全、司理参军邓冕均战死。起初苏缄与洪州都监蔡保恭,拥兵八千据边渡村,扼守敌人退路,张忠从京师赶来,夺取兵权自己统率。临战,他对部下说:"十年前我也只是一名勇士,因战功升为团练使,你们应当努力!"马未上鞍便出发了。先头部队一遇上敌人便退却,张忠手搏两名贼将;战马陷入泥泞,不能脱身,因此中标枪而死。

甲子(二十一日),广东钤辖蒋偕与贼人战于路田,失败,南恩州巡检杨逵、南安军巡检邵余庆、权宜州巡检冯岳、西路捉贼王兴、苌用和均战死。

考功提议加已故司空退休张齐贤谥号为文定,右仆射陈尧叟谥号为文忠,太子太傅退休辛仲甫谥号为康节。赠吏部尚书温仲舒谥号恭肃,赠户部尚书钱若水谥号为宣靖,赠刑部尚书宋湜谥号恭质,右屯卫上将军王嗣宗谥号景庄,威塞节度使冯守信谥号勤威。从张齐贤以下,均为先帝旧臣,已经安葬而无谥号,直到此时他们的亲属才提出请求。

八月,丁丑(初五),任命监新淦县税丘浚为滁州判官。丘浚因为作诗讥讽当局,贬官已久。直到今天淮南安抚陈旭、湖北提点刑狱祖无择上表荐举他。仁宗说:"丘浚无品行,只是口里说得好听。现在陈旭等人称其有才,岂不助长了轻浮狡奸之人!"执政大臣说:"丘浚之罪已赦免,应让他改过自新。"所以迁到内地任职。

杨畋到广南后,又奏请删改康定行军纪律并颁布了赏惩法令,设置检法官。己卯(初七),下诏晓谕杨畋:"依智高倚仗悍勇,骤然起事,两广百姓日夜盼望官军到来,所以让卿等指挥,以期消灭叛贼。临机应变,怎能用朝中指令!今大军集结,不能审度战局一举将敌消灭,而奏请颁布条令,设置检法官,这难道是速胜之法吗?贼人如顺风逃到海上,劫掠琼管及沿海各州,固守则兵力不足,不加防备则贼有机可乘。倘能断绝海路,则不会拖延时日了。"

乙酉(十三日),将广南东路转运使王军降职,命他监信州酒税。先前,王军前往潮州商议盐务,听说依智高包围广州,便引兵而回,进城加强防守,广州城未被攻破,王军有功,但朝廷不知。提点刑狱鲍轲从英州带着家眷过岭北,至雄州,被知州萧勃留下,于是上奏,召王军到雄州商议事务,王军无故不到。谏官李兑弹劾王军怯懦避贼,安居广州,朝廷也以王军的奏折没有及时送来,因此加以责备。

丙戌(十四日),授予张忠感德节度使,录用其父张余庆为左监门卫大将军,赐宅第一座,终身享受一半俸禄。

丁亥(十五日),任命萧注为礼宾副使,仍然代理发遣番禺县的事务。

戊子(十六日),任命资政殿学士兼翰林院侍读学士、吏部尚书、汝州知州吴育为集贤院学士,判西京留守御史台,这是因为吴育再三称病,要求担任闲散职务的缘故。留守御史台从前不负责民事,当时张尧佐任河阳通判,民间诉讼之不能判决的,大多呈送吴育,吴育分辨曲直,在诉状后写上判词,张尧佐心怀畏惧地执行。

鄜州兵广锐、振武二指挥戍守延州,听说家乡闹水灾,向副都署王兴请求回乡,不批准;于是相继逃回,到家后亲人已死,于是群聚为盗,州里百姓恐慌。知州薛向派亲信官吏告谕他们:"违法去营救自己父母妻子,这是人之常情;而不准你们回家,这是武将不知变通的缘故。你等听我劝告,赶快回去收埋亲人尸骨,宽恕你们擅自离职之罪;如不听劝告,你们就没命了。"众人径直走出,在庭中谢罪,境内于是安定下来。薛向是薛颜孙子。

辛卯(十九日),将秦州知州孙沔调任湖南、江西路安抚使,入内押班石全任副使,孙沔先前入见仁宗,皇上以秦州之事勉励他,孙沔回答说:"臣虽年老,但秦州事务陛下不须担忧,只是岭南的事还须考虑。臣观贼势正盛,官军早晚会有败报。"及至听到张忠战死,蒋偕兵败,仁宗对执政大臣说:"岭南事局果如孙沔所料。"宰相庞籍于是奏请孙沔出发,仍允许孙沔便宜行事。孙沔认为南方官军连败贼手,士气低落不可用兵,请求加派骑兵,并增选偏裨将官二十人,要求从武器库中拨给精甲五千副。参知政事梁适对孙沔说:"不要张扬。"孙沔说:"以前因为无防备,故至此局面。如今指望消灭贼人,不可侥幸取胜,你还要显示镇静吗?"过了两天,他催促起行,才给了他七百名兵士。孙沔担心贼人从岭南北上,于是发檄文至湖南、江西:"官兵将至,请修缮整治营垒,多准备犒军酒食。"叛贼心生疑虑,不敢北上。孙沔抵达鼎州,又下诏将他加封广南东路、西路安抚使。

任命英州知州、秘书丞苏缄为供备库使。从前,广州因为叛贼突至,来不及坚壁清野,因此贼人大肆掠夺。后来苏缄知道贼人将退,分兵扼守敌人归路,沿途布下槎木、巨石达四十里。贼至,果然无法前进,便绕行百余里,进入沙头渡江,自清远县经连州、贺州向西退回,伤亡很大,所掠之物全为苏缄所得。

续资治通鉴卷第五十三

【原文】

宋纪五十三　　起玄黓执徐【壬辰】九月,尽昭阳大荒落【癸巳】七月,凡十一月。

仁宗体天法道极功全德　神文圣武睿哲明孝皇帝

皇祐四年　辽重熙二十一年【壬辰,1052】　九月,戊申,侬智高杀广南钤辖蒋偕于贺州太平场,庄宅副使何宗古、右侍禁张达、三班奉职唐岘皆殁。偕始受命讨贼,驰驿十七日,至广州城下,入城,数知州仲简曰:"君留兵自守,不袭贼,又纵部兵醢平民以幸赏,可斩也!"仲简曰:"安有团练使欲斩侍从官!"偕曰:"斩诸侯剑在吾手,何论侍从!"左右解之,乃止。及贼去广州,杨畋檄偕焚储粮,退保韶州。军次贺州,贼夜入其营,袭杀之。偕举动轻肆,卒以此败。

山南东道节度使、同平章事贾昌朝初除母丧,乙卯,召赴迩英阁讲《乾卦》。帝曰:"将相侍讲,天下盛事。"昌朝稽首谢。寻命昌朝判许州,将行,诏讲读官饯于资善堂。

丙辰,降广南东、西路体量安抚经制贼盗杨畋知鄂州,同体量安抚经制贼盗曹修为荆南都监,广南东路钤辖兼捉杀蛮贼蒋偕为潭州都监。

初,畋与修闻侬智高徙军沙头,将济江,即命偕弃英州,焚储粮,乃召内殿承制丌赟、岑宗闵、阁门祗候开封王从政退保韶州,仍移文御史台及谏院,故并责之。时偕死已九日矣。

马军副都指挥使、耀州观察使周美卒。驾临奠,辍朝一日,赠忠武节度使,谥忠毅。

自陕西用兵,美前后十馀战,平族帐二百,焚寨二十四,招种落内附者十一族,复故城堡甚众。在军中所得俸禄赏赐,多分其麾下,有馀悉以飨劳之,及卒,家无馀资。

丁巳,命知桂州余靖提举广南东路兵甲、经制贼盗。

己未,赠岭南诸州死事者官有差,知封州曹觐为太常少卿,知康州赵师旦为光禄少卿。始,师旦尝知江山县,断治出于己,吏不能得民一钱,弃物道上,人无敢取。及是丧过江山,江山人哭祭于路,数百里不绝,康州立庙祭之。及田瑜安抚广南,亦为觐立庙封州。

庚申,侬智高破昭州,知州柳应辰弃城走,广西钤辖王正伦与贼斗于馆门驿,死之,阁门祗候王从政、三班奉职徐守一、借职文海皆被害。从政骂贼不绝口,至以汤沃之,终不屈而死。

辛酉,以太常博士韩绛为右正言。帝面谕曰:"卿朕所选用,言事不宜沽激,当存朝廷事体,务令可行,毋使朕为不听谏者。"绛前使江南,所宽减财力、赈救全活十数事;创为五则,以均衡役;斥陂湖利,夺其锢者予贫民;罢信州〔民〕(盐运)〔运盐〕,趣发运司以时输送;宣州守贪暴不法,收以付狱,州人相贺。使还称旨,故有是命。

癸亥,诏:"外官有所陈事,并附递闻朝廷,毋得申御史台。"时州郡多以状申御史台,欲其缴奏而行之。

杨畋、曹修经制蛮事,师久无功,改命孙沔及余靖等,帝犹以为忧。或言侬智高欲得邕、桂七州节度使即降,枢密副使梁适曰:"若尔,岭外非朝廷有矣!"帝问宰相庞籍,谁可将者,籍荐枢密副使狄青。青亦上表请行;翼日,入对,自言:"臣起行伍,非战伐无以报国,愿得蕃落骑数百,益以禁兵,羁贼首至阙下。"帝壮其言。庚午,改宣徽南院使、荆湖南、北路宣抚使、提举广南东、西路经制贼盗事。初,欲用入内都知任守忠为青副,谏官李兑言唐以宦官观军容,致主将掣肘,是不足法,遂罢守忠。

是月,辽主谒怀陵,追上嗣圣皇帝、天顺皇帝尊谥,更谥彰德皇后曰靖安,谥齐天皇后曰仁德。旋谒祖陵,增太祖谥曰大圣大明神烈天皇帝,更谥贞烈皇后曰淳钦,恭顺皇帝曰章肃,后萧氏曰和敬。

冬,十月,甲戌,殿中丞胡瑗落致仕,为光禄寺丞、国子监直讲,同议大乐。

丙子,诏鄜延、环庆、泾原路择蕃落广锐军曾经战斗者各五千人,仍逐路遣使臣一员,押赴广南行营,从狄青请也。青言:"贼便于乘高履险,步兵力不能抗,故每战必败。愿得西边蕃落兵自从。"或谓南方非骑兵所宜,枢密使高若讷言:"蕃落善射,耐艰苦,上下山如平地,当乘瘴未发时,疾驰破之,必胜之道也。"青卒用骑兵破贼。

丁丑,侬智高入宾州,知州陈东美弃城。

戊寅,辽主驻中会川。

己卯,降空名宣头、札子各一百道,锦袄子、金银带各二百,下狄青以备赏军功。

兵部郎中、天章阁待制仲简,落职知筠州。

庚辰,狄青辞,置酒垂拱殿。青既行,帝谓辅臣曰:"青有威名,贼必畏其来,左右使令,非亲信者不可,虽饮食卧起,皆宜防窃发。"因驰使戒之。

辛巳,内降手诏付狄青:"应避贼在山林者,速招令复业。其乘贼势为盗,但非杀人,及贼所胁从能逃归者,并释其罪。已尝刺面,令取字给公凭自便。若为人所杀而冒称贼首级,令识验,给钱米周之。其被焚劫者,权免户下差役;见役,仍宽与假,使营葺室居。凡城壁尝经焚毁,若初无城及虽有城而不固,并加完筑。器甲朽敝不可用者,缮治之。"右正言韩绛,言青武人,不可独任。帝以问庞籍,籍曰:"青起行伍,若用文臣副之,必为所制,而号令不专,不如不遣。"乃诏广南将佐皆禀青节制,若孙沔、余靖分路讨击,亦各听沔等指挥。

甲申,侬智高复入邕州,知州宋克隆弃城。克隆承贼践蹂之后,不营葺守备,颇纵士卒下诸山寨,杀逃民,诈为获盗,一级赏钱十千文,诈给亲兵帖,以为尝有功。及智高再至,克隆无以御贼,遂遁去。

丁亥,夏主遣使如辽,乞弛边备,辽主即遣萧友(恬)〔括〕往谕之。

戊子,辽主如显、懿二州。

庚寅,帝谓辅臣曰:"比日言政事得失者少,岂非言路壅塞所致乎!其下阁门、通进银台司、登闻理检院、进奏院,自今州县奏请及臣僚表疏,毋得辄有阻留。"

甲午，诏："比有军卒邀车驾进状而卫士失呵止者，其贷之。"帝初幸景灵宫，既登辇，因戒卫士："今岁天下举人皆集京师，如有投诉者，勿呵止之。"及军卒进状，卫士亦不之禁，有司欲论罪，帝具以其事语辅臣而贷之。

辽以南院大王潞王札拉为南院枢密使，进封越国王；辽兴军节度使萧虚烈封郑王。

戊戌，辽主射虎于南撒葛柏。

十一月，壬寅朔，日有食之。

辽增谥文献皇帝为文献钦义皇帝，及谥二后曰端顺，曰柔贞，复更谥世宗孝烈皇后为怀节。丁未，增孝成皇帝谥曰孝成康靖皇帝，更谥圣神宣献皇后为睿智。

先是以知制诰长社何中立知秦州，谏官、御史皆言中立非边才，己酉，改知庆州。中立奏曰："臣不堪于秦，则不堪于庆矣，愿守汝州。"不报。会戍卒有告大校受赃者，中立曰："是必挟它怨也。"鞭告者，窜之。或谓："贷奸可乎？"中立曰："部曲得持短长以制其上，则人不安矣。"

癸丑，以都官员外郎大名郭申锡为侍御史。申锡尝知博州，戍兵出巡，有欲胁聚为乱者，申锡戮一人，黥二人，乃定。奏至，帝谓执政曰："申锡小官，临事如此，岂易得也！"京东盗执濮州通判井渊，诏移申锡知濮州。至未阅月，凶党悉获。

戊午，诏免江西、湖南、广南民供军需者今年秋税十之三。

庚申，赐故参知政事蔡齐墓次所建佛祠曰宝严。初，齐母张氏请赐，中书以为无例；帝特赐之，因谓辅臣曰："朕临御以来，命参知政事多矣，其间忠纯可纪者，蔡齐、鲁宗道、薛奎而已。宰臣如王曾、张知白，皆履行忠谨，虽时有小失，而终无大过。李迪心亦忠朴，但言多轻发耳。"庞籍等对曰："才难，自古然也。"帝复曰："朕记其大，不记其小，然皆近名臣也。"

谏官韩赞言："发运使旧例虽尝入奏，不闻逐次改官。乞今每岁更不许赴京奏事，只差一人附奏年额足数。"诏："发运使自今押米运至京城外，更不朝见。"

甲子，辽主次中会川。回鹘遣使贡名马、文豹于辽。

丙寅，辽录囚。

十二月，壬申朔，广西铃辖陈曙击侬智高，兵败于金城驿，东头供奉官王承吉、白州长史徐噩死之。曙素无威令，既与贼遇，士卒犹聚博营中，使承吉将宜州忠敢兵五百为先锋，仓卒被甲以前，遂致覆军。

丁丑，以枢密直学士程戡为端明殿学士、知益州。

初，孟知祥据蜀，李顺起为盗，岁皆在甲午。或言明年甲午，蜀且有变，帝谓庞籍曰："朕择重臣镇抚西南，莫如戡者。"遂再使守蜀。前守多以嫌不治城，戡独修筑之。

戊子，知桂州余靖言："交趾累移文乞会兵讨贼，而朝廷久未报。观其要约甚诚，纵未能灭贼，亦可使相离贰。"朝廷从其请。已而狄青奏："李德政声言将步兵五万、骑一千赴援，此非情实；且假兵于外以除内寇，非我利也。以一智高横蹂二广，力不能讨，乃假蛮夷兵。蛮夷贪得忘义，因而启乱，何以御之？愿罢交趾兵勿用，且檄靖无通交趾使。"人咸服青有远略云。

先是迩英阁讲《尚书·无逸》。帝曰："朕深知享国之君宜戒逸豫。"杨安国言："旧有《无逸图》，请列屏间。"帝曰："朕不欲坐席背圣人之言，当别书置之左方。"因令丁度取《孝经》之《天子》《孝治》《圣治》《广要道》四章对为右图，命王洙书《无逸》，知制诰蔡襄书《孝经》，又命翰林学士承旨王拱辰为二图序,而襄书之。甲午,洙、襄皆以所书来上。

乙未,录颜真卿后。

戊戌,辽以郑王虚烈为北府宰相,以契丹行宫都部署耶律义先为特里衮,释役徒限年者。

庚子,谏官韩绛因对而言曰:"天下柄不下移,事当简出睿断。"帝曰:"朕固不惮处分,所虑未中于理,故每欲先尽大臣之虑而后行之。"绛又言:"林献可遣其子以书抵臣,多斥中外大臣过失。臣不敢不以闻。"帝曰:"朕不欲留中,恐开告讦之路。第持归焚之。"

五年　辽重熙二十二年【癸巳,1053】　春,正月,壬寅朔,御大庆殿受朝。

乙巳,辽主如混同江。

丁未,诏广南西路转运使移文止交趾助兵,从狄青之请也。青合孙沔、余靖兵自桂州次宾州。先是张忠、蒋偕皆轻敌取死,军声大沮。青戒诸将:"无得妄与贼斗,听吾所为。"陈曙恐青独有功,乘青未至,辄以步卒八千犯贼,溃于昆仑关,其下殿直袁用等皆遁。青曰:"令之不齐,兵所以败。"己酉晨,会诸将堂上,揖曙起,并召用等三十二人,案以败亡状,驱出军门斩之,沔、靖相顾愕然。靖尝迫曙出战,因离席而拜曰:"曙失律,亦靖节制之罪。"青曰:"舍人文臣,军旅非所任也。"诸将皆股栗。

诏:"广南东、西、湖南、江西路新置转运判官四员,盖缘岭表用兵,均漕挽之劳,非久制也;候在任满三年,具逐人劳绩取旨,罢不复置。"

辛亥,观文殿学士兼翰林侍读学士、尚书右丞丁度卒。是日旬休,驾临奠,赠吏部尚书,谥文简。度性纯质,左右无姬侍,常语诸子曰:"王旦为宰相十五年,卒之日,子犹布衣。汝曹宜自力,吾不复有请也。"

丙辰,以广南用兵,罢上元张灯。

丁巳,会灵观火。道士饮酒殿庐,既醉而火发。居宇神像悉焚,独三圣御容得存,乃诏权奉安于景灵宫。谏官贾黯言:"天意所欲废,当罢营缮,赦守卫罪,以示儆惧修省之意。"

狄青既戮陈曙,乃案军不动,更令调十日粮,众莫测。贼觇者还,以为军未即进。翼日,遂进军,青将前阵,孙沔将次阵,余靖将后阵,以一昼夜绝昆仑关。时值上元节,令大张灯烛,首夜宴将佐,次夜宴从军官,三夜享军校。首夜,乐饮彻晓。次夜二鼓,青忽称疾,暂起入内;久之,又谕沔主席行酒,少服药乃出,数劝劳坐客。至晓,各未敢退,忽有驰报者,云"三鼓已夺昆仑关矣"。

初,贼谍知青宴乐,不为备。是夜,大风雨,青既度关,喜曰:"贼不知守此,无能为矣。彼谓夜半风雨,吾不敢来也。"遂出归仁铺为阵。戊午,贼悉其众列三锐阵以拒官军,执大盾、标枪,衣绛衣,望之如火。及战,前军稍却,右将开封孙节死之。贼气锐甚,沔等惧失色。青起,自执白旗麾蕃落骑兵,张左右翼,出贼后交击,左者右,右者左,已而左者复左,右者复右,贼众不知所为,大败走。侬智高复趋邕州。追奔五十里,捕斩二千二百级,其党黄师宓、侬建中、智忠并伪官属,死者五十七人,生禽五百馀人。智高夜纵火烧城遁,由合江入大理国。迟明,青按兵入城,获金帛巨万,杂畜数千,招复老壮七千二百尝为贼所俘胁者,慰遣使归。枭师宓等首于邕州城下,得尸五千三百四十一,筑京观城北隅。时有贼尸衣金龙衣,众以为智高已死,欲具奏,青曰:"安知非诈邪!宁失智高,不敢诬朝廷以贪功也。"

青始至邕州,会瘴雾昏塞,或谓贼毒水下流,士卒饮者多死,青甚忧之。一夕,有泉涌寨下，汲之甘，众遂以济。智高自起至平，几一年，暴践一方，如行无人之境，吏民不胜其毒。先是谣言"农家种，众家收"，已而智高为青所破，果如其谣。

当战于归仁也，右班殿直张玉为先锋，如京副使贾逵将左，西京左藏库副使孙节将右。既阵，青誓曰："不待令而举者斩！"及节搏贼死山下，逵私念："所部忠敢、澄海皆土兵，数困易蛊，苟待令，必为贼所薄。且兵法，先据高者胜。"乃引军疾趋山立，立始定而贼至。逵拥众而下，挥剑大呼，断贼阵为二；玉以先锋突出阵前，而青指麾蕃落骑兵出贼后，贼遂大溃。逵乃诣帐下请罪，青拊逵背曰："违令而胜，权也，何罪之有！"

壬戌，以知定州韩琦为武康节度使、知并州，徙判并州李昭亮判成德军，知成德军宋祁知定州。琦至并州，首罢昭亮所兴不急之役。走马承受廖浩然，怙中官势，既诬奏昭亮，所为益不法，琦奏还之，帝命鞭诸本省。

命知制诰王洙修纂地理书。

甲子，遣使抚问广南将校，赐军士缗钱。

二月，庚辰，辽主如春水。

癸未，以宣徽南院使、彰化节度使狄青为护国节度使、枢密副使，依前宣徽南院使。

初，广西捷书至，帝大喜，谓宰相庞籍曰："青破贼，卿议之力也。"遂欲擢青枢密使、同平章事。籍以为不可，力争之，乃罢。

甲申，敕广南。凡战殁者，给槥椟护送还家，无主者葬祭之。免贼所过州县田赋一年，死事科徭二年；贡举人免解至礼部不预奏名者，亦以名闻。

乙酉，以孙沔、余靖并为给事中，仍诏靖留屯邕州，经制馀党，候处置毕，乃还桂州。狄青尝问沔何以破贼，沔曰："使贼出上计，取其保聚，退守巢穴，当徐图之。据邕州以拒我师，犹为中计。若恃胜求战，此计最下。然贼有轻我心，必出下计，将成禽耳。"已而果然。沔与青夜谋帷中，昼则惟青治事，附贼者多诛杀。沔请与青分治，所免释数百人。命军中制长刀巨斧，人谓刀斧非所用，及战，贼皆翳大盾，翼两标，置阵甚坚，矢石不可动，竟赖刀斧杂短兵搏击，阵乃破。众皆叹服。

广南东、西、湖南、江西路安抚副使、入内押班石全彬及阁门祗候狄谘、右侍禁狄咏并进官。谘、咏，皆青子也。赐青敦教坊第一区。

丙戌，诏广西都监萧注等追捕侬智高。

丁亥，下德音，减江西、湖南系囚罪一等，徒以下释之；丁壮馈运广南军需者，减夏税之半，仍免科徭一年。

戊子，诏："文武官遇南郊，得奏荐子孙，而年老无子孙者，听奏期亲一人。"从知谏院李兑请也。

论广西弃城罪，〔壬辰〕，贷知邕州宋克隆死，除名，杖脊，刺配沙门岛。黉洞都巡检刘庄，除名，杖脊，刺配福建牢城。宾州推官、权通判王方，灵山县主簿、权推官杨德言，并除名免杖，刺配湖南本城，永不录用。

乙未，诏大宗正司，宗室有能习诗赋文词者以名闻。后二日，又诏通经者差官试验，虑其专尚华藻，不留意典籍也。

赠荆湖北路都监孙节为忠武军留后，官其子二人，从子三人，给诸司副使俸终丧。

三月,庚戌,右龙武大将军克悚上拟试诗、赋、论十卷,且请随举人赴殿试。帝曰:"宗于好学,亦朝廷美事也。"令学士院召试三题,既中等,迁左卫大将军。

古渭州距秦州三百里,道经哑儿峡,边臣屡欲城之,朝廷以艰于馈饷,不许。陕西转运使范祥,狃于功利,权领州事,遽请修筑,未得报,辄自兴役。蕃部惊扰,青唐族羌攻破广吴岭堡,围哑儿峡寨,杀官军千馀人。

辛酉,赐进士安陆郑獬等及第、出身、同出身。壬戌,赐诸科及第、出身。丙寅,赐特奏名进士、诸科与广南特奏名出身及试衔文学、长史。

辽主如黑水泺。

夏,四月,庚午朔,陕西转运使、度支员外郎范祥降为屯田员外郎、知唐州,坐擅兴古渭之役也。议者谓责祥太轻云。

命陕西转运使须城李参制置解盐,代范祥也。时参为陕西转运使,阅五年矣。自军兴,诸路经略使多贷三司钱以佐军,谓之随军钱;军罢乃偿。参权庆州,钩考得所贷八万缗,悉偿之,遂废其库。又,戍兵多而食苦不足,参视民阙乏,时令自隐度谷麦之入,预贷以官钱,谷麦熟则偿,谓之青苗钱。数年,兵食常有馀。其后青苗法盖取诸此。朝廷患入中法岁费增广,参请立飞钱于边郡以平估籴,权罢入中。比参之法行,省榷货钱以二千万计。

壬申,狄青还朝,置酒垂拱殿。

庚辰,御崇政殿,令蕃落骑兵布阵,如归仁铺破贼之势,观其驰逐击刺,等第推赏,仍以拱圣马三百补其阙。都大提举教阅阵法、右班殿直张玉,迁内殿承制。

枢密直学士、给事中孙沔还自岭南,帝问劳,解所御服带赐之。壬午,命知杭州,沔自请也。

戊子,辽主猎于鹤淀。

庚寅,诏毋得连用太宗、真宗旧名。

甲午,命参知政事刘沆、梁适监议大乐。

〔五月〕,乙巳,枢密使、户部侍郎高若讷,罢为尚书左丞、观文殿学士。

帝复欲用狄青为枢密使、同平章事,宰臣庞籍曰:"昔太祖时,慕容延钊将兵,一举得荆南、湖南之地数千里,兵不血刃,不过迁官加爵邑,锡金帛,不用为枢密使。曹彬平江南,禽李煜,欲求使相,太祖不与,曰:'今西有汾晋,北有幽蓟;汝为使相,那肯复为朕死战邪!'赐钱二十万贯而已。祖宗重名器如山岳,轻金帛如粪壤,此陛下所当法也。青奉陛下威灵,珍戮凶丑,诚可褒赏。然比于延钊与彬之功,不逮远矣。若遂用为枢密使、同平章事,则青名位已极,万一它日更立大功,欲以何官赏之?且枢密使高若讷无过,若何罢之?不若且与移镇,加检校官,多赐金帛,亦足以酬青功矣。"帝曰:"向者谏官、御史言若讷举胡恢书《石经》,恢狂险无行;又,若讷前导者殴人致死,何为无过?"籍曰:"今之庶僚举选人充京官,未迁官者犹不坐,况若讷大臣,举恢以本官书《石经》,未尝有所选也,奈何以此解其枢密哉!若讷居马上,前导去之里馀,不幸殴人致死,若讷寻执之以付开封正其法,若讷何罪!且陛下既已赦之,今乃追举以为罪,无乃不可乎!"参知政事梁适曰:"王则止据贝州一城,文彦博攻而拔之,还为宰相。侬智高扰广南两路,青讨而平之,为枢密使,何足为过哉!"籍曰:"贝州之赏,论者已嫌其太厚。然彦博为参知政事,若宰相有阙次补,亦当为之,况有功乎?又,国朝文臣为宰相,出入无常;武臣为枢密使,非有大过,不可罢也。且臣不欲青为枢密使者,非徒为国家惜名器,亦欲保全青之功名耳。青起于行伍,擢为枢密副使,中外咸以为国朝未有此比。今青立功,言者方息,若又赏之太过,是复召众言也。"争之累日,帝乃从之,曰:"然则更与其诸子官,如何?"籍曰:"昔卫青有功,四子皆封侯。前世有之,无伤也。"帝既从籍言,后数日,两府奏事,帝顾籍笑曰:"卿前日商量除青官,深合事宜,为虑远矣。"

是时适以若讷为枢密使,位在己上,宰相有缺当次补;青武臣,虽为枢密使,不妨己涂辙,故于帝前争之。既不得,退,甚不怿,乃密为奏言:"狄青功大赏薄,无以劝后。"又密使人以帝前之语告青,又使人语入内押班石全彬,使于禁中自颂其功,极言青与孙沔褒赏太薄。帝既日闻之,不能无信,于是两府进对,帝忽谓籍曰:"平南之功,前者赏之太薄,今以狄青为枢密使,孙沔为副;石全彬先给观察使俸,更俟一年除观察使;高若讷迁一官加近上学士,置之经筵;召张尧佐归宣徽院。"声色俱厉。籍错愕,对曰:"容臣等退至中书商议,明日再奏。"帝曰:"只于殿门阁内议之,朕坐于此以俟。"籍乃与同列议奏,皆如圣旨。复入对,帝容色乃和。因诏:"军国大政、边防重事,候前殿退,请对后殿,先一日具所陈以闻。"故事,枢密使罢,必学士院降制,及罢若讷,止命舍人草词,后遂为例。

丙午,诏判河阳、宣徽南院使张尧佐归院供职。

丁未,以枢密直学士、给事中、知杭州孙沔为枢密副使。沔行至南京,召还。

以给事中、知桂州余靖为工部侍郎。时御史梁蒨数言靖赏薄,孙沔既与狄青继践二府,故靖亦加秩。

戊申,诏曰:"闻诸路转运使多掊克于民,以官钱为羡馀,入助三司经费,又高估夏秋诸物,抑人户输见钱,并宜禁绝之。"时三司常责诸道羡馀,淮南转运使张瑰独上金九钱,三司怒,移文诋之甚急。瑰以赋数民贫为对,卒不能夺。

〔戊午〕,翰林学士承旨王拱辰言:"奉诏详定大乐,比臣至局,钟磬已成。窃缘律有长短,磬有大小。黄钟九寸最长,其气阳,其象土,其正声为宫,为诸律之首,盖君德之象,不可并也。今十二钟磬,一以黄钟为率,与古为异。臣亦尝询阮逸、胡瑗等,皆言依律大小,则声不能谐。臣窃有疑,请下详定大乐所,更稽古义参定之。"

辛酉,知谏院李兑言:"曩者紫宸殿阅太常新乐,议者以钟之形制未中律度,遂斥而不用,复诏近侍详定。窃闻崇文院聚议,而王拱辰欲更前史文义,王洙不从,语言往复,殆至喧哗。夫乐之道,广大微妙,非知音入神,岂可轻议!阮逸罪废之人,务为异说,欲规恩赏。朝廷制乐数年,当国赋匮之时,烦费甚广;器既成矣,又欲改为,虽命两府大臣监议,然未能裁定得当。请以新成钟磬与祖宗旧乐参校其声,但取谐和近雅者合用之。"洙既与瑗、逸更造钟磬,而无形制容受之别,又数劝帝用新乐于南郊,而议者多以为非,后亦不复用。

癸亥,御史中丞王举正罢为观文殿学士、知通进、银台司兼门下封驳事。初,狄青迁枢密使,举正力争之,既不能得,因请解言职。帝称其有风宪体,遣使就第赐白金三百两,而有是命。

以翰林学士孙抃权御史中丞。谏官韩绛论奏抃非纠绳才,不可任风宪。抃即手疏曰:"臣观方今士人,趋进者多,廉退者少,以善求事为精神,以能讦人为风采,捷给若嚚夫者谓之有议论,刻深若酷吏者谓之有政事;谏官所谓才者,无乃谓是乎!若然,臣诚不能也。"帝察其

1107

言,趣令视事,且命知审官院。抃辞以任言责不当兼事局,乃止。

甲子,诏:"谏官、御史上章论事,毋或朋比以中伤善良。"

六月,辛未,还曹利用所籍乐游第宅。帝闵利用死非辜,既赐谥立碑,至是又以其第还之。

壬申,辽主驻胡吕山。

乙亥,御紫宸殿,奏太常寺新定《大安》之乐,召辅臣至省府馆阁学官预观之。仍观宗庙祭器,赐详定官器币有差。

壬午,右武卫大将军宗谔上《治原》十五卷,降诏奖谕。宗谔,允宁子也。

丙戌,新修集禧观成。初,会灵观火,更名曰集禧,即旧址西偏复建一殿,共祀五岳,名曰奉神殿。

壬辰,诏:"诸路转运使上供斛斗,依时估收市物,毋得抑配人户;仍停考课赏罚之制。"先是三司与发运使谋聚敛,奏诸路转运使上供不足者皆行责降,有馀则加升擢,由是贪进者竞为诛剥,民不堪命。帝闻之,特降是诏。

甲午,赠邕州司户参军孔宗旦为太子中允,知袁州祖无择始以宗旦死事闻故也。

乙未,诏:"河北荐饥,转运使察州县长吏能招辑劳徕者上其状,不称职者举劾之。"

秋,七月,乙巳,诏:"荆湖北路民因灾伤,所贷常平仓米免偿。"

己酉,诏曰:"朕思得贤才,故开荐举之路,虚心纳用。而比年以来,率多缪滥,或人才庸下而褒引乖实,或宿负丑恶而亟请湔洗,或职任疏远而推授过重,考其心迹,非衔鬻崇私,何以臻此!自今所举非其人者,其令御史台弹奏,当置于法。见任监司以上,毋得论荐。"

准布大王率诸部长献马驼于辽。

庚戌,帝谓辅臣曰:"顷闻诸州军常于夏秋之际,先奏时雨沾足,田稼登茂;后或灾伤,遂不敢奏,致使民税不得蠲除,甚非长吏爱民之意,宜申饬之。"

戊午,诏太常定谥毋溢美。

庚申,以庄宅副使开封赵滋权并代铃辖。初,滋授定州路驻泊都监,常因给军食,同列言粟不善,滋叱之曰:"尔欲以是怒众邪!使众有一言,当先斩尔以徇!"韩琦闻而壮之,以为真将相材。滋有是命,从琦所奏也。

辽主如黑岭。

闰月,戊辰朔,诏内侍省:"自今内侍供奉官至黄门,以一百八十人为额。"

诏:"广南经蛮寇所践而民逃未复者,限一年复业,仍免两岁催科及蠲其徭役三年。"从体量安抚周沆所奏也。先是民避贼,多弃田里远去;吏以常法,满半载不还,听它人占佃。沆曰:"是岂可与凶年逃租役者同科?"乃奏延期一年,已占佃仍旧还之,贫者官贷以种粮。初,帝诏沆:"广南地恶,非贼所至处不必往。"沆曰:"远民新罹荼毒,当布宣天子德泽。"遂遍行州县。

庚午,乌库贡于辽。

辛未,徙知青州文彦博知秦州,知秦州张昇知青州。时方城古渭州,昇议不合故也。御史中丞孙抃言:"朝廷昨者筑城境外,众蕃之心已皆不安。今又特命旧相临边,事异常例,是必转增疑虑,或生它变。闻知永兴军晏殊秩将满,不若遣镇关中,兼制秦凤事宜,庶蕃部不至惊扰,在于国体,实为至便。"

壬申,户部侍郎、平章事庞籍罢,以本官知郓州。

初,齐州学究皇甫渊获贼,法当得赏钱,渊上书愿易一官。道士赵清贶者,籍甥也,绐为渊白籍,而与堂吏共受渊赂。渊数诣待漏院自言,籍乃勒渊归齐州。有小吏告清贶等受赂事,籍即捕送开封府,清贶及堂吏皆坐赃刺配岭外,行至许州死。谏官韩绛言籍阴讽府杖杀清贶以灭口,又言事当付枢密院,不当中书自行,故罢之。然谓籍阴讽开封,覆之无实也。

以判大名府陈执中为吏部尚书、平章事,给事中、参知政事梁适为吏部侍郎、平章事。

甲戌,赠秘书监致仕胡旦为工部侍郎,仍赐其家钱三十万,令襄州为营葬事。知州项城马寻,言旦家贫,久不克葬,故恤之。寻以明习法律称,其在襄州,会岁饥,或群入富家掠囷粟,狱吏鞫以强盗,寻曰:"此迫于饥耳,其情与强盗异。"奏,得减死论,遂著为例。

乙亥,诏:"诸路知州军武臣,并须与僚属参议公事,毋得专决,仍令安抚、转运使、提点刑狱司常检察之。"

丙子,以集贤校理李中师为淮南转运使。中师入辞,帝谓曰:"比闻诸路转运使多献羡馀以希进,然遇灾伤,不免暴取于民,此朕所不取也,其戒之。"出内藏库缗钱十万,绸绢二十万,绵十万,下河北助籴军储。

庚辰,秦凤路言部署刘涣等破蕃部,斩首二千馀级。

戊子,诏礼部贡院:"自今诸科举人,终场问大义十道,每道举科首一两句为问,能以本经注疏对而加以文词润色发明之者为上;或不指明义理而且引注疏备者次之,并为通;若引注疏及六分者为粗;不识本义或连引它经而文意乖戾、章句断绝者为不通。并以四通为合格。《九经》止问大义,不须注疏全备;其《九经》场数并各减二场,仍不问兼经。"又诏:"开封府、国子监进士,自今每一百人解十五人,其试官亲嫌,令府、监互相送;若两处俱有亲嫌,即送别头。"

己丑,诏:"古渭塞修城卒,权给保捷请给,仍以蕃官左班殿直讷支蔺毡为本地分巡检,月俸钱五千,候一年,能弹压蕃部,即与除顺州刺史。"

蔺毡世居古渭州,密迩夏境。夏人牧牛羊于境上,蔺毡掠取之,夏人怒,欲攻之,蔺毡惧力不敌,因献其地,冀得戍兵以敌夏人。范祥欲立奇功,亟往城之。蔺毡先世跨有九谷,后浸衰,仅保三谷,馀悉为它族所据。青唐族最强,据其盐井,日获利,可市马八百匹。蔺毡白祥:"此本我地,亦乞汉家取之。"祥又多夺诸族地以招弓箭手,故青唐及诸族皆怒,举兵叛。祥既坐责黜,张昇请弃古渭勿城。夏人复来言:"古渭州本我地,今朝廷置州于彼,违誓诏。"帝遣傅求制置粮草,专度其利害,求言:"今弃勿城,夏人必据其地,更为秦州患。且已得而弃之,非所以强国威。按蔺毡祖父皆受汉官,其地非夏人所有明甚,但当更名古渭寨,不为州,以应誓诏耳。"即召青唐等族酋,谕以"朝廷今筑城,实为汝诸族守卫,而汝叛,何也?"皆言:"官夺我盐井及地,我无以为生。"求曰:"今不取汝盐井及地则如何?"众皆喜,听命,遂罢兵。求乃割其地四分之一以畀青唐等族,卒城古渭。始加蔺毡以爵秩。

癸巳,辽于长春州置钱帛司。

【译文】

宋纪五十三　起壬辰年(公元 1052 年)九月,止癸巳年(公元 1053 年)七月,共十一个月。

皇祐四年　辽重熙二十一年(公元 1052 年)

九月,戊申(初六),侬智高杀害广南钤辖蒋偕于贺州太平场,庄宅副使何宗古、右侍禁张达、三班奉职唐岘同时遇害。当初蒋偕受命讨贼,乘驿马驱驰十七天,到达广州城下,入城,斥责知州仲简说:"你按兵自守,不进袭贼人,又放纵部下杀害平民百姓以求赏,可将你斩首!"仲简说:"哪有团练使斩首侍从官的道理!"蒋偕说:"斩诸侯的剑在我手中,更不用说侍从官!"左右劝解才作罢。待贼人从广州撤退,杨畋下令蒋偕焚烧剩余粮草,退保韶州。军队驻扎贺州,叛贼夜中潜入其营,偷袭并杀死了他们。蒋偕行事轻率,至有此败。

山南东道节度使、同平章事贾昌朝刚服完母丧,乙卯(十三日),召他到迩英阁讲授《乾卦》。仁宗说:"将相为皇帝讲读,是天下盛事。"贾昌朝拜谢。不久任命贾昌朝为许州通判,将要赴任,下诏讲读官在资善堂饯行。

丙辰(十四日),广南东、西路体量安抚经制贼盗杨畋降职为鄂州知州,同体量安抚经制贼盗曹修降职为荆南都监,广南东路钤辖兼捉杀蛮贼蒋偕降职为潭州都监。

先前,杨畋和曹修听说侬智

陶马俑　辽

高叛军进驻沙头,打算渡江,就命令蒋偕放弃英州,焚烧余粮,于是传令内殿承制丌赟、岑宗闵、阁门祗候开封人王从政退守韶州,并转发文书给御史台和谏院,所以一并加以斥责。当时蒋偕已死去九天了。

马军副指挥使、耀州观察使周美去世。皇上亲往祭奠,罢朝一日,赠给忠武节度使,谥为忠毅。

自从陕西用兵,周美前后身经十余战,荡平敌族帐二百个,焚烧敌寨二十四座,招抚部落内附的达十一个,恢复了许多以前的城堡。在军中所获俸禄赏赐,大多分给了部下,其余的则用来犒劳士卒,及至去世,家无余财。

丁巳(十五日),任命桂州知州余靖为提举广南东路兵甲、经制贼盗。

己未(十七日),赠与岭南各州为国身死的人官号不等,封州知州曹觐为太常少卿,康州

1110 知州赵师旦为光禄少卿。先前,赵师旦曾任江山县知县,亲自决断狱事,官吏不能得百姓一分钱,东西丢在路上,也无人敢拿。及至他的丧车经过江山县,江山百姓哭着在路上为他祭

奠,几百里不断,康州人立庙祭祀他,田瑜安抚广南时,也在封州为他建庙。

庚申(十八日),依智高攻下昭州,知州柳应辰弃城而逃,广西钤辖王正伦与贼决战于馆门驿,战死,阁门祇候王从政、三班奉职徐守一、借职文海均遇害,王从政大骂贼人,不绝于口,贼人将开水浇在他身上,最终不屈而死。

辛酉(十九日),任命太常博士韩绛为右正言。仁宗当面告谕:"你是我亲自选用的,言事时不能言辞过激,应当顾全朝廷体面,一定要言之可行,不要让人认为我是不听劝谏的人。"韩绛从前出使江南,宽减财政开支,赈济救活饥民,共行十多件好事;设创五条规则,以均平衡役;开发湖泊水塘之利,将其中被土豪霸占的剥夺过来给予穷苦百姓;停止征调信州百姓运盐,令发运司按时运送;宣州知州贪暴不法,将他逮捕入狱,宣州人欢天喜地。出使归来,因此下了这一诏令。

癸亥(二十一日),下诏:"地方官员上报事务都要上达朝廷,不得再申诉于御史台。"当时大多州郡事多陈诉于御史台,欲图让其将呈文退还后便推行。

杨畋、曹修主持对蛮事务,用兵久而无功,改用孙沔、余靖后,仁宗仍有忧虑。有人说依智高图谋使邕、桂七节度使归降,枢密副使梁适说:"如果这样,则岭外就不归朝廷所有了!"仁宗问宰相庞籍,谁可为统帅,庞籍推荐了枢密副使狄青。狄青也上表请任;第二天,进见仁宗,自己说:"臣出身行伍,除了打仗以外无以报效国家,愿率番人骑兵几百名,再加拨一些禁军,捉住贼首送至京师!"仁宗被他的话打动。庚午(二十八日),狄青改任宣徽南使、荆湖南、北路宣抚使、提举广南东、西路经制贼盗事。起初,想任命内都知任守忠为狄青副职,谏官李兑说唐用宦官观阵,使主将行动不便,不应效法,于是罢去任守忠。

这月,辽兴宗拜谒怀陵,追封嗣圣皇帝、天顺皇帝耶律璟尊谥,改谥彰德皇后为靖安,齐天皇后谥为仁德。不久又拜谒祖陵,增谥太祖为大圣大明神烈天皇帝,改谥贞烈皇后为淳钦,恭顺皇帝为章肃,其后萧氏谥号为和敬。

冬季,十月,甲戌(初二),殿中丞胡瑗退休后又被征召录用,任光禄侍丞,国子监直讲,共同探讨大乐。

丙子(初四),下诏鄜延、环庆、泾原路选择蕃人部落广锐军有实战经验的部队各五千人,仍然各路派遣使臣一人,监押至广南行营,这是听从了狄青的请求。狄青说:"贼人长于登高越险,步兵不足以抵敌,故每战必败。希望能让西部蕃落骑兵相从。"有人认为南方不适宜骑兵作战,枢密使高若讷说:"蕃人部落善于射箭,不怕苦,上下山如行平地,应当趁瘴气未发生的时候,迅速出兵歼灭他们,这是必胜之法。"狄青最终用骑兵破贼。

丁丑(初五),依智高攻入宾州,知州陈东美弃城而逃。

戊寅(初六),辽兴宗在中会川。

己卯(初七),把未填姓名的宣头、札子各一百道,锦袄子、金银带各二百件,发给狄青以作奖励军功之用。

兵部郎中、天章阁待制仲简,降任筠州知州。

庚辰(初八),狄青辞行,仁宗于垂拱殿设宴相送。狄青走后,仁宗对辅政大臣说:"狄青名威四海,贼人一定害怕他的到来,左右使者,非亲信之人不能用,即使是起食饮居,都应防止走漏消息。"于是使人驰告狄青严加防备。

辛巳(初九),仁宗下手诏予狄青:"因为避贼而逃至山林的人,应迅速招抚他们复归原业。其中乘贼乱为盗,但未杀人,以及被贼胁从而逃回来的人,一并免除其罪。已经被刺面的,令消除字迹或公家发给凭证听其自便。如有被人杀害且被冒称贼人首级的,令人验别,发给钱米周济。其家被贼人焚毁劫掠的,暂免他家差役;正在服役的,仍然宽限予以假期,让其修理房屋。凡城墙曾遭破坏,先前未建城墙或是虽有城墙而不坚固的,一并加以完修。器甲破旧不可使用的,进行修补。"右正言韩绛,说狄青是武将,不宜独担重任。仁宗询问庞籍,庞籍说:"狄青武将出身,如用文官为副职,一定会受到钳制,号令不一,不如不派遣。"于是下诏令广南将官都受狄青节制,如果孙沔、余靖分路出击,也接受他们指挥。

甲申(十二日),侬智高再次攻入邕州,知州宋克隆弃城而逃。宋克隆在贼人掠掳邕州后,不营修军备,多次纵使士卒下攻诸山寨,杀害逃亡百姓,冒称盗贼,一个人头赏钱十千文,欺骗他们说要发给亲兵帖,作为奖励给立过功的人。等到侬智高再次进攻邕州,宋克隆无以御敌,于是逃走。

丁亥(十五日),夏国主赵谅祚派使者到辽国,乞求放松边界守备,辽兴宗立即派萧友括前往诏谕。

戊子(十六日),辽兴宗到达显、懿二州。

庚寅(十八日),仁宗晓谕执政大臣:"近来议论政事得失的人很少,莫不是言路堵塞所导致的结果!请下令给阁门、通进银台司、登闻理检院、进奏院,从现在起州县的奏书及大臣的表疏,不得随便扣留。"

甲午(二十二日),下诏:"近来军卒阻拦圣驾告状而卫士未加呵拦的,免其罪。"仁宗先前驾往景灵宫,上了辇车,于是告诫卫士:"今年举人云集京师,如有告状者,不得阻止!"及至军卒告状,卫士也未加阻拦,有关机构要治罪,仁宗将有关情况告知执政大臣而免罪。

辽国任命南院大王潞王札拉为南院枢密使,加封越国王;辽兴军节度使萧虚烈被封为郑王。

戊戌(二十六日),辽兴宗在南撒葛柏射虎。

十一月,壬寅朔(初一),出现日食。

辽国加谥文献皇帝耶律倍为文献钦义皇帝,又给他的两个皇后加谥端顺、柔贞,还改谥世宗孝烈皇后为怀节。丁未(初六),加谥孝成皇帝为孝成康靖皇帝,改圣神宣献皇后谥号为睿智。

先前任命知制诰长社人何中立为秦州知州,谏官、御史都说何中立无边将之才;己酉(初八),改任庆州知州。何中立上奏:"臣不胜任秦州,也就不胜任庆州,愿意留守汝州。"没有答复。碰巧有戍卒状告大校受贿,何中立说:"这一定是报复。"鞭打告状人,并流放了他。有人说:"包藏坏人可以吗?"何中立说:"如让部下抓住上司缺点挟制他,就会人心不安。"

癸丑(十二日),任命都官员外郎大名人郭申锡为侍御史。郭申锡曾担任博州知州,戍兵出来巡逻时,有人要胁迫他人为乱,郭申锡处死一人,将二人处了黥刑,才安定下来。上奏朝廷,仁宗对执政大臣说:"郭申锡不过一小官,遇事如此从容果断,人才难得!"京东的盗贼绑架了濮州通判井渊,下诏郭申锡调任濮州知州。到任未一月,凶手全部抓获。

戊午(十七日),下诏减免江西、湖南、广南百姓供应军需的人今年秋税的十分之三。

庚申(十九日),给已故参知政事蔡齐墓旁所建的佛祠赐名宝严。当初蔡齐的母亲张氏请求赐名,中书省认为无此先例;仁宗特地赐与,于是对执政大臣说:"我即位以来,命任的参知政事很多,其中忠诚纯正印象最深的,只有蔡齐、鲁宗道、薛奎而已。宰相大臣如王曾、张知白,都忠诚严谨,虽然有时犯点小错误,但始终无大过错。李迪忠诚纯正,但发表意见时大多不加深思。"庞籍等人回答说:"人才难得,自古如此。"仁宗又说:"朕只念其大功,不记小过,但他们都是近世名臣。"

谏官韩赟进言:"发运使依据旧例虽然曾入奏,没听说每次改任官职。请求每年不再允许赴京奏事,只派一人附奏一年总数额。"诏令:"发运使今后除押运粮米至京城外,不准再朝见。"

甲子(二十三日),辽兴宗抵达中会川。回鹘派使者向辽国进贡名马、文豹。

丙寅(二十五日),辽国审录犯人情况。

十二月,壬申朔(初一),广西钤辖陈曙讨伐侬智高,兵败于金城驿,东头供奉官王承吉、白州长史徐噩战死。陈曙军令一贯涣散,与贼人遭遇时,士卒尚聚集营中赌博,派王承吉率领宜州忠敢兵五百人为先锋,仓促应战,以致全军覆灭。

丁丑(初六),任命枢密直学士程戡为端明殿学士、益州知州。

从前,孟知祥据有蜀地,李顺起来造反,均发生在甲午年。有人说明年是甲午年,蜀地恐会有变乱,仁宗对庞籍说:"朕选派重臣镇抚西南,谁也比不上程戡。"于是派他再次镇守蜀地。前任官吏多以避嫌疑为名不敢修治城池,只有程戡下令修筑。

戊子(十七日),桂州知州余靖进言:"交趾多次来书请求出兵一同讨伐贼人,而朝廷久未批复。看上去他们很诚恳,即使不能消灭贼人,亦可让他们互相离间。"朝廷听从了他的请求。不久狄青上书:"李德政声张说要率步兵五万、骑兵一千赴援,这不符合事实;而且依靠外国军队去平定内乱,对我方不利。侬智高横行两广,无力讨伐,便借用蛮夷之兵。蛮夷贪利忘义,因而会引起祸乱,用什么抵御它?希望罢用交趾兵,且令余靖不得与交趾通使。"人们都佩服狄青有远见。

先前在迩英阁讲授《尚书·无逸》。仁宗说:"朕深知治国的君主应戒安逸。"杨安国说:"有旧的《无逸图》,请陈列于屏上。"仁宗说:"朕不想背对着圣人之言,应当另外写好放在左边。"于是令丁度取出《孝经》的《天子》《孝治》《圣治》《广要道》四章作为右图与《无逸》相对,命王洙书写《无逸》,知制诰蔡襄书写《孝经》,又命翰林学士承旨王拱辰为这两幅图作序,由蔡襄书写。甲午(二十三日),王洙、蔡襄献上所书文字。

乙未(二十四日),录用颜真卿的后人。

戊戌(二十七日),辽国任命郑王虚烈为北府宰相,契丹行宫都部署耶律义先为特里衮,释放有期限的役徒。

庚子(二十九日),谏官韩绛因对问而进言说:"国家大权不能移交下级,凡事应由圣上明断。"仁宗说:"朕本来不怕亲理政事,只是担心处置不当,所以每次先由大臣深思熟虑后施行。"韩绛又说:"林献可派他的儿子送书给臣,对中外大臣的过失多有指责,我不敢不告知陛下。"仁宗说:"朕不愿这些信件留在宫中,恐怕引起告讦之风。你把它拿回去烧掉。"

皇祐五年　辽重熙二十二年(公元 1053 年)

春季,正月,壬寅朔(初一),在大庆殿接受朝拜。

乙巳(初四),辽兴宗抵达混同江。

丁未(初六),下诏广南西路转运使移书至交趾劝其不要出兵相助,这是应狄青的请求。狄青汇合孙沔、余靖军队进据宾州,先前张忠、蒋偕轻敌败死,士气低落。狄青号令诸将:"不得私与敌战,一切听从我的指挥。"陈曙唯恐狄青一人立功,趁狄青尚未到达,就率步兵八千人进攻贼人,败于昆仑关,部下殿直袁用等人都临阵而逃。狄青说:"不服军令,致有此败。"己酉(初八)早晨,在堂上召集众将,叫陈曙站起,并召来袁用等三十二人,审问失败原因后,推出辕门斩首,孙沔、余靖两人相顾大惊失色。余靖曾逼使陈曙出战,于是离席拜请说:"陈曙违军令,也是我指挥不当的罪过。"狄青说:"舍人是文臣,领兵作战不是你们的任务。"诸将惊恐。

下诏:"广南东、西路、湖南、江西路新近设置转运判官四员,这是因为岭南用兵,协调水陆运输的需要,并非长久制度;等到三年任满,按各人政绩取得旨意,撤罢不再设置。"

辛亥(初十),观文殿学士兼翰林侍读学士、尚书右丞丁度去世。这一日是旬休息日,仁宗亲往祭奠,赠吏部尚书,谥为文简。丁度忠诚朴实,左右无姬妾,常对儿子们说:"王旦当了十五年宰相,去世时,他的儿子还是平民。你等应努力进取,我不再会有什么请求。"

丙辰(十五日),因广南用兵罢去上元节的观灯活动。

丁巳(十六日),会灵观失火。道士们在殿堂饮酒,醉后起火。观内神像全部被焚,唯有三圣御像得以保存,于是诏令暂时供奉于景灵宫。谏官贾黯说:"天意废毁,应停业修缮,赦免守卫之罪,以表示接受警告,修德自省之意。"

狄青斩首陈曙后,便按兵不动,又下令调来十天的粮草,众人不知其意。贼人侦探回去后,认为宋军不会马上进发。第二天,便进军,狄青率先头部队,孙沔率中军,余靖督后军,一昼夜便抵达昆仑关。这天是上元节,下令大张灯火,当夜宴请将佐,第二夜宴请军官,第三夜宴请校尉和士兵。第一夜,饮酒奏乐通宵。第二夜到二鼓时,狄青突然称病,暂时起身退入内室;过了一会儿,又令孙沔主持宴席,稍稍吃了一些药后才出来,多次劝酒慰劳客人。直到天亮,无人敢退,忽然有人来报告,说:"三鼓时已攻下了昆仑关。"

先前,贼人探知狄青奏乐宴请,不加防备。这一夜,风雨交加,狄青过昆仑关后,高兴地说:"贼人不知坚守此关,不会再有多大作为了。他们以为半夜刮风下雨,我不敢前来。"于是进发归仁铺列下阵势。戊午(十七日),贼人倾巢而出列三锐阵对抗官军,手执大盾、标枪,穿着绛色服装,看上去如一团大火。决战开始,前军稍稍败退,右将开封人孙节战死。贼人气势汹汹,孙沔等人不知所措。狄青站起,亲自拿着白旗指挥蕃人骑兵,张开左右翼,出兵敌后夹击,左边骑兵向右,右边骑兵向左,一会儿左队骑兵又杀向左边,右队骑兵又突击右阵,贼人无所适从,大败而逃。侬智高又退守邕州。官军追击五十余里,斩首二千二百多级,贼党黄师宓、侬建中、侬智中及伪官吏中,杀死的有五十七人,活捉的有五百余人。侬智高夜里火烧邕州后逃至大理国。第二天早晨,狄青指挥官兵入城,获金帛不计其数,各类牲畜几千头,招抚老幼丁口七千二百曾被贼人胁从者,安慰后遣送回家。将黄师宓斩首于邕州城下,收集尸首五千三百四十一具,埋葬在邕州城北。当时贼尸中有一人穿金龙衣,人们认为侬智高已死,想上奏皇上,狄青说:"谁能保证不是假的呢!宁愿失掉侬智高,不敢欺骗朝廷来贪图功劳。"

狄青刚到邕州,正值雾瘴弥漫边塞,有人说这是贼人放了毒的水流下来了,士卒饮此水后有不少人死亡,狄青焦急不安。一天傍晚,寨下有泉水涌出,喝起来味道甘美,众人于是得救。侬智高自起兵到败亡,将近一年,残暴一方,如入无人之境,官吏百姓不堪忍受其害。先前民谣说:"农家种,夵家收,"不久侬智高被狄青击破,应验了民谣。

在归仁铺一战中,右班殿直张玉为先锋,如京副使贾逵率左军,西京左藏库副使孙节率右军。布好阵势后,狄青誓师说:"不听将令擅自行动者斩首!"待到孙节与敌决战牺牲于山脚下,贾逵寻思:"我忠敢、澄海部都是当地士兵,多次被围困易受挫折,如等待上级将令,必然为敌所迫,况且根据兵法,先占领高处的容易取胜。"于是率兵冲到山上,刚稳定阵势贼人已到。贾逵率部冲下,挥剑大喊,将敌阵切为两半;张玉以先头部队突击阵前,狄青指挥蕃人骑兵出击敌人背后,贼人于是大败。贾逵到狄青帐下请罪,狄青抚着贾逵背说:"违令取胜,这是权宜之变,有什么罪!"

壬戌(二十一日),任命定州知州韩琦为武康节度使、并州知州,判并州李昭亮改任判成德军,成德军知军宋祁任定州知州。韩琦到达并州后,首先罢去李昭亮所兴的不紧迫的徭役。走马承受廖浩然,依恃宦官势力,诬告李昭亮后,行为更加不法,韩琦上书请求将他召回,仁宗下令所在官署将他处以鞭刑。

命知制诰王洙修编地理书籍。

甲子(二十三日),遣使慰问广南官兵,赐赏兵士们钱物。

二月,庚辰(初十),辽兴宗抵达春水。

癸未(十三日),任命宣徽南院使、彰化节度使狄青为护国节度使、枢密副使,仍担任先前的宣徽南院使。

先前,广西捷报到达京师,仁宗大喜,对宰相庞籍说:"狄青破贼,爱卿推荐有功。"于是想升迁狄青为枢密使、同平章事,庞籍认为不可,据理力争,于是作罢。

甲申(十四日),大赦广南。凡是战死的人,装入小棺材运回家,无主之尸则由官家奠葬。贼人所过州县免收一年田赋,因公而死者其家免除科差徭役两年;贡举人未由各路解送礼部、未预奏姓名的人,也要上报其名至朝廷。

乙酉(十五日),任命孙沔、余靖一并为给事中,仍诏令余靖驻屯邕州,对付贼人余党,待处置完毕,才能回桂州。狄青询问孙沔用什么办法破敌,孙沔说:"如果贼人采用上计,带着财物,退守老巢,当慢慢图谋他们。据守邕州与我军相拒,犹不失为中计。如果他们恃胜要和我们决战,这是下策。但贼人轻视官军,一定会用此下策,为我所擒。"果然如此。夜里孙沔和狄青谋划策略,白天只有狄青一人处理军务,依附叛贼者大多被杀。孙沔请求和狄青分理军务,共释免了几百人。又令军中造长刀大斧,有人认为刀斧无用,及决战时,贼人都躲在盾后,旁边两个拿着长标者掩护,敌阵甚为坚固,矢石不奏效,竟然依靠刀斧杂以短兵相搏,敌阵才破。众人都叹服不已。

广南东、西、湖南、江西路安抚副使、入内押班石全彬及阁门祗候狄谘、右侍禁狄咏均晋升官职。狄谘、狄咏,都是狄青的儿子,赐给狄青敦教坊宅第一所。

丙戌(十六日),诏令广西都监萧注追捕侬智高。

丁亥(十七日),发布皇上恩谕,江西、湖南路犯人罪减一等,徒刑以下释放;运送过广南军需的人,减免夏税的一半,又免去一年科徭。

戊子(十八日),下诏:"文武官员遇上南郊祭天,可以上表荐举子孙,而年老无子孙者,可以上奏荐举服齐衰丧一年的亲人一人。"这是采纳知谏院李兑的建议。

追究广西官吏弃城逃跑罪,壬辰(二十二日),邕州知州宋克隆免除死罪,免去官籍,处以杖刑,刺配沙门岛。谿洞都巡检刘庄,免去官籍,处以杖刑,刺配福建牢城。宾州推官、权通判王方,灵山县主簿、权推官杨德言,一并免去官籍免受杖刑,刺配湖南本城,永不录用。

乙未(二十五日),下诏大宗正司,上报宗室长于诗词文赋的人,过了两天,又诏令派官吏考试精通经书者,恐他们只崇尚华丽的词句,不钻研典籍内容、思想。

赠予荆湖北路都监孙节忠武军留后之衔,让他的两个儿子、三个侄子做官,发给他们诸司副使的官俸,直到丧期结束。

三月,庚戌(初十),右龙武大将军赵克悚献上诗、赋、论模拟试题十卷,并且请求同举人一起参加殿试。仁宗说:"宗室子弟好学,也是朝廷美事。"令学士院召他应试三题,成绩中等,迁任左卫大将军。

古渭城距秦州三百里,道路交通经过哑儿峡,边塞官吏多次想在此筑城,朝廷认为经费紧张,不同意。陕西转运使范祥,贪图功利,代理州里事务,便奏请修筑,尚未批复,就自动开工。蕃人部落惊慌不已,青唐族羌人攻破吴岭堡,包围了哑儿峡山寨,杀死官兵千余人。

辛酉(二十一日),赐予进士安陆人郑獬等人及第、出身、同出身。壬戌(二十二日),赐予诸科及第、出身。丙寅(二十六日),赐予特奏名进士、诸科与广南特奏名出身及试衔文学、长史。

辽兴宗抵达黑水泊。

夏季,四月,庚午朔(初一),陕西转运使、度支员外郎范祥降为屯田员外郎、唐州知州,这是因为他犯了私修古渭城的罪,有人议论对范祥处罚太轻。

任命陕西转运使须城人李参为制置解盐,代替范祥。当时李参为陕西转运使,已有五年。自从用兵以来,各路经略使大多从三司借钱以济军用,称为随军钱;军队撤走后才偿还。李参代理庆州事务,清查出所借贷的钱八万缗,全部还清,于是罢去行军钱库。此外,戍卒众多军粮苦于不足,李参根据百姓丰足情况,时常让他们自己预估粮食总产,预付官钱,收麦后偿还,称为青苗钱。几年间,军粮常有节余。后来的青苗法即以此为蓝本。朝廷担心入中法使每年费用增加,李参奏请在边境郡县设立飞钱平抑估籴,暂时罢撤入中法。李参的办法推行后,节省榷贷钱达两千余万。

壬申(初三),狄青回朝,设立酒宴于垂拱殿。

庚辰(十一日),仁宗亲往崇政殿,令蕃落骑兵布列阵势,如同归仁铺破贼形势,观看他们的搏杀演习,按功劳大小各有升赏,又给予他们三百匹拱圣马补充损失。都大提举教阅阵法、右班殿直张玉,升为内殿承制。

枢密直学士、给事中孙沔自岭南还京,仁宗亲自慰劳,解下自己御服赐给他。壬午(十三日),任命他为杭州知州,这是他自己所请。

戊子(十九日),辽兴宗在鹤淀行猎。

庚寅(二十一日)，下令不得连用太宗、真宗的旧名。

甲午(二十五日)，下令参知政事刘沆、梁适监议大乐。

五月，乙巳(初六)，枢密使、户部侍郎高若讷，降职为尚书左丞、观文殿学士。

仁宗再次想任命狄青为枢密使、平章事，宰相庞籍说："当年太祖在位时，慕容延钊率领官兵，一举攻取荆南、湖南一带几千里之地，不费一兵一卒，不过给他升了官加了爵位、食邑，赐赏一些钱财而已，并未任命为枢密使。曹彬扫平江南，生擒李煜，想当宰相，太祖不同意，说：'现在西有汾晋，北有幽蓟；如让你当宰相，谁还愿为我死战呢！'只赐赏钱二十万贯而已。先帝们都把名器视如山岳，将钱财看作粪土，这是陛下要效法的。狄青依赖皇上威严，歼灭了贼人，当然应予奖赏。但比起慕容延钊与曹彬等人的功劳，就差远了。如马上任命他为枢密使、同平章事，则狄青的名位达到了顶峰，如果他日后再立了大功，拿什么去奖赏他？况且枢密使高若讷并无过错，怎么罢免他？不如暂让狄青移镇他处，加上检校官的封号，多赐些金银绢帛，也足以报谢他的功劳了。"仁宗说："前不久谏官、御史说高若讷推荐胡恢书写《石经》，胡恢狂妄无品行；再者高若讷出巡时前导官将人殴打致死，怎么没有过错？"庞籍说："如今一般官员推举人担任京官，没有升迁的尚不受牵连，何况高若讷这样的大臣，他荐举胡恢以本官书写《石经》，没有别的图谋，为何要罢去他的枢密使！高若讷坐在马上，前导官已经走远一里多，不幸将人打死，高若纳不久将他逮送开封正法，他有什么罪过！况且陛下已经赦免，如今又追究论罪，这是不妥当的。"参知政事梁适说："王则只不过据守贝州一城，文彦博攻下贝州，回京后任了宰相。侬智高骚扰广南两路，狄青讨伐平定，担任枢密使，也不过分！"庞籍说："对贝州之功的赏赐，已有人议论太重。但文彦博任参知政事，如一旦宰相有缺，也可以补任，何况有功勋呢？此外，我朝用文官为相，任免无定规；武将任枢密使，除非有大的过失，不能罢免。况且臣不愿让狄青担任枢密使，不仅是为国家爱惜名器，也是为了保全狄青的功名。狄青出身行伍，升为枢密副使，中外各国都认为本朝无此先例。现在狄青立了大功，议论才平静下来，如果对他升赏太重，又会招致别人的议论"。争了整整一天，仁宗于是听从了他的意见，说："再另封他的几个儿子做官，怎么样？"庞籍说："从前卫青立了功，他的四个儿子都被封侯。前世有此先例，无妨。"仁宗听从了庞籍的意见，过了几天，两府上殿奏事，仁宗笑着对庞籍说："爱卿前几天讨论狄青任官之事，甚为合适，考虑长远。"

当时梁适认为高若讷任枢密使，地位在自己之上，宰相缺位时应当依次递补；狄青为武臣，虽任枢密使，不会妨碍自己的前途，因此在仁宗面前据理力争。没有成功，退朝后，很不高兴，于是密奏仁宗："狄青功劳大但赏赐不重，无法劝勉后人。"又密派人将仁宗面前说的话告诉狄青，还派人告诉内押班石全彬，要他在宫内自己称颂功劳，大肆声张对狄青、孙沔的奖赏太轻。仁宗天天听到这样的议论，不能不信，于是召两府入见对策，仁宗突然对庞籍说："平定岭南的功劳，上次奖赏太轻了，现在任命狄青为枢密使，孙沔为枢密副使；石全彬先领取观察使的俸禄，过一年后任观察使；高若讷官升一级加封学士，安置在经筵；召张尧佐回宣徽院。"仁宗说话时怒气冲冲。庞籍一时惊慌失措："暂且让臣等到中书省商议，明天再上奏。"仁宗说："只能在殿门阁讨论，朕于此处坐等消息。"庞籍于是和同僚一起商议后上奏，完全依圣旨办事。然后进去应对，仁宗面色才有所缓和。于是下诏："军国大事、边防要事，在前殿退班后在后殿应对，提前一天将所要奏报的事情预报上来。"按照旧制，枢密使的罢免,一定要由学士院发布制书,及至高若讷被罢免,只命舍人起草文书,后来便为定制。

丙午(初七),下诏令判河阳、宣徽院使张尧佐回院供职。

丁未(初八)任命枢密直学士、给事中、杭州知州孙沔为枢密副使。孙沔行至南京(今河南商丘县),被召回。

任命给事中、桂州知州余靖为工部侍郎。当时御史梁蒨多次说对余靖的奖赏太轻了,孙沔和狄青既然相继任为二府长官,因此余靖也被加封。

戊申(初九),下诏:"传闻各路转运使大多搜括百姓,将官钱作为羡余,进献资助三司的费用,还过高地预估夏秋多种作物的产量强行向民户摊派交纳现款,应一并加以禁止。"当时三司经常索取各道的财政节余,只有淮南转运使张环上交金九钱,三司长官大怒,发文对他大加指责。张环以税额太多而百姓贫穷为由,三司也拿他没有办法。

戊午(十九日),翰林学士承旨王拱辰上书说:"奉诏令详细审定大乐,待臣到达局里时,钟磬已经完工。我认为音律有长短,钟磬有大小。黄钟九寸最长,它的气为阳,代表土,正声为宫,是各音律的开始,完全是君德的象征,不可合并。现在十二个钟磬,全部以黄钟为标准,与古代不同。臣也曾请教过阮逸、胡缓等人,都说根据律的大小,则声音不能和谐。臣心中自疑,请下诏详定大乐所,再稽改古法参照制定。"

辛酉(二十二日),知谏院李兑说:"从前紫宸殿审定太常新乐,讨论的人因为钟的形制不符合律度,于是罢去不用,再次诏令近侍详细审定。我听说崇文院集体讨论时,王拱辰想更改以前史书文句的含义,王洙不同意,话不投机,几至争吵。音乐之道,广大微妙,如不是精通音律,怎可轻易发表议论!阮逸不过是个因罪罢斥的人,有意发表奇谈怪论,企图获取恩赏。国家制作器乐多年,耗费巨大;器乐制成,又要改作,虽然命令两府大臣监督,但未能正确裁定。我请求将新制成的器乐和先朝留传下来的旧乐器比较后校正其音,只以和谐雅正的为标准。"王洙和胡瑗、阮逸新造钟、磬,在形状、大小上无大的差别,又多次劝仁宗南郊大祭时使用新乐器,而议论的人多认为不妥,后来也不再用。

癸亥(二十四日),罢御史中丞王举正为观文殿学士,知通进、银台司兼门下封驳事。当初,狄青升为枢密使,王举正奋力抗争,未能成功,于是请求辞去言官之职。仁宗称赞他有御史的气节,遣使至他家赐白金三百两,于是下了这次诏令。

任命翰林学士孙抃代理御史中丞。谏官韩绛上书说孙抃不是纠察执法的人才,不宜任御史台长官。孙抃马上写了一道奏章说:"臣观当今士人,趋迎上爬的人很多,廉洁隐退的少,以善于生事为目的,以长于攻击他人为光彩,花言巧语如啬夫的人被视为辩才,刻薄寡恩如酷吏的人被认为有政绩;谏官所谓的才能,不过是这些吧! 如果是这样,臣真的不能胜任。"仁宗研究他的言论后,立即让他上任,并且任命他为知审官院。孙抃认为任言官不宜兼任有职事之官,加以推辞,于是停止知谏院的任命。

甲子(二十五日),下诏:"谏官、御史上书论事,不得相互勾结诬告善良之人。"

六月,辛未(初三),归还曹利用被籍没的乐游宅第。仁宗怜惜他无辜而死,赐给谥号立碑纪念,现在又归还他的宅第。

壬申(初四),辽兴宗住在胡吕山。乙亥(初七),仁宗到了紫宸殿,演奏了太赏寺新作的《大安》之乐,召集辅政大臣及省、府、馆、阁的学官预先观赏。又参观了宗庙的祭器,赏赐给详定官钱物不等。

壬午(十四日),右武卫大将军赵宗谔献上《治原》十五卷,下诏奖赏。赵宗谔是赵允宁的儿子。

丙戌(十八日),新修建的集禧观完工。先前,会灵观失火,改名为集禧,就是在旧观西边重建的一个殿,共祭五岳,称为奉神殿。

壬辰(二十四日),下诏:"各路转运使向上供应的粮食,按时估价在市场收购,不许压价摊派给民户;仍然停止考核税收多少的制度。"开始三司和发运使企图聚敛,奏请将各路上供粮食未达规定的官吏降职,超过的则升官,于是想升官的人竞相盘剥,百姓无法生活下去。仁宗听说后,特下此诏。

甲午(二十六日),赠予邕州司户参军孔宗旦太子中允,这是因为袁州知州祖无择上报了孔宗旦死的事。

乙未(二十七日),下诏:"河北发生饥荒,转运使检察州县长官,如有能够招集慰劳的人请向上报告,不称职的立案查办。"

秋季,七月,乙巳(初八),下诏:"因为荆湖北路农民遭受灾害,所借贷的常平仓的粮食免去不还。"

己酉(十二日),下诏:"朕想得到贤才,所以开辟举荐之路,尽心选纳录用。但这几年来,用人大多荒谬污滥,或是才能平庸,荐时褒美失实,或是行为向为恶劣便力请悔过自新,有的不能胜任其职却被推荐担任重任,究其动机,如不是自买自夸,怎么会到这个地步!从现在起如果所举之人名不副实的,下令御史台弹劾,以法论处。现在任职监司以上的官吏,不允许荐举他人。"

准布大王率各部落首领献上马匹骆驼给辽国。

庚戌(十三日),仁宗对辅政大臣说:"近来听说各州军常在秋夏之际,先上报说雨水充足,庄稼茂盛;后来受了灾害,便不敢上报,致使百姓上交税额得不到减免,这绝不是官吏关心百姓,应当下令治处。"

戊午(二十一日),诏令太常寺议定谥号时不得有意褒美。

庚申(二十三日),任命庄宅副使开封人赵滋代理并代钤辖。先前,赵滋被授予定州路驻泊都监,常常因为发放军粮时,同僚说军粮不好,赵滋斥责说:"你是要激怒兵士吗?如果众人有怨言,先将你斩首!"韩琦听后认为他有胆识,有将相之才,于是下了这个诏命,这是听从韩琦的奏请。

辽兴宗去黑岭。

闰月,戊辰朔(初一),下诏内侍省:"从现在起内侍供奉官至黄门,以一百八十人为定额。"

下诏:"广南一带蛮人掠洗过的地方百姓逃走未回的,限定一年内恢复旧业,仍然免除两年科差和三年徭役。"这是听从体量安抚周沆的奏请。先前百姓逃避贼人,大多弃田地远去;官吏根据常法,半年后未还乡的,听任他人佃占。周沆说:"这岂能和凶年逃避科租徭役的人相提并论?"于是上奏推迟一年,已被人占佃的田地仍归旧主,贫穷人户官家贷给种粮。开始,仁宗诏令周沆:"广南地方险恶,未受贼人骚扰的地方你不必去。"周沆说:"边境百姓新

1119

近遭受贼害,应当宣布天子的恩泽。"于是遍行州县。

庚午(初三),乌库向辽国入贡。

辛未(初四),调青州知州文彦博任秦州知州,秦州知州张昪任青州知州。当时他正在建古渭州城,不同意张昪这种做法,于是下了这次任命。

御史中丞孙抃进言:"朝廷不久前在境外筑城,蕃人部落都人心不安。现在又特命前宰相到边境,不合常例,这一定会加重蕃人疑虑,或许引起其他变故。听说永兴军晏殊的官秩将满,不如派他去守关中,兼理秦凤事务;蕃人部落不至于惊扰,符合国体,这最为妥当。"

壬申(初五),罢去户部侍郎、平章事庞籍,以本官职称任郓州知州。

先前,齐州学究皇甫渊捕获贼人,依法当赐予赏钱,皇甫渊上书希望用赏钱换一个官职。道士赵清贶是庞籍的外甥,代替皇甫渊在庞籍面前说谎,又与堂吏一道接受了皇甫渊的贿赂。皇甫渊多次到待漏院为自己说情,庞籍便令皇甫渊回到齐州。有一小吏告发赵清贶等人受了贿赂,庞籍命令逮捕送往开封府,赵清贶和堂吏都按受贿罪刺配岭外,行达许州时死去。谏官韩绛说庞籍暗令府吏用杖刑杀赵清贶等人灭口,又说这件事应交枢密院,不应由中书省自行处置,所以将他罢免。然而说庞籍暗示开封府灭口一事,查无事实。

任命判大名府陈执中为吏部尚书、平章事,任命给事中、参知政事梁适为吏部侍郎、平章事。

甲戌(初七),赠予退休的秘书监胡旦工部侍郎,又赐给他家钱三十万,下令襄州官府为他办理丧事。知州项城人马寻,说胡旦家境贫寒,很久不能完葬,所以对他加以抚恤。马寻以精通法律有名,他在襄州时,碰上年荒,有人群聚抢劫富家粮仓,狱吏将他们作为强盗,马寻说:"这是因饥饿所迫,其情不同于强盗。"上奏,得以减免死罪,于是作为定例。

乙亥(初八),下诏:"各州知州、军的武臣,全要和僚属一道商议公事,不得专权独断,仍然下令安抚、转运使、提点刑狱司常年考察他们。"

丙子(初九),任命集贤校理李中师为淮南转运使。李中师入辞圣上,仁宗对他说:"近来听说各路转运使大多献上羡余以图进用,但遇上灾年,不免向百姓暴掠,这是朕所不取的,你一定要以此为戒。"从内藏库取出缗钱三十万,细绢二十万,绵布十万,下发河北帮助收购军粮。

庚辰(十三日),秦凤路上报部署刘涣等击败蕃人部落,斩首二千余级。

戊子(二十一日),下诏礼部贡院:"从现在起诸科举人,最后一场考试经书大义十道,每道举科首一两句提问,能够用本经注疏回答且能在文辞上润色加工的列为上等,或是不指明义理但引用注疏加以说明的次之,两者均予以通过;如引用注疏达到百分之六十就算粗浅;不知道本义或引用其他经法但文句意思相反,章句不通的不予通过。并且考试通过四道为合格。《九经》只考问大义,不必注疏齐备;《九经》考试场数都减少两场,且不兼问其他经书。"又下诏:"开封府、国子监进士,从现在起每一百人中解送十五人,其考官有亲戚嫌疑的,责令开封府、国子监相互解送;如果两处都有亲属之嫌,就解送其他地方。"

己丑(二十二日),下诏说:"修筑古渭城的士卒,暂时由保捷军请给,仍然以蕃人官员左班殿直纳支蔺毡为本地分巡检,月俸五千钱,过一年后,能弹压住蕃部,即任命为顺州刺史。"

纳支蔺毡世居古渭城,离夏国很近。夏国人在边境上牧羊,蔺毡进行抢掠,夏国人大怒,要进攻报复,蔺毡恐力不能抵敌,于是献出其地,希望得到戍边士卒对付夏人。范祥想建奇功,马上到古渭州筑城守备。蔺毡的祖先据有九谷,后来慢慢衰落,仅保住三谷,其他领土全部被别的部族占据。青唐族势力最为强大,据有盐井之利,每天的利润,可以用来购买八百匹马。蔺毡告诉范祥:"这本来是我的领土,也请汉人攻取。"范祥又多夺各部落土地以招弓箭手,致使青唐及其他各族都很愤怒,起兵叛宋。范祥因罪降职后,张昪请求放弃古渭城。夏国人再次提出意见:"古渭州本来是我们的土地,现在朝廷在此筑城,是违背过去誓诏。"仁宗派傅求负责粮草,负责权衡此事的利害关系,傅求说:"现在如果放弃不筑城,夏国人一定会占据这块地盘,秦州的后患会更加严重。况且得而复弃,有损国威。根据蔺毡祖人都担任过汉人官职,这一地盘不属夏国人是很明显的,只是应当将它改名为古渭寨,不设置州,以便遵守誓诏。"于是召集青唐等族首领,告谕他们"朝廷现在筑城,实是为了守卫你们这些部族,而你们却要反叛,这是为什么?"都回答说:"官兵侵夺我们的盐井和土地,我们无以谋生。"傅求说:"现在归还你们的盐井和土地怎么样?"众人欢喜,愿服从命令,于是撤去士兵。傅求便割取这块土地的四分之一送给青唐等族,终于在古渭州筑城,并加封蔺毡官爵。

癸巳(二十六日),辽国在长春州设置钱帛司。

续资治通鉴卷第五十四

【原文】

宋纪五十四　起昭阳大荒落【癸巳】八月,尽阏逢敦牂【甲午】十月,凡一年有奇。

仁宗体天法道极功全德　神文圣武睿哲明孝皇帝

皇祐五年　辽重熙二十二年【癸巳,1053】　八月,丁酉朔,诏:"民诉灾伤而监司不受者,听州军以状闻。"

丁未,以通判潭州唐介为殿中侍御史里行、知复州。

戊申,以知秦州文彦博为忠武节度使、知永兴军兼秦凤路兵马事,始用孙抃言也。

傅求言古渭寨方发兵戍守,不宜更易主将;己酉,命知青州张昪复知秦州。

庚申,以知复州唐介为殿中侍御史,充言事御史,遣内侍赉敕告赐之。介贬斥不二岁复召,议者谓帝能优容言事之臣,近代所希。

辛酉,策试贤良方正能直言极谏太常寺太祝赵彦若。彦若所对策疏阔,下有司,考不中等,罢之。先是制举就秘阁试者凡十八人,有司独取彦若,于是又被黜,议者谓宰相陈执中不由科第以进,故阴讽有司抑之也。

壬戌,诏:"今后每遇南郊,以太祖、太宗、真宗并配。"

九月,庚午,以东上阁门使钱晦知河中府。帝戒曰:"陕西兵方解,民困久矣,卿为朕爱抚。无纵酒作乐,使人谓为贵戚子弟。"晦顿首谢。

乙酉,御崇政殿,召近臣、宗室、台谏官、省府推、判官观新乐。先是钟律之音未协古法,诏中书门下集两制及太常礼官与知钟律者考定。其当议者各安所习,久而不决,乃命诸家各作钟律以献,亲临视之。然古者黄钟为万事根本,故尺量权衡皆起于黄钟。至隋,用黍累为尺而制律,容受卒不能合;及平陈,得古乐,遂用之。唐兴,因其声以制乐,其器无法,而其声犹不失于古。五代大乐沦散,王朴始用尺定律,而声与器皆失之,故太祖患其声高,特减一律,至是又减半。然太常乐比唐声尤高五律,比今燕乐高三律。帝虽勤劳制作,未能得其当者,有司失之以尺生律也。

庚寅,以国子监直讲胡瑗为大理寺丞,复勒停人阮逸为户部员外郎,并以制钟律成,特迁之。

壬辰,罢三司提举司句当公事官,从宰臣陈执中所奏也。

夏主遣使进降表于辽。甲午,辽使南面林牙高嘉努等奉诏抚谕夏国。

冬,十月,丙申朔,日有食之。

戊戌,徐州录事参军路盛,追一官勒停。盛马毙,怒厩人刍秣失时,杖之,令抱石立五昼夜,又杖之。大理寺断杖八十私罪。帝以盛所为苛暴,贵畜而贱人,特贬之。

〔己亥〕,判大宗正司允让言:“宗室生子,须五岁然后赐名受官,毋得依长子例不限年。”从之。

壬子,作镇国神宝。

丙辰,御延和殿,召辅臣观指南车。

丁巳,以殿中侍御史唐介为工部员外郎、直集贤院。介始入见,帝曰:“闻卿迁谪以来,未尝有私书至京师,可谓不易所守。”介顿首谢。后数论得失,因言于帝曰:“臣继今言不行,必将固争,争之急,或更坐黜,是臣重累陛下,愿听解言职。”许之。御史中丞孙抃奏留介,或补谏署,不报。寻以为开封府判官。

诏以蝗旱,令监司谕亲民官上民间利害。

甲子,避神宝名,改镇国军为镇潼军。

十一月,丁卯,朝享景灵宫。戊辰,享太庙、奉慈庙。己巳,合祭天地于圜丘,大赦。

先是张方平言王畿赋敛之重,于是诏开封府诸县两税,务于元额上减三分,永为定式。

丁丑,加恩百官。戊子,放天下逋负。

庚寅,罢荆湖南路、江南西路、广南东、西路转运判官。

辛卯,辽命诸职事官以礼受代及以罪去者置籍,岁申枢密院。

十二月,丙申朔,辽以契丹人充回鹘部副使。

丁酉,广西安抚使言捕获侬智高母阿侬及智高弟智光、子继宗、继封,诏护送京师。阿侬有智谋,智高攻陷城邑,多用其策,僭号太后。天资惨毒,嗜小儿,每食必杀小儿。智高败走,阿侬人保特磨,依其夫侬夏卿,收残众约三千余人,复欲入寇。余靖督部吏黄汾、黄献珪、石鉴、进士吴舜举发峒兵入特磨掩袭,并智高弟、子皆获之。

庚子,张方平加翰林侍读学士、知秦州,代张昪也。

初,昪命部署刘涣讨叛羌,涣逗遛不进,昪奏以郭恩代之。恩既多所斩馘,涣疾恩出己上,遂诬奏恩所杀皆老稚。朝廷疑焉,故罢昪而遣方平往帅,亦徙涣泾原。方平力辞,言:“涣与昪有阶级,今互言而两罢,帅不可(训)〔为〕也。”昪以故得不罢。寻命方平知滑州。

辽以应圣节曲赦徒以下罪。

癸丑,诏:“入内内侍省都知、押班,非年五十以上,历任无赃私罪,勿除。”

戊午,诏曰:“转运之职,本以澄清官吏,绥抚人民,岂特事诛求以剥下乎?有能尽岁入以致增盈者,留为本路(多)〔移〕用,毋得进羡馀。务宽民力,以称朕怀。”

庚申,以太常博士兴国吴中复为监察御史里行,用中丞孙抃荐也。中复尝知犍为县,有善政。抃未始识其面,即奏为台属,或问之,抃曰:“昔人耻为呈身御史,今岂荐识面台郎邪!”

辛酉,辽贺正旦使请观庙乐,帝以问,宰相陈执中曰:“乐非祠享不作,请以是告之。”枢密副使孙沔曰:“此可告而未能止也。当告之曰:‘庙乐之作,以祖有功、宗有德而歌咏之也。使者能留与吾祭则可观。’”帝从之,使者乃退。

初,贾昌朝建议:“汉、唐都雍,置辅郡,内翼京师。国朝都汴,而近京诸郡皆属它道,制度不称王畿。请析京东之曹州、京西之陈、许、郑、滑州并开封府总四十二县为京畿。"帝纳之。壬戌,诏:"以曹、陈、许、郑、滑五州为辅郡,隶畿内,置京畿转运使。五州各增铃辖一员,曹州更增都监一员,留屯兵三千人,以时教阅。若出戍,即于开封府近县或邻州徙兵足之。"以王赞为枢密直学士、京畿水陆计度转运使。

左司谏贾黯建言:"臣尝读隋史,见所谓立民社义仓者,取之以时而藏之于民,下足以备凶灾而上实无所利焉。愿仿隋制,诏天下州军,遇年谷丰熟,立法劝课蓄积以备灾。"即下其说司农寺,且命李兑与黯合议以闻。乃下诸路度可否,而以为可行者才四路,馀或谓赋税之外两重供输,或谓恐招贼盗,或谓已有常平足以赡给,或谓置仓烦扰。于是黯复上奏,一一辨之。然当时牵于众论,终不果行。

是岁,夏改元福圣承道。

至和元年　辽重熙二十三年【甲午,1054】　春,正月,己巳,辽主如混同江。

辛未,京师大寒,诏有司恤民之冻死者。

壬申,碎通天犀,和药以疗民病。时京师大疫,太医进方,内出犀牛角二本,析而观之,其一通天犀也。内侍李舜卿请供帝服御,帝曰:"吾岂贵异物而贱百姓哉!"立命碎之。

建宁留后杨景宗卒,赠武安节度使兼太尉,谥庄定。景宗起徒中,以外戚故至显官。然性暴戾,使酒任气,知滑州,尝殴通判王述仆地。帝深戒毋饮酒,景宗虽书其戒坐右,顷之辄复醉,其奉赐亦随费无馀。始,宰相丁谓筑第敦教坊,景宗为役卒,负土第中。后谓败,帝以其第赐景宗,居之三十年乃终。

癸酉,贵妃张氏薨。

妃宠爱日盛,出入车御华楚,颇侵后饰。尝议用红伞,增兵卫数;有司以一品青盖奏,兵卫准常仪。帝守法度,事无大小,悉付外廷议,凡宫禁干请,虽已赐可,或辄中却;妃擘幸少比,然终不得紊政。及薨,帝悲悼不已,谓左右曰:"昔者殿庐徽卫卒夜入宫,妃挺身从别寝来卫朕。尝祷雨宫中,妃刺臂血书祝词,外皆不得闻,宜有以追责之。"入内押班石全彬探帝意,请用后礼于皇仪殿治丧,诸宦者皆以为可,入内都知张惟吉独言此事须翼日问宰相。既而判太常寺、翰林学士承旨王拱辰、知制诰王洙等皆附全彬议,宰相陈执中不能正,遂诏近臣、宗室皆入奠于皇仪殿,移班慰上于殿东楹。特辍视朝七日,命参知政事刘沆为监护使,全彬及句当御药院刘保信为监护都监。凡过礼,皆全彬与沆合谋处置,而洙等奏行之。初,有司请依荆王故事辍视朝五日,或欲更增日,请上裁,乃增置七日。殿中侍御史酸枣吕景初言:"贵妃一品,当辍朝三日。礼官希旨,使恩礼过荆王,不可以示天下。"不报。

丁丑,追册贵妃张氏为皇后,赐谥温成。御史中丞孙抃三奏请罢追册,不报。初,赐谥曰恭德,枢密副使孙沔言:"太宗四后皆谥曰德,从庙谥也。今恭德之谥,其法何从?且张、郭二后不闻有谥,此虽礼官之罪,实贻讥于陛下,不可不改。"因改谥温成。抃及侍御史毋湜、殿中侍御史俞希孟等皆求补外,知杂事郭申锡请长告,皆以言不用故也。

禁京城乐一月。己卯,殡温成皇后于皇仪殿之西阶,宰臣率百官诣殿门进名奉慰。壬午,遣官告太庙、皇后庙、奉慈庙。

甲申,宰臣梁适奉温成皇后谥册于皇仪殿,百官诣西上阁门进名奉慰。是夕,设警场于右掖门外,帝宿于皇仪殿。

乙酉,帝成服于殿幄,百官诣殿门进名奉慰。是日,殡温成皇后于奉先寺,辒车发引由右升龙门出右掖门,升大昇輂,设遣奠。

先是诏枢密副使孙沔读哀册,孙沔奏:"章穆皇后丧,比葬,行事皆两制官,今温成追谥,反诏二府大臣行事,不可。"于是执册立帝前陈故事,且曰:"以臣孙沔读册则可,以枢密使读册则不可。"置册而退。宰相陈执中取而读之。既殡,百官复诣西上阁门进名奉慰。

戊子,夏遣使贡方物于辽。

壬辰,辽主如春水。

诏:"待制以下丁父母忧,已听解官行服,今满百日犹起复,其罢之。"

癸巳,延福宫使、武信留后、入内内侍省都知王守忠,罢延福宫使,为武信留后,它毋得援例。故事,宦官未有真为留后者,守忠介东宫恩,数求之。帝欲从其请,时高若讷为枢密使,持不可,故止。及是守忠疾,复求为节度使。宰相梁适曰:"宦官不除真刺史,况真节度使乎?"帝曰:"朕尝许守忠矣。"适曰:"臣今日备位宰相,明日除一内臣为节度使,臣虽死有馀责。"御史中丞孙抃亦奏疏力谏,乃罢节度使不除,然犹得真为留后。守忠谨愿细密,故眷遇最厚。方在疾告,帝令用浮屠法,集僧于其家,凡四十九日,为之祫禳。既卒,赠太尉、昭德节度使,谥安僖,特给卤簿以葬。

辽主先猎于双子淀,甲午,复猎于盘直坡。先是牌印郎君耶律陈嘉努逐鹿围内,鞭之二百。会耶律仁先荐陈嘉努健捷比海东青鹘,授御盏郎君。

二月,丁酉,诏礼院,孝惠、孝章、淑德、章怀皇后、章惠皇太后、温成皇后皆立小忌。先是有请立温成忌者,直集贤院刘敞言:"太祖以来,后庙四室,陛下之姊也,犹不立忌,岂可以私昵之爱至变古越礼乎!"于是并四后及章惠皆诏立忌。枢密副使孙沔极陈其不可,中丞孙抃累奏论列,而礼院官亦以为言,皆不听。寻罢之。

庚子,诏:"治河堤民有疫死者,蠲户税一年;无户税者,给其家钱三千。"

戊申,太常博士、史馆检讨鄞人张乌,落职监潭州税。诏立温成忌,礼官列言其不可,宰相患之。或谓宰相曰:"乌独主兹议,它人皆不得已从之耳。"乌父太祝牧,当任蜀官,乌尝奏乞代其父,且求知广安军,执政谓曰:"故事,史馆检讨不为外官,若舍去此职则可往。"乌始谓必换职名,及知弗得,乃言父欲自行,仍愿留史馆。无何,牧至京师,复上书乞免入蜀。宰相既恶乌,因追罪乌奏事前后异同而黜之。

戊午,诏乾元节度僧尼。

己未,以直史馆张揽为户部副使。

枢密副使孙沔,数言追册温成于礼不可,且曰:"皆由佞臣赞兹过举。"宰相陈执中等衔之。沔不自安,力求解职。壬戌,授资政殿学士、知杭州。浙俗贵僧,或纵妇女与交;沔严察之,杖配者甚众。

以三司使、礼部侍郎田况为枢密副使。

枢密使、彰德节度使、同平章事王贻永,数以疾求罢。三月,己巳,罢为景灵宫使,加右仆射兼侍中,仍诏特依宗室例,岁赐在京公使钱五千缗,其进奉听如两府例。贻永性清谨寡言,颇通书,不为声伎之乐。旧制,外姻未有辅政者,贻永在枢密十五年,归第则杜门谢客,人称其谦静。庆历间,贻永位冠(两)〔西〕府,杨怀敏自河朔入奏塘泊事,欲升黜者数十人。两府聚议,宰相贾昌朝见怀敏为兴,呼押班太傅,怀敏称说云云。独贻永怒曰:"押班如此,腾倒人太多,宁谓稳便!"怀敏缩颈而退,昌朝大惭。庞籍、吴育时为枢密副使,相谓曰:"常得此老发怒,大是佳事!"

以河阳三城节度使、同平章事、判郑州王德用为枢密使。

〔辛未〕,诏:"诸路提点刑狱朝臣,自今三岁一代。"

〔壬申〕,置提点京畿刑狱官,以度支员外郎蔡挺为之。

乙亥,司天监言四月朔日当食。庚辰,德音,改元,降天下死罪一等,流以下释之。癸未,易服,避正殿,减常膳。

丁亥,辽主幸皇太弟重元帐。

夏,四月,甲午朔,日有食之。遣官祀社以救日。是日,雷雨,至申时,见所食九分之馀。丙申,宰相以日食不及算分率,百官表贺。

〔戊戌〕,诏三司铸"至和元宝"钱。

辛丑,御正殿,复常膳。

祥源观火。

先是知制诰胡宿言:"臣窃以国家乘火而王,火于五行属礼。古者祭天神无二主,礼专一配,所以奉天帝之尊,明不敢渎。唐初始有兼配之事。垂拱中,礼官希旨,郊丘诸祠遂有三祖同配之礼。开元十一年,明皇亲享圜丘,礼官建议,遂罢三祖同配。国家至道三年,诏书亲郊圜丘,以太祖、太宗并配。陛下即位,景祐二年,诏礼官详按典礼,辨崇配之序。诏书节文:'自今以往,太祖定配,二宗迭侑。'去年八月八日诏书:'今次南郊,三圣并侑,后次却依旧礼。'未逾旬日,复有'今后每遇南郊三圣并侑'之诏。窃寻诏旨,先后不同。臣愚欲望今后南郊,且依景祐二年礼官所定太祖定配之典,追寝去年'每遇南郊三圣并侑'之诏,告谢天地,以顺火性。"不报。

癸卯,高丽遣使贡于辽。

癸丑,辽主猎于合只忽里。

五月,己巳,夏乞进马驼于辽,辽主命岁贡之。

乙亥,以马军副都指挥使、昭信留后张茂实为宁远节度使、知潞州。茂实之母微,既生茂实,入宫乳悼献太子。茂实方襁褓,真宗以付内侍张景宗曰:"此儿貌厚,汝养视之。"景宗遂以为子。于是开封民繁用扣茂实马首,言茂实乃真宗子,茂实执以闻。事下开封府,用盖病狂易。事既明,言者以嫌请罢茂实兵柄。帝察其无它故,擢节度使出守。用坐配窭州牢城。

己丑,客星出天关之东南可数寸。

庚寅,辽主如永安山。

壬辰,夏遣使贡于辽。

六月,乙未,诏益州路钤辖司:"应蛮人出入处,皆预择人为备御。"时黎州言侬智高自广源州遁入云南故也。

丙申,辽主如庆州。己亥,谒庆陵。

辛亥,吐蕃遣使贡于辽。

癸丑,殿中侍御史里行吴中复上殿弹宰相梁适奸邪,帝曰:"近马遵亦有弹疏,且言唐室自天宝而后治乱分,何也?"中复对曰:"明皇初任姚崇、宋璟、张九龄为宰相,遂致太平。及李林甫用事,纪纲大坏,治乱于此分矣。虽威福在于人主,而治乱要在辅臣。"帝曰:"朕每进用大臣,未尝不采公议,顾知人亦未易耳。"遵,乐平人也。

甲寅,出内藏库绸绢五十万,缗钱三十万,下河北助籴军储。

秋,七月,丁卯,以端明殿学士、给事中、知益州程戡参知政事。

礼院言:"奉诏参定即温成皇后旧宅立庙及四时享祀之制。检详国朝孝惠皇后,太祖嫡配,止即陵所置祠殿以安神主,四时惟设常馔,无荐享之礼。今温成皇后宜就葬所立祠殿,参酌孝惠故事施行,仍请题葬所曰'温成皇后园'。"从之。

戊辰,礼部侍郎、平章事梁适罢,以本官知郑州。先是殿中侍御史马遵等弹适奸邪贪黯,任情徇私,且弗戢子弟,不宜久居重位,适表乞与遵等辨。遵等即疏言:"光禄少卿向(傅)〔传〕师,前淮南转运使张可久,尝以赃废,乃授左曹郎中;又,留豪民郭秉,在家卖买,奏与恩泽;张揆还自益州,赂适得三司副使,故王逵于文德殿廷厉声言:'空手冷面,如何得好差遣!'"中丞孙抃亦言:"适为宰相,上不能持平权衡,下不能训督子弟,言事官数论奏,非罢适无以慰清议。"帝不得已,乃罢之。

己巳,夏遣使求婚于辽。

殿中侍御史马遵知宣州,吕景初通判江宁府,殿中侍御史里行吴中复通判虔州。

梁适之得政也,中官有力焉。及马遵等弹适,左右或言:"御史捃拾宰相,自今谁敢当其任者?"适既罢,左右欲并遵等去之。始,遵等言:"盐铁判官李虞卿,尝推按茶贾李士宗负贴纳钱十四万缗,法当倍输。而士宗与司门员外郎刘宗孟共商贩,宗孟与适连亲,适遽出虞卿提点陕西刑狱。"下开封府鞫其事,宗孟实未尝与士宗共商贩,且非适亲,遵等皆坐是黜,而中复又落里行。知制诰蔡襄,以三人者无罪,缴还词头,改付它舍人,亦莫敢当者,遂用熟状降敕。虞卿,昌龄子也。

御史中丞孙抃言:"臣等昨论列宰相梁适事,今日风闻吕景初以下并议谴责。臣详观朝旨,必是奸人以巧言移人主意,遂使邪正曲直,溃然倒置。况威赏二字,帝王之权,古先圣人尤所谨重,今梁适内恃私邪,外恃势力,重轻高下,皆在其手,嗟怨之声,沸腾中外,陛下庇而不问。臣恐缘此之后,朝廷事事尽由柄臣,台谏之官,嗫口结舌,畏不敢言,陛下深居九重,何从而知!臣居风宪之长,既不能警策权臣,致令放纵私徇,又不能防闲奸人,致令惑误圣听,臣之罪多矣。乞夺臣官爵,窜臣远方,以谢天下。"又言:"臣前与郭申锡等全台上殿论列朝廷事,陛下亦优容不罪。今止言梁适,遽有此行遣,显是犯天子之颜者其过轻,言宰相之事者其过重。方今幅员数万里,生齿至夥,治乱安危之要,系执政数人而已;既有过咎,台官不得言,谏署不得奏,朝廷其如何哉!伏望念祖宗大业而谨重之,无使威赏二柄尽假于下。"又累奏乞召还遵等,皆不报。翰林学士胡宿,因召对,乞留马遵等,退,又上言:"刚猛御史,自古难得。近日谪见未息,奸宄须防。古人有言:'猛虎在深山,藜藿为之不采。'欲乞降旨留三御史在朝,以警奸邪。"亦不报。

以权知开封府、龙图阁直学士吕公弼为枢密直学士、知益州。先是帝每念吕夷简,闻公弼有才,书其名于殿柱。公弼奏事,帝目送之,语宰相曰:"公弼甚似其父。"既召程戡入辅,因使公弼代戡。公弼固辞,乃复授龙图阁直学士、同知群牧使。甲戌,以知滑州张方平为户部

(郎中)〔侍郎〕、知益州。

辽主如秋山。己卯,诏八房族皆加巾帻。

戊子,以龙图阁直学士、吏部郎中欧阳修知同州。

先是修守南京,以母忧去,服除入见,帝恻然怜修发白,问在外几年,今年几何,恩意甚至,命判吏部流内铨。小人恐修复用,乃伪为修奏,乞汰内侍挟恩令为奸利者,宦官忿怨,阴求所以中修者。会选人张俅、胡宗尧例改京官,宗尧前任常州推官,知州以官舟假人,宗尧连坐。及引对,修奏宗尧所坐薄,且更赦去官,于法当选。谗者因是言宗尧翰林学士宿子,故修特庇之,夺人主权,修坐是出。修在铨曹未浃旬也。

八月,癸巳,以判吏部南曹吴充同知太常礼院,同判吏部南曹冯京同判登闻鼓院。二人皆以胡宗尧故易任。充上疏为欧阳修辨,不报。

出内藏库钱二百万缗,令入内供奉官张茂则置司以市河北入中军粮钞。先是上封者言:"河北入中军粮,京师给还缗钱、䌷绢,商人以算(清)〔请〕,久未能得,其钞每百千止鬻六十千,今若出内藏库钱二百万缗量增价收市之,岁可得遗利五十万。"帝以为然,故委茂则干其事。既而知谏院范镇言:"内藏库、榷货务同是国家之物,岂有榷货务固欲滞商人算钞,而令内藏库乘钱以买之? 与民争利,伤体坏法,莫此为甚。"帝是镇言,遽罢之。

甲午,以知制诰贾黯权判吏部流内铨。时承平日久,百官乐于因循,黯始欲以风义整救其弊。益州推官桑泽,在蜀三年,不知其父死,后代还,应格当迁,投牒自陈。人皆知其尝丧父,莫肯为作文书。泽知不可,乃去,发丧制服,以不得家问为解。泽既除丧,求磨勘。黯以为泽三年不与其父通问,虽非匿丧,犹为不孝也,言之于朝,泽坐废,归田里,不齿终身。晋州推官李亢,故尝入钱得官,已而有私罪,默自引去,匿所得官,以白衣应举及第,积十年,当磨勘,乃自首,言其初事。黯以为此律所谓罔冒也,奏罢之,夺其劳考。

丁酉,诏:"前代帝王后,尝仕本朝官八品以下,其祖父母妻子犯流以下罪,听赎;未仕而尝受朝廷赐者,所犯非凶恶,亦听赎。"

丙午,工部侍郎、参知政事刘沆依前官平章事。

以知郑州梁适为观文殿大学士、知秦州。御史中丞孙抃再疏言旧相不当临边,不报。初,古渭寨为蕃部所扰,及益兵拒守,而它族多惊疑。适具牛酒,召其酋长默罗多尼等抚定之,罢所益兵;终适之去,蕃部不为寇。

丁未,徙知宣州、殿中侍御史马遵为京东转运使,通判江宁府、殿中侍御史吕景初知衢州,通判虔州、主客员外郎吴中复知池州。

初,欧阳修罢判流内铨,吴充、冯京罢判南曹,知谏院范镇言:"铨曹承禁中批旨,疑则奏禀,此有司之常也。今谗人以为挠权,窃恐上下更相疑畏,谁敢复论是非! 请出言者主名,正其罪,复修等职任。"言之至再,帝意乃解;而宰臣刘沆亦请留修。戊申,命修刊修《唐书》。

诏学士院:"自今当宿学士以故请告者,令以次递宿。"前一夕,命刘沆为宰相,召当宿学士杨伟草麻,不至,乃更自外召赵概草之,故有是诏。

戊午,知制诰贾黯言:"陛下日御迩英阁,召侍臣讲读经史,其咨访之际,动关政体,而史臣不得预闻;欲乞令修起居注官入侍阁中,事有可书,随即记录。"从之。赐坐于御坐西南。

诏:"自今将相迁拜见辞之礼,令阁门以故事举行。"从知制诰韩绛言也。

九月，辛酉朔，以权三司使、翰林学士杨察为户部侍郎、提举集禧观事。内侍杨永德建请于蔡汴河置水递铺，察条不便，罢之，永德毁察于帝。三司有狱，辞连卫士，皇城司不即遣，而有诏移开封府鞫之。察由是乞罢，帝从其请。

知谏院范镇言："外议皆谓察近因点检内衣库积尺罗帛及建水递铺非便，内藏库不当买交钞，香场人吏取乞钱物，皇城司占护亲从官不以付外勘鞫。此等事皆是害政伤理之大者，三司义当论列，而谗邪小人，多方沮毁，使其请解使权，朝廷因遂其请，臣窃为陛下惜之。夫邪正之辨，不可不审，陛下以察之所陈是邪非邪？以为是，则宜使察主大计，以塞奸幸之路；以为非，则不当改官，使自暇逸。累日以来，日色不光，天气沈阴，欲雨而不雨，此邪人用事之应，而忠良之情不得上通也。陛下宜以察所争四事下中书、枢密大臣，详正是非，付有司依公施行，复察所任，庶几上应天变，下塞人言。"殿中侍御史西安赵抃亦言："察若有罪，不当更转官资；若本无罪，不当改任。乞追还新命。"不报。抃为御史，弹劾不避权幸，时号铁面御史。

先是盐铁判官王鼎为淮南、江、浙、荆湖制置发运副使，永德请沿汴置铺挽漕舟，岁可省卒六万，鼎议以为不可。永德横滑，执政重违其奏，乃令三司判官一员将永德就鼎议。鼎发八难，永德不能复。鼎因疏言："陛下幸用臣，不宜过听小人，妄有所改，以误国计。"于是永德言不用。居二年，遂以为使。前使者多渔市南方物，因奏计京师，持遗权贵。鼎一无所市，事无大小，必出于己，凡调发纲吏，度漕路远近，定先后，为成法。于是劳逸均，吏不能为轻重。官舟禁私载，舟兵无以自给，则盗官米为奸。有能居贩自赡者，市人持以法，不肯偿所逋，鼎为移州县督偿之。舟人有以自给，不为奸，而所运米未尝不足也。

以殿中丞王安石为群牧判官。安石力辞召试，有诏与在京差遣。及除群牧判官，安石犹力辞，欧阳修谕之，乃就职。馆阁校勘沈康，诣宰相陈执中求为群牧判官，执中曰："安石辞让召试，故朝廷优与差遣。且朝廷设馆阁以待天下贤才，当以德让为先，而争夺如此，公视安石，颜何厚也！"康惭沮而退。

癸亥，起居舍人、知制诰吕溱，工部郎中、知制诰兼侍讲、史馆修撰王洙，并为翰林学士。故事，翰林学士六员，时杨察、赵概、杨伟、胡宿、欧阳修并为学士，于是察加承旨，溱及洙复同除学士，洙盖第七员也。温成皇后之丧，洙与石全彬附会时事，陈执中、刘沆在中书，喜其助己，故员外擢洙。议者非之。

甲子，以直集贤院、同修起居注吴奎、刘敞并知制诰，仍以敞为右正言。陈执中言奎、敞修注未一月，不应骤迁，帝不听，曰："此岂计算日月邪！"谢日，帝面谕以"外间事不便，有闻当一一语朕也。"

丙寅，翰林学士王洙上《周礼礼器图》。先是洙读《周礼》，帝命画车服、冠冕、笾豆、簠簋之制，及是图成，上之。

枢密副使王尧臣，务裁抑侥幸，于是有镂匿名书布京城以摇军情者，帝不信。丁卯，诏开封府揭榜募告者，赏钱二千缗。

己巳，迩英阁讲《周礼》"大荒大札，则薄征缓刑"。杨安国曰："所谓缓刑者，乃过误之民耳，当岁歉则赦之，闵其穷也。今众持兵杖，劫粮廪，一切宽之，恐不足以禁奸。"帝曰："不然，天下皆吾赤子也。一遇饥馑，州县不能存恤，饿莩所迫，遂致为盗，又捕而杀之，不亦甚乎！"

先是辽主欲见帝容像，以耶律防善画，因其来使，窃画帝容以归，然以为未得其真。上年,辽主谕其大臣曰:"朕与宋皇帝约为兄弟欢,故欲见其画像,可告来使。"至是辽使萧德、吴湛以为请,又乞进本国酒馔;不许。

丁丑,诏开封府:"自今凡决大辟囚,并覆奏之。"初,开封府言得枢密院札子,军人犯大辟无可疑者,更不以闻,其百姓则未有明文。帝重人命,至是军人亦令覆奏。

辛巳,以三司使王拱辰为回谢使,德州刺史李珣副之,使于辽。

癸未,礼院言温成皇后葬所,请称园陵,从之。乙酉,温成皇后启殡,帝不御前后殿,百官进名奉慰。御史中丞孙抃率其属言刘沆既为宰相,不当领温成皇后监护使,且言立庙建陵皆非礼。章累上,不报。因相与请对,固争不能得,抃伏地不起,帝为改容遣之。

庚寅,辽主出猎,遇三虎,纵犬获之。

冬,十月,辛卯朔,太白昼见。

壬辰,诏:"士庶之家尝更佣雇之人,自今毋得与主人同居亲为婚;违者离之。"

丁酉,葬温成皇后。帝御西楼,望枢以送,自制挽歌词,宰相率百官进名奉慰。知谏院范镇言:"太常议温成皇后葬礼,前谓之温成园,后谓之园陵;宰相刘沆前为监护使,后为园陵使。如闻此议皆出礼官,前日是则今日非,今日是则前日非,必有一非于是矣。古者法吏舞法,而今世礼官舞礼。若不加诘问,恐朝廷典章浸坏而不可救。乞下臣章,劾礼官前后异状,以正中外之惑。"不报。镇又请葬温成皇后罢焚瘗锦绣、珠玉以舒国用,从之。

辽主如中京,戊戌,幸新建秘书省。

先是都官员外郎燕度议,川峡选人遭父母丧,须代者至,然后听去官;知制诰、同判流内铨刘敞言,此非所以全人子之孝也。辛丑,诏自今并听奔丧。敞尝建议曰:"窃见旧制官自三司副使以上及班行使臣,不论高低,遭父母丧者,例皆百日公除。孝子虽有思慕之心,逼于王命,不得遂行,此诚伤教害礼,无取于今。伏以三年之丧,通于天下。以义制恩,古人有之,自谓身在军旅、躬备金革者,不敢以私事辞王事耳;本非承平侍从之臣所当行,又非班行冗下之职所当预。习俗既久,浸以成风,其贤者则以不即人心为悲,其不肖者则以当丧墨缞为荣;以之锡类,是为伤恩,以之教民,是为忘孝。今天下往往有闻哀不举,废哀图仕,原自此始,不可不虑。窃谓惟在军中者可从权变礼,其旧制三司副使以上及班行使臣百日公除,不合礼意,宜听行三年之服,以崇孝悌之风。臣又闻,古者大夫去国,三年然后收其田里,明有恩也。今丁忧臣僚,即日绝其俸禄,亦为太薄,岂有行礼之人,反不及被放之臣乎?臣往见丁忧者家贫无食,乞丐糊口,其皇皇伤孝子之心,非所以化民成俗也。臣以为文官两制、武官自诸司使以上,与给全俸,其馀京朝官、班行使臣,与给半俸,以明朝廷笃于礼而厚于教也。乞下近臣商量可否。"又言:"陛下幸加恩,令诸近臣得为亲服三年,又不夺其俸,至仁至惠,不可尚矣。然常参京朝官、班行使臣犹不用此令。臣以为名位不同,尊亲一也。苟取周急,不宜分别。《书》云:'无偏无党,王道荡荡。无党无偏,王道平平。'惟陛下留意。"

辽有事于太庙。

癸丑,辽以开泰寺铸银佛像,曲赦在京囚。

丙辰,以太常少卿穰人周湛为淮南、江、浙、荆湖制置发运使。湛入辞,帝谕曰:"朝廷遴选此职,不可阴致苞苴于京师。"湛惶恐对曰:"臣蒙圣训,不敢苟附权要以谋进身也。"

戊午,幸城北炮场观发炮,宴从臣,赐卫士缗钱。

是月,夏进誓表于辽。

【译文】

宋纪五十四 起癸巳年(公元1053年)八月,止甲午年(公元1054年)十月,共一年余。

皇祐五年 辽重熙二十二年(公元1053年)

八月,丁酉朔(初一),下诏:"百姓上告灾情而转运使司、提举常平司、提点刑狱司不予受理的,允许州、军上报。"

丁未(十一日),任命潭州通判唐介为殿中侍御史里行、复州知州。

戊申(十二日),任命秦州知州文彦博为忠武节度使、永兴军知军兼秦凤路兵马事,这是采纳孙抃的建议。

傅求上书说古渭寨刚派兵戍守,不宜更换主将;己酉(十三日),任命青州知州张昪再次为秦州知州。

庚申(二十四日),任命复州知州唐介为殿中侍御史,担任言事御史,派内侍带着敕告赐给他。唐介被贬不到两年又被召回,人们议论说仁宗能宽容言事之臣,近世少有。

辛酉(二十五日),策试贤良方正、能直言力谏的太常寺太祝赵彦若。赵彦若所做的对策过于简略不严密,下发有关官员,考核不予通过,未录用。先前制举到秘阁应试的有十八人,有关官员只录取赵彦若一人,至此又罢去不用,评论的人认为宰相陈执中不是由科举之途升官,所以暗中指使有关官员排挤他。

壬戌(二十六日),下诏:"今后每遇南郊祭天,将太祖、太宗、真宗一同祭祀。"

九月,庚午(初四),任命东上阁门使钱晦为河中府知府。仁宗劝诫他说:"陕西战火刚熄,百姓穷困日久,你要替朕对他们多加关怀。不得纵酒作乐,让人称你为贵戚子弟。"钱晦拜谢。

乙酉(十九日),仁宗亲临崇政殿,召集近臣、宗室、御史台官、省府的推官和判官观赏新定大乐。先前钟律之音与古代办法不符,下诏令中书门下召集两制、大常礼官和懂音乐的人考证确定。参加者各坚持自己熟悉的东西,很久未达成共识,于是下令各家均作钟乐进献,由仁宗亲自审听。然而黄钟是古时各种器乐音律的基础,所以尺、量、权、衡都是根据黄钟而来。到了隋代,用堆积黍米的办法制定音律,容受终不相符。平定陈国后,获得古乐,就采用了它。唐朝兴起后,依据其音制作乐器,器具没有一定标准,但其音不脱离古乐。五代大乐消失,王朴开始用尺度确定音律,但声音和器具均已失去,因此太祖担心它的音高过高,特地减去一律,现在又减去半律。但太常乐比唐代乐律高五律,比现在的燕乐高三律。仁宗虽然派人用心制作,还是未得到和谐的音律,这是因有关部门从尺生律的错误观念所至。

庚寅(二十四日),任命国子监直讲胡瑗为大理寺丞,恢复勒令停职的阮逸为户部员外郎,均是因为制作钟乐成功,特予升迁。

壬辰(二十六日),罢去三司提举司句当公事官,这是听从宰相陈执中的奏请。

夏国主赵谅祚派使臣进送降表于辽国。甲午(二十八日),辽国派南面林牙高嘉努等人奉诏安谕夏国。

冬季,十月,丙申朔(初一),出现日食。

戊戌(初三),徐州录事参军路盛,被追夺一官停职。路盛马死,怒责喂马人送马料不准时,杖击马夫,命令他抱着石头站了五天五夜,又用杖打他。大理寺判决路盛犯了私罪,应处杖刑八十。仁宗认为路盛所作所为过于残暴,把牲畜看得比人更重要,特地将他贬官。

己亥(初四),判大宗正司赵允让进言:"宗室生下儿子,必须在五岁以后才赐给名字授予官职,不得依据长子旧例不限年龄。"听从了这一建议。

壬子(十七日),制作镇国神宝。

丙辰(二十一日),仁宗亲往延和殿,召集辅政大臣观看指南车。

丁巳(二十二日)任命殿中御史唐介为工部员外郎、直集贤院。唐介刚见仁宗,仁宗说:"听说卿谪守后,不曾有过私书至京师,真可谓不改初衷。"唐介拜谢。后来几次谈论政治得失,因此向仁宗进言说:"臣现在的进言如果不被采纳,一定会据理力争,争论过急,可能会再次贬斥,臣会又一次拖累陛下,愿意罢去我的言官之职。"批准了他。御史中丞孙抃奏请挽留唐介,或者补任谏署官职,没有批复。不久被任命为开封府判官。

因发生蝗旱之灾下诏,令转运使司、提点刑狱司、提举常平司等下谕地方行政长官上报民间灾情。

甲子(二十九日),避神宝名讳,将镇国军改名为镇潼军。

十一月,丁卯(初二),仁宗在享景灵宫接受朝见。戊辰(初三),祭祀太庙、奉慈庙。己巳(初四),合祭天地于圜丘,大赦天下。

从前,张方平说开封地区赋税太重,于是诏令开封府各县,将两税在原来基础上减去十分之三,成为定制。

丁丑(十二日),给百官各加恩赏。戊子(二十三日),免除全国拖欠的赋税。

庚寅(二十五日),撤去前湖南路、江南西路、广南东、西路转运判官。

辛卯(二十六日)辽国下令各职事官因恩礼代理职务和因罪免官的人设置名籍,每年上报枢密院。

十二月,丙申朔(初一),辽国用契丹人任回鹘部副使。

丁酉(初二),广西安抚使上报说抓到了侬智高的母亲阿侬和侬智高的弟弟侬智光、儿子侬继宗、侬继封,下令押送京师。阿侬有计谋,侬智高攻下各城池,多用她的策略。伪称太后。天性毒辣,喜欢吃小孩,每顿必杀小儿。侬智高败逃,阿侬进入特磨,依靠她的丈夫侬夏卿,收集残兵三千余人,想再次入寇。余靖指挥部下官吏黄汾、黄献珪、石鉴、进士吴舜举发峒兵杀入特磨,将侬智高的弟弟、儿子一并俘获。

庚子(初五),张方平被加封为翰林学士、秦州知州,代替张昪职务。

起初,张昪命令部署刘涣征讨叛乱的羌人,刘涣按兵不前,张昪奏请用郭恩代替他。后来郭恩斩杀了很多贼人,刘涣对郭恩功劳比自己大极为不满,于是诬奏郭恩杀害无辜百姓。朝廷疑惑,因此罢免张昪派张方平前往统帅官兵,刘涣也被调往泾原。张方平极力推辞,说:"刘涣和张昪一向不和,现在两人互相攻击而均被罢免,统帅难当。"张昪因此留任。不久任命张方平为滑州知州。

辽国因应圣节特赦劳役以下的罪犯。

癸丑(十八日),下诏:"入内内侍省都知、押班,非年龄五十岁以上,历任各种职务时没有犯过贪赃谋私罪者,不得任命官职。"

戊午(二十三日),下诏:"转运使的职责,本来是澄清官吏,安抚百姓,岂能以专门盘剥百姓为能事?上交国家后财政仍有节余的,留在本路使用,不得进献羡余。一定要让百姓得到休息,以显示朕的关怀。"

庚申(二十五日),任命太常博士兴国人吴中复为监察御史里行,这是因为中丞孙抃推举了他。吴中复曾为犍为县知县,有良好政绩。孙抃起初未见过他,即奏请为御史台属官,有人问孙抃,孙抃说:"过去人们耻于自荐为御史,现在岂能荐举认识的人为台郎!"

辛酉(二十六日),辽国贺正旦的使臣请求观赏太庙之乐,仁宗询问众人,宰相陈执中说:"太庙之乐只有祭祀时才能演奏,请将这一点告诉他。"枢密副使孙沔说:"这样说未必能打消他的念头。应当这么说:'演奏太庙之乐,是歌颂祖先的功德。你如果能留下和我们一同祭祀则可观赏。'"仁宗听从了他的意见,辽使只好作罢。

从前,贾昌朝建议:"汉、唐定都于雍,设置辅郡从内地护卫京师。我朝定都于汴,而附近各郡都隶属其他道,在制度上不符合五畿的建置。请从京东分出曹州,从京西分出陈、许、郑、滑州和开封府共四十二县设置京畿。"

仁宗采纳了他的建议。壬戌(二十七日),下诏:"以曹、陈、许、郑、滑五州为辅郡,隶属京畿,设置京畿转运使,五州均增设钤辖一员,曹州另增设都监一人,驻留军队三千人,定时训练,如果调往边境戍守,就从开封府邻近县州调兵补充。"任命王赞为枢密直学士、京畿水陆计度转运使。

左司谏贾黯提出建议:"臣曾读隋史,见所设立民社义仓,在丰年收取精食代百姓保存,对下足以预防凶年,于上国家并不获利。请仿依隋法,诏令全国州军,遇上丰年,立法奖励积蓄粮食以备灾荒。"于是将他的建议下达司农司讨论,且令李兑和贾黯一同商量后上报。于是征询各路是否可以施行,但认为可行的只有四路,其余的有的说,赋税之外会形成两重的供应、运输,有的说恐怕会招致盗贼,有的说常平仓已足可应付供需,有的说设义仓会烦扰百姓。于是贾黯再次上奏,一一说明。然而当时众人大多反对,最终未能施行。

这年,夏改年号为福圣承道。

至和元年 辽重熙二十三年(公元 1054 年)

春季,正月,己巳(初四),辽兴宗到达混同江。

辛未(初六),京师非常寒冷,诏令有关部门抚恤冻死百姓。

壬申(初七),捣碎通天犀和药,治疗百姓疾病。当时京师疾疫流行,太医进献药方,其中包括犀牛角二枝,剖开后观看,有一枝为通天犀。内侍李舜卿请求留下给仁宗服用,仁宗说:"我岂能看重异物而轻贱百姓!"立即下令捣碎。

建宁留后杨景宗去世,赠武安节度使兼太尉,谥为庄定。杨景宗出身徒役,因为外戚而升任高官。但性情残暴,贪酒任气,担任滑州知州时,曾把通判王述打倒在地。仁宗多次劝他不要饮酒,杨景宗虽然把戒言作自己的座右铭,但一会儿后又大醉。他的俸禄和赏赐也因此花得一分不剩。从前,宰相丁谓在敦教坊建造宅第,杨景宗是一名役卒,在宅中担土。后来丁谓身败,仁宗将他的宅第赐给杨景宗,住了三十余年才去世。

癸酉(初八),贵妃张氏去世。

1133

贵妃日益受到仁宗恩宠,进出时车辆的装饰很豪华,经常越制使用皇后服饰。曾议请使用红色伞,增加卫兵数量;有关官员奏准用一品青盖,卫兵数不变。仁宗遵守法度,事无大小,全由外廷议定。凡是宫中请求,即使已经赐准执行,只要外廷不同意,也予以停止;对张贵妃的恩宠没人比得上,但始终未让她干预政事。及至去世,仁宗悲伤不已,对左右说:"从前巡查殿庐的卫卒深夜闯入宫内,贵妃从别的卧室跑过来保卫我。又曾在宫中求雨,贵妃刺破手臂用血写了祝词,宫外人都不知道,应予以追念。"入内押班石全彬摸清仁宗心思,奏请用皇后礼仪在皇仪殿办理丧事,宦官们都同意,只有入内都知张惟吉说此事须第二天请示宰相。后来判太常寺、翰林学士承旨王拱辰、知制诰王洙等人都支持石全彬的意见,宰相陈执中无法纠正,于是诏令近臣、宗室都到皇仪殿参加祭奠仪式,移班在殿的东间安慰仁宗。特地停朝七天,任命参知政事刘沆为监护使,石全彬和句当御药院刘保信为监护都监。所有礼仪,全由石全彬和刘沆商议决定,王洙等人上奏施行。起初,有关部门奏请依据荆王先例停止上朝五天,也有人想再延长一点,请求皇上裁决,于是增加到七天。殿中侍御史酸枣人吕景初进言:"贵妃属一品,应当停朝三天。礼官迎合皇上旨意,使恩礼超过了荆王,不能昭示天下。"没有批复。

丁丑(十二日),追封张氏为皇后,赐谥号温成。御史中丞孙抃三次奏请罢去追册诏命,没有答复。起初,赐谥号恭德,枢密副使孙沔说:"太宗四个皇后的谥号都称德,是依照庙的谥号。现在恭德这一谥号,是依据什么呢?况且没听说过张皇后、郭皇后有谥号,这虽然是礼官的过失,实际上会让人讽笑陛下,不可不改。"于是改谥温成。孙抃和侍御史毋湜、殿中侍御史俞希宪等人都请求改任外官,知杂事郭申锡请求长期休假,这都是因建议未被采纳的缘故。

京城禁止奏乐一个月。己卯(十四日),温成皇后停殡于皇仪殿西阶,宰相率百官到殿门报名奉慰。壬午(十七日),派官吏告谒太庙、皇后庙、奉慈庙。

甲申(十九日),宰臣梁适在皇仪殿奉上温成皇后的谥册,百官往西上阁门报名致哀。当晚,在右掖门外设置警戒区,仁宗住宿在皇仪殿。

乙酉(二十日),仁宗在殿幄中为温成皇后着丧服,百官在殿门报名奉慰。温成皇后当天停殡于奉先寺,灵车从右升龙门出发经右掖门,再升大升舆,举行发丧前的祭奠仪式。

起初诏令枢密副使孙沔宣读哀词,孙沔上奏说:"章穆皇后举行丧礼和下葬,均由两制官员负责,现在温成皇后追加谥号,反而要二府大臣办理,不可。"于是拿着册书在仁宗前讲述了从前的做法,并且说:"由孙沔宣读册书尚可,以枢密使的身份则行不通。"放下册书而退。宰相陈执中取过宣读。殡礼结束,百官再次往西上阁门报名致哀。

戊子(二十三日),夏国派使臣向辽进贡土特产。

壬辰(二十七日),辽兴宗抵达春水。

下诏:"待制以下官员双亲去世,已允许解官服丧;现在过了百日又加录用,罢去这一决定。"

癸巳(二十八日),延福宫使、武信留后、入内内侍省都知王守忠,罢去延福宫使,担任武信留后,其余不得援引此例。过去惯例,宦官不准担任留后实职,王守忠受东宫恩宠,多次请求。仁宗想批准他的请求,当时高若讷担任枢密使,坚决不同意,因此作罢。及至王守忠患病,再次请任节度使。宰相梁适说:"宦官不得实任刺史,何况节度使呢?"仁宗说:"我已经答应他。"梁适说:"臣今天担任宰相,明天任命一宦官为节度使,臣至死也避不了责任。"御史中丞孙抃也上书极力反对,于是罢去节度使不授,但还是授予了留后实职。王守忠办事认真周到,故得到优厚恩遇。当他患病时,仁宗命令采用佛法,召集僧人到他家,为他念经祷告共四十九天。去世后,赠太尉、昭德节度使,谥为安禧,特地给予仪仗安葬。

辽兴宗先前在双子淀巡猎,甲午(二十九日),又在盘直坡狩猎。先前牌印郎君耶律陈嘉努逐鹿至围内,被处以鞭刑二百。可是当耶律仁先说陈嘉努刚健敏捷如东青鹘时,辽兴宗便授予他御盏郎君之职。

二月,丁酉(初三),下诏令礼院为孝惠、孝章、淑德、章怀皇后、章惠太后、温成皇后立小忌日。先前有人奏请为温成皇后立忌日,直集贤院刘敞进言:"自太祖以来,后庙四室均是陛下母亲,尚不立忌日,岂可因私人恩爱改变礼制!"于是为四后及章惠太后均立忌日。枢密副使孙沔极力反对,中丞孙抃多次上奏据理力争,而且礼院也提出意见,仁宗都未听从,不久又取消忌日。

庚子(初六),诏令:"修治河堤的民工因瘟疫而死者,免除户税一年。无户税的,发给家人钱三千。"

戊申(十四日),太常博士、史馆检讨鄞人张刍被免去太常博士、史职检讨之职,降任监潭州税。诏令为温成皇后立忌日,礼官列出多条理由反对,宰相担忧。有人对宰相说:"只有张刍支持这一决议,其余的人都是不得已而附和。"张刍父亲太祝张牧,应当出任蜀官,张刍曾上奏代任父职,而且请求担任广安军知军,执政大臣对他说:"依据先例,史馆检讨不得担任外官,如你辞去此职方可前去。"张刍开始以为定能调换职务,知道达不到目的后,就说他父亲要亲自前去,他愿仍留职史馆。不久,张牧到京师后,又上书请求免去蜀任。宰相已经厌恶张刍,于是追论他上奏前后不一之罪将他罢免。

戊午(二十四日),诏令乾元节剃度僧尼。

己未(二十五日),任命直史馆张揆为户部副使。

枢密副使孙沔,多次上书说追册温成皇后不合礼仪,且说:"这是因为奸臣赞扬过甚所致。"宰相陈执中等人对其怀恨。孙沔不安,极力请求辞职。壬戌(二十八日),授予资政殿学士、杭州知州。浙地习俗以僧为贵,甚至纵容妇人和僧人来往,孙沔严加监察,处杖刑后刺配的人不少。

任命三司使、礼部侍郎田况为枢密副使。

枢密使、彰德节度使、同平章事王贻永,多次以疾请求罢职。三月,己巳(初五),罢为景灵宫使、加右仆射兼侍中,又下诏特依宗室故例,每年赐给在京公使钱五千缗,其俸禄依两府旧例。王贻永性情严谨不喜言语,颇精通书籍,不喜歌舞乐人。旧制,外戚不得担任辅政大臣,王贻永在枢密院任职十五年,回家后就关门谢客,人们称赞他谦虚心静。庆历年间,王贻永位居两府之首,杨怀敏从河朔赶来上奏塘泊之事,要升赏降黜的共达几十人。两府聚集讨论,宰相贾昌朝见杨怀敏得势,称他为押班太傅,杨怀敏称如何如何,只有王贻永发怒说:"押班这个样子,扳倒的人太多,怎么能称作稳妥!"杨怀敏缩颈而退,贾昌朝十分羞愧。庞籍、吴育当时为枢密副使,相互说:"如果这位老人常常发怒,便是大好事。"

任命河阳三城节度使、同平章事、判郑州王德用为枢密使。

辛未(初七),下诏:"各路提点刑狱的官员,从现在起三年更替一次。"

壬申(初八),设立提点京畿刑狱官,任命度支员外郎蔡挺担任。

乙亥(十一日),司天监说四月初一会有日食。庚辰(十六日),发普施德惠的恩诏,更改年号,将全国死囚罪减一等,流刑以下予以释放。癸未(十九日),皇帝改装,避开正殿,减少日常膳食。

丁亥(二十三日),辽兴宗亲临皇太弟耶律重元营帐。

夏季,四月,甲午朔(初一),出现日食。派官吏祭祀土地神以消除日食。这一天,雷雨交加直至申时,太阳被蚀九分多,丙申(初三),宰相以日食未达到计算分率,百官上表祝贺。

戊戌(初五),诏令三司铸造"至和元宝"钱。

辛丑(初八),仁宗亲临正殿,恢复常膳。

祥源观发生火灾。

先前知制诰胡宿进言:"我认为国家因火德而一统天下,火在五行中属礼。古时祭天神时只有一个神位,礼仪专于一神,因此供奉尊严的天帝,表明不敢亵渎。唐初才出现兼配祭祀的情况。垂拱年间,礼官迎合圣上旨意,于是郊祭圜丘诸祠出现三祖同时祭祀的礼仪。开元十一年,唐明皇亲往圜丘祭祀,于是取消三祖同祭的礼仪。本朝至道三年,下诏亲往圜丘祭天,同时祭祀太祖、太宗。陛下即位,于景祐三年,诏令礼官详细审查礼仪,搞清祭祀礼仪顺序。诏书中有一段说:'从今以后,太祖必须配祭,太宗、真宗交替配祭。'去年八月八日下诏:'今年南郊祭天,三位祖宗一同配祭,但今后仍依旧礼,未过十天,又有'今后每遇南郊祭天,三祖同时配祭'的诏书。臣私自认为诏令前后不一。臣下愚见,希望今后南郊祭天,还是依照景祐二年礼官制定的太祖陪祭的制度,取消去年'每遇南郊三祖同时配祭'的诏令,告谢天地,以便顺应火德。"没有回复。

癸卯(初十),高丽派使臣向辽国进贡。

癸丑(二十日),辽兴宗在合只忽里狩猎。

五月,己巳(初六),夏国请求向辽进贡马匹和骆驼,辽兴宗下令一年进献一次。

乙亥(十二日),任命马军副指挥使、昭信留后张茂实为宁远节度使、潞州知州。张茂实母亲出身低微,生下张茂实后,进宫为悼献太子乳母。张茂实尚在摇篮时,宋真宗将他交给内侍张景宗说:"此儿相貌厚道,你赡养照看他。"张景宗于是将他收养为儿子。因此开封百姓繁用拦住张茂实的马头,说张茂实是真宗儿子。张茂实把繁用逮送官府。事情由开封府受理,原来繁用患有神经病,是因病发狂言。事情已经查明,言事官请求罢去张茂实的兵权以避嫌疑。仁宗审清并没有其他缘故后,将他提升为节度使让他外出镇守。繁用因罪刺配窦州牢城。

己丑(二十六日),有一颗星出现在天关的东南,大约相距几寸远。

庚寅(二十七日),辽兴宗抵达永安山。

壬辰(二十九日),夏派使臣向辽进贡。

六月,乙未(初三),诏令益州路钤辖司:"凡是蛮人出没的地方,皆预先派人去防守。"这是因为当时黎州人议论侬智高已从广源州逃入云南。

丙申(初四),辽兴宗去庆州。己亥(初七),拜谒庆陵。

辛亥(十九日),吐蕃派使臣向辽进贡。

癸丑(二十一日),殿中侍御史里行吴中复上殿弹劾宰相梁适为人奸邪,仁宗说:"最近马遵也有弹劾的奏疏,而且说唐代从天宝年以后政治才由治变乱,这是什么原因?"吴中复回答说:"唐明皇起初任用姚崇、宋璟、张九龄为宰相,才得以天下太平。及至李林甫执政,纲纪混乱,乱政开始。虽然恩威主要在于君主,但政治的好坏则主要取决于辅政大臣。"仁宗说:"朕每次任用大臣,均通过集体讨论,看来了解一个人也不是易事。"马遵是乐平人。

甲寅(二十二日),从内藏库取出绸绢五十万匹,缗钱三十万贯,下发河北帮助购买军粮。

秋季,七月,丁卯(初六),任命端明殿学士、给事中、益州知州程戡为参知政事。

礼院上书:"奉诏制定温成皇后在旧宅立庙和四时祭祀制度。查核本朝孝惠皇后,太祖的嫡配皇后,只在园陵设置祠殿以安放神主,四季只摆些普通食物,没有供奉的礼议。现在应在温成皇后的葬地设置祠殿,参考孝惠皇后旧例施行,还应在她的葬地题写'温成皇后园'。"采纳了这一建议。

戊辰(初七),罢免礼部侍郎、平章事梁适,以本官出任郑州知州。当初殿中侍御史马遵等弹劾梁适奸邪贪婪,徇私任情,且不教育子弟,不宜久任重要职位,梁适上书请求和马遵当面对辩。马遵等人马上上疏说:"光禄少卿向传师,前淮南转运使张可久,曾因贪污被罢,却授左曹郎中;再者,将豪民郭秉留在家里经商,却为他奏请恩泽;张揽从益州回来后,收买梁适得以授予三司副使之职,所以王迳在文德殿上厉声说:'空手冷面,怎么能得到好的官职!'中丞孙抃也说:'梁适任宰相,上不能公正权衡利害,下不能教育子弟,言事官多次弹劾,不罢免他不能慰勉清议之士。'"仁宗没法,于是将他罢免。

己巳(初八),夏遣使向辽求亲。

殿中侍御史马遵任宣州知州,吕景初任江宁府通判,殿中侍御史里行吴中复任虔州通判。

梁适得以为执政,宦官出力不少。及至马遵等人弹劾梁适,仁宗左右有人说:"御史弹劾宰相,今后谁还敢任此职?"罢免梁适后,左右人要将马遵等人一同罢去。从前,马遵等人进言:"盐铁判官李虞卿,曾追究审断茶商李士宗负欠贴纳钱十四万,依法当加倍输送。但李士宗和司门员外郎刘宗孟合伙经商,刘宗孟和梁适是亲戚,梁适因此调李虞卿任提点陕西刑狱。"开封府负责查证此事,刘宗孟实际上不是梁适亲戚,也没有和李士宗合伙贩卖。马遵等人因此被贬斥,而吴中复被罢去里行之职。知制诰蔡襄,认为三人无罪,将状词交还;改由别的舍人写制书,也没人敢于承担,于是用原来的供状下达敕令。李虞卿是李昌龄的儿子。

御史中丞孙抃上书:"臣等前几天议论宰相梁适的事情,现在听说吕景初等人一并被遣责。臣详细察对朝廷旨意,一定是奸人花言巧语,致使邪正不分,完全倒置。况且恩威二字,是帝王的权柄,古之圣人尤为慎重。今梁适内恃奸人,外结势力,轻重高下,全掌握在他一人手中,怨责之声,沸腾朝廷内外,陛下予以庇护不加追究。臣担心从此以后,朝廷事务都由权臣把持,台谏官员,嗫口结舌,不敢进言,陛下深居宫内,怎会知道这些。臣担任谏臣长官,不能警告权臣,使其大胆营私,又不防备奸人,致使圣上受惑,臣的罪很严重。请求罢去官职,调任远方,以谢天下。"又上书:"臣上次和郭申锡等全体御史都上殿论列朝廷事务,陛下尚宽容不加怪罪。这次只不过议论了梁适，就有了这次贬斥，看来触犯天子威严罪轻，讽议宰相罪重。现在我国之境幅员广阔几万里，人口繁多，国家的治乱安危，不过掌握在执政大臣几人手里。如有了过失，台官不进言，谏署不上奏，朝廷将会怎么样呢？希望陛下以祖宗大业为念，慎重行事，不要让恩威两权柄落于大臣之手。"又多次奏请召还马遵等人，没有答复。翰林学士胡宿，在仁宗召见时，请求留下马遵等人，退下后，又进言："刚正不屈的御史，自古难得。最近御史被贬的事件层出不穷，须防预奸佞小人。古人有言：'猛虎在深山，藜藿因此不被人采。'请降旨留三御史在朝廷，以警告奸佞之人。"也未予答复。

任命权知开封府，龙图阁直学士吕公弼为枢密直学士、益州知州。先前仁宗多次纪念吕夷简，听说吕公弼有才能，将他的名字写在宫殿的柱子上。吕公弼上朝奏事，仁宗目送他离去，对宰相说："吕公弼很像他父亲。"召程戡为辅政大臣后，就让吕公弼代任他的职务。吕公弼极力推辞，于是授予龙图阁直学士、同知群牧使。甲戌(十三日)，任命滑州知州张方平为户部郎中、益州知州。

辽兴宗行秋山游猎。己卯(十八日)，诏令八房族都要加巾帻。

戊子(二十七日)，任命龙图阁直学士、吏部郎中欧阳修为同州知州。

先前欧阳修驻守南京(今河南商丘县)，因为母丧离任，服丧期满入见仁宗，仁宗看到欧阳修的斑斑白发，心生怜惜，问他在外任了几年官，今年多少岁，恩宠之意甚重，任命他判吏部流内铨。奸佞小人担心欧阳修会再次录用，于是伪装欧阳修上奏，请求撤换挟持圣上恩令进行奸利活动的内侍，宦官们非常怨恨，暗中收集可以攻击欧阳修的材料。正碰上候补官员张俅、胡宗尧按规定改任京官，胡宗尧当初担任常州推官，知州将船转借他人，胡宗尧受到连累。及至仁宗召大臣们商议，欧阳修奏言胡宗尧的罪行轻，而且已经赦免去官之罪，根据法律应当中选。进谗言的人于是说胡宗尧是翰林学士胡宿的儿子，所以欧阳修特地包庇他，抢夺皇上大权，欧阳修因此被贬斥。欧阳修在吏部铨曹任职尚未达十天。

八月，癸巳(初二)，任命判吏部南曹吴充为同知太常礼院，同判吏部南曹冯京为同判登闻鼓院。二人都是因胡宗尧的原因被调任。吴充上书替欧阳修分辩，没有答复。

从内藏库取出钱二百万缗，诏令入内供奉官张茂则设置官署以收买河北路入中的军粮凭证。先前有人上告说："河北招募商人运输军粮，京师付给缗钱、细绢，商人请求用算钞结清，很久未有结果，他们手中之钞每一百千只卖六十千，现在如果从内藏库支出二百万缗，依量加价收购，每年可获利润五十万。"仁宗也这样认为，故将此事交张茂则负责办理。不久知谏院范镇进言："内藏库、榷货务都是国有机构，榷货坚持要阻滞商人算钞，岂能下令内藏库乘机用钱收卖？与民争利，有伤法体，没有比这更严重的了。"仁宗认为范镇的话有理，马上下令停止这一做法。

甲午(初三)，任命知制诰贾黯代理判吏部流内铨。当时天下太平已久，百官习惯于因循守旧，贾黯开始打算正风气以拯救时弊。益州推官桑泽，在蜀地呆了三年，不知道父亲去世，后来任满回京，按规定应当升迁，他进书自陈。人们都知道他曾丧父，不肯为他写文书。桑泽知道行不通，便离开了，为父亲发丧服丧，以未得到家信为理由。桑泽服丧完毕，请求考核政绩。贾黯认为他三年未与父亲通信，即使不是有意隐瞒丧事，也属不孝之徒，上告朝廷，桑泽因此免职，罢归田里，终身为人不齿。晋州推官李亢，先前用钱买得官职，不久犯了私罪，偷着辞职回家,隐瞒自己曾任官职一事,以平民身份应试科举,十年后考核时才自首这一事实,贾黯认为依照法律这可定为阔冒罪,奏请将他罢免,夺去他从前的劳绩。

丁酉(初七),下诏:"前代帝王之后,曾在本朝任官,官在八品以下,其祖父、父亲、母亲、妻儿犯有流刑以下罪行的,准许用钱赎罪;未担任官职但曾经受到朝廷恩赏的,如所犯并非严重罪行,也准许用钱赎罪。"

丙午(十六日),工部侍郎、参知政事刘沆依照以前惯例被授予平章事。

任命郑州知州梁适为观文殿学士、秦州知州。御史中丞孙抃再次上书说旧相不宜在边境任职,没有答复。当初,古渭寨为蕃人部落骚扰,增加戍兵后,各族部落更加不安。梁适设宴招待其酋长默罗多尼等人,对他们多加抚慰,撤去增援军队;直到梁适离任,蕃人部落未再入侵。

丁未(十七日),宣州知州、殿中侍御史马遵被调任京东转运使,江宁府通判、殿中侍御史吕景初改任衢州知州,虔州通判、主客员外郎吴中复改任池州知州。

当初,欧阳修被罢免流内铨之职,吴充、冯京被免去判南曹的职位,知谏院范镇说:"铨曹承内廷批下的旨令,有疑问就奏告,这是有司常例。现在奸谗之人认为妨碍了他们的权术,臣担心君臣上下会进一步互相猜疑,谁还敢议论政治的得失呢!请公开进谗言的人的姓名,依法治罪,恢复欧阳修等人官职。"反复几次,仁宗才改变主意;且宰臣刘沆也请求欧阳修留任。戊申(十八日),命令欧阳修刊修《唐书》。

诏令学士院:"从现在起应当宿值的学士,如有事请假,命令依次第补值宿。"前一晚,任命刘沆为宰相,召令宿值学士杨伟草拟诏书,他不在,于是改从外廷召赵概起草,因此下了这一诏令。

戊午(二十八日),知制诰贾黯进言:"陛下每天亲临迩英阁,召集侍臣讲授经史,咨询查访时,常常关系到施政的根本,但史官未得参与;请令修起居注的官员入阁侍陪,有值得记录之事,随时记录。"采纳了这一建议。命修起居注的史官坐在仁宗西南。

诏令:"从现在起,将相升迁授职进见辞行的礼仪,命令阁门按旧例进行。"这是采纳知制诰韩绛的建议。

九月,辛酉朔(初一),任命代理三司使、翰林学士杨察为户部侍郎、提举集禧观事。内侍杨永德建议在蔡河与汴河设置水递铺,杨察一条条地陈述不利,取消了这一计划,杨永德在仁宗面前对杨察大加毁谤。三司有一案件,供词牵连到卫士,皇城司不立即追查,而诏令送交开封府审问。杨察于是请求辞职,仁宗批准了他的请求。

知谏院范镇进言:"外面议论都说杨察近来点检内衣库积尺罗帛,以及奏言置水递铺不便,内藏库不应买卖交钞,香场官吏求职钱物,皇城司庇护亲从官不移交外廷审讯。这些都是有违政体的大事,三司理所当然要参与处置,但奸邪小人,多加毁谤,使他只得请求辞去三司使之职,朝廷也同意了他的请求,臣私下为陛下叹惜。邪正,不可不辨,陛下审查他检举之事,是对还是错呢?如果他的建议是正确的,则应让杨察主持大计,以塞奸佞之路;如果他的意见不对,也不应当调任他的官职,而将他免职。多日以来,天色不明,天气沉阴,似要下雨而又未下,这是奸人用权之兆,而忠良臣子的意见皇上无法知道。陛下应将杨察所陈述四事交中书、枢密大臣,详审是非,交付有关官员秉公执行,恢复杨察官职,或许对上听从了天的

1139

预警,对下可以平息众人议论。"殿中侍御史西安人赵抃也说:"杨察如果有罪,他不应当升授官职;如果他本来无罪,不应该改授他官。请求追还新的任命。"没有答复。赵抃任御史,弹劾不避权势,当时号称铁面御史。

先前盐铁判官王鼎任淮南、江、浙、荆湖制置发运副使,杨永德建议在汴河沿岸设铺,用人拉挽漕运船,每年可以裁减兵士六万,王鼎认为不行。杨永德横蛮争辩,执政官重新上奏,于是命一名三司官带着王鼎到杨永德处商议。王鼎提出八个难题,杨永德不能回答。王鼎于是递上奏疏:"陛下幸而任用臣下,不应听小人之言,妄加更改,贻误国家大事。"因此杨永德的建议不被采用。过了两年,于是任命他为制置发运使。从前的发运使大多渔掠南方特产,借去京师上计机会,送给权贵。王鼎什么也没收购,凡大小事务,全决于己。凡是安排运纲官吏,漕运路程的计算,顺序的安排,都有一定的制度。因此劳逸均衡,官吏不能胡作非为。官船严禁运载私人物品,舟兵无法谋利,就盗窃官米。有从事贩卖为生的,被市上的人扭住送官府,不肯赔偿欠缺的,王鼎将他移交州县官府监督还清。从事船运的人能为自己谋利,便不再违法,因此所运大米不再短斤少两。

任命殿中丞王安石为群牧判官。王安石极力辞谢征召策试,有诏书要他在京师听候差遣。及至他被授予群牧判官,王安石仍坚决不受,欧阳修劝谕他,才就职。馆阁校勘沈康,到宰相陈执中处请求担任群牧判官,陈执中说:"王安石辞让召见策试,所以朝廷给了他好的官职。况且朝廷设立馆阁是为了集天下贤才,应当礼让为先,你却这样争权夺利,比比王安石,你脸皮太厚了吧!"沈康惭愧丧气而退。

癸亥(初三),起居舍人、知制诰吕溱,工部郎中、知制诰兼侍讲、史馆修撰王洙,一同任命为翰林学士。旧制,翰林学士六人,当时杨察、赵概、杨伟、胡宿、欧阳修一并为学士,于是给杨察加上承旨头衔,吕溱、王洙又同时授予翰林学士,王洙是第七员。温成皇后治丧,王洙与石全彬迎合时事,陈执中、刘沆在中书省,对他们帮助了自己心加感激,所以在满员的情况下提升王洙,人们对此有非议。

甲子(初四),任命直集贤院、同修起居注吴奎、刘敞一并为知制诰,刘敞仍旧担任右正言。陈执中说吴奎、刘敞编修起居注不到一月,不宜这么快升官,仁宗不听,说:"这岂能计算日期!"拜谢之日,仁宗当面告谕:"外面如有事不妥,听到后当一一告朕。"

丙寅(初六),翰林学士王洙献上《周礼礼器图》。当先前王洙读《周礼》,仁宗命他绘出车服、冠冕、笾豆、簠簋样图,至此图成,献给仁宗。

枢密副使王尧臣,特别注意打击侥幸之徒,这时有人将匿名信贴在京师,造谣说有军情,仁宗不信。丁卯(初七),诏令对揭榜报告的人,赏钱二千缗。

己巳(初九),在迩英阁讲授《周礼》"大灾荒大瘟疫,则少征赋税缓用刑狱。"杨安国说:"所谓缓用刑罚,是对过失犯罪百姓而言,在饥荒之年赦免他们,同情他们的穷苦。现在如果有人聚众拿着武器,抢劫粮仓,一切宽免,恐怕不能禁止奸邪。"仁宗说:"不对,天下之民都是我的赤子。如遇上饥馑,州县不能济恤,他们为饥饿所逼,以致群聚为盗,然后将他们捕杀,不也太过分了吗!"

从前辽兴宗想见到仁宗画像,因为耶律防长于绘画,于是派他为使臣,偷绘仁宗像而回,但认为画得不逼真。上一年,辽兴宗对手下大臣说:"朕和宋皇帝结为兄弟之谊,所以想见到他的画像,可将此告知宋使。"于是辽使萧德、吴湛提出请求,并请求贡献本国美酒,没有同意。

丁丑(十七日),下诏开封府:"从现在起,凡是处以大辟之刑的囚犯,都要重新报告。"先前,开封府说得到枢密院的札文,军人犯了大辟死罪无怀疑的,不再另外上报,对于百姓则无明文规定。仁宗认为人命重大,因此军人也令上报。

辛巳(二十一日),任命三司使王振辰为回谢使,德州刺史李珣为副使,一同出使辽国。

癸未(二十三日),礼部建议将温成皇后葬所,称为园陵,采纳了这一建议。乙酉(二十五日),温成皇后出殡,皇上不能亲临前后殿,百官依次报名奉慰。御史中丞孙抃率领全体下属进言说刘沆已经任宰相,不应当任温成皇后的监护使,并说立庙建陵均不符合礼仪。奏章多次进上,没有批复。于是又相继请求面奏,力争后也未有结果,孙抃拜倒不起,仁宗变了脸色让他离开。

庚寅(三十日),辽兴宗外出打猎,遇到三只老虎,纵犬捕获。

冬季,十月,辛卯朔(初一),太白星白天出现。

壬辰(初二),诏令:"普通百姓家曾经更换佣雇之人,自今后不得与主人同居亲人成婚,违反者强制离婚。"

丁酉(初七),安葬温成皇后。仁宗亲临西楼,目送灵柩,自作挽歌词,宰相率百官报名奉慰。知谏院范镇说:"太常议论温成皇后葬礼,上次称之为温成园,后来称园陵;宰相刘沆前次任监护使,这次任园陵使。如果这些都出自礼官,上次对则这次错,现在对则前次错,一定有一次错了。古时执法官吏不懂法,现在礼官违背礼。如不予追究,恐怕国家典章破坏不可挽救。请下发臣的奏章,弹劾礼官前后不一之罪,以平息内外人士的疑惑。"没有答复。范镇又奏请安葬温成皇后时不要焚烧了殉葬的锦绣珠玉,以节省国家开支,采纳了。

辽兴宗到达中京,戊戌(初八),仁宗亲自视察新完工的秘书省。

从前都官员外郎燕度建议,川峡幕职州县官吏父母去世,必须在代职人到达后,方可离职;知制诰、同判流内铨刘敞进言说,这不是成全孝子的办法。辛丑(十一日),下诏今后奔丧自由不受限制。刘敞曾建议说:"臣观按旧制官职在三司副使以上以及班行的使臣,不论官品高低,遇到父母丧事,依例一律予百日假服丧,孝子虽然心中怀念父母,迫于朝廷命令,不得不动身出发,这诚然会有伤礼教,不足今天效法。我认为三年丧期,理所当然。恩德受礼义约束,古人就是

龙珠纹鎏金银王冠 辽

这样,自己认为身在军旅,身着革带铠甲,不敢因私而弃国家大事;这本不是太平时期侍从之臣应该做的,也不是班行以下职位的人所应奉行的。这种习俗一久,渐成风气,贤者则以未尽孝心而悲伤,不肖之人则以穿着黑色丧服为荣;这种做法坚持下去,会伤害恩德,用以教诲百姓,会让人忘记孝道。现在社会上经常听说有人父母去世不举丧不服丧,以图升迁,原因

就在这里,不可不思考一下。臣认为只有军队中的官吏可以权宜变通,过去旧制三司副使以上以及班行使臣百天公假服丧,不符合礼制原意,应不限制三年丧期,以鼓励忠孝风气。臣又听说,古时大夫被逐离国家,三年后才收回他的田地,以表明恩德。如今服丧的臣僚,当日就停发他的俸禄,这也太过分了,岂有遵守礼仪的人,反而比不上被放逐之人?臣过去看见服丧人家家贫无食,像乞丐那样勉强糊口度日,这大伤丧子之心,不是教化百姓形成孝悌之风的做法。臣认为文官在两制以上、武官在诸司使以上,给予全部俸禄,剩下的京朝官、班行使臣,发给半俸,以此表明朝廷笃礼重教。不知能否将臣建议在大臣们中讨论。"还说:"陛下宠幸地施加恩惠给近臣,许其为亲人服丧三年,而不剥夺他们的俸禄,这是最大的恩惠,其他任何不可比拟。然而定时入朝的京朝官、班行使臣却不适合。用这一制度,臣认为虽然官位不同,但忠孝一样。应一律适用,不宜区分对待。《书》中说:'不偏不向,王业前途无量;不偏不私,天下太平。'愿陛下考虑。"

辽国在太庙举行祭祀活动。

癸丑(二十三日),辽国在开泰寺铸制银佛像,大赦京都囚犯。

丙辰(二十六日),任命太常少卿穰州人周湛为淮南、江、浙、荆湖制置发运使。周湛入辞仁宗,皇上告谕他:"朝廷选你担任此职,不可暗中向京师官员送礼。"周湛惶恐不安地回答:"臣受圣上教训,不敢趋炎附势以图进用。"

戊午(二十八日),亲临城北炮场观看发炮演习,设宴招待随从大臣,赐给卫士缗钱。

这月,夏国向辽进上誓表。

续资治通鉴卷第五十五

【原文】

宋纪五十五　起阏逢敦牂【甲午】十一月,尽旃蒙协洽【乙未】十二月,凡一年有奇。

仁宗体天法道极功全德　神文圣武睿哲明孝皇帝

至和元年　辽重熙二十三年【甲午,1054】　十一月,辛酉,以同知太常礼院吴充知高邮军,太常寺太祝鞠真卿知淮阳军。

礼院故事,常须为印状,列署众衔;或非时中旨访问,不暇遍白礼官,则白判寺一人书填印状,通进施行。及追赠温成皇后日,有中旨访问礼典,判寺王洙兼判少府监,廨舍最近,故吏多以事白洙。洙常希望上旨,以意裁定,填印状进内。事既施行,而论者皆责礼官,礼官无以自明,乃召礼直官戒曰:“自今凡朝廷访问礼典,无得辄以印状申发,仍责取知委。”后数日,有诏问温成皇后应如它庙用乐舞否,礼直官李寔以事白洙,洙即填印状奏云:“当用乐舞。”事下礼院,充、真卿怒,即牒送寔于开封府,使案其罪。洙抱案卷以示知府事蔡襄曰:“印状行之久矣,礼直官何罪!”襄患之,乃复牒送寔于礼院,礼院吏相率逃去。殿中侍御史赵抃奏蔡襄不案治礼直官罪,畏懦观望,执政以为充教抃上言。又,礼直官日在温成葬所,诉于内臣云:“欲送开封府案罪者,充与真卿也。”明日,诏礼直官赎铜八斤,充、真卿俱补外。抃及谏官范镇等皆言充等无罪,不当降黜,不报。

甲子,出太庙禘祫时享及温成皇后乐章,肄于太常。

乙丑,太常丞、同修起居注冯京,落同修起居注。时台谏官言吴充、鞠真卿不当补外,京最后上疏,言愈切。宰相刘沆怒,请出京知濠州,帝曰:“京何罪!”然犹落修注。台谏又争言京不当夺职,不报。

准布部长贡于辽。

丙寅,徙淮南、江、浙、荆湖制置发运使许元知扬州。元在江、淮十三年,以聚敛刻剥为能,急于进取,多聚珍奇以赂遗京师权贵,尤为王尧臣所知。在真州,衣冠之求官舟者日数十辈,元视势家要族,立榷巨舰与之;即小官茕独,伺候岁月,有不能得。人以是愤怨,而元自谓当然,无所愧惮。

己巳,秦凤经略安抚司言城秦州古渭寨毕工。初,筑城费百万缗,其后留兵戍守,每岁费十万缗。

壬申,辽主率群臣上太后尊号曰仁慈圣善钦孝广德安静贞纯懿和宽厚崇觉仪天皇太后,大赦,内外官进秩有差。先是太后生辰,详衮耶律陈嘉努进诗,献驯鹿,太后嘉奖,赐珠二琲,杂采二百段。

辛巳,诏宰相刘沆子太常寺太祝瑾,令学士院召试馆职。温成皇后既葬,赐后阁中金器数百两,沆力辞,而为瑾请之。

壬午,以入内押班石全彬为入内副都知,知制诰刘敞封还词头,奏曰:"全彬昨已有制旨除宫苑使、利州观察使,未能三日,复换此命。朝令夕改,古人所非,臣不敢辄撰诰词。"从之。后三月,全彬卒为入内副都知。

癸未,辽录囚。

甲申,辽群臣上辽主尊号曰钦天奉道祐世兴历武定文成圣神仁孝皇帝;后萧氏曰贞懿慈和文惠孝敬广爱崇圣皇后。

丙戌,诏宗正寺:"故事,属籍十年一修。今虽及八年,而宗支蕃衍,其增修之!"

知制诰刘敞言:"臣昨闻吴充出外,冯京落职,将谓其人所行实有过当,所言实有不可,是以触忤圣意。及延和殿奏事,面(奏)〔奉〕宣诏,充乃是尽职,京意亦无它,中书恶其太直,不与含容,臣窃惊骇。前古以来,惟有人主不能容受直言,〔或致窜谪臣下。〕今陛下宽大如此,不知中书何故须要排逐言者!"又言:"臣前论吴充、冯京谪官,面蒙宣谕本末,臣即言:若如此,则是大臣蔽君之明,专君之权,而擅作威福也。必恐感动阴阳,有地震、日食、风雾之异。今臣窃闻镇戎军地震一夕三发,去臣所言五日之内耳。又,京师雪后昏雾累日,复多风埃,太阳黄浊,此皆变异之可戒惧者。陛下宜深究天地之意,收揽威权,无使聪明蔽塞,法令不行,则足以消伏灾异矣。"

十二月,丙申,辽主如中会川。

庚子,翰林学士王洙、直集贤院掌禹锡上《皇祐方域绘图》。

知并州韩琦,以疾奏乞太医齐士明,翰林医官言士明当诊御脉,不可遣,帝立命内侍押士明往视之。

丙午,诏:"司天监天文算术官毋得出入臣僚家。"

丁未,殿中丞、直秘阁司马光上《古文孝经》,诏送秘阁。

己酉,如京使、果州团练使、入内都知张惟吉卒,赠保顺军节度使,谥忠安。惟吉任事久,颇见亲信,而言弗阿徇。温成治丧皇仪殿,宰相既导谀,惟吉争不能得,至顿首泣下。

殿中侍御史赵抃言:"宰相陈执中家,捶挞女奴迎儿致死,一云执中亲行杖楚,以致毙踣,一云嬖妾阿张酷虐殴杀。臣谓二者有一于此,执中不能无罪。若女使本有过犯,自当送官断遣,岂宜违朝廷之法,立私门之威!若女使果为阿张所杀,自当禽付所司以正典刑,岂宜公为之庇!夫正家而天下定,执中家不克正,陛下倚以望天下之治定,是犹却行而求前也。"执中亦自请置狱。已而有诏罢狱,台官皆谓不可,翰林学士欧阳修亦以为言。逮执中去位,言者乃止。

丙辰,睦州防御使宗谔上所撰《太平盘维录》,降敕褒谕。

帝春秋高,未有继嗣。皇祐末,太常博士张述上书,请"遴选宗亲才而贤者,异其礼秩,试以职务,俾内外知圣心有所属,则天下大幸。"是岁,复上疏言:"嗣不早定,则有一旦之忧而贻万世之患。历观前世,事出仓卒,则或宫闱出令,或宦官主谋,或奸臣首议,贪孩孺以久其政,冀暗昧以窃其权。安危之机,发于顷刻,而朝议恬不为计,岂不危哉!"述前后七上疏,最后语尤激切,帝终不以为罪。述,小谿人也。

融州大丘洞蛮杨光朝内附。

二年 辽重熙二十四年,八月后为清宁元年【乙未,1055】 春,正月,癸亥,辽主如混同江。

戊辰,邕州言苏茂州蛮内寇,诏广西发兵讨之。

辛未,幸奉先资福禅院,谒宣祖神御殿。先是议者谓帝特行此礼,因欲致奠温成陵庙。御史中丞孙抃言:"陛下临御以来,未尝朝谒祖宗山陵,今若以温成故特行此礼,亏损圣德,莫此为大。"翰林学士欧阳修亦论谏。帝从之,不复至温成陵庙。

丁亥,观文殿大学士、兵部尚书晏殊病剧,乘舆将往视之,即驰奏曰:"臣老病,行愈矣,不足为陛下忧。"已而卒,帝虽临奠,以不视疾为恨,特罢朝二日,赠司空兼侍中,谥元献。既葬,篆其碑首曰"旧学之碑"。殊善知人,如孔道辅、范仲淹,皆出其门,富弼、杨察,其婿也。

初,命张方平知益州,未行,而程戡已先入为参知政事,转运使高良夫摄守事。时西南夷有邛部川首领者,妄言蛮贼侬智高在南诏,欲来寇蜀。良夫亟移兵屯边郡,益调额外弓手,发民筑城,日夜不得休息,民大惊扰。诏促方平行,且许以便宜从事。方平言:"南诏去蜀二千馀里,道险不通,其间皆杂种,不相役属,安能举兵与智高为寇哉!此必妄也,臣当以静镇之。"道遇戍卒兵仗,辄遣还。入境,下令邛部川曰:"寇来,我自当之,妄言者斩!"悉归所调兵,散遣弓手,罢筑城之役。会上元张灯,城门三夕不闭,人心稍定。已而得邛部川译人始为此谋者,斩之,枭首境上,而配流其馀党于湖南,蜀人遂安。

二月,壬辰,以汾州团练推官郭固为卫尉寺丞。知并州韩琦言:"固尝造车阵法,其车前锐后方,上置七枪以为前后二拒,可用于平川之地,一则临阵以折奔冲,二则下营以为寨脚。今令固自赍车式诣阙进呈。"既试用之,而有是命。

广州司理参军陈仲约,误入人罪死,有司当仲约公罪,应赎。帝谓知审刑院张揆曰:"死者不可复生,而狱吏虽暂废,它日复得叙官,可不重其罚邪!"癸巳,诏仲约特勒停,会赦不许叙用。

辽主如长春河。

给事中崔峄,受诏按治陈执中纵嬖妾杀婢事。峄以为执中自以婢不恪,笞之死,非嬖妾杀之,颇左右执中。甲午,授峄龙图阁待制、知庆州。

庚子,殿中侍御史赵抃言:"臣尝言宰相陈执中不学无术、措置颠倒、引用邪佞、招延卜祝、私仇嫌隙、排斥良善、很愎任情、家声狼籍八事。伏恐陛下犹以臣言为虚,至今未赐省纳。臣若不概举一二,明白条陈,即是负陛下耳目澄察之任,又得宪台鳏寡失职之罪,臣不忍为也。

去年春正以后,制度礼法,率多非宜,盖执中不知典故,惟务阿谀,败坏国体。又,翰林学士素有定制,执中愚暗自用,遂除至七员,此执中空疏,宜罢免者一也。

执中赏罚在手,率意卷舒,如刘湜自江宁府移知广州烟瘴之地,而待制之职仍旧,及向(傅)〔传〕式自南京移知江宁府近便之任,乃转龙图阁直学士。又,吴充、鞠真卿摘发礼院生代署文字等事,人吏则赎金免决,充、真卿并降军垒,此执中缪戾宜罢免者二也。

馆阁清官,岂容纤巧! 而执中树恩私党,如崔峄非次除给事中、知郑州,既罢而给事中不夺,故峄治执中之狱,依违中罢以酬私恩。又,执中尝寄婢人于周豫之家,而豫奸诡,受知执中,遂举豫召试馆职,此执中朋附宜罢免者三也。

执中之门,未尝待一俊杰,礼一才能,所与语者苗达、刘祐、刘希叟之徒,所预坐者〔普〕元、李宁、程惟象之辈,且处台鼎之重,测候灾变,穷占吉凶,意将奚为! 此执中颇僻宜罢免者四也。

邵必知常州日,诖误决人徒刑,既自举觉,复会赦宥,又该去官,执中素恶必,乃罢必开封府推官,落馆职,降充邵武军监当。后有汀州石民英勘入使臣犯赃,杖背、黥面,配广南牢城,本家诉雪,悉是虚枉,却只降民英差遣。以邵必比之民英,则民英所犯重而断罪反轻,邵必所犯轻而断罪反重,此执中舞法宜罢免者五也。

吕景初、马遵、吴中复弹奏梁适,既得罪,出知郑州,吕景初辈随又逐去,有'行将及我'之语。冯京疏言吴充、鞫真卿、刁约不当以无罪黜,充等寻押发出门,又落京修起居注,使朝廷有罪忠拒谏之名,此执中嫉贤宜罢免者六也。

女奴迎儿才十三岁,既累行棰挞,从婢人阿张之言,穷冬裸冻,封缚手腕,绝其饮食,遂致毙踣。又海棠者,因阿张决打逼胁,既而自缢。又女使一名,髡发杖背,自经不殊。凡一月之内,残忍事发者三名,前后幽冤,闻固不少,此执中酷虐宜罢免者七也。

执中帷簿丑秽,门阃混淆,放纵婢人,信任胥吏,而又身贵室富,藏镪巨万,视姻族辈如行路人,虽甚贫窭,不一豪赈恤,此执中鄙恶宜罢免者八也。愿陛下为社稷生灵计,正执中之罪,早赐降黜。"

寻有诏:"邵必复职,知高邮军,吴充、鞫真卿、刁约、吕景初、马遵召还,冯京候修注有阙,吴中复候台官有阙,并牵复。"

甲辰,赵抃言:"臣近累次弹奏宰臣陈执中之罪,未蒙施行。风闻知谏院范镇妄行营救,伏望陛下开日月之明,判忠邪之路,取公议,立大法,则天下幸甚!"

先是知谏院范镇言:"去年十二月,荧惑犯房上相,未几,陈执中家决杀婢使,议者以为天变应此。臣窃谓为不然。执中再入相,未及二年,变祖宗大乐,堕朝廷典故,缘葬事除宰相,除翰林学士,除观察使,其馀僭赏,不可悉纪。自陛下罢内降,五六年来,政事清明。近日稍复奉行,至有侍从臣僚之子,亦求内降,内臣无名,超资改转,月须数人。又,今天下民困,正为兵多而益兵不已。执中身为首相,义当论执,而因循苟简,曾不建言。天变之发,实为此事。陛下释此不问,御史又专治其私,舍大责细,臣恐虽退执中,未当天变。乞以臣章宣示执中,宣示御史,然后降付学士草诏,使天下之人,知陛下退大臣,不以家事而以其职事,后来执政,不敢恤其家事而尽心于陛下职事。"

至是镇又言:"御史以谏院不论奏陈执中家事,乞加罪谏官。臣闻执中状奏,女使有过,指挥决杖,因风致死,而外议谓阿张决死。臣再三思维,就阿张下狱,自承非执中指挥,有司亦可结案。须执中证辨,乃是为一婢子令宰相下狱,国体亦似未便,所以不敢雷同上言。然臣有不言之罪二而御史不知。初,朝廷为礼直官逐礼官,而臣再奏论列,及为一婢子因辱宰相而反无一言,臣之罪一也。臣不及众议未定时辨理执中,至执中势去已决,始入文字,臣之罪二也。乞以臣章下御史台,榜于朝堂,使士大夫知臣之罪,臣虽就死,无所憾也。"

乙巳,以观文殿学士、户部侍郎、知河阳富弼为宣徽南院使、判并州。

丙午,徙知并州武康军节度使韩琦知相州,琦以疾自请也。先是潘美帅河东,避寇钞为己累,令民内徙,空塞下不耕,号禁地,而忻、代州、宁化、火山军废田甚广。欧阳修尝奏乞耕之,诏范仲淹相视,请如修奏;寻为明镐阻挠,不得行。及琦至,遣人行视,曰:"此皆我腴田,民居旧迹犹存。今不耕,适留以资敌,后且皆为敌有矣。"遂奏代州、宁化军宜如岢岚军例,距北界十里为禁地,馀则募弓箭手居之。会琦去,即诏弼议,请如琦奏,凡得户四千,垦地九千六百顷。

初,翰林学士吕溱上疏,论陈执中外虽强项,内实奸邪,又历数其过恶十馀事,帝还其疏,溱进曰:"若止用口陈,是阴中大臣也,请付执中令自辨。"于是溱改翰林侍读学士、知徐州。辞日,特赐宴资善堂,遣使谕曰:"此会特为卿设,可尽醉也。"仍诏自今由经筵出者亦如例。

宰臣刘沆言:"面奉德音,'凡传宣内降,其当行者自依法律赏罚外,馀令二府与所属官司执奏。'盖欲杜请托侥幸之路也。"因陈三弊:一曰近臣保荐官吏之弊,二曰近臣陈乞亲属之弊,三曰叙劳干进之弊,"愿诏中书、枢密,凡三事毋得用例,馀听如旧事。"既施行而众颇不悦,未几,复故。

甲寅,夏遣使如辽,贺加尊号。

乙卯,流内铨引对前雍丘县主簿陈琦改京官,帝谓判诠贾黯曰:"琦虽无它过,而历三任,皆因缘陈乞,不由有司奏拟。琦乃庞籍女婿,今保荐多至二十四人,得非专欲谄附大臣故尔邪!且与幕职官、知县。"琦,盐铁副使洎之子也。

知谏院范镇等言:"恩州自皇祐五年秋至去年冬,知州凡换七人,河北诸州,大率如此。欲望兵马练习,固不可得。伏见雄州马怀德,恩州刘涣,冀州王德恭,皆有材勇智虑,可责以办治,乞令久任。"从之。

三月,癸亥,辽主以皇太弟重元生日,曲赦行在及长春、镇北二州徒以下罪。

丁卯,诏:"修起居注,自今每御迩英阁,立于讲读官之次。"初,贾黯请左右史入阁记事,帝赐坐于御榻西南。至是修起居注石扬休言,恐上时有宣谕咨访,而坐远不悉闻,因令立侍焉。

丙子,诏封孔子后为衍圣公。初,太常博士祖无择言:"文宣王四十七代孙孔宗愿袭封文宣公。按前史,孔子之后袭封者,在汉、魏曰褒成、宗圣,在晋、宋曰奉圣,后魏曰崇圣,北齐曰恭圣,后周及隋并封以邹国公,唐初曰褒圣,开元初,始追谥孔子为文宣王,又以其后为文宣公。然祖谥不可加后嗣,乞诏有司更定美号。"乃下两制定议,更封宗愿而令世袭焉。

翰林学士、群牧(司)〔使〕杨伟等,言判官、殿中丞王安石,文行颇高,乞除职名。中书检会安石累召试不赴,诏特授集贤校理,安石又固辞不拜。

癸未,以权知开封府蔡襄为枢密直学士、知泉州,以母老自请也。襄工笔札,帝尤爱之,御制《李用和碑文》,诏使襄书。后又敕襄书温成皇后父清河郡王碑,襄曰:"此待诏职也。"卒辞之。

丙戌,迩英阁王洙讲《周官》典瑞含玉,帝曰:"若使人用此而骨不朽,岂如功名之不朽哉!"

丁亥,知审刑院张揆,言知虔州周日宣妄言涧水冲注城郭,当坐不实之罪。帝曰:"州郡

1147

多奏祥瑞,至水旱之灾,或抑而不闻。今守臣自陈垫坏官私庐舍,意亦在民,当恕其罪。"

翰林学士欧阳修言:"朝廷欲俟秋兴大役,塞商胡,开横陇,回大河于故道。夫动大众必顺天时,量人力,谋于其始而审于其终,然后必行,计其所利者多,乃可无悔。往年河决商胡,执政之臣,不审计虑,遽谋修塞,凡科配(稍)〔椿〕荩一千八百万,骚动六路百馀州军,官吏催驱,急若星火,虚费民财,为国敛怨。今又闻复有修河之役,聚三十万人之众,开一千馀里之长河,计其所用物力,数倍往年。当此天灾岁旱、民困国贫之际,不量人力,不顺天时,知其有大不可者五:盖自去秋至春半,天下苦旱,而京东尤甚,河北次之,国家常务安静,赈恤之犹恐民起为盗,况于两路聚大众,兴大役乎!此其必不可者一也。河北自恩州用兵之后,继以凶年,人户流亡,十失八九,数年以来,稍稍归复,而物力未充。又,京东自去冬无雨雪,麦不生苗,将逾暮春,粟未布种,农心焦劳,所向无望。若别路差夫,又远者难为赴役,一出诸近,则两路力所不任,此其必不可者二也。往年议塞滑州决河,储积物料,诱率民财,数年之间,始能兴役。今国用方乏,民力方疲,且合商胡,塞大决之洪流,此一大役也;凿横陇,开久废之故道,又一大役也;自横陇至海千馀里,埽岸久已废顿,须兴缉,又一大役也。往年公私有力之时,兴一大役尚须数年,今猝兴三大役于灾旱贫虚之际,此其必不可者三也。就令商胡可塞,故道未必可开。鲧障洪水,九年无功,禹因水之流,疏而就下,水患乃息。今欲逆水之性,障而塞之,夺洪河之正流,使人力斡而回注,此其必不可者四也。横陇湮塞已二十年,商胡决又数岁,故道已平而难凿,安流已久而难回,此其必不可者五也。宜速止罢,用安人心。"

是月,以旱除畿内民逋租及去年秋逋税,罢营缮诸役。

诏中外咸言得失。庞籍密疏曰:"太子天下本,今陛下春秋固方盛,然太子不豫建,使四方无所系心。愿择宗室之宜为嗣者早决之,群情既安,则灾异可塞矣。"

夏,四月,丙申,上封者言:"有荫子孙犯杖以上私罪,情理重者,令州县批所犯于用荫官诰之后;若三犯,奏听裁。"从之。

宰臣陈执中,初为御史所劾,即家居待罪不敢出,庚戌,复入书视事。

辛亥,罢诸路里正衙前。

先是知并州韩琦言:"州县生民之苦,无重于里正衙前。自兵兴以来,残剥尤甚,至有嫠母改嫁,亲族分居,或弃田与人,以免上等,或非命求死,以就单丁,规图百端,苟脱沟壑之患,殊可痛伤。自今罢差里正衙前,只差乡户衙前,令于一县诸乡中第一等,选一户物力最高者为之。"于是下京畿、河北、河东、陕西、京西转运使相度利害,皆谓如琦所议便。又,知制诰韩绛言:"臣尝安抚江南东、西路,见两路衙前应役不均,请行乡户五则之法。"又,知制诰蔡襄言:"臣尝为福建路转运使,见一县之中,所差里正衙前有三四年或五七年轮差一次者,一百贯至十贯,皆入十分重难。请止以产钱多少定其所入重难之等。"乃命绛、襄与三司使、副、判官置司同定夺。遣都官员外郎吴几复往江东,殿中丞蔡禀往江西,与本路长史、转运使相度。因请行五则法,更著淮南、两浙、荆湖、福建之法,下三司颁行之。其法虽逐路小有不同,然大率得免里正衙前之役,民甚便之。

乙卯,诏三司出米,京城诸门裁其价以济流民。

知谏院范镇言:"窃以水旱之作,由民之不足而怨;民之不足,由有司之重敛;有司之重敛,由官冗兵多,与土木之费广而经制不立也。国家自陕西用兵增兵以来,赋役烦重,及近年不惜高爵重禄,假借匪人,转运使复于常赋外进羡钱以助南郊,其馀无名敛率,不可胜计,皆贪政也。贪政之发,发于掊克暴虐,此民所以怨,干天地之和而水旱作也。臣欲乞使中书、枢密院通知兵民财利大计,与三司量其出入,制为国用,天下民力,庶几少宽,以副陛下忧劳之心。"自天圣以来,帝每以经费为虑,命官裁节,臣下亦屡以为言,而有司不能承上之意,牵于习俗,卒无所建明,议者以为恨焉。

丙辰,殿中侍御史赵抃言:"宰相陈执中,退处私第,不赴朝请,前后数月,外议谓陛下不即降黜,是欲使全而退之。今执中遽然趋朝,再入中书,不知陛下以臣言为是邪,为非邪?执中之罪为有邪,为无邪?陛下若以执中为非,即乞罢免相位,以从公议。若以臣言为非,亦乞窜臣远方,以诚后来。"不报。

五月,己未,录囚。

辛酉,诏:"中书公事,自今并用祖宗故事施行。"初,宰臣刘沆建言中书不用例,议者皆以为非便,左司谏贾黯奏罢之。

戊寅,诏曰:"朕祇绍骏谟,厉精庶政,吁惟近岁,荐至烦言,以为参顾问者间怵于私,尸言职者或失于当,莅官无匪懈之恪,专觊谬恩,荐士乖责实之诚,时容私谢。至于命令之下,以及诏除之行,论议所移,纲条益紊,爰申戒告,以厉浚明。苟迷修省之方,浸长浇浮之俗,必从吏议,以正邦彝。"时上封者言:"古之取士以德行,故淳明朴茂之人用;后世取士以辞章,故浮薄纤巧之人进。望条列弊事,申戒百官。"故降是诏。

御史中丞孙抃与其属乞正陈执中之罪,以塞中外公议,不报。于是抃与知杂事郭申锡、侍御史毋湜、范师道、殿中侍御史赵抃同乞上殿,阁门以违近制,不许。壬午,诏抃等轮日入对。知谏院范镇言:"御史全台请对,陛下何不延问,听其所陈,别白是非,可行则行,其不可亦当明谕其故,使知自省。今拒其请,非所以开言路也。"旋命孙抃、郭申锡、赵抃以次入对,皆以罢执中为请。

是月,辽主驻南崖。

六月,己丑,以翰林学士欧阳修为翰林侍读学士、知蔡州,知制诰贾黯知荆南,皆从所乞也。

先是修奏疏言:"伏见宰臣陈执中,自执政以来,不协人望,累有过恶,招致人言;而执中迁延,尚玷宰府。陛下忧勤恭俭,仁爱宽慈,尧、舜之用心也;而纪纲日坏,政令日乖,国用益困,流民满野,滥官满朝,此由用相不得其人也。近年宰相多以过失,因言者罢去。陛下不悟,以为宰相当由人主自去,不可因言者而罢之,故宰相虽有大恶,而屈意以容之;彼虽惶恐求去,而屈意以留之;虽天灾水旱,饥民流离死亡道路,皆不暇顾,而屈意以用之。其故非它,直欲拒言事者耳。夫言事者何负于陛下哉!使陛下上不顾天灾,下不恤人言,以天下之事,委一不学无识、谄邪狠愎之执中而甘心焉,言事者本欲益于陛下而反损圣德者多矣。然而言事者之用心,本不图至于此也,由陛下好疑自用而自损。今陛下用执中之意益坚,言事者攻之愈切,陛下方思有以取胜于言事者。而邪佞之臣,希合上意,将曰执中宰相,不可以小事逐,不可使小臣动摇,甚则诬言事者欲逐执中而引用它人。陛下乐闻斯言,不复察其邪佞,所以拒言事者益峻,用执中益坚。夫以万乘之尊,与三数言事小臣角必胜之力,万一圣意必不可回,则言事者亦当知难而止矣。然天下之人与后世之议者,谓陛下拒忠言,庇愚相,以陛下为何如主也！前日御史论梁适罪恶，陛下赫怒，空台而逐之。而今日御史又复敢论宰相，不避雷霆之威，不畏权臣之祸，此乃臣能忘其身而爱陛下者也，陛下嫉之、恶之、拒之、绝之。执中不学无识，憎爱挟情，除改差缪，取笑中外，家私秽恶，流闻道路，阿意顺旨，专事逢君，此乃诬上傲下愎戾之臣也，陛下爱之、重之，不忍去之。陛下睿智聪明，群臣善恶，无不照见，不应倒置如此，直由言事者太切，而激成陛下之疑惑耳。执中不知廉耻，复出视事，此不足论，陛下岂忍因执中上累圣德，而使忠臣直士卷舌于明时也？愿陛下廓然回心，释去疑虑，法成汤改过之思，遵仲虺自用之戒，尽以御史前后章疏出付外廷，罢其政事，别用贤才，以康时务，则天下幸甚！"

已而修及黯皆补外，殿中侍御史赵抃言："窃见近日以来，所谓正人贤士者，纷纷引去，如吕溱知徐州，蔡襄知泉州，吴奎被黜知寿州，韩绛知河阳，此皆众所共惜其去。又闻欧阳修乞知（秦）〔蔡〕州，贾黯乞知荆南府。侍从之贤，如修辈无几，今坚欲请郡者，非它，盖不能曲奉权要，日虞中伤，皆欲效溱、襄、奎、绛而去耳。今陛下又从其请而外补之，万一有缓急事，陛下何从而询访，何从而质正也？伏望陛下勿使修等去职，留为羽翼，以自辅助。"知制诰刘敞亦以为言，修、黯遂复留。

戊戌，吏部尚书、平章事陈执中，罢为镇海节度使、同平章事，判亳州。孙抃等既入对，极言执中过恶，请罢之。退，又交章论列，抃最后乞解宪职补外，以避执中。于是执中卒罢，抃寻改翰林学士承旨。

始，御史因执中杀婢事，欲击去之，帝未听。而谏官初无论列者，御史并以为言。而赵抃攻范镇尤力，镇累奏乞与御史辨，不报。及御史入对，又言执中私其女子，伤化不道。执中既罢，帝以谕镇，镇复言："朝廷置御史以防谗慝，非使其为谗慝也。审如御史言，则执中可诛；如其不然，亦当诛御史。"并缴前五奏，乞宣示执政，相与廷辨之，卒不报。镇由是与赵抃有隙。

以忠武节度使、知永兴军文彦博为吏部尚书、平章事、昭文馆大学士，宣徽南院使、判并州富弼为户部侍郎、平章事。是日宣制，帝遣小黄门数辈觇于庭，士大夫相庆得人。后数日，翰林学士欧阳修奏事殿上，帝具以语修，且曰："古之求相者，或得于梦卜；今朕用二相，人情如此，岂不贤于梦卜哉！"修顿首称贺。

癸卯，以龙图阁直学士张昇权御史中丞。帝尝谕执政，以昇清直，可任风宪，故使代孙抃。时富弼初入相，欧阳修复为翰林学士，士大夫咸谓三得人云。

甲辰，以观文殿大学士知郓州庞籍为昭德节度使、知永兴军，寻改知并州。

籍过京师，入对，帝新相文彦博、富弼，意甚自得，谓籍曰："朕用二相何如？"籍曰："二臣皆朝廷高选，陛下拔之，甚副天下望。"帝曰："诚如卿言。文彦博犹多私；至于富弼，万口一词，皆曰贤相也。"籍曰："文彦博臣顷与同在中书，详知其所为，实无所私，但恶之者毁之耳。况前者被谤而出，今当愈畏谨矣。富弼顷为枢密副使，未执大政，朝士大夫未有与之为怨，故交口誉之，冀其进用而已，亦有所利焉。若弼以陛下爵禄树私恩，则非忠臣，何足贤！若一以公议概之，则向之誉者将转而为毁矣，陛下所宜深察也。且陛下既知二臣之贤而用之，则当信之坚，任之久，然后可以责其成功。若以一人言进之，未几又以一人言疑之，臣恐太平之功未易卒致也。"帝曰："卿言是也。"

乙巳，侬智高母阿侬、弟智光、子继宗、继封伏诛。

以工部侍郎知桂州余靖为户部侍郎，知邕州萧注为引进副使，留再任。注募死士使大理国，购智高。南诏久与中国绝，林箐险深，界接生蛮，语皆重译，行百日乃通。智高亦自为大理所杀，函其首至京师。

秋，七月，癸亥，翰林学士欧阳修请自今两制、两省以上，非因公事不得与执政相见，及不许台谏官往还。诏："如有公事，许就白于中书、枢密院。"

甲子，诏："凡宰相召自外者，令百官班迎之；自内拜者，听行上事仪。"国朝待宰相盖有故事，其后多承例辞，至是文彦博、富弼入相，御史梁蒨请班迎于国门，范师道又请行上事礼，然亦卒辞之。师道，长洲人。

戊辰，以资政殿大学士兼翰林侍读学士吴育为宣徽南院使、判延州。育侍读禁中，帝因语及臣下毁誉，多出爱憎，育曰："圣言要切，实四海之幸。然知而形之于言，不若察而行之于事。自古人君，因信谗邪而致乱，察奸险而致治，至于安危万端，不出爱憎二字，达之则群书不足观，不达虽博览无益也。盖人主事有不可不密者，有不可不明者。语及军国几微，或于权要，不可不密也。若指人姓名，阴言其罪而事状未见者，不可不明也。若不明，则谗邪得计，忠正难立，曲直莫辨，爱憎遂行。故曰偏听生奸，独任成乱。是故圣王之行，如天地日月，坦然明白，进一人，使天下皆知其善，黜一人，使天下皆晓其恶，则邪险不能陷害，公正可以立身，此百王之要道也。"帝数欲大用之，而谏官或诬奏育在河南尝贷民出息钱，久之，遂命出帅。

己巳，罢三司市御箭翎。初，三司言："御箭翎皆以两末黑中白羽为之。今监锢市人，求之不可得。"帝曰："箭之傅黑白羽，但取其文采耳，然不若鸡翎之劲也。"因令罢市。

翰林学士欧阳修奏疏言："近者为京师土木兴作处多，乞减罢。寻准敕，差臣与三司相度减定，续具奏闻。今又闻旨下三司重修庆基殿及奉先寺。伏见近年民力困贫，国用窘急，小人不识大计，但欲广耗国财，务为己利，托名祖宗，张大事体。况诸处神御殿，栋宇坚固，未必损动。昨开先殿只因两柱损，遂(损)〔换〕一十三柱，广张工料，以图酬奖恩泽。臣窃见累年火灾，自玉清昭应、洞真、上清、鸿庆、寿宁、祥源、会灵七宫，开宝、兴国两寺塔殿，皆焚烧荡尽，足见天意厌土木之侈，为陛下惜国力民财，谴戒丁宁，前后非一。与其广兴土木以事神，不若畏惧天戒而修省。其已兴作者既不可及，其未修者宜速停。"

壬午，辽主如秋山，次南崖之北峪，有疾。八月，丁亥，病甚，召皇子燕赵国王洪基，谕以治国之要。戊子，大赦，纵五坊鹰鹘，焚钓鱼之具。己丑，辽主殂，年四十，谥为神圣孝章皇帝，庙号兴宗。

兴宗初立，受制于生母钦哀太后，致嫡母无罪被弒，论者讥其亏王者之孝。其后迁钦哀而复迎奉，颇尽孝养。而钦哀以不得干预朝政，意常不怿，临兴宗之丧，无戚容；见皇后悲泣如礼，乃曰："汝年尚幼，何悲痛乃尔！"其很戾如此。兴宗多酒失，然能感富弼之言，罢南伐之师；用兵西夏，旋许乞盟，边鄙不耸，辽人安之。

皇子燕赵国王洪基，奉遗诏即位枢前，哀恸不听政，群臣上表固请，许之。辽主诏曰："朕以菲德，托居士民之上，第恐智识有不及，群下有未信，赋敛妄兴，赏罚不中，上恩不能及下，下情不能达上。凡尔士庶，直言无讳，可则择用，否则不以为愆。卿等其体朕意！"

庚寅,诏流内铨:"臣僚陈乞子孙当得试衔知县者,自今并与权注初等幕职官,仍著为令。"

壬辰,辽以皇太弟重元为皇太叔,免汉拜,不名。

癸巳,知谏院范镇言:"比者京师及辅郡岁一赦,去岁再赦,今岁三赦;又,在京诸军岁再赐缗钱;姑息之政,无甚于此。夫岁一赦者,细民谓之热恩,以其必在五月、六月间也。猾胥奸盗,倚为过恶,指以待免,况再赦至三赦乎!今防秋备塞之人,无虑五六十万,使闻京师端坐而受赐者,能不动心哉!请自今,罢所谓一赦以摧奸猾,而使善良得以立;罢兵士之特赐钱以均内外,而使民力得以宽。"

甲午,辽遣皇太叔重元安抚南京军民。

乙未,知谏院范镇言:"先朝以御宝印纸给言事官,使以时奏上,所以知言者得失而殿最之。今陛下虽喜闻谏净,然考其施行,其实无几,岂大臣因循而多废格乎?请据今御史、谏官具员,置章奏簿于禁中,时时观省;仍以尚书省所置簿具言行否,每季录付史官。"诏中书置台官言事簿,令以时检勾销注之,仍录与枢密院。

戊戌,辽主以遗诏命西北路招讨使、西平郡王萧阿喇为北府宰相,仍权知南院枢密使事;北府宰相萧虚烈为武定军节度使。辛丑,改元清宁。大赦。

壬子,诏曰:"任职之臣,则有考课迁官之法。而宗姓不预史事,先朝著格,使十八年一迁,所以隆族示爱,教忠厚也。朕尚念夫本支之秀,昭穆之近,而有耆老久次者,其令中书、枢密院第其服属,自明堂覃恩后及十年,咸与进官;近缘特恩改转者,须更十年。"

乙卯,观文殿学士、尚书左丞高若讷卒,车驾临奠,赠右仆射,谥文庄。

九月,戊午,辽告哀使至,帝为发哀,成服于内东门幕次,遣使祭奠吊慰及贺即位。

辽主诏所幸围场外毋禁。庚申,诏:"除护卫士,馀不得佩刀入宫,非勋戚后及承应诸执事人不得冠巾。"

癸亥,诏学士、舍人院:"自今召试,未有科名人,复试三题。"

乙丑,辽赐内外臣僚爵赏有差。庚午,尊皇太后为太皇太后。丙子,尊皇后为皇太后。宴蕺涂殿。以上京留守宿国王陈留为南京留守。

冬,十月,丁亥,辽有司请以辽主生日为天安节,从之。以吴王耶律仁先同知南京留守事。

己丑,诏京畿毋领辅郡,罢京畿转运使、提点刑狱。

乙未,出内藏库钱百万下河北市籴军储。

丙申,以主客员外郎吴中复为殿中侍御史里行。

戊戌,监修南京鸿庆宫内臣请于本宫隙地建皇帝本命殿,帝曰:"建宫观,所以为民祈福,岂可劳民自为邪?其遇本命道场日,止令设板位祠之。"

己亥,以开封府判官、殿中侍御史俞希孟为言事御史。御史中丞张昇等言:"希孟自入台以来,论事私邪,动多迎合。前年内臣王守忠请节度使俸给,谏官韩绛力言不可,希孟辄上言称恩命已行,只乞后不得为例。又,中书札子下御史台同刑法寺定百官行马失序事,同时聚议,皆云臣子对君失仪,尚蒙矜恕,岂为偶近两府,行马趋朝,既已赎铜,又作过犯!希孟承望大臣风旨,不肯同署奏状,而乃独入文字,乞理为过犯。此皆奸邪,迹状明白。后因全台上殿奏事,陛下面责希孟,不逾两月,除开封府判官,中外咸谓公明。今却自府判复除言事台官,伏乞别与一差遣。"壬寅,改希孟为祠部员外郎、荆湖南路转运使。

癸卯,侍御史梁蒨言:"近制,两府大臣遇假休日,方许一见宾客,非所以广朝廷聪明,其开禁使接士如故。"从之。

乙巳,礼部贡院上《删定贡举条制》十二卷。

庚戌,翰林学士、刊修《唐书》欧阳修言:"自武宗以下,并无《实录》,以传记、别说考正虚实,尚虑阙略。闻西京内中省寺、留司御史台及銮和诸库有唐朝至五代以来奏牍、案簿尚存,欲差编修官吕夏卿诣彼检讨。"从之。夏卿,晋江人。

癸丑,下溪州蛮彭仕羲入寇。

下溪州自彭允林至仕羲,相继为刺史者五世矣,至是,仕羲子师宝怨父取其妻,来奔(长)〔辰〕州诉仕羲尝杀誓下十三州,将夺其印符而并其地,自号如意大王,补置官属,将起为乱。知(长)〔辰〕州宋守信闻之,乃以师宝为乡导,帅兵数千深入讨之。仕羲遁入地洞,不可得,俘其孥,而官军战死者十六七。守信等皆坐贬。自是蛮獠数入寇掠,边吏不能制矣。

十一月,丙辰,出内藏库绢三十万,下并州市籴军储。

初,虞部郎中薛向言河北籴法之弊,以为:"被边十四州,悉仰食度支,岁费钱五十万缗,得粟百六十万斛,其实才直二百万缗耳,而岁常虚费三百万缗,入于商贾蓄贩之家。今既用见钱实价,革去三百万虚估之弊矣,然必有以佐之,则其法可行。故边谷贵,则籴澶、魏粟,漕黄、御河以给边;新陈未交,则散粟减价以救民乏;军食有馀,则坐仓收籴以待不足。使见钱行而三利举,则河北之谷不可胜食矣。"于是诏置河北都大提举(使)〔便〕籴粮草及催遣黄、御河纲运公事。己未,以向为之,行并边见钱和籴法。

甲子,辽葬兴宗于庆陵,名其山曰定兴。

丙寅,北府宰相、西平郡王萧阿喇进封韩王。

己巳,交趾来告其王李德政卒。诏赠侍中、南越王,以其子日尊〔为〕静海节度使、安南都护、交趾郡王。

壬申,辽主次怀州,有事于太宗、穆宗庙。甲戌,谒祖陵。戊寅,冬至,有事于太祖、景宗、兴宗庙,不受群臣贺。

十二月,丙戌,辽主诏内外百官秩满各言一事,仍转谕所部,无贵贱老幼,皆得直言无讳。

丁亥,修六塔河。先是河决大名、馆陶,殿中丞李仲昌请自澶州商胡河穿六塔渠入横陇故道,以披其势,富弼是其策。诏发三十万丁修六塔河以回河道,以仲昌提举河渠。仲昌,垂子也。

翰林学士欧阳修,以尝奉使河北,知河决根本,复上疏言:"河水重浊,理无不淤,淤从下流;下流既淤,上流必决;水性避高,决必趋下。以近事验之,决河非不能力塞,故道非不能力复,但势不能久,必决于上流耳。横陇功大难成,虽成必有复决之患。六塔狭小,不能容受大河,以全河注之,滨、棣、德、博必被其害。不若因水所趋,增治堤防,疏其下流,浚之入海,则河无决溢散漫之忧,数十年之利也。"帝不听。

戊子,辽以应圣节上太皇太后寿,宴群臣、命妇。册妃萧氏为皇后。后,枢密使惠之女也。进封皇弟和啰噶为鲁国王,阿琏为陈国王。

辛卯,辽诏部署院:"事有机密即奏,其投谤讪书辄受及读者,并弃市。"

甲午,辽以枢密副使姚景行为参知政事,翰林学士吴湛为枢密副使,参知政事、同知枢密院事韩绍文为上京留守。

知制诰刘敞使于辽,素习知山川道径,辽人道之行,自古北至柳河,回(互)〔屈〕殆千里,欲夸示险远。敞质译人曰:"自松亭趋柳河,甚径且易,不数日可抵中京,何为故道此?"译相顾骇愧,曰:"实然,但通好以来,置驿如是,不敢变也。"

丁酉,诏:"武臣有赃滥者毋得转横行,其立战功者许之。"

戊戌,辽主命设学养士,颁《五经》传疏,置博士、助教各一员。

庚子,辽遣使致兴宗遗留物及谢吊祭。

辽以知涿州杨绩参知政事兼同知枢密院。

庚戌,太白昼见。

辽以圣宗在时生辰,赦上京囚。

壬子,新修醴泉观成,即祥源观也,因火更其名。

是岁,辽主御清凉殿,策进士张孝杰等四十四人。

【译文】

宋纪五十五　起甲午年(公元1054年)十一月,止乙未年(公元1055年)十二月,共一年有余。

至和元年　辽重熙二十三年(公元1054年)

十一月,辛酉(初二),任命同知太常礼院吴充为高邮军知军,太常寺太祝鞠真卿为淮阳军知军。

礼院旧制,日常盖印公文,必须签列各位官员的名字和官衔;有时内廷临时有旨咨询,来不及通知全部礼官,则告诉判寺的一名官员填写公文,通报递进实施。到了追封温成皇后的那一天,有内廷圣旨询问典仪礼制,判寺王洙兼判少府监,官舍最近,所以属吏经常将事务先报告他。王洙常迎合皇上圣旨,主观裁决,填写印状后递送内廷,此事施行后,议论的人对礼官都加责怪,礼官无法说明,于是召来礼直官告诫说:"今后朝廷询问礼仪典制,不得轻易发出印状公文,仍旧负责通知礼官。"过了几天,有诏书询问温成皇后是否可以和其它庙陵一样用乐舞,礼直官李亶将此事报告王洙,王洙马上填写印状公文上奏:"应用乐舞。"事情下发到礼院,吴充、鞠真卿大怒,立即移文将李亶送至开封府,审定其罪。王洙抱卷案送给知府蔡襄看,说:"印状制度由来已久,礼直官有什么罪!"蔡襄心中害怕,于是将李亶又转送到礼院,礼院吏员相继逃走。殿中侍御史赵抃奏告蔡襄不审治礼官之罪,畏懦观望,执政大臣认为赵抃为吴充所使。再者,一天礼直官在温成皇后葬所对内廷大臣诉说:"坚持要送开封府治罪的,只有吴充、鞠真卿两人。"第二天,下诏礼直官以铜八斤赎罪,吴充、鞠真卿都改任外官,赵抃和谏官范镇等人进言说吴充等人无罪,不宜降职,不回答。

甲子(初五),取出太庙按时癸祀之物以及温成皇后祭仪上演奏的乐章,在太常寺练习。

乙丑(初六),太常寺丞、同修起居注冯京,被免去同修起居注一职,当时台谏官进言吴充、鞠真卿不应当改任外官,冯京最后上疏,言辞更为尖锐。宰相刘沆大怒,奏请改冯京为濠州知州,仁宗说:"冯京有什么罪!"但还是免去了他同修起居注之职。台谏官员又争论不该免冯京职务,未予答复。

准布部落首领向辽进贡。

丙寅(初七),淮南、江、浙、荆湖制置发运使许元调任扬州知州。许元在江、淮任职十三年,以敛聚盘剥为能事,急于升迁,多聚珍奇贿赂京师权贵,尤为王尧臣所赏识。在真州时,向他申请官舟的士大夫每天多达几十人。许元对于有权势人家,立即决定给予官家大船;如是势单力薄的小官,等候了几个月,也得不到船。人们因此极为不平,但许元自己认为理所当然,一点也不惭愧害怕。

己巳(初十),秦凤经略安抚使司说秦州古渭寨修筑完工。当初,筑城花费了百万缗,后来派兵戍守,每年费用达十万缗。

壬申(十三日),辽兴宗率群臣进上太后尊号为仁慈圣善钦孝广德安静贞纯懿和宽厚崇觉仪天皇太后,大赦天下,内官外官多有升赏。先前太后生辰,辽代部族官耶律陈嘉努进侍,献上驯鹿,太后予以嘉奖,赐珠两件,杂彩二百段。

辛巳(二十二日),下诏宰相刘沆儿子太常寺太祝刘瑾,下令学士院召他应试馆职。温成皇后安葬后,赐予后阁中金器数百两,刘沆极力推辞,却为刘瑾提出请求。

壬午(二十三日),任命入内押班石全彬为入内副都知,知制诰刘敞退还任命令,上奏说:"石全彬前几天已有诏令授宫苑使、利州观察使,不到三天,又改为这一任命。朝令夕改,古人非议,臣不敢起草诏书"。听从了他的意见。三个月后,石全彬终于任命为入内副都知。

癸未(二十四日),辽国清查登记犯人。

甲申(二十五日),辽国群臣进上辽兴宗尊号为钦天奉道祐世兴历武定文成圣神仁孝皇帝;皇后萧氏为贞懿慈和文惠孝敬广爱崇圣皇后。

丙戌(二十七日),下诏宗正寺:"旧制,皇室宗族属籍十年修订一次。今年只是第八年,但宗室繁衍很快,应该增修!"

知制诰刘敞进言:"前几天臣听到吴充出任外官,冯京免职,开始认为他们行动确有不当,言语实有不可之处,因此惹圣上发怒。等到在延和殿奏事时,当场听了宣读的诏书,才知吴充只是因为忠于职守,冯京也无他意,中书讨厌他太刚直,不予宽容,臣非常惊恐不安。自古以来,只有国君不能容忍直言,有的人因此被贬流放。现在陛下胸怀如此宽广,不知中书为何排挤放逐直言之臣!"还说:"臣上次议论吴充、冯京贬官,当面承蒙告谕事情经过,臣当即说:'如果这样,则是大臣蒙蔽明君,专夺君权,而擅自作威作福。我恐怕一定会震动天地阴阳,出现地震、日食、风雾等灾异。今臣听说镇戎军一晚发生三次地震,距臣进言不到五日。此外,京城降雪后雾瘴多日,然后出现很多风沙尘埃,太阳昏黄不明,这些都是令人畏惧的变异。陛下应认真考虑上天警意,收回君主大权,使言路畅通,法令推行无阻,就足以消除灾异了。"

十二月,丙申(初七),辽兴宗抵达中会川。

庚子(十一日),翰林学士王洙、直集贤院掌禹锡进上《皇祐方域绘图》。

并州知州韩琦,因患病奏请太医齐士明诊治,翰林医官说齐士明应当为圣上诊脉,不能

1155

派遣,仁宗命内侍带齐士明前往探视。

丙午(十七日),诏令:"司天监天文算术官不得出入臣僚家。"

丁未(十八日),殿中丞、直秘阁司马光进上《古文孝经》,诏令送到秘阁。

己酉(二十一日),如京使、果州团练使、入内都知张惟吉去世,赠保顺军节度使,谥为忠安。张惟吉任职很久,颇为仁宗信任,但他从不阿谀奉承。温成皇后在皇仪殿治丧,宰相曲意迎合,张惟吉谏争无效,甚至顿首流泪。

殿中侍御史赵抃说:"宰相陈执中家,女奴迎儿被鞭打致死,有的说是陈执中亲手打死,有的说是宠妾阿张残暴殴打致死。臣认为两种说法有一共同点,陈执中不能说是无罪。如女使自己有过错,应当送官府审断,岂能违背朝廷法律,树立私家威严!如女使真的为阿张所杖杀,自当将她逮送官府以正法典,岂能公然庇护她!正家才能安定天下,陈执中家尚且不能正,陛下想依靠他将天下治理太平,这犹如却步而求前。"陈执中也自请治罪。不久皇上下诏将他免于治罪,台谏官员都说不可,翰林学士欧阳修也这么说。直到陈执中离职,议论方休。

丙辰(二十七日),睦州防御史赵宗谔进献所写《太平盘维录》,下令嘉奖。

仁宗年岁已高,没有继承人。皇祐末年,太常博士张述上书请求:"择选宗室近亲有才德者,从优给予礼遇官秩,以官职试用,使天下知道圣心有所属,则天下大幸。"这年,他又上书说:"继嗣如不早定,则一旦有事,就会留下万世不幸。纵观前代,事出仓促时,或是后宫发布政令,或是宦官主谋立君,或是奸臣首先倡议,借助孩童孺子为君以便长久操纵政局,希望其愚昧懦弱以便窃取大权。安危之机,顷刻即发,而朝廷安然不加考虑,岂不危险!"张述先后上书七次,最后一次言辞尤为激烈,仁宗始终不予怪罪。张述是小谿人。

融州大丘洞蛮人杨光朝内附于朝廷。

至和二年 辽重熙二十四年,八个月后为清宁元年(公元1055年)

春季,正月,癸亥(初四),辽兴宗到了混同江。

戊辰(初九),邕州报告说苏茂州蛮人内侵,下诏广西发兵讨伐。

辛未(十二日),仁宗亲临奉先资福禅院,拜谒祖神御殿。先前议论的人说仁宗特此一行,是要祭奠温成陵庙。御史中丞孙抃说:"陛下即位以来,不曾拜谒祖宗山陵,现在如果因为温成皇后的缘故而特行此礼,有损圣上英德,没有比这更严重的了。"翰林学士欧阳修也议论劝谏。仁宗听从,不再到温成陵园。

丁亥(二十八日),观文殿大学士、兵部尚书晏殊病重,仁宗乘车打算去探望他,晏殊立即驰奏说:"臣老年得病,马上会痊愈,不足以让陛下担忧。"不久去世,仁宗虽然亲临祭奠,然以未能探病为恨,特地罢朝两天,赠司空兼侍中,谥为元献。安葬毕,在其碑额篆书道:"旧学之碑。"晏殊善于发现人才,如孔道辅、范仲淹,都出自他的门下,富弼、杨察,是他女婿。

当初,任命张方平为益州知州,未赴任,而程戡已先入朝任参知政事,转运使高良夫代理知州事务。当时西南夷有一邛部川首领,造谣说蛮贼侬智高逃至南诏,要进攻蜀地。高良夫急移兵驻守边境郡县,另外增调了一些弓手,征发百姓修筑城墙,日夜不息,人们惊恐不安。下诏敦促张方平出发,而且允许他见机行事。张方平说:"南诏离蜀地二千余里,道路艰险,其间许多部族混杂而居,各不相属,怎么能起兵和侬智高一道入寇呢!这一定是谣言,臣当冷静应付。"路上遇到戍兵车队,马上遣回。进入蜀境,对邛部川下令说:"敌人来,我自会抵挡,妄言者斩首!"将调来的军队全部遣回,遣散弓手,取消筑城行动。正碰上上元节张灯活动,城门三夜未闭,人心渐安。不久得知邛部川一翻译是此事的主谋,将他斩首,在边境示众,而将余党刺配湖南,蜀人于是安定。

二月,壬辰(初四),任命汾州团练推官郭固为卫尉寺丞。并州知州韩琦说:"郭固曾发明车阵法,他设计的战车前尖后方,上面放置七条枪作为前后两个方阵。可用于平川之地。一则临阵可以挫败敌人冲锋,二则安营时可作为寨脚。现在可令郭固自带战车模型进献圣上。"试用以后,就下了这道诏令。

广州司理参军陈仲约,将别人误判死罪,有司将陈仲约定为公罪,应交赎金。仁宗对知审院张揆说:"死者不可复生,而狱官虽然暂时免官,以后仍然会复用,难道不应加重其处罚吗!"癸巳(初五),下诏特予陈仲约停职处分,碰上赦免也不许他做官。

辽兴宗抵达长春河。

给事中崔峄,受诏审理陈执中纵容宠妾杖杀女使一事。崔峄认为陈执中自己以为奴婢不恭敬,鞭杖致死,并非为宠妾所为,这对陈执中有很大影响,甲午(初六),授予崔峄龙图阁待制,庆州知州。

庚子(十二日),殿中侍御史赵抃进言:"臣曾奏言陈执中不学无术,处事颠三倒四。录用奸佞之徒、广纳卜人祝士等辈、私仇公报、排挤忠良、刚愎自用、家声狼藉等八事。我深恐陛下认为我是捏造事实,至今未予调查采纳。臣如果不列举一二,陈述说明,则是有负为陛下澄清耳目的检察之责,又使宪台官员犯失职之罪,臣不忍心这么做。

"去年春季以后,礼法制度,大多不适宜,这是因为陈执中不懂典故,一心阿谀奉承,败坏国家体制。另外,翰林学士一向有常制,陈执中自作聪明,以致任命了七人,这是陈执中空洞疏漏,应予罢免的第一条理由。

陈执中赏罚大权在手,胡作非为,例如刘湜从江宁府调往广州烟瘴之地担任知州,但还保留待制这一职位,至于向传式自南京(今河南商丘县)调到江宁府担任近便职务,仍然转资为龙图阁直学士。此外,吴充、鞠真卿指责揭发礼院生代签文书等事,属吏以赎金代罪,吴充、鞠真卿一并降为军职,这是陈执中荒谬乖戾应该罢免的第二条理由。

馆阁清要之官,岂能允许投机小人担任!而陈执中利用恩惠树结私党,例如崔峄不按正常途径授予给事中、郑州知州,罢官后给事中仍未免去,所以崔峄审陈执中一案,反复不决中途停止以报私恩。此外,陈执中曾将嬖幸之人寄养在周豫家里,周豫乃媚谄之徒,与陈执中相知,于是推举周豫征召试用于馆阁,这是陈执中暗结朋党应予罢免的第三条理由。

陈执中门下,未尝优待过一个俊杰,礼遇过一个有才之人,谈得来的是苗达、刘祐、刘希叟之徒,座上客是普元、李宁、程惟象之辈,况且他重居台鼎要位,测算灾异之变,过多地占卜吉凶,意图是干什么!这是陈执中怪僻宜罢的第四条理由。

邵必任常州知州时,曾误判人徒刑,自己发觉后上报,又正值赦免,不该去官,陈执中一向厌恶邵必,于是将邵必罢为开封府推官,撤去他的馆阁一职,降任邵武军监当。后来汀州的石民英查出有人贿赂使臣，将其杖背、黥面、发配广南牢城，犯人家里向上投告，完全是冤枉，但陈执中只免去石民英的差遣之职。将邵必与石民英比较，则石民英犯的罪严重但处罚反轻，邵必所犯罪轻而处罚反重，这是陈执中玩弄法律应予罢免的第五条原因。

吕景初、马遵、吴中复奏劾梁适，因而获罪，出任郑州知州，吕景初这些人随后逐出外任，有'行将及我'的话。冯京上书说吴充、鞠真卿、刁约无罪不当降黜，吴充等人马上被贬为地方官，又罢免冯京修起居注之职，使朝廷落下加罪忠良不纳劝谏的名声，这是陈执中嫉妒贤良应罢免的第六条理由。

女仆迎儿只十三岁，多次遭到鞭笞，听从宠妾阿张的话，寒冬让她在外面光着身子受冻，捆缚双手，不给饭吃，以致惨死。还有一个名叫海棠的，因为阿张殴打逼迫，上吊身亡。还有一名女使，被捆住头发杖击其背，自杀未遂。大约不到一月，残忍行为涉及三人，前前后后受幽之人，已经听到不少，这是陈执中残忍凶暴宜予罢免的第七条理由。

"陈执中私生活腐化丑陋，人伦混私，放纵宠妾，信任胥吏，虽然自身高贵，家室富有，财产巨万，对待姻亲族人却如同路人，即使穷困无路，他也不予丝毫帮助，这是陈执中卑鄙凶狠应予罢免的第八条理由。愿陛下以社稷百姓为念，依法处置陈执中，早日将他罢黜。"

不久下诏："邵必官复原职，任高邮军知军，吴充、鞠真卿、刁约、吕景初、马遵一并召还，冯京待修起居注缺额，吴中复待御史台缺员时灯官复原位。"

甲辰(十六日)，赵抃进言："臣近来多次奏劾宰相陈执中之罪，未予实施。听说知谏院范镇妄图营救他，希望陛下象日月一样英明，区分忠良奸佞，采取众人意见，立下国家大法，则天下大幸！"

先前知谏院范镇说："去年十二月，荧惑星犯房宿、东上相二星，不久陈执中家女仆被虐杀，议论的人说这事是应验天变。臣认为并非如此。陈执中再次担任宰相，不到两年，变更祖宗大乐，破坏朝廷体制，因为葬事升任宰相，授予翰林学士，任观察使，其余不合法赏赐，不可胜数。自从陛下撤销内降，五六年来，政事清明。近来又恢复过去作法，以致侍从臣僚的儿子，也请求内降，没有名望的内臣，超越资历升任，每月数人。此外现在天下百姓穷困，正是因为兵冗而又不停地扩军。陈执中身为执政之首，义不容辞应讨论这些问题，但他苟且保守，并未说过一句话。天上变异，实是因为这些。陛下不追问这些，御史们又专门关心自己私事，舍弃大事而责备小过，臣担心即使罢免陈执中，天变未必能除。特请将臣奏章下达陈执中，下达御史，然后下令学士草拟诏书，使天下之人，知道陛下罢撤大臣，不是因为其家私事而是因其本职之事，使以后执政大臣，不敢只照料家事而尽心于陛下政事。"

于是范镇再次上书："御史因为谏院不论奏陈执中家事，请求加罪谏官。臣听了陈执中申辩的奏言，女仆有过错，他指使杖击，因风寒致死，但外间议论说是阿张将女仆杖死。臣思考再三，凭阿张下狱，招认不是陈执中指使这点，有司可结案。须要陈执中说明清楚，乃是为了一女仆而将宰相下狱，恐怕不合国体，所以不敢赞同上述观点。但臣有两个不言之罪，御史所不知道。当初，朝廷为了一个礼直官而贬逐礼官，而臣反复论述说明，现在为了一女仆而使宰相受辱却反无一言，这是臣的第一个罪过。臣不在众人意见未统一时为陈执中分辩，现在陈执中大势已去才上书，这是臣的第二个罪过。乞将臣奏章下达御史台，公布于朝堂,让士大夫知臣之罪,臣虽马上赴死,也无遗憾了。"

乙巳(十七日),任命观文殿学士、户部侍郎、知河阳富弼为宣徽南院使、判并州。

丙午(十八日),调并州武康军节度使韩琦任相州知州,这是因韩琦以疾自请。从前潘美为河东统帅,为避免敌人劫掠给自己行动带来不便,下令百姓内迁,抛下边境不耕种,称为禁地,因此忻、代州、宁化、火山军田地荒芜不少。欧阳修曾奏请耕种,诏令范仲淹视察,范仲淹奏请按欧阳修意见办;不久被明镐阻止,未能施行。韩琦来后,派人巡查,说:"这都是我的肥沃田地,民居遗迹还在。现在不开垦,是留下送给敌人,今后全要归敌人所有。"于是奏请代州、宁化军应依岢岚军先例,距北边边界十里为禁地,其余地方招募弓箭手居住。碰巧韩琦离任,于是诏令富弼计议,富弼奏请按韩琦意见办,共招得民户四千,开垦荒地九千六百顷。

当初,翰林学士吕溱上书,评论陈执中虽然外强,内心其实奸邪,又历数他的过失十多件事,仁宗归还他的奏疏,吕溱进言说:"如只用口说,是暗中中伤大臣,请将此交给陈执中让他自己分辩。"这时吕溱改任翰林侍读学士、徐州知州。辞行这天,特地赐宴资善堂,派使臣告谕说:"这是特意为卿设宴,你尽可一醉。"又下诏从现在起由经筵出任外官的均依此例。

宰臣刘沆说:"听陛下亲口说:'凡传达内廷降旨,其应当出任外官的人依照法律赏罚之外,其余的令二府与所属的官府上奏。'完全是要杜绝请托侥幸之途。"因而陈述三个弊端:一是近臣保荐官吏之弊,二是近臣为亲属求官之弊,三是自叙功劳以期升迁之弊,"希望诏令中书、枢密,凡是这三件事不得依照旧例,其他的听任依旧。"施行后众人非常不高兴,不久又恢复旧制。

甲寅(二十六日),夏国派使臣至辽贺加尊号。

乙卯(二十七日),流内铨官员被召见询问前雍丘县主簿陈琪改任京官之事,仁宗对判诠贾黯说:"陈琪虽然没有别的过错,而连续三任,都是依靠关系陈言请求,不是通过有司奏报。陈琪是庞籍女婿,现在已保荐二十四人之多,莫不是专门想谄谀依附大臣的缘故?暂且授予幕职官、知县。"陈琪是盐铁副使陈洎儿子。

知谏院范镇等人进言:"恩州从皇祐五年秋天到去年冬天,知州共换了七人,河北各州,大多如此。要想军队多加训练,当然不可能。我认为雄州马怀德,恩州刘涣,冀州王德恭,都智勇双全,可责成他们负责此事,请诏令他们长久担任。"听取了这一意见。

三月,癸亥(初五),辽兴宗因皇太弟耶律重元生日,赦免京城及长春、镇北二州徒刑以下犯人。

丁卯(初九),下诏:"修起居注官,从现在起皇帝每次亲临迩英阁时,立在讲读官的后面。"当初,贾黯奏请左右史官入阁记事,仁宗赐座于御座西南边。这时修起居注石扬休说,恐皇上偶尔有圣谕坐得太远不能全部听清,因此令立侍附近。

丙子(十八日),下诏封孔子后人为衍圣公。当初,太常博士祖无择说:"文宣王四十七代孙孔宗愿继封文宣公。依照前时史书,孔子后人世袭封位者,在汉、魏称褒成、宗圣,在晋、宋称奉圣,北齐叫恭圣,后周和隋都封为邹国公,唐初称为褒圣,开元初年,才开始追谥孔子为文宣王,又封他的后人为文宣公。然而祖宗谥号不能加封给后人,请诏令有司另外改定好的谥号。"于是下达两制议定,改封孔宗愿而命令孔氏世袭。

1159

翰林学士、群牧司使杨伟等,奏言判官、殿中丞王安石,文才品德都很高,请求授予职名。中书审查到王安石屡次召试不去,下诏特地授集贤校理之职,王安石又固辞不受。

癸未(二十五日),任命权知开封府蔡襄为枢密直学士、泉州知州,这是因为他的母亲年老提出请求。蔡襄长于书法文书,仁宗对他尤为宠爱,皇上制作的《李用和碑文》,诏令蔡襄书写。后来又命他书写温成皇后父亲清河郡王碑,蔡襄说:"这是待诏的职责。"最后推辞掉了。

丙戌(二十八日),迩英阁王洙讲授《周官》"典瑞含玉",仁宗说:"如果使人因此骨骼不腐朽,岂如功名不朽哉!"

丁亥(二十九日),知审刑院张揆,奏言虔州知州周日宣谣言洞水冲淹城郭,应定以报告不实之罪。仁宗说:"州郡大多奏告好消息,至于水旱之灾,有的隐瞒不报。现在知州自报淹坏官私房舍,本意也是爱民,应予免罪。"

翰林学士欧阳修进言:"朝廷要等到秋季大兴工役,堵塞商胡的河道,开通横陇,让黄河再回到故道。大动工程一定要顺应天时,估量人力,开始计划就要预料事情的结果,然后再决定施行,估计获利多时,才能不后悔。往年黄河在商胡决口,执政大臣不经计算考虑,仓促动工,共科差配征防汛用的柴草一千八百万,骚扰六个路百余个州、军,官吏逼纳,急如星火,浪费大量民财,给国家招致怨愤。现在又听说有修河工程,集聚三十万人之众,开通一千余里长的河道,估计所需人力物力,为往年的几倍。在此连年旱灾、百姓穷困的时候,不度量人力,不顺应天时,臣认为这有五处行不通:从去年秋季到今年春季,天下苦于干旱,而京东尤为严重,河北次之。国家一向以安定为务,采取赈济措施尚还担心百姓聚而为盗,更何况两路大动民众,大兴工役呢! 这是必不可行的第一个理由;河北从恩州用兵后,接着是饥年之苦,人户流亡,十失八九,几年以来,稍稍安定,但物力仍未补充。再者,京东从去年冬季起未下过雨雪,麦苗不生,晚春快过,庄稼尚未播种,农民内心焦急,非常绝望。如果到别路差派人夫,又路途遥远不便赴役,全部发动附近民工,则两路之民力不从心,这是必不可行的第二个理由;往年商议堵塞滑州决口,储积物料,要百姓捐献财物,几年后才能动工。现在国力困乏,民力艰疲,况且合拢商胡,是堵塞黄河大决口的洪流,这是一项浩大工程;开挖横陇,挖通废弃已久的旧道,这是又一项大工程;从横陇至海一千余里,河岸早已荒废,必须修治,这是又一项艰巨的工程。往年国家百姓财力充足之时,完成一项大工程尚需数年,现在国家贫困遭受灾害天旱的时候,突然兴起三项巨大工程,这是必不可行的第三条理由;就算商胡决口可以堵塞,黄河旧道未必可以开挖。鲧堵塞洪水,九年无功,禹因水之流,疏通流下,水患才得以平息。现在要违背水流规律,阻塞水流,改变黄河正常流向,用人力使它回流,这是必不可行的第四个原因。横陇塞淹已二十年,商胡决口也有几年了,旧道填平后难于挖凿,流了多年的河水难于回归故道,这是必不可行的第五条理由。应速罢停,以安人心。"

这月,因为旱灾免除京畿内百姓租赋,及去年秋天的欠税,停止各项修建工程。

下诏天下谏言政治得失。庞籍密上奏疏:"太子为天下根本,现在陛下年富力强,然不预立太子,天下心无所归。望择宗室中合适者早日决定,人心安定后,则灾异便可消去。"

夏季,四月,丙申(初八),有密封奏折上告:"有受恩荫子孙犯了杖刑以上私罪,情节严重的，令州县注明犯人过失于恩荫人官诰后面，如果达到三次，上奏听候处置。"听从这一意见。

宰臣陈执中，当初受到御史弹劾，就呆在家里不敢公开露面，庚戌（二十二日），又到中书处理政务。

辛亥（二十三日），撤罢各路里正衙前。

先前并州知州韩琦进言："州县百姓之苦，莫过于里正衙前。自从战事兴起，盘剥更为加剧，甚至有孀母改嫁、亲族分居，或是将田地送与他人，以免为上等户，或不该死而求死，以便成为单丁户，想方设法，摆脱深渊般的苦难，实在令人心伤。从现在起罢撤里正衙前，只保留乡户衙前差役，命令在全县各乡一等户中，选一户财产最多的人户担任。"于是将他的建议下达到京畿、河北、河东、陕西、京西转运使权衡利害，都认为照韩琦办法较为方便。此外，知制诰韩绛说："臣曾安抚江南东、西路，了解到两路衙前服役不均，请施行乡户五则之法。"还有，知制诰蔡襄说："臣曾任福建路转运使，见到一县之中，所差调的里正衙前有三四年或五七年轮流应差一次的，一百贯至十贯，都被列入十分重难。请停止以收入多少确定其是否列入重难的作法。"于是下令韩绛、蔡襄、三司使、副使、判官设立机构确定。派都官员外郎吴几复前往江东，殿中丞蔡禀出使江西，与本路转运使、长官一同筹画。因此请求实行五则法，另把淮南、两浙、荆湖、福建的办法，下达三司颁行。其法虽然各路有小的差别，然而大体免除了里正衙前之役，百姓认为很方便。

乙卯（二十七日），诏令三司调出大米，京师各门减价出售以救济流民。

知谏院范镇进言："臣认为水旱灾的发生，是由于百姓不充裕而怨恨，百姓不充裕，是因有司重征赋税；有司重敛，是因冗官冗兵，兴修的费用太多而没有节制。国家自从陕西用兵增派军队以来，赋役繁重，到近几年不惜将高爵重禄，送给匪盗之人，转运使又在常赋外进献羡钱以资助南郊祭天活动，其余无名称的赋费，不可胜数，这些都是贪政。贪政的产生缘于苛政暴掠，这是百姓怨恨，干扰天地和谐、水旱灾害因而发生的原因。臣请求令中书、枢密院告知军民国家财政政策，和三司一道估预收支，制定国家财政开支，天下百姓负担或许可以减轻一点，以体现陛下一片忧国忧民之心。"自天圣年来，仁宗屡为财政担忧，下令裁减冗官冗兵，臣下也多次进言，但有司不能执行皇上旨意，束缚于旧规，始终无所突破，议论的人心中怨恨。

丙辰（二十八日），殿中侍御史赵抃进言："宰相陈执中隐藏家中，不上朝前后几月，外面人们议论陛下不将他罢斥，是让他体面地隐退。现今陈执中突然上朝，再次在中书掌权，不知陛下认为臣言是对还是错？陈执中究竟有罪无罪？陛下如果认为陈执中有罪，就请罢免他的相位，以听从众人意见。如果认为我不对，也请求将臣罢逐边远州县，以诫后人。"未予批复。

五月，己未（初二），核查囚犯。

辛酉（初四），下诏："中书公事，从现在起全依祖宗旧制实施。"当初，宰臣刘沆建议中书不采用旧例，议论的人认为不便，左司谏贾黯奏请罢撤这一作法。

戊寅（二十一日），下诏说："朕自继承大统，励精图治，只是近年来，时有闲言碎语，认为参议国事者常怀有私心,担任言事官的人失职进言不当,在位官员没有忠于职守,专门挖空心思于怎样获得非分的恩赏,荐举官员没有实事求是之心,以求报恩。以至于命令下达,诏书草拟后,常因议论而改变,法令条规更加混乱。再次申令告诫,以勉励清明。如果仍不改悔修省,沉浸助长轻浮习气,便要交有关官员依法处理,以正国法。"当时秘密上奏的人说:"古代录用读书人是根据德行,所以忠诚朴实的人被任用;后世录用读书人是根据辞章,所以轻浮乖巧的人被任用。希望把各种弊端一一列举,申戒百官。"因此下了这一诏书。

御史中丞孙抃与其下属请求依法处置陈执中,以息天下议论,未予答复。于是孙抃和知杂事郭申锡、侍御史毋湜、范师道、殿中侍御史赵抃一同请求上殿,阁门以违近制为由,不同意。壬午(二十五日),诏令孙抃等人逐日轮流入对。知谏院范镇进言:"御史召全体人员请求一同入对,陛下何不请来询问,倾听他们陈述,分清是非,可行则行,如不可也应当告谕原因,让他们知道去自我反省。现在拒绝他们请求,不是广开言路的做法。"随即令孙抃、郭申锡、赵抃按顺序入对,都请求罢去陈执中。

这一月,辽兴宗驻留南崖。

六月,己丑(初二),任命翰林学士欧阳修为翰林侍读学士、蔡州知州,知制诰贾黯为荆南知州,这均是听从他们自己的请求。

先前欧阳修上奏疏说:"臣看到宰臣陈执中,自执政以来,不合人望,屡有过失,招致人们议论;但陈执中尚还拖延时日玷辱宰府。陛下忧国忧民勤俭持国,仁慈宽容,真有尧舜之心;然纲纪日坏、政令一天天被违背,国家财政越来越紧张,流民四散,冗官满朝,这是因任命宰相不当所致。近年宰相多因过失,被言官弹劾去职。陛下还未省悟,认为宰相只能由国君自己罢撤,不能因言官弹劾而免职,所以宰相即使犯有大的过失,而曲意容忍;虽其惶恐求去,而曲意挽留;即使天降水旱之灾,饥民流离失所死在半道,都无暇顾及,也曲意留用他。没有别的原因,只不过想拒纳言官的谏言罢了。言事官有什么地方对不起陛下呢!使得陛下不顾天灾人言,甘心情愿地将天下政务托付不学无术、奸邪刚愎的陈执中呢,言官们本来要有利于陛下却反损圣德了。然而言官们当初的用意并不是这样,是陛下心中多疑造成的损失。现在陛下留用陈执中的意图越坚定,言事官对他的攻击也就更激烈,陛下现在正在考虑战胜言官的办法。而奸佞大臣,迎合陛下心意,说陈执中宰相,不可因小事罢逐,不可使下级官吏动摇,甚至诬言言官们想驱逐陈执中而进用他人。陛下很高兴听到这样的话,不再辨其奸佞,因此对言官们的拒绝更加严厉,留用陈执中态度更加坚决。以天子之尊,与几个小小言官争比胜负,万一皇上难以回心转意,则言官们也就知难而止了。但天下之人以及后世议论者,认为陛下拒纳忠言,庇护愚相,将把陛下看成什么样的国君呢!前几天御史评论梁适过失,陛下大怒,将御史台的全体官员放逐。而御史现在又敢于再次议论宰相,不避圣上雷霆之威,不怕奸臣报复,这是臣下忘记自身安危而爱护陛下,陛下嫉恨他们,厌恶他们,拒绝他们。陈执中不学无术,憎爱全凭个人感情,授官调职阴差阳错,取笑于朝廷内外,家庭生活肮脏丑恶,广为流传,阿谀奉承,迎合君主,此乃谀上欺下刚愎乖戾之臣,陛下却宠爱他,重用他,不忍心罢免他。陛下睿智英明,群臣善恶,无不一清二楚,不应如此黑白颠倒,完全是因言事官的话太急切,而引起陛下疑惑。陈执中不知廉耻,再次出来处理事务,这不值一论,但陛下岂能忍心为了陈执中而损圣德,使忠直大臣明天闭上嘴巴不再言事?愿陛下豁然回心转意,消去猜疑,效法成汤改过自思,遵循仲虺不自用之戒,将御史全部先后奏章下达外廷,罢去他的宰相,另用贤才,以安时局,则天下大幸!"

不久欧阳修和贾黯均改为外任官员,殿中侍御史赵抃进言:"臣见近天来,正直贤士纷纷引退,如吕溱为徐州知州,蔡襄任泉州知州,吴奎被降为寿州知州,韩绛为河阳知州,这些人改为外任,众人叹惜。又听说欧阳修请为蔡州知州,贾黯求为荆南府知府。贤良侍从,像欧阳修这样的没有几个,现在决意改为郡职,不为别的,只是不能折腰权贵,每天担心被中伤,想要效法吕溱、蔡襄、吴奎、韩绛离去罢了。现在陛下听从他的请求改为外任,万一一旦有紧急事,陛下到哪里去咨询,如何得到佐正呢?希望陛下不要让欧阳修等人去职,留为顾问助手,以辅佐陛下。"知制诰刘敞也为之进言,于是欧阳修、贾黯又留了下来。

戊戌(十一日),吏部尚书、平章事陈执中,罢为镇海节度使、同平章事、判亳州。孙抃等人入对后,极言陈执中过失,请求罢免。退下后,又上书论列陈执中罪行,孙抃最后请求解去御史之职以避陈执中。于是陈执中终于罢去,孙抃不久改任翰林学士承旨。

开始,御史因为陈执中杖杀婢女,想攻击他使他去职,仁宗未听。而对开始来参与论争的谏官,也一并攻击。赵抃对范镇攻击尤为激烈,范镇多次奏请同御史当面对辩,未予答复。及至御史入对,再次说陈执中偏私宠妾,有伤风气不道德。陈执中罢免后,仁宗告谕范镇,范镇再次进言:"朝廷设置御史是为防止谗邪奸佞之人,并不是要他们制造邪恶。如确如御史所说,则陈执中罪当处死;如果不是这样,则应处死御史。"并将前五次奏章一同交上,请下达执政大臣,一起在朝廷上辩论,最后无答复。范镇因此与赵抃不和。

任命忠武节度使、永兴军知军文彦博为吏部尚书、平章事、昭文馆大学士,任命宣徽南院使、判并州富弼为户部侍郎、平章事。这一天宣布圣命,仁宗派了多名宦官在庭上观察,官员们相庆选得有才之人。以后几天,翰林学士欧阳修在殿上奏事,仁宗将详情告知欧阳修,并且说:"古人求相,或从梦中占卜中得到贤人;现在朕任用二人为相,人心所归,岂不强于占卜圆梦呢!"欧阳修拜贺。

癸卯(十六日),任命龙图阁直学士张昇代理御史中丞。仁宗曾告谕执政大臣,因为张昇清明正直,可任御史官员,因此让他代理孙抃。当时富弼刚入朝任宰相,欧阳修再次任翰林学士,官员们都说得到了三个人才。

甲辰(十七日),任命观文殿大学士郓州知州庞籍为昭德节度使、永兴军知军,不久改任并州知州。

庞籍经过京师时,应召入对,仁宗刚任文彦博、富弼为相,甚为得意,对庞籍说:"朕任用二人为相怎么样?"庞籍说:"二人均为朝廷高才,陛下提拔他们,甚合天下人意愿。"仁宗说:"确如卿言。文彦博还多有私念;至于富弼,众中一词,都称他为贤相。"庞籍说:"不久前臣和文彦博均在中书,详知他的行为,实无私心,只不过厌恶他的人对他加以毁谤罢了。况且上次被弹劾出朝,现在一定会更加小心谨慎。富弼不久前任枢密副使,尚未参与大政,朝廷官员不曾与他结怨,所以一致称誉他,希望他被任用,也是为了自己的利益。如果富弼用陛下官禄树立私恩,则非忠臣,怎么谈得上贤!如果他完全秉公办事,则以前称赞他的人将反过来毁谤他,陛下应予深察。况且陛下知道二人贤良而任用他们,就应当完全信任他们,让他们久任,然后才能指望他们成功。如果因一人之言而进用他,不久又因一人之言而怀疑他,臣担心治国政绩不易取得。"仁宗说:"卿的话是对的。"

乙巳(十八日),依智高母亲阿侬、弟依智光、儿子依继宗、依继封被处死。

任命工部侍郎桂州知州余靖为户部侍郎,邕州知州萧注为引进副使,留下连任。萧注招募不怕死的壮士出使大理国,悬赏捉拿依智高。南诏与中国绝交已久,林深路险,与生蛮界邻,语言要多次翻译,行走百天才到达。依智高也已被大理杀死,函其首送到京师。

秋季,七月,癸亥(初七),翰林学士欧阳修奏请从今以后两制、两省以上官员,在公事以外不得与执政大臣相见,以及不允许和台谏官员往来。下诏:"如有公事,允许报告中书、枢密院。"

甲子(初八),下诏:"凡是由外官改任宰相的,令百官排班迎接;由内官拜任的,听任其举行就职仪式。"宋朝对待宰相都有制度,后来大多承袭,这时文彦博、富弼入任宰相,御史梁蒨请求百官排班于京师城门欢迎,范师道又请求举行就职礼仪,但未被采纳。范师道是长洲人。

戊辰(十二日),任命资政殿大学士兼翰林侍读学士吴育为宣徽南院使、延州通判。吴育侍读宫中,仁宗因而与他谈到臣下的好坏,多出于自己的爱憎,吴育说:"圣上所谈精要确切,实是国家之幸。但知道后说出来,不如详察后在行动中表现出来。自古以来国君,因为听信谗言而乱国,体察奸佞而治国,至于安危等万般事情,都不外乎爱憎这两个方面,领会这一点后则群书不值得再读,不通达这一点虽博览群书也无益处。君主行事有的不得不保密,有的又不可不公开。谈到军国机密,或是权要人物,不可不保密。如指名道姓,暗中谈论其罪过而不见事实,不可不申明。如不申明,则奸佞之人得逞,忠义刚正之人难于立足,曲直不分,爱憎于是产生。所以说偏听生奸,独断成乱。因此明君之行,如天地日月坦然明白,任用一人,让天下人知道他的优点,罢黜一人,让天下人都知道他的罪过,则邪佞不能陷害他人,正义之人可以立足,这是天下帝王的执政之道。"仁宗几次要重用他,但谏官有人诬奏他在河南时曾给百姓贷钱收取利息,过了很久,任命他出任地方官。

己巳(十三日),三司停止收购御用箭翎。先初,三司进言:"御用箭翎都是用两端黑中间白的羽毛制成。现在监督限制商人,难以得到。"仁宗说:"箭翎上附黑白相间羽毛,只不过为了美观罢了,倒不如鸡翎坚硬。"因此下令停止收购。

翰林学士欧阳修奏言:"最近京师多处大兴土木,请求罢减。不久批准了,派臣与三司一同考虑裁减,接着详细奏闻。现在又听说下旨三司重修庆基殿及奉先寺。臣见近年人民贫困,国家财用窘迫,小人不识大局,只想耗费国家财产,一心为了自己利益,借名祖宗,扩大事体。况且各处神御殿,栋宇坚固,未有破损。前些时开光殿只因两根柱子损坏了,就更换了十三根,铺张浪费工料,以图获取恩奖。臣见到连年火灾,从玉清昭应、洞真、上清、鸿庆、寿宁、祥源、会灵七宫,到开宝、兴国两寺塔殿,均焚烧殆尽,足见天意不喜欢广兴土木,这是为

陛下爱惜国力民财,谴责警戒和叮咛,前后已有多次。与其广兴土木侍奉神灵,不如接受天戒去自省。其中已开工的已来不及停止,那些尚未动工的应赶紧停止。"

　　壬午(二十六日)，辽兴宗到达秋山。停驻在南崖北崿，生病。八月，丁亥(初二)，病重，召来皇子燕赵国王耶律洪基，告谕他治国之道。戊子(初三)，大赦天下，放飞五坊鹰鹘，焚烧钓鱼用具。己丑(初四)，辽兴宗去世，享年四十岁，谥为神圣孝章皇帝，庙号兴宗。

　　辽兴宗即位之初，受制于生母钦哀太后，以至圣宗正宫皇后无罪被害，议论的人讥讽他有损君王孝道。后来迁居钦哀太后但又将她迎回奉养，颇尽孝道。但钦哀太后因不准干预朝政，常常不高兴，参加兴宗丧礼，面无悲伤；见到皇后悲泣，于是说："你年纪尚轻，何必这么悲伤呢！"竟如此狠毒。辽兴宗酒后多有失误，然而能被富弼之言打动，停止南伐，对西夏用兵，不久答应西夏订立盟约的请求，边境地区不受干扰，辽国人得以安定。

　　皇子燕赵国王耶律洪基，奉遗诏即位于兴宗灵柩前，悲伤得不肯听政，群臣上表固请，才同意。辽道宗诏书说："朕以薄德，位居官民之上，只恐智识不及标准，臣下不信任我，妄兴赋敛，赏罚不适当，上恩不能下达，下面情况不能传告上级。你们各位官吏平民，直言不要隐讳，可则采纳，不合理也不以为过。卿等应体会朕的心意！"

　　庚寅(初五)，下诏流内铨："臣僚请求子孙得以试任知县的，今后都暂时记录为初等幕职官，仍著为令。"

　　壬辰(初七)，辽国尊皇太弟耶律重元为皇太叔，免去汉拜礼仪，不报名。

　　癸巳(初八)，知谏院范镇进言："前些年京师及周围辅郡一年一次赦免，去年赦免两次，今年赦免三次；此外在京师的各军一年赏赐两次缗钱；姑息之政，莫过于此。一年赦免一次，小民称之热恩，认为一定在五月、六月间，狡猾的官吏、盗贼，因此作恶，指望赦免，况且一年两次、三次赦呢！今年保卫秋收守卫边塞的人，不下于五、六十万，如果他们听到有人安坐京师享受赐赏，能不心动吗！请求从现在起取消一年一赦以打击奸狡，使善良之人得以立足；取消兵士的特赐钱以均内外待遇，而且使民力得以休息。"

　　甲午(初九)，辽遣皇太叔耶律重元安抚南京军民。

　　乙未(初十)，知谏院范镇进言："先朝将盖有御印的纸笺发给言事官，让他们按时上奏，从而知道进言者的得失并分别评出成绩。现在陛下虽喜闻谏言，但总结起来这一措施几乎未予施行，难道是大臣们因循守旧执行不力吗？请根据现在御史、谏官人员状况，将他们奏章制订成册放在宫内，随时览读；仍然以尚书省所置簿册看进言是否已实施，按季度抄付史官。"诏令中书设置台官言事簿，命令按时登记、勾销，又抄录送枢密院。

　　戊戌(十三日)，辽道宗按遗诏任命西北路招讨使、西平郡王萧阿喇为北府宰相，仍然代理知南枢密使事；北府宰相萧虚烈为武定军节度使。辛丑(十六日)，将年号改为清宁，大赦天下。

　　壬子(二十七日)，下诏："在职之臣，则有考核升迁制度。但宗族不参与官吏事务，先朝定制，让他们十八年升迁一次，用以隆盛皇族显示恩爱，教导他们忠厚朴实。朕尚惦念着本族有才之人，亲属关系较为亲近的人，而有的年岁已老长久等候轮次的人，下令中书、枢密院排列亲近顺序，自明堂大祭施恩后已达十年的，一并予以升迁；近来因特恩改任官职的人，须等到下一个十年。"

　　乙卯(三十日)，观文殿学士、尚书左丞高若讷去世，仁宗亲驾祭奠，赠右仆射，谥号为文庄。

　　九月,戊午(初三),辽国告哀使到达,仁宗为其发哀,在内东门设幕帐举行丧礼,派使臣前往祭奠并贺辽道宗新即大位。

　　辽道宗诏令所至围场外面不要设立禁区。庚申(初五),下诏:"除护卫兵外,其余人不得佩刀入宫,除有勋绩的皇亲及应承的诸执事人不得戴头巾。"

　　癸亥(初八),诏令学士、舍人院:"今后召试,没有科名的人,再加试三个题目。"

　　乙丑(初十),辽国对内外大臣赏赐不等。庚午(十五日),尊皇太后为太皇太后。丙子(二十一日),尊皇后为皇太后。在莪涂殿举行宴会。任命上京留守宿国王陈留为南京留守。

　　冬季,十月,丁亥(初三),辽有关部门请求以辽道宗生日为天安节,采纳。任命吴王耶律仁先为同知南京留守事。

　　己丑(初五),诏令京畿不再设置属郡,罢撤京畿转运使、提点刑狱。

　　乙未(十一日),从内藏库支取钱百万发河北收购军粮。

　　丙申(十二日),任命主客员外郎吴中复为殿中侍御史里行。

　　戊戌(十四日),监修南京鸿庆宫的内臣请求在本宫空地建皇帝本命殿,仁宗说:"建修宫观,是为民求福,岂可为了自己去劳民伤财? 如遇本命道场日,只令设立板位祝祠。"

　　己亥(十五日),任命开封府判官、殿中侍御史俞希孟为言事御史。御史中丞张昪等人说:"俞希孟自入台以来,议事奸邪,行动多是迎合他人。前年宦官王守忠请求节度使俸禄,谏官韩绛力言不可,俞希孟却说圣令已下,只是今后不得为例。再者,中书札子下到御史台和刑法寺议定百官设置行马等级不当之事,一同商议,都认为臣下对君礼仪不敬,尚且受到宽恕,岂能因为偶尔走近两府,行马趋朝,何况已经交纳赎金,又作为犯罪呢! 俞希孟迎合大臣心意,不肯一同签名,却单独写上文字,请以过失论处。这些都是奸邪行为,情况很清楚。后来因为御史台全召上殿奏事,陛下当面指责俞希孟,不过两月,将他改任开封府判官,朝廷内外一致认为合情合理。现在却又由府判迁任言事台官,请将他改为别任。壬寅(十八日),俞希孟改任祠部员外郎、荆湖南路转运使。

　　癸卯(十九日),侍御史梁蒨进言:"近来规定,两府大臣遇上休假日,才允许会见宾客,这不是扩大朝廷圣明的做法,请解禁让大臣照常会见客人。"听从了这一意见。

　　乙巳(二十一日),礼部贡院进上《删定贡举条例》十二卷。

　　庚戌(二十六日),翰林学士、刊修《唐书》欧阳修进言:"自唐武宗以后,并无《实录》,如以传说、别说去考证,资料尚还不足。听说西京内中省寺、留司御史台以及銮和诸库藏有唐至五代以来奏牍、案簿,请差编修官吕夏卿去那里查对索取。"批准这一请求。吕夏卿是晋江人。

　　癸丑(二十九日),下溪州蛮人彭仕羲入侵。下溪州自彭允林至彭仕羲,相继担任刺史已历五代,这时彭仕羲的儿子彭师宝怨恨其父夺其妻,跑到辰州报告彭仕羲曾发誓夺取十三州,打算夺取州印吞并这些地方,自称如意大王,增设官史,准备叛乱。辰州知州宋守信听说后,于是以彭师宝为向导,率兵数千前往讨伐。彭仕羲逃入地洞,捕捉不到,俘获了他的妻子儿女,而官军死伤十分之六、七。宋守信等均因罪免职。从此蛮敌多次寇掠,边境官吏不能制止。

十一月,丙辰(初二),从内藏库支取三十万匹绢,下发并州收购军粮。

当初,虞部郎中薛向谈河北籴法弊端,认为:"边境十四州,全部依赖国家分配粮食,每年花费钱五十万缗,得到粟一百六十万斛,其实际价值不过二百万缗罢了,而每年白白花费三百万缗,全部落入商贩囤积人家。现在已用现钱按实价收购,免去了三百万虚估的弊端,但必须有辅助办法,则此法才能实施。所以当边境粮价昂贵,则收购澶、魏等州的粮食,以黄河、御河漕运粮米供应边境;青黄不接时,则开仓降价出售粮食救济贫民;军粮充足,则设仓收购粮食以备荒年。用现钱收购有三个优点,河北粮米也就吃不完了。"于是诏令设置河北都大提举便于购买粮食以及催督黄河、御河转运大宗货物等事务。己未(初五),任命薛向担任此职,实行并边现钱和籴法。

甲子(初十),辽国安葬辽兴宗于庆陵,将这座山命名为定兴。

丙寅(十二日),北府宰相、西平郡王萧阿喇晋封为韩王。

己巳(十五日),交趾来报告交趾王李德政去世。诏令赠侍中、南越王,任命其子李日尊为静海节度使、安南都护、交趾郡王。

壬申(十八日),辽道宗住在怀州。太宗、穆宗庙有祭祀活动。甲戌(二十日),拜谒祖陵。戊寅(二十四日),冬至,在太祖、景宗、兴宗庙举行祭祀活动,不接受群臣祝贺。

十二月,丙戌(初三),辽道宗诏令内外百官任职期满后各言一事,仍下谕各部门,不论贵贱老幼,都得直言不讳。

丁亥(初四),修治六塔河。先前黄河在大名、馆陶决口,殿中丞李仲昌请求从澶州商胡河经六塔渠让河水流入横陇故道,以分散其水势,富弼认为这个主意很对,诏令征发三十万壮丁修治六塔河引水回故道,任命李仲昌负责此项工程。李仲昌是李垂的儿子。

翰林学士欧阳修,因为曾行使河北,懂得治河基本知识,再次上书说:"黄河水十分浑浊,没有不淤积的道理,淤泥下流;下游淤塞,上游一定会决口;水性避高,决口后一定会倒向下横流。根据近年经验,决口的河流不是不能用力去堵塞,旧

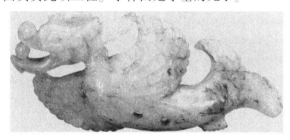

玉兽 辽

道不是不能用人力恢复,只是势必不久后上游再次决口罢了。横陇工程浩大很难完成,即使完成此项工程一定又有再决之患。六塔河狭小,不能容纳大河之水,将全部河水引入滨、棣、德、博一定受害。不如因水流,加固堤防,疏引河水下游,引入海中,则黄河不再有决口之患,这是几十年的利益。"仁宗没有听从。

戊子(初五),辽国因应圣节为太皇太后祝寿,宴请群臣和有封号的妇女。册封妃子萧氏为皇后。萧皇后是枢密使萧惠的女儿。皇弟和啰噶晋封为鲁国王,阿琏晋封为陈国王。

辛卯(初八),辽国诏令部署院:"遇有机密事立即奏报,对于那些投递诬谤信件并立即接受以及读信的人,均处弃市之刑。"

甲午(十一日),辽国任命枢密副使姚景行为参知政事,翰林学士吴湛为枢密副使,参知政事、同知枢密院事韩绍文为上京留守。

知制诰刘敞出使辽国,向来熟悉辽国山川路径,辽人引导他行走,从古北至柳河,迂回绕道近千里,意欲显示辽国路途险远。刘敞质问翻译人员:"从松亭至柳河,路途近而且容易走,用不了几天就可到达中京,为何要走这条路?"译官们面面相觑不知所措,惭愧地说:"的确如此,只是两国通好以来,驿站便是这样设置,不敢改变。"

丁酉(十四日),下诏:"武将中有贪污行为的不得转为横班,立有战功的可以。"

戊戌(十五日),辽道宗下令设立学校培养士人,颁布《五经》传疏,设置博士,助教各一人。

庚子(十七日),辽国派使臣送来辽兴宗遗物并感谢宋廷的吊祭。

辽国任命涿州知州杨绩为参知政事兼同知枢密院。

庚戌(二十七日),太白星白天出现。

辽国因为辽圣宗生前生辰,赦免上京囚犯。

壬子(二十九日),新修建的醴泉观完工,即祥源观,因火灾而更名。

这年,辽道宗亲临清凉殿,册封进士张孝杰等四十四人。

续资治通鉴卷第五十六

【原文】

宋纪五十六　起柔兆涒滩【丙申】正月,尽强围作噩【丁酉】七月,凡一年有奇。

仁宗体天法道极功全德　神文圣武睿哲明孝皇帝

嘉祐元年　辽清宁二年【丙申,1056】　春,正月,甲寅朔,帝御大庆殿受朝。前一夕,大雪,帝在禁庭,跣足祷天,及旦而霁。百官就列,帝暴感风眩,冠冕欹侧,左右或以指抉帝口出涎,乃小愈,趣行礼而罢。

丙辰,诏主命诸郡长吏如诸部例,与僚属同决罪囚,无令瘐死狱中。诏曰:"先时诸路死刑,皆待决于朝,故狱讼留滞;自今凡强盗得实者,听即决之。"

戊午,宴辽使于紫宸殿,宰相文彦博奉觞诣御榻上寿。帝顾曰:"不乐邪?"彦博知帝有疾,错愕无以对;然尚能终宴。己未,辽使入辞,置酒紫宸殿,使者入至庭中,帝疾作,扶入禁中。彦博以上旨谕辽使,遣大臣就驿赐宴,仍授国书。彦博与两府俟于殿阁,久之,召入内副都知史志聪等问帝起居状,志聪等对以禁中事不敢泄,彦博怒叱之曰:"上暴疾,惟汝曹得入禁闼,不令宰相知天子起居,欲何为邪? 自今疾势小有增损必白。"仍命引至中书取军令状,志聪等皆听命。及夕,皇城诸门白当下锁,志聪曰:"汝白宰相,我不任受其军令。"由是禁中事,宰相无不知者。庚申,诣内东门小殿问起居,帝自禁中大呼而出。宫人扶侍者皆随出,谓彦博等曰:"相公且肆赦消灾。"彦博等退,始议降赦。

帝既不省事,两府但相与议定,称诏行之。两府欲留宿禁中而无名,辛酉,彦博与富弼建议,设醮祈福于大庆殿,两府监之,昼夜焚香,设幄宿于殿西庑。志聪等白故事两府无留宿殿中者,彦博曰:"此岂论故事时邪!"遣近臣祷于在京寺观,天下长吏祷于岳渎诸祠。

壬戌,帝疾小间,暂御崇政殿以安众心。

癸亥,两府求诣寝殿见帝,史志聪难之。富弼责之曰:"宰相安可一日不见天子!"志聪等不敢违。是日,两府始入福(康)〔宁〕殿卧内奏事,两制近臣日诣内东门问起居,百官五日一入。

甲子,大赦,蠲被灾田租及倚阁税。

戊辰,罢上元张灯。自是帝神思渐清,然不能语,辅臣奏事,大抵首肯而已。

己巳,命辅臣祷天地、宗庙、社稷。

壬申,罢醮,两府始分番归第,不归者各宿于其府。

知开封府王素尝夜叩宫门，求见执政白事。彦博曰："此际宫门何可夜开！"诘旦，素入白，有禁卒告都虞候欲为变者，欲收捕治状，彦博曰："如此则张皇矣。"乃召殿前都指挥使许怀德，问都虞候某者何如人，怀德称其良谨可保。彦博曰："此卒有怨，诬之耳，当亟诛以靖众。"众以为然。时富弼以疾谒告，彦博请刘沆判状尾，斩于军门。彦博初欲自判，王尧臣捏其膝，彦博悟，因请沆判之。及帝疾愈，沆谮彦博曰："陛下违豫时，彦博斩告反者。"彦博以沆判呈帝，帝意乃解。

壬午，大雨雪，木冰。

辽主如鱼儿泺。

二月，乙酉，辽以左伊勒希巴萧玛噜知西南面招讨都监事。

甲午，诏两制以上问候于内东门，馀皆罢之。

甲辰，帝疾愈，御延和殿。丙午，宰臣率百官拜表称贺。

三月，丁巳，诏礼部贡举。

辽以应圣节曲赦百里内囚。

辛未，司天监言，自至和元年五月，客星晨出东方，守天关，至是没。

己卯，辽主制《放鹰赋》赐群臣，示委任臣僚之意。先是兴宗以耶律伊逊为护卫太保。伊逊，本窭人子，尝牧羊，自言梦中食月啖日，方半而寤，颇以自负。比长，美风仪，外和内狡。初为文班吏，掌太保印，陪从入宫，仁懿皇后见其详雅如素宦，令补笔砚吏；兴宗亦爱之。辽主即位，以伊逊先朝所任，使同知点检司事，常召决疑议。伊逊被委任自此始。

闰月，癸未朔，以枢密副使王尧臣为户部侍郎、参知政事，参知政事程戡为户部侍郎、枢密副使，以戡与文彦博姻家故也。

诏阁门，自今前后殿间日视事。

辛卯，以翰林学士王洙为翰林侍读学士兼侍讲学士，出知制诰刘敞知扬州。敞，王尧臣姑子；洙，尧臣从父。尧臣执政，两人皆避亲也。

知谏院范镇言："洙在太常，坏陛下礼乐，为学士时，进不由道，资性奸回，恐终累尧臣。"章六上，卒不报。

镇安节度使、同平章事程琳既归本镇，上书言："臣虽老，尚能为国守边。"未报，得疾，遽卒。丁酉，赠中书令，谥文简。

辽自圣宗时铸太平钱，新旧互用，由是钱法演迤域中。开泰中，每岁春秋以官钱宴享将士，钱不胜多。己亥，始行东京所铸钱。

乙巳，辽南京狱空，进留守以下官。

夏，四月，壬子朔，六塔河复决。

丙辰，召知郑州曾公亮为翰林学士兼侍读学士。公亮治郡有能名，盗贼悉窜它境，至外户不闭，民呼为"曾开门"。

甲子，辽主诏曰："方夏长养鸟兽孳育之时，不得纵火于郊。"

己卯，以右司谏、知制诰贾黯知陈州，以父疾自请也；寻改许州。

五月，甲申，诏以九月于大庆殿行恭谢礼。

初，左千牛卫大将军宗实，幼养于宫中，帝及皇后鞠视如子。既出，还第，问劳赏赐不绝。

及帝得疾，不视朝，中外忧恐。宰相文彦博、刘沆、富弼劝早立嗣，帝可之。参知政事王尧臣之弟纯臣为王府官，数与尧臣言宗实之贤，尧臣以告彦博等。彦博等亦知宗实帝意所属，乃定议，乞立宗实为嗣；既具稿，未及进，而帝疾有瘳，其事中辍。

知谏院范镇疏曰："昔太祖舍其子而立太宗，天下之大公也。真宗以周王薨，养宗子于宫中，天下之大虑也。愿陛下以太祖之心行真宗故事，拔近族之尤贤者，优其礼秩，置之左右，与图天下事，以系亿兆人心。"疏奏，文彦博使提点开封府界诸县公事蔡挺问镇何所言，镇以实对。明日，挺谓镇曰："言如是事，何不与执政谋？"镇曰："镇自分必死，乃敢言；若谋之执政，或以为不可，岂得中辍乎？"

戊戌，辽主谒庆陵；甲辰，有事于兴宗庙。

丙午，以龙图阁直学士夏安期知延州。州东北阻山，无城，敌骑尝乘之。安期至，即命大筑城。方暑，诸将白士卒有怨言，安期益广计数百步，令其下曰："敢有一言动众者斩！"躬自督役，不逾月而就，袤延六里。

六月，辛亥朔，诏双日不御殿，伏终如旧。

丁巳，辽命宰相举才能之士。

戊午，辽命有司籍军补边戍。

己未，殿中侍御史赵抃疏曰："今上有谪见之文，下有妖言之俗，天其或者以皇嗣未立，人心未有所系，丁宁警戒，欲陛下深思远图，亟有所为而然也。愿陛下择用宗室贤善子弟，或教育宫闱，或封建任使，左右以良士，辅导以正人，磐石维城，根本深固，惟陛下以至公而裁择焉。"

辛酉，准布部长朝于辽，贡方物。

癸亥，中丞张昪等言："臣等累次奏乞许台谏官依例上殿，闻已降付中书；至今逾月，未蒙施行，乃是执政大臣不欲臣等进对，故为沮遏。伏望陛下指挥中书，许令台谏官上殿，臣等必不敢以琐细事务上烦圣听。"寻有诏，许中丞上殿。

丁卯，高丽遣使贡于辽。

庚午，集贤校理、通判并州司马光上疏曰："储贰者，天下之根本，根本未定则众心未安。夫细民之家，有百金之宝，犹择亲戚可信任者，使谨守之，况天下之大乎？今陛下未有皇嗣，人心忧危。伏望断自圣志，遴选宗室之中聪明、刚正、孝友、仁慈者，使摄储贰之位，以俟皇嗣之生，退居藩服。倘未欲然，且使之辅政，或典宿卫，或尹京邑，亦足以镇安天下之心。"帝在位久，国嗣未立，及不豫，天下寒心，而莫敢言。惟谏官范镇首发其议，光继之，又与镇书言："此大事，不言则已，言一出岂可复反顾！愿公以死争之。"于是镇言益力。

辽旧制，史官得与闻朝议；辛未，辽主命罢之，俾史官问宰相而后书。

时京师自五月大雨不止，水冒安上门，门关折，坏官私庐舍数万区，城中系筏渡人，命辅臣分行诸门。而诸路亦奏江河决溢，河北尤甚，民多流亡，令所在赈救之。水始发，马军都指挥使范恪受诏障朱雀门，知开封府王素违诏止之，曰："方上不豫，军民庐舍多覆压，奈何障门以惑众，且使后来者不入邪！"

知谏院范镇言："臣伏见诸路州郡俱奏水灾，京师积雨，社稷坛壝辄坏，其为灾变，可谓大矣。伏乞陛下问大臣灾变所起之因及所谓消伏之术，仍诏两制、台阁常参官极言得失，躬亲裁择,以塞天变。"

乙亥,辽南京蝗蝻为灾。

丁丑,辽以南院枢密使赵王扎拉为上京留守、同知南京留守事,吴王耶律仁先为南院枢密使,秦王萧孝友为北府宰相。辽主亲制诰词,褒赐孝友。

己卯,诏群臣实封言时政阙失。范镇又言:"《传》曰:'简宗庙,不祷祀,废祭祀,逆天时,则水不润下。'陛下恭事天地神祇,肃祀祖宗,山川之祠,罔不秩举;至于号令,必顺天时。然而上天出此变者,盖晓谕陛下以简宗庙也。宗庙以承祧为重,故古先帝王,即位之始,必有副贰,以重宗庙也。陛下即位以来,虚副贰之位三十五年矣。臣近奏,择宗子贤者,优其礼数,试之以政,俟有圣嗣,复遣还邸,及今两月馀而不决,此天变所以发也。伏惟陛下深念宗庙之重,以臣前一章降付执政大臣,速为裁定。"

秋,七月,辛巳朔,诏三司、开封府、台谏官、审刑院复上殿奏事,仍日引一班。自帝不豫,惟两府得奏事,至是始引对群臣。

乙酉,诏京东、西、荆湖北路转运使、提点刑狱公事,分行赈贷水灾州军,若漂荡庐舍,听于寺院及官屋寓止;仍遣官体量放今年税,其已倚阁者勿复检覆。

辽遣使分道平赋税,缮戎器,劝农桑,禁盗贼。

丙戌,赐河北路诸州军因水灾而徙它处者米,一人五斗。其压溺死者,父、母、妻赐钱三千,馀二千。

文彦博、富弼等之共议建储,未尝与两府谋也,枢密使王德用闻之,合掌加额。于是翰林学士欧阳修上疏曰:"陛下临御三十馀年,而储副未立,臣僚多以此事为言,大臣亦尝进议,圣意久而未决,而庸臣愚士,遂生嫌疑之论,此不思之甚也。《礼》曰:'一人元良,万国以正。'盖谓定天下之根本,上承宗庙之重,亦所以绝臣下之邪谋。伏望择宗室之贤者,依古礼文,且以为子,既可徐察其贤否,亦可俟皇子之生。臣又见枢密使狄青,出自行伍,遂掌枢密,三四年间,虽未见过失,而不幸有得军情之名。武臣掌国机密而得军情,岂是国家之利? 欲乞且罢青枢务,任以一州,既以保全之,亦为国家消未萌之患。"疏凡再上,留中不出。

知制诰吴奎言:"王者以社稷为本,宗庙为重。社稷必有奉,宗庙必有主。《礼》:大宗无嗣,则择支子之贤者。以昭穆言之,则太祖、太宗之曾孙,陛下所宜建立,用以系四海之心者也。况陛下春秋犹盛,俟有皇子,则退所为后者,颇优其礼数,使不与它宗室等,亦何为而不可?"

殿中侍御史吕景初亦言:"商、周之盛,并建同姓,国朝二宗,相继尹京,是欲本支盛强,有磐石之安,而天下有所系望矣。愿择宗子之贤者,使得问安侍膳于宫中,以消奸萌,或尹京典郡,为夹辅之势。"

景初又数诣中书白执政,请出狄青。文彦博以青素忠谨,外言不足置意,景初曰:"青虽忠,如众心何? 大臣为朝廷虑,毋牵闾里恩也!"

己丑,出内藏库银绢三十万赈贷河北。

辛丑,三司使、户部侍郎杨察卒,赠礼部尚书,谥宣懿。察勤于吏职,痛方作,犹入对,商榷财利,归而大顿,人以为用神太竭云。

癸卯,以武康节度使、知相州韩琦为工部尚书、三司使。唐制,节度使纳节,不降麻。本朝丁谓自节度使为参知政事,止舍人院命词。今除琦三司使降麻,非故事也。

乙巳,贷被水灾民麦种。

是月,彗出紫微垣,历七星,其色白,长丈馀。

八月,庚戌朔,日有食之。

司马光又上疏请早择宗室之贤,使摄居储位,不报。

癸丑,复知池州包拯为刑部郎中、知江宁府,江南东路转运使唐介为户部员外郎。时侍御史里行吴中复乞包拯、唐介还朝,宰臣文彦博因言:"介顷为御史,言事多中臣病,其间虽有风闻之误,然当时责之太深,请如中复所奏用之。"故有是命。

诏:"大臣自今无得乞子弟及亲旧赐进士出身。"

知谏院范镇言:"近日彗出东方,孛于七星,其色正白。七星主急兵,色白亦主兵。陛下宜与大臣相敕警以求消复之术。"且曰:"陛下以臣言为然,乞以臣前所上章与大臣速定大议;以臣言为不然,乞加臣万死之罪。"甲寅,镇复与执政书,言:"古之人三谏而不从则去,今镇已六谏矣。愿诸公携镇之书言于上前,速定大计;如其不然,即赐镇归田,或解镇之职而置之散外,皆诸公之赐。"镇又两上疏言早定大计。庚申,以镇为户部员外郎兼侍御史知杂事,镇固辞不受。

癸亥,枢密使、护国节度使狄青,罢枢密使,加同平章事、判陈州。青在西府四年,京城小民推其材武,青每出入,辄聚观,至雍路不得行。帝自正月不豫,青益为都人所指目。又,青家犬生角,数有光怪。知制诰刘敞请出青以保全之,未听;敞出知扬州,又言及之。及京师大水,青避水,徙家于相国寺,行止殿上,都下喧然;执政闻之始惧,以熟状出青判陈州。

以三司使、工部尚书韩琦为枢密使,召端明殿学士、知益州张方平为三司使。自西鄙用兵,两蜀多所调发。方平还自益州,奏免横赋四十万贯匹,及减兴、嘉、邛州铸钱十馀万,蜀人便之。

始,方平主计京师,有三年粮,而马粟倍之,至是马粟仅足一岁,而粮亦减半,因建言:"今之京师,古所谓陈留,天下四冲八达之地,非如雍、洛有山河形势足恃也,特依重兵以立国耳。兵恃食,食恃漕运,汴河控引江、淮,利尽南海,天圣以前,岁发民浚之,故河行地中。有张君平者,以疏导京东积水,始辍用汴夫,其后浅妄者争以裁减费役为功,河日以湮塞。今仰而望河,非祖宗之旧也。"遂画漕运十四策。宰相富弼读方平奏帝前,昼漏尽十刻,侍御皆跛倚;帝太息称善。弼曰:"此国计之大本,非常奏也。"悉如所欲施行。其后未期年,京师有五年之蓄。

先是枢密直学士、权知开封府王素,数与欧阳修称誉富弼于帝前,弼入相,素颇有力焉,意弼引己登两府,既不如志,因求外官,于是改龙图阁学士、知定州。

是夕,彗星灭。

翰林学士胡宿知审刑院,详议官阙,判院者当择人荐于帝,宿与同列得二人。一人者监税河北,以水灾亏课,同列曰:"小失不足以白上。"宿至帝前,悉白之,且曰:"此人小累,才足惜。"帝曰:"果得才,小累何恤乎!"遂除详议官。同列退,诮曰:"详议欲得人,公固欲白上,倘缘是不用,奈何?"宿曰:"彼得与不得,不过一详议官耳。宿以诚事主,今白首矣,不忍丝发欺君,丧平生节;为之开陈,听主上自择耳。"

1173

初,李照斥王朴乐音高,乃作新乐,下其声。太常歌工病其太浊,歌不成声,私赂铸工使减铜齐,而声稍清,歌乃协,然照卒莫之辨。又,朴所制编钟皆侧垂,照及胡瑗皆非之。及照将铸钟,给铜于铸(泻)〔钧〕务,得古编钟一,工不敢毁,乃藏于太常。钟不知何代所作,其铭云:"粤朕皇祖宝龢钟,粤斯万年子子孙孙永宝用。"叩其声,与朴钟夷则清声合,而其形(则)〔侧〕垂。瑗后改铸,正其钮使下垂,叩之,弇郁而不扬。其镈钟又长角而震掉,声不和。著作佐郎刘羲叟谓人曰:"此与周景王无射钟无异,上将有眩惑之疾。"已而果然。

于是范镇言:"国家自用新乐,日食、星变、冬雷、秋电、大雨不时、寒暑不节,不和之气,莫甚此者。去年十二月晦,大雨雪,大风,宫架辄坏;元日大朝会,乐作而陛下疾作。臣恐天意以为陛下不应变祖宗旧乐而轻用新乐也。乞下执政大臣参议,且用祖宗旧乐,以俟异时别加制作。"

丁丑,诏太常恭谢,用旧乐。

戊寅,诏招抚彭仕羲。

是月,辽主如秋山,后从行,至杀虎林,命后赋诗,后应声而成;辽主大喜,出示群臣。次日,行猎,有虎突出,辽主一发毙之,谓群臣曰:"力能伏虎,不愧皇后诗矣。"

辽魏国王萧(忠)〔惠〕卒,年七十四,后之父也。遗命家人薄葬。讣闻,辽主辍朝三日。

九月,壬午,司马光又上疏曰:"自古帝王,即位则立太子,此不易之道,其或执谦未暇,则有司为请之,所以尊社稷,重宗庙,未闻人主以为讳也。及唐中叶,人主始有恶闻立嗣者,群臣莫敢发言,言则刑戮随之,是以祸患相寻,不可复振。不知本强则茂,基壮则安。今日公卿至庶人,皆知当今之务,无此为大,而莫敢进言。向以水灾亲下明诏,勤求得失,臣安敢舍此大节,隐而不言!其馀琐碎,岂足道哉?"时范镇亦屡奏辞所除官,且乞因恭谢大礼决定大议。

庚寅,命宰臣富弼摄事于太庙,枢密副使田况于皇后庙,程戡于奉慈庙。辛卯,恭谢天地于大庆殿,大赦,改元。丁酉,加恩百官。

庚子,辽主如中京,祭圣宗、兴宗于会安殿。

癸卯,以侍御史范师道知常州,殿中侍御史赵抃知睦州。先是宰相刘沆进不以道,深疾言事官,因举行御史迁次之格,满三岁者与知州。师道及抃尝攻沆之短,至是抃又乞避范镇,各请补外,沆遂引格出之。中丞张昇等言沆挟私出御史,请留抃及师道,不报。

甲辰,诏三司置司编禄令,以知制诰吴奎、右司谏马遵、殿中侍御史吕景初为编定官,从枢密使韩琦言也。

冬,十月,丁卯,出内藏库银十万两,绢二十万匹,钱十万贯,下河北市籴军储。

辛未,以草泽双流宋堂为国子四门助教。堂著书颇究时务,数为近臣所荐;至是翰林学士赵概又言其所著书,特录之。

丙子,辽主如中会川。

十一月,辛巳,王德用罢为山南东道节度使兼侍中,以判大名府贾昌朝为枢密使。翰林学士欧阳修言:"昌朝禀性回邪,颇知经术,能缘饰奸言,善为阴谋以陷害良士,小人朋附者众,皆乐为其用。臣愿速罢昌朝,还其旧任,天下幸甚!"

是日,范镇入对垂拱殿。镇前后上章凡十九次,待罪几百日,须发为白,至是泣以请。帝亦泣曰:"朕知卿言是也,当更俟三二年。"镇由是卒辞言职,朝廷不能夺也。己丑,镇复为起居舍人、充集贤殿修撰。

庚寅,录潭州进士杨谓为郊社斋郎。先是蛮猺数寇边,史馆检讨张刍责监潭州税;及天章阁待制刘元瑜知潭州,刍遂以说干元瑜,使谓入梅山招谕,其酋长四百馀人,皆出听命,因厚犒之,籍以为民,凡千一百户,故朝廷特录为功。通梅山盖自此始。

癸巳,以草泽建安黄晞为大学助教,致仕。晞少通经,著《聱隅书》十卷。庆历中,聘召不至。至是枢密使韩琦表荐之,受命一夕而卒。

戊戌,辽以知左伊勒希巴事耶律啰勒为伊勒希巴,以北院大王耶律仙通知黄龙府事。都监耶律哈里齐,先以使宋失辞免官,至是起为怀化军节度使。

辽主之为燕赵国王也,兴宗以左中丞萧惟信资性沉毅,笃志好学,徙为燕赵王傅,谕之曰:"燕赵左右多面谀,不闻忠言。汝当以道规诲,使知君臣之义,有不处王邸者,以名闻。"惟信辅导以礼,后迁北院枢密副使,坐事免官,至是复为枢密副使。

甲辰,辽群臣上辽主尊号曰天祐皇帝,后曰懿德皇后。大赦。乙巳,辽主以皇太叔重元为天下兵马大元帅,徙封赵国王扎拉为魏国王,吴王尼噜古进封楚国王,百官进迁有差。

辽主谓南府宰相杜防曰:"朕以卿年老嗜酒,不欲烦以剧务,朝廷之事,总纲而已。"顷之,拜右丞相,加尚父。防旋卒,辽主叹悼,赗赠加等,官给葬具,赠中书令,谥元肃。

帝之得疾也,贾昌朝阴结右班副都知武继隆,令司天官二人于大庆殿庭两府聚处,执状抗言:"国家不当穿河于北方,致上体不安。"文彦博知其意,顾未有以制。数日,二人又上请皇后同听政,亦继隆所教也。史志聪等以状白执政,彦博召二人诘之曰:"天之变异,汝职所当言也,何得辄预国家大事!汝罪当族!"二人惧,色变,彦博曰:"观汝,真狂愚耳,未忍治汝罪,自今无得复尔!"及议遣司天官定六塔于京师方位,彦博复遣二人往。继隆请留之,彦博曰:"彼何敢妄言,有人教之耳。"继隆不敢对。二人至六塔,恐治前罪,乃更言:"六塔在东北,非正北,无害也。"

十二月,戊申朔,右司谏吕景初言:"伏睹诏书,今后虽遇辰牌,当留一班,令台官上殿,欲望谏官同此。"从之。

辽以韩王萧阿喇为北院枢密使,徙王陈,与萧革同掌国政。革谄谀不法,阿喇争之不得,遽告归,辽主由是恶之;旋除东京留守。

壬子,兵部侍郎、平章事刘沆,罢为工部尚书、观文殿大学士、知应天府。

范师道、赵抃既出,御史中丞张昪言:"天子耳目之官,用舍进退,必由陛下,奈何以宰相怒斥之!"又请与其属俱出。吴中复指沆治温成丧,天下谓之"刘弯",俗谓鬻棺者为弯,则沆素行可知;沆亦极诋台官朋党。先是狄青以御史言罢枢密使,沆因奏:"御史削陛下爪牙,将有不测之忧。"而昪等亦辨论不已,凡上十七章。沆知不胜,乃自请以本官兼一学士,守南京。寻诏沆遇大朝会,缀中书班。

昪为中丞,弹劾无所避,帝谓昪曰:"卿孤立,乃能如是!"昪曰:"臣朴学愚忠,仰托圣主,是为不孤。今陛下之臣,持禄养交者多,忠心谋国者少,窃以为陛下乃孤立耳。"帝为之感动。

以翰林学士、权知开封府曾公亮为给事中、参知政事,龙图阁学士、知江宁府包拯为右司郎中,权知开封府。

拯立朝刚严,闻者皆惮之,至于童稚妇女亦知其名,贵戚、宦官为之敛手。旧制,凡讼诉,

1175

不得径造庭下,府吏坐门,先收状牒,谓之牌司。拯开正门,径使至庭自言曲直,吏不敢欺。时京师大水,因言中官、势族筑园榭多跨惠民河,故河塞不通,乃悉毁去。或持地券自言,有伪增步数者,皆审验,劾奏之。

甲寅,辽上太后尊号曰慈懿仁和文惠孝敬广爱宗天皇太后。

乙卯,以太子中允、天章阁侍讲胡瑗管句太学。始,瑗以保宁节度推官教授湖州,科条纤悉备具,以身先之,虽盛暑必公服坐堂上。严师弟子之礼,视诸生如其子弟,诸生亦亲爱如其父兄,从游者常数百人。庆历中,兴太学,下湖州取其法,著为令。瑗既为学官,其徒益众,太学至不能容。瑗教人,随材高下,衣服容止有度,人遇之,虽不识,皆知其为瑗弟子也。于是擢为经筵,治太学如故。

甲子,夏国主谅祚遣使来告其母密藏氏卒。初,密藏氏通于李守贵,又通吃多已。守贵愤怒,于是杀吃多已及密藏氏。谅祚母族鄂特彭乃族杀守贵,保养谅祚,以其女妻焉,时谅祚生九岁矣。

乙丑,辍视朝,以谅祚母丧故也。

二年　辽清宁三年【丁酉,1057】　春,正月,庚辰,辽主如鸭子河。

癸未,翰林学士欧阳修权知贡举。时士子尚为险怪奇涩之文,号太学体,修痛排抑之。榜出,嚣薄之士,候修晨朝,群聚诋斥,或为祭文投其家。然文体自是遂变。

丙戌,辽置倒塌岭节度使。

乙未,五国部长贡方物于辽。

己亥,天章阁待制兼侍读孙甫卒,特赠右谏议大夫。甫善持论,著《唐史记》,每言唐人行事以推见当时治乱,若身履其间。诏藏其书秘阁。

二月,己酉,梓夔路三里村夷人寇渭井监。

庚戌,遣使录三京辅郡系囚。

己未,辽主如大鱼泺。

壬戌,太子太师致仕杜衍卒。衍退寓南京凡十年,性不植产,第室卑漏,才数十楹,居之裕如也。出入从者十许人,乌帽皂履,裼袍革带。亲故或言宜为居士服,衍曰:"老而谢事,尚可窃高士名乎!"王洙谒告归应天府,有诏抚问。及病,帝遣中使赐药,挟医往视,不及,卒,年八十,赠司徒兼侍中,谥正献。衍临终戒其子薄葬,自作遗疏,其略曰:"无以久安而忽边防,无以既富而轻财用,宜早建储副以安人心。"语不及私。

澧州罗城洞蛮内寇,发兵击走之。

癸酉,山南东道节度使兼侍中王德用卒。德用,将家子,习知军中情伪,以恩抚下,故多得士心,名闻外国,虽闾阎妇女小儿亦呼为黑王相公云。

是月,雄、霸州地震。

三月,辛巳,辽以楚国王尼噜古为武定军节度使。

丁亥,赐进士建安章衡等及第、出身、同出身。是岁,进士与殿试者始皆不落。己丑,赐诸科及第,又赐特奏名进士诸科同出身,补诸州长史、文学。

乙未,辽遣林牙耶律防等来请御容。戊戌,以御史中丞张昇为回谢使,单州防御使刘永年副之。初,辽兴宗致其画像及圣宗画像凡二轴,请易真宗及帝御容,既许之,会兴宗晏驾,遂寝。至是遣使再请,故命昇等传命,令更持新主画像来即予之。翰林学士胡宿草国书,奏曰:"陛下先已许之,今不与,则伤信矣。"不从。昇等至辽,辽主欲先得圣容。昇曰:"昔兴宗弟也,弟先面兄,于理为顺。况今南朝乃伯父之尊,当先致恭。"辽人不能对。

庚子,判陈州、护国节度使、同平章事狄青卒。帝发哀苑中,赠中书令,谥武襄。

青为人,谨密寡言,计事必审中机会而后发。师行,先正部伍,明赏罚,与士卒同甘苦,虽敌卒犯之,无一人敢先后者,故其出常有功。尤喜推其功以与将佐,始与孙沔破贼,谋一出青,贼已平,经制馀事悉以委沔,退然如不用意者。沔始服其勇,既又服其为人,自以为莫及也。尹洙以贬死,青悉力周其家事。尝有持狄梁公画像及告身诣青,以为青远祖;青谢曰:"一时遭际,安敢自附梁公!"厚赠其人而遣之。

夏,四月,丙辰,辽主清暑永安山。

丁巳,徙知常州、侍御史范师道为广南东路转运使。旧补摄官皆委吏胥,无先后远近之差,师道始置籍次第之。

己巳,以殿中侍御史里行吴中复为殿中侍御史、充言事御史,从中丞张昇言也。

辛未,通判黄州赵至忠上《辽地图》及《杂记》十卷。

癸酉,以彭仕羲未降,遣官安抚湖北。

甲戌,司天监言:"据《崇天历》,己亥年日当食正月朔,乞定戊戌年十二月为闰以避之。"诏不许。

火峒蛮依宗旦聚众人寇。宗旦者,智高之族也。知邕州萧注欲大发峒丁击之,知桂州萧固独请以敕招降。转运使王罕以为宗旦保山溪篁竹间,苟设伏要我军,未可必胜,徒滋边患,乃独领兵次境上,使人招宗旦子日新,谓曰:"汝父内为交趾所仇,外为边臣希赏之饵。归报汝父,可择利而行。"于是宗旦父子皆降,南事遂定。以宗旦为忠武将军,日新为三班奉职。

五月,庚辰,并代钤辖、管句麟府军马开封郭恩与夏人战于断道坞,死之。走马承受黄道元、府州宁府寨监押刘庆被执,死伤数百人,亡失器甲马匹甚众。诏赠恩同州观察使,封其妻,官其子弟有差,给旧俸三年。

癸未,赐国子博士寇谭银绢五十两匹,谭上其祖准所著文集也。

甲申,改筑祼坛于圜丘东南。

己亥,辽主如庆陵,献酎于金殿、同天殿。

六月,壬子,以汝州龙山孔旼为校书郎,致仕,绛州稷山韩退为安逸处士,翰林学士承旨孙抃等荐二人有行义故也。

自赵彦若制策不入等,阅四年,遂无应科者。帝曰:"岂朕待之不至邪?"丁巳,诏:"朝廷设制科以取天下美异之士,尝以推恩过厚而难其选,所取不过三二人,甚非所以广详延之路也。其令两制以上同议之!"既而孙抃等言:"太常博士以下至选人、草泽人应制科者,并听待制以上奏举,无得自陈,内草泽人亦许本路转运使奏举。其行不如所学,并坐举者。其进用差次,不得引旧例超擢。"从之。

戊午,夏国主谅祚遣人来谢吊祭。

戊辰,以淑妃苗氏为贵妃,衮国公主之母也。公主将出降,故有是命。旧时公主受封降制,有册命之文,不行礼,只以纶告进内。于是翰林学士胡宿疏论之,不从。

辛未,辽以魏国王扎拉为特里衮、同知枢密院事。

秋,七月,辛巳,诏河北诸道部署,分遣兵官教阅所部军。

甲申,辽南京地震,赦其境内。

乙酉,辽主如秋山。

辛卯,令翰林学士承旨孙抃、御史中丞张昇磨勘转运使及提点刑狱课绩。初,知谏院陈旭,言朝廷有意天下之治,宜自转运使始,因上选用、责任、考课三法,故以命昇等,然卒亦无所进退焉。

壬辰,知麟州武(勘)〔戡〕,除名,江州编管,坐与夏人战断道坞而弃军先入城也。

【译文】

宋纪五十六　起丙申年(公元 1056 年)正月,止丁酉年(公元 1057 年)七年,共一年余。

嘉祐元年　辽清宁二年(公元 1056 年)

春季,正月,甲寅朔(初一),仁宗亲临大庆殿接受朝贺。前一晚,天降大雪,仁宗在宫中,赤着脚向天祷告,到早晨天晴了。仁宗突然感到昏眩,冠冕都歪了,左右侍从有人用手指抉仁宗口,流出口水,病情稍有好转,赶紧行完朝礼后罢朝。

丙辰(初三),辽道宗命令各郡长官按各部惯例,和僚属一道判决囚犯,不要让犯人病死狱中。下诏:"以前各路死囚判决,均等候朝廷指示,所以狱讼拖延;从现在起凡是查有事实的强盗,允许立即判决。"

宋代宫城遗址　辽

戊午(初五),设宴于紫宸殿款待辽使,宰相文彦博执杯至仁宗榻前祝寿。仁宗看着他说:"不高兴吗?"文彦博知道仁宗有病,惊愕得不知怎样回答;然而仁宗尚能坚持到宴会结束。己未(初六),辽使进来辞行,设酒于紫宸殿,辽使进入内廷院中,仁宗发病了,扶入内宫。

文彦博将皇上旨意告谕辽使，派大臣到驿站赐予宴席，并授予国书。文彦博与两府在殿阁等候。过了很久，召来内副都知史志聪等人询问皇上起居情况，史志聪等以宫中事要保密不肯讲，文彦博怒斥他说："皇上急病，只有你们能入内宫，不准宰相知道皇上病情，你们想干什么？从现在起随时报告病情。"并下令把他们带到中书立军令状，史志聪等人都听从了命令。这夜皇城各门官员报告说应当上锁。史志聪说："你去报告宰相，我不接受这些军令。"于是宫中事宰相无不知晓。庚申（初七），文彦博到内东门小殿询问病情，仁宗从宫内大呼而出。宫中服侍仁宗的人都一同出来，对文彦博等人说："宰相姑且扩大赦免以消除病灾。"文彦博等人退下，于是开始讨论赦免之事。

仁宗已不省人事，只要两府一同议定的事务，便下诏书实施。两府想在宫中驻留但找不到理由，辛酉（初八），由文彦博和富弼建议，设醮祈祷祝福，由两府监督。昼夜焚香，设置幄幔于殿西庑住宿。史志聪等说依旧制两府不能在殿中驻宿，文彦博说："这还能以旧制而论吗？"派近臣在京寺观祈告，令全国各地长官在岳渎各寺祈祷。

壬戌（初九），仁宗病情有所好转，暂时到崇政殿安定人心。

癸亥（初十），两府请求到仁宗寝殿看望皇上，史志聪不同意。富弼斥责他："宰相岂可一日不见天子！"史志聪等人不敢违抗。这天两府开始到福康殿卧室奏事，两制近臣每天到内东门询问病情，百官五天入宫一次。

甲子（十一日），大赦天下，免除受灾田的田租以及倚阁税。

戊辰（十五日），取消上元节张灯活动。从此皇上神智渐清，只是不能说话，辅政大臣奏事，只能大体点点头。

己巳（十六日），下令辅臣祷告天地、宗庙、社稷。

壬申（十九日），罢撤祈祷仪式，两府官员分批回家，未回家的在自己府中住宿。

开封府知府王素曾夜里叩开宫门，要向执政大臣报告情况。文彦博说："这时宫门怎么可以夜间打开！"第二天一早，王素入宫报告，有禁卫士卒告发都虞候企图变乱，想逮捕治罪，文彦博说："这样就把事情闹大了。"于是召来殿前都指挥许怀德，询问某都虞候情况，许怀德说可担保他的善良谨慎。文彦博说："这位卫卒心怀怨恨，诬告他罢了，立即斩首以安人心。"众人表示赞同。当时富弼因病请假，文彦博让刘沆在判决书后签名，将士卒斩首于军门。文彦博开始想自己判决，王尧臣将他膝盖捏了一下，文彦博省悟，于是请刘沆判决。仁宗病好后，刘沆暗中攻击文彦博说："陛下生病时，文彦博将报告造反的人杀了。"文彦博将刘沆的判决书呈给仁宗，仁宗才不介意这件事。

壬午（二十九日），天降大雪，树上结了冰。

辽道宗到了鱼儿泺。

二月，乙酉（初三），辽国任命左伊勒希巴萧玛噜为知西南面招讨都监事。

甲午（十二日），诏令两制以上官员在内东门问候，其余的人都各自回家。

甲辰（二十二日），仁宗病愈，亲往延和殿。丙午（二十四日），宰臣率百官拜表称贺。

三月，丁巳（初五），诏令礼部举行贡举。

辽国因为应圣节赦免附近百里内的囚犯。

辛未（十九日），司天监报告，从至和元年五月，一客星早晨出现在东方，守在天关附近，现在已消失。

己卯(二十七日),辽道宗作《放鹰赋》赐给臣下,表示将事务委付群臣的意图。先前辽兴宗任命耶律伊逊为护卫太保。伊逊,本是穷人子弟,曾放过羊,自言在梦中食过日月,吃了一半后醒了,颇以此自负。长大后,颇有风度,外表和善而内心奸狡。开始时任文班吏,掌管太保印,侍从皇上入宫,仁懿皇后见他文雅如宦官,令他补任笔砚吏;辽兴宗也喜欢他。辽道宗即位,因为伊逊是先朝任命,让他担任同知点检司事,遇事有疑时常召他决断。伊逊被任用从此开始。

闰月,癸未朔(初一),以枢密副使王尧臣为户部侍郎、参知政事,以参知政事程戡为户部侍郎、枢密副使,这是因为程戡、文彦博是姻家的缘故。

下诏阁门,从现在起前后殿隔日理事。

辛卯(初九),任命翰林学士王洙为翰林侍读学士兼侍讲学士,知制诰刘敞调任扬州知州。刘敞是王尧臣姑姑的儿子;王洙是王尧臣的叔父。王尧臣任执政,两人各避亲嫌。

知谏院范镇进言:"王洙在太常时破坏陛下礼乐,任学士时,进升不走正道,天性奸狡,恐怕最终连累王尧臣。"奏章六次递上,未予答复。

镇安节度使、同平章事程琳回到自己任所后,上书说:"臣虽老,尚能为国家驻守边境。"未予批复,得病,很快去世。丁酉(十五日),赠中书令,谥为文简。

辽国从圣宗时开始铸造太平钱,新旧通用,从此钱法在境内流行。开泰年间,每年春秋季节用官钱设宴招待将士,钱不胜多。己亥(十七日),开始使用东京铸造的钱。

乙巳(二十三日),辽国南京监狱空无人犯,进升留守以下官员。

夏季,四月,壬子朔(初一),六塔河又一次决口。

丙辰(初五),召郑州知州曾公亮任翰林学士兼侍读学士。曾公亮治理州郡有名,盗贼全逃到其余州县,以致户门不闭,人们称他为"曾开门"。

甲子(十三日),辽道宗下诏:"现在夏天是鸟兽繁殖季节,不得在郊外纵火。"

己卯(二十八日),任命右司谏、知制诰贾黯为陈州知州,这是因他以父病自己提出请求;不久改为许州知州。

五月,甲申(初三),诏令九月在大庆殿举行恭谢礼。

当初,左千牛卫大将军赵宗实,从小在宫中抚养,仁宗及皇后把他看作亲儿子。出宫回家以后,仁宗仍不断赏赐慰问。及至仁宗生病,不能上朝,朝廷内外一片惊慌。宰相文彦博、刘沆、富弼劝仁宗早立继嗣人,仁宗同意了。参知政事王尧臣弟王纯臣任王府官员,多次向王尧臣谈及赵宗实贤明,王尧臣将这些告知文彦博等人。文彦博等人也清楚赵宗实是仁宗意中人选,于是议定,请立赵宗实为继承人;奏稿写好,来不及进上,仁宗病已好转,此事半途停止。

知谏院范镇上书说:"当年太祖舍弃自己儿子而立太宗,这是天下最公正的事。真宗因为周王去世,把宗族子弟全养在宫中,是天下最周详的考虑。愿陛下以太祖公正之心,按真宗旧例,选择宗族子弟中最贤良者,优加官秩,安排在皇上左右,与他一道处理国家政务,以安天下亿兆人之心。"奏疏递上,文彦博派提点开封府界诸县公事蔡挺询问范镇进言内容,范镇如实回答。第二天,蔡挺对范镇说:"既然你要奏言此事,为何不与执政大臣商议?"范镇说:"我自知必死,才敢于进言;如与执政大臣商议,或许认为不行,岂不中途而废吗?"

戊戌(十七日),辽道宗拜谒庆陵;甲辰(二十三日),在兴宗庙举行祭祀活动。

丙午(二十五日),任命龙图阁直学士夏安期为延州知州。州的东北靠山,无城,敌骑曾从此入。夏安期到任后,立即下令大规模筑城。正值暑天,诸将报告士卒有怨言,夏安期扩大城池几百步,命令下属说:"敢说一句动摇军心话者斩首!"夏安期亲自督促工程。不一月完工,长达六里。

六月,辛亥朔(初一),诏令双日不上朝,伏天过去再恢复过去办法。

丁巳(初七),辽国命令宰相荐举有才能的人。

戊午(初八),辽国下令有关部门征发兵士补充边境军队。

己未(初九),殿中侍御史赵抃上疏说:"现在上天有责备的警示,下有传播谣言的风俗,上天也许认为未立皇嗣,人心不定,叮咛警示,要陛下深谋远虑,赶紧行动才这样做。希望陛下选择宗室贤良子弟,要么留在宫中教育培养,要么封官任职,用贤才当他的左右手,用正直人士辅佐他,从而磐石连城,根本深固,希望陛下最公正地选择。"

辛酉(十一日),准布部落首领到辽国朝见,献上土特产。

癸亥(十三日),中丞张昇等人进言:"臣等多次奏请允许台谏官员依旧例上殿,听说已降诏书于中书;至今已过一个多月,未予施行,这是因为执政大臣不想让臣等入对,故意加以阻挠。希望陛下下令中书,允许台谏官员上殿,臣等一定不敢用琐细之事打扰圣上。"不久有诏,允许中丞上殿。

丁卯(十七日),高丽派使臣向辽国进贡。

庚午(二十日),集贤校理、通判并州司马光上书:"皇位继承人是天下根本,根本不安则众心不安。平民百姓,家有价值百金的宝物,尚且选择值得信赖的亲戚,请他们小心保管,何况天下这么大呢?现陛下不立皇储,人心恐慌。希望陛下果断做出决定,选择宗室中聪明、刚正、孝友、仁慈子弟,让他担任皇位继承人,待圣上有了自己继位人后,再让他退归王府。如果不想这么做,暂且让他辅佐政务,或者负责宿卫,或者任京城长官,也足可安天下人心。"仁宗在位日久,继承人未立,及至生病,天下人心寒,但无人敢进言。独谏官范镇首先提议,司马光接着进言,又修书给范镇说:"这是大事,不说则已,说出后岂可反悔!希望公以死争取。"于是范镇进言更加急切。

辽国旧制,史官可以听朝议;辛未(二十一日),辽道宗下令取消这一制度,让史官询问宰相后再写。

当时京师从五月起下大雨一直未停,水涌达安上门,门关折断了,冲毁官私房屋几万所,城中用木筏渡人,仁宗下令辅政大臣巡视各门。而各路也奏报江河决堤,河北境内尤为严重,人们大多流离失所,下令各地赈济。洪水刚发生时,马军都指挥使范恪接到诏令堵塞朱雀门,开封府知府王素违诏阻止,说:"皇上生病时,军民房屋很多被毁,为什么要堵塞城门惑乱人心呢!"

知谏院范镇说:"臣见各路州郡都报告发生了水灾,京师连续下雨,社稷坛墙都被毁坏,这次灾害,可以说够大了。望陛下询问大臣灾变起因以及消除灾变的办法,还诏令两制、台阁常参官极力上陈政治得失,亲自裁决,以阻止天灾。"

乙亥(二十五日)，辽南京发生蝗灾。

丁丑(二十七日)，辽国任命南枢密使赵王扎拉为上京留守、同知南京留守事，任命吴王耶律仁先为南枢密使，秦王萧孝友为北府宰相。辽道宗亲写诰词，嘉奖萧孝友。

已卯(二十九日)，诏令群臣以封实的方式谈论当时政治的得失。范镇又一次进言："《传》中说：'简化宗庙的礼仪，不举行祭祀活动，不举行祈祷仪式，逆天时，则水不为利于天下。'陛下恭敬地侍奉天地神祇，严肃地祭祀祖先，山川之祠，无不按次序举行祭礼；至于号令，一定要顺应天时，然而上天发出这样的天变，是告谕陛下简慢了宗庙。宗庙以奉继祖庙的祭礼为重，所以古代帝王，即位开始，必先确定继位人，以显示对宗庙的重视。陛下即位以来，三十五年未立继承人。臣最近上奏，选择贤良的宗族子弟，对他多加礼仪，让他试理政事，等到皇上有了自己的继承人，再将他遣回自己官府，至今两个多月此事还未决断，这是天变发生原因。望陛下以宗庙为重，将臣上次奏章下达执政大臣，速为裁定。"

秋季，七月，辛巳朔(初一)，诏令三司、开封府、台谏官员、审刑院再次上殿奏事，仍然每天召见一班人。自从仁宗得病，只有两府得以奏事，至此开始召群臣陈事。

乙酉(初五)，下诏京东、京西、荆湖北路转运使、提点刑狱公事，分别赈贷水灾州、军，如房舍被冲，允许他们在寺院及官屋寄居；又派官员依照灾情，放免今年税收，对于已暂停征收的税额不再审核。

辽国派使臣到各道平均赋税，修治兵备，劝课农桑，禁止盗贼。

丙戌(初六)，赐予河北路各州、军因水灾而迁居别地的人一人五斗大米。对于那些被压死、淹死的人，其父亲、母亲、妻子赐钱三千，其余亲属二千。

文彦博、富弼等人共同商议立皇储，不曾与两府商议，枢密使王德用听说后，双掌合放额头。此时翰林学士欧阳修上书说："陛下在位三十余年，而皇储未立，臣僚对此多有言论，大臣们也曾进言，圣上久未决意，庸臣愚士，于是产生嫌疑议论，这是严重缺乏考虑的问题。《礼》中说：'一人贤良，天下因此太平。'这是说天下根本安定，上可继承祖宗重托，也可因此断绝臣下阴谋。望陛下择宗室贤良子弟，按照古礼法，暂将他收为儿子，既可慢慢对他加以考察，也可等待皇子出生。臣又见到枢密使狄青，出身行伍，却主持枢密院，三四年间，虽然不曾有过失，但不幸有人说他深得军心。武臣掌管国家机密而得军心，岂是国家好事？请罢免狄青枢密职，任以一州之事，既可保全他，又可为国家免除未发之患。"疏章多次进上，留在内廷不下发。

知制诰吴奎进言："王者以社稷为本，以宗庙为重。社稷一定要有人供奉，宗庙一定要有人主持。《礼》中说：大宗无嗣，则选择支庶子弟贤良者。以昭穆顺序而言，则陛下应立太祖、太宗的曾孙，用以安系天下人心。况且陛下年富力强，等到有了皇子，则让他退居，多加恩礼，让他不和其它宗室等同，也有何不可？"其他

殿中侍御史吕景初也进言："商、周鼎盛时，将同宗一并分封，我朝太宗、真宗，相继担任京兆尹，是欲使大宗和支庶都兴盛强大，安如磐石，而天下人心有所安系。望选宗室贤良子弟，让他能够在宫中问安侍膳，以消奸邪；或让他担任京兆尹掌管郡政，以为夹辅之势。"

1182　吕景初又多次到中书省告诉执政，请将狄青改为外官。文彦博认为狄青一贯忠善，外界议论不值得注意，吕景初说："狄青虽忠，在众人心中又怎么样呢？大臣应为国家着想，不要

牵挂于乡里恩情!"

己丑(初九),从内藏库支取细绢三十万赈贷河北。

辛丑(二十一日),三司使、户部侍郎杨察去世,赠礼部尚书,谥为宣懿。杨察勤于职守,病发时,还进宫对答,商量财政事务,回家后便倒下了,人们认为他用脑过度所致。

癸卯(二十三日),任命武康节度使、相州知州韩琦为工部尚书、三司使。唐代制度,节度使纳节,不下诏书。本朝丁谓从节度使改任参知政事,只在舍人院下命词。现在韩琦任三司使下诏书,不合旧制。

乙巳(二十五日),贷给受水灾百姓麦种。

这月,彗星出现于紫微垣,经过北斗七星,白色,长一丈余。

八月,庚戌朔(初一),出现月食。

司马光再次上书请求早择宗室贤良子弟,让他担任皇位继承人,未予答复。

癸丑(初四),任命池州知州包拯为刑部郎中、江宁府知府,江南东路转运使唐介为户部员外郎。当时御史里行吴中复请求包拯、唐介回朝,宰臣文彦博于是说:"唐介不久前为御史,评论同事时多说中我的缺点,其中虽然有些道听途说的偏差,但当时对他责怪太重,请按吴中复的奏请任命。"因此下了这一诏令。

下诏:"大臣从现在起不得为子弟及亲戚故人请求赐进士出身。"

知谏院范镇进言:"近日彗星出现在东方,与北斗星不同,其色为纯白。北斗星预示着战争,白色也代表战争。陛下应和大臣们相互警诫以消除战争。"而且说:"如果陛下认为臣的话有理,请将臣奏章下达大臣,迅速决定大计,如认为臣言不对,请对臣重加处罚。"甲寅(初五),范镇再次向执政大臣上书,说:"古人进谏三次不听从则弃官而去,现在我已进谏六次了。希望诸君将我的上书递送皇上,速定大计;如不能这样,就让我辞归故里,或将我解职调出外任,这都是各位的恩赐。"范镇又两次上书进言要早定大计。庚申(十一日),任命范镇为户部员外郎兼侍御史知杂事,范镇力辞不受。

癸亥(十四日),枢密使、护国节度使狄青,罢去枢密使,加同平章事、判陈州。狄青在枢密院任职四年,京师百姓推崇他的才能和勇武,狄青每次出入,人们纷纷围观,以致道路拥挤走不通。仁宗从正月得病,狄青更加被人们所注目。此外狄青家有一犬生角,多次出现怪异现象。知制诰刘敞请求让狄青外任以保全他,未听从;刘敞出任扬州知州,又谈到这件事。及至京师发生水灾,狄青为了避开洪水,全家迁到相国寺,行走在殿上,人们哗然;执政大臣听到后才害怕起来,用熟状将狄青调出提任陈州通判。

任命三司使、工部尚书韩琦为枢密使,召端明殿学士、益州知州张方平任三司使。自从西部边境用兵以来,从两蜀征调了许多人力物力。张方平自蜀地回京以后,奏免蜀地额外税四十万贯匹,以及减免兴、嘉、邛州铸钱十余万,蜀人大为便利。

当初,张方平主持京师财政,有三年存粮,而马匹用的粮草可支六年,这时马料仅可支用一年,存粮也少了一半,于是建议:"现在的京师,就是古代的陈留地区,是全国交通要道,不像雍、洛那样有山河之险可以依赖,只能依靠重兵来保卫国家罢了。军队依赖粮草,粮食依赖漕运,汴河直通江、淮,利用的范围可达到南海,天圣年以前,每年征发民夫疏浚,所以河水穿行地中。有一个叫张君平的,为了疏导京东路的积水,开始停止调发汴河一带的民夫,后来浅陋之人争相以裁减役费为功,汴河逐渐淤塞。现在抬头望见的汴河,不再是太祖、太宗时的旧貌了。"于是谋划有关漕运的十四条意见。宰相富弼在仁宗面前读张方平的奏章,历时至清晨两个半小时,侍从们站立不稳,仁宗赞叹称好。富弼说:"这是国家根本大计,不是一般的奏章。"全部按所请办理。后来不到一年,京师有了五年存粮。

先前枢密直学士、权知开封府王素,多次和欧阳修一道在仁宗面前称誉富弼的才干,富弼担任宰相,王素出了很大力气,本想让富弼引见自己担任两府大臣,没有如愿,于是请求改为外官,改授龙图阁学士,定州知州。

这一夜,彗星消失。

翰林学士胡宿为知审刑院,详议官吏空缺,判院的人应当选择人才推荐给仁宗,胡宿与同僚提出两个人选。一人为河北税监,因为水灾而使税收受了损失,同僚说:"小的过失不值得奏告皇上!"胡宿来到仁宗面前,上报了他的详细情况,并且说:"此人小有过失,人才可惜。"仁宗说:"只要得到真正人才,小的过失有什么关系!"于是任命他为详议官。同僚退下后,责备他说:"详议官应得人心,你却决意禀告皇上,倘若不再运用,怎么办?"胡宿说:"用不用他,不过一详审官而已。我以诚事君,现在头发已白,不忍心年老欺君,丧失平生节操;为他介绍详情,听主上自决罢了。"

当初,李照斥责王朴乐音过高,于是制作新的乐器,降低音律。太常歌工讨厌其音浊而不清,歌曲不成乐音,私下贿赂铸工让他减少含铜量,而使声音稍微清纯,歌曲才和谐,但是李照始终未辨别出来。再者王朴所制作的编钟都侧着下垂,李照及胡瑗制作的不是这样。李照要铸铜钟时,从铸钧务提取青铜,得到一个古编钟,工匠们不敢毁坏,于是收藏于太常。编钟不知是哪个朝代制作,上面刻着:"粤朕皇祖宝和钟,粤斯万年子子孙孙永宝用。"敲出的声音和王朴的编钟的声音相吻合,其形状也侧垂。胡瑗后来将它改铸,矫正它的钟钮,使它下垂,敲击它,乐声沉闷不悠扬。钟上的长角被震落,声音不和谐。著作佐郎刘羲叟对人说:"此钟和周景王的无射钟没有区别,皇上会得头昏的病。"后来果然如此。

这时范镇进言:"朝廷自从使用新乐以来,出现了日食、星变、冬雷、秋电等现象,大雨不按时节,寒暑不按季节,气候不和谐,没有比现在更严重的了。去年十二月底,天下大雨雪,刮狂风,宫架损坏;元旦大朝会,演奏新乐而陛下生病。臣认为恐怕是天意不让陛下改变旧乐而轻易使用新乐。请将臣意见下达执政大臣讨论,暂且使用祖宗旧乐,以等候时机再另加制作。"

丁丑(二十八日),下诏太常寺举行恭谢礼仪,使用旧乐。

戊寅(二十九日),下诏安抚彭仕羲。

这月,辽道宗去秋山,皇后从行,到达杀虎林,令皇后赋诗,皇后应声而成;辽道宗大喜,拿给群臣看。第二天行猎,突然出现一只老虎,辽道宗一箭便将它射死,对群臣说:"我能降伏老虎,比起皇后的诗也不会逊色多少。"

辽魏国王萧惠去世,年七十四岁,他是皇后的父亲。他遗嘱家人简单安葬。听到讣告后,辽道宗下令罢朝三天。

九月,壬午(初三),司马光再次上疏:"自古帝王,即位时便立太子,这是不变的原则,有的帝王或许因为谦逊或是繁忙,那么有司提出请求,以示尊重社稷,重视宗庙,没听说过君王将此当作讳忌。直到唐代中期，国君才开始有不愿听到立太子的议论的，群臣不敢进言，进言者随时有遭受刑戮的危险，因此祸患频频，风气一蹶不振。他们不知根本强盛才繁茂，基石牢固才安定。现在自公卿直至平民百姓，都知道当今大事没有比这更重要的了，而不敢进言。前不久因为水灾陛下亲下明诏，勤求得失，臣怎敢舍此大事，隐瞒不进言！其余零碎琐事，不值一谈。"当时范镇也多次奏请辞去所授官职，而且请求在恭谢大礼上决定大计。

庚寅(十一日)，命令宰相富弼主持太庙礼仪，枢密副使田况负责皇后庙事务，程戡主持奉慈庙事务。辛卯(十二日)，在大庆殿举行恭谢天地礼仪，大赦天下，改年号。丁酉(十八日)，向文武百官施加恩赏。

庚子(二十一日)，辽兴宗到达中东，在会安殿祭祀辽圣宗、辽兴宗。

癸卯(二十四日)，任命侍御史范师道为常州知州，殿中侍御史赵抃为睦州知州。先前宰相刘沆升官不是通过正常进升，深恨言事官，于是实施御史升迁规则，任满三年的授予知州。范师道和赵抃曾攻击刘沆的缺点，这时赵抃又请求回避范镇，都想改为外官，刘沆于是引用规定把他们挤出朝廷。御史中丞张抃等人进言说刘沆报私仇把御史排挤出朝，请求赵抃及范师道留任，未予答复。

甲辰(二十五日)，下诏三司设立机构编制禄令，任命知制诰吴奎、右司谏马遵、殿中侍御史吕景初为编定官，这是依照韩琦的奏请。

冬季，十月，丁卯(十九日)，从内藏库支取银十万两，绢二十万匹，钱十万贯，下发河北收购军粮。

辛未(二十三日)，任命平民双流人宋堂为国子四门助教。宋堂著书很切合时事政务，多次为近臣推荐；如今翰林学士赵概又谈到他所著的书，特地将他录用。

丙子(二十八日)，辽道宗到达中会川。

十一月，辛巳(初三)，王德用罢为山南东道节度使兼侍中，任命判大名府贾昌朝为枢密使。翰林学士欧阳修进言："贾昌朝天性奸狡，颇知经术，能够掩饰奸邪的言论，善于搞阴谋陷害忠良，依附他的小人极多，都愿为他效力。臣希望迅速罢免贾昌朝，让他回原任，天下大幸！"

这日，范镇在垂拱殿对策。范镇上书前后共十九次，待罪几百日，须发都白了，现在又哭着请求。仁宗也哭着说："朕也知道卿言是对的，还应等候两三年。"范镇因此终于辞去官职，朝廷也不能挽留他。己丑(十一日)，范镇再次担任起居舍人、充集贤殿修撰。

庚寅(十二日)，将潭州进士杨谓录用为郊社斋郎。先前蛮瑶多次侵寇边境，史馆检讨张刍负责监潭州税；及至天章阁待制刘元瑜任潭州知州，张刍于是游说刘元瑜，叫杨谓到梅山招谕蛮瑶，其首领四百余人，都出来接受招抚，因而厚厚的犒劳他们，将他们编入户籍为民，共一千一百户，所以朝廷特地为这件事记了一功。梅山与内地的交流就从此开始。

癸巳(十五日)，任命平民建安人黄晞为大学士助教，退休。黄晞自幼精通经书，著有《聱隅书》十卷。庆历年间，招聘他不肯来。现在枢密使韩琦上表荐举他，他接受任命后过了一晚便去世了。

戊戌(二十日)，辽国任命左伊勒希巴事耶律罗勒为伊勒希巴，任命北院大王耶律仙为知黄龙府事。都监耶律哈里齐，先前因为出使宋廷言辞不当免官，这时起用为怀化军节度使。

辽道宗担任燕赵国王时,辽兴宗认为左中丞萧惟信资性沉毅,忠厚好学,调任他为燕赵国王的王傅,告谕他说:"燕赵国王左右多是阿谀奉承之人,听不到忠言。你应当教导他以正道,让他懂得君臣之义,有不应留在王府的人,把他的名字告诉我。"萧惟信以礼义教导他,后来迁升为北院枢密副使,因过失罢免去官,现在再次任枢密副使。

甲辰(二十六日),辽群臣进上辽道宗尊号为天祐皇帝,皇后为懿德皇后。大赦天下。乙巳(二十七日),辽道宗任命皇太叔耶律重元为天下兵马大元帅,将赵国王扎拉迁封为魏国王,吴王尼噜古晋封为楚国王,百官升赏不等。

辽道宗对南府宰相杜防说:"朕因为卿年纪大好饮酒,不想让你担当繁重任务,朝廷上的事,你只需把握大的方面就可以了。"不久,拜杜防为右丞相,加封尚父。不久杜防去世,辽道宗叹息哀悼,加倍赠给物品,官家给予葬具,赠中书令,谥为元肃。

仁宗得病时,贾昌朝暗中勾结右班副都知武继隆,令二位司天官在大庆殿两府官员聚集处,拿着状纸高声说道:"国家不应当在北方开凿河道,致使皇上身体不适。"文彦博知道他们的意图,只是未加制止。过了几天,二人又上书请皇后同时听政,也是武继隆指使。史志聪等人将情况报告了执政大臣,文彦博将二人召来质问:"上天变异,以你们的职责应当进言,怎么可以动辄干预国家大事! 你们的罪行可以灭族!"二人害怕,脸都变了颜色,文彦博说:"看你们,真是狂妄愚昧,不忍心治你们的罪,从此以后不要再这样了!"及至商议派司天官测定六塔河在京师的方位,文彦博又派两人前往。武继隆请求留下他们,文彦博说:"他们怎敢胡言,不过有人指使罢了。"武继隆不敢应答。两人到六塔河,害怕治前罪,于是改口说:"六塔河在东北,不是正北方,没有妨碍。"

十二月,戊申朔(初一),右司谏吕景初进言:"拜读诏书,今后虽然遇到辰牌,也应当留下一班人,让台官上殿,希望谏官也是这样。"同意了。

辽国任命韩王萧阿喇为北院枢密使,改封为陈王,和萧革一同掌管国家大权。萧革善于阿谀迎合不守法纪,萧阿喇和他争论没有效果,于是请求辞职,辽道宗因此不喜欢他;不久又授职东京留守。

壬子(初五),兵部侍郎、平章事刘沆罢免为工部尚书、观文殿大学士、应天府知府。

范师道、赵抃出任外官后,御史中丞张昇进言:"天子耳目官员,任命罢免。一定是全在于陛下,如何被宰相怒斥而出!"还请求和自己僚属一同外任。吴中复指责刘沆处理温成皇后丧事时,天下人称他"刘弯",习惯上将卖棺材的人称为弯,由此可知刘沆日常为人;刘沆也极力攻击台官结为朋党。先前狄青因为御史进言而罢去枢密使,刘沆于是上奏:"御史削去陛下亲信,将有不测之患。"但张昇等人也在仁宗前辩论不休,共上十七道奏章。刘沆自知斗不过他们,于是自己请求以本官兼一学士、镇守南京。不久下令刘沆在遇到大朝会时,可挂名中书班。

张昇为中丞,弹劾时不避权贵,仁宗对张昇说:"卿势单力孤,尚能如此!"张昇说:"臣质朴愚忠,依仗圣上,所以不孤立。现在陛下大臣,用俸禄结交他人的多,忠心为国的人少,我认为陛下才势力孤单呢。"仁宗被感动。

任命翰林学士、权知开封府曾公亮为给事中、参知政事,任命龙图阁学士、江宁府知府包拯为右司郎中,代理开封府知府。

包拯为政刚严，听到他的名声的人都怕他，甚至妇女小孩也知道他的名字，贵戚、宦官的气焰因而也收敛多了。过去制度，凡是诉讼，告状的人不能直接到达官厅，由府吏坐守门口，先收状纸，称为牌司。包拯大开正门，告状人直接到官厅自己分辩曲直，府吏不敢欺隐。当时京师发生水灾，他于是奏言，宦官势家所修花园多跨在惠民河上，所以河道阻塞不通，于是全部拆毁。有的人拿着地券自我解释，有的暗增尺步，均一一审查，上奏弹劾。

甲寅(初七)，辽国奉上太后尊号为慈懿仁和文惠孝敬广爱宗天皇太后。

乙卯(初八)，任命太子中允、天章阁侍讲胡瑗主管太学。当初，胡瑗任保宁节度使推官时，在湖州教授学生，制订的规定细密完整，以身作则，即使盛夏也一定穿着公服坐在堂上。严格师生之间礼仪，将每个学生视为子弟，学生们也像对待父兄一样敬爱他，向他求学的人达几百人。庆历年间，兴办太学，到湖州学习办学方法，制定为令。胡瑗担任学官后，弟子更多，以致太学容纳不下。胡瑗教育学生，因材施教，衣服举止有规矩，人遇上后，即使不认识，也都知道是他的弟子。这时又将他擢升为经筵，仍旧主持太学。

甲子(十七日)，夏国国君赵谅祚派使臣前来告知其母密藏氏去世了。当初密氏和李守贵私通，又和吃多已私通。李守贵知道后很愤怒，于是杀死吃多已和密藏氏。赵谅祚母族鄂特彭于是杀死李守贵全族，抚养谅祚，将自己女儿许配给他作为妻子，这时赵谅祚已九岁了。

乙丑(十八日)，停止上朝，因为赵谅祚母亲去世的缘故。

嘉祐二年　辽清宁三年(公元1057年)

春季，正月，庚辰(初三)，辽道宗到达鸭子河。

癸未(初六)，翰林学士欧阳修代理知贡举。当时读书人崇尚怪诞、奇异、晦涩的文风，称为太学体，欧阳修对此狠加批评。张榜以后，狂妄轻薄之士，等到欧阳修上早朝时，群聚一块诋毁他，有的人写了祭文送到他家。但从此以后文体便改变了。

丙戌(初九)，辽国设立倒塌岭节度使。

乙未(十八日)，五国部酋长向辽国进贡特产。

己亥(二十二日)，天章阁待制兼侍读孙甫去世，特地赠右谏议大夫。孙甫长于议论，著《唐史记》，每谈到唐人处事、推测当时政治情况，如身临其境。诏令将他的书收藏秘阁。

二月，己酉(初三)，梓夔路三里村的夷人寇侵淯井监。

庚戌(初四)，派遣使臣登记三京所属州军的囚犯。

己未(十三日)，辽道宗到达大鱼泺。

壬戌(十六日)，以太子太师退休的杜衍去世。杜衍隐居南京达十年，不爱添置家产，居室简陋，只有几十间房子，但居住得很自在。出入随从上十人，头戴黑帽，脚穿皂鞋，身穿裼袍腰系皮带。亲戚故旧有人说他应穿居士服，杜衍说："年老不再理事，怎可窃冒高士之名！"王洙回应天府时拜访他，仁宗下诏书抚慰他。得病时，皇上派宦官送药，带领名医前往看病，未到达便去世了，享年八十岁。赠司徒兼侍中，谥为正献。杜衍临终前嘱咐儿子简便丧事，自作遗疏，大致为"不要因为长久太平而忽视边防，不要因为国家富足而浪费钱财，应早立继位人以安人心"。话语未谈到自己私事。

澧州罗城洞蛮向内地入侵，派兵将他们打败。

癸酉(二十七日)，山南东道节度使兼侍中王德用去世。王德用，将家子弟，熟悉军中情

1187

况,对部下多有恩抚,所以深得军心,名闻中外,即使乡里妇女小孩也称他为黑王相公。

这月,雄州、霸州发生地震。

三月,辛巳(初五),辽国任命楚国王尼噜古为武定军节度使。

丁亥(十一日),赐进士建安人章衡等人及第、出身、同出身。这年,进士和参加殿试的人才都不落榜。己丑(十三日),赐予诸科及第,又赐予特奏名进士诸科同出身,补任各州长史、文学等职。

乙未(十九日),辽国派林牙耶律防等人来画仁宗像。戊戌(二十二日),任命御史中丞张昇为回谢使,单州防御使刘永年为副使。当初,辽兴宗送来自己画像和圣宗画像共两幅,请求换取宋真宗、宋仁宗画像,应允了,遇上辽兴宗去世,此事于是搁置下来。现在派使臣再次请求,因此命张昇等人通知辽国,要他们另持新君画像就给予他们。翰林学士胡宿起草国书,奏言说:"陛下以前已答应了,现在不给予他们,则失言了。"不听从。张昇等人到了辽国,辽道宗要先得到仁宗画像。张昇说:"从前辽兴宗为弟,弟先面兄,合于情理。况且现在南朝是伯父之尊,应当先恭敬他。"辽人无言以对。

庚子(二十四日),判陈州、护国节度使、同平章事狄青去世。仁宗在宫苑中举行哀礼,赠中书令,谥为武襄。

狄青为人谨慎少语,讨论大事时一定认真思考后才发言。率师出征,先严明赏罚,整顿士卒,和士卒同甘共苦,即使敌人突然进犯,也无一人敢擅自行动,所以其出征多有战功。喜欢将功劳让与部下将佐,当初和孙沔一道破贼,计谋全部出自狄青,平息贼人以后,将一切事务大权交给孙沔,自己退出如同没有参与谋划。孙沔开始佩服他的勇武,后来又佩服他的为人,自叹弗如。尹洙因贬致死,狄青全力照顾他家。曾有人持狄梁公画像以及告身来见狄青,认为狄仁杰是狄青远祖;狄青辞谢说:"一时得势,哪敢自附为狄梁公之后。"重赏来人将他打发走了。

夏季,四月,丙辰(初十),辽道宗到永安山避暑。

丁巳(十一日),将常州知州、侍御史范师道调任广南东路转运使。依旧例补任官吏都委任吏员,没有先后远近的差别,自范师道开始设官籍并排列顺序。

己巳(二十三日),任命殿中侍御史里行吴中复为殿中侍御史、充任言事御史,这是听从张昇的建议。

辛未(二十五日),黄州通判赵至忠献上《辽地图》和《杂记》十卷。

癸酉(二十七日),因彭仕羲未归降,派遣官员安抚湖北。

甲戌(二十八日),司天监进言:"根据《崇天历》,己亥年正月初一应有日食,请将戊戌年十二月定为闰月来回避。"下诏不同意。

火峒蛮侬宗旦聚众入侵。侬宗旦是侬智高的同族。邕州知州萧注打算大兴峒丁讨伐他,桂州知州萧固独请用赦令招降。转运使王罕认为侬宗旦退守山溪竹林间,如果设下埋伏等待我军,未必一定能取胜,只不过滋生边境动乱。王罕于是单独领兵驻扎边境,派人招降侬宗旦的儿子侬日新,对他说:"你父亲内与交趾结仇,外为边境大臣获赏的诱饵。回去告诉你父,三思而行。"此时侬宗旦父子都来归降,南部边境于是安定下来。命侬宗旦为忠武将军,侬日新为三班奉职。

五月，庚辰（初五），并代钤辖、管句麟府军马开封人郭恩和西夏人在断道坞决战，阵亡。走马承受黄道元、府州宁府寨监押刘庆被俘，死伤达几百人，丢失了许多马匹器甲。下诏赠郭恩同州观察使，封赏他的妻子，将他的儿子分别授予官职，依旧领取三年薪俸。

癸未（初八），赠给国子博士寇谄细绢五十匹，这是因为寇谄献上其祖寇准所著文集。

甲申（初九），在圜丘东南改筑祴坛。

已亥（二十四日），辽道宗到达庆陵，在金殿和同天殿献酒。

六月，壬子（初七），任命汝州龙山人孔旼为校书郎，然后退休，绛州稷山人韩退为安逸处士，这是因翰林学士承旨孙抃等推荐两人有德行的缘故。

自从赵彦若科举考试中对策不入等，经过了四年，还是没有应试制科的人。仁宗说："难道是朕等不到人才吗？"丁巳（十二日），下诏："朝廷设立制科来录取天下有才高明之士，曾因施加恩典过厚而使选拔极严，所取不过两三人，这不是广选人才的办法。下令两制以上官员一同商议这件事！"不久孙抃等人说："太常博士以下官员至幕职州县官吏、平民应试制举的人，一并让待制以上官员推荐，不得自请，其中平民也允许本路转运使上奏荐举。如其品行不符合所学，连同推荐人一同处罚。升迁的顺序，不得援引旧例超级升擢。"仁宗听从了这一意见。

戊午（十三日），夏毅宗赵谅祚派人前来感谢吊祭。

戊辰（二十三日），封淑妃苗氏为贵妃，她是兖国公主的母亲。公主要出嫁了，因而下了这一诏令。过去公主受封时降制书，有册封的文书，不举行礼仪，只把诰书送入内廷。这时翰林学士胡宿上书争论，仁宗不听。

辛未（二十六日），辽国以魏国王扎拉为特里衮，同知枢密院事。

秋季，七月，辛巳（初七），下诏河北各道部署，分派兵官训练所部军队。

甲申（初十），辽南京发生地震，大赦境内囚犯。

乙酉（十一日），辽道宗到秋山。

辛卯（十七日），命令翰林学士承旨孙抃、御史中丞张昪考核转运使和提点刑狱的政绩。当初，知谏院陈旭，说朝廷如欲达到天下大治，须从转运使开始，于是进献选用、责任、考课三种办法，因此任命张昪等人，但始终没有进用和贬退一人。

壬辰（十八日），麟州知州武戡被免除官籍，送江州编管，他因在断道坞作战时丢弃部下先入城而治罪。

续资治通鉴卷第五十七

【原文】

宋纪五十七　起强圉作噩【丁酉】八月,尽屠维大渊献【乙亥】三月,凡一年有奇。

仁宗体天法道极功全德　神文圣武睿哲明孝皇帝

嘉祐二年　辽清宁三年【丁酉,1057】　八月,乙巳朔,知襄州、兵部员外郎、知制诰贾黯,降知郢州。黯请解官就养,不报,乃弃官去,为御史吴中复所劾,故降。

诏编集枢密院机要文字,枢密副使程戡提举,从枢密使韩琦言也。

丁未,琦又言:"天下见行《编敕》,自庆历四年以后,距今十五年,续降四千三百馀件,前后多抵牾,请加删定。"乃诏宰臣富弼等及参知政事曾公亮同提点详定《编敕》。

戊申,充国公主出降。己酉,驸马都尉李玮入谢,宴于禁中。

辛亥,辽主作《君臣同志华夷同风诗》,后亦属和,并进于太后。

丁卯,建广惠仓。初,韩琦请罢鬻诸路户绝田,募人承佃,以夏秋所输之课给在城老幼贫乏不能自存者。既建仓,乃诏逐路提点刑狱司专领之,岁终,具所支纳上三司。

戊辰,知谏院陈旭言:"比日内降营求恩赏者甚多,请令中书、枢密院推劾,以正干请之罪。"从之,仍榜御史台、阁门。

是月,翰林学士欧阳修奏疏言:"陛下向未有皇嗣,尚有公主之爱,上慰圣颜。今既出降,渐疏左右,则陛下万几之暇,处深宫之中,谁可与语言,谁可承颜色!臣愚亦谓宜因此时,出自圣意,于宗室中选材贤可喜者录以为皇子,使其出入左右,问安视膳,以慰圣情。"

翰林侍读学士兼侍讲学士、吏部郎中王洙,病逾月,帝遣使问。九月,甲戌朔,洙卒,赐谥曰文,御史吴中复言洙官不应谥,乃止。

庚辰,诏内臣为钤辖、都监者,逐路止置一员。

乙酉,枢密院言:"自今举使臣,须本路安抚、转运使、提点刑狱、知州、通判方为举主。其在京文臣非知杂御史、武臣非观察使以上所举,毋得施行。"从之。

庚子,辽主幸中会川。

〔辽〕遣枢密使萧扈等来请御容。冬,十月,己酉,以翰林学士胡宿为回谢使,使于辽,礼宾使李(瑗)〔绥〕副之,且许以御容,约贺正使置衣箧中交致焉。

辽主谒祖陵。庚申,谒让国皇帝及世宗庙。辛酉,奠酹于玉殿。

辛未,赠太尉兼侍中刘平谥曰壮武。

初,三司言:"商旅于榷货务入见钱算东南盐,岁课四百万缗,诸路般运不足而课益亏,请选官置司以主之。"十一月,癸酉朔,置江、淮南、荆湖制置司句当运盐公事一员。

丙子,辽以左伊勒希巴玛噜为〔契丹〕行宫都部署。

丁丑,以礼部员外郎兼侍御史知杂事马遵为吏部员外郎、直龙图阁,以疾自请也。遵寻卒,录其子侄二人。遵性乐易,言时政得失,不为激讦,故多见推行,杜衍、范仲淹皆称道之。

己卯,以河北提举(使)〔便〕籴粮草薛向提点河北刑狱,仍兼提举(使)〔便〕籴粮草。当河北大水,民乏食,诏辍太仓米六十万斛以赈之;向以为北人不便食粳,且漕路回远不时至,请出本司米四十万石以代之。

丙申,诏三司使、副,体量在省判官才否以闻,从知谏院陈旭言也。

戊戌,以昭德军节度使、知并州庞籍为观文殿大学士、户部侍郎、知青州。初,司马光建议筑堡,籍檄麟州如光议。及郭恩等败殁,诏侍御史张伯玉按鞫,籍匿光初所陈事,故光得以去官免责。而籍为御史劾奏,罢节度使,光不自安,三上书乞独坐其罪,不报。

己亥,殿中丞、国子监直讲孙复,治《春秋》,著闻于时。既疾,韩琦言:"请选书吏给纸札,命其门人祖无择即家录之。"书藏秘阁,特官其子。复卒,又赐钱十万。复恶胡瑗为人,在太学常相避。瑗治经不如复,而教养诸生过之。

庚子,高丽贡于辽。

先是王洙侍迩英阁,讲《周礼》至三年大比,帝曰:"古者选士如此,今率四五岁一下诏,故士有抑而不进者。为今之计,孰若裁其数而屡举也!"下有司议,咸请易以间岁之法,则无滞才之叹。荐举数既减半,主司易以详较,得士必精。十二月,戊申,诏:"自今间岁贡举,进士、诸科,悉解旧额之半;又别置明经科;旧置说书举,今罢之。其不还乡里而寓户它州以应选者,严其法。每秋试,自县令、佐察行义,保任之,上于州;州长、贰复审察得实,然后上本道使者类试。已保任而后有缺行,则州、县皆坐罪;若省试而文纰缪,坐元考官。"又用孙抃奏,诸州解试额多而中程少者,不必足额。

庚戌,辽禁职官于部内假贷贸易。

辛亥,立内降关白二府法。

癸丑,诏:"大臣所举馆职,自今令中书籍记姓名,候在官员数稍少,即选文行为众所推者与试,其考校无得假借等第。"从知谏院陈旭言也。

戊辰,辽以太皇太后不豫,曲赦行在五百里内囚。己巳,太皇太后殂,谥钦哀。钦哀自听政,弑其嫡后,为国人所不服。既废而复迎,以不得颛政,猜忌兴宗,然犹干预政事。郡王特布家奴济哩节告其主,言涉怨望,鞫之无验,当反坐,以钦哀言,竟不加罪,亦不断付其主,仅籍没焉。宁远军节度使萧白掠乌库德勒都详衮迪噜之女,强为妻,亦因钦哀言,仅杖而夺其官。兴宗末年,政刑废弛,亦多由钦哀使然。时钦哀诸弟唯孝友尚存,先以柴册恩遥授洛京留守,致仕,至是进封丰国王。

是岁,夏改元䎭都。

三年 辽清宁四年【戊戌,1058】　春,正月,壬申朔,辽主如鸭子河。

己卯,以福州进士陈烈为安州司户参军。

烈笃于孝友,从学者数百人。天章阁待制曹颖叔知福州,荐之,授本州州学教授。于是翰林学士欧阳修又荐之,故有是命。烈皆辞不受。

甲申,封江夏民妻张氏为旌德县君,表其墓曰"烈女"。初,里中恶少谢师乞过其家,持刀逼张,欲与为乱,张大骂;至以刀断其喉,犹能走禽师乞以告邻人。事闻,特褒异之。

丁亥,辽知易州事耶律普德秩满,部民请留,许之。

二月,癸卯,辽遣林牙萧福延来告丧,帝为发哀于内东门幄殿,辍视朝七日。

先是太常博士吴及既除丧,擢秘阁校理。乙巳,改右正言、谏院供职,复上疏请择宗室子以备储副。既又言:"开宝诏书,内侍年三十,听养一子为嗣,并以名上宣徽院,违者抵死。比年此禁益弛,夭绝人理,阴累圣嗣,愿诏大臣明示旧制,上顺天意,以绥福祐。"帝嘉纳之。

丙午,辽诏伊勒希巴诸路鞫死罪,狱虽具,仍令别州县覆案,无冤然后决之,称冤者即具奏。

庚戌,辽主如鱼儿泺。

三月,辛未朔,命翰林学士欧阳修兼侍读学士,修以侍读多冗员,固辞不拜。

甲戌,诏礼部贡举。

戊寅,辽募天德、镇武、东胜诸处之勇健者,籍之为军。

己卯,以起居舍人范镇知制诰。镇自罢言职,每因事未尝不以储嗣为言。及知制诰,正谢,又面论曰:"陛下许臣复三年矣,愿早定大计。"

甲午,辽肆赦。

丙申,诏三司编天下《驿券则例》,从枢密使韩琦请也。

夏,四月,甲辰,辽主谒庆陵。

甲子,资政殿大学士吴育卒,赠吏部尚书,谥正肃。

乙丑,罢修睦亲宅祖宗神御殿,初从欧阳修言也。

五月,癸酉,右正言吴及言:"太宗朝尝给三司判官御前印纸历子,令批书课绩。今其书虽存,而无考校之法。请自今,岁终案功过而升黜之。"诏以及所言录示三司使张方平。

辽葬钦哀太后于庆陵。

初,盐铁副使郭申锡,受诏视河,与河北都转运使李参论议不相中,讼参遣小吏高守忠赍《河图》属宰相文彦博;御史张伯玉,亦奏参朋邪,结托有状。以事连宰相,乃诏天章阁待制卢士宗、右司谏吴中复推劾,而申锡、伯玉皆不实。伯玉以风闻免劾;乙酉,降申锡知滁州,寻改知濠州。

辽主如永安山清暑。

六月,丙午,吏部尚书、平章事文彦博,罢为河阳三城节度使、同平章事、判河南府。郭申锡、张伯玉攻彦博虽不胜,彦博亦不自安,数求退,帝许之。

以枢密使、工部尚书韩琦依前官平章事、集贤殿大学上。枢密使、山南东道节度使、同平章事贾昌朝罢为镇东节度使、右仆射兼侍中、景灵宫使。

文彦博始求退,谏官陈旭等恐昌朝代之,乃疏昌朝交通女谒,建大第,别为客位以待宦官;又,宦官有矫制者,枢密院释弗治。昌朝由此罢。初,温成皇后乳母贾氏,宫中谓之贾婆婆,昌朝以姑事之;谏官劾昌朝交通女谒,指贾氏也。

以观文殿大学士、兵部尚书宋庠,枢密副使、礼部侍郎田况,并为枢密使。帝初欲用王尧臣为枢密使,当制学士胡宿固抑之,乃止。

以右谏议大夫、权御史中丞张昇为枢密副使。

庚戌,以权知开封府包拯为右谏议大夫、权御史中丞。拯言:"东宫虚位,群臣数有言者,未审圣意何久不决?"帝曰:"卿欲谁立?"拯曰:"臣为宗庙万世计耳,陛下问臣欲谁立,是疑臣也。臣行年七十,且无子,非邀后福者。"帝喜曰:"徐当议之。"拯又言:"近年内臣禄秩、权任,优崇稍过,惟陛下裁抑。"又言:"累年以来,制敕才下,未逾月而辄更,奏语方行,又随时而追改。民知命令之不足信,则赏罚何以沮劝! 欲乞今后臣僚上言利害,并请先下两制集议,如可经久,方许颁行,不可数有更易。"又陈教养宗室之法,请条责诸路监司及御史府自举属官,谏官、御史不避二府荐举者,听两制得至执政私第,事多施行。

以翰林学士欧阳修权知开封府。修承包拯威严之后,一切循理,不事风采。或以为言,修曰:"人各有短长,不能舍所长强所短也。"

甲寅,诏学士院编录国初以来所撰制诰,从欧阳修请也。

乙丑,辽以北院枢密使萧革为南院枢密使,徙封楚王,以南院枢密使吴王耶律仁先为北院枢密使。革先以奸佞得幸于兴宗,旋奉遗诏立辽主,辽主宠礼不衰。仁先尝为东京留守,通山开道,控制女真以安边民,甚有威望,辽主待之不如革。

丁卯,交趾贡异兽二物,本国称贡麟,状如水牛,身被肉甲,鼻端有角,食生刍果瓜,必先以杖击然后食。知虔州杜植奏:"广州尝有番商辨之曰:'此乃山犀也。'谨按《符瑞图》,麟,仁兽也,麋身、牛尾、一角,角端有肉。今交趾所献不类麋身而有甲,必知非麟,但不能识其名,请宣谕交趾进奉人及回降诏书,但云得所进异兽,不言麒麟,足使殊俗不能我欺,又不失朝廷怀远之意。"乃诏止称异兽云。

是月,提点荆湖北路刑狱、司勋员外郎潘凤权本路转运使。时蛮反邵州,杀队将及其部兵,故委凤经制蛮事。凤驻兵赀木寨,亲督兵援所遣将,破团峒九十余。凤,美之从曾孙也。

秋,七月,癸酉,以福州进士周希孟为国子监四门助教、本州州学教授,以知州蔡襄荐也。往时闽人专用赋以应举,襄得希孟,专以经术传授。襄亲至学舍,执经讲问,为诸生先;延见处士陈烈,尊以师礼。州人陈襄、郑穆,学行著称,襄皆折节待之。闽俗治丧尚浮屠,务丰侈,往往破家,襄下令禁止。至于巫觋主病、蛊毒杀人之类,皆痛断绝之。闽俗以变。

辛巳,辽制:"诸掌内藏库官盗两贯以上者,许奴婢告。"

壬午,辽主猎于黑岭。先是伊实部人萧岩寿,刚直尚气,重熙末始仕,无所知名。及辽主即位,太后屡称其贤,由是进用。辽主出猎,命岩寿典其事,未尝高下于心,辽主益重之,旋历文班太保、同知枢密院事。

丙戌,诏:"广济河溢,原武县河决,遣官行视民田,赈恤被水害者。"

丁亥,命权御史中丞包拯领转运使、提点刑狱考课院。

壬辰,复以度支员外郎范祥制置解盐,从张方平、包拯言也。

权御史中丞包拯言:"右正言吴及,立身有守,遇事敢言,缘与枢密副使张昇妻是亲,奏乞外郡;然昇妻亡已久,理不当避,乞令依旧供职。"许之。

权知开封府欧阳修言:"近依谏官陈旭所请,幸求内降之人,委二府劾奏其罪。臣自权知开封府未及两月,十次承准内降,本府具奏,至于再三,而内降不已。乞根究因缘干求之人,奏摄下府勘劾,重行责罚。"

八月,己亥朔,日有食之。

甲辰,诏礼部贡院,宗室婿不许锁厅应举。

丁未,诏三司:"京师比岁旱,屡蠲民租,其以缗钱十万下本路助籴军储。"

辛亥,以度支副使周湛为辽太后生辰使。湛辞不行,乃命权盐铁副使王鼎代往。

己未,参知政事王尧臣卒,辍视朝一日,赠左仆射,谥文安。

庚申,下溪蛮彭仕义率众降,归连岁(折)〔所〕掠甲仗士卒,诏辰州还其孥及铜柱;自是复通中国,然桀骜益甚。

辛酉,封左屯卫大将军、秀州团练使从信为荣国公。吴懿王德昭孙,舒国公惟忠子也。

知浑州刘敞言:"昔周公作《无逸》以戒成王,其言曰:'商王中宗及高宗及祖甲及文王皆以无淫于观、于逸、于游、于田,是以膺无疆之福,子孙蕃昌。'此圣人之至言也。陛下临政三十七年矣,百姓赖陛下之德,养老慈幼,人遂其性。愿陛下日谨一日,与天无极。比闻车驾数临苑囿,置酒观乐;圣心自有常节,而议者谓其太频。臣恐近习苟于承意而不能谏,大臣限以体貌而不得言,传闻四方,未副圣德。外之则嫌怠于政事,有游观之好;内之则疑酣于酒德,违摄生之理。愿陛下玩心神明,养以清净,听止于中声,毋以烦耳,味止于实气,毋以爽口,则自天祐之,吉无不利矣。"

初,官既榷茶,民私蓄贩皆有禁,腊茶之禁尤严,犯者其罚倍,凡告捕私茶皆有赏。然约束愈密而冒禁愈蕃,岁报刑辟,不可胜数。园户困于征取,官司旁缘侵扰,因而陷于罪戾,以至破产、逃匿者,岁比有之。官茶所在陈积,县官获利无几,论者皆谓宜弛禁便。景祐中,叶清臣尝上疏乞弛禁,三司议皆以为不可。至是著作佐郎何鬲、三班奉职王嘉麟又皆上书,请罢给茶本钱,纵园户贸易,而官收其租钱,与所在征算归榷货物,以偿边籴之费,可以疏利源而宽民力。嘉麟为《登平致颂书》十卷,《隆衍视成策》二卷,上之。淮南转运副使沈立,亦集《茶法利害》为十卷,陈通商之利。宰相富弼、韩琦、曾公亮等决意向之,力言于帝。九月,癸酉,命翰林学士韩绛、知谏院陈旭及知杂御史吕景初即三司置局议之。

丙子,以屯田员外郎李师中提点广南西路刑狱。师中建言:"岭南自古不利成兵,乞置土丁,募敢勇,家丁至四五则籍一人。总为五番,上州教阅,不及五百人为四番。利器械,农隙训之,禁一切它役。上番则给粮免税,校长免二丁税。"于是一路得四万馀人。又请通盐商以便民,复邕州和市场以实边,事多施行。

桂州兴安县有灵渠,北通江、湖,南入海,自秦、汉通舟楫,皆石底浅狭,十八里内置三十六斗门,一舟所载不过百斛,乘涨水则可行。师中积薪焚其石,募工凿之,废斗门二十六,役三旬而成,舟楫以通。

辛巳,天平节度使、宣徽南院使张尧佐卒,赠太师。尧佐持身谨畏,颇通吏治。晚节以戚里进,遽至崇显,恋嫪恩宠,为世所鄙。

冬,十月,乙巳,出内藏库绸绢十万,下河东转运司助籴军储。

癸亥,除河北坊郭客户乾食盐钱。

甲子,以提点江南东路刑狱王安石为度支判官。

安石献书万言,极陈当世之务,其略曰:"今天下之财力日以困穷,而风俗日以衰坏,患在不知法度故也。法先王之政者,当法其意而已。法其意,则吾所改易更革,不至乎倾骇天下之耳目,嚣天下之口,而固已合乎先王之政矣。"又曰:"方天下之人才,未尝不自人主陶冶而成之。所谓陶冶而成之者,亦教之、养之、取之、任之有其道而已。今之教者非特不能成人之才,又从而困苦毁坏之,使不得成才。"又曰:"(困)〔因〕天下之力以生天下之财,取天下之财以供天下之费,自古治世,未尝以财不足为公患也,患在治财无其道耳。"又曰:"在位之人才既不足矣,而间巷草野之间亦少可用之才。非特行先王之政而不得也,社稷之托,封疆之守,陛下其能久以天幸为常而无一旦之忧乎!臣愿陛下鉴汉、唐、五代之所以乱亡,惩晋武苟且因循之祸,明诏大臣,思所以陶成天下人才,虑之以谋,计之以数,为之以渐,期合于当世之变而无负于先王之意,则天下之人才不胜用矣。"又曰:"臣之所称,流俗之所不讲,而今之议者以谓迂阔而熟烂者也,惟陛下留神而察之!"

十一月,癸酉,命翰林学士韩绛、谏官陈旭、御史吕景初同三司详定省减冗费。

初,枢密副使张昇请罢民间科率及营造不急之务,其诸场库务物之阙供者,令所在以官钱收市之。于是置省减司于三司,自是多所裁损云。

是日,辽主行再生礼及柴册礼,宴群臣于八方陂。

先是辽主将行大册礼,南院枢密使萧革曰:"行大礼备仪物,必择广地,莫若黄川。"三司使刘六符曰:"不然。礼仪国之大体,帝王之乐不奏于野。今中京四方之极,朝觐各得其所,宜中京行之。"辽主从六符议。

戊寅,御清风殿受大册礼,大赦。吴王耶律仁先徙封隋王,出为南京副元帅,以耶律华格谮之也。

壬午,辽主谒太祖及诸帝宫。丙戌,祠木叶山。禁造玉器。

己丑,诏〔置在京都水监〕,罢三司河渠司,以御史知杂吕景初〔判监〕,领河渠司事杨佐同判,河渠司句当公事孙琳、王叔夏知监丞事。

江、湖上供米,旧转运使以本路纲输真、楚、泗州转般仓,载盐以归,舟还其郡,卒还其家。而汴舟诣转般仓运米输京师,岁折运者四。河冬涸,舟卒亦还营,至春复集,名曰放冻;卒得番休,逃亡者少,而汴船不涉江路,无风波沉溺之患。其后发运使权益重,六路上供米团纲发船,不复委本路,独发运使专其任。文移壅并,事(日)〔目〕繁夥,有不能检察,则吏胥可以用意于其间,操舟者赇诸吏,辄得诣富饶郡,市贱贸贵,以趋京师。自是江、汴之舟混转无辨,挽舟卒有终身不还其家、老死河路者,籍多空名,漕事大敝。皇祐中,发运使许元奏:"近岁诸路因循,粮纲法坏,遂令汴纲至冬出江为它路转漕,兵不得息。宜敕诸路增船载米,输转般仓,充岁计如故事。"于是言利者多以元说为然,诏如元奏。会元去,不果行。既而诸路纲不集,庚寅,复下诏切责有司,江、淮、两浙转运司期以期年,各造船补卒团本路纲,自嘉祐五年,汴纲不得复出江。

辽三司使刘六符卒。六符有志操,能文章,辽人重之。

十二月,乙巳,诏三司:"每岁上天下岁赋之数,自今三岁一会其亏赢以闻。"

辽弛士庶畜鹰之禁。

辛亥,南院枢密使楚王萧革复为北院枢密使。

翰林学士韩绛言:"中书门下,宰相所职,而以它官判省,名不相称,宜更定其制,依《周礼》《唐六典》为一书。”诏翰林学士胡宿、知制诰刘敞详定以闻。敞等条列,刊正裁损,申明十事;后不果行。

辛酉,诏:“年七十而居官犯事,或以不治为所属体量若冲替而未致仕者,更不推恩子孙。”

闰月,丁卯朔,诏:“尝为中书、枢密院诸司吏人及技术官职,无得任提点刑狱及知州军,自军班出至正任者,方得知边要州军。”

己巳,辽赐皇太叔重元金券。会皇子濬生,重元妻入贺,以艳冶自矜,皇后素端重,见之弗喜,戒曰:“为大家妇,何必如此!”重元妻归,詈重元曰:“汝是圣宗儿,乃使人以哈屯加我!汝若有志,当笞此婢。”重元子尼噜古素有异志,故妇言如此。

先是朝议以科举既数,则高第之人倍众,其擢任恩典,宜损于故,诏中书门下裁之。丁丑,诏:“自今制科入第三等与进士第一,除大理评事,签署两使幕职官事,代还,升通判,再任满,试馆职;制科入第四等与进士第二、第三,除两使幕职官,代还,改次等京官;制科入第五等与进士第四、第五,除试衔知县,代还,迁两使幕职官。锁厅人视此。”自是骤显者鲜,而所得人才及其风迹,比旧亦寝衰。

己卯,诏:“明年正旦日食,其自丁亥避正殿,减常膳。”知制诰刘敞言:“三代之典,日食无预避之事。先王制礼,过之者犹不及。其制法,先时者与不及时者,均贵得中而已。汉、唐素服寝兵,却朝会不视事及求直言,大率皆在合朔之辰,未有先时旬日者也。兆忧太过,《春秋》所讥。乞详求旧典,折衷于礼。”

己丑,诏中书五房编总例,从韩琦请也。

是岁,应天府失入平民死罪,未决,通判孙世宁辨正之;吏当坐法,知府刘沆纵弗治。提点刑狱韩宗彦往案举,沆复沮止之;宗彦疏于朝,卒抵吏罪。宗彦,纲之子也。

四年 辽清宁五年【己亥,1059】 春,正月,丙申朔,日有食之。遣官祭社,帝避殿,不视朝。知制诰刘敞言:“臣前论先期避殿不中古典,未蒙省察。今又闻遣官祭社,稽之于经,亦未见此礼。盖社者,上公之神,群阴之长,故曰日食则伐鼓于社,所以责上公,退群阴。今反祠而请之,是屈天子之礼,从诸侯之制,抑阳扶阴,降尊贬重,非承天戒、尊朝廷之意也。”右正言吴及言:“日食者,阴阳之戒,在人事之失。陛下渊默临朝,阴邪未能尽屏,左右亲幸,骄纵亡节,将帅非其人,为外所轻,此其失也。”因言孙沔在并州,苛暴不法,宴饮无度;庞籍前在并州,轻动寡谋,辄兴堡寨,屈野之衄,为国深耻。沔卒坐废。

丁酉,群臣表请御殿,复常膳,三请,乃许。

自去年雨雪不止,民饥寒死道路甚众,诏遣官分行京城赈恤。知开封府欧阳修请罢上元放灯,从之。壬寅,赐在京诸军班特支钱,因赈恤而兼及于诸军也。

三司使张方平上所编《驿券则例》三卷,赐名曰《嘉祐驿令》。

甲辰,翰林学士胡宿权知贡举。

太子中允、天章阁侍讲、管句太学胡瑗,病不能朝,戊(午)〔申〕,授太常博士,致仕,归海陵,诸生与朝士祖饯东门外,时以为荣。及卒,诏赙其家。集贤校理钱公辅,率太学诸生百馀人即佛舍为位哭,又自陈师丧,给假二日。

始命韩绛、陈旭、吕景初即三司置局议弛茶禁。三司言:“宜约至和后一岁之数,以所得息钱均赋茶民,恣其买卖,所在收算。请遣官询察利害以闻。"诏遣司封员外郎王靖等分行六路,及还,皆言如三司议便。二月,己巳,下诏弛茶禁。初,所遣官既议弛禁,因以三司岁课均赋茶户,凡为缗钱六十八万有奇,使岁输县官,比输茶时,其出几倍。朝廷难之,为损其半。岁输缗钱三十三万八千有奇,谓之租钱,与诸路本钱悉储以待边籴。自是唯腊茶禁如旧,馀茶肆行天下矣。

乙亥,诏三司:"以天下广惠仓隶司农寺,逐州选幕职、曹官各一人专监之。每岁十月,别差官检视,老弱病不能自给之人,籍定姓名,自次月一日给米一升,幼者半升,每三日一给,至明年二月止;有馀,即量县大小而均给之。"

丁丑,置馆阁编定书籍官,以秘阁校理蔡抗、陈襄、集贤校理苏颂、馆阁校勘陈绎分昭文、史馆、集贤院、秘阁书而编定之。抗,挺之兄;颂,绅之子;绎,开封人也。

初,秘阁校理吴及言:"近年用内臣监馆阁书库,借出书籍,亡失已多。又,简编脱略,书吏补写不精,非国家崇尚儒学之意。请选馆职三两人,分馆阁人吏编写书籍,其私借出与借之者,并以法坐之,仍请求访所遗之书。"乃命抗等仍不兼它局,二年一代,别用黄纸印写元本,以防蠹败。

庚寅,诏礼部贡院:"进士曾经御试五举、诸科六举,进士省试六举、诸科七举,年五十以上者,具名以闻。"癸巳,御崇政殿,试礼部奏名进士及明经、诸科及特奏名进士、诸科。

交趾寇钦州。

三月,戊戌,命翰林学士韩绛、权知开封府陈旭、天章阁待制唐介与三司减定民间科率以闻。

己亥,以三司使张方平为端明殿学士、知陈州。先是京城富民刘保衡开酒场,负官曲钱百馀万,三司遣吏督之,保衡卖产以偿。方平因买其邸舍,保衡得钱即输官,不复人家。会保衡姑讼保衡非刘氏子,坏刘氏产,下吏案验,具对以实。御史中丞包拯,遂劾方平乘势贱买所监临富民邸舍,不可处大位。故命出守,寻改知应天府。以端明殿学士宋祁为三司使。

丁未,赐进士铅山刘辉等一百三十〔一〕人及第,三十二人同出身;诸科一百七十六人及第、同出身;特奏名进士、诸科六十五人同出身及诸州文学长史;授官如三年闰十二月丁丑诏书。

己未,以三司使宋祁为端明殿学士、知郑州,权御史中丞包拯为枢密直学士、权三司使。

先是右司谏吴及言祁在定州不治,纵家人贷公使钱数千缗,及在蜀奢侈过度;而拯亦言祁在益部多游宴,且其兄庠方执政,不可任三司,论之不已。庠因乞除祁外官,故命祁出守而拯代居其位。翰林学士欧阳修言:"近除包拯为三司使,命下之日,外议喧然,以为朝廷贪拯之材而不为拯惜名节。然犹冀拯能坚让以避嫌疑,而数日之间,拯已受命,是可惜也!拯天资峭直,然素少学问,朝廷事体,或有不思。至如逐其人而代其位,嫌疑之迹,常人皆知,拯岂独不思哉?拯在台日,尝指陈前三司使张方平过失,方平由此罢去,以宋祁代之。又闻拯弹祁过失,祁亦因此罢,而拯遂代其任。此所谓蹊田夺牛,岂得谓无过?而整冠纳履,当避嫌疑者也。"疏奏,拯即家避命,不许;久之,乃就职。

初,王禹偁奏:"天下僧尼,日增月益,不可卒去,宜诏天下州军,凡僧百人得岁度弟子一人,久而自消之势也。"诏从之。至和初,陈执中执政,因乾元节,听僧五十人度弟子一人,既而言者以为不可,复行旧制。贾昌朝在北京,奏:"京师僧寺多招纳亡赖游民为弟子,乞皆取乡贯保任,方听收纳。"诏从之,京师尼僧大以为患。至是有中旨,复令五十僧度一弟子,及京师僧寺弟子不复更取保任,僧徒大喜,争为道场以答上恩。

有上封者论:"河北义勇,有事则集于战阵,无事散归田里,以时讲习,无待储廪,得古寓兵于农之意;惜其束于列郡,止以为城守之备。诚能于邢、冀二州分东西两路,命二郡守臣分领,寇至,即两路义勇之师,翔进赴援,傍出掩击,使其腹背受敌,则河北二十馀所常伏锐兵矣。"议下河北路帅臣等。

时大名府李昭亮、定州庞籍、真定府钱明逸、高阳关王贽等上议曰:"唐泽潞留后李抱真籍户丁男,三选其一,农隙则分曹角射,岁终都试,以示赏罚,三年,皆善射,举部内得劲卒二万。既无廪费,府库益实,乃缮甲兵为战具,遂雄视山东。是时天下称昭义步兵冠于诸军,此近代之显效。而或者谓民兵只可城守,难备战阵,诚非通论。但当无事时,便分两路,置官统领,以张用兵之势,外使敌人疑而生谋,内亦摇动众心,非计之得。姑令在所点集训练,三二年间,武艺稍精,渐习行阵,遇有警,得将臣如抱真者统驭,制其阵队,示以赏罚,何战之不可哉!至于部分布列,量敌应机,系于临时便宜,亦难预图。况河北本皆边胡之地,自置义勇,州县以时案阅,耳目已熟,行固无疑。"诏如所议,岁阅,以新旧籍并阙数闻。

是春,辽主如春州。

【译文】

宋纪五十七　起丁酉年(公元 1057 年)八月,止己亥年(公元 1059 年)三月,共一年余。

嘉祐二年　辽清宁三年(公元 1057 年)

八月,乙巳朔(初一),襄州知州、兵部员外郎、知制诰贾黯,降职为郓州知州。贾黯请求辞官回家休养,没有答复,于是弃官而去,被御史吴中复弹劾,因此降职。

诏令编集枢密院机要文件,由枢密副使程戡负责,这是听从枢密使韩琦的进言。

丁未(初三),韩琦又进言:"全国通行的《编敕》,从庆历四年以后,至今已十五年,这期间又下达了四千三百多件,前后有不少矛盾,请加删定。"于是诏令宰相富弼等人和参知政事曾公亮同任提点,详细编审《编敕》。

戊申(初四),兖国公主出嫁。己酉(初五),驸马都尉李玮入宫谢恩,在宫内大摆宴席。

辛亥(初七),辽道宗作《君臣同志华夷同风诗》,皇后也和诗一首,一同进献给太后。

丁卯(二十三日),建造广惠仓。当初,韩琦请求停止出售各路户绝田,募人佃种,将秋夏两季所收课税供给城中贫困无法生存的老人、小孩。仓建好后,又诏令各路提点刑狱司专负其责,年终,将收支状况上报三司。

戊辰(二十四日),知谏院陈旭进言:"近来通过内降求得恩赏的人很多,请下令中书、枢密院核查,以纠正请托之弊。"同意了这一建议,照旧张榜于御史台、阁门。

这月,翰林学士欧阳修上奏疏:"陛下一直未有继位人,尚还有与公主的父女之爱,使圣上得到安慰。现已出嫁,与左右之人逐渐疏远,陛下日理万机之余,身处深宫,有谁可与陛下谈心,又有谁可使陛下开心呢!臣虽愚昧也认为应在此时,根据圣上意愿,将宗室中有才德的人收为皇子,让他伴随左右,问安侍膳,以慰圣心。"

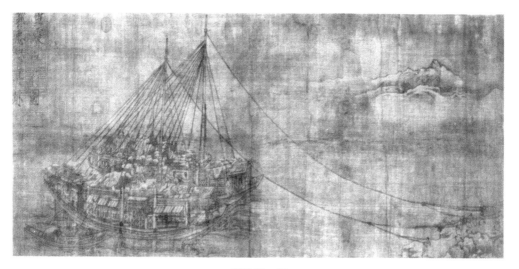

海船图 辽

　　翰林侍读学士兼侍讲学士、吏部郎中王洙,病了一个多月,仁宗派人慰问。九月,甲戌朔(初一),王洙去世,赐谥号文,御史吴中复进言说按王洙的官品不应有谥号,于是作罢。

　　庚辰(初七),诏令内臣担任钤辖、都监的,每路只设置一人。

　　乙酉(十二日),枢密院进言:"从现在起推举使臣,只有本路安抚、转运使、提点刑狱、知州、通判才能担任推荐人。其中在京师的文臣只有知杂御史以上、武臣只有观察使以上官员推举,才可施行。"同意这一建议。

　　庚子(二十七日),辽道宗到了中会川。

　　辽国派枢密使萧扈等人来求仁宗画像。冬季,十月,己酉(初六),任命翰林学士胡宿为回谢使,出使辽国,礼宾使李绶为副使,而且同意给仁宗画像,约定由贺正使放在衣箱中交给辽国。

　　辽道宗拜谒祖陵。庚申(十七日),拜谒让国皇帝耶律倍和辽世宗庙。辛酉(十八日),在玉殿以酒祭奠。

　　辛未(二十八日),赠太尉兼侍中刘平的谥号为壮武。

　　当初,三司进言:"商人在榷货务交现钱领取东南盐,年交税四百万缗,但各路因搬运人员不足而税收日益减少,请设立机构选派官员负责这件事。"十一月,癸酉朔(初一),设置江、淮南、荆湖制置司,句当运盐公事一人。

　　丙子(初四),辽国任命左伊勒希巴玛噜为契丹行宫都部署。

　　丁丑(初五),任命礼部员外郎兼侍御史知杂事马尊为吏部员外郎、直龙图阁,因他以病为由自己提出了请求。马遵不久去世,录用了他的儿子、侄子两人。马遵性格平易近人,谈论当时政治,言辞不偏激,所以多被采用,杜衍、范仲淹均称道他。

　　己卯(初七),以河北提举使便籴粮草薛向为提点河北刑狱,仍兼任提举使便籴粮草。当时河北发生水灾,百姓缺粮,下诏从太仓取出米六十万斛赈济百姓,薛向认为北方人不习惯以粳米为食,而且漕运路途遥远一时运不来,请求用本路提举司的米四十万石代替。

　　丙申(二十四日),诏令三司使、三司副使,考核在省判官的才能上报,这是听从知谏院陈旭的进言。

戊戌(二十六日)，任命昭德军节度使、并州知州庞籍为观文殿大学士、户部侍郎、青州知州。当初，司马光建议建筑城堡，庞籍下令麟州依照司马光的建议筑堡。及至郭恩等败亡，诏令侍御史张伯玉调查情况，庞籍隐瞒了司马光当初建议筑堡一事，因此司马光只辞官而免受斥责。而庞籍受到御史弹劾，罢去节度使，司马光心中不安，三次上书请求单独承受处罚，未予答复。

己亥(二十七日)，殿中丞、国子监直讲孙复，以研究《春秋》而有名于当时。病了，韩琦进言说："请选书吏给予纸札，命他的弟子祖无择在家记录。"将书藏在秘阁，特地让他的儿子做官。孙复去世后，又赐赏钱十万。孙复厌恶胡瑗的为人，在太学时常互相回避。胡瑗研究经学比不上孙复，但在教育学生方面超过了他。

庚子(二十八日)，高丽向辽国进贡。

先前王洙在迩英阁侍讲，讲授《周礼》讲到三年一次大比，仁宗说："古时选择人才尚能如此，现在四五年下一次诏，所以有的士人受到压抑不得进用。为今之计，不如减少人数增加考试次数。"下达有司商议，一致请求改为两年一次，这样才不会有抑滞人才的遗憾；推荐人数减少一半，主管部门容易详细比较，所得人才一定更加精良。十二月，戊申(初六)，下诏："从现在起隔年举行一次贡举，进士、诸科全部减少一半人数；又另设明经科；过去设立的说书举，现在罢撤。对于未回自己故地寄居它州应试的人，要严格实行审议办法。每年秋试，由县令、佐察考察品行，对上保荐，报到州里；州长官、副长官再次审核如符合事实，再上达本道的长官进行类试。已经保荐任职而后有过失的，则州、县官员一并牵连治罪；如果省试时文章低劣，则将原来考官治罪。"又采用孙抃意见，各州解试名额众多，但合格的人少，不必凑足名额。

庚戌(初八)，辽国禁止在职官员在部内贷钱经商。

辛亥(初九)，制订内降之事要通知二府的法令。

癸丑(十一日)，下诏："大臣所推举担任馆职的人，从现在起由中书登记姓名，等在职官员人数较少时，就挑选文章品行为众人所推重的人参加考试，在考试时不得假借原来的等第。"这是采纳知谏院陈旭的进言。

戊辰(二十六日)，辽国因为太皇太后身体不适，赦免附近五百里以内囚犯。己巳(二十七日)，太皇太后去世，谥为钦哀。钦哀太后自从听政以后，杀害正宫皇后，辽国人心中不服。废黜后又被迎回，不让她预政，因而对辽兴宗胡加猜疑，但她还想干预政事。郡王特布的家奴济哩节告发他的主人，言辞涉及他怨恨朝廷，调查无证据，应当以诬告罪论处，因为钦哀太后为济哩节说话，竟对他未加追究，也未把他交给主人，只是将他籍没入官而已。宁远军节度使萧白抢掠乌牟德啰勒都详衮迪噜的女儿，强迫她做自己的妻子，也因钦哀太后为他说话，仅仅将他处以杖刑免去官职而已。辽兴宗晚年，政刑废弛，也主要是钦哀太后导致的结果。当时钦哀太后的弟弟中，只有萧孝友还在，先前因柴册礼遥授为洛京留守，退了休，这时又晋封为丰国王。

这年，夏改年号为䭾都。

嘉祐三年　辽清宁四年(公元 1058 年)

春季,正月,壬申朔(初一),辽道宗到了鸭子河。

己卯(初八),任命福州进士陈烈为安州司户参军。

陈烈笃于孝友之道,跟他学习的人有几百。天章阁待制曹颖叔为福州知州,推荐他,授予本州州学教授。这次翰林学士欧阳修又推举他,因而有了这次任命,陈烈均推辞不受。

甲申(十三日),封江夏一百姓的妻子为旌德县君,在其墓上题写"烈女"二字。当初,同乡的恶少谢师乞经过她家,持刀威逼张氏,想强奸她,张氏大骂;甚至在刀割断她的喉管后,还能抓住谢师乞报告邻人。此事上报后,特地予以褒奖。

丁亥(十六日),辽国知易州事耶律普德任满,州民请求留任,同意了。

二月,癸卯(初二),辽国派林牙萧福延前来告丧,仁宗在内东门幄殿上举行哀礼,停止上朝七天。

当初太常博士吴及服丧完毕,迁为秘阁校理。乙巳(初四),改任为右正言、谏院供职,再次上疏请求选择宗室子弟备位继承人。不久,又进言:"开宝诏书规定,内侍年达三十岁的,允许养一子为后,并将姓名上报宣徽院,违者处死。这些年来禁令日松,有违人理,暗地里妨碍了圣上的继嗣,愿下诏大臣明申旧制,顺达天意,以降福祐。"仁宗赞赏,予以采纳。

丙午(初五),辽国下诏伊勒希巴各路审查死刑罪犯,罪证即使具备,仍然由其他州县复查,如无冤情再判决。

庚戌(初九),辽道宗去了鱼儿泺。

三月,辛未朔(初一),命翰林学士欧阳修兼任侍读学士,欧阳修认为侍读学士人员过多,固辞不受。

甲戌(初四),下诏礼部贡举。

戊寅(初八),辽国招募天德、镇武、东胜等地勇壮之士,登记后编入军队。

己卯(初九),任命起居舍人范镇为知制诰。范镇罢去言职后,每次有事上奏时无不谈到立皇嗣之事。及至任知制诰后,正式谢恩时,又当面对仁宗说:"陛下答应臣后又有三年了,愿早定大计。"

甲午(二十四日),辽国施行大赦。

丙申(二十六日),诏令三司编写全国《驿券则例》,这是听从枢密使韩琦的请求。

夏季,四月,甲辰(初四),辽道宗拜谒庆陵。

甲子(二十四日),资政殿大学士吴育去世,赠吏部尚书,谥为正肃。

乙丑(二十五日),停止修建睦亲宅的祖宗神御殿,开始听从欧阳修的建议。

五月,癸酉(初四),右正言吴及进言:"太宗朝曾赐给三司判官御用的印纸历子,令他们记载官员的政绩。现在虽然仍在登记,但没有考查的办法。请从今以后,年终时审清功过予以升黜。"下诏将吴及的建议写好后送给三司使张方平看。

辽国将钦哀太后安葬于庆陵。

先初,盐铁副使郭申锡受诏巡视黄河,和河北都转运使李参讨论时意见不同,因而告发李参派小吏高守忠将《河图》送给宰相文彦博;御史张伯玉,也奏告李参朋比为奸,结交请托权臣有事实可查。因为事情牵涉到宰相,于是诏令天章阁待制卢士宗、右司谏吴中复调查,结果郭申锡、张伯玉等人的言语不符合事实。张伯玉因道听途说免予追究;乙酉(十六日),

郭申锡降职为滁州知州,不久改为濠州知州。

辽道宗到永安山避暑。

六月,丙午(初七),吏部尚书、平章事文彦博,罢职为河阳三城节度使、同平章事、判河南府。郭申锡、张伯玉进攻文彦博虽然未能得逞,文彦博心中不安,多次请求退隐,仁宗同意了。

任命枢密使、工部尚书韩琦以先前官品为平章事、集贤殿大学士。枢密使、山南东道节度使贾昌朝罢为镇东节度使、右仆射兼侍中、景灵宫使。

文彦博请求退位时,谏官陈旭担心贾昌朝取代他,于是上疏说贾昌朝交结宫中女人,修建大宅第,并且为宦官留下客座;此外宦官中有假传圣旨的人,枢密院将其放免不予治罪。贾昌朝由此罢免。当初温成皇后乳母贾氏,宫中称为贾婆婆,贾昌朝以姑姑的礼节侍奉她;谏官弹劾贾昌朝结交宫中女人是指贾氏。

任命观文殿大学士、兵部尚书宋庠,枢密副使、礼部侍郎田况同为枢密使。仁宗起初要用王尧臣为枢密使,当制学士胡宿一再阻止,才作罢。

任命右谏议大夫、权御史中丞张昇为枢密副使。

庚戌(十一日),任命权知开封府包拯为右谏议大夫、权御史中丞。包拯进言:"东宫还没有太子,群臣多次进言,不知圣上为何迟迟不做决定?"仁宗说:"卿想立谁?"包拯说:"臣为祖宗作长远考虑罢了,陛下问臣要立谁,是怀疑我。我年已七十,又无儿子,不是为后代求得恩福。"仁宗高兴地说:"当慢慢商议。"包拯又进言:"近年内臣的禄位、权任,过于优待,望陛下裁抑。"又说:"多年以来,敕令下达后不过一月又改变了,上奏意见刚被采纳,随即又追令改变。百姓如知道命令不值得相信,则赏罚又怎能止恶劝善呢!请从今以后臣僚进言政治得失,一律先下达两制商议,如可长久施行,方准颁发,不可多次更改。"又陈述教养宗室子女的办法,并请求依条例督责各路监司和御史府自选属官,谏官、御使不回避二府推荐的人,听凭两制到执政官员的私宅等等。建议大多被采纳。

任命翰林学士欧阳修代理开封府知府。欧阳修继承了包拯威严传统,一切事情依原则办,不追求风度威仪。有的人因此劝他,欧阳修说:"人各有短长,不能舍长处而取短处。"

甲寅(十五日),诏令学士院编录开国以来所撰写的制诰,这是采纳欧阳修的建议。

乙丑(二十六日),辽国任命北院枢密使萧革为南院枢密使,迁封为楚王,任命南院枢密使吴王耶律仁先为北院枢密使。萧革以前凭着奸佞为辽兴宗所宠,不久奉遗诏立辽道宗,辽道宗对他恩宠不减。耶律仁先曾任东京留守,通山开道,控制女真安定边境,威望很高,辽道宗对他的恩礼不如萧革。

丁卯(二十八日),交趾贡献两只异兽,他们本国称为贡麟,状如水牛,身上有肉甲,鼻端有角,吃生草和瓜果,须先用杖击它然后才吃东西。虔州知州杜植上奏:"广州曾有番人客商分辩说:'这是山犀。'根据《符瑞图》,麟是一种仁兽,麇身牛尾,只一只角,角端长着肉。现在交趾进献异兽不像麇身而有肉甲,一定不是麟,但不能认出它叫什么名称,请宣谕交趾进贡人员,回批诏书,只说得到所进献的异兽,不说是麒麟,让异俗之人足以知道不能欺骗我们,又不失朝廷安抚远方人的意图。"于是诏书上只说"异兽"。

这月,提点荆湖北路刑狱、司勋员外郎潘夙代理本路转运使。当时蛮人在郡州叛乱,杀死队将以及其部下兵士,因此委任潘夙负责征剿蛮人事务。潘夙将军队驻扎在赀木寨,亲自指挥军队接应所派出将领,攻破团峒九十多个,潘夙是潘美的侄曾孙。

秋季,七月,癸酉(初五),任命福州进士周希孟为国子监四门助教、本州州学教授,这是因知州蔡襄推荐了他。过去闽人专用赋应试科举,蔡襄得到周希孟,让他专门传授经术。蔡襄亲自到教室,手执经书讲解询问,为学生做出榜样;延请名士陈烈,以师礼事之。州人陈襄、郑穆,学问品行著称于世,蔡襄谦虚地对待他们。闽俗治丧崇尚佛事,一定要丰盛奢侈,往往搞得家中破产,蔡襄下令禁止。至于巫婆看病,以蛊毒害人这类事情,都坚决予以禁绝。闽俗因此改变。

辛巳(十三日),辽国立法:"各掌管内藏库的官员贪污两贯以上的,允许奴婢告发。"

壬午(十四日),辽道宗在黑岭打猎。先前伊实部人萧岩寿,刚直有气节,重熙末年才开始做官,名气不大。辽道宗即位后,太后多次夸奖他的贤良,于是进用。辽道宗出猎,命令萧岩寿负责具体事务,未尝有半点私心,辽道宗更加器重他,不久任命他为文班太保、同知枢密院事。

丙戌(十八日),下诏:"广济河涨溢,黄河在原武县决口,派遣官员视察民田,赈济遭受水灾的人。"

丁亥(十九日),命令权御史中丞包拯兼任转运使、提点刑狱考课院。

壬辰(二十四日),再次以度支员外郎范祥制置解盐,这是听从张方平、包拯的进言。

权御史中丞包拯进言:"右正言吴及,立身有操行,遇事敢于进言,因与枢密副使张昪的妻子是亲戚,奏请改为外郡官职;但张昪妻子去世已久,按理不必再回避,请下令让他恢复原职。"同意了。

权知开封府欧阳修进言:"近来按照谏官陈旭的奏请,侥幸求得内降的人,委托二府审查他们的罪行。臣代理开封府知府不到两个月,十次接到获准内降的事,本府把情况上奏,已经多次,但内降的事没完没了。请追查那些借关系求官的人,奏报后送至府中重重处罚。"

八月,己亥朔(初一),出现日食。

甲辰(初六),下诏礼部贡院,宗室女婿不准参加锁厅应试。

丁未(初九),下诏三司:"京师连年干旱,多次免除租赋,请以缗钱十万下达本路帮助收购军粮。"

辛亥(十三日),任命度支副使周湛为辽太后生辰使。周湛推辞不肯出发,于是命权盐铁副使代替他前往。

己未(二十一日),参知政事王尧臣去世,停止上朝一天,赠左仆射,谥文安。

庚申(二十二日),下溪蛮人彭仕羲率部下投降,归还连年所掠的兵器和士兵,诏令辰州归还其妻子和铜柱;从此再次和中国往来,但也更为桀骜不驯。

辛酉(二十三日),封左屯卫大将军、秀州团练使赵从信为荣国公。他是吴懿王赵德昭的孙子,舒国公赵惟忠的儿子。

浑州知州刘敞进言:"过去周公作《无逸》来劝诫周成王,说道:'商王中宗、高宗、祖甲、文王都不沉湎于美色、安逸、游玩和田猎,从而得到无边无广的幸福,子孙繁衍昌盛。'这是圣人至理名言。陛下执政三十七年了,百姓依赖陛下恩德,养老爱幼,人人各尽天性。希望陛下一天比一天谨慎,和上天一样无穷无尽。近来听说圣驾多次到苑囿,饮酒观乐;圣上心中自然有节制,但议论的人认为次数太多。臣担心近侍习惯于迎合圣意不能劝谏,大臣们出于礼节不敢进言,传到各地,不符合圣德。在外面看来则有荒怠政事之嫌,有游玩观赏之好;在内则疑虑于贪饮,违背于养生之道。望陛下体会内心的神明,清静休养,只听中和之声,毋以烦耳,只食充实中气的食物,不要贪图山珍海味,那么上天保佑,就会平安无事。"

当初,官府专卖茶叶,对民间私自贩卖一概禁止,对腊茶的禁止尤为严厉,违者加倍惩罚,对于告发、捕获贩私茶者都有奖赏。然而禁令愈严,违禁者愈多,每年上报的案件不可胜数。茶户为征收所困扰,官府又多方侵扰,因而茶户被治罪甚至破产、逃亡的,每年都有。官茶到处陈积,国家获利无几,议论的人都认为应解除禁令。景祐年间,叶清臣曾经上书请求解除禁令,三司商议,一致认为不可。这时,著作佐郎何鬲、三班奉职王嘉麟又都上书,请求停止给茶本钱,放开茶农贸易,让官府收取租税,在征税的地方将收入归于榷货物,用来补偿边境收购军粮的费用,可以疏通财力宽松民力。王嘉麟著《登平致颂书》十卷,《隆衍视成策》二卷,献给朝廷。淮南转运副使沈立,也编集《茶法利害》十卷,力陈通商之利。宰相富弼、韩琦、曾公亮等极力支持,在仁宗面前竭力进言。九月,癸酉(初五),下令翰林学士韩绛、知谏院陈旭及知杂御史吕景初在三司设局商议此事。

丙子(初八),任命屯田员外郎李师中为提点广南西路刑狱。李师中建议:"岭南自古不利于驻扎军队,请求招募民兵,选择壮士,家中有丁壮四到五人的便征发一人。总数为五番,在州中训练,不足五百人则设四番。修理器械,农闲时加以训练,免去其它徭役。上番为兵时则供给粮食免去杂税,队长免去二丁之税。"于是沿路征得四万余人。又请求允许盐商贩运,以便利百姓,恢复邕州的和市场以充实边境,这些措施多被实施。

桂州兴安县有灵渠,北通长江、洞庭湖,南入大海,自从秦、汉时便有舟船来往,都是石头渠底,浅而窄,在十八里内设置三十六处斗门,一艘船所载不过百斛,涨水时才可通行。李师中堆积柴薪烧碎石头,招募工匠凿开,废掉斗门二十六处,这项工程三十天完工,舟船得以通行。

辛巳(十三日),天平节度使、宣徽南院使张尧佐去世,赠太师。张尧佐立身谨慎,通晓吏治之道。晚年因为是皇亲而升迁,很快成为权贵,贪图皇宠,为世人所鄙。

冬季,十月,乙巳(初八),从内藏库调出细绢十万匹,下发河东转运司帮助收购军粮。

癸亥(二十六日),免除河北坊郭客户干食盐钱。

甲子(二十七日),任命提点江南东路刑狱王安石为度支判官。

王安石献上万言书,力陈当世紧要之务,其大意为:"今天下财力日益穷困,风俗也日益衰败,是不知法度的缘故。效法先王之政,只应当效法其本意而已。效法其本意,则我们改革变更不至于惊骇人们耳目,使人们议论纷纷,而本身便符合先王之政了。"又说:"当今天下人才未尝不是由君主培养而成。所谓培养而成,就是教育、供养、选拔、任用都有一定方式而已。现在的教育不但不能让人才成长,却让他们困苦、毁灭,使其不能成才。"又说:"用天下之力生天下之财,取天下之财供天下之费,自古以来的太平之世,从不因财力不足而成为国家的忧患,问题在于治财不得其道罢了。"又说:"在位的人才已经不足,而街巷乡村也很少有可用之才,不但先王之政不能推行,而且社稷的重任,边疆的守卫,陛下怎能以为上天会长久给您幸运,而无一旦之忧呢?臣望陛下以汉、唐、五代乱世为鉴,以晋武帝苟且因循造成祸患为戒,明确诏令大臣,考虑培养天下人才的办法,认真研究和制订规则,逐渐推行,以期适应当今形势而又不负先王之意,则国家人才就多不胜用了。"又说:"臣所提出的为人所不讲,而今讨论政事的人又认为迂腐陈旧,唯望陛下留心审察!"

十一月,癸酉(初六),下令翰林学士韩绛、谏官陈旭、御史吕景初一同与三司详细制订减少冗费的方案。

当初,枢密副使张昇请求停止民间摊派杂税以及不急需的工程;各场库务的物品缺乏供应的,下令所在官府用钱收购。于是在三司设置省减司,从此费用多有裁减。

这一日,辽道宗举行再生礼以及柴册礼,设宴招待群臣于八方陂。

先前辽道宗打算举行大册礼,南枢密使萧革说:"举行大的礼仪准备所需物品,一定要选择宽广场地,没有比得上黄川的。"三司使刘六符说:"不对。礼仪是国家的根本,帝王之乐不能在野外演奏。中京是国之中心,朝觐时各处都很方便,应该在中京举行。"辽道宗听从了刘六符的意见。

戊寅(十一日),在清风殿接受大册礼,大赦天下。吴王耶律仁先迁封为隋王,出任南京副元帅,这是因为耶律华进谗言的缘故。

壬午(十五日),辽道宗拜谒太祖以及诸先帝宫帐。丙戌(十九日),在木叶山建祠。禁止制造玉器。

己丑(二十二日),下诏在京都设置水监,罢去三司河渠司,任命御史知杂吕景初为判监,领河渠司事杨佐为同判,河渠司句当公事孙琳、王叔夏为知监丞事。

江南、荆湖两路上供的粮米,旧时转运使用本路的纲船运到真州、楚州、泗州的转般仓,然后载盐运回,船回本郡,士卒回家。而汴河的船则到转般仓把米运到京城,每年往返四次。河水冬天干涸,船卒也就回到军营,到春天再集合,称为"放冻";士卒得以轮流休息,逃亡的人很少,而汴船不经过长江,无风波沉没之患。后来发运使的权力更大,六路上贡粮米团纲运船,不再由本路办理,单独由发运使负责。文牒移送堆积,事务名目繁多,有的不能检察,则官吏可以在中间作弊,管船的人贿赂官吏,便可到富裕地区,贱买贵卖,以抵京师。从此长江、汴水的船混杂无法辨认,挽舟士卒有的终生不得回家,年老病死河道,簿籍名册多有空名,漕运大为破坏。皇祐年间,发运使许元上奏:"近年来各路因循旧制,粮食纲运方法破坏,于是下令汴河的运粮船冬天到长江为其他路转运,士卒不能休息。应该敕令各路增船运米,运到转般仓,像先前一样计算年终收支。"这时讨论财政的人大多认为许元的话是正确的,下诏按许元奏章办理。碰巧许元离任,没有施行。不久各路的纲船不能调集,庚寅(二十三日),又下诏痛责有关部门,下令江南、淮南、两浙各路转运司一年之内,各自造船增补士卒负责本路纲运,从嘉祐五年起,汴河纲船不再进入长江。

辽三司使刘六符去世。刘六符胸有大志,有节操,善于写文章,辽人敬重他。

十二月,乙巳(初九),下诏三司:"每年上报全国年赋收入,从现在起三年统计一次亏盈上报。"

辽国解除对士人、百姓养鹰的禁令。

辛亥(十五日),南院枢密使楚王萧革复职为北院枢密使。

翰林学士韩绛说："中书门下，职责为宰相，而用其他的官员负责省中事务，名不相符，应该改变这一制度，按照《周礼》《唐六典》制订条例。"诏令翰林学士胡宿、知制诰刘敞详细制订后上报。刘敞等列好条例，改正增减，申明十件事；后未施行。

辛酉(二十五日)，下诏："年龄七十岁任官违法，或者因为居官不称职被下属监督如同贬黜而没有退休者，不再对其子孙施加恩典。"

闰月，丁卯朔(初一)，下诏："曾经担任中书、枢密院诸司官吏以及技术官职的，不得担任提点刑狱及知州、知军，出身军职担任正职的，才可以担任边境要地的知州、知军。"

己巳(初三)，辽国赐予皇太叔耶律重元金券。正碰上皇子耶律浚出生，耶律重元的妻子入贺，以妖艳自矜，皇后素端重，看见后不高兴，劝诫她说："身为高贵人家妇人，何必如此！"耶律重元妻子圆家后，骂耶律重元说："你是圣宗的儿子，便使别人象哈屯一样对我！你如果有志气，你应当鞭笞这个贱女人。"耶律重元的儿子尼噜古素有异志，所以妇人故出此言。

先前朝廷上议论因为科举次数太多，使成绩优异的人倍增，对这些人的擢升、任用和恩典，应比过去减少，下令中书门下裁减。丁丑(十一日)，诏令："从现在科举第一等及进士第一名，授予大理评事，签署两使幕职官事，代还后，升任通判，任满后，在馆职试用；科举第四等与进士第二、第三名，授予两使幕职官，代还后，改任次等京官；科举入第五等与进士第四、第五名，授予试衔知县，代还后，升两使幕职官。应锁厅试的人与此相同。"从此，骤然升官的人便少了，而所得到的人才及其影响，比起过去也差多了。

己卯(十三日)，下诏："明年正月初一日食，从丁亥日(二十一日)避开正殿，减少日常膳食。"知制刘敞进言："三代的礼典中，无避开日食之事。先王制订礼法，过之犹不及。制订法令，提前或推迟都贵在正合时宜。汉代和唐代穿朴素的衣服，停止军事活动，拒绝朝会，停止处理政事以及求得直言，大都符合朔日的时辰，未有提前十天的。过于忧虑天兆，早就被《春秋》所讥讽。请详细查阅旧典，折中运用旧礼。"

己丑(二十三日)，下诏命令中书五房编写总例，这是采纳韩琦的建议。

这年，应天府误判平民死罪，还未最后判决，通判孙世宗予以分辨；误判官吏应被治罪，知府刘沆放纵不加法办。提点刑狱韩宗彦前往审查，刘沆又加以阻止；韩宗彦上书朝廷，最终治了官吏的罪。韩宗彦是韩纲的儿子。

嘉祐四年　辽清宁五年(公元1059年)

春季，正月，丙申朔(初一)，出现日食。派遣官员祭祀社神，仁宗避开正殿，未上朝。

知制诰刘敞进言："臣上次说提前避开正殿不合古代礼法，未蒙审察。现今又听说派官员祭祀社神，依据经典，也未有这种礼仪。社神是上公之神，群阴之长，所以说出现日食则在社祠举行击鼓仪式，来责备上公，吓退群阴。如今反而祭祀拜谒，这是降低天子的身份，屈从诸侯的礼法，抑阳扶阴，降贬尊贵，这不符合上天劝诫、尊重朝廷的意愿。"右正言吴及进言："日食，是阴阳的劝诫，但在于人事的失误。陛下临朝对一些事情常沉默容忍，致使奸邪不能彻底清除，左右亲幸之人，骄横放纵，不加以节制，将帅也不得其人，为外国所轻，这是重大失误。"于是说孙沔在并州，苛暴不法，吃喝无度；庞籍以前在并州，轻易行动，缺少谋略，轻易兴修堡寨。屈野之败，国人痛耻。孙沔最终因罪罢免。

丁酉(初二),群臣上表请求仁宗上朝,恢复正常膳食,请示三次,才同意。

从去年起雨雪不止,因饥寒死于道路的百姓很多,下诏派官员到京城各地赈恤。开封府知府欧阳修请求罢去上元节的放灯活动,听从了这一建议。壬寅(初七),赐给京师诸军班特支钱,赈恤中兼顾了各军。

三司使张方平献上所编《驿券则例》三卷,赐名为《嘉祐驿令》。

甲辰(初九),任命翰林学士胡宿代理知贡举。

太子中允、天章阁侍讲、管句太学胡瑗,因病不能上朝,戊申(十三日),授予太常博士,退休,回到海陵。众学生与朝中士人在东门外为他设宴饯行,时人以之为荣。及去世,下诏赐予他家治丧物品。集贤校理钱公辅,率太学诸生百余人到佛堂灵位前哀哭,还自称老师去世,请假二天。

开始命令韩绛、陈旭、吕景初到三司设置官府商议解除茶禁。三司进言:"应该约定以至和后一年的数量为标准,将所得息钱平均茶民的赋税,任其买卖,所在官府收取算赋。请派官员咨询查察利弊上报。"诏派司封员外郎王靖等人分别六路巡查,回来后都说三司的办法很便利。二月,己巳(初四),下诏解除茶禁。当初,所派遣官员已议论解除禁令,因而以三司每年赋税的数额平均茶户的赋税,共得缗钱六十八万余,使每年交给国家的利润,比输送茶叶时多了几倍。朝廷责问下来,要求减少一半。每年输入缗钱三十三万八千余,称为"租钱",与各路本钱一起储存作为边境地区收购军粮的费用。从此只有腊茶禁止如旧,其余茶叶贸易全国通行。

乙亥(初十),下诏三司:"把全国的广惠仓交司农寺管理,每州选幕职、曹官各一人专门负责此事。每年十月,另派遣官员检察,老弱病残不能自己养活自己的,登记其姓名,从第二月一日发给米一升,年幼的半升,每三日发给一次,到第二年二月停止;如有剩余,即按县的大小平均发给。"

丁丑(十二日),设置馆阁编定书籍官,任命秘阁校理蔡抗、陈襄、集贤校理苏颂、馆阁校勘陈绎分别把昭文、史馆、集贤院、秘阁书编写、审定。蔡抗是蔡挺的哥哥;苏颂是苏绅的儿子;陈绎是开封人。

当初,秘阁校理吴及进言:"近年来任命内臣负责馆阁书库,所借出书籍已丢失很多。此外,简策脱落后书吏补写不准确,这不能体现国家崇尚儒学之意。请求选用馆职二三人,分派馆阁的官吏编写书籍,对于私自借出者,一并以法治罪,仍请访求遗失书籍。"于是命蔡抗等人不再兼管其他局,二年一换,另用黄纸印写原本,以防蠹虫蛀坏。

庚寅(二十五日),下诏礼部贡院:"进士曾经参加过五次御试、诸科举人参加过六次御试、进士参加过六次省试、诸科举人参加过七次省试,年龄在五十岁以上的,将名字上报。"癸巳(二十八日),仁宗亲至崇政殿,亲自考试礼部上报的进士和明经、诸科及特奏名进士、诸科。

交趾入侵钦州。

三月,戊戌(初四),命令翰林学士韩绛、权知开封府陈旭、天章阁待制唐介与三司一起商议减免百姓杂税摊派上报。

己亥(初五),任命三司使张方平为端明殿学士、陈州知州。先前京城富民刘保衡开酒场,欠官府酒曲钱一百余万,三司派官吏督还,刘保衡变卖家产偿还。张方平于是买其房舍,刘保衡将钱偿还官府,没有拿回家里。碰巧刘保衡的姑姑控告刘保衡不是刘氏子弟,败坏刘家产业,下到官府审问,以实情详对。御史中丞包拯于是弹劾张方平趁机贱买所监临富民房屋,不可居重位。因而命他出守,不久改为应天府知府。任命端明殿学士宋祁为三司使。

丁未(十三日),赐予进士铅山人刘辉等一百三十一人及第,三十二人为同出身;诸科一百七十六人为及第、同出身;特奏名进士、诸科六十五人同出身及各州文学长史;按皇祐三年闰十二月诏书授官。

己未(二十五日),任命三司使宋祁为端明殿学士、郑州知州,权御史中丞包拯为枢密直学士、代理三司使。

先前右司谏吴及进言宋祁在定州不治政务,放纵家人贷公使钱数千缗,以及在蜀地挥霍过度;包拯也进言宋祁在益都过多地设宴,而且他的兄长宋庠正担任执政大臣,不可以任职三司,议论不休。宋庠于是请求改宋祁为外官,因此下令宋祁出守而包拯代居其位。翰林学士欧阳修进言:"近来授职包拯三司使,下诏令这天,人们议论纷纷,认为朝廷贪用包拯之才而不惜包拯名节。然而还是希望包拯能坚决辞让以避嫌疑,但几日之内,包拯已接受了诏命,实在可惜!包拯天性刚直,但素少学问,朝廷事务有时考虑不周。甚至赶走别人代居其位,嫌疑之心,常人皆知,难道包拯没有想到吗?包拯在御史台任职时,曾经指责前三司使张方平的过失,张方平因此罢官,用宋祁代替他。又听说包拯弹劾宋祁过失,宋祁也因此罢官,包拯于是代其职。这就像蹊田夺牛,岂能说没有过失?他应该整顿头冠,穿上靴子,以避他人嫌疑。"上书后,包拯回家回避任命,不同意;过了很久,才就职。

当初,王禹偁上奏:"天下僧尼,日益增加,不可一时裁去,应诏令天下州军,凡僧人百人中每年只带弟子一人,久而久之其数会自减。"诏令采纳这一建议。至和初年,陈执中担任执政,在乾元节,允许僧人五十人收弟子一人;不久议论的人认为不可,恢复旧制。贾昌朝在北京,上奏:"京师僧寺大多招纳亡命懒散之民为弟子,请求取得乡里保证,方允许收纳。"下诏听从,京师僧尼大为不便。这时内廷下旨,又令五十僧收一弟子,而且京师僧寺弟子不再需取得乡里保证,僧尼们大喜,争相设道场报答皇恩。

有送上密奏的人评论说:"河北义勇,有战事时则集于阵前,无战事时则散归乡里,按时训练,不依赖军粮给养,这符合古时寓兵于农之意;可惜他们只限于各郡,只用于城池的守备。如果能在邢、冀二州分东西二路,命令二郡长官分别统领,敌人入侵时,就命两路义勇紧急赴援,从旁掩击,使其腹背受敌,则河北有二十余处常设伏兵了。"将这一建议下达河北路统帅军队的大臣讨论。

当时大名府李昭亮、定州庞籍、真定府钱明逸、高阳关王贽等上报意见说:"唐泽潞留后李抱真登记户口丁男,三人中选拔一人,农闲时分批射箭比赛,年终时考试,以示奖罚,三年后,都长于射箭,所辖地区共得精兵二万。既不需储粮费用,府库更加充实,于是修治衣甲兵器等战具,称雄山东。当时天下称昭义步兵在各军中名列第一,这是近代以来的明显收效。有的人说民兵只可用来守城,难以用于战阵,这当然是不正确的。但是在无战事时,便分设两路,派官统领,以假装用兵之势,外使敌人疑虑而设谋,对内也会动摇民心,这不是很好的办法。暂令其在所在地集训,二三年后武艺稍精,渐习行阵,一旦遇到军情,用将帅如李抱真者统帅,编制好阵形,以示赏罚,怎么不能作战呢!至于指挥调动,据敌情随机应变,完全在于临时制宜,也难于在事前制订计划。何况河北本是靠近胡人边境之地,自己设置义勇,州县按时检阅,敌人早已熟悉,行动不受到怀疑。"下诏按这一意见办理,每年检阅,将新旧的籍册及缺员人数上报。

这年春季,辽道宗抵达春州。

续资治通鉴卷第五十八

【原文】

宋纪五十八　起屠维大渊献【己亥】四月，尽上章困敦【庚子】五月，凡一年有奇。

仁宗体天法道极功全德　神文圣武睿哲明孝皇帝

嘉祐四年　辽清宁五年【己亥，1059】　夏，四月，戊辰，诏："诸路提点刑狱朝臣、使臣，并带兼提举河渠公事。"从判都水监吴中复请也。

壬申，端明殿学士、户部侍郎李淑卒，赠尚书右丞。淑详练朝廷典故，凡有沿革，帝必咨访。然喜倾波，故屡为言者所斥，讫不得志，抑郁以死。

初，著作佐郎何鬲，以皇嗣未立，疏请访唐、周苗裔，备二王后。礼院议："唐世数已远；周室子孙，宜授官爵，专奉庙享。"癸酉，诏有司取柴氏谱系，推最长一人奉周祀。于是封周世宗后柴咏为崇义公，与河南府、郑州合入差遣，给公田十顷，专管句陵庙。

丙子，以天章阁待制何郯同知通进银台司兼门下封驳事。时封驳职久废，郯上言："本朝设此司，实代给事中之职；乞准王曾、王嗣宗故事，凡有诏敕，并由银台司。"从之。

癸未，司徒致仕陈执中卒。帝幸其第临奠，赠太师兼侍中。礼官韩维议其谥曰："皇祐之末，天子以后宫之丧，问所以葬祭之礼，执中为上相，不能考正仪典，如治丧皇仪，非嫔御之礼；追册位号，与宫闱有嫌；建庙用乐，逾祖宗旧制。闺门之内，礼分不明。谨案《谥法》：'宠禄光大曰荣。不勤成名曰灵。'请谥曰荣灵。"判太常寺孙抃等请谥恭，判尚书考功杨南仲覆议，请谥恭襄。诏谥曰恭。维累疏论列，以为"责难于君谓之恭，臣之议执中，正以其不恭。"因乞罢礼官，不报。既而帝又为执中篆其墓碑曰"褒忠"。

己丑，后宫董氏生皇第九女，旋晋董氏为贵人。

壬辰，御崇政殿，录系囚，杂犯死罪以下递降一等，徒以下释之。知制诰刘敞言："疏决在京系囚，虽恩出一时，然在外群情，皆云圣意以皇女生，故施庆泽，恐非令典。去年闰月，已曾减降，尚未半年，复行此恩。传称民之多幸，则于国不幸，一岁再赦，好人喑哑，前世论之详矣。虽成事不说，臣愿朝廷戒之。又闻多作金银、犀象、玉石、琥珀、玟瑰、檀香等钱及铸金银为花果，赐予臣下，自宰相、台谏，皆受此赐。无益之费，无名之赏，无甚于此，非所以轨物训俭也。望陛下深执恭俭以答天贶，不宜行姑息之恩，出浮沈之费，以堕俭德。"

五月，戊戌，诏曰："君臣同德，而过设禁防，非朕意也。旧制，臣僚不许诣执政，尝所荐举不得为御史，其悉除之。"始用包拯议也。

庚子,诏:"入内内侍省内臣员多,权罢进养子入内。"用吴及议也。

度支判官、祠部员外郎王安石累除馆职,并辞不受,中书门下具以闻。〔壬子〕,诏令直集贤院。安石上章辞,至八九,犹累辞,乃拜。

(壬子)遣官经界河北牧地,馀募民种艺。

枢密使、礼部侍郎田况,暴中风痦,十上章求去,丙辰,罢为尚书右丞、观文殿学士、翰林侍读学士、提举景灵宫。

戊午,后宫周氏生皇第十女。初,董氏及周氏有娠,内外皆冀生皇子,内侍省多具金帛器皿杂物备赐予,又修潜龙宫。潜龙宫者,真宗为府尹时廨舍也。皆生皇女,其赐予之数,犹数倍于充国公主出降时。

六月,甲子,辽主如纳葛泺。

自温成之殁,后宫得幸者凡十人,谓之十阁,周氏、董氏、温成之妹皆与焉。周、董以生皇女进秩,诸阁皆求迁改,诏中书出敕诰;中书以其无名,覆奏罢之。求者不已,乃皆以手诏授焉。温成之妹独固辞不受。同知谏院范师道上疏曰:"礼以制情,义以夺爱,常人之所难,惟明哲之主然后能之。窃闻诸阁女御以周、董育公主,御宝白劄并为才人,不自中书出诰,而掖廷觊觎迁拜者甚多。周、董之迁可矣,女御何名而迁乎?夫宠幸太过,则渎慢之心生,恩泽不节,则无厌之怨起,御之不可不以其道也。且用度太烦,须索太广,一才人之俸,月直中户百家之赋,岁时赐予不在焉。况诰命之出,不自有司,岂盛时之事邪?恐斜封墨敕,复见于今日矣!"

戊辰,光禄卿、直秘阁、同判宗正寺赵良规言:"国家乘百年之运,崇七世之灵,追孝不为不严,奉先不为不至,然而祭祀之秩举,间以公卿而摄行,虽神主有合食之名,而太祖虚东向之位。伏请讲求定仪,为一代不刊之典。"下太常礼院议,又诏待制以上及台谏官同议。礼部尚书王举正等议曰:"大袷之祭,所以合昭穆,辨尊卑,必以受命之祖居东向之位。本朝太祖实为受命之君,然僖祖以降,四庙在上,故每遇大袷,止列昭穆而虚东向。魏、晋以来,亦用此礼。今亲享之盛,谓宜如旧为便。"从之。

己巳,宰臣富弼等请加尊号曰"大仁至治",诏不许。

故事,每三岁,躬行大礼毕,辄受尊号,自康定以来罢之,至是执政复举故事以请。知谏院范师道言:"比灾异数出而崇尚虚文,非所以答天戒。"知制诰刘敞言:"尊号非古也,陛下不受徽号已二十年,奈何一旦增虚名而损实德!"帝曰:"朕意亦谓当如此。"弼等表五上,卒不许。

以太子中允王陶、大理评事赵彦若、国子博士傅卞、於潜县令孙洙并为馆阁编校书籍官。馆阁编校书籍自此始。

丁丑,诏:"诸路转运司使,凡邻路邻州灾伤而辄闭籴者,以违制坐之。"从谏官吴及言也。

戊寅,月食几尽。己卯,放宫人二百一十四人。

己丑,辽以南院枢密使萧阿苏为北府宰相,以枢密副使耶律伊逊为南院枢密使,以特里衮札拉为辽兴军节度使,以鲁王色嘉努为武定军节度使,以东京留守吴王特布为西京留守。

秋,七月,丙申,以太子中允王陶为监察御史里行。初,诏中丞韩绛举御史,而限以资任,屡举不应格。于是绛请举里行,以陶为之,诏可。陶辞不受,诏强之,乃就职。

丁酉，辽以乌库德哷勒详衮玛噜为左伊勒希巴。

甲辰，贬观文殿学士、礼部侍郎、知寿州孙沔为检校工部尚书、宁国节度副使。初，台谏交论沔淫纵不法事，令使者案之得实，故贬。

丙午，出后宫彭城县君刘氏于洞真宫，为法正虚妙大师，赐名道一。后又坐罪削发为妙法院尼。初，刘氏在掖廷，通请谒为奸，御史中丞韩绛密以闻，帝曰："非卿言，朕不知此。"后数日，有是命。刘氏及黄氏，在十阁中尤骄恣，于是并黄氏皆出之。

丁未，放宫女二百三十六人。

甲寅，以校书郎致仕孔旼为国子监直讲，扬州进士孙侔为试校书郎、本州州学教授，皆以近臣荐其行义也。两人卒辞不受。

有御营卒桑达等数十人，酗酒斗呼，指斥乘舆，有司不之觉。皇城使以旨捕送开封府推鞫，案成，弃达市。

纠察刑狱刘敞，移府问所以不经审讯之由，府报曰："近例，凡圣旨、中书门下、枢密院所鞫狱，皆不虑问。"敞曰："此岂可行邪！"遂奏请自今一准定格。枢密使以开封府有例，不复论可否进呈报，敞争之曰："先帝仁圣钦恤，以京师刑狱最繁，故置纠察一司，澄审真伪。今乃曲徇圣旨，中书门下、枢密院所鞫公事，不复审察，未见所以尊朝廷，审刑罚，而适足启府县弛慢，狱吏侵侮，罪人衔冤不得告诉之弊。又，旧法不许用例破条，今于刑狱至重，而废条用例，此臣所不谕也。"帝乃以敞章下开封，令著为令。

帝始欲于景灵宫建郭皇后影殿，礼官言其不可，遂寝之。既而翰林侍讲学士杨安国请建影殿于洪福院，礼官言："影殿非古，若谓郭皇后本无大过，今既牵复位号，则宜赐谥册，祔于后庙，以正典礼。"

八月，甲戌，知制诰刘敞言："伏闻礼官倡议，欲祔郭氏于庙，臣窃惑之。昔《春秋》之义：'夫人不薨于寝，不赴于同，不反哭于庙，则不言夫人，不称小君。'徒以礼不足，故名号阙然。然则名与礼非同物也，名号存而礼不足，因不敢正其称，况敢正其仪者乎！郭后之废，虽云无大罪，然亦既废矣，及其追复也，许其号而不许其礼，且二十馀年，一旦欲以嫡后之仪致之于庙，然则郭后之殂也，为薨于寝乎，赴于同乎，反哭于庙乎，群臣百姓亦尝以母之义为之齐衰乎？恐其未安于《春秋》也。《春秋》，夫人于彼三者一不备则不正，其称郭氏，于三者无一焉，而欲正其礼，恐未安于义也。'禘于太庙，用致夫人，'盖谓致者，不宜致也，不宜致者，以其不薨于寝，不祔于姑也。古者不二嫡，则万世之后，宗庙之礼，岂臣子所当擅轻重哉！谨案景祐诏书，本不许郭氏祔庙，义已决矣，无为复纷纭以乱大礼。议者或谓既复其号，不得不异其礼；譬犹大臣坐非辜而贬者，苟明其非辜，则复用之，岂得遂不使为大臣！夫臣之与妻，其义虽均，然逐臣可以复归，放妻不可复合，臣众而妻一也。故《春秋》公孙婴齐卒于狸脤，君曰：'吾固许之反为大夫。'此逐臣可以复归也。杞伯来逆叔姬之丧以归。夫无逆出妻之丧而为之者，此放妻不可复合也。今追祔郭氏，得无近于此乎？乞令诸儒博议，以求折衷于礼。"诏下学士院详定。

乙亥，御崇政殿，策试应才识兼茂明于体用科明州观察推官陈舜俞、贤良方正直言极谏旌德县尉钱藻、汪辅之。舜俞、藻所对策并入第四等，授舜俞著作佐郎、签署忠正军节度判官事，藻试校书郎、无为军判官。辅之亦入等，监察御史里行沈起言其无行，罢之。辅之躁忿，因以书诮让富弼曰:"公为宰相,但奉行台谏风旨而已。"弼不能答。舜俞,乌程人;藻,缪五世孙也。

庚辰,诏学士院趣上郭皇后祔庙议。先是礼官祥符张洞驳刘敞议曰:"郭氏正位中宫,无大过恶,陛下闵其偶失谦恭,旋复位号。位号既复,则谥册、祔庙,安得并停!况引《春秋》'禘于太庙,用致夫人'之例,据《左氏》,则哀姜之恶所不忍道,考《二传》之说,复有非嫡之辞。以此证本庙之事,恐非其当。若曰'不蠲于寝,不赴于同,不祔于姑',则郭后之殁不得其所,责当归于朝廷,死者何罪? 傥以杞伯来逆叔姬之丧质之,讥其既弃而复逆,则天子之后,万方兆姓之母,非有极恶,又可弃之乎? 既追复曰皇后,可绝其祭享乎? 议者欲用后汉、东晋故事,或祭于陵寝,或筑宫于外。稽考二史,皆称曰母后,况之于今,亦未见其合也。惟唐创立别庙,遇禘祫则奉以入享,于义为允。"敞复奏曰:"臣前奏最要切者,以为人君无二嫡,恐万世之后礼分不明也。洞既不以此为辩,若不幸朝廷过听之,是虽自以能讦上起废为功,而犹且阴逼母后,妄渎礼典,臣以为非臣子之义。乞并下臣章,令两制详议。"洞复疏难敞说。其后学士院卒不上议。

癸未,赐殿中丞致仕龙昌期五品服,绢百匹。昌期,陵州人,上所著书百馀卷,诏下两制看详,两制言:"昌期诡诞穿凿,指周公为大奸,不可以训。乞令益州毁弃所刻版本。"昌期年几九十,诣阙自辩。文彦博少从昌期学,因力荐之,故有是赐。翰林学士欧阳修、知制诰刘敞等劾昌期异端害道,当伏少正卯之诛,不宜推奖。同知通进银台司兼门下封驳事何郯亦封还诏书,乃追夺昌期所赐,遣归。

先是礼官张洞、韩维言:"国朝每遇禘祫,奉别庙四后之主,合食太庙。据《唐·郊祀志》载禘祫祝文,自献祖至肃宗凡十一帝,所配皆一后,其间惟睿宗二后,盖昭成,明皇之母也。《续曲台礼》有别庙皇后合食之文,盖未有本室,遇祫享即祔于祖姑之下,所以大顺中以三太后配列禘祭。博士商盈孙以误认《曲台礼》意,当时不能改正,议者讥其非礼。臣等伏思每室既有定配,则馀后于礼不当升祔,遂从别庙之祭,而禘祫之日复来参列,与《郊祀志》《曲台礼》相戾。今亲行盛礼,义当革正。其皇后庙,伏请依奉慈庙例遣官致祭。"诏待制以上议。

翰林学士承旨孙抃、学士胡宿、侍读学士李昭述、侍讲学士向传式、知制诰刘敞、王畴、天章阁待制何郯等议曰:"《春秋传》曰:'大祫者何? 合祭也。'未毁庙之主,皆升合食于太祖。是以国朝事宗庙百有馀年,至祫之日,别庙后主皆升合食,遵用以为典制,非无据也。大中祥符五年,已曾定议,于时礼官著酌中之论,而先帝有恭依之诏。且行之已久,祝嘏宗史既守以为常,一旦轻议损益,恐神灵不安,亦未必当先帝意也。宗庙之礼,至尊至重,苟未能尽祖宗之意,则莫若守其旧礼。臣等以谓如其故便。"翰林学士欧阳修、吴奎、枢密直学士陈旭、包拯、权御史中丞韩绛、知制诰范镇、天章阁待制钱象先、唐介、卢士宗议曰:"古者宗庙之制,皆一帝一后,后世有以子贵者,始著并祔之文,其不当祔者,则又有别庙之祭。本庙禘祫,乃以别庙之后列于配后之下,非惟于古无文,于今为不可者,又有四焉:淑德皇后,太宗之元配也,列于元德之下,章怀皇后,真宗之元配也,列于章懿之下,其位序先后不伦,一也。升祔之后,统以帝乐,别庙诸后,则以本室乐章自随,二也。升祔之后,同牢而祭,牲器祝册亦统于帝,别庙诸后乃从专享,三也。升祔之后,联席而坐,别庙诸后,位乃相绝,四也。章献、章懿在奉慈庙,每遇禘祫,本庙致享,最为得礼。若四后各祭于其庙,则其尊自申而于礼无失。议者以为

1213

行之已久，重于改作，则是失礼之举无复是正也。臣等请从礼官议。"久之，不能决。

刘敞又独上奏言："群臣不务推原《春秋》之法，而独引后儒疑似之说，欲摈隔四后，使永不得合食，臣窃恨之。夫宗庙之礼，神灵之位，岂可使数有后悔哉！"

丁亥，诏："孝惠、孝章、淑德、章怀皇后祔享且依旧，须大礼毕别加讨论。"

自郭谘均税之法罢，论者谓朝廷徒恤一时之劳而失经远之虑。至皇祐，中天下垦田视景德增四十一万七千馀顷，而岁入九谷乃减七十一万八千馀石，盖田赋不均，其弊如此。其后田京知沧州均无棣田，蔡挺知博州均聊城、高唐田，岁增赋谷帛之类，而沧州之民不以为便，诏谕如旧。是日，复遣职方员外郎孙琳、都官员外郎林之纯、屯田员外郎席汝言、虞部员外郎李凤、秘书丞高本分往诸路均田。本独以为田税之制，其废已久，不可复均，才均数郡田而止。

九月，甲午，以权发遣度支判官、太常博士澶渊张田知蕲州。田初为广信军通判，夏竦与杨怀敏建议增广信等七州军塘水，诏田聚议，田独曰："塘水不足以御边，而坏民良田，浸人冢墓，非便。"奏疏极言之，坐徙通判均州，又责监郓州税；久之，复通判冀州。中官张宗礼迎辽使过郡，使酒自恣，郡将畏惮不敢发，田发之。诏置狱，配宗礼西京洒扫班。三司使包拯荐田摄其属，执政难之。田乃贻富弼书，数其过失五事曰："公负天下重望数十年，今为元宰，而举措如此，甚可惜也。"拯由是得请。田因建议："郊赉非古也，军赏或不可遽废，愿自执政以下小损之。"章五上。谏官唐介劾田"内挟奸心，外夸敢言，阴附宗室宦官，不敢裁减，而刻剥其馀，使国家亏恩伤体，乞加贬黜！"故有是命。

丙午，诏："带閤门祗候使臣、内殿崇班以上，太子率府率及正刺史以上，遭父母丧及嫡子孙承重者，并听解官行服；其元系军班出职及见管军若路分部署、钤辖、都监、极边知州、军、县、城、寨主、都监、同巡检，并给假百日，追起之；供奉官以下仍旧制；愿行服者听。宗室解官给全俸。"先是判三班院韩缜言："今武臣遭父母丧不解官行服，非通制。"下台谏官详定，而具为令。

戊申，提点广南西路刑狱李师中言："知邕州萧注欲伐交趾，知宜州张师正欲取安化军，恐远人闻之不自安，请戒注等毋得生事。"从之。注在邕州久，阴以利啖广源诸蛮，密缮兵甲，乃奏曰："交趾外奉朝供，中包祸心，臣今尽得其腹心，周知要害之地，此时不取，它日为患不细，愿得驰至阙下，面陈方略。"论者以注为国生事，不省。

甲寅，以户部郎中张瑰同判太常寺兼礼仪使事。瑰再上疏乞毁温成庙，皆不报。

史馆修撰欧阳修言："史书宜藏之有司。往时李淑以本朝正史进入禁中而焚其草，今史院但守空司而已。乞诏龙图阁别写一本下编修院，备检阅故事。"从之。

丙辰，降礼部郎中、分司南京吕溱为兵部员外郎，以前责尚轻也。初，陕西用兵，朝廷多假借边帅，及孙沔与溱相继得罪，自是守帅之权益微。

诏："享景灵宫、太庙习仪，自今并于尚书省。"

先是集贤校理邵必言："《周官》小宗伯之职，凡王之会同、甸役、祷祠，肄仪为位。郑氏《注》云：'若今时肄仪司徒府。'今习宫庙仪而启室登殿，拜则小抱，奠则虚爵，乐举祝敬，舞备行缀，慢亵神灵，莫斯为甚。宜移尚书省，以比汉司徒府。"从之。

1214

冬，十月，壬戌朔，辽主如南京，祭兴宗于嘉宁殿。

甲子，百官赴尚书省习仪。尚书省门庭迫狭，仆马壅塞，自宰相亲王以下，至日昳不能出。

壬申，朝享景灵宫。癸酉，大祫于太庙，大赦。以益州为成都府，并州为太原府。始，中书进拟赦书条目极多，专务惠泽及民，既宣赦毕，咸称前后赦恩未尝如此也。

韩琦之在太原也，乞复并州为节镇。翰林学士胡宿以为："商为宋星，参为晋星，国家受命始于商丘，又京师当宋分野，而并为晋地；参商，仇雠之星；今欲崇晋，非国之利也。自宋兴，并最后服，太宗削之，不使列于镇几八十年，宜如旧制。"帝是宿议。及琦秉政，因祫享赦书，卒复之，宿又以为言，不报。

戊寅，文武百官并以祫享赦书加恩。始，百官致斋朝堂，翰林侍读学士、尚书左丞李昭述，暴得疾，舆归，遣医诊视，存问甚厚。（是日）〔甲申〕卒，赠礼部尚书，谥恪。方李氏居城北崇庆里，凡七世不异爨，士大夫多推之。至昭述，稍封殖，与从子不相中，家法颇衰。

十一月，乙未，命天章阁待制兼侍（读）〔讲〕钱象先、卢士宗、右司谏吴及定夺该恩叙雪人。自后每降赦，即命官定夺，事盖始此。

己亥，以河南处士邵雍为将作监主簿；本府以遗逸荐，故有是命。后再命为颍州团练推官，皆辞疾不起。

庚子，汝南郡王允让薨。王性至孝，母楚国太夫人感寒疾，方盛暑犹处密室，欲凿牖为明，恐匠氏弗谨，以斤斫惊夫人，因自撤牖，始庀工。及丧，过自哀毁。帝亲临奠，赙白金三千两，王伏泣曰："亲丧受重赐，是子终不能以己力办丧而负诚孝也。"固辞。葬日，徒跣攀柩行十馀里。帝闻，亟诏就乘，再三，始奉诏。王始病，帝忧见于色，敕医诊疗，日问疾增损。既临奠，诏特屏桃茢祓涤，以示亲厚，赙恤加等，罢朝五日，赠太尉、中书令，追封濮王，谥安懿。王天资浑厚，内仁而外庄，虽左右未尝见喜愠之色，为大宗正二十年，宗族怀其恩而畏其严重。

是月，赐果州草泽何群号安逸处士，益州草泽章詧号冲退处士，以转运使言其有行义也。群，西充人，尝游太学，石介语诸生曰："群日思为仁义而已，不知饥寒之切己也。"尝上书请复乡里举选而罢诗赋，两制诎其议，遂归，不复举进士。詧，双流人，长于《易》《太玄》，尝以荐授本州教授，辞不拜。

辽禁民私猎。

十二月，壬戌朔，辽以北院林牙玛陆为右伊勒希巴。参知政事吴湛以弟洵冒入仕籍，削籍为民。

初，右谏议大夫周湛知襄州。襄人不用陶瓦，率为竹屋，岁久，侵据官道，檐庑相逼，故火数为害。湛至，度其所侵，悉毁撤之，自是无火患。然豪姓不便，提点刑狱李穆奏湛所毁撤民屋，老幼失业，乞特行责降，或令致仕。诏转运司察实。甲子，徙湛知相州。右司谏吴及言湛不宜被责，穆听谗言为权豪报怨。明年，六月，湛卒于相州。

己卯，观文殿学士兼翰林侍读学士王举正为太子少傅，致仕。

宰相富弼，自祫享礼成，以母老累章求退，帝不许，仍断来章。弼又上札子，一留中，一封还。又称疾卧家，帝遣中使召出之，乃复视事。

知制诰刘敞言："伏见故事，诸让官者，或一让，或再让，或三让，皆有品秩。顷来士大夫每有除命，不问高下，例辄累让，虽有出于至诚，恬于势利者，然亦已逾典制。若习俗逐巧，流

1215

风稍敝,必且挟伪采名,要上迷众,更以此为进取之捷径,奔竞之秘策,甚可恶也。臣言似迂而虑实远,望赐裁察!"时士大夫稍矜虚名,每得官辄让,或四五让以至七八,天子常优容之。下至布衣陈烈等,初除官亦让,赐之粟帛亦让,故敞有此疏。

是岁,辽放进士梁援等一百一十五人。

五年 辽清宁六年【庚子,1060】 春,正月,辛卯朔,白虹贯日。

己亥,录刘继元后。

乙卯,省御书院并翰林图画待诏以下额外所增员。

是月,凿二股河。自李仲昌贬,河事久无议者。河北都转运使韩贽言:"四界首,古大河所经,宜浚二股渠,分河流入金赤河,可以纾决溢之患。"朝廷如其策,役三千人,几月而成。未几,又并五股河浚之。

有大星坠西南,光烛地,有声如雷,占者曰天狗。同知谏院范师道言:"天狗所下为破军杀将,宜择将帅,训练士卒。"诏天下预为备御。

二月,壬戌,录系囚。

丙寅,礼部贡院请增江、浙、福建、川、广诸州军解额凡一百三十五人,从之。

戊辰,以太常丞、监察御史里行王陶为右正言,谏院供职。

帝自服丹药,寡于言语,群臣奏事,颔之而已。陶言:"王者之言,群臣皆禀受以施于天下者也。今政事无小大,皆决于中书、枢密,陛下一无所可否,岂为人主之道哉!"又言:"皇嗣未立,宜择宗子昭穆同者育之。"以同列志趣不合,数请监灵仙观,不许。

三月,壬辰,诏礼部贡举。

癸巳,观文殿大学士、刑部尚书刘沆卒,赠左仆射兼侍中。知制诰张瑰草词诋沆,其子馆阁校勘瑾诉于朝,帝为改命词臣。其家不敢请谥。帝又为作挽辞,且篆其墓碑曰"思贤"。沆性豪率,少仪矩;然任数,善刺取权近过失,阴持之,故虽以高科仕,其进用多由此。

乙未,岁星昼见。

戊戌,诏流内铨:"自今归明人年二十五以上听注官。"

丙午,诏:"广南东、西路摄官处,皆荒远炎瘴之地,而月俸不足以自给,其月增钱千五百。"

初,御史中丞韩绛言:"诸路灾伤,朝廷虽行赈恤,而监司亲民官未尽究心,致民之流徙者众。"壬子,下诏训敕。

甲寅,诏登州改配沙门寨罪人三十二人于诸州牢城。

自诏弛茶禁,论者复言不便,知制诰刘敞、翰林学士欧阳修颇论其事。敞疏云:"朝廷变更茶法,由东南来者更言不便。大要谓先时百姓之摘山者,受钱于官,而今也顾使之纳钱于官,受纳之间,利害百倍。先时百姓冒法贩茶者被罚耳,今悉均赋于民,赋不时入,刑亦及之,是良民代冒法者受罪,子子孙孙未见其已。先时大商富贾为国贸迁,而州郡收其税,今大商富贾不行,则税额不登,且乏国用。望朝廷因臣言,求便国惠民之策。"修疏云:"臣闻议者谓茶之新法既行,而民无私贩之罪,岁省刑人甚多,此一利也。然而为害者五焉;民旧纳茶税,今变租钱,一害也。小商所贩至少,大商绝不通行,二害也。茶税不登,顿亏国用,三害也。往时官茶容民入杂,故茶多而贱;今民自买卖,须用真茶,真茶不多,其价遂贵,四害也。河北和籴,实要见钱,不惟商旅得钱艰于移用,兼自京师岁岁辇钱于河北,理必不能,五害也。一利不足以补五害,乞除前令,许人献说,详定精当,庶不失祖宗旧制。"不听。

辽主如鸳鸯泺。

夏,四月,庚申,权同判尚书刑部李絪言:"刑部一岁中,杀父母、叔伯、兄弟之妻,杀夫、杀妻、杀妻之父母,凡百四十;劫盗九百七十。夫风俗之薄,无甚于骨肉相残;衣食之穷,莫急于盗贼。今犯法者众,岂刑罚不足以止奸,而教化未能导其为善欤?愿令刑部类天下所断大辟罪,岁上朝廷,以助观省。"从之。

己卯,命度支判官、祠部员外郎、直集贤院王安石同修起居注。安石以入馆才数月,馆中先进甚多,不当超处其右,固辞。

程戡与宋庠不合,数争议帝前,台谏以为言,帝不悦。殿中侍御史吕海复论戡结贵幸,癸未,乃罢戡为翰林学士承旨兼侍读学士,以礼部侍郎、知制诰孙抃为枢密副使。

甲申,降右司谏、秘阁校理吴及为工部员外郎、知庐州;太常博士、监察御史里行沈起落里行,通判越州。

初,谏官陈旭建议裁节班行补授之法,下两制台谏官集议。已定稿,及与起辄增注:"兴(军国)〔国军〕磁湖铁治仍旧与班行。"主磁湖铁冶者,大姓程淑良也。翰林学士胡宿等劾及等职在台谏,而为程氏经营,占锢恩泽,乞诏问其状。及等引伏,故并黜之。

丙戌,命权三司使包拯、右谏议大夫吕居简、户部副使吴中复同详定均税。

五月,戊子朔,京师民疫,选医给药。

辽监修国史耶律白请编辽主所制诗赋,命白为序。辽主好吟咏,其后知制诰耶律良又编御制诗文曰《清宁集》。辽主命良诗为《嘉会集》,亲制序赐之。

己丑,京师地震。

西上阁门使、英州刺史郭谘献所造拒马车。谘尝知潞州,言怀、保二郡旁山,可以植稻,定武、唐河抵瀛、莫间,可兴水田。又作鹿角车、陷马枪,请广独辕弩于它道。诏谘置弩。

谘又言:"顷因北使得观幽燕,方不及三百里,无十万人一年之费,若以术制之,使举不得利,居无以给,不逾数年,必弃幽州而遁。臣庆历初经画河北大水,果断敌疆,乃其术也。臣所创车弩,可以破坚甲,制奔冲,若多设之,助以大水,取幽蓟如探囊中物耳!"

会三司议均田租,召还,谘陈均括之法四十条。复上《平燕议》曰:"自瓦桥至古北口,地狭民少;自古北口至中京,属奚契丹;自中京至庆州,道旁才七百馀家。盖契丹疆土虽广,人马至少,傥或南牧,必率高丽、渤海、达达、黑水、女真、室韦等国会战,其来既远,其粮匮乏。臣闻以近待远,以佚待劳,以饱待饥,用兵之善计。又闻得敌自至者胜,先据便地者佚。以臣所见,请举庆历之策,合众河于塘泊北界以限戎马,然后以景德故事,顿兵自守。步卒二十万,骑卒三万,强壮三万,岁计粮饷百八十三万六千斛,及旁河郡邑可由水运以给保州应援。以拒马车三千,陷马枪千五百,独辕弩三万,分选五将,臣可以备其一,来则战,去则勿追。幽州粮储既少,属国兵不可久留,不半年间,当遁沙漠,则进兵断古北口、(砦)〔塞〕松亭关,传檄幽蓟,燕南自定。"帝壮其言,诏置独辕弩二万。寻命谘同提举在京诸司库务及拣内军器库兵仗,下南北作坊,以完军器。

贵人董氏生皇第十一女,庚寅,进位美人,固辞;乞赠父官一级,如其请。

1217

甲午,观文殿大学士、户部侍郎庞籍为太子太保,致仕。籍自定州召还,既入见,诣中书省求致仕,执政曰:"公康宁如是,上意方厚,奈何坚求欲去?"籍曰:"若待筋力不支,人主厌弃然后去,岂得为知足哉?"遂归卧于家。前后凡七上表,乃许之,仍诏籍出入如二府仪。

丁酉,诏三司置宽恤民力司。

己亥,以颍州进士常秩为试将作监主簿、本州州学教授,翰林学士胡宿等言其文行称于乡里故也。秩,临汝人,尝举进士不中,退居二十餘年,尤长于《春秋》,斥孙复所学为不近人情,著《讲解》数十篇。

己酉,以王安石为三司度支判官。

辽主驻纳葛泺。

乙卯,录系囚,降罪一等,徒以下释之。

【译文】

宋纪五十八　起己亥年(公元1059年)四月,止庚子年(公元1060年)五月,共一年余。

嘉祐四年　辽清宁五年(公元1059年)

夏季,四月,戊辰(初四),下诏:"各路的提点刑狱朝臣、使臣,都兼任提举河渠公事。"这是采纳判都水监吴中复的建议。

壬申(初八),端明殿学士、户部侍郎李淑去世,赠尚书右丞。李淑熟悉朝廷典章制度,凡是有关制度沿革之事,仁宗一定询问他。然而他喜欢倾轧别人,所以多次被言官攻击,终不得志,抑郁而死。

当初,著作佐郎何鬲,因为皇嗣未立,上书请求访寻唐代和后周的子孙,使二个朝代的宗嗣有后。礼院建议:"唐代已久,后周的子孙应授予官爵,让他们一心侍奉宗庙。"癸酉(初九),下令有关部门取来柴氏族谱,推举年纪最大的一人侍奉后周宗庙。于是封周世宗后代柴咏为崇义公,与河南府、郑州的长官一样有差遣、升迁的待遇,赏赐公田十顷,专门管理祖上陵庙。

丙子(十二日),任命天章阁待制何郯为同知通进银台司兼门下封驳事。当时封驳一职空缺了很久,何郯进言:"我朝设这一官职,实际上是代理给事中之职;请求依照王曾、王嗣宗旧例,凡诏书敕令都由银台司下发。"采纳了这一建议。

癸未(十九日),以司徒之职退休的陈执中去世。仁宗亲到他家祭奠,赠太师兼侍中。礼官韩维讨论他的谥号时说:"皇祐末年,皇帝因后宫的丧事,询问葬祭礼仪,陈执中为宰相首要负责人,不能正确采用适当礼仪,冒用皇帝的礼仪治丧而不是用嫔妃之礼;追封位号,与宫中的规矩不合;建庙用乐,违背祖宗旧制。闺门内,礼节和身份不明确。按照《谥法》:'宠幸和俸禄丰厚称为荣,不勤勉而成名称为灵。'请将他谥为荣灵。"判太常寺孙抃等请求谥为恭,判尚书考功杨南仲复议,请求谥为恭襄。下诏谥为恭。韩维多次上疏争论,认为"为君主排除忧难称为恭,臣认为陈执中恰好没有做到恭。"于是请求罢免礼官,没有答复。不久仁宗又在陈执中的墓碑上篆书"褒忠"。

己丑(二十五日),后宫董氏生下第九个皇女,不久董氏晋升为贵人。

壬辰(二十八日),仁宗亲临崇政殿,查看在押的囚犯,杂犯死罪以下的罪行递减一等,徒

"应运元宝"铜钱 北宋

刑以下释放。知制诰刘敞进言："判决清理在京囚犯，虽然一时恩典，但外面人们都议论说皇上因为生下皇女，所以对他们施加恩泽，恐怕不是出于法令典制的记载。去年闰月，曾已减免刑罚，现在不到半年，又加此恩典。《传》中说百姓多有幸事，则于国不幸，一年两次赦免，好人也会沉默不语，前人对此议论了很多。虽然对一些人有好处，人们也不会高兴，臣希望朝廷以此为戒。还听说宫中制作了很多金银、犀象、玉石、琥珀、玳瑁、檀香等钱以及用金银铸制花果，赐给臣下，自宰相、台谏等官员都受了这些赏赐。无益的费用，无名由的赏赐，还有更甚于此的吗？这不是遵循生活规范、宣扬节俭的做法。望陛下力行节俭以答谢上天的恩赐，不应滥施姑息之恩，挥霍浮华无用之费，败坏了勤俭的美德。"

五月，戊戌（初五），下诏说："君臣应同心同德，而过多地设置条令防范，这不是朕的本意。旧制，臣僚不允许拜访执政大臣，执政大臣曾推荐的人不得担任御史，这些制度全部废除。"这是开始采用包拯的建议。

庚子（初七），下诏令："入内内侍省的内臣人数过多，暂且停止让进养子入宫。"这是采用吴及的建议。

度支判官、祠部员外郎王安石多次被授予馆职，均推辞不受，中书门下将详情上报。壬子（十九日），下诏要他到集贤院任职。王安石上书推辞共八九次，又推辞多次后才接受。

派官员测量河北的牧地，有剩余的招募百姓耕种。

枢密使、礼部侍郎田况，突然中风不语，十次上书请求离职。丙辰（二十三日），罢为尚书右丞、观文殿学士、翰林侍读学士、提举景灵宫。

戊午（二十五日），后宫周氏生下第十个皇女。当初，董氏和周氏有孕，宫内外都盼望生下皇子，内侍省准备了很多金帛器皿杂物以备赏赐，又修建了潜龙宫。潜龙宫是真宗担任府尹时的官舍。二人虽然都生下皇女，但赏赐物品是充国公主出嫁时的数倍。

六月，甲子（初二），辽道宗到达纳葛泺。

自从温成皇后去世，后宫得幸者共十人，称为十阁。周氏、董氏、温成皇后的妹妹都在其中。周氏、董氏因为生下皇女得到晋封，其他各阁也都请求晋封，下诏中书发布敕令诰命，中书认为没有理由，上奏请求撤销这道诏书。求者不停，仁宗于是以自己的手诏授予名位。温成皇后的妹妹独固辞不受。同知谏院范师道上书说："以礼法控制感情，以义理夺去爱欲，这是常人很难做到的，只有明哲的君主然后才能做到。我听说各阁嫔妃因周氏、董氏生下公主，都纷纷以白笺纸盖上御印封为才人，不由中书下达诰命，而宫中觊觎升迁的人很多。周氏、董氏的晋封是合理的，其余女阁凭什么晋封呢？如果宠幸过分则会产生轻慢之心，施加恩泽不受节制，就会产生贪得无厌的怨恨，驾驭她们不能没有规矩。而且费用太多，就需更多地收取赋税，一个才人的俸禄，一月相当于中等人家的赋税，年终时的赏赐还不在其中。况且诰命的下达，不由中书，这难道是国家强盛时的事情吗？恐怕不由正常途径册封的敕

中华传世藏书

續資治通鑑

令,在今天又会再次出现。"

戊辰(初六),光禄卿、直秘阁、同判宗正寺赵良规进言:"国家乘着百年的气运,尊崇七世的灵位,奉行孝道不能说不严格,侍奉祖先不能说不周到,但是主持祭祀活动有时由公卿代替;虽然神主有共同祭祀的名目,但太祖庙东向的神位一直空着。请制订出明确的仪式作为后代不变的典制。"将这一建议下达太常礼院商议,又下诏待制以上官员以及台谏官一同商议。礼部尚书王举正等人议论说:"大祫的祭祀活动是要分出昭穆,辨别尊卑,一定要把创业的祖先的神位放在向东的位置。我朝太祖实际上是开业之君,但是僖祖以来还有四位祖先的神庙在太祖之上,所以每遇到大祫之礼,只列昭穆而空缺东向的神位。魏晋以来,也沿用这种礼法。现在圣上亲自祭祀的盛大礼仪,应该依照旧制为好。"仁宗同意。

己巳(初七),宰臣富弼等请求加尊号为"大仁至治",下诏不同意。

旧例,每三年,皇帝亲自举行重要的祭礼完毕就要接受尊号,从康定年以来便取消了,如今执政大臣又请恢复旧制。知谏院范师道进言:"近年灾异多次出现却要崇尚虚文,这不是答谢天诚的做法。"知制诰刘敞进言:"尊号不是古来就有,陛下不受徽号已二十余年了,为什么突然增加虚名而损害实有的品德!"仁宗说:"朕的本意也是这样。"富弼等人五次上表,最终没有同意。

任命太子中允王陶、大理评事赵彦若、国子博士傅卞、於潜县令孙洙一同为馆阁编校书籍官。馆阁编校书籍从此开始。

丁丑(十五日),下诏:"各路转运司使,凡因邻州发生灾害而停止籴粮的人,以违反制度论处。"这是采用谏官吴及的建议。

戊寅(十六日),几乎出现月全食。己卯(十七日),放走宫人二百一十四人。

己丑(二十七日),辽国任命南院枢密使萧阿苏为北府宰相,任命枢密副使耶律伊逊为南院枢密使,又任命特里衮扎拉为辽兴军节度使,任命鲁王色嘉努为武定军节度使,任命东京留守吴王特布为西京留守。

秋季,七月,丙申(初四),任命太子中允王陶为监察御史里行。当初,诏令中丞韩绛荐举御史,但有资历限制,多次推荐都不合格。于是韩绛请求推荐里行,用王陶担任,下诏同意。王陶固辞不受,下诏强留,于是就职。

丁酉(初五),辽国任命乌库德哷勒详衮玛噜为左伊勒希巴。

甲辰(十二日),贬观文殿学士、礼部侍郎、知寿州孙沔为检校工部尚书、宁国节度副使。当初,台谏官员一致弹劾孙沔荒淫违法,派使臣调查符合事实,因此被贬。

丙午(十四日),把后宫的彭城县君刘氏送到洞真宫,封为法正虚妙大师,赐名道一。后来又因罪削发为妙法院尼姑。当初,刘氏在掖廷宫,与请谒勾结为奸,御史中丞韩绛秘密报告,仁宗说:"不是你说,朕还不知道。"后来又过了几天,于是下达了这一命令。刘氏和黄氏在十阁中尤为骄横。于是将黄氏一同赶出宫门。

丁未(十五日),放出宫女二百三十六人。

甲寅(二十二日),任命以校书郎退休的孔旼为国子监直讲,任命扬州进士孙侔为试校书郎、本州州学教授,都是因为近臣推荐了他们的品行的缘故。两人最后固辞不受。

有御营军卒桑达等数十人,酗酒斗殴,大呼小叫,有关部门没有发觉。皇城使奉旨将他们逮捕送至开封府审讯,罪证确实,将桑达处以弃市。

　　纠察刑狱刘敞,移文寻问不审讯的原因,开封府回报说:"近来制度,凡有圣旨,中书门下、枢密院所审讯刑狱,都不能查问。"刘敞说:"这怎么行得通!"于是奏请从现在起一律依照定格行事。枢密使以开封府有例,不再讨论是否可以向上呈报。刘敞争论说:"先帝仁慈圣明,因京师刑狱繁多,所以设置纠察司审辨真伪。现在却违背圣旨,中书门下、枢密院所审讯公事不再审查,这不是尊重朝廷、审慎执行刑罚的做法;却正是使府县不严格依法办事,造成狱卒欺侮犯人,罪人含冤不能上告的弊端。再者,旧法不允许以例破坏法律条文,现在对刑狱十分重视,而废除条令依照例,这是我所不明白的。"仁宗于是将刘敞的奏章下达开封府,命令著为条令。

　　仁宗当初要在景灵宫修建郭皇后的影殿,礼官说不可,于是停止。不久翰林侍讲学士杨安国请求修建影殿于洪福院,礼官说:"修建影殿不是古代礼法,如果郭皇后本来没有什么大过失。现在既然已经恢复名号,则应赐给谥册,把神位迁到皇后庙,以合礼法。"

　　八月,甲戌(十二日),知制诰刘敞进言:"我听说礼官提议要将郭皇后神位迁到皇后庙,臣疑惑不解。古时《春秋》的义礼:'人不死于寝殿,不向同盟国报丧,不把神位列在祖庙中哭祭,则不能说是夫人,不能称妻子。'只是因礼仪不完备,所以名位空缺。然而名与礼不是一回事,名号存而礼仪欠缺,尚不敢改正其称号,何况改正其礼仪呢!郭后被废,虽说没有什么大的罪过,但是也被废除了,及至追复,准许恢复她的名号而不恢复礼仪,将近二十余年。而今一旦要用皇后礼仪将她迁于宗庙,但郭皇后的去世,是死于寝殿吗?向同盟国告丧了吗?神位列于庙中哭祭了吗?群臣百姓曾经以国母礼节为她披麻戴孝了吗?恐怕这不符合《春秋》。依照《春秋》,一个人不符合三者中的一项便认为是名号不正,对郭氏来说,三者中无一符合,而要纠正她的礼仪,恐怕不符合《春秋》义理。'在宗庙中祭祀,如同夫人的礼仪',所谓如同,便是不同,所谓不同是因为不死于寝殿,没有祔于姑母之庙。古人没有两个正妻,则万代之后,宗庙的礼仪,难道是臣子应当擅自变动的!细心查阅景祐诏书,原本不允许郭氏的神位放在祖庙中,已经做出判决,不需再争论纷纷扰乱礼法。议论的人有的说既然已经恢复其名号,不必变更其礼仪;就像大臣无辜受贬,如果辨明冤情,就恢复运用他,难道不让他再为大臣!臣与妻礼义上虽然相同,但放逐大臣可以再次召回,而废黜的妻子不可以复合,这是因为大臣众多而妻子只有一个。所以《春秋》公孙婴齐死于狸脤,他的国君说:'我已经答应他回来可以担任大夫。'这是放逐大臣可以召回。杞伯迎接叔姬的丧车回国。人们说丈夫没有迎接被休的妻子丧车而为其治丧的,这是休退的妻子不可以复合。现在将郭氏的神位追列于宗庙,难道不与此相近吗?请求让各位儒生广泛讨论,以求折中合乎礼法。"诏令学士院详细商议决定。

　　乙亥(十三日),仁宗亲到崇政殿,策试参加才识兼茂明于体用科考试的明州观察推官陈舜俞、贤良方正直言极谏科考试的旌德县尉钱藻、汪辅之。陈舜俞、钱藻的对策一同列入第四等,授予陈舜俞著作佐郎、签署忠正军节度判官事,钱藻授职为试校书郎、无为军判官。汪辅之也入了等,监察御史里行沈起说他没有品行,将他罢免。王辅之气恼愤恨,于是写信讥讽富弼说:"公任宰相,只是奉行台谏的旨意而已。"富弼无以回答。陈舜俞是乌程人,钱藻是钱镠的第五世孙。

1221

庚辰(十八日),下诏学士院迅速上报郭皇后神位迁至祖庙讨论的结果。先前礼官祥符人张洞驳斥刘敞的意见说:"郭氏作为正宫皇后,没有大的过失,陛下怜其偶然失去谦让之礼,不久恢复位号。位号既然恢复,则谥册、神位迁庙,怎能一并停止!况且引据《春秋》'在宗庙中祭祀如同夫人的礼仪'的例子,依据《左传》,那么对哀姜的恶行不忍心说出来,考据二传的说法,又有不是正妻的话。以此来论证本朝的事情,恐怕不当。如果'不死于寝殿,不向盟国报丧,不祔于婆母之庙',则郭后的去世不得其所,责任在于朝廷,死者有什么罪呢?如果用杞柏迎接叔姬丧车的事来说明,讥讽他废弃后复迎,则天子的皇后,是亿万百姓的国母,没有极大的过错,怎么可以休弃呢?既然追复为皇后,怎可断绝她的祭祀呢?讨论的人想用后汉、东晋旧例,要么祭祀于陵寝,要么筑宫在外面祭祀。查据二朝的历史,都称为母后,何况在今天,也不一定符合礼法。只有唐代修建别庙,遇到大祭则迎奉入祭,这符合礼法。"刘敞再次上奏说:"臣上次上奏最重要的是认为国君没有二个正妻,恐怕万世之后礼法名位不明确。张洞既然对这一点不加说明,如果朝廷不幸听从了他的意见,这虽然自认为借攻讦圣上恢复被废去的人作为功劳,而又暗中威胁母后的地位,妄图改变礼法,臣认为这不符合臣子的道义。请将臣的奏章一并下达,令两制详细讨论。"张洞再次上疏驳斥刘敞的意见。后来学士院最终没有上报讨论结果。

癸未(二十一日),赐给以殿中丞退休的龙昌期五品服,绢百匹。龙昌期是陵州人,献上所著书百余卷,下诏令两制详细阅读,两制进言:"龙昌期思想诡秘怪诞,将周公称为大奸人,不可为训。请下令益州毁弃所刻版本。"龙昌期年近九十,亲到京城自我分辩。文彦博少时跟从龙昌期求学,于是极力推荐他,因此有了这次赏赐。翰林学士欧阳修、知制诰刘敞等人弹劾龙昌期异端思想破坏儒学,应当像少正卯一样处死,不宜奖励。同知通进银台司兼门下封驳事何郯也封还了诏书,于是追夺对龙昌期的赏赐,遣回。

先前礼官张洞、韩维进言:"我朝每遇大祭,把别庙四位皇后的神位送到太庙合祭。依据《唐书·郊祀志》记载的禘祫祝文,从献祖至肃宗共十一位皇帝,所配给的都只有一位皇后,这中间只有睿宗有二位皇后,就是昭成皇后,唐明皇的母亲。《续曲台礼》有别庙皇后合祭的记载,没有自己的祠庙,遇到合祭便附在婆母的下面祭礼,所以大顺年间把三位太后排列在祖庙一同合祭。博士商盈孙因为错误理解《曲台礼》的含意,当时没有改正,议论的人讥讽他不懂礼法。臣等考虑到每个宗室既然都有明确配祭的人,则其余的皇后按礼法不应当升级在祖庙合祭,因而在别庙祭祀,在行禘祫礼的日子里再来参加合祭,与《郊祀志》《曲台礼》相违背。现在皇上亲自举行盛礼,理当更正过来。皇后神庙,请求按照奉慈庙的例子派官员祭祀。"下诏待制以上官员商议。

翰林学士承旨孙抃、学士胡宿、侍读学士李昭述、侍讲学士向传式、知制诰刘敞、王畴、天章阁待制何郯等人议论说:"《春秋传》说:'大祫是什么?是指合祭。'没有毁庙的神主都升级与太祖合祭。因此我朝宗庙事务一百余年以来,至举行合祭之日,别庙的皇后神主都升级合祭,这一做法被遵循为典制,这不是没有依据的。大中祥符五年,曾经做出决定,当时礼官采纳折中意见,而先帝又有恭敬依从的诏令。而且施行日久,主管祭祀的礼官都遵循这一诏令,并成为常规,一旦轻率地商议增减,恐神灵不安,也未必符合先帝的本意。宗庙的礼法,极为尊严极为重要,如果不完全符合祖宗原意,就不如按照旧礼。臣等认为按旧制便利。"翰林学士欧阳修、吴奎,枢密直学士陈旭、包拯,权御史中丞韩绛,知制诰范镇,天章阁待制钱象先、唐介、卢士宗商议说:"古时宗庙礼制,都是一帝一后,后世才有人因儿子显贵,开始有几位皇后都迁入一庙合祭的记载,不应迁入的,就设别庙祭祀。本朝禘祫大礼,于是把别庙的皇后列于配祭皇后的下面。不但在古代没有记载,在现在也不应该,还有四件事:淑德皇后是太宗的正妻,列在元德皇后的后面,章怀皇后是真宗的原配皇后,列在章懿皇后的后面,其名位先后不合道义,这是其一。升级合祭的皇后,全都使用祭祀皇帝之乐,其他庙的各位皇后,则以本庙的乐章演奏,此其二。升级合祭的皇后,使用同一祭品,祭器祝册也和皇帝相同,别庙的各位皇后却仍然专门祭祀,此其三。升级合祭的皇后,神位排列一处,别庙的皇后,神位相隔,此其四。章献皇后、章懿皇后在奉慈庙,每遇到禘祫大礼,在本庙祭祀,最符合礼法。如果四位皇后分别在本庙祭祀,则其尊卑自然明确而不违背礼法。议论的人认为施行已久,改变这种做法很严重,这样使违背礼法的行为难以改正。臣等请求听从礼官的意见。"过了很久,不能做出决定。

刘敞又单独上奏说:"群臣不专心推究《春秋》的办法,却独引述后代儒生似是而非的观点,想隔离四位皇后,让她们永不能合祭,臣对此十分痛恨。宗庙的礼法,神灵的牌位,怎可多次改动呢!"

丁亥(二十五日),下诏:"孝惠、孝章、淑德、章怀皇后的祭祀依照旧法,在大礼仪完毕后再加讨论。"

自从取消郭谘均税的方法,议论的人说朝廷徒然体恤一时的劳苦而缺乏长远考虑。到皇祐年间,全国开垦的土地比景德年间的数额增加四十一万七千余顷,但每年收纳的谷粮却减少了七十一万八千余石,完全是因为田赋不均,才有这样的弊端。以后田京任沧州知州平均无棣的土地,蔡挺任博州知州平均聊城、高唐田地,每年增加赋税、租谷、绢帛之类,而沧州的百姓认为不方便,下诏令按过去办。这天,又派职方员外郎孙琳、都官员外郎林之纯、屯田员外郎席汝言、虞部员外郎李凤、秘书丞高本分别到各路均田。高本独认为田税制度废除已久,不可再平均,只均分了数郡田地便停止了。

九月,甲午(初二),任命权发遣度支判官、太常博士澶渊人张田为蕲州知州。张田先为广信军通判,夏竦与杨怀敏建议增加广信等七州军塘水,诏令张田聚议,张田独说:"塘水不足以防御边境,而毁坏良田,淹没冢墓,不是便利的办法。"上奏疏极力进言,被处罚调任均州通判,又责令负责监郓州税;过了很久,又复职冀州通判。宦官张宗礼迎接辽使经过郡境,酗酒放纵,郡长官害怕不敢揭发,张田告发。诏令设置刑狱,将张宗礼发配西京洒扫班。三司使包拯推荐张田为自己的僚属,执政大臣阻拦。张田于是写信给富弼,数落他的五点过失:"公负天下重任数十年,现为首席宰相,但行为如此,太可惜了。"包拯的请求因而得到同意。张田于是建议:"郊祭赏赐并非古时就有,军队的赏赐不能马上废除,望执政大臣以下稍稍减少。"上了五次书。谏官唐介弹劾张田:"张田内怀奸心,外夸敢于直言,暗中勾结宗室宦官,不敢裁减他们的赏赐,对其余的人却刻剥无遗,有损国家恩德,伤害国体,请予贬黜!"因此下了这道诏命。

丙午(十四日),下诏:"带阁门祗候的使臣、内殿崇班以上官员,太子率府率以及正刺史以上官员,遭受父母丧以及嫡子嫡孙承受丧祭及宗庙时,一并允许辞官服丧,原来军班出职的以及现管军如同路分部署、钤辖、都监、极远边境知州、军、县、城、寨主、都监、同巡检,一并给予百天公假,丧毕追复原职;供奉官以下官员仍按旧制;愿服丧者可以批准。宗室解官服丧发给全俸。"先前判三班院韩缜进言:"现在武臣遭受父母丧不解官服丧,不合常制。"下达台谏官详细讨论,制定条例列为令。

戊申(十六日),提点广南西路刑狱李师中进言:"邕州知州萧注想进攻交趾,宜州知州张师正想夺取安化军,恐怕远处的人听说后不安,请戒约萧注等不得生事。"听从这一建议。萧注任职邕州日久,暗中以财利引诱广源诸蛮,秘密修治兵甲,于是上奏说:"交趾表面上向我朝进贡,暗中包藏祸心,臣现今完全探得他的机密,详知其要害之地,此时不取,日后为害不浅,愿亲至京城,面述方略。"议论的人认为萧注为国生事,没有同意。

甲寅(二十二日),任命户部郎中张瓌同判太常寺兼礼仪使事。张瓌两次上疏请求毁去温成皇后庙,均未答复。

史馆修撰欧阳修进言:"史书应该收藏在有关官署。先前李淑因本朝的正史已送入宫中而焚掉草稿,如今史院只看守一座空衙门而已。请诏令龙图阁另写一本下送编修院,以备检阅前事。"仁宗同意。

丙辰(二十四日),将礼部郎中、分司南京吕溱降为兵部员外郎,因为上次对他的处罚过轻。当初,陕西用兵,朝廷多借助于边境长官,及至孙沔和吕溱相继获罪,从此将帅之权更加轻微。

下诏:"享祭景灵宫、太庙礼仪练习,从现在起一并由尚书省负责。"

先前集贤校理邵必进言:"《周官》小宗伯的职责,就是诸侯朝见君王、田猎、祈祷时,指挥练习各就各位仪式。郑玄的《注》说:'如同现今在司徒府练习礼仪。'现今练习宫廷、太庙的礼仪而打开室门登上殿堂,朝拜时作揖,祭奠时空着酒樽,奏乐时击柷敔,起舞时列队舞蹈,亵渎神灵,没有比这更严重的了。应移交尚书省,以比作汉代的司徒府。"仁宗听从。

冬季,十月,壬戌朔(初一),辽道宗到南京,祭祀辽兴宗于嘉宁殿。

甲子(初三),百官到尚书省演习礼仪。尚书省门庭窄小,仆人和马匹拥挤不通,从宰相亲王以下,到中午都无法出来。

壬申(十一日),朝祭景灵宫。癸酉(十二日),在太庙合祭祖宗,实行大赦。改益州为成都府,并州为太原府。当初,中书进上草拟的赦书条目极多,一心想施加恩泽于民,赦令宣布完成,都说以前的赦令不曾像这次。

韩琦任职太原,请求恢复并州为节镇。翰林学士胡宿认为:"商星是宋星,参星是晋星,国家兴起于商丘,此外京师又在宋的分野,而均为晋地;参商是仇怨的星宿;现要尊崇晋,不是国家利益。自从宋兴起,并州最后降服,太宗将它削弱,不让它列于镇近八十年了,宜按旧制。"仁宗同意胡宿意见。及韩琦执政,因为合祭赦书,最终恢复,胡宿再次进言,没有答复。

戊寅(十七日),文武百官都因合祭赦书受恩。当初,百官在朝堂上致斋时,翰林侍读学士、尚书左丞李昭述,突然得病,用车载回,派医官诊治,慰问非常丰厚。甲申(二十三日)去世,赠礼部尚书,谥号恪。当时李氏住在城北崇庆里,共七代不分家,士大夫多加推重。到李昭述时稍有积蓄,与侄子不和,家道颇为衰落。

十一月,乙未(初四),命令天章阁待制兼侍读钱象先、卢士宗,右司谏吴及决定那些应予推恩受职或昭雪平反的人。此后每降赦令,便委派官员定夺,事情由此开始。

己亥(初八),任命河南处士邵雍为将作监主簿;河南府以遗逸的名义荐举他,因而下达了这次任命。后来又任命为颍州团练推官,均辞疾不赴任。

庚子(初九),汝南郡王赵允让去世。赵允让十分孝顺,母亲楚国太夫人感染寒疾,盛暑时节犹处密室中,想把窗子凿开透光,又担心工匠不小心,用斧头惊吓了夫人,于是自己撤去窗子,然后才动工。及至太夫人去世,他过度哀伤,仁宗亲往祭奠,赐白金三千两,赵允让伏下去哭着说:"亲人去世接受重赏,是儿子不能用自己的力量办丧事,有负诚孝之名。"极力推辞。安葬这天,赤足扶灵柩走了十余里。仁宗听说,下诏让他乘车,推辞再三,才奉诏上车。他刚生病,仁宗忧虑形于色,派医官诊治,每天询问病情变化。临祭奠时,诏令特地用桃枝编的扫帚洗涤,以示亲厚,慰赐加等,罢朝五日,赠太尉、中书令,追封为濮王,谥安懿。赵允让天资浑厚,内心仁慈外表庄严,即使左右之人也未见过他的喜怒之色,担任大宗正二十年,宗族怀念他的恩德而敬畏他的庄严。

这月,赐予果州布衣何群封号安逸处士,益州平民章詧封号冲退处士,因为转运使说他们有品行。何群是西充人,曾经在太学游学,石介对学生说:"何群每天思考仁义而已,不知道饥寒的切身痛苦。"曾上书请求恢复乡里的举荐选拔,取消诗赋考试,两制驳回他的建议,于是回家,不再参加进士考试。章詧是双流人,擅长于《易》《太玄》,曾经被荐为本州教授,推辞不受。

辽国禁止百姓私自打猎。

十二月,壬戌朔(初一),辽国任命北院林牙玛陆为右伊勒希巴。参知政事吴湛因弟弟吴洵冒充仕籍,被削职为民。

当初,右谏议大夫周湛为襄州知州。襄州人不使用陶瓦,都造竹屋居住,年载一久,侵占了官道,屋檐相连,所以多次发生火灾。周湛到任后,根据侵占官道的程度,全部予以撤除,从此无火灾。但豪姓大族大为不便,提点刑狱李穆上奏周湛撤毁民屋,使老幼失业,请予以降职,或叫他退休。诏令转运司查对。甲子(初三),迁周湛为相州知州。右司谏吴及进言周湛不应被责,李穆听信谗言为权贵豪族报怨。第二年,六月,周湛在相州去世。

己卯(十八日),观文殿学士兼翰林侍读学士王举正被任命为太子少傅,退休。

宰相富弼,自从袷享礼仪完毕,以母亲年老为由多次上书请求告退,仁宗不同意,并不再接受奏章。富弼又上札子,一个留在内廷,一个被原封退还。又称病在家不出,仁宗派宦官请他出来,于是又出来任职。

知制诰刘敞进言:"据我所知先前做法,各位辞让官职的人,有的辞让一次,有的二次,有的三次,都依据官职高低。后来士大夫每次授职为官,不论官品高低,一概多次辞让,虽然有的出于诚心,不看重权势利益,但也违背了典制。如果习俗变得追逐奸巧,扩散后更严重一些,一定会使人虚伪而获取名声,要挟圣上迷惑众人,更进一步以此为向上爬的捷径,升官的秘诀,十分可恶。臣的言论看来迂腐但考虑实际上很长远,望陛下裁决究察!"当时士大夫很看重虚名,每次得到官职便要辞让,有的四五次甚至七八次,天子经常优加礼遇。就是平民陈烈等,当初授官也辞让,赐予粟帛也谦让,因此刘敞上了这道疏。

这一年,辽国考核通过进士梁援等一百一十五人。

嘉祐五年 辽清宁六年(公元1060年)

春季,正月,辛卯朔(初一),一道白光射向太阳。

己亥(初九),录用刘继元的后人。

乙卯(二十五日),减少御书院和翰林图画待诏以下额外增加人员。

这月,开挖二股河。自从李仲昌被贬,开挖河道一事很久没有讨论。河北都转运使韩贽进言:"四界首是古时黄河经过的地方,应修浚二股渠,分开河水流入金赤河,可以减少决河的危险。"朝廷按照他的方案,征发三千人,几个月完了工。不久,又把五股河也疏浚了。

有一颗大的星向西南落下,光芒照亮大地,发出似打雷一般的声音,占卜的称为天狗。同知谏院范师道进言:"天狗落下预兆着损军折将,应该选择将帅,训练士卒。"诏令全国加以防备。

二月,壬戌(初三),登记在押囚犯。

丙寅(初七),礼部贡院请求增加江、浙、福建、川、广各州、军解送举人的名额共一百三十五人,仁宗同意。

戊辰(初九),任命太常丞、监察御史里行王陶为右正言,谏院供职。

仁宗自从服下丹药,沉言寡语,群臣奏事,点头而已。王陶进言:"君王的言论,群臣都应禀受并在全国施行。现今事无大小,都由中书、枢密裁决,陛下不置可否,这岂符合君王治国之道!"又说:"皇储未立,应选择辈分相同的宗室子弟培养。"以同僚志趣不合,多次请求监灵仙观,不同意。

三月,壬辰(初三),诏令礼部举行贡举。

癸巳(初四),观文殿大学士、刑部尚书刘沆去世,赠右仆射兼侍中。知制诰张瑰起草诰词诋毁刘沆,他的儿子馆阁校勘刘瑾上诉于朝廷,仁宗下令更换词臣。他的家人不敢请求谥号。仁宗还为他写挽词,在他的墓碑上篆书"思贤"。刘沆性情豪爽,不注意仪表规矩;但擅长于权术,善于刺探权臣和皇帝的过失;暗中控制,所以虽然担任高官,他的升迁大多因此。

乙未(初六),岁星白天出现。

戊戌(初九),诏令流内铨:"从今以后归顺的人年在二十五岁以上听任授官。"

丙午(十七日),下诏:"广南东、西路担任官职之处,都是荒凉、冷落、炎热、有瘴气的地方,且月俸不能自给,每月增加一千五百钱。"

当初,御史中丞韩绛进言:"各路发生灾害,虽然朝廷已加抚恤,但监司亲民官未能尽心尽力,以致流民众多。"壬子(二十三日),下诏加以训斥。

甲寅(二十五日),诏令登州把沙门寨的三十二名罪犯改配各州牢城。

自从解除茶禁,议论的人又说不便,知制诰刘敞、翰林学士欧阳修对此颇有议论。刘敞上疏说:"朝廷改变茶法,从东南地区来的人更说不方便。大体是说先前百姓上山摘茶的人,由官府付钱,而现在却要他们交钱给官府,一得一交,利害相差百倍。先前的百姓只是那些犯法贩茶的人受罚,如今把赋税均摊在百姓身上,赋税不按时上交,随时加以惩罚,这是使良民代替犯法者受罪,子子孙孙何时能完。先前大商人为国家贩运贸易,而州郡收取商税,现在大商人不再存在,赋税也就收不上来,使国家财政困难。望朝廷按照臣言,采取惠民便国的政策。"欧阳修的上疏说:"臣听说议论的人说新的茶法已经施行,百姓不再有私贩之罪,每年减少犯罪人数很多,这是一大好处。但是害处有五:百姓过去交纳茶税,现在改为租钱,这是一害。小商人贩卖很少,大商人不能贩运,这是二害。茶税不交,国用顿亏,这是三害。过去官茶允许百姓入籴,所以茶品种多而价贱;现在百姓自行买卖,需要上好的茶叶,好茶不多,价格便昂贵,这是四害。河北的和籴,实际上用现钱,不但商人得到钱后难以挪用,而且京师的钱年年运往河北,于理不可,这是五害。一利不足以补偿五害,请求解除上次诏令,允许人们提出建议,详细讨论采取适当办法,或许不失祖宗旧制。"仁宗不听。

辽道宗到达鸳鸯泺。

夏季,四月,庚申(初二),权同判尚书刑部李绗进言:"刑部一年中,杀害父母、叔伯、兄弟的妻子,杀害丈夫、妻子、妻子的父母的案件共一百四十起;抢劫偷盗九百七十起。风俗的败坏,莫过于骨肉相残;衣食的穷困,莫过于偷盗。现在犯法的人多,难道刑罚不足以防奸,而教化不能引导他们为善吗?愿下令刑部将全国判处大辟刑的案件,归类上报朝廷,以便查看。"仁宗同意。

己卯(二十一日),命令度支判官、祠部员外郎、直集贤院王安石为同修起居注。王安石以入馆只几个月,馆中先任官的人很多、不应当超过他们为由,坚决推辞。

程戡与宋庠意见不合,多次在仁宗面前争论,台谏官员因而向仁宗进言,仁宗不高兴。殿中侍御史吕诲又说程戡结交权贵,癸未(二十五日),于是罢程戡为翰林学士承旨兼侍读学士,任命礼部侍郎、知制诰孙抃为枢密副使。

甲申(二十六日),将右司谏、秘阁校理吴及降为工部员外郎、知庐州;太常博士、监察御史里行沈起罢撤里行之职,任越州通判。

当初,谏官陈旭建议裁撤武官补任的办法,下达两制、台谏官集体讨论。不久写成稿册,吴及与沈起都加注:"兴国军磁湖的钱冶仍旧为武阶官。"主持磁湖铁冶的人是大姓程淑良。翰林学士胡宿等弹劾吴及等人在台谏任职,却为程氏出力,占取朝廷恩泽,请下诏查问情况。吴及等人承认,所以一同被贬。

丙戌(二十八日),命令三司使包拯、右谏议大夫吕居简、户部副使吴中复一同详细讨论平均税额之事。

五月,戊子朔(初一),京师发生瘟疫,派医官供给药品。

辽国监修国史耶律白请求编集辽道宗所作诗赋,命令耶律白作序。辽道宗喜欢吟诗作赋,后来知制诰耶律良又编写辽道宗亲笔诗文称为《清宁集》。辽道宗命耶律良把自己的诗编为《嘉会集》,亲自作序赐给他。

己丑(初二),京师发生地震。

西上阁门使、英州刺史郭谘献上所造拒马车。郭谘曾任潞州知州,说怀、保二郡靠山,可以种植水稻,定武、唐河直抵瀛、莫之间,可以开垦水田。还制作鹿角车、陷马枪,请求在其他道推广独辕弩。诏令郭谘装备独辕弩。

郭谘又进言:"近来因为出使辽国有机会观看幽燕地区,方圆不到三百里,无法供应十万人一年的费用,如果以权术挟制它,使它的活动得不到好处,定居得不到供给,不过数年,一定会放弃幽州而逃。臣庆历初年曾经筹划以河北的大水隔断敌人的边疆,这就是我所说的办法。臣所发明的车弩,可以穿破坚甲,制伏敌人的冲锋,如果多加设置,以洪水相辅助,占领幽蓟就如囊中探物!"

正值三司商议平均田租,召还郭谘陈述四十条平均括籴的办法。再次献上《平燕议》说:"从瓦桥到古北口,土地狭隘人口稀少;从古北口到中京,属于奚契丹;从中京到庆州,沿路只有七百余户。因契丹疆土虽广,人马极少,如果率兵南下,一定会率高丽、渤海、达达、黑水、女真、室韦等国军队助战,其远道而来,粮食匮乏。臣听说以近待远,以逸待劳,以饱待饥,是用兵的良策。又听说等待敌人自至者获胜,抢先占领有利地形的安逸。以臣所见,请求施行庆历年间的计策,会合各河于塘泊北界阻拦敌人军马,然后按景德年间旧法,屯兵拒守。步卒二十万,骑兵三万,壮丁三万,每年开支粮饷一百八十三万六千斛,还有依傍河道的州县可以从水路运送,供给保州以便救援。用拒马车三千辆,陷马枪一千五百杆,独辕弩三万副装备部队,选拔五员将领,臣可以担任其中之一,敌来则战,敌去则勿追。幽州储藏粮食不多,属国军队不会久留,不到半年,就会逃到沙漠,我军则进兵截断古北口、堵塞松亭关,向幽蓟地区发布文书,燕南地区自然会平定。"仁宗被他的话感动,下诏配置独辕弩二万,不久任郭谘为同提举在京诸司库务,并挑选兵器下发至南北作坊,以完备军器装备。

贵人董氏生下第十一个皇女,庚寅(初三),晋封为美人,坚决推辞;请求给其父加官一级,按她的请求办理。

甲午(初七),任命观文殿大学士、户部侍郎庞籍为太子太保,退休。庞籍被从定州召还,入见仁宗后,亲至中书省请求告老,执政大臣说:"公如此清明,皇上正优礼厚待,怎么坚决要求隐退呢?"庞籍说:"如果等到身体不佳,君主厌弃时再离职,岂能说是知足吗?"于是回家归隐。前后共上表七次,仁宗才同意,仍下诏庞籍出入按二府礼仪。

丁酉(初十),下诏三司设置宽恤民力司。

己亥(十二日),任命颍州进士常秩为试将作监主簿、本州州学教授,因为翰林学士胡宿等人说他的文章、品行受到乡里一致称誉。常秩是临汝人,曾参加进士考试未取录,退居二十余年,尤其擅长《春秋》,指责孙复所学不合人情,著有《讲解》数十篇。

己酉(二十二日),任命王安石为三司度支判官。

辽道宗进驻纳葛泺。

乙卯(二十八日),登记在押囚犯,罪行均降低一等,徒刑以下释放。

续资治通鉴卷第五十九

【原文】

宋纪五十九　起上章困敦【庚子】六月,尽重光赤奋若【辛丑】八月,凡一年有奇。

仁宗体天法道极功全德　神文圣武睿哲明孝皇帝

嘉祐五年　辽清宁六年【庚子,1060】　六月,戊午朔,辽以东北路女真详衮果嘉努为特里衮。

壬戌,辽遣使录囚。

乙丑,诏戒上封告讦人罪或言赦前事,及言(官事)〔事官〕弹劾小过不关政体者。时殿中侍御史吕诲言:"故事,台谏官许风闻言事者,盖欲广其采纳,以补朝廷阙失。比来中外臣僚多告讦人罪,既非职分,实亦侵官;甚者诋斥平素之缺,暴扬暧昧之事,刻薄之态,浸以成风,请惩革之。"故下是诏。

丙寅,命天章阁待制张揆同详定均税。

辽中京置国子监,命以时祭先圣、先师。

壬申,诏礼部贡院:"内外锁厅并亲戚举人,并同引试,解十分之一;如不及十人,亦许解一名;四人以下送邻路聚试。"

乙亥,遣官分行天下,访宽恤民力事。

癸未,辽以隋王耶律仁先复为北院大王。先是仁先尝为北院大王,有惠政,及是民欢迎数百里,如见父母。

甲申,三司减省冗费所言:"比岁内人请俸倍多,乞酌天圣初嫔御以下人数,著为定额。"从之。

秋,七月,辛卯,诏分京西为二路,以许、陈、郑、滑、孟、蔡、汝、颍、信阳九州军隶北路,邓、襄、随、房、金、唐、均、郢、光化九州军隶南路;各置安抚使,以许、邓二州守臣兼之,其河南府即不隶所部。

癸巳,邕州言交趾与甲洞蛮合兵寇边,都巡检宋士尧拒战,死之。诏发诸州兵讨捕。

甲午,以天章阁待制、知谏院唐介知荆南,从介请也。敕过门下,知封驳事何郯封还之,言:"介为谏官,有补朝廷,不当出外。"诏介复知谏院如故。

戊戌,翰林学士欧阳修等上所修《唐书》二百五十卷;刊修及编修官皆进秩或加职,仍赐器币有差。

著作佐郎刘羲叟为崇文院检讨，未入谢，疽发背卒。羲叟强记多识，尤长于星历数术，其言多验。

时生齿益蕃，田野加辟，独京西唐、邓间尚多旷土。唐州闲田尤多，或请徙户实之，或请以卒屯田，或请废州为县，知州事、比部员外郎赵尚宽言："土旷可益垦辟，民稀可益招徕，而州不可废。"乃按图记，得召信臣故迹，益发卒，复（大三）〔三大〕陂，一大渠，皆溉田万馀顷。又教民自为支渠数十，转相浸灌，而四方之民来者云集。尚宽复请以荒田计口授之，及贷民官钱买牛。比三年，废田尽为膏腴，增户万馀。监司上其状，三司使包拯亦以为言。丙午，诏留再任。

庚戌，诏曰："朕乐与士大夫惇德明义，以先天下。而在位殊趋，弗率朕旨，或为危言诡行，务以警众取誉，罔上而邀宠。论事之官，搜抉隐微，无忠恕长厚之风；托迹于公，而原其本心，实以合党图私，甚可恶也！中书门下其采端实之士，明进诸朝；察辨矫激巧伪者，加放黜焉。"御史中丞赵概言："比年以来，搢绅之论多险刻竞浮，宜行戒敕之。"故降是诏。

壬子，命翰林学士吴奎、户部副使吴中复、度支判官王安石、右正言王陶同相度牧马利害以闻。时马政因循不举，言者以为当有更革也。

八月，丁巳朔，以观文殿学士、吏部侍郎程戡为宣徽南院使、判延州。殿中侍御史吕诲言："戡才微识暗、外厚中险，交结权贵，因缘进擢，徇私罔上，怙势作威。况年逾七十，自当还政。近罢枢府，既以匪能；复委帅权，曷由胜任！且本朝故事，宣徽使非戚勋未尝除拜，乞追寝戡恩命。"知杂御史范（思）〔师〕道等相继论列，讫不从。

以度支判官、金部员外郎薛向权陕西转运使兼制置解盐使。范祥既卒，故以向代之。时西夏青盐盗贩甚贱，而官卖解盐价高，盐以故不售。向至，始减价以抑之。盐池岁调畦夫数千种盐，而盐支十年未售，向奏损其数，当时便之。

甲子，以眉州进士苏洵为试校书郎。

洵年二十七，始发奋为学，举进士、茂才异等，不中，悉焚其常所为文，闭户益读书，遂通《六经》、百家之说，下笔顷刻数千言。至和、嘉祐间，与其二子轼、辙至京师。翰林学士欧阳修上其所著《权门》《衡论》《机策》二十二篇，宰相韩琦善之。召试舍人院，以疾辞。本路转运使赵抃等荐其行义，修又言洵既不肯就试，乞除一官，故有是命。

壬申，诏曰："国初承五代之后，简编散落，三馆聚书才万卷。其后平定列国，亦尝分遣使者，屡下诏令，访募异本，校定篇目，听政之暇，无废览观。然比开元，遗逸尚众，宜加购赏，以广献书。中外士庶并许上馆阁阙书，每卷支绢一匹，五百卷与文资官。"

相度牧马利害所吴奎等上言："今陕西马价，多出解盐，三司所支银绢，许于陕西转运使易钱。权转运副使薛向既掌解盐，陕西财赋，可悉委之移用，仍俾择空地置监而孳养之。盖得西方不失其土性，一利也；因未尝耕垦之地，无伤于民，二利也；因向之才，使久其任而经制之，三利也。"帝可其奏。甲申，命向专领本路监牧及买马事，仍规度于原、渭州、德顺军置场；同州沙苑监、凤翔府牧地使臣，并委向保荐以闻。

欧阳修言："唐之牧地，西起陇右、金城、平凉、天水，外暨河曲之野，内则岐、豳、泾、宁，东接银、夏，又东至于楼烦，以今考之，或陷没蕃戎，或已为民田，皆不可复得。惟河东岚、石之间，荒山甚多，及汾河之侧，草地亦广，其间草软水甘，最宜养牧，此乃唐楼烦监地也。迹而求之,则楼烦、元池、天池三监之地,尚冀可得。臣往年奉使,尝行威胜以东及辽州、平定军,见其不耕之地甚多,而河东一路,山川深峻,水草甚佳,地势高寒,必宜马性。又,京西路唐、汝之间,荒地亦广。请下河东、京西转运使遣官审度,若可兴置监牧,则河北诸监寻可废罢。"下其奏相度牧马所,奎等请如修奏。

乃诏选官分诣河北、河南诸监,案牧地肥瘠顷亩,俟得实数,即遣官二人案视,其陕西估马司,仍委向规度以闻。向乃上言:"秦州券马至京师,计所值并道路之费,一马当钱数万。然所入止中杂支,于上等良马固不可得。请于原、渭州、德顺军置场收市,以解盐交引募蕃商广售良马八千,三千给缘边军骑,五千入群牧司。"诏从之。

乙酉,罢诸〔路〕同提点刑狱使臣,置江南东、西、荆湖南、北、广南东、西、福建、成都、梓、利、夔路转运判官。先是同提点刑狱使臣或有窃公用银器及乐倡首饰者,议者因言使臣多不习法令、民事,不可为监司,故罢之。十一路旧止一转运使,至是各增置判官,以三年为一任。

九月,丁亥朔,起居舍人、知制诰刘敞为翰林侍读学士、知永兴军。初,台谏劾敞行吕溱责官制词不直,又前议郭后祔庙,尝云"上之废后,虑在宗庙社稷,不得不然",是欲导人主废后也。章十数上,敞不自安。会永兴阙守,遂请行,诏从之。

己丑,太白昼见。

丙申,命枢密直学士、右谏议大夫吕公弼同详定均税。

辛丑,诏:"齐、登、密、华、邠、耀、鄜、绛、润、婺、海、宿、饶、歙、吉、建、汀、潮十八州并烦剧之地,自今令中书选人为知州;其知潮州,委本路转运、提点刑狱司同保荐之。"

翰林侍讲学士、给事中杨安国卒,赠礼部侍郎。安国讲说,一以注疏为主。在经筵二十七年,帝称其行义淳质,以比先朝崔遵度。

驸马都尉、安州观察使李玮与公主不协,而玮所生母又忤主意,主夜开皇城门入诉禁中,玮惶恐自劾。庚戌,降玮为和州防御使,仍与外任。明日,免降官,止罚铜三千斤,留京师。

癸丑,右正言王陶言:"汉光武出猎夜还,上东门候郅恽拒关不纳,光武从中东门入;明日,赏郅恽而贬中东门候。魏武之子临淄侯植,开司马门昼出,魏武怒,公车令坐死。今公主夜归,未辨真伪,辄便通奏,开门纳之,直彻禁中,略无机防,其所历皇城、宫殿内外监门使臣,请并送劾开封府。"知谏院唐介、殿中侍御史吕诲等亦以为言,皆不报。

冬,十月,丙辰朔,诏:"自今因奏举改官及升差遣,其所举人各犯枉法自盗而会赦不原者,举主亦毋得以赦论。"

庚申,〔诏〕:"充国公主宅都监梁全一等并置远小处监当,梁怀吉配西京洒扫班。自今勿置都监,别选内臣四人在宅句当,入位祗候并不得与驸马都尉接坐。"时台谏官皆言主第内臣数多,且有不自谨者,帝不欲深究其罪,但贬逐之,因省员更制。

甲子,辽主驻藕丝淀。

十一月,丁亥,以均州防御使李珣为相州观察使,单州团练使刘永(平)〔年〕为齐州防御使。知制诰杨畋封还珣、永(平)〔年〕词头,因言:"祖宗故事,郭进戍西山,董遵诲、姚内斌守环、庆,与强寇对垒各十余年,未尝转官移镇,重名器也。今珣等无尺寸功,特以外戚故除之,恐非祖宗法。"不报,诏它舍人草制。而范镇言:"朝廷如以杨畋之言为是,当罢珣等所迁官;傥以为非,乞复令畋命词。"不许。既而镇复有论列,遂罢之。

戊子,录故陕西〔制〕置解盐使、度支员外郎范祥孙景为郊社斋郎;子太庙室长襃,候服阕与堂除差遣。权三司使包拯言:"(详)〔祥〕建议通陕西盐法,行之十年,岁减榷货务缗钱四百万,其劳可录。"故有是命。

辛丑,枢密使、兵部尚书、同平章事宋庠,罢为河阳三城节度使、同平章事、判郑州。殿中侍御史吕诲等论:"庠外宽内忌,近者李玮家事,猥陈均州缪例,欲陷玮深罪,阿公主意;赖上明察,不行其言。且结交内臣王保宁,阴求援助;昨除御药院供奉四人遥领团练使、刺史,保宁乃其一也。三班院吏授官,隔过年限,略不惩诫。御前忠佐,年当拣退,乃复姑息。其徇私罔公率如此。"章凡四上,右司谏赵抃亦论庠不才,诏从优礼罢之。以礼部侍郎、参知政事曾公亮依前官充枢密使。枢密副使、右谏议大夫张昪、礼部侍郎孙抃并参知政事。翰林学士、礼部侍郎、知制诰、史馆修撰欧阳修,枢密直学士、右谏议大夫陈旭,御史中丞赵概,并为枢密副使,仍以概为礼部侍郎。

诏:"自今臣僚之家,毋得陈乞御篆神道碑额。"

辛亥,以直秘阁、判度支句院司马光、度支判官、直集贤院王安石同修起居注。光五辞而后受,安石终辞之。最后有旨,令阁门吏赍敕就三司授之,安石避于厕,吏置敕于案而去,安石遣人追还之,上章至八九,乃受。

十二月,癸酉,太常礼院言:"自今文武臣僚薨卒,法当谥者,考功于未葬前取索行状,移礼官考定。如其家葬速,集议不及,则许赐之。其有勋德,既葬未尝请谥者,亦听取旨。"诏可。

戊寅,以枢密直学士吕公弼为龙图阁学士、知成都府。公弼初至,人疑其少威断,会营卒犯法当杖,不肯受,曰:"宁请剑,不能受杖。"公弼再三谕之,不从,乃曰:"杖,国法,不可不从;剑,汝所请,亦不汝违也。"命杖而复斩之,军中肃然。

先是知永兴军刘敞朝辞日,言关中岁比不登,民多流移,请发仓赈之,又言均田扰民,帝令于所部徐访利害以闻。及敞至永兴,即具奏:"孙琳在河中府,用方田法打量地税,百姓惊骇,各恐增起租税,因此斫伐桑柘;赖转运使薛向在处张榜告谕,方得暂止。又闻只打量万泉一县,近须一年乃毕;蒙减者则必欣喜,被增者自然怨嗟,词诉狱讼,恐自此始。乞且召还孙琳,更俟丰岁,庶几灾伤之馀,不至惊扰。"其后河中民果诉增减田税不平,凡数万户。欧阳修亦言:"均税之事,朝廷只于见在税数量轻重均之,初不令其别生额外之数也。近闻卫州、通利军括出民冒佃田土,不于见在管榷数内均减重者摊与冒佃户,却生立税数配之,此非朝廷之意,而民所以喧诉也。欲望圣慈特赐指挥,令均税所只如朝廷本议,将实榷见在税数量轻重均之;其馀生立税数及远年虚数,却与放免,及未均地分,并且罢均。"

己卯,苏茂州蛮寇邕州。

辛巳,补诸州父老百岁以上者十二人为州助教。

是岁,置三司推勘公事一人,以京朝官充,掌推勘诸部公事。

六年 辽清宁七年【辛丑,1061】 春,正月,乙未,权御史中丞王畴言:"比岁两制臣僚不得与执政相见及台谏官往还。议出一时,初无典故,当时论者即以为非。今执政与谏官已弛其禁,而台官尚设科防。臣愚以为台官主于议论,以补天子之闻见,岂一二人能周知天下事乎?两制侍从之臣,皆国之选,今偶或相见,交自为疑,非所以示朝廷之大体也。请自今,两制亦许与台官相见。"从之。

戊申,降郓州防御使宗懿为信州团练使,宗懿葬其父濮安懿王,而自以本命日不临穴故也。时任守忠护王葬事,凌蔑诸子,所馈遗近万缗,而心犹未厌。宗懿得罪,守忠实为之。

庚戌,辽主如春州,以耶律伊逊知北院枢密使事。时驸马都尉萧呼敦同知北枢密院,以位在伊逊下,意常快快。萧革之擢出萧阿喇也,时欲中伤之。西北路招讨使萧珠泽,阿喇之从父昆弟也,为阿喇所爱,革嫉之。珠泽当受代赴阙,先尝借官粟,留直而去,萧呼敦希革意发其事,欲以倾阿喇。辽主大怒,决珠泽以大杖,免其官。呼敦,亦阿喇之从父昆弟也,呼敦又欲要权,岁时献遗珍玩畜产于革,二人相爱过于兄弟。

二月,丁巳,诏:"宗室赐名授官者,须年及十五,方许转官。"

乙丑,诏曰:"如闻良民子弟或为人诱隶军籍,父母泣诉而不得还者,朕甚闵之。自今有司审其所从来,隶籍百日内,父母诉官者,还之。"

丙寅,录系囚,降罪一等,徒以下释之。

戊辰,诏枢密院:"自今内殿崇班以上,须年二十方听受差遣。"

三月,癸巳,赐礼部进士掖人王俊民等一百三十九人及第,五十四人同出身;诸科一百二人及第并同出身;特奏名进士、诸科四十三人同出身、诸州文学、长史。

己亥,富弼以母丧去位。庚子,罢大宴。时同知礼院晏成裕言:"君臣之义,哀乐所同,请罢春宴,以表优恤大臣之意。"帝亟从其言。成裕,殊子,弼妻弟也。议者或以为过云。

甲辰,诏翰林学士承旨宋祁遇直许一子主汤药,祁以羸疾请之也。

戊申,幸后苑赏花钓鱼,遂宴太清楼,出御制诗一章,命从臣属和以进。

诏:"周六庙在西京者,令有司以三品祭服一、四品祭服二及当用祭器给之。"

夏,四月,辛酉,以权三司使包拯为给事中、三司使。拯在三司,凡诸管库供上物,旧皆科率外郡,积以困民。拯特置场和市,民得无扰。吏负钱帛多,缧系间(趣)〔辄〕逃去,械其妻子者,类皆释之。

诏:"岭南官吏死于依贼而其家流落未能自归者,所在给食护送还乡。"

庚午,以右正言王陶知卫州。时台谏共言陈旭不当为枢密副使,帝弗听。陶既引疾在告,又先自乞罢,因许之。

辛未,辽禁吏民畜海东青鹘。

丙子,命大理寺丞郭固编校秘阁所藏兵书。先是置官编校书籍,而兵书与天文为秘书,独不预,大臣或言固知兵法,即以命之。然兵书残缺者多,不能遍补也。

庚辰,以枢密副使、右谏议大夫陈旭为资政殿学士、知定州,三司使、给事中包拯为枢密副使。出礼部郎中、天章阁待制、知谏院唐介知洪州,右司谏赵抃知虔州,兵部员外郎兼侍御史知杂事范师道以本官知福州,殿中侍御史吕诲知江州。

旭始除枢密副使,或言旭阴结宦者史志聪、王世宁等,故有此命。介等交章论列,且言:"旭顷为谏官,因张彦方事阿附贵戚,已不为清议所与。及知开封府,尝贱市富民马,纳外弟甄(昂)〔昂〕于府舍,恣意请托。"帝以其章示旭,旭奏:"臣前任言职,弹斥内臣,其桀黠用事如杨怀敏、何诚用、武继隆、刘恢辈,多坐黜逐,今言者乃以此污臣。志聪臣不识面,世宁弟娶臣妻舅之孤女,久绝往来,若尝荐臣,陛下必记其语。乞付吏辨劾。"遂家居求罢。帝手诏召出之,介等复阁门待罪,顷之复出,如是者数四。帝顾谓辅臣曰:"凡除拜二府,朕岂容内臣预议邪!"而介等言不已,故两罢之。欧阳修请召还介等,以劝守节敢言之士,不报。

初,诸路敦遣行义、文学之士赴京师者二十三人,其至者十六人,皆馆于太学,即舍人院试论策。五月,丙戌,赐徐州颜复、润州焦千之、成都章楶、荆南乐京等七人进士出身,四人同出身,馀悉授试校书郎。复,太初子;楶,察子也。时濮州李植道卒,岳州顾立有期丧,越州吴孜等五人辞不就试,复等既推恩,亦以试将作监主簿命之。

辽主清暑永安山。

丁酉,诏天章阁待制、知谏院吕景初同详定均税。

翰林学士承旨、工部尚书、知制诰、集贤殿修撰宋祁卒,赠刑部尚书。祁兄弟皆以儒学显,而祁尤能为文章,善议论;清约庄重,不逮其兄,论者谓祁不至公辅,盖亦以此。祁自为遗奏,请早建储。又自为《左志》《右志》及《治戒》以授其子。其子遵《治戒》,不请谥;久之,张方平言祁法应得谥,谥曰景文。

己亥,马军副都指挥使、淮康节度使张茂实,落管军,知曹州。初,赵概为御史中丞,言茂实不宜典宿卫,未听;及概为枢密副使,复言之。而言者又劾茂实贩易公使所遣卒杀人于外,茂实因以老自请解兵权,始命出守。先是翰林侍读学士刘敞尝奏言:"张茂实本周王乳母子,尝养宫中,故往年市人以狂言动茂实,颇骇物听;近者韩绛又以谗说倾宰相,重摇人心。是一茂实之身,远则为小人所指目,近则为群臣所疑惧。假令茂实其心如丹,必无它肠,亦未能家至户晓也。莫若解茂实兵权,处以外郡,于茂实不失富贵,而朝廷得远嫌疑,策之善者也。昔王郎自称刘子舆,卢芳自号刘文伯,因疑饰伪,未必皆有犯上之心,但流言驱扇,群情眩惑。臣忝近列,方当远出,心之所疑,不敢不极论。乞以臣言密付执政商量。"久之,茂实乃罢。

丙午,辽主谒庆陵。

庚戌,诏:"凡府号、官称犯父祖名而非嫌名及二名者,不以官品高下,并听回避。"

录系囚,降罪一等,徒以下释之。分命官录三京系囚。

辛亥,辽杀东京留守陈王萧阿喇。阿喇以例来朝,辽主访群臣以时务,阿喇陈利病,言甚激切。萧革伺辽主意不悦,因谮曰:"阿喇恃宠,有慢上之心,无人臣之礼。"辽主大怒,命缢杀于殿下。皇太后营救不及,大恸曰:"阿喇何罪而遽见杀!"辽主乃优加赗赠,赐葬乾陵之赤山。阿喇性忠果,晓世务,有经济才,议者谓阿喇不死,后当无重元、伊逊之祸。

萧呼敦既自结于萧革,藉以鬻权。其族弟迪里荐萧呼都于呼敦,呼敦见其辩给壮勇,倾心交结,每遇休沐,言论终日。呼敦乘间为辽主言呼都及迪里可用,辽主以迪里为旗鼓伊喇详衮,以呼都为宿直官。及革构陷阿喇,呼都阴为之助,时人丑之。

六月,壬子朔,日有食之。

初,司天言当食六分之半,是日未初,从西食四分而阴云雷电,顷之雨,浑仪所言不为灾。权御史中丞王畴言:"顷岁日食于正阳之月,方食时实亦阴晦,然于云气之间尚有见者,固不得同不食。当时有司乃称食不及分,而宰臣集班表贺,甚失陛下祗畏奉天之意。恐今有司或援近例乞班贺者,臣故先事而言也。"同判尚书礼部司马光言:"日之所照至远,云之所蔽至狭,虽京师不见,四方必有见者。此乃天戒至深,不可不察。食不满分者,乃历官术数之不精,当治其罪,亦非所宜贺也。"于是诏百官毋得称贺。

庚申,赐草泽建安章友直银绢。友直篆国子监《石经》成,除试将作监主簿,辞不就,因有是赐。友直,得象之族也。得象为宰相,尝欲官之,友直谢去,终身不仕。

甲子,辽以萧玛噜为顺义军节度使。

乙丑,太白昼见。

丁卯,辽主如弘义、永兴、崇德三宫致祭,射柳,赏赉有差。戊辰,行再生礼,复命群臣分朋射柳。

壬申,岁星昼见。

甲戌,起复富弼为礼部尚书、平章事、昭文馆大学士、监修国史,弼辞不拜。故事,执政遇丧皆起复,弼谓金革变礼,不可用于平世。帝五遣使起之,卒不从命。

丙子,以司马光知谏院,入对。

丁丑,命翰林学士吴奎、王珪同详定茶法。

辽以楚王尼噜古知南院枢密使事。

戊寅,以度支判官、直集贤院、同修起居注王安石知制诰。

初,安石辞修起居注,既得请,又申命之,安石复辞至七八乃受;(乃)〔及〕迁知制诰,自是遂不复辞官矣。时有诏,今后舍人院不得申请除改文字,安石曰:"审如是,则舍人不得复行其职,而一听大臣所为,自非执政大臣欲倾侧而为私,则立法不当如此。今大臣之弱者则不敢为陛下守法,强者则挟上旨以造令,谏官、御史无敢忤其意者,臣实惧焉。"安石由是与执政忤。

秋,七月,壬午朔,光禄寺丞、知长州县夏噩,坐私贷民钱,特勒停。噩中制科,本路提点刑狱王道古恶其轻傲,捃其事而废之。

乙酉,泗州淮水溢。

丙戌,诏:"淮南、江、浙水灾,差官体量蠲税。"

丁亥,权御史中丞王畴言:"比年中外臣僚,或因较量差遣,或因辩论身计,或因进以干誉,或因罪而觊免,肆为妄谈,辄形奏章。其间求放归田里者有之,乞别自营生者有之,岁未至而愿致仕者有之,苟辞禄而请归农者有之,皆心语相违,情实交戾。请自今,有如向所陈者,并许弹奏施行。又,国家开广言路,任用台谏官。比年士大夫乃有险徼之人,挟己憎爱,依其形势,以造浮说,奔走台谏之门,鼓扇风波之论,幸言者得以上达。推原其情,本非公正,止于阴借权力,取快私意。当言之人,率务举职,既所传耳目稍异,则岂敢遂无论列!万有一爱憎不中之论,荧惑紊挠人主之聪明,岂不为听断之累哉!望晓励士大夫,庶几偷薄革心,以清朝路。又,台谏有白事于朝而更以状干台司者,推原其情,盖欲当任者为言而助之尔。臣以为事有曲直,法有轻重,朝廷以至公待天下,固不俟言者助之也。请自今,臣僚如以公事奏朝廷,不俟施行而辄申御史台者,许弹奏以闻。"帝嘉纳之。

戊子,录昭宪皇太后、孝明、孝惠、孝章、淑德皇后家子孙,进秩授官者十有九人。先是集贤校理同修起居注江休复言:"朝廷初行祫享之礼,而昭宪太后躬育祖宗,其后裔多流落民间,宜思所以推恩者。"于是并四后家子孙皆录之。寻复赐昭宪太后家信陵坊第一区。

诏中书、枢密院:"累年未修《时政记》,自今随月撰进。"

壬辰,命同知谏院司马光同详定均税。光既立条约,下诸路监司施行。又言:"国家立

1235

事,当先使赏罚明,然后事无不成。职方员外郎秦植,前通判德州,均五县税,皆得平允,并无词诉。若遇庸愚之人烦扰败事者,同归常调,一无殿最,则能吏解体,必无成功。伏望察其勤瘁,优加酬奖,并其馀均税官吏,随其功过,量行惩劝,则后来无不尽力矣。”

癸巳,诏曰:“台谏为朕耳目之官,而事有不能周知,固将博问朝士大夫以广听察。乃有险波之人,因缘憎嫉,依倚形势,兴造飞语以中伤善良,殆非忠厚之行也。中书门下其为朕申儆百工,务敦行实;循而弗改,当重黜焉。”从御史中丞王畴所请也。

甲午,出内藏库绢二十万匹,下河北助籴军储。

壬寅,同知谏院司马光以三札子上殿。其一论君德曰:“臣窃惟人君大德有三:曰仁,曰明,曰武。陛下天性慈惠,子育元元,虽古圣王之仁,殆无以过。然自践祚垂四十年,而纪纲犹有亏缺,穷民犹有怨叹,意者群臣不肖,不能宣扬圣化;将陛下于三德亦有所未尽欤?伏见陛下推心御物,端拱渊默,群臣各以其事有所疏奏,陛下不复询访利害,考察得失,一皆可之。诚使左右前后股肱耳目之臣皆忠实正人则善矣;或有一奸邪在焉,岂可不为之寒心哉!伏望陛下以天性之至仁,廓日月之融光,以奋乾断,俾善无不录,恶无不诛。”

其二论御臣曰:“臣闻致治之道,一曰任官,二曰信赏,三曰必罚。窃见国家所以御臣之道,累日月以进秩,循资涂而授任。苟日月积久,则不择其人之贤愚而置高位;资涂相值,则不问其人之能否而居重职。远者三年,近者数月,辄已易去,而望职事之修,功业之成,必不可得也。其失在于采名不采实,诛文不诛意。夫以名行赏,则天下饰名以求功;以文行罚,则天下巧文以逃罪。诚能博选在位之士,量能施职,有功则增秩加赏而勿徙其官,无功则降黜废弃而更求能者,有罪则流窜刑诛而勿加宽贷,如是而朝廷不尊,万事不治者,未之有也。”

其三论拣军曰:“养兵之术,务精不务多。今所选之兵,升其军分,增其粮赐,是宜咸戴上恩,人人喜悦;而窃闻京城之内,被选之人,往往咨嗟悲怨,父子相泣。况(其中外)〔于外方〕兵士,远去乡里,诀别亲戚,其为愁苦,不言可知。使中外人情皇皇如此,岂惟久远之害,亦不可不以近切之忧为万一之虑也。伏乞自后每遇大段招拣兵士,须令两府臣僚同共商量,度财用丰耗及事之缓急,若须至招拣,方得闻奏施行。”

八月,己未,马军(头)〔副〕都指挥使、武胜留后王凯卒。车驾临奠,赠彰武节度使,谥庄恪。凯治军有纪律,善抚循士卒,平居与均饮食;至临阵援枹鼓,毅然不少假。故士卒畏信,战无不力。

庚申,诏三馆、秘阁校《宋》《齐》《梁》《陈》《后魏》《后周》《北齐》七史书,有不完者访求之。

乙丑,左侍禁、雄、霸等路走马承受林伸言:“国朝上世陵寝在保州保塞(寨)〔县〕东,犹有天子巷、御城庄存焉,其地颇为塘水所坏,乞下本处时加修筑。”从之。

司马光言:“今国家三年一郊,未尝无赦,每岁盛夏,皆有疏决,猾吏贪纵,大为奸利。悍民暴横,侵侮善良,百千之中,败无一二;幸而发露,率皆亡匿,不过三岁,必遇赦降,则晏然自出,复为平人。使愿悫之民愤悒悑恐,凶狡之群志满气扬,岂劝善沮恶之意哉!且疏决之名,本行于盛暑之际,死罪以下,皆递降一等;近年或至再三,自徒以下,一切赦之。今岁疏决之令已再行矣,此所以使百职堕慢,奸邪恣睢者也。今纵未能尽革前弊,伏望下中书,今后每岁疏决不过一次,或早或晚,使外人不可豫期,其徒罪仍依旧降从杖;或遇亲祀南郊之岁,更不疏决,永为定制,庶几为恶之人有所戒惧。"

丁卯,司马光进五规:一曰保业,二曰惜时,三曰远谋,四曰重微,五曰务实。

乙亥,御崇政殿,策试贤良方正能直言极谏著作佐郎王介、福昌县主簿苏轼、渑池县主簿苏辙。轼所对入第三等,介第四等,辙第四等次。以轼为大理评事、签署凤翔府判官事;介为秘书丞、知静海县;辙为商州军事推官。

时辙对语切直,其略曰:"自朔方解兵,陛下弃置忧惧之心二十年矣。古之圣人,无事则深忧,有事则不惧。夫无事而深忧者,所以为有事之不惧也。今陛下无事则不忧,有事则大惧,臣以为失其宜矣。臣闻近岁以来,宫中贵姬,至以千数,坐朝不闻谘谟,便殿无所顾问,女宠害之,内则伐性伤和,外则蠹国败政,陛下无谓好色于内不害外事也。今海内穷困,生民怨苦,而宫中赐予无艺,所欲则给,大臣不敢谏,司会不敢争。国家内有养士、养兵之费,外有契丹、西夏之奉,陛下又自为一阱以耗其遗馀,臣恐陛下以此得谤而民心不归也!"

策入,谏官司马光第以三等,翰林学士范镇难之,欲降其等,蔡襄曰:"吾三司使也,司会之名,吾愧之而不敢怨。"惟胡宿以为策不对所问,而引唐穆宗、恭宗以况盛世,非所宜言,力请黜之。光言是策于同科三人中独有爱君忧国之心,不可不收,而执政亦以为当黜。帝曰:"求直言而以直弃之,天下其谓我何!"乃收入第四等次。及除官,知制诰王安石疑辙右宰相,专攻人主,比之谷永,不肯为词,韩琦笑曰:"彼策谓宰相不足用,欲得娄师德、郝处俊而用之,尚以谷永疑之乎!"改命沈遘,乃为之词。已而谏官杨畋见帝曰:"苏辙,臣所荐也。陛下赦其狂而收之,此盛德事,乞宣付史馆。"帝悦,从之。介,衢州人。

于是司马光复与同列上疏言:"今岁灾异屡臻,民多菜色,此正陛下侧身克己之时。而道路流言,陛下近日宫中燕饮,微为过差,赏赉之费,动以万计,耗散府库,调敛细民。况酒之为物,乱性败德,禹、汤所禁,周公所戒,殆非所以承天忧民、辅养圣躬之道也。陛下恭俭之德,彰信兆民,议者皆以为后宫奢纵,务相夸尚,左右近臣,利于赏赉,陛下重违其请,屈意从之。夫天以刚健为德,君以正固为事,奈何徇后宫左右之欲,上忽天戒,下忘民病,中不为宗庙社稷深自重惜!伏望悉罢宴饮,后宫妃嫔,进见有时,乃可以解皇天谴告之威,慰元元穷困之望,保受命无疆之休。"帝嘉纳之。

丙子,诏龙图阁直学士杨畋,于三司取天下凡课利场务五年并增亏者,限一月别立新额。时场务岁课多亏,惟逐时科校主典,而三司终不为减旧额,故帝欲特行之。

丁丑,诏曰:"考绩之次序,比令有司详议厥制,条奏来上,询谋悉同。咨尔在位,其各悉力一心,务祗新书,以称朕至诚悱恻之意。今考校转运使、副、提点刑狱,课绩院以所定条目施行。"

戊寅,诏曰:"今吏多失职,不称所以为民之意,殆以不得久于其官故也。盖智能才力之士,虽有兴利除害禁奸劝善之意,非假以岁月,则其吏民亦且偷而不为之用,欲终厥功,其路无由。自今知州、军、监、知县、县令有清白不扰而实惠及民者,令本路监司保荐再任,政迹尤异,当加奖擢。"

闰月,乙酉,复以成都府为剑南西川节度。

庚子,平章事、集贤殿大学士韩琦加昭文馆大学士、监修国史,枢密使、礼部侍郎曾公亮为吏部侍郎、平章事、集贤殿大学士,右谏议大夫、参知政事张昇为工部侍郎、充枢密使。

帝既许富弼终丧,乃迁琦首相。或谓琦曰:"富公服除,当还旧物,独不可辞昭文以待富公邪?"琦曰:"此位安可长保!比富公服除,琦在何所!若辞昭文以待富公,是琦欲保此位也,使琦何辞以白上?"闻者亦是琦言。

辛丑,以左司郎中、知制诰、史馆修撰胡宿为左谏议大夫、枢密副使。宿谨静,尤顾惜大体。群臣方建利害,多更张庶事以革弊,宿独曰:"变法古人所难,不务守祖宗成法而徒纷纷,无益于治也。"

乙巳,诏给前宰相富弼月俸之半,弼固辞不受。

丁未,谏官司马光奏:"臣昔通判并州,曾三上章乞早定继嗣。是时臣疏远在外,犹不敢隐忠爱死;况今日侍陛下左右,官以谏诤为名。窃惟国家至大至急之务,莫先于此,若舍而不言,是臣怀奸以事陛下,罪不容诛醢。伏望陛下少加省察。"光既具札子,复面请之。帝时简默不言,虽执政奏事,首肯而已。及闻光言,沉思良久,曰:"得非欲选宗室为继嗣者乎?此忠臣之言,但人不敢及尔。"光曰:"臣言此自谓必死,不意陛下开纳。"帝曰:"此何害!古今皆有之。"因令光以所言付中书。光曰:"不可,愿陛下自以意谕宰相。"是日,光复言江、淮盐事,诣中书白之。宰相韩琦问光:"今日复何所言?"光默计此大事,不可不使琦知,思所以广上意者,即曰:"所言宗庙社稷大计也。"琦喻意,不复言。

【译文】

宋纪五十九　起庚子年(公元 1060 年)六月,止辛丑年(公元 1061 年)八月,共一年有余。

嘉祐五年　辽清宁六年(公元 1060 年)

六月,戊午朔(初一),辽国任东北路女真详衮果嘉努为特里衮。

壬戌(初五),辽国派使臣清查囚犯情况。

乙丑(初八),下诏警戒那些告密和揭发他人过失或议论早已赦免之事的人,以及言官弹劾与政体无关的小过失。当时殿中侍御史吕海进言:"依照旧例,台谏官允许根据传闻谈论国家事务,是希望广泛征求意见,以补救朝廷过失。近来朝廷内外有很多臣僚控告别人过失,既不是他的应管之事,实际上也是侵犯言官职权;更有甚者诋毁日常缺点,张扬隐私之事,刻薄行为,渐成风气,请予惩治革除。"因此下了这道诏令。

丙寅(初九),命令天章阁待制张揆一起详细讨论平均税额之事。

辽国在中京设置国子监,命令按时祭祀先圣、先师。

壬申(十五日),诏令礼部贡院:"内外锁厅考试和亲戚举人,一同参加考试,每十人推荐一人参加上一级考试;如不到十人,也允许推举一人;在四人以下送邻路考场应试。"

乙亥(十八日),派遣官员巡视全国,访察宽缓体恤百姓之事。

癸未(二十六日),辽国再次任命隋王耶律仁先为北院大王。先前耶律仁先曾为北院大王,有仁政,这次百姓到几百里外欢迎他,如见父母。

甲申(二十七日),三司减省冗费所报告:"近年宫女请求增加俸禄的人成倍增长,请考虑天圣初年嫔御以下宫女人数,作为标准。"仁宗同意。

秋季,七月,辛卯(初五),下令分京西为二路,将许、陈、郑、滑、孟、蔡、汝、颍、信阳九州军隶属北路，邓、襄、随、房、金、唐、均、郢、光化九州军隶属南路；均设置安抚使，任命许、邓二州守臣兼任，其中河南府则不隶属所在路管辖。

癸巳（初七），邕州报告交趾和甲峒蛮合兵侵略边境，都巡检宋士尧抵抗战死。下令调动各州军队讨伐。

甲午（初八），任命天章阁待制、知谏院唐介为荆南知州，这是听从了唐介请求。敕令到达门下，知封驳事何郯封好退回，说："唐介担任谏官，对朝廷有益，不应出任外官。"诏令唐介在知谏院任职如故。

戊戌（十二日），翰林学士欧阳修等人进上所编修《唐书》二百五十卷；参加刊修和编修的官员都有升赏，还赐给钱物不等。

著作佐郎刘羲叟担任崇文院检讨，未及入谢，背上生疽而死。刘羲叟知识渊博记忆力强，尤其擅长星历数学等，他的话多次应验。

当时人口日增，很多土地得到开垦，只有京西唐、邓一带尚有许多闲地。唐州的闲地尤其多，有的请求迁民户充实这一带，有的请求让军队屯田，有的请求罢州为县，知州事、比部员外郎赵尚宽进言："土地空旷可以加倍开垦，民户稀少可以更多地招集，但州不可撤。"于是按照地图记载，找到了召信臣的遗迹，增发士卒，恢复了三个大池塘、一条大渠，都能灌溉田地万余顷。又要百姓自修支渠四十条，交叉灌溉，各地百姓纷纷迁至。赵尚宽又请求将荒田按人口分授，还借给百姓官钱作为买牛费用。过了三年，荒田全成肥沃之地，增加一万多民户。监司上报情况，三司使包拯为此进言。丙午（二十日），诏令赵尚宽留任。

庚戌（二十四日），下诏："朕乐于和士大夫一起厚积德性，发扬忠义，作为天下楷模，但大臣间矛盾重重，朕的旨意未被贯彻，有人好说大话，行为阴险，专门以恐吓众人来获取声望，欺骗上司以获得恩宠。议事官员则搜集他人隐私，毫无长者风范；表面公正而究其内心，实是为了纠合党羽以谋取私利，实在可恶！中书门下两省要选择正直诚实官员，荐给朝廷；再审辨言辞过激、弄虚作假之徒，罢官免职。"御史中丞赵概进言："连年以来，官绅议论大多轻浮刻薄，应下令禁戒。"因此下了这道诏书。

壬子（二十六日），命令翰林学士吴奎、户部副使吴中复、度支判官王安石、右正言王陶一同讨论牧马利弊上报。当时马政因循旧制，议论的人认为应有所变革。

八月，丁巳朔（初一），任命观文殿学士、吏部侍郎程戡为宣徽南院使、判延州。殿中侍御史吕诲进言："程戡才识低下，外表忠厚内心阴险，依附权贵，靠关系升官，徇私舞弊，欺骗圣上，仗势作威。况且年过七十，自当隐退。近来罢去枢密府职务，既无才能；又委以将帅重任，怎能胜任！而且本朝旧制，宣徽使只有戚勋才能担任，请追复程戡的任命。"知杂御史范师道等相继进言，仁宗未听从。

任命度支判官、金部员外郎薛向代理陕西转运使兼制置解盐使。范祥去世，所以叫薛向代替他。当时盗贩的西夏青盐价格甚贱，而官家卖的解盐价高，盐因而卖不出去。薛向到任后，开始降低盐价以压制私盐。盐池先前每年调集盐工几千采盐，而官盐积压十年没有出售，薛向奏请减少征调人数，当时以为便利。

甲子（初八），任命眉州进士苏洵为试校书郎。

苏洵年达二十七岁，方开始发奋读书，参加进士、茂才异等考试，不中，将平日所写文章全部烧毁,关门更加发奋地读书,于是通晓《六经》、百家学说,下笔一挥而就千言。至和、嘉祐年间,和他的两个儿子苏轼、苏辙到达京师。翰林学士欧阳修进上所著《权书》《衡论》《机策》二十二篇,宰相韩琦称善。召到舍人院试用,苏洵托病推辞。本路转运使赵抃等推荐他的品行,欧阳修又说既然苏洵不肯应试,请授予一官,因此有了这道诏命。

壬申(十六日),诏书说:"国家起初继承五代,史册散落,三馆的书共只万卷。后来平定各国,也曾分别派遣使者,多次降下诏令,访集异本,校定篇目,听取政事之余,仍未忘记览读。但比起开元年间,散失的书还不少,应该加倍赏购,以让更多的人献书。宫廷内外官员百姓均允许献上馆阁所缺之书,每卷领取绢一匹,五百卷授予文资官。"

相度牧马利害所吴奎等人进言:"现今陕西购马费用多出自解盐收入,三司所支取的银绢,允许到陕西转运使兑换钱币。权转运副使薛向掌管解盐后,陕西的财政收入,可以全部交给他使用,又由他选择空地设监养马。因地处西部使马不失其本性,这是一利;利用未曾开垦之地,对百姓没有损失,这是二利;发挥薛向的才能,让他长久任职负责此事,这是三利。"仁宗同意了他的奏请。甲申(二十八日),命令薛向专门负责本路监牧及买马事务,仍然规划在原、渭州、德顺军设置马场;同州沙苑监、凤翔府牧地使臣,均委派薛向推荐上报。

文官服饰俑　北宋

欧阳修进言:"唐代的牧地,西起陇右、金城、平凉、天水,向外至河曲地区,向内则到岐、豳、泾、宁,东接银、夏,向东抵达楼烦,现今考据,有的陷没蕃戎之地,有的已成民田,都不可恢复。只有河东岚、石之间,荒山很多,及至汾河岸边,草地广阔,那里草质良好,水质甘甜,最适宜养牧,这就是唐代楼烦监所在地。按踪迹查找,则楼烦、元池、天池三监之地,还可找到。臣往年奉命出使,曾到达威胜以东以及辽州、平定军,见那里未开垦的土地极多,而河东一路,山川险峻,水草丰茂,地势高远,气温寒冷,一定适宜马的习性。再者,京西路唐、汝之间,荒地也不少。请下达河东、京西转运使派官审察,如可设监放牧,则河北各监不久可撤除。"将他的奏议下达相度牧马所,吴奎等人请求按欧阳修奏章办。

于是诏令派官员分别到河北、河南各监,查看牧地的肥沃、面积,等得到准确数据,就派遣两名官员巡视。陕西估马司,仍然委托薛向规划上报。薛向于是上奏说:"秦州券马送到京师,计算马价及路费开支,一匹马值钱数万。然而所得到的只是品种差的马匹,上等良马是绝对得不到的。请在原、渭州、德顺军设场收购,用解盐的交引招募蕃地商人广售良马八千匹,三千匹给边境骑兵,五千匹交群牧司。"诏书同意。

乙酉(二十九日),撤掉各路提点刑狱使臣,设置江南东、西、荆湖南、北、广南东、西、福建、成都、梓、利、夔路转运判官。先前同提点刑狱使臣有的偷窃公用银器和乐人手饰,议论的人于是说使臣大多不懂法令、民事,不可担任监司,所以取消这一机构。十一路过去只有一员转运使,这时各增设判官,三年一任。

九月,丁亥朔(初一),任命起居舍人、知制诰刘敞为翰林侍读学士、知永兴军。当初,台谏官员弹劾刘敞写的斥责吕溱的制词不公正,再者上次讨论郭皇后祔庙,曾说"皇上废郭后,考虑到宗庙社稷,不得不如此",这是要引导国君废黜皇后。奏章送上十几次,刘敞自感不安。碰巧永兴军职位空缺,于是请求前往,仁宗同意。

己丑(初三),太白星白天出现。

丙申(初十),命令枢密直学士、右谏议大夫吕公弼一同商议平均赋税之事。

辛丑(十五日),下诏:"齐、登、密、华、邠、耀、郿、绛、润、婺、海、宿、饶、歙、吉、建、汀、潮十八州都是繁杂难治理的地方,从现在令中书选拔官员担任知州;潮州知州委托本路转运、提点刑狱司共同保荐。"

翰林侍讲学士、给事中杨安国去世,赠礼部侍郎。杨安国讲学,全以注疏为主。参与经筵二十七年,仁宗称赞他品行纯朴,将他比作先朝崔遵度。

驸马都尉、安州观察使李玮与公主关系不好,而李玮生母又违背公主意愿,公主夜晚叫开皇城门到宫内哭诉,李玮惶恐自责。庚戌(二十四日),将李玮降职为和州防御使,又让他出任外官。第二天,免予降官,只罚铜三千斤,留任京师。

癸丑(二十七日),右正言王陶进言:"汉光武帝出猎夜里回来,上东门候郅恽闭关不让他进来,光武帝从中东门进。第二天,赏赐郅恽而贬斥中东门候。魏武帝的儿子临淄侯曹植,打开司马门白天外出,魏武帝大怒,公车令被处死罪。现公主夜归,不辨真伪,便轻易通报上奏,开门让她进来,直入后宫,毫不防备,她所经过的皇城、宫殿内外监门使臣,请一并送与开封府审问。"知谏院唐介、殿中侍御史吕海等人也这样说,均未答复。

冬季,十月,丙辰朔(初一),下诏:"从今因上奏举荐改任官职及升任的差遣官,如所举荐的人自己枉法自盗在赦免时未免刑的人。举荐的人也不赦免。"

庚申(初五),下诏:"把兖国公主宅都监梁全一等人送到偏远狭小地方任监当官,梁怀吉发配西京洒扫班。自现在不设立都监,另选拔内臣四人在宅内负责,入位祗候都不得与驸马都尉坐在一处。"当时台谏官都说公主宅第内臣太多,且有一些行为不谨的人,仁宗不想深加追究,只是将他们贬逐,减少官员数,改变制度。

甲子(初九),辽道宗进驻藕丝淀。

十一月,丁亥(初二),任命均州防御史李珣为相州观察使,单州团练使刘永年为齐州防御使。知制诰杨畋封还李珣、刘永年的任命词头,于是进言:"依照祖宗旧例,郭进戍守西山,董遵海、姚内斌防守环州、庆州,与强敌对峙十余年,不曾移任他镇,这是尊重他们的名位。现在李珣等无寸功,特地以外戚缘故授官,恐怕不符合祖宗旧法。"未予答复,诏令其他舍人起草制书。范镇进言:"朝廷如果认为杨畋的意见正确,应当免去李珣等人升任的官职;如果认为错了,请令杨畋再次草拟制书。"未答复。不久范镇再次上疏论说,于是撤销了任命。

戊子(初三),录用已故陕西制置解盐使、度支员外郎范祥的孙子范景为郊社斋郎;他的儿子太庙室长范褒,待服丧完毕由政事堂授予差遣官。权三司使包拯进言:"范祥建议实施

1241

陕西盐法,通行十年,每年减少榷货务缗钱四百万,凭他的功劳可录用其子弟。"因此有了这道任命。

辛丑(十六日),枢密使、兵部尚书、同平章事宋庠,被罢为河阳三城节度使、同平章事、判郑州。殿中侍御史吕诲等人议论:"宋庠表面宽容内心猜忌,近时李玮家中有事,他便歪曲事实说均州违反惯例,想陷害李玮于深罪,阿附公主意见;蒙圣上明察,未听他的话。而且他交结内臣王保宁,暗中声援;前不久授予御药院四名供奉遥领团练使、刺史,王保宁就是其中一位。三班院的吏员授予官职,超过年限,他却忽略不加惩戒。御前的忠佐卫士,应按年龄挑选一些人退职,却姑息不过问。他徇私罔公大都如此。"奏章递上四次,右司谏赵抃也议论宋庠无才能,诏令对他优加礼遇地罢免。任命礼部侍郎、参加政事曾公亮按前官担任枢密使。枢密副使、右谏议大夫张昇、礼部侍郎孙抃均担任参知政事。翰林学士、礼部侍郎、知制诰、史馆修撰欧阳修,枢密直学士、右谏议大夫陈旭,御史中丞赵概,均担任枢密副使,仍旧任命赵概担任礼部侍郎。

下诏:"从今臣僚的家属,不得再请求皇上御篆神道碑额。"

辛亥(二十六日),任命直秘阁、判度支句院司马光,度支判官、直集贤院王安石为同修起居注。司马光推辞五次才接受,王安石最后推辞不受。后来皇上有旨,命令阁门吏带敕书到三司授命,王安石躲避于厕中,阁门吏将敕书置于案上走了,王安石派人追还,上奏章八、九次后才接受。

十二月,癸酉(十八日),太常礼院进言:"从今起文武臣僚去世,依法应赠谥号的,考功官在未安葬前取来生平记录,交礼官考核审定。如果其家迅速安葬,来不及集体商议,则允许赐予。对于有德勋,已经安葬尚未赐给谥号的,也听候圣旨决定。"下诏同意。

戊寅(二十三日),任命枢密直学士吕公弼为龙图阁学士、知成都府。吕公弼刚上任时,人们怀疑他没有威严,碰巧营卒犯法应处杖刑,不肯接受,说:"宁愿以剑处斩,不愿受杖刑。"吕公弼再三晓谕他,仍不服从,于是说:"杖刑是国法,不可不服从;以剑斩首是你自己所请,也不违背你的意愿。"下令处杖刑后再斩首,军中肃然。

先前永兴军知军刘敞上朝辞行时,说关中连年歉收,百姓很多流离失所,请求开仓赈济,还说均田的做法侵扰了百姓,仁宗正令他在自己的任区慢慢访查利弊上报。及刘敞到永兴军,就详细上奏:"孙琳在河中府,用方田法测量土地平均赋税,百姓惊惶,都害怕增加税额,于是砍伐桑树、柘树;全赖转运使薛向到处张榜谕告,才得以停止。又听说只是测量万泉一县,要将近一年才能完毕;被减免的必然就高高兴兴,被增税的人自然会怨恨,上诉词讼,恐怕从此开始。请暂且召回孙琳,等待丰年,或灾年过后,才不至于惊扰百姓。"后来河中府百姓果然申诉增减税额不公,共数万户。欧阳修也进言:"平均税额一事,朝廷只是在现有数额基础上平均轻重,当初并没要额外增加数量。近来听说卫州、通利军查出百姓假冒租佃的田地,不从现在所收数里把税重户的数额摊到冒佃民户,而新增税额分配给冒佃民户,这并非朝廷本意,也是百姓申诉不服的原因。望圣上恩慈地特发诏命,令均税所但按朝廷原意办理,将现在实收税额在百姓中平均轻重;其余新加税额以及多年虚数一概免除,没有均税的地方,则一并停止均税。"

己卯(二十四日),苏茂州蛮人入侵邕州。

辛巳(二十六日),将各州父老百岁以上的十二人补授为州学助教。

这一年,设置三司推勘公事一员,用京朝官担任,掌握追究各部事务。

嘉祐六年 辽清宁七年(公元 1061 年)

春季,正月,乙未(十一日),权御史中丞王畴进言:"近年两制官员禁止同执政大臣及台谏官来往。这一建议出于一时需要,并没有旧例,当时议论的人认为不对。现执政大臣和谏官已被解除禁令,但台官还设条令防范。臣愚认为台官的主要职责是议论,以补救天子见识,难道一二人能详知天下事吗?两制侍从官员,都是选拔的治国之才,现偶尔相会,便互相怀疑,这不可显示朝廷大体。请从现在起,两制官也允许同台官见面。"仁宗听从。

戊申(二十四日),将郓州防御使赵宗懿降为信州团练使,赵宗懿为其父濮安懿王料理丧事时,自己因为本命日未到墓穴。当时任守忠负责濮安懿王丧事,欺凌懿王的儿子们,馈赠给他的钱近万缗,而贪心不足。赵宗懿服罪,实际上是任守忠所为。

庚戌(二十六日),辽道宗到春州,任命耶律伊逊为知北院枢密使事。当时驸马都尉萧呼敦为同知北枢密院,认为位居耶律伊逊之下,常闷闷不乐。萧革将萧阿喇谗毁排挤出朝廷,时刻欲图对其中伤。西北路诏讨使萧珠泽,是萧阿喇的堂弟,受到萧阿喇的宠爱,萧革心怀嫉妒。萧珠泽应当受代回京,先前曾借官府粮食,留下钱离去,萧呼敦迎合萧革心意揭发了这件事,企图以此搞倒萧阿喇。辽道宗大怒,将萧珠泽处以杖刑,免去官职。萧呼敦也是萧阿喇的堂弟,他又企图邀取权力,每年送献珍玩畜产给萧革,二人关系胜于兄弟。

二月,丁巳(初三),下诏:"宗室中赐予名字授予官职的人,必须年满十五岁,才允许转官。"

乙丑(十一日),下诏:"据闻良家子弟有被人诱拐隶属军籍,父母哭诉不能归还的人,朕非常同情。从今有司审清其来历,隶属军籍百日之内,父母向官府申诉,要放还。"

丙寅(十二日),登记在押囚犯,降罪一等,徒刑以下释放。

戊辰(十四日),下诏枢密院:"从现在起内殿崇班以上人员,必须年满二十岁方允许授予差遣官。"

三月,癸巳(初十),赐礼部进士掖县人王俊民等一百三十九人及第,五十四人同出身;诸科一百零二人及第和同出身;特奏名进士、诸科四十三人同出身、诸州文学、长史。

己亥(十六日),富弼因母丧辞职。庚子(十七日),停止大宴。当时同知礼院晏成裕进言:"君臣之义,哀乐应该共同分担,请求停止春宴,以表体恤优礼大臣之意。"仁宗马上同意。晏成裕是晏殊的儿子,富弼的妻弟。议论的人有的认为过分了。

甲辰(二十一日),诏令翰林学士承旨宋祁在当班时允许一个儿子侍候汤药,宋祁以年老多病为由提出请求。

戊申(二十五日),仁宗到后苑赏花钓鱼,便在太清楼行宴,出示亲笔诗一首,命随臣和诗献上。

下诏:"后周六庙在西京的后代,命令有关部门发给三品祭服一件、四品祭服二件以及有关祭器。"

夏季,四月,辛酉(初八),任命权三司使包拯为给事中、三司使。包拯在三司,凡各管库上供的物品,先前都向外州分派,因而长期侵扰百姓。包拯特地设置场所买卖,百姓不再受困扰。吏员拖欠钱帛较多，被关押的都逃走了，被收捕的家属都予以释放。

下诏："岭南官吏死于侬智高叛乱、逃亡在外未回家的，所在官府发给食物护送回家。"

庚午(十七日)，任命右正言王陶为卫州知州。当时台谏一同进言陈旭不应担任枢密副使，仁宗未听。王陶已因疾告假，他先前曾请求退休，于是同意。

辛未(十八日)，辽国禁止官民养海东青鹘。

丙子(二十三日)，命令大理寺丞郭固编校秘阁所藏兵书。先前设置官员编校书籍，但兵书和天文书籍为禁书，独未列入，大臣有的说郭固熟悉兵法，于是委派他。然而兵书残缺的很多，不能全部编补。

庚辰(二十七日)，任命枢密副使、右谏议大夫陈旭为资政殿学士、知定州，三司使、给事中包拯为枢密副使。将礼部郎中、天章阁待制、知谏院唐介调任知洪州，右司谏赵抃知虔州，兵部员外郎兼待制史知杂事范师道以原官担任知福州，殿中侍御史吕诲为江州知州。

陈旭开始担任枢密副使，有人说陈旭暗结宦官史志聪、王世宁等，因此有了这一任命。唐介等人上书议论，而且说："陈旭前不久为谏官，在处理张彦方之事时附和权贵，已不被公议所容。及任开封府知府，曾低价买富人马匹，在官舍接待表弟甄昂，大肆行贿。"仁宗将奏章给陈旭看，陈旭上奏："臣以前担任言职，弹劾内臣，其中狡诈阴奸如杨怀敏、何诚用、武继隆、刘恢这类人，多被贬黜，现在进言的人以此指责臣。史志聪和臣未见过面，王世宁弟娶臣妻舅的独生女，久无来往，如曾荐举臣，陛下一定记得他的话。请移交官吏审辨。"于是呆在家里请求辞职。仁宗用手诏召他出来，唐介等人也闭门不出在家待罪，不久又出来，如此反复四次。仁宗看着辅政大臣说："二府官员的任免，朕难道容忍内臣参与!"但唐介等人不断进言，所以将双方都予以免职。欧阳修请求召回唐介等人，以鼓励有气节敢于进言的人，未答复。

当初，各路督促送有品行、文才前往京师的人二十三人，到达的十六人，都住在太学，在舍人院试策论。五月，丙戌(初四)，赐予徐州颜复、润州焦千之、成都章楶、荆南乐京等七人进士出身，四人同出身，其余的全授予试校书郎。颜复是颜太初的儿子；章楶是章察的儿子。当时濮州人李植在中途去世，岳州人顾立有丧事待服，越州人吴孜等五人不肯应试，颜复等人被恩赐后，也任命为试将作监主簿。

辽道宗在永安山避暑。

丁酉(十五日)，诏令天章阁待制、知谏院吕景初参与均定赋税。

翰林学士承旨、工部尚书、知制诰、集贤殿修撰宋祁去世，赠刑部尚书。宋祁兄弟都以儒学闻名，尤以宋祁善写文章，长于议论；清俭庄重比不上他的兄长，议论的人说宋祁未任公辅大臣，原因在此。宋祁自写遗奏，请求早立皇储。又自写《左志》《右志》及《治戒》传授给儿子。其子遵从《治戒》，不请求谥号；过了很久，张方平说宋祁依法应赠谥号，谥为景文。

己亥(十七日)，马军副都指挥使、淮康节度使张茂实，被撤去军职，出任曹州知州。当初赵概任御史中丞，说张茂实不应掌握宿卫，不听；及至赵概担任枢密副使，再一次进言。而议论的人又劾奏他在公使所贸易，并派士卒在外杀人，张茂实于是以年老为由，请求解除兵权，这才开始任命为外官。先前翰林侍读学士刘敞曾进言："张茂实本是周王乳母儿子，曾在宫中抚养，所以往年市民用狂言鼓动张茂实，颇骇人听闻；近来韩绛又进谗言搞垮宰相，动摇人心。因此张茂实在远方为人们瞩目,在近处被群臣猜疑。如果张茂实忠心耿耿,不会有任何企图,也不会家喻户晓。不如解除张茂实兵权,授予地方官,对张茂实来说既不失富贵,朝廷也得以避开嫌疑,这是上策。以前王郎自称刘子舆,卢芳自号刘文伯,借助人们疑心而伪装,未必都有犯上之心,但流言煽动,人心惶惶。臣下担任近臣,即将出任远方,心中疑虑,不敢不极力陈述。请将臣言暗交执政大臣商议。"过了很久,张茂实才被免职。

丙午(二十四日),辽道宗拜谒庆陵。

庚戌(二十八日),下诏:"凡府号、官称忌犯父亲、祖父姓名而不是字音相近及两个字的名字,不论其官品高低,都允许回避。"

登记在押囚犯,减罪一等,徒刑以下释放。分派官员登记三京囚犯。

辛亥(二十九日),辽国杀死东京留守、陈王萧阿喇。萧阿喇照例上朝,辽道宗向群臣访求时务,萧阿喇陈述时政利弊,言辞激烈。萧革趁辽道宗不悦,于是进谗言:"萧阿喇自恃恩宠,有慢上之意,不合人臣礼仪。"辽道宗大怒,下令将他缢杀殿下。皇太后未能及时营救,万分悲伤说:"萧阿喇有何罪行而顷刻被杀!"辽道宗于是优加礼遇,赐葬于乾陵赤山。萧阿喇性情忠耿果断,通晓世务,有济世之才,议论的人说如萧阿喇未死,后来就不会有耶律重元、耶律伊逊之乱的灾祸。

萧呼敦甘心情愿地勾结萧革,借以换得权势。他的族弟萧迪里推荐萧呼都给他,他见萧呼都能言善辩、勇敢强壮,因而倾心交结,每遇休假,便终日交谈。萧呼敦趁机对辽道宗说萧呼都和萧迪里可以任用,辽道宗任命萧迪里为旗鼓伊喇详衮,萧呼都为宿直官。及至萧革陷害萧阿喇,萧呼都暗中相助,当时人们认为丑恶。

六月,壬子朔(初一),出现日食。

当初,司天官说日食为六分半,这一天未时初,日食从西面蚀四分天阴了起来,乌云密布,雷电交加,顷刻下起雨来,浑仪所进言说不会有灾难。权御史中丞王畴进言:"近年日食发生在四月,日食出现时也会阴天,然而从云气中仍可看到,所以不能同未出现日食等同。当时有关部门称日食没有达到预言程度,宰臣召集百官表贺,太失陛下敬畏上天之意。"同判尚书礼部司马光进言:"太阳照射极远,云遮蔽处狭小,即使在京师没有日食,其他地方必定出现了。这乃是上天的劝诫,不可不明察。日食没有达到预言程度,是主管历法、天象的官员计算不精,应将其治罪,而不应庆贺。"于是诏令百官不得称贺。

庚申(初九),赠给建安平民章友直银绢。章友直篆书国子监《石经》完毕,授予试将作监主簿,推辞不去,于是有了这次赏赐。章友直是章得象的同族。章得象任宰相,曾要授官与他,章友直辞谢,终身不仕。

甲子(十三日),辽国任命萧玛噜为顺义军节度使。

乙丑(十四日),太白星白天出现。

丁卯(十六日),辽道宗到达弘义、永兴、崇德三宫举行祭祀,行射柳礼,赏赐不等。戊辰(十七日),举行再生礼,又命令群臣分别射柳。

壬申(二十一日),岁星白天出现。

甲戌(二十三日),起用富弼为礼部尚书、平章事、昭文馆大学士、监修国史,富弼推辞不受。过去旧例,执政大臣遇到丧事都复用,富弼说这是战时权变办法,不可以用于和平之世。

仁宗五次派使召回,终未从命。

丙子(二十五日),任命司马光为知谏院,入宫对策。

丁丑(二十六日),命令翰林学士吴奎、王珪一起参与商议茶法。

辽国任命楚王尼噜古为知南院枢密使事。

戊寅(二十七日),任命度支判官、直集贤院、同修起居注王安石为知制诰。

当初,王安石对修起居注一职推辞不受,已得到批准,皇帝再次重申诏命,王安石又推辞七八次才接受。及至担任知制诰,从此以后就不再辞让。当时有诏令,从今以后舍人院不得申请涂改文字,王安石说:"如果这样做,舍人就不能再行使职权,听任大臣为所欲为,如若不是执政大臣想互相倾轧谋私利,那么立法就不应如此。现在大臣中弱者不敢为陛下遵守法令,强者则依仗皇上旨意假造命令,谏官、御史不敢违背他们意愿,臣实在担心。"王安石因此与执政大臣不和。

秋季,七月,壬午朔(初一),光禄寺丞、知长州县夏噩,因私贷民钱获罪,特命停职。夏噩考取制科,本路提点刑狱王道古讨厌他的轻慢,揭发这事使他罢免。

乙酉(初四),淮水在泗州决口。

丙戌(初五),下诏:"淮南、江、浙发生水灾,派官员视察慰问,减免赋税。"

丁亥(初六),权御史中丞王畴进言:"近年朝廷内外臣僚,有的计较差遣,有的自为辩解,有的进言以求名誉,有的因罪希望赦免,肆意妄谈,都写成奏章。其中有请求回归田里者,请求自谋生路者,年龄未达请求退休者,暂时辞官请求归家务农者,这些人心口不一,表面与实情不符。请从现在起,再有如上陈请者,一并允许弹劾。此外,国家广开言路,任用台谏官,近来士大夫中阴险侥幸者,只凭自己爱憎,窥测形势,制造虚假言词,奔走于台谏官之门,鼓吹煽动,企图让言官向皇上传达。推究他们的意图,并非公正,只是暗借权力,来满足私心。应当进言的人,大体都竭力尽职,所传闻之事略有差异,怎能不加论说!万一因自己爱憎发表不中肯言论,迷扰君王听闻,岂不损害决断!望晓谕鼓励士大夫,或许能让轻薄的人洗心革面,以清明朝政。此外,有的台谏官向朝廷进言又把情况上报御史台长官,推究其用心,是要任职长官进言帮助他们。臣认为事有曲直,法有轻重,朝廷公正处理国家事务,本不要进言人帮助。请自今以后,臣僚如果将公事上奏朝廷,未及施行便申告御史台者,允许弹劾上报。"仁宗嘉奖采纳。

戊子(初七),录用昭宪皇太后、孝明、孝惠、孝章、淑德皇后家后代,加官进禄的有十九人。先前集贤校理同修起居注江休复进言:"朝廷初次举行合祭之礼,昭宪太后抚养太祖、太宗,她的后代多流落民间,应该考虑对他们施加恩典。"因而这时候将回家子孙均一一录用。不久又把坐落信陵坊的一所住宅赐给昭宪太后家。

诏令中书、枢密院:"《时政记》多年未修,从今起每月修撰进献。"

壬辰(十一日),命同知谏院司马光参与讨论平均赋税之事。司马光制订条例,下发各州监司施行。又进言:"国家办事,应该先明确赏罚,然后才无事不成。职方员外郎秦植,以前任德州通判,平均五县税额,都公允,无人申诉。如遇到平庸愚昧之人烦扰坏事,一并以常规调职,不论政绩大小,就会使能干官员办事松懈,事无成效。希望体察他的劳苦,优加奖赏,对其余均税官吏,均根据他们的功过、行为,适当惩罚、劝勉,则以后官员便会尽力。"

癸巳(十二日),下诏:"台谏官是朕的耳目,但对事情不可详知,所以要广泛询问朝中士大夫,以广博见闻。现在有奸邪不正者,依据自己憎恨、嫉妒、看风使舵,制造流言蜚语中伤好人,实非忠厚行为。中书门下省替朕申诫百官,务必敦厚行事,对因循不改者,应重加贬黜。"这是听取御史中丞王畴的建议。

甲午(十三日),从内藏库调出绢帛二十万匹,下发河北帮助收购军粮。

壬寅(二十一日),同知谏院司马光上殿递上三个奏札。

其一讨论君王品德说:"臣认为皇帝大德有三:仁、明、武。陛下天性仁慈聪慧,养育芸芸众生,即使古代圣明君主也未超过陛下。然而自登基至今,将近四十年了,而法纪政纲尚有欠缺,贫困百姓还在怨恨叹息,是群臣无德,未能宣扬圣明教化,还是陛下这三德未尽善尽美呢?我见陛下尽心处理政事,无为而治,群臣均尽责上疏奏报,陛下不需再询访利弊,考察政治得失,一切都予同意。如果左右辅政大臣和耳目之臣都是忠实、正直的人就好了;倘若有一奸邪之入在其中,岂不让人寒心!望陛下以天生的最大仁慈,光大日月之光,振奋圣上明断,对善行无不褒赏,恶行无不严惩。"

其二谈论如何驾驭臣下说:"臣听说达到大治之道,一为任用官员,二为赏有信用,三为当罚必罚。我观国家驾驭臣下方法,是据时间进行进升官秩,遵循资历授予官职。只要任职时间长,则不论此人是否贤良,均授高职;只要资历相当,便不问此人有无才能都让他居于重位。长则三年,短则几月,便被调任,这样期待人们尽职尽责,成就事业,绝无可能。其失误在于只图虚名不问事实,只惩罚表面罪行不惩治根本。如果根据名誉行赏,则天下人都会饰名求功;以表面的罪行惩罚,则天下人都以巧伪逃避罪责。如能广泛选择在职官员,依据才能授予官职,有功则增秩禄奖赏而不调任,无功则降黜免官并另选有才之人,有罪则流放、判刑、处死而不加宽贷,如此朝廷不被尊崇,万事得不到治理,是从来不会有的。"

其三谈论挑选军士说:"养兵的办法,务必精锐而不求多。现在所挑选兵职,提高了军人身份,增加了粮食赏赐,这样他们理当感谢皇上恩德,人人喜悦;而我却听说京城内被选中的人往往悲伤叹怨,父子相向而泣。何况外地兵卒,远离家乡,诀别亲戚,其愁苦悲伤,不言而喻。如果全国人心如此惊惶,岂止是造成长久危害,而且也不能不考虑近期出现一旦变故的可能,请求从今以后每遇大规模募选士卒,应令两府官员共同商议,根据财政情况和事情缓急决定,如需招募,才可上奏施行。"

八月,己未(初九),马军副都指挥使、武胜留后王凯去世。仁宗车驾亲临祭奠,赠彰武节度使,谥为庄恪。王凯治军严明,善于安抚士卒,平常与士兵同饮食;临阵时手持枹鼓,威严而不稍加宽贷。所以士卒敬畏,无不尽力拼杀。

庚申(初十),诏令三馆、秘阁校对《宋》《齐》《梁》《陈》《后魏》《后周》《北齐》七史书,有不完备地从民间访求。

乙丑(十五日),左侍禁、雄、霸等路走马承受林伸进言:"我朝前代陵寝在保州保塞县东面,现仍有天子巷、御城庄在那里,其土地多被池塘水浸毁,请令当地随时修筑。"仁宗同意。

司马光进言:"现在国家三年一次郊祭,每次都要大赦,每年盛夏,都要疏决在押罪犯,狡猾官吏贪婪放纵,大肆获取奸利。强悍刁民凶暴横蛮,侵害欺压善良之人,千百个坏人之中,被治罪的不到一二人;幸而揭发,又大多逃亡,不到三年,必定遇到大赦,又安然出来,成为无罪百姓。使忠厚朴实百姓怨恐,凶残狡诈刁民趾高气扬,这难道符合鼓励善良打击恶人的本意!况且疏决的做法,本来在盛夏酷暑之际实施,死罪以下犯人都罪减一等;近年有时达二三次,徒刑以下,一律赦免。今年疏决的做法已有两次,这正是使百官散漫、奸邪横行的原因。如今即使不能完全革除先前弊端,但仍希望下令中书,今后每年疏决不超过一次,或早或晚,使朝廷之外的人无法预知日期,处徒刑者仍依旧例减罪后处以杖刑;或者遇到南郊大祭年份,不再疏决,永为定制。这样作恶的人才有所戒惧。"

丁卯(十七日),司马光进言五规:一为保业,二为惜时,三为远谋,四为重微,五为务实。

乙亥(二十五日),仁宗亲临崇政殿,策试贤良方正善于直言进谏的著作佐郎王介、福昌县主簿苏轼、渑池县主簿苏辙。苏轼的对策入第三等,王介的对策入第四等,苏辙的对策入第四等次级。任命苏轼为大理评事、签署凤翔府判官事;王介为秘书丞、知静海县;苏辙为商州军事推官。

当时苏辙的对策言辞恳切,其大略说:"自从朔方军事行动结束,陛下丧失忧惧之心二十年了。古时圣人,平安无事便有深忧,有事却不忧惧。无事而深忧是为了有事时不忧。如今陛下无事时不忧,有事则大忧,臣认为是失当了。臣听说近年以来,宫中宠贵嫔妃达千人,坐在朝廷不商议政事,在便殿也没有访询,受宠爱的妃嫔的危害,对内伤害身体有损中气,对外则侵害国家、败坏政治,陛下不能说在宫中好色于政务无害。现在国家穷困,百姓怨愤,而宫中无度赏赐,所求必给,大臣不敢劝谏,司会不敢论争。国家内有供养士人、士卒费用,外有对契丹、西夏的岁币,陛下又自造陷阱消耗余财,臣恐陛下正因此受到诽谤而不能使百姓归心!"

苏辙对策送入,谏官司马光列为第三等,翰林学士范镇加以责难,想要降等,蔡襄说:"我升为三司使,司会的名位,我惭愧不敢有怨言。"只有胡宿认为对策答非所问,而且把唐穆宗、唐恭宗时比作盛世,是不应有的言论,极力请求贬黜。司马光说这一对策在同科三人中独具爱君忧国之心,不可不收,而执政大臣认为也应罢黜。仁宗说:"访求直言而以直率罢去,天下人会怎样议论朕!"于是列入第四等次级。及至赐授官职时,知制诰王安石怀疑苏辙尊崇宰相,专门攻击君王,将他比作谷永,不愿写制词,韩琦笑着说:"其对策云宰相不足用,想得到娄师德、郝处俊这类人才担任,你还以谷永怀疑他!"另命沈遘草拟制词,才将制词拟好。不久谏官杨畋见到仁宗说:"苏辙是臣下推荐。陛下赦免他的狂直而予以任用,这是盛德事例,请宣达制命让史馆记录。"仁宗高兴、同意。王介是衢州人。

于是司马光又与同僚上疏说:"今年多次发生灾害,百姓面色菜黄。这正是陛下戒慎自己的时候。道路上流言四散,陛下近来宫中宴饮稍欠妥当,赏赐费用动辄万计,耗费库财,征敛了小民财富。何况酒这东西,扰乱性情,损坏品德,是禹、汤所禁止,周公所警戒的;不能依此上承天意,下忧百姓,抚养圣体。陛下恭俭的品德,已经昭示亿万百姓,议论的人都认为后宫过于豪华奢侈,以夸耀崇尚为务,左右近臣,贪图赏赐,陛下不愿违背他们的请求,屈意听从。天以刚健为德性,君王以端正坚定为义务,为何要顺从后宫妃嫔侍从的愿望,对上忘记上天告诫,对下忘记百姓疾苦,对中不替宗庙社稷着想,而加倍爱惜自己!请求全部罢黜宴饮,后宫嫔妃要依时进见,才能解除皇天谴责告诫的威严,满足老百姓要求摆脱贫穷的愿望,永保受于天命的无疆之福。"仁宗嘉奖采纳。

丙子(二十六日),诏令龙图阁直学士杨畋,从三司抽取五年亏损的课利场务,限期一个月内另立新的数额。当时场务每年税收多有亏损,只好靠随时变更税法来完成任务,但三司始终不减少旧税额,所以仁宗要特地施行。

丁丑(二十七日),下诏说:"考核政绩的顺序,过去命令有关部门详细商议有关制度,逐条写好奏章上报,大家意见一致。在职的各位官员,要齐心协力,务必遵守新制,以符合朕至诚忧劳之心。现在考核转运使、副使、提点刑狱,课绩院按所制定条目实施。"

戊寅(二十八日),诏令说:"如今官吏大多失职,不符合为民办事的宗旨,这是因不能长久任职的缘故。聪明能干的人,虽有兴利除害、禁奸劝善之心,但不给予时间,则官吏百姓也苟且偷生不能为其所用,要想最终取得功绩,绝无可能。从今以后知州、军、监、知县、县令有清正不侵扰百姓并施惠于民的,令本路监司保荐连任,如政绩优异,当重加奖赏。"

闰月,乙酉(初五),再次恢复成都府为剑南西川节度使。

庚子(二十日),平章事、集贤殿大学士韩琦加封昭文馆大学士、监修国史、枢密使、礼部侍郎曾公亮任命为吏部侍郎、平章事、集贤殿大学士,右谏议大夫、参知政事张昇任命为工部侍郎、充枢密使。

仁宗已经同意富弼服完丧期,于是将韩琦提升为首席宰相,有人对韩琦说:"富弼服丧完后,还是担任旧职,你为何不辞去昭文馆大学士以待富公呢?"韩琦说:"此职如何能长久!待富公服完,韩琦不知在哪里!如果辞去昭文馆大学士而待富公,是企图保住这一职位,让我韩琦怎么向皇上交代?"听说此事的人都认为韩琦的话正确。

辛丑(二十一日),任命左司郎中、知制诰、史馆修撰胡宿为左谏议大夫、枢密副使。胡宿谨慎不善言辞,尤其能顾全大礼。群臣讨论政治得失,多数主持更改制度以革除弊端,唯独胡宿说:"变法之事为古人责难,不一心遵守祖宗旧法而徒然议论,对政治无益。"

乙巳(二十五日),下诏发给前宰相富弼半俸,富弼固辞不受。

丁未(二十七日),谏官司马光上奏:"臣以前任并州通判,曾三次上奏章请求早立皇储。当时臣远在偏远外地,仍不敢隐藏忠心顾惜生死;何况现在侍奉陛下左右,担任谏官。我认为国家当今之务,莫过于此事,如舍去不言,是臣心怀奸狡地侍奉陛下,罪不容诛。望陛下稍加考虑。"司马光写好奏章,又当面请求。仁宗当时沉默不语,即使执政大臣奏事,也只点头而已。及听闻司马光的进言,沉思良久,说:"你说要选宗室子弟为皇位继承人吗?这是忠臣之言,只是人们不敢说罢了。"司马光说:"臣谈论这事自认为必死无疑,没想到陛下采纳。"仁宗说:"这有何妨!古今皆有此事。"于是命令司马光将进言交付中书。司马光说:"不可,望陛下自以旨意晓谕宰相。"这天,司马光再次谈论江、淮盐事,亲到中书汇报。宰相韩琦询问司马光:"今天还向陛下说了什么?"司马光考虑到这是大事,不可不让韩琦知道,想以此来传播皇上意图,就说:"所谈的是宗庙社稷大事。"韩琦明白他的意思,不再说什么。

续资治通鉴卷第六十

【原文】

宋纪六十　起重光赤奋若【辛丑】九月,尽玄黓摄提格【壬寅】十二月,凡一年有奇。

仁宗体天法道极功全德　神文圣武睿哲明孝皇帝

嘉祐六年　辽清宁七年【辛丑,1061】　九月,癸丑,诏三司,以河北秋稼甚登,其出内藏库缗钱一百万,助籴军储。

壬戌,知谏院杨畋、司马光等言:"故事,凡臣僚上殿奏事,悉屏左右内臣,不过去御座数步,恐漏泄机事,非便。"诏:"自今止令御药使臣及扶侍四人立殿角以备宣唤,馀悉屏之。"

司马光复奏请早定继嗣曰:"臣不敢望陛下便正东宫之名,但愿陛下自择宗室仁孝聪明者,养以为子,官爵居处,稍异于众人,天下之人,皆知陛下意有所属,以系远近之心,愿果断而速行之。"

初,韩琦既默喻光所言,后十日,有诏令与殿中侍御史里行陈洙同详定行户利害,洙与光屏人语曰:"日者大飨明堂,韩公摄太尉,洙为监察,公从容谓洙曰:'闻君与司马君实善,君实近建言立嗣事,恨不以所言送中书,欲发此议,无自发之。'行户利害,非所以烦公也,欲洙见公达此意耳。"于是光复具奏,且面言:"臣向者进说,陛下欣然,意谓即行。今寂无所闻,此必有小人言'陛下春秋鼎盛,何遽为此不祥之事!'小人无远虑,特欲仓卒之际,援立所厚善者耳。'定策国老'、'门生天子'之祸,可胜言哉!"帝大感悟,曰:"送中书。"光至中书,见琦等曰:"诸公不及今定议,异日禁中夜半出寸纸以某人为嗣,则天下莫敢违矣。"琦等皆拱手曰:"敢不尽力!"

洙寻具奏,乞择宗室之贤者立以为后。既发奏状,谓家人曰:"我今日入一文字,言社稷大计,若得罪,大者死,小者贬窜,汝辈当为之备。"下奏状者未返,洙得病暴卒。御史中丞王畴等乞优加赙赠,与一子官,赐钱十万。

时知江州吕诲亦上言曰:"臣窃闻中外臣僚以圣嗣未立,屡有密疏,请择宗人。伏望陛下念根本之重,为宗庙之计,检会前后臣僚奏议,廷对大臣,审择宫邸,以亲以贤,稽合天意。万一奸臣阴有附会,阳为忠实以缓上心,此为患之最大者,不可不察也。"

冬,十月,壬午,枢密院请"自今前后省内臣入仕,并理三十年磨勘;已经磨勘者,理二十年;其以劳得减年者,毋得过五年。"

初,沙苑阙马,秦州置场,以券市之。内侍李继和初领其职,不数月,得马千数。梁适荐之,诏减磨勘三年。旧制,内侍入仕,二十年始得磨勘;自是有以劳进官者,皆引继和为例,故有是奏。诏从之。

诏太常礼院修《谥法》。初,本院言:"今所用《谥法》,乃雍熙年中所定,其间字数,比贺琛、沈约、王彦威所录多舛误,请别编修。"从之。

丙戌,诏京西、淮、浙、荆湖增置都同巡检。

壬辰,起复前右卫大将军、岳州团练使宗实为秦州防御使、知宗正寺。

初,司马光既以所上章送中书,内复出知江州吕诲章。宰相韩琦与同列奏事垂拱殿,读光、诲二章,未及有所启,帝遽曰:"朕有此意久矣,但未得其人。"因左右顾曰:"宗室中谁可者?"琦曰:"此事非臣等所可议,当出自圣择。"帝曰:"宫中尝养二子,小者甚纯,近不惠;大者可也。"琦请其名,帝曰:"宗实,今三十许岁矣。"议定,将退,琦复奏曰:"此事甚大,臣等未敢施行。陛下今夕更思之,来日取旨。"明日,奏事垂拱殿,又启之,帝曰:"决无疑矣。"琦曰:"事当有渐,容臣等商量所除官。"时宗实犹居父丧,乃议起复秦州防御使、知宗正寺。帝喜曰:"甚善!"琦又曰:"事不可中止,陛下断以不疑,乞从内批出。"帝曰:"此岂可使妇人知之,只中书行可也。"遂降此诏。

帝自至和末得疾,廷臣多请早立嗣,帝悉未许,如是五六年,言者亦稍怠。琦尝独请建学内中,择宗室之谨厚好学者升于内学,冀得亲贤。因属大事,欲以此感动帝意,乘间即言宜早立嗣。帝曰:"后宫一二将就馆,卿且待之。"后皆生皇女。一日,琦取《汉书·孔光传》怀之以进,曰:"汉成帝无嗣,立弟之子。彼中才之主,犹能如是,况陛下乎! 愿以太祖之心为心,则无不可者。"于是因光等言,卒成帝意。

癸巳,以诸王宫侍讲、屯田员外郎、编校书籍长垣王猎为宗正寺伴读。猎为官僚凡十三年,于宗实有辅导功,故首用之。

初,吴奎在翰林,荐猎可任经筵、文馆之职。宰相韩琦指猎名谓执政曰:"惟此人与孟恂不通私谒,足见其有守。"恂时为都官郎中,遂与猎并除编校书籍。

戊戌,以太庙南旧府司为知宗正寺廨宇。

十一月,丁巳,起复右卫大将军、秦州防御使、知宗正寺宗实上表请终丧,帝以问韩琦,琦曰:"陛下既知其贤而选之,今不敢遽当者,盖器识远大,所以为贤也。愿固起之。"表四上,乃从其请。

庚申,左骐骥使、入内都知史志聪,落都知,提点集禧观。志聪市后苑枯木,私役亲从官,木仆,折足而死。殿中侍御史韩缜言:"亲从布列宿卫,所以奉至尊,戒不虞也。使主者得私役,则禁卫之严弛矣。"事下开封府。故事,有狱,司录参军必白知府乃敢鞫治。于是多为志聪地者,司录参军南安吕泽独穷竟之。志聪卒坐此黜。

癸亥,以寿星观新作真宗神御殿为永崇殿。先是上清宫灾而寿星殿独存,遂建为寿星观。或言寿星殿像则真宗御容也,于是别建神御殿。天章阁侍讲吕公著言:"都城中,真宗既有三神御殿矣,营创不已,非祀无丰昵之义,请罢其役。"不许。

己巳,夏国主谅祚言:"本国窃慕汉衣冠,今国人皆不用蕃礼,明年欲以汉仪迎待朝廷使人。"许之。

乙亥,枢密院上所编《机要文字》一千一百六十一册,自初纂集讫成书,凡四年馀。

1251

戊寅,许康州刺史李枢以己官封赠父母。

是月,辽以知黄龙事阿里质为南院大王。

十二月,丙戌,复丰州。

庚寅,命诸路总管集随军功过簿,以备迁补。

以周敦颐为国子博士、通判虔州。初,敦颐为合州判官,部使者赵抃惑于谮口,临之甚威,敦颐处之超然。至是抃守虔,熟视敦颐所为,乃大悟,执其手曰:"吾几失君矣!今日乃知周茂叔也。"

太常礼院言:"明年正旦,大庆殿当受朝贺,其三日上辛,祈谷于上帝,前三日不作乐,请如庆历元年故事用次辛。"从之。

甲午,殿前都指挥使、建雄节度使许怀德卒,赠侍中,谥荣毅。怀德年八十,犹筋力过人,在宿卫十四年,数乞身,帝不许。怀德曰:"臣年过矣,倘为御史所弹,且不得善罢。"即诏减数岁。怀德自擢守边,连以畏懦被谪,已而与功臣并进典军;及坐请托得罪,去而复还。遭时承平,保宠终禄,盖有天幸云。

辛丑,三馆、秘阁上所写黄本书六千四百九十六卷,补白本书二千九百五十四卷。遣中使诏中书、枢密院合三馆、秘阁官,即崇文院赐宴以奖其勤。仍诏两制看详所献遗书,择可取者,令编校官复校,写充定本。

七年 辽清宁八年【壬寅,1062】 春,正月,癸丑,辽主如鸭子河。

壬戌,帝御宣德门观灯,顾从臣曰:"此因岁时与万姓同乐耳,非朕独肆游观也。"先是谏官杨畋、司马光等以去年水灾,乞罢上元观灯,故特宣谕之。

辛未,复命皇侄宗实为秦州防御使、知宗正(事)〔寺〕。

乙亥,诏太常礼院:"自今南郊以太祖皇帝定配,改温成皇后庙为祠殿,岁时令宫臣以常馔致祭。"

先是诏太常礼院检详郊庙未顺之事,乃言:"自皇祐五年,诏书以三圣并侑为定制,虽出孝思,然其事颇违经礼。又,温成皇后庙四时祭奠,并同太庙之礼,盖当时有司失于讲求。昔高宗遭变,饬己思咎,祖己训以祀无丰于昵。况以嬖宠列于秩礼,非所以享天心,奉祖宗之意也。"翰林学士王珪等议曰:"追尊尊以享帝,义之至;推亲亲以享亲,仁之极。尊尊不可以渎,故郊无二主;亲亲不可以僭,故庙止其先。今三后并侑,欲以致孝也,而适所以渎乎享帝;后宫有庙,欲以广恩也,而适所以渎乎享亲。请如礼官所议。"故降是诏。

二月,己卯朔,更江西盐法。

初,江、湖运盐既杂恶,官估复高,故百姓利食私盐,由是盗贩者众,捕之急,则起为盗。江、淮间,虽衣冠士人,狃于厚利,或以贩盐为事。江西则虔州地连广南,而福建之汀州亦与虔接,虔盐弗善,汀故不产盐,二州民多盗贩广南盐以射利。每岁秋冬,田事才毕,往往数十百为群,持甲兵、旗鼓,往来虔、汀、漳、潮、循、梅、惠、广八州之地,所至劫人谷帛,掠人妇女,与巡捕吏卒斗格。至杀伤吏卒,则起为盗,依阻险要。捕不能得,或赦其罪招之,岁月浸淫滋多。朝廷以为患,尝遣职方员外郎黄炳乘驿会所属盐司及知州、军、通判议。于是炳等合议,以谓:"虔州食淮南盐已久,不可改,第损近岁所增官估,斤为钱四十,以十县五等户夏税率百钱,令籴盐二斤,随夏税入钱偿官。"继命提点铸钱沈扶覆视可否。扶及江西、福建、广东转运司、虔州官吏，又请选江西漕船，团为十纲，以三班使臣部之，直取通、泰、楚都仓盐。既又命比部员外郎曾楷诣广南与监司复议通广南盐，而转运判官陈从益，请惠、循、梅、潮置五都仓贮盐，令虔州募盐铺户，入钱二州，趣五仓受盐，还二州贸易。所谓变私盐为官盐，易盗贼为商旅。廷议难之，卒用炳、扶等策；然岁才增余六十余万斤。

辛巳，以知蕲州张田提举荆湖南路刑狱。谏官司马光再疏言田倾邪险薄，不可任以监司。寻改知湖州。

癸卯，诏兖国公主入内，安州观察使、驸马都尉李玮知卫州。玮所生母杨氏归其兄璋，公主乳母韩氏出居外，公主宅句当内臣梁怀吉归前省，诸色祗应人皆散遣之。

怀吉等既坐责，公主恚恚，欲自尽，或纵火欲焚第，以邀帝必召怀吉等还，帝不得已，亦为召之。谏官杨畋、司马光、龚鼎臣等皆谏，帝弗听。然公主意终恶玮，不肯复入中阁，状若狂易，欲自尽数矣。苗贤妃与俞充仪谋，使内臣王务滋管句驸马宅以伺玮过。玮素谨，务滋不得其过，乃告苗、俞曰："但得上旨，务滋请以厄酒了之。"苗、俞白帝，帝不答。顷之，帝与皇后同坐，俞又白之，皇后曰："陛下念章懿太后，故玮得尚主，今奈何欲为此？"都知任守忠在旁曰："皇后之言是也。"务滋谋讫不行，寻有是命。

权陕西转运副使薛向言："陕西之兵，厢禁军凡二十五万，其间老弱、病患、技巧占破数乃过半，请下诸路，拣其不任征役者汰之，敢占技巧者论如法。"从之。

是月，辽主驻纳葛泺。

三月，戊申朔，辽枢密使楚王萧革致仕。革以谄佞结主知，怙权黩货，戕害忠直。辽主渐悟其奸，宠遇日衰，故罢，然犹进封郑国王。

辛亥，诏礼部贡举。

壬子，兖国公主降封沂国公主，安州观察使李玮为建州观察使，落驸马都尉。自公主入禁中，玮兄璋上言："玮愚呆，不足以承天恩，乞赐离绝。"帝将许之。司马光又言："陛下始者追念章懿太后，故使玮尚主，欲以申固姻戚，常贵其家。今玮母子离析，家事流落，大小忧愁，殆不聊生，岂陛下初意哉！近者章懿太后忌日，陛下阅奁中故物，思平生居处，独能无雨露之戚、凄怆之心乎！玮既蒙斥，公主亦不得无罪。"帝感悟，遂并责公主，待李氏恩礼不衰，且赐玮黄金二百两，谓曰："凡人富贵，亦不必为主婿也！"

癸丑，大宗正司言右卫大将军、岳州团练使宗实乞还秦州防御使、知宗正寺告敕，不许。

乙卯，以礼部侍郎、参知政事孙抃为观文殿学士兼翰林侍读学士、同群牧制置使。抃居两府，年益耄，无所可否，又善忘，好事者至传以为口实。时枢密使张昪请老，朝议以抃当次补，必不胜任；殿中侍御史韩缜因进见，极言抃不材，虽无显过，乞置诸散地，监察御史里行傅尧俞亦以为言。（忭）〔抃〕遂称疾求免，许之。

以枢密副使、礼部侍郎赵概为参知政事，翰林学士、权知开封府吴奎为右谏议大夫、枢密副使。

丙辰，召右正言、知蔡州王陶赴谏院供职。陶言："臣与唐介、范师道、吕诲、赵抃同出为郡，今独召臣与师道，非是。请还介等职任。"时师道亦自福州召为盐铁副使，诲、抃及介皆未迁故。

丁巳，诏："审刑院奏补京朝官，初该磨勘者，自今须有举主一员，方听改官。"

庚申,以龙图阁直学士兼侍讲钱象先为右谏议大夫、知蔡州。象先善讲说,语约而义明。帝有所顾问,必依经以对,反复讽谕,遂及当世之务,号知经术。留侍经筵前后十五年,时被恩礼。故事,讲官分日迭进,象先已得请补外,帝曰:"大夫行有日,且讲彻一编。"于是同列罢进者浃日。

以天章阁侍讲、崇文院检讨吕公著为天章阁待制兼侍读。公著初召试中书,将除知制诰,三辞不就,故有是命。

辛酉,命参知政事欧阳修提举三馆、秘阁写校书籍。

壬申,徐州言彭城县白鹤乡地生面,凡十馀顷,民皆取食。帝遣内侍窦承秀往视之。占曰:"地生面,民将饥也。"既而濠州亦言钟离县地生面,民取食之。

夏,四月,壬午,宰臣韩琦等上所修《嘉祐编敕》,起庆历四年,尽嘉祐三年,凡十二卷。其元降敕但行约束而不立刑名者,又析为《续附令敕》,凡五卷。诏颁行。

己丑,夏国主谅祚上表求太宗御制诗草隶书石本,欲建书阁宝藏之,且进马五十匹,求《九经》《唐史》《册府元龟》及本朝正至朝贺仪。诏赐《九经》,还其马。谅祚又求尚主,诏答以昔尝赐姓,不许。

壬辰,改命起居舍人、知制诰兼侍讲司马光为天章阁待制。先是光与吕公著并召试中书,光已试而公著终辞。及除知制诰,光乃自言:"拙于文辞,本当辞召,初疑朝廷不许,故黾勉从命,继闻公著终辞得请,臣始悔恨向者之不辞而妄意朝廷之不许也。"章九上,卒改它官。

五月,丁未朔,命起居舍人、天章阁待制兼侍讲司马光仍知谏院。光上疏曰:"陛下有中宗之严恭,文王之小心,而小大之政多谦让不决,委之臣下。诚所委之人常得忠贤则可矣,万一有奸邪在焉,岂不危甚!古人所谓委任而责成效者,择人而授之职业,丛脞之务,不身亲之。至于爵禄、废置、杀生、予夺,不由己出不可也。

"又,顷以西鄙用兵,权置经略安抚使,一路之兵得以便宜从事,及西事已平,因而不废。其河东一路,总二十二州军,向时节度使之权,不过如是而已。"

又谓:"大臣典诸州者,多以贵倨自恃,转运使欲振举职业,往往故违戾而不肯从。夫将相大臣,在朝廷之时,则转运使名位固相远矣;及在外为知州,则转运使统诸州职也,乌得以一身之贵庇一州之事,而令转运使不得问哉?

"自景祐以来,国家怠于久安,乐因循而务省事,执事之臣,颇行姑息之政。于是胥吏谨哗而斥逐御史中丞,輦官悖慢而废退宰相,卫士凶逆而狱不穷奸,其馀有一夫流言于道路而为之变令推恩者多矣。凡此数者,殆非所以习民于上下之分也。夫朝廷者,四方之表仪也;朝廷之政如是,则四方必有甚焉者。遂至元帅畏偏裨,偏裨畏将校,将校畏士卒。奸邪怯懦之臣,或有简省教阅,使之骄惰,保庇赢老,使之繁冗,屈挠正法,使之纵恣,诋訾粟帛,使之愤悁,甘言谄笑,靡所不至,于是士卒翕然誉之,而归怨于上矣。

"臣愚以为陛下当奋刚健之志,宣神明之德,凡群臣奏事,皆察其邪正,辨其臧否,熟问深思,求合于道,然后赏罚黜陟,断而行之,则天下孰不旷然悦喜!其馀民事,皆委之州县,一断于法,或法重情轻,情重法轻,可杀可徒,可宥可赦,并听本州申奏,决之朝廷,何必出于经略安抚使哉!转运使规画号令,行下诸州,违戾不从者,朝廷当辨其曲直,若事理实可施行,而州将恃贵势故违之者,当罪州将,勿罪转运使。将校士卒之于州县及所统之官或公卿大臣,有悖慢无礼者,明著阶级之法,使断者不疑。将帅之官,废法违道以取悦于下、归怨于上者,当随其轻重,诛窜废黜;公正无私、御众严整者,当量其才能,擢用褒赏。如是则上虽勤而下用命矣。”

又曰:“食货者,天下之急务,愿复置总计使之臣,使宰相领之。若府库空竭,间阎愁困,四方之民,流转死亡,而曰我能论道经邦,燮理阴阳,非愚臣之所知也!”

己酉,龙图阁直学士、吏部员外郎兼侍讲、知谏院杨畋卒,赠右谏议大夫。畋素谨畏,每奏事,必发封数四而后上之。自奉甚约,及卒,家无馀资。特赐黄金二百两;其后端午赐讲读官御飞白书扇,亦遣使特赐,置其枢所。

己未,以知荆南府李参为群牧使。执政初议欲用参为三司使,孙抃独不可,曰:“此人若主计,外台承风刻削,则天下益困弊矣。”乃不果用。

庚申,大宗正司言,右卫大将军、岳州团练使宗实缴还秦州防御使、知宗正事敕告;诏不许。

庚午,枢密副使、给事中包拯卒,赠礼部尚书,谥孝肃。拯性峭直,立朝刚毅,人以其笑为黄河清。知开封府时,京师为之语曰:“关节不到,有阎罗包老。”然奏议平允,常恶俗吏苛刻,务为敦厚,虽甚疾恶,未尝不推以忠恕。平居无私书,故人亲党有干请,一皆绝之。居家俭约,衣服器用饮食,虽贵如布衣时。

六月,丙子朔,岁星昼见。

辽主驻图库里。

癸未,以单州团练使刘永年知代州。

辽人取山木,积十馀里,辇载相属于路,前守惧生事,不敢遏,永年曰:“敌人伐木境中而不治,它日将不可复制。”遣人纵火,一夕尽焚之;上其事,帝称善。辽移文代州捕纵火盗,永年报曰:“贼固有罪;然在我境,何预汝事!”遂不敢复言。

鄜延经略司言:“得宥州牒,夏国改西市监军司为保(秦)〔泰〕军,威州监军司为静塞军,绥州监军司为祥祐军,左厢监军司为神勇军。”且言:“谅祚举措,近岁多不循旧规,恐更僭拟朝廷名号。渐不可长,乞择一才臣下诏诘问,以杜奸萌。”从之。

于是遣供备库副使张宗道赐谅祚生辰礼物。宗道初入境,迎者至,欲先宗道行马,及就坐,又欲居东,宗道固争之。迎者曰:“主人居左,礼之常也,天使何疑焉!”宗道曰:“宗道与夏主比肩以事天子,夏主若自来,当为宾主。尔陪臣也,安得为主人! 当循故事,宗道居上位。”争久不决,迎者曰:“君有几首,乃敢如是!”宗道大笑曰:“宗道有一首耳,来日已别家人。今欲取宗道首则取之,宗道之死得其所矣,但夏国必不敢耳。”迎者曰:“译者失词,某自谓无两首耳。”宗道曰:“译者失词,何不斩译者?”乃先宗道。迎者曰:“二国之欢,有如鱼水。”宗道曰:“然。天朝,水也;夏国,鱼也。水可无鱼,鱼不可无水。”

丁亥,秘阁上补写御览书籍。

先是欧阳修言:“秘阁初为太宗藏书之府,并以黄绫装潢,号曰太清本。后因宣取入内,多留禁中,而书颇不完。请降旧本,令补写之。”遂诏龙图、天章、宝文阁、太清楼管句内臣,检所阙书录上,于门下省补写。至是上之,赐判秘阁范镇及管句补写官银绢有差。

辛丑,辽以右伊勒希巴玛陆为奚六部大王。

是月，辽主御清凉殿，放进士王鼎等九十三人。

秋，七月，戊申，太白经天。

壬子，太常礼院言："皇祐参用南郊百神之位，不应祀法。宜如隋、唐旧制，设昊天上帝、五方位，以真宗配，而五人帝、五官神从祀，馀皆罢，又，前一日亲飨太庙，当时尝停孟冬之荐。考详典礼，宗庙时祭，未有因严配而辍者。今明堂去孟冬画日尚远，请复荐庙。前者祖宗并侑，今因典独配；前者地祇、神州并飨，今以配天而亦罢。是皆变礼中之大者也。开元、开宝二《礼》，五帝无亲献仪。旧礼，先诣昊天奠献，五帝并行分献，以侍臣奠币，皇帝再拜，次诣真宗神座，于礼为允。"诏恭依，而五方帝亦行亲献。

甲寅，广西转运使李师中，转运判官刘牧，各罚铜二十斤。先是岭南多旷土，茅菅茂盛，蓄藏瘴毒。师中募民垦田，县置籍，期永无税，以种及三十顷为田正，免科役。于是地稍开辟，瘴毒减息。而师中与牧坐擅除税不以闻，故蒙罚。

甲子，以知虔州赵抃为礼部员外郎兼侍御史知杂事。

丁卯，右卫大将军、岳州团练使宗实辞秦州防御使、知宗正寺，不许。

是月，右正言王陶上疏曰："去岁亲发德音，稽唐故事，择宗子使知宗正寺。中外闻之，咸谓此举设施安稳，不惊人耳目，而天下摇摇之心一旦而定。厥后浸闻稽缓，四方观听，岂免忧疑！流言或罪宗实，以为自唐以来判宗正寺者，皆用宗子，求之典故，乃一寻常差遣，何必过为辞让。或云事由宫中嫔御、宦官姑息之言，圣意因而微惑。臣闻宗实自有此命以来，夙夜恐惧，闭门不敢见人。昨自二月服除，今半年有馀矣。臣恐天下之人，谓陛下始者顺天心人欲而命之，今者听左右姑息之言而疑之，不独百世之后，使人叹惜圣政始卒之不一，亦恐自今远近中外奸雄之人得以窥伺间隙矣。"因请对，言宫嫔、宦官有以惑圣聪，而使宗实畏避不敢前。帝问陶："欲别与一名目，如何？"陶对曰："此止是一差遣名目，乞与执政大臣议之。"帝曰："当别与一名目。"于是韩琦等始有立为皇子之议。

八月，乙亥朔，内出明堂乐章迎神、送神曲，肄于太常。

丙子，右卫大将军、岳州团练使宗实辞秦州防御使、知宗正寺，许之。

初，宗实屡乞缴还告敕，帝谓韩琦曰："彼既如此，盍姑已乎？"琦曰："此事安可中辍！愿陛下赐以手札，使知出自圣意，必不敢辞。"比遣使召之，称疾不入。琦与欧阳修等私议曰："宗正之命既出，外人皆知必为皇子矣，不若遂正其名。"修曰："知宗正寺告敕付閤门，得以不受；今立为皇子，止用一诏书，事定矣。"遂入对，乞听宗实辞所除官。帝曰："勿更为它名，便可立为皇子，明堂前速与了当。"琦因请谕枢密院。及张昪至，帝面谕之，昪曰："陛下不疑否？"帝曰："朕欲民心先有所系属，但姓赵者〔斯〕可矣。"昪即再拜称贺。琦等乞帝书手札付外施行。既退，辅臣未分厅，中使已传手札至中书。

丁丑，琦召翰林学士王珪，令草诏。珪曰："此大事也，非面受旨不可。"明日，请对，曰："海内望此举久矣，果出自圣意乎？"帝曰："朕意决矣。"珪再拜贺，始退而草诏。欧阳修叹曰："真学士也！"

己卯，诏曰："人道亲亲，王者之所先务也。右卫大将军、岳州团练使宗实，皇兄濮安懿王之子，犹朕之子也，少鞠于宫中，聪知仁贤，见于凤成。日者选宗子近籍，命以治宗正之事，使者数至其第，乃崇执谦退，久不受命，朕默嘉焉。夫立爱之道，自亲者始，其以为皇子。"辛巳，帝悉召宗室入宫,谕以立皇子之意。

壬午,诏入内内侍省皇城司,即内香药库之西偏,营建皇子位。癸未,赐皇子名曙。

邈川首领嘉勒斯赉既老,国事皆委其子栋戬,知秦州张方平尝诱栋戬入贡,许奏为防御使,栋戬寻遣使入贡。知杂御史吴中复劾奏方平擅以官爵许戎狄,启其贪心,方平议遂不行。

先是辽以女妻栋戬,与之共图夏国,夏主谅祚与战,屡为所败。及是谅祚举兵击栋戬,屯于古渭州,其熟户酋长皆惧,亟请方平求救。方平惧,饰楼橹为守城之备,尽籍诸县马,悉发下番兵。皇祐末,古渭州熟户反,增秦州戍兵甚多,事平,文彦博悉分屯永兴、泾原、环庆三路,期有警则召之,以省刍粮,谓之下番兵。方平至是乃发之,关西震耸,仍驿奏乞发京畿禁军十指挥赴本路。枢密使张昇言于帝曰:“臣昔在秦州,边人言西戎欲入寇者甚众,后皆无事实。今事未可知,而发京畿兵以赴之,惊动远近,非计也,请少须之。”帝从其言。数日,方平复奏谅祚已引兵西去击栋戬矣。谅祚寻复为栋戬所败,筑堡于古渭州之侧而还。

谏官司马光因劾奏方平怯懦轻举,请加窜谪。宰相曾公亮独右方平,乃言曰:“兵不出塞,何名为轻举?且寇所以不入者,以有备故也。有备而贼不至,顾以轻举罪之,边臣自是不敢为先事之备矣。”光奏三上。甲申,徙方平知应天府。

乙酉,诏太常寺登歌用枞敔,用翰林学士王珪言也。

辛卯,以司封郎中江南李受为皇子位伴读,改宗正寺伴读王猎为皇子位说书。

壬辰,诏权以皇城司廨宇为皇子位。乃命入内高班王中庆、梁德政发车乘津置行李入内。帝既下己卯诏书,皇子犹坚卧称疾不入。司马光、王陶等言:“凡人见丝毫之利,至相争夺。今皇子辞不资之富,已三百馀日不受命,其贤于人远矣。有识闻之,足以知陛下之圣,能为天下得人。然臣闻父召无诺,君命召不俟驾而行,使者受命不受辞;皇子不当避逊,使者不当徒反。凡诏皇子内臣,皆乞责降,且以臣子大义责皇子,宜必入。”帝与辅臣谋之,韩琦曰:“今既为陛下子,何所问哉!愿令本宫族属敦劝,及选亲信内人就谕旨,彼必不敢违也。”

丁酉,赐皇子袭衣、金带、银绢各一千。诏登州防御使、同判大宗正事从古、沂州防御使虢国公宗谔敦劝皇子,仍与润王宫大将军以上同入内,皇子若称疾,即乘肩舆。己亥,从古等言皇子犹固称疾。是夕,使者往返数四,留禁门至四鼓,皇子终不至,乃诏改择异日。

庚子,以立皇子告天地、宗庙及诸陵。

辛丑,皇子以肩舆入内。先是宗谔责皇子曰:“汝为人臣子,岂得坚拒君父之命而终不受邪?我非不能为众人执汝,强置汝于肩舆,恐使汝遂失臣子之义,陷于恶名耳!”

皇子初让宗正,与记室周孟阳谋之,所上表皆孟阳笔也,每一表,饷孟阳十金。孟阳辞,皇子曰:“此不足为谢,俟得请于朝,方当厚赏耳。”凡十八表,孟阳获千馀缗。及立为皇子,犹固称疾。孟阳入见于卧内曰:“主上察知太尉之贤,参以天人之助,乃发德音。太尉独称疾坚卧,其义安在?”皇子曰:“非敢徼福,以避祸也。”孟阳曰:“今已有此迹,设固辞不拜,使中人别有所奏,遂得燕安无患乎?”皇子抚榻而起曰:“吾虑不及此。”遂与宗谔等同入内,良贱不满三十口,行李萧然,无异寒士,有书数橱而已。

甲辰,皇子见帝于清居殿。自是,日再朝于内东门,或入侍禁中。

九月,乙巳朔,以皇子为齐州防御使,进封巨鹿郡公。

己酉,朝享景灵宫。庚戌,享太庙。辛亥,大享明堂,大赦。令天下系帐存留寺观及四京管内虽不系帐而舍屋百间以上者,皆特赐名额。谏官司马光言:"释、老之教,无益治世,而聚匿游惰,耗蠹良民,是以国家著令,有创造寺观百间以上者,听人陈告,科违制之罪,仍即时毁撤。盖以流俗戆愚,积弊已深,不可猝除,故为之禁限,不使繁滋而已。今若有公违法令,擅造寺观及百间以上,则其罪已大。幸遇赦恩,免其罪犯可矣,其栋宇瓦木,犹当毁撤,没入县官。今既不毁,又明行恩命,赐之宠名,是劝之也。今立法以禁之于前,而发赦以劝之于后,恐自今以往,奸猾之人,将不顾法令,依凭释、老之教以欺诱愚民,聚敛其财,广营寺观,务及百间,以冀后赦之恩,不可复禁矣。伏望追改前命,更不施行。"

初,帝享明堂,方宿斋,而充媛董氏疾革,使白皇后曰:"妾不幸即死,愿勿亟闻以恩上精意。"后泫然从之。壬子,帝临奠凄恻,追赠婉仪;癸丑,加赠淑妃,特迁其父右侍禁资为内殿崇班,官其弟侄四人,葬奉先资福院。后又命有司为之定谥及行册礼,于葬日仍给卤簿。司马光言:"古者妇人无谥,近世惟皇后有谥及有追加策命者。卤簿本以赏军功,未尝施于妇人。伏望特诏有司,悉罢议谥及册礼事,其葬日更不给卤簿,凡丧事所需,悉从减损。"帝嘉纳之。

己未,内外官并以明堂赦书加恩,宰相韩琦封仪国公。

戊辰,改寿星观为崇先观。

冬,十月,乙亥,皇子上表辞所除官,赐诏不允。

甲午,命知制诰王安石同句当三班院。先是安石纠察在京刑狱,有少年得斗鹑,其侪求之,不与,恃与之昵,辄持去,少年追杀之,开封府案其人罪当死。安石驳之曰:"按律,公取、窃取皆为盗,此不与而彼强携以去,是盗也。追而殴之,是捕盗也。虽(当死)〔死当〕勿论。"遂劾府司失入,府官不伏。事下审刑、大理,皆以府断为是,诏放安石罪。旧制,放罪者皆诣阙门谢,安石言我无罪,不肯谢;御史台举奏之,释不问。

以秘阁校理蔡抗为广东转运使。先是岑水铜冶大发,官市诸民,止给空文,积逋巨万。奸民无所取资,群聚私铸,与江西盐盗合,郡县患之,督捕甚严。抗曰:"采铜皆惰游之民,铜悉入官而不界其直,非私铸,衣食安所给!又从而诛之,是罔民也。"因命铜入即给其直,民皆乐输,私铸遂绝。番禺岁运盐给英、韶二州,道远,多侵窃杂恶。抗命十舟为一运,择摄官主之,岁终,会其殿最。是岁,盐课增十五万缗。

乙未,太白昼见。丙申,诏:"天下常平仓多所移用,而不足以支凶年,其令内藏库与三司共支缗钱一百万,下诸路助籴之。"从右正言、判司农寺王陶所请也。

十一月,己巳,进封沂国公主为岐国公主,建州观察使、知卫州李玮改安州观察使,复为驸马都尉。

十二月,皇城司逻卒吴清等密奏富人张文政尝杀人,有司鞫问无状,愿得清诘所从,而主者不遣。御史傅尧俞言:"陛下惜清,恐自是不复闻外事矣。不若付之有司,辨其是非而赏罚之,则事之上闻者皆实,乃所以广视听也。"谏官司马光等亦极言其害。诏清等决杖,配下军。

辽知枢密北院事萧图固哩,辨敏,善伺颜色,应对合上旨。太后尝曰:"有大事,非图固哩不能决。"由是眷遇日隆。庚辰,授北院枢密使,许便宜从事。图固哩好聚敛,专愎,变更法度。时皇太叔重元有异志,图固哩为枢密数月,所荐引多重元之党,其奸佞如此。

癸未,辽主如西京。

戊子,辽以太后行再生礼,曲赦西京囚。

丙申,幸龙图、天章阁,召辅臣、近侍、三司副使、台谏官、皇子、宗室、驸马都尉、主兵官观祖宗御书。又幸宝文阁,为飞白书,分赐从臣,下逮馆阁。作《观书诗》,韩琦等属和。遂宴群玉殿。传诏学士王珪撰诗序,刊石于阁。

庚子,再召群臣于天章阁观瑞物,复宴群玉殿。帝曰:"天下久无事,今日之乐,与卿等共之,宜尽醉勿辞。"赐禁中花、金盘、香药。又召韩琦至御榻前,别赐酒一卮。从臣沾醉,至暮而罢。

是岁,冬无冰。天下断大辟一千六百八十三人。

【译文】

宋纪六十　起辛丑年(公元 1061 年)九月,止壬寅年(公元 1062 年)十二月,共一年有余。

嘉祐六年　辽清宁七年(公元 1061 年)

九月,癸丑(初四),仁宗诏令三司,因黄河以北秋粮收获甚丰,三司要支出内藏库的缗钱一百万,协助购买粮食增加军队的储备。

壬戌(十三日),知谏院杨畋、司马光等奏言:"旧例,凡是臣僚上殿奏事,让左右内臣全部退避,然而不过离开御座几步,这样恐怕对防止泄露机密之事是不利的。"于是仁宗下诏:"从今日起只令御药使臣及服侍的内臣四人立于殿角以备召唤,其余内臣都屏退出殿。"

司马光又奏请早定皇位继承人,说:"臣不敢期望陛下立即定下东宫太子的名分,只愿陛下亲自选择宗室中仁孝聪明者,将他收为养子,其官爵与住处,稍与众人不同,这样天下的人,都知道陛下意有所属,以此来维系远近人们的心,希望陛下果断而迅速地办理这事。"

起初,韩琦已经暗知司马光所奏请的内容,过了十天,有诏书令司马光与殿中侍御史里行陈洙共同详细审定行户的利弊,这时陈洙避开众人对司马光说:"那天皇上在明堂大宴臣僚,韩公代理太尉,我任监察,韩公从容地对我说:'听说你和司马君实关系友好,君实最近向皇上建议立嗣之事,遗憾的是他没有将所奏意见送交中书省,我想申述这个意见,无从说起。'关于行会的利弊,不必去麻烦您,他是想要我见到您时转达这个意思。"于是司马光又具文上奏,并且向仁宗当面进言:"臣前些天奏请的事,陛下听后很高兴,似乎会立即办理。到现在却不见丝毫动静,这一定是有小人说什么'陛下年富力强,何必急于做此不祥之事呢!'小人无长远考虑,只想在仓促之际,拥立和自己私交甚深的人。'定策国老'、'门生天子'之祸,说得尽吗!"仁宗很有感悟地说:"此事立即送交中书省办理。"司马光到了中书省,面见韩琦等人说:"诸公不趁现在议定立嗣之事,改天宫中半夜传出小纸片说以某人为嗣子,那么天下就无敢反对了。"韩琦等人都拱手行礼说:"岂敢不尽力去办!"

陈洙不久具文上奏,请求选择宗室子弟中的贤者立为继承人。呈上奏状后,陈洙对家人说:"我今天呈入宫中一份奏文,谈论国家大计,如果因此获罪,重者被处死,轻者被贬谪流放,你们应当对此有所准备。"送奏状的人还未返回,陈洙就得急病死了。御史中丞王畴等人请求皇上从优赐给财物发丧,结果授予陈洙一子官职,赏钱十万。

当时江州知州吕海也进言说:"臣私下听说朝廷内外臣僚因为圣上的后嗣未立,多次有密疏,请求挑选宗室子弟。希望陛下念及国家的根本大事,为宗庙计议,查考臣僚前前后后的奏议,在朝廷上回答大臣,审慎地选择太子,要求他既亲又贤,以符合天意。万一奸臣暗中已有所附会,表面上却装作忠实来阻挠陛下立嗣的决心,这是最大的祸患,不可不明察。"

冬季,十月,壬午(初三),枢密院奏请"从现在起省内侍臣任官,都要经过三十年才能磨勘,勘验其政绩;已经过勘验考核者,要经过二十年;其中因功劳得以缩短年限者,所减时间不得超过五年。"起初,沙苑缺马,秦州设置市场,用票券买马。内侍李继和刚任此职,没几个月,得马一千余匹。梁适推荐他,诏减其磨勘年限三年。以往制度,内侍任官,二十年后才能加以磨勘;从此有因功劳升官者,都援引李继和为例,因而枢密院有这项奏议,仁宗下诏批准。

盘龙灯盏台　北宋

仁宗下诏令太常礼院修订《谥法》。起初,太常礼院奏称:"目前所用的《谥法》,是雍熙年间制定的,其中字数,和贺琛、沈约、王彦威所录相比,错误很多,请求另外编修。"仁宗批准此奏。

丙戌(初九),仁宗诏令京西、淮、浙、荆湖各路增设都同巡检。

壬辰(十三日),起用正在服丧的前右卫大将军、岳州团练使赵宗实为秦州防御使、知宗正寺。

起初,司马光将所上奏章送交中书省后,宫内又发出江州知州吕海的奏章。宰相韩琦与同僚在垂拱殿奏事,读了司马光、吕海的奏章,还没来得及陈述意见,仁宗立即说道:"朕有这个心意很久了,只是没找到合适的人。"便环顾左右问道:"宗室子弟中谁可以呢?"韩琦说:"这事不是我们臣子可以议论的,应当出自圣上的选择。"仁宗说:"宫中曾养育二子,小的很纯朴,近乎愚钝;大的可以。"韩琦请问他的名字,仁宗说:"叫宗实,现在约三十岁了。"商议定后,将要退出时,韩琦又奏道:"这事非常重大,我们这些臣子不敢施行。陛下今晚再考虑一下,明天来取圣旨。"第二天,韩琦在垂拱殿奏事,又陈述这事,仁宗说:"确定无疑了。"韩琦说:"事情应当有个渐进的过程,且容臣子们商量授予什么官职。"当时赵宗实还在守父孝,于是商议起用他为秦州防御使、知宗正寺,仁宗高兴地说:"很好!"韩琦又说:"事情不能半途而止,陛下既然决断不疑,请从宫中发出批示来。"仁宗说:"此事岂能让妇人知道,只由中书省执行就行了。"于是降下此诏。

仁宗从至和末年得病,朝臣大多请求早立嗣子,仁宗都没允诺,这样过去了五六年,进言的人对这事也渐渐懈怠了。韩琦曾独自请求在宫中建立学堂,挑选宗室子弟中谨厚好学者升入内学读书,期望得到既亲又贤的子弟,以便将国家大事托付给他,想以此来感动仁宗的心意,乘机上言应早立嗣子。仁宗说:"后宫有一两个妃嫔将要临产,爱卿姑且等待结果吧。"

但后来生的都是皇女。一天，韩琦取《汉书·孙光传》怀带进宫呈给仁宗，说："汉成帝没有嗣子，立弟弟的儿子为太子。他是中才之君，尚能如此，何况陛下呢！希望陛下以太祖之心为心，那就没什么不可以做的。"于是根据司马光等人的奏议，最终促成仁宗立嗣的心意。

癸巳（十四日），任命诸王宫侍讲、屯田员外郎、编校书籍长垣人王猎为宗正寺伴读。王猎做宫中僚属共十三年，对赵宗实有辅导之功，因而首先进用他。

起初，吴奎在翰林院，荐举王猎可以胜任经筵、文馆的职务。宰相韩琦指着王猎的名字对执政大臣说："只有此人和孟恂不因私事谒见请托，足见他们有操守。"孟恂当时任都官郎中，于是与王猎同时授为编校书籍。

戊戌（十九日），将太庙南面的旧府作为知宗正寺的官舍。

十一月，丁巳（初八），守孝期间被起用的右卫大将军、秦州防御史、知宗正寺赵宗实上表请求服丧期满后再任职，仁宗就此事询问韩琦，韩琦答道："陛下既然知道他贤明而选择他为嗣子，现在他不敢立即接受职务，是由于器量见识远大，所以才成其为贤明啊。希望陛下坚决起用他。"赵宗实的奏表连上四次，仁宗才同意了他的请求。

庚申（十一日），左骐骥使、入内都知史志聪，被免去入内都知的官职，任提点集禧观。史志聪购买后苑枯树，私自役使亲从官做事，树倒下，亲从官被砸断脚骨而死。殿中侍御史韩缜说："亲从官担任值宿守卫，是为了侍奉皇帝，防备意外。如果主管人能够私自役使他们，那么宫中严密的防卫制度就松弛了。"此事下交开封府处理。旧例，有狱案，司录参军必须禀报知府才敢审讯处治。这时有许多人为史志聪说情，而司录参军安南人吕琦偏要彻底追查此案。史志聪终因此事而遭贬黜。

癸亥（十四日），以寿星观新建的真宗神御殿为永崇殿。此前，上清宫发生火灾而只剩下寿星殿，于是改建为寿星观。有人说寿星殿中的神像是真宗的御容，因此另建神御殿。天章阁侍讲吕公著说："都城里，真宗已有三座神御殿了，还营建不止，不符合祭祀对近祖不应特别丰厚之义，请停止这项建殿工程。"仁宗不同意。

己巳（二十日），西夏国主毅宗赵谅祚说："我国私下仰慕汉人的衣冠服饰，现在国人都不使用蕃礼，明年打算以汉人礼仪接待大宋朝廷使者。"仁宗应允了。

乙亥（二十六日），枢密院呈上所编的《机要文字》一千一百六十一册，从开始编纂到成书，共用了四年时间。

戊寅（二十九日），允许康州刺史李枢将自己的官爵封赠给父母。

这月，辽国任命黄龙府知事阿里质为南院大王。

十二月，丙戌（初七），重设丰州。

庚寅（十一日），命各路总管汇集随军人员功过簿，以备升迁调补官职之用。

任命周敦颐为国子博士、虔州通判。起初，周敦颐任合州判官，部使者赵抃被诽谤他的言词所蒙蔽，对他十分严厉，而周敦颐处之泰然。到这时赵抃任虔州知州，仔细观察周敦颐的所作所为，才完全明了真相，拉着他的手说："我差一点失去你这位好人了！今天才了解你周茂叔呀。"

太常礼院上奏说："明年正月初一，陛下应当在大庆殿接受朝贺，正月初三是上旬的辛日，要祭天帝祈求五谷丰登，此前三天不能奏乐，请按照庆历元年的旧例在中旬辛日祭天祈谷。"仁宗批准此议。

甲午(十五日),殿前都指挥使、建雄节度使许怀德去世,赠授侍中,谥号荣毅。怀德年已八十,仍筋骨强健,气力过人,在宫中值宿守卫十四年,多次请求辞去,仁宗不答应。许怀德说:"臣年龄已超过任职年限,如果被御史弹劾,将不会有好结局。"于是仁宗下诏减他几岁。许怀德自从被提拔去守卫边防,接连因畏懦被贬谪,但不久又与功臣一起被提拔统领军队;等到因请托获罪,失去官职,后又恢复原职。他遇上太平时期,始终能保持尊崇和爵禄,这大概是有上天赐予的福气吧。

辛丑(二十二日),三馆、秘阁上呈所写的黄本书六千四百九十六卷,补白本书二千九百五十四卷。仁宗派内使持诏书令中书省、枢密院会同三馆、秘阁的官员,到崇文院赐宴以奖赏他们的勤勉。仍下诏令三馆、秘阁审定所献的散佚书籍,选择可保留的,让编校官复校,抄写后充当定本。

嘉祐七年辽清宁八年(公元1062年)

春季,正月,癸丑(初五),辽国国主辽道宗耶律洪基前往鸭子河。

壬戌(十四日),仁宗到宣德门观灯,回头看着随从的臣僚们说:"这是借上元节与万民同乐罢了,并非朕独自纵游观光。"在此之前谏官杨畋、司马光等人因去年水灾,乞求停止上元节观灯,所以仁宗特地宣谕此意。

辛未(二十三日),仁宗又任命皇侄赵宗实为秦州防御使、知宗正寺。

乙亥(二十七日),仁宗诏令太常礼院:"从现在起在南郊祭天以太祖皇帝为固定配享,改温成皇后庙为祠殿,每年按季节令宫臣以日常膳食供奉祭祀。"

在此之前,仁宗曾诏令太常礼院考核审定祭祀天地祖先不符合礼制之事,太常礼院于是上奏道:"从皇祐五年起,诏书把三圣同时配享祭天作为定制,虽然是出于孝心,然而这种做法很是违背礼法。再有,温成皇后庙四季祭奠,与太庙祭祀之礼一样,这是由于当时的主管官员失于研求所致。过去商代高宗武丁祭祀时遇到意外,便责己思过,祖己教导他祭祀有常规,对近亲父庙的祭祀不应特别丰厚。况且将宠幸的妃嫔列于常祭之礼,不合于祭祀上天、敬奉祖宗的本意。"翰林学士王珪等人建议说:"遵循尊敬尊者之道来祭享天神,是义的极致;推崇敬爱亲人之理来祭享亲族,是仁的极致。尊敬尊者不可以亵渎,所以祭天不许有两位神主;敬爱亲人不可以僭越,所以宗庙里只有祖先的神位。现在三帝同时配享,想以此来体现孝道,而正是亵渎祭祀天神的做法;后宫有祠庙,想以此来推广恩爱,而正是亵渎祭祀祖先的做法。请按礼官所议办理。"因此仁宗降下此诏。

二月,己卯朔(初一),更改江西盐法。

起初,江、湖地区运销食盐质量很差,官价又高,故而百姓以食用私盐为便利,从而偷贩私盐的人很多,官方捕捉加紧了,就铤而为盗。江、淮流域,尽管是仕宦之家、读书之人,因贪于厚利,有的也以贩运私盐为业。江西虔州地连广南,而福建的汀州也与虔州接壤,虔州的盐不好,汀州原本不产盐,两州百姓大多偷贩广南的盐来牟利。每年秋冬,农活刚完毕,往往数十人数百人为一群,拿着兵器、旗鼓,往来于虔、汀、漳、潮、循、梅、惠、广八州之地,所到之处抢劫人家的粮食布帛,掠夺人家的妇女,与巡捕的吏卒打斗。闹到杀伤吏卒,就当起了强盗,凭借险要的地形活动。官府捕捉不到,有时就赦免他们的罪过招抚他们,随着岁月推移,这种人越来越多。朝廷以此为患,曾派职方员外郎黄炳乘驿车召集这些地方的监司及知州、知军、通判商议。于是黄炳等人共同讨论,认为:"虔州食用淮南盐为时已久,不可改变,但可减少近年来增加的官价,每斤盐价为四十钱,以十个县五等户的夏税为标准,每纳夏税一百钱,令他们买官盐二斤,随夏税交此盐钱偿还官府。"接着朝廷命令提点铸钱沈扶复查可否实行。沈扶和江西、福建、广东转运司、虔州官吏,又请求选江西漕运船只,汇集为十纲,由三班使臣率领,直接运取通州、泰州、楚州都仓的盐。后来朝廷又命令比部员外郎曾楷到广南与监司再讨论怎样疏通广南的盐路,而转运判官陈从益,请求在惠州、循州、梅州、潮州设立五都仓贮备食盐,令虔州官府招募贩盐的商户,将钱交给虔、广南二州,到五仓取盐,运回虔、广南二州买卖。这是所谓变私盐为官盐,改盗贼为商旅。朝廷上议论认为此议难行,最后决定采用黄炳、沈扶等人的办法;然而每年买盐才增加六十余万斤。

辛巳(初三),以蕲州知州张田为荆湖南路提举刑狱。谏官司马光再次上疏说张田为人奸邪险恶,不可任以监司之职。不久改派他为湖州知州。

癸卯(二十五日),仁宗下诏令兖国公主进宫,安州观察使、驸马都尉李玮任卫州知州。李玮的生母杨氏归其兄李璋赡养,兖国公主的乳母韩氏出宫外居住,公主宅第的主管内臣梁怀吉返回前省,各种服侍人员都遣散回家。

梁怀吉等人既获罪受责,公主怨恨,想要自尽,又放火要烧宅第,以此要挟仁宗一定召梁怀吉等人回来,仁宗迫不得已,便为她召回了他们。谏官杨畋、司马光、龚鼎臣等人都来劝谏,仁宗不听。然而公主心里始终厌恶李玮,不肯再入中阁,样子像疯狂失常,想自尽几次了。苗贤妃与俞充仪策划,派内臣王务滋管理驸马宅第来窥探李玮的过失。李玮平时为人谨慎,王务滋找不到他的差错,就禀报苗贤妃、俞充仪说:"只要能得到圣旨,务滋请求用一杯毒酒结果他。"苗贤妃、俞充仪告诉仁宗,仁宗默不作声。过了一会儿,仁宗与皇后坐在一起,俞充仪又说这事,皇后说道:"陛下思念章懿太后,所以李玮得以娶公主,现在怎么能做这种事呢?"都知任守忠在旁边说:"皇后的话是对的。"王务滋的阴谋最终不能实现,不久有了这个诏命。

权陕西转运副使薛向奏说:"陕西的军队,厢军及禁军共二十五万,其中老弱、病残、诡计多端之人数量过半,请下令各路,拣选出那些不能胜任征战的人员予以淘汰,敢诡变而不老实者依法论处。"仁宗采纳了这个建议。

这个月,辽国君主辽道宗暂住纳葛泺。

三月,戊申朔(初一),辽国枢密使楚王萧革退休。萧革因善于阿谀奉承而博得辽道宗的信用,他恃权贪财,残害忠贞正直之臣。辽道宗渐渐察觉到他为人奸险,对他的宠爱日渐衰减,因此罢免他的官职,然而仍进封他为郑国王。

辛亥(初四),仁宗下诏令礼部举行贡举考试。

壬子(初五),兖国公主降封为沂国公主,安州观察使李玮改任建州观察使,免去驸马都尉职名。自从兖国公主进入宫中,李玮之兄李璋上奏说:"李玮愚蠢笨拙,不配承受皇恩,乞请赐他与公主离婚。"仁宗将要允许。司马光又进言道:"陛下起初是追念章懿太后,因此让李玮娶公主,想以此巩固姻亲,使其家常保尊贵的地位。现在李玮母子分离,家道衰落,全家大小忧愁,几乎无法维持生活,这难道是陛下最初的意愿吗!最近到了章懿太后的忌日,陛下看到太后镜匣中的遗物,想起太后平生生活情景,难道能没有感念慈母养育之亲、悲切伤怀之情吗!李玮既已蒙受贬斥,公主也不能无罪。"仁宗猛醒过来,于是同时责罚公主,对李家恩礼不减,并且赐李玮黄金二百两,对他说道:"凡人享有富贵,也不一定成为皇家的女婿哟!"

癸丑(初六),大宗正司奏称右卫大将军、岳州团练使赵宗实乞求交回秦州防御使、知宗正寺的任命敕令,仁宗不准。

乙卯(初八),以礼部侍郎、参知政事孙抃任观文殿学士兼翰林侍读学士、同群牧制置使。孙抃官居两府,年岁越来越老,对政事总是不置可否,又好遗忘,好事的人甚至将这些传为口实。当时枢密使张昇请求告老退休,朝廷商议认为孙抃依次序应当补缺,但一定不能胜任;殿中侍御史韩缜趁进见仁宗之机,极力说明孙抃无能,虽然没有明显的过失,乞请将他安置在闲散的职位上,监察御史里行傅尧俞也进言表达类似的心意。孙抃于是声称有病请求免职,仁宗应允。

以枢密副使、礼部侍郎赵概为参知政事,翰林学士、权知开封府吴奎为右谏议大夫、枢密副使。

丙辰(初九),仁宗召右正言、蔡州知州王陶赴谏院任职。王陶说:"臣与唐介、范师道、吕诲、赵抃同时出朝为知州,现在只召臣与范师道回京,不合适,请恢复唐介等人的原有官职。"这是因为当时范师道也从福州被召为盐铁副使,而吕诲、赵抃及唐介都未迁调官职的缘故。

丁巳(初十),仁宗下诏:"审刑院奏补京朝官,初次应该经过考核业绩以备升迁的官员,从现在起须有举荐人一名,才能听其改任官职。"

庚申(十三日),仁宗任命龙图阁直学士兼侍讲钱象先为右谏议大夫、蔡州知州。钱象先善于讲学,语言简约而义理明白。仁宗有什么问题询问,钱象先必定依据经典回答,反复地委婉解说,接着便联系到当世的政务,号称通晓经术。他留在宫中侍奉经筵前后十五年,时常蒙受圣恩礼遇。旧例,讲官分别按日期交替进宫,钱象先已经获准补为外官,仁宗说:"大夫出京之日临近,暂且从头到尾再讲一遍吧。"于是别的讲官停止进讲十天。

仁宗任命天章阁侍讲、崇文院检讨吕公著为天章阁待制兼侍读。吕公著起初被召参加中书舍人考试,将被任为知制诰,他三次推辞不就任,所以才有这个任命。

辛酉(十四日),仁宗命参知政事欧阳修提举三馆、秘阁写校书籍。

壬申(二十五日),徐州传说彭城县白鹤乡地上长出了面粉,共十余顷,百姓都取来吃。仁宗派遣内侍窦承秀前往察看。有人占卦说:"地上生面,百姓将挨饿。"不久濠州也传说钟离县地上生出面粉,百姓取来吃了。

夏季,四月,壬午(初五),宰相韩琦等人呈上所修的《嘉祐编敕》,起于庆历四年,止于嘉祐三年,共十二卷。那些原来降下敕令只用来约束行为而不立法令条文的,又分编成《续附令敕》,共五卷。仁宗诏令颁布实行。

己丑(十二日),西夏国主毅宗赵谅祚上表文请赐太宗皇帝亲自作的诗歌的草书隶书石刻本,想要建书阁珍藏起来,并且进献马五十匹,求《九经》《唐史》《册府元龟》及宋朝元旦冬至朝贺的仪礼。仁宗下诏赐《九经》,送还所献马匹。赵谅祚又请求婚娶公主,仁宗下诏回答说因为从前曾赐他家姓赵,故而不同意。

壬辰(十五日),改任起居舍人、知制诰兼侍讲司马光为天章阁待制。在此之前司马光与吕公著同时被召参加中书舍人的考试,司马光已应试而吕公著最终推辞。等到授任知制诰时,司马光就自己上奏说:"臣拙于文词,本应推辞征召,起初担心朝廷不会同意,所以竭力从命,接着听说吕公著推辞终于获准,臣才悔恨当初没有推辞而妄自推测朝廷不会同意。"奏章连上了九次,最终改任其他官职。

五月,丁未朔(初一),命起居舍人、天章阁待制兼侍讲司马光仍知谏院。司马光上疏说:"陛下有商朝中宗的严肃恭谨,周朝文王的小心谨慎,但大小政务大多谦让而不作决断,常交付臣下决定。果真委托的人通常是忠贞贤明之士则可,万一有奸邪险恶的人在其中,岂不危险得很!古人所谓委任而责其成效,是选择好人而授予他一定的职事,琐碎的事情,不必亲自去做,至于爵禄、废置、生杀、予夺,不由自己拿出主张是不可以的。

"还有,不久前因西部边境用兵,临时设置经略安抚使,一路的军事可以相机自行处理,等到西部战事已经平息,却沿袭下去而不废止。其中河东一路,总领二十二州军事,从前节度使的军权,也不过如此而已。"

又说:"大臣掌管各州的,多以尊贵高傲自恃,转运使想要振兴事业,他们往往故意违背而不肯依从。那些将相大臣,在朝廷时,则转运使的名分地位固然与之相差很远;等到在外面做知州时,那么转运使是统管各州的职位,将相大臣怎么能凭借自己的尊贵包揽一州之事,而令转运使不得过问呢!

"自从景祐年间以来,国家懈怠于长久安定,喜欢因循守旧而力求省事,执政的臣僚,颇为奉行姑息敷衍之政。于是小吏喧哗却斥退了御史中丞,引挈小官狂妄傲慢却罢黜了宰相,卫士凶逆而案狱审讯不能穷追奸邪,其余有因某个人在道路上散布流言而为之改变法令推恩的也很多。凡是这些,大概不是使百姓习惯于尊卑贵贱之分的做法。朝廷,是天下的表率仪范,朝廷政治如此,那么全国各地必定有更严重的问题。于是导致元帅畏惧偏将,偏将畏惧下级将校,下级将校畏惧一般士兵。奸邪怯懦之臣,有的简化对军队的教练检阅,使士兵骄纵懒惰,保护包庇老弱,使兵员冗杂,徇私枉法,使士兵肆意妄为,故意诋毁粟帛供应不足,使士兵愤怒惋叹,他们又甜言蜜语谄媚嬉笑,无所不至,于是士兵一致夸奖他们,而把怨恨归于朝廷。

"臣以为陛下应振奋刚健之志,发扬神明之德,凡是群臣奏事,都要考察其是邪是正,辨明其是对是错,详问深思,以求合乎道理,然后奖赏、惩罚、贬谪、提拔,决断之后执行,那么天下谁不开怀欢喜呢!其余民间之事,都委托给州县,统一依法决断,有执法重而情节轻,情节轻而执法重,可杀掉可徒刑,可宽大可赦免的,都听本州申奏,由朝廷决定,何必由经略安抚使决断呢!转运使策划并发出号令,下达各州,各州中违背不服从的,朝廷应辨明其中的是非曲直,如果事理确实可以施行,而知州依恃尊贵地位故意违背的,应惩治知州的罪,不要归罪于转运使。将校士兵对州县及统领他们的官员或公卿大臣,有狂慢无礼行为的,要明确上下等级之法,使决断者无顾虑地惩治。将帅一类官员,废坏法令,违背事理来取悦于下属,使下属归怨于朝廷者,应依其情节轻重,予以杀戮、流放、废黜;公正无私、治军严格者,应按其才能大小,予以提拔褒奖。如果这样,那么上司虽然勤劳而下属就会效命了。"

又说:"财政经济,是天下最紧要的事务,希望重新设置总计使之职,由宰相领署。如果国库空虚,民间愁困,四方百姓,流离死亡,而说我能论述治道和经管邦国,调理自然及人事,安定天下,这不是愚臣所能知道的!"

己酉(初三),龙图阁直学士、吏部员外郎兼侍讲、知谏院杨畋去世,赠授右谏议大夫。杨畋平素谨小慎微,每逢上奏书,必将拆开已封的奏书四次反复审阅之后才呈上去。平时自己生活得非常节俭,到去世时,家中没有多余的财产。仁宗特赐黄金二百两;后来端午节时赏赐讲读官御笔飞白体书写的扇子,也派使者特赐杨畋,放在停放灵枢的地方。

己未(十三日),以荆南知府李参为群牧使。执政大臣起初商议想任用李参为三司使,只有孙抃不同意,说:"此人如果主管国家财政,外台官员迎合他的作风剥削百姓,那么天下更加穷困不堪了。"于是终究没有任用他为三司使。

庚申(十四日),大宗正司禀报,右卫大将军、岳州团练使赵宗实交还秦州防御史、知宗正事的敕令;仁宗下诏不准。

庚午(二十四日),枢密副使、给事中包拯去世,赠授礼部尚书,谥号孝肃。包拯性格严峻正直,在朝为官刚毅,人们把他的笑比作黄河清。任开封府知府时,京城有这样的传言:"行贿不成,因有阎罗包老。"然而他上奏议事公正平允,常常憎恨俗吏对民苛刻,力求敦厚,虽然疾恶如仇,但未尝不以忠恕宽厚为本。平时没有私信来往,故旧亲朋有所请托,一律拒绝。居家生活俭朴节约,衣服器具和饮食,虽然地位高贵却和做布衣平民时一样。

六月,丙子朔(初一),岁星在白天出现。

辽国国主辽道宗暂住图库里。

癸未(初八),以单州团练使刘永年为代州知州。

辽国人伐取山上树木,堆积十余里,装载树木的车在路上络绎不绝,前任代州知州害怕引起事端,不敢制止,刘永年说:"敌人在我境内伐木而不惩治,以后将不能再制服他们了。"于是派人放火,一夜之间全部烧掉了那些被伐树木;禀报此事,仁宗称赞做得好。辽国把文书交给代州要求捕捉放火的盗贼,刘永年答复说:"盗贼固然有罪,然而在我境内,与你们有何关系!"辽国于是不敢再说。

鄜延经略司奏报:"得到宥州的公文报告,西夏国改西市监军司为保泰军,威州监军司为静塞军,绥州监军司为祥祐军,左厢监军司为神勇军。"并说:"西夏国主赵谅祚的举动,近年来常不遵循旧规矩,恐怕会进一步超越本分而使用朝廷名号。这种趋势不可让它发展,请选择一名有才能的臣子前去下诏诘问,以杜绝他的邪念萌生。"仁宗同意此奏。于是派供备库副使张宗道去赐给赵谅祚生日礼物。张宗道刚入西夏国境,西夏迎接的人来了,想要骑马走在张宗道前面,等到就座时,又要坐在东边位子上,张宗道坚决与他相争。西夏接待的人说:"主人坐在左边,是礼节的常规,天朝使臣还有什么疑虑的呢!"张宗道说:"我与西夏国主并肩侍奉大宋天子,西夏国主如果亲自来迎接我,应当是宾主关系。你是陪臣,怎么能做主人!应当遵循旧例,我坐在上位。"争执很久不能解决,西夏迎接的人说:"你有几个脑袋,竟敢这样!"张宗道大笑道:"我只有一个脑袋,来的那天已和家人告别。现在想取我的脑袋就取走,我是死得其所了,只是西夏国一定不敢罢了。"迎接的人说:"翻译说错了话,我是说自己没有两个脑袋。"张宗道说:"翻译说错了话,为什么不杀翻译?"这样才请张宗道坐在上位。迎接的人说："我们两国的友好,如同鱼和水的关系。"张宗道说："对。天朝,是水;西夏国,是鱼。水可以无鱼,鱼不可以无水。"

丁亥(十二日),秘阁呈上补写的供皇帝阅览的书籍。

在此之前,欧阳修上奏说："秘阁最初是太宗皇帝藏书的府库,那里的书都用黄绫装潢,称为太清本。后来因宣布皇上诏令取入内宫,许多书就留在宫中,而书很不完整。请发还旧本,令人补写。"于是仁宗下诏令龙图阁、天章阁、宝文阁、太清楼主管内臣,查出不完整的书录下书名,在门下省补写。到这时呈上补写完毕的书,仁宗赐判秘阁范镇及负责补写官以数量不等的银两丝绢。

辛丑(二十六日),辽国以右伊勒希巴玛陆为奚六部大王。

这个月,辽国国主辽道宗亲临清凉殿,放榜录取进士王鼎等九十三人。

秋季,七月,戊申(初三),太白星经过天空。

壬子(初七),太常礼院上奏说："皇祐年间参拜南郊百神之位,不合乎祭祀之法。应像隋、唐旧制,设昊天上帝、五方神位,以真宗皇帝配享,而以五人帝、五官神从祀,其余都撤除。再者,前一天陛下亲自在太庙祭祀祖先,当时曾停止了孟冬时节的祭祀。详考典礼,宗庙按时节祭祀,没有因为严格配享而停止的。现在明堂祭典距离孟冬祭祀之日尚远,请恢复孟冬在太庙的祭祀。以前祖宗同时配享,现在依典制改为一帝独配;以前地神、神州同时祭祀,现在因配祭天帝也就停止了。这些都是改变祭礼中的重大内容。《开元礼》《天宝礼》二书中,祭祀五帝时皇上不亲自贡献祭品。旧礼,先到昊天上帝神位前献上祭品,同时向五帝分别献上,由侍臣奠献祭品,皇帝再拜,然后到真宗皇帝神座前叩拜,这样做在礼仪上很恰当。"仁宗下诏恭敬地依此办理,但对五方帝也行亲自献祭仪礼。

甲寅(初九),广西转运使李师中,转运判官刘牧,各被罚铜二十斤。在此之前,岭南地区有许多荒地,茅草茂盛,充满了有毒的瘴气。李师中招募百姓开垦田地,县里设置名册,约定永远不收税,以种到三十顷的为田正,免除劳役。于是田地稍有开辟,瘴毒减少以至消失。但李师中与刘牧犯了擅自免税不向上禀报的罪,因此受到惩罚。

甲子(十九日),以虔州知州赵抃为礼部员外郎兼侍御史知杂事。

丁卯(二十二日),右卫大将军、岳州团练使赵宗实辞秦州防御使、知宗正寺之职,仁宗不允许。

这月,右正言王陶上奏疏说："去年陛下亲自宣布,参考唐朝旧例,选择宗室子弟让他掌管宗正寺。朝廷内外听说此事,都认为这一做法安排得妥当,不惊动任何人,而天下动摇的人心迅速得到安定。其后渐渐听说此事拖延了下来,天下关心此事的人,怎能不忧愁疑虑呢!有的流言责怪赵宗实,认为自从唐朝以来主管宗正寺的人,都是任用宗室子弟,考查典制旧例,那是一个寻常差遣,何必过分辞让。有的说此事出自宫中妃嫔、宦官的姑息之言,圣上的主意因而稍微疑惑。臣听说赵宗实自从有这个任命以来,昼夜恐惧,闭门不敢见人。前自二月服丧期满,至今半年有余了。臣担心天下之人,说陛下开始时顺应天心人愿而任命他,现在又听信左右妃嫔、宦官之言便产生了疑惑,不只百世之后使人叹惜陛下的政令前后不一,也担心今后远近内外的大奸巨猾得以窥伺间隙而有可乘之机。"因而请求应对,奏说妃嫔、宦官有什么话惑乱了圣听,而使赵宗实畏避不敢向前。仁宗问王陶:"要是另外给他一个名义,如何?"王陶回答说:"这只是一个差遣名目,请与执政大臣商议。"仁宗说:"应当另外给他一个名目。"于是韩琦等人才有了立赵宗实为皇子的建议。

八月,乙亥朔(初一),宫内送出明堂乐章迎神、送神曲,在太常礼院练习。

丙子(初二),右卫大将军、岳州团练使赵宗实辞秦州防御使、知宗正寺之职,仁宗应允。

起初,赵宗实屡次乞请缴还皇上任命的敕令,仁宗对韩琦说:"他既然如此,何不姑且终止这项命令?"韩琦回答说:"这事怎能半途停止呢!希望陛下赐以手札,使他知道出自圣上的主意,必定不敢推辞。"旋即派使者召见他,他推说有病不入宫。韩琦与欧阳修等人私下商议说:"知宗正寺的任命发出后,外人都知道他一定要成为皇子了,不如就正其名分。"欧阳修说:"知宗正寺的敕命交付阁门,可以不接受;如今若立为皇子,只用一份诏书,事情就定了。"于是进宫应对,乞请听任赵宗实辞去所授予的官职。仁宗说:"不要更改为其他的名目,便可立为皇子,在明堂大典之前迅速予以办理停当。"韩琦因而请求仁宗告谕枢密院。等到张昪入宫,仁宗当面告谕他,张昪说:"陛下不再疑虑了吗?"仁宗说:"朕想使民心先有所归属,只要是姓赵的人就可以了。"张昪立即再拜表示祝贺。韩琦等人乞请仁宗书写手诏交与外臣施行。退出宫后,辅臣尚未分赴自己办事的厅堂,宫中使者已将仁宗的手诏传送到了中书省。

丁丑(初三),韩琦召翰林学士王珪,令他起草诏书。王珪说:"这是大事,非当面接受圣旨不可。"第二天,王珪请求应对,说:"海内盼望这一举动很久了,果真是出自圣上的意愿吗?"仁宗说:"朕主意已定。"王珪再拜祝贺,才退下起草诏书。欧阳修赞叹道:"王珪是真正的学士啊!"

己卯(初五),仁宗下诏说:"为人之道亲其亲属,是王者首先要做好的事。右卫大将军、岳州团练使赵宗实,是皇兄濮安懿王之子,犹如朕之子,从小被养育在宫中,聪颖机警与仁爱贤德,年少时即已崭露。日前从宗室近亲中选出他来,命他管治宗正寺事务,使者多次至其府第,他总是坚持谦恭退让,久不受命,朕暗自嘉许他的表现。树立爱心之道,从亲人开始,就立他为皇子。"辛巳(初七),仁宗召集所有宗室成员入宫,告谕立皇子之意。

壬午(初八),仁宗下诏令入内内侍省皇城司,在内香药库的西侧,营建皇子住所。癸未(初九),赐皇子赵宗实名赵曙。

邈川首领嘉勒斯赉已老,国事都委托给他儿子栋戬处理,秦州知州张方平曾诱使栋戬向宋朝进贡,答应奏请仁宗任命栋戬为防御使,栋戬不久就派使者入贡。知杂御史吴中复上奏弹劾张方平擅自以官爵许诺戎狄,引起他们的贪心,张方平的建议于是未能实施。

在此之前,辽国将女儿嫁给栋戬,和他共同图谋西夏国,西夏国主毅宗赵谅祚与他们作战,屡次被打败。至此赵谅祚兴兵进攻栋戬,驻扎在古渭州,古渭州内属的戎狄酋长都很畏惧,急请张方平救援。张方平惊恐,修建高大的瞭望台作为守城的设备,把各县马匹全都载入册籍,全部发给下番兵。皇祐末年,古渭州内属的戎狄叛乱,调增秦州的士兵很多,事情平息后,文彦博将所有这些士兵分别屯驻在永兴、泾原、环庆三路,待有警报就召集他们,以便减省粮草,称他们为下番兵。张方平到这时就调发他们,关西地区为之震惊,他仍通过驿站奏请朝廷调发京畿禁军十指挥前来本路。枢密使张昪对仁宗说:"臣以前在秦州,边境人士说西戎想要入侵的很多,后来都未成为事实。目前事情尚不清楚,就调发京畿军队前往,惊动远近,这不是好办法,请稍等些日子。"仁宗采纳了他的建议。几天后,张方平又奏报西夏国赵谅祚已率兵向西攻打栋戬去了。赵谅祚不久又被栋戬打败,在古渭州的旁边营建了堡寨后返回西夏国。

谏官司马光便上奏弹劾张方平怯懦且轻举妄动,请求加以贬谪。宰相曾公亮偏偏袒护张方平,就说:"军队未出边塞,怎能说是轻举妄动?况且敌寇之所以没有入侵,是因为已有所防备。有所防备而使敌人不敢侵犯,反倒加以轻举妄动的罪名,边境守臣从此就不敢事先做好防备了。"司马光的奏章上了三次。甲申(初十),调张方平任应天府知府。

乙酉(十一日),仁宗下诏令太常寺登堂奏歌时用柷、敔两种乐器,这是采纳翰林学士王珪的建议。

辛卯(十七日),以司封郎中江南人李受为皇子位伴读,改任宗正寺伴读王猎为皇子位说书。

壬辰(十八日),仁宗下诏令暂且以皇城司的官舍作为皇子的住所。于是命入内高班王中庆、梁德政地上乘车,水上乘船,安置行李入宫。仁宗已于己卯(初五)颁下诏书,皇子依然坚持卧床称病不肯入宫。司马光、王陶等人奏说:"一般人见到一丝一毫的利益,都互相争夺。现在皇子推辞不可估量的财富,已有三百多天不肯接受诏命,其贤德远远超出一般人。有识之士得知此事,足以了解陛下的圣明,能为天下得到人才。然而我们这些臣子听说父亲召唤不存在是否应诺,君命召见不等车驾备好就应起身前去,使者接受使命不接受辞命;皇子不应避让谦逊,使者不应徒劳往返。凡是传达诏令召皇子的内臣,都请予以斥责降职,并且以臣子的大义责备皇子,他应当一定会入宫的。"仁宗与辅臣商量此事,韩琦说:"现在既然是陛下的儿子,还有什么隔阂呢!希望令皇室亲族敦劝他,并选派陛下亲信的内臣去宣谕圣旨,他一定不敢再违命。"

丁酉(二十三日),赐皇子套装、金带、银绢各一千。诏令登州防御使、同判大宗正事赵从古、沂州防御使虢国公赵宗谔敦劝皇子,仍然与润王宫大将军以上官员一起入宫,皇子如称有病,就让他坐轿子入宫。己亥(二十五日),赵从古等人进言说皇子还坚持声称有病。这天晚上,使者往返宣诏四次,开着宫门一直到四更,皇子最终未来,于是仁宗下诏令改换日期。

庚子(二十六日),仁宗将立皇子之事祭告天地、宗庙及各皇陵。

辛丑(二十七日),皇子乘轿入宫。在此之前赵宗谔责备皇子说:"你身为臣子,怎能坚决拒绝君父之命而始终不接受呢?我不是不能让大家捉住你,强行将你安置到轿子里抬进宫,只怕这样使你失去了臣子之义,落下恶名罢了!"

皇子起初辞让宗正职务,与记室周孟阳商议此事,所呈表文都是周孟阳写的,每写一份表文,赠给周孟阳十金。周孟阳辞谢,皇子说:"这不足为谢,等请求获得朝廷批准,才应当重赏你啊。"共上了十八份表文,周孟阳获得一千多缗钱。等到立为皇子,他仍然坚持称说有病。周孟阳进入卧室见到他说:"皇上明察太尉的贤德,加上天意人愿的帮助,才发这降恩诏书。太尉偏偏声称有病坚持卧床不起,道理何在?"皇子说:"我不敢求福,是以此避祸呀。"周孟阳说:"现在已有遭祸的迹象,如果坚辞不受诏命,使宦官另奏请立他人,就能安然无恙了吗?"皇子扶床而起说:"我没有想到这一点。"于是和赵宗谔等人一起入宫,随从的家人仆人不满三十位,行李很少,与贫寒士人没有差别,只有书籍数橱而已。

甲辰(三十日),皇子在清居殿晋见仁宗。从此,每天在内东门朝见两次,有时进宫中侍奉。

九月，乙巳朔(初一)，以皇子为齐州防御使，晋封为巨鹿郡公。

己酉(初五)，朝祭景灵宫。庚戌(初六)，祭太庙。辛亥(初七)，大飨明堂，大赦天下。仁宗下诏令天下在账册上登记有名的寺观和四京管辖之内虽未在账册上登记但具有房屋一百间以上的，都特赐匾额。谏官司马光启奏说："佛、道之教，不利于治理社会，而且聚集藏匿游手好闲、怠惰懒散的人，浪费钱财，危害良民，因此国家颁布法令，有建造寺观百间以上的，听任人们告发，处以违法之罪，还要立即拆毁。由于风俗愚昧，积弊已深，不可能迅速消除，所以设下执行禁令的时限，不让这种习气滋长罢了。现在如果有公然违反法令，擅自建造寺观房屋达到百间以上的，那么他的罪过已经很大了。幸遇陛下大赦之恩，免除其罪就可以了，那些房屋瓦木，仍然应当拆掉，没收交给官府。现在既不拆毁，又明令推行陛下的恩命，赐予宠荣的匾额，这是在鼓励他们。现在立法进行禁止在先，而又发赦令进行鼓励在后，恐怕从今以后，奸猾之人，将会不顾法令，依靠佛、道之教来欺骗愚民，聚敛他们的财富，广建寺观，竭力建到一百间，以希望获得赦免之恩，这样日后就不能再禁止了。希望陛下追改日前诏命，更不要再施行。"

起初，仁宗祭享明堂，正留宿斋宫，而充媛董氏病危，派人告诉皇后说："妾不幸就要死了，希望不要立即禀告皇上以免打扰皇上对国事的专注。"皇后流着泪答应了她。壬子(初八)，仁宗亲临祭奠董氏时悲戚哀伤，追赠她为婉仪；癸丑(初九)，加赠为淑妃，特地提升其父右侍禁董资为内殿崇班，任其弟侄四人为官，将她安葬在奉先资福院。后来又命有司为她定谥号并行册封礼，在下葬之日还派给仪仗队。司马光上书说："古代妇人没有谥号，近代只有皇后有谥号和有追加册封的事。仪仗队本是用来赏军功的，不曾用于妇人。希望陛下特地诏令有司，全部停止议谥号和行册封礼之事，下葬那天改为不派仪仗，凡是办丧事所需要的，都要减少一些。"仁宗嘉许并采纳了这一建议。

己未(十五日)，朝廷内外官员都因大祭明堂颁发赦令而加恩，宰相韩琦封仪国公。

戊辰(二十四日)，改寿星观为崇先观。

冬季，十月，乙亥(初二)，皇子上奏表辞去所授予的官职，仁宗赐给诏书不允许。

甲午(二十一日)，命知制诰王安石同勾当三班院。在此之前，王安石纠察在京刑狱情况，发现有一少年得到好斗的鹌鹑，他的同伴索要鹌鹑，他不给，同伴仗着平时与他关系亲密，就擅自拿走了，少年追上将同伴杀了，开封府判这人的罪该死。王安石批驳说："按照法律，公开强取、暗中偷取都是盗贼，这人不给而那人强行拿走，这是盗贼。追赶而殴打他，这是捕捉盗贼。虽然打死了盗贼也不应当追究。"于是弹劾开封府司断案量刑失误，开封府官不服。事交审刑院、大理寺，都认为开封府断案是对的，仁宗下诏开释王安石弹劾不当的罪名。旧制，免罪的人都到宫门前谢恩，王安石说我无罪，不肯谢恩；御史台上奏检举他，仁宗放过不予追究。

以秘阁校理蔡抗为广东转运使。在此之前，岑水铜矿大规模开采冶炼，官府从民间买铜，只给一纸空文为收据，积欠款额巨大。奸民无处进钱，就聚集起来私铸钱币，与江西盐盗汇合起来，郡县官府感到忧虑，查捕很严。蔡抗说："采铜的都是游惰无业之民，铜都缴官府而官府不给价值相当的钱，不私铸钱币，他们的衣食从何处解决！又因此诛杀他们，这是坑害百姓。"于是朝廷命令铜一经收进就立即按价给钱,这样百姓都乐意卖铜给官府,私铸钱币现象才杜绝。番禺每年运盐给英、韶二州,路途遥远,沿途盗窃的很多,盐中掺假的也很多。蔡抗命令十艘船为一运输单位,选兼职官员主管此事,年终,总评成绩优劣。这样,盐税增加十五万缗。

乙未(二十二日),太白星在白天出现。丙申(二十九日)。仁宗下诏:"天下常平仓储粮大多挪作他用,因而不足以支付灾年所需,现令内藏库与三司共支出缗钱一百万,下发各路以帮助购粮储藏。"这是听了右正言、判司农寺王陶的意见。

十一月,己巳(二十六日),进封沂国公主为岐国公主,建州观察使、卫州知州李玮改任安州观察使,恢复为驸马都尉。

十二月,皇城司巡逻兵吴清等人密奏富人张文政曾杀人,有司审讯并无此事,希望传讯吴清诘问他所奏之事出自何处,但主管人不送吴清到堂。御史傅尧俞奏说:"陛下怜惜吴清,恐怕从此不能再听到外面的事情了。不如将他交给有司,辨明是非来对他进行赏罚,那么外面上报的事情都会是实情,这才是扩大视听的办法。"谏官司马光等人也极力说明此事的危害。仁宗便下诏对吴清等人判处杖刑,发配下军。

辽国知枢密北院事萧图固哩,善辨机敏,善于察言观色,应对迎合主上的旨意。辽国太后曾说:"有大事,没有图固哩就不能决策。"从此对他的宠遇日盛一日。庚辰(初七),任命他为北院枢密使,允许他遇事相机自行处理。图固哩好聚敛财富,专横刚愎,擅自变更法度。当时辽国皇太叔耶律重元有篡位之心,图固哩任枢密使几个月,所引荐的人大多是耶律重元的党羽,其奸邪谄媚就是这样。

癸未(初十),辽国主辽道宗到西京。

戊子(十五日),辽国因太后举行再生典礼,赦免西京的囚犯。

戊申(二十三日),仁宗到龙图阁、天章阁,召辅臣、近侍、三司副使、台谏官、皇子、宗室、驸马都尉、主兵官观看祖宗御书。又到宝文阁,作飞白书,分别赏赐随从的臣僚,下至馆阁官员都有赏赐。作《观书诗》,韩琦等人和诗。顺便在群玉殿宴饮。下诏令翰林学士王珪撰写诗序,刻上石碑立在宝文阁中。

庚子(二十七日),仁宗再召集群臣到天章阁观看祥瑞物品,又在群玉殿宴饮。仁宗说:"天下长久太平无事,今日之乐,与各位爱卿共享,应当尽情饮酒,一醉方休,不必推辞。"将宫中鲜花、金盘、香药赐给群臣。又召韩琦到御榻前,另赐酒一杯。随从的群臣略醉,到傍晚才宴罢席散。

这年,冬季没结冰。天下判处死刑一千六百八十三人。

续资治通鉴卷第六十一

【原文】

宋纪六十一　起昭阳单阏【癸卯】正月,尽十二月,凡一年。

仁宗体天法道极功全德　神文圣武睿哲明孝皇帝

嘉祐八年　辽清宁九年【癸卯,1063】　春,正月,己酉,翰林学士范镇知贡举。

辛亥,辽主如鸳鸯泺。立皇子浚为梁王。浚为皇后所生,幼而能言,好学知书。辽主尝曰:"此子聪慧,殆天授与!"时年六岁,封为王。

癸丑,诏夏国主谅祚:"所遣进奉人石方,称宣徽南院使,非陪臣官号;自今宜遵用誓诏,无得僭拟!"

丙寅,以龙图阁直学士、知审官院韩贽兼判都水监。初,置都水监,欲重其事,以知杂御史判。至是知杂赵抃辞以不知水事,故命贽焉。

戊辰,宰相韩琦言:"秦州永宁寨,旧以钞市马,自修古渭寨,在永宁之西,而蕃、汉多互市其间,因置买马场,凡岁用缣钱十馀万,实耗国用。"诏复置场永宁,罢古渭寨所置场,蕃部马至,径鬻于秦州。

己巳,以充仪俞氏为昭仪,婕好杨氏为修仪,周氏为婉容。

辛未,辽禁民鬻铜。

二月,癸未,帝不豫。甲申,降天下囚罪一等,徒以下释之。

乙酉,太子少傅致仕田况卒,赠太子太保,谥宣简。况明敏有文武才,其论天下事甚多,如并枢密院于中书以一政本,日轮两制馆阁一员于便殿备访问,以锡庆院广太学,兴镇戎军、原、渭等州营田,汰诸路宣毅、广捷等冗军,策元昊势屈纳款,必令尽还延州侵地,无过许岁币,并入中青盐,请戮陕西陷没主将随行亲兵。其论甚伟,然不尽行也。

始,辽侵澶州,略得数百人,以属况父延昭,延昭哀之,悉纵去,因自脱归中国,生八子,多知名。况,长子也。保州之役,况杀降卒数百人,朝廷壮其决,后大用之。然卒无子,以兄子为后。

丙戌,中书、枢密院奏事于福宁殿之西阁,见帝所御幄帝、祸褥皆质素暗弊,久而不易。帝顾韩琦等曰:"朕居宫中,自奉正如此耳。此亦生民之膏血也,可轻费之哉!"

三月,甲辰,诏前郓州观察推官孙兆、邠州司户参军单骧诊御脉。帝初不豫,医官宋安道等进药,久未效,而兆与骧皆以医术知名,特召之。丙午,诏中书劾宋安道等罪以闻。

戊申，太子太保致仕庞籍卒。时帝不豫，废朝、临奠皆不果，第遣使吊赗其家，赠司空兼侍中，谥庄敏。籍长于吏事，持法深峭。军中有犯者，至或断斩刲磔，或累笞至死，以故士卒畏服；而治民有惠爱。及为相，议者以为声望减于治郡时云。

甲寅，昭德军节度使、同平章事李昭亮卒，赠中书令，谥良僖。昭亮为人和易，谙习近事，于吏治颇通敏，善委任僚佐，故数更藩镇无它过。

壬戌，孙兆为殿中丞，单骧为中都令，仍令校正医书。封神应侯扁鹊为神应公。皇城使宋安道等皆降官。

癸亥，御内东门幄殿。

甲子，御延和殿，赐进士闽人许将等一百二十七人及第，六十七人同出身，诸科一百四十七人及第、同出身，又赐特奏名进士、诸科一百人及第、同出身、诸州文学、长史。

乙丑，以圣体康复，宰臣率东上阁门拜表称贺。

辛未晦，帝崩于福宁殿。是日，帝饮食起居尚平宁，甲夜，忽起，索药甚急，且召皇后。皇后至，帝指心不能言。召医官诊视，投药、灼艾，已无及。丙夜，遂崩。左右欲开宫门召辅臣，皇后曰："此际宫门岂可夜开！且密谕辅臣黎明入禁中。"又取粥于御厨。医官既出，复召入，使人禁守之。

夏，四月，壬申朔，辅臣入至寝殿。后定议，召皇子入，告以帝晏驾，使嗣立。皇子惊曰："某不敢为，某不敢为！"因反走。辅臣共持之，或解其发，或被以御服，召殿前、马步军副都指挥使、都虞候及宗室刺史以上至殿前谕旨。又召翰林学士王珪草遗制，珪惶惧不知所为，韩琦谓珪曰："大行在位凡几年？"珪悟，乃下笔。至日昳，百官皆集，犹吉服，但解金带及所佩鱼，自垂拱殿门外哭而入，班福宁殿前，哭止，韩琦宣遗制。

皇子即皇帝位，见百官于东楹。百官再拜，复位哭，乃出。帝欲亮阴三年，命韩琦摄冢宰，辅臣皆言不可，乃止。

癸酉，大赦。优赏诸军，如乾兴故事。时禁卫或相告，乾兴内给食物中有金。既而宫中果赐食，众视食中无有，纷纷以为言。殿前副都指挥使李璋呼什长谓曰："尔曹平居衣食县官，主上未临政，已优赏，尔何功，复云云？敢喧者斩！"众乃定。

判吏部南曹王端言："公卿子弟襁褓得官，未尝莅事，而锡服与年劳者等，何以示劝！请从莅日始。"遂著为令。端，质之弟也。

遣使告哀于辽及夏国。

三司奏乞内藏库钱百五十万贯，绸绢二百五十万匹，银五万两，助山陵及赏赉，从之。

帝初即位，与辅臣言，皆不名。及将责降医官，有欲为孙兆、单骧地者，言于帝曰："先帝初进兆等药，皆有验，不幸至此，乃天命也，非医官所能及。"帝敛容曰："闻兆等皆两府所荐，信乎？"对曰："然。"帝曰："然则朕不敢与知，唯公等裁之！"皆惶恐。甲戌，兆编管池州，骧峡州，同（知）时责降者十二人，独兆、骧得远地云。

乙亥，群臣表请听政，不从。

诏："天下官名、地名、人姓名与御名同者改之；改部署曰总管。"

命韩琦为山陵使。

先是辅臣奏事，帝必详问本末，然后裁决，莫不当理，中外翕然皆称明主。是日晚，忽得疾，不知人，语言失次，复召已责降医官宋安道、甄立里、秦宗一、王士伦等入侍疾。

丙子，尊皇后曰皇太后。

丁丑，群臣三上表请听政。戊寅，诏许之，既而以疾不果。有司请改日大敛，司天监言卜近日则不利帝及太后，帝令避太后而已。己卯，大敛，帝疾增剧，号呼狂走，不能成礼。韩琦亟投杖褰帏，抱持帝，呼内人，属令加意拥护。又与同列入白太后下诏，候听政日，请太后权同处分。礼院奏请："其日皇帝同太后御内东门小殿，垂帏，中书、枢密院合班起居，以次奏事。或非时召学士，亦许至小殿。皇太后处分称'吾'，群臣进名起居于内东门。"从之。

辛巳，命辽贺乾元节使、保静军节度使耶律谷等进书奠梓宫，见帝于东阶，令阁门以书币入。始，辽使至德清，廷臣有欲却之者，有欲俟其至国门谕使之还者，议未决。太常丞、集贤校理邵亢，请许其使者奉国书置枢前，俾得见帝，以安远人，诏从其言。时龙图阁直学士周沆馆伴辽使者，初未许见，先诏取书置枢前。使者固请见，曰："取书，非故事也。"帝以方衰绖，辞焉。使者执书不肯授阁门，沆曰："昔北朝有丧，吾使至柳河而还。今朝廷重邻好，听北使至京师，达命于几筵，恩礼厚矣，奈何更以取书为嫌乎！"使者立授书，然帝亦卒见谷等。朝廷未知辽主之年，沆乘间杂它语以问，使者出不意，遽对以实。既而悔之，相顾曰："今复应兄事南朝矣。"

壬午，辅臣入对于柔仪殿西阁，皇太后御内东门小殿，垂帏听政。初议帝与太后同御东殿垂帏，辅臣合班以次奏事。及是帝方服药，权居柔仪殿东阁之西室，太后居其东室。辅臣既入西室，候问圣体，因奏军国事，太后乃独御东殿，辅臣以政事复奏于帝前云。

癸未，内出遗留物赐两府、宗室、近臣、主兵官有差。富弼、文彦博时居丧，皆遣使就赐之。知谏院司马光言："国家用度素窘，复遭大丧，累世所藏，几乎扫地。传闻外州、军官库无钱之处，或借贷民钱以供赏给，一朝取办，逼以棰楚。当此之际，群臣何心以当厚赐！"因固辞，卒不许。光乃以所得珠为谏院公使钱，以金遗其舅氏焉。

甲申，宰相韩琦加门下侍郎兼兵部尚书，进封卫国公，曾公亮加中书侍郎兼礼部尚书，枢密使张昇、参知政事欧阳修、赵概并加户部侍郎，枢密副使胡宿、吴奎并加给事中。

知谏院司马光上皇太后疏曰："殿下初摄大政，四方之人，莫不观听以占盛德。臣以为凡名物礼数所以自奉者，皆当深自抑损，不可尽依章宪明肃皇后故事，以成谦顺之美。大臣忠厚如王曾，清纯如张知白，刚正如鲁宗道，质直如薛奎者，当信之用之，与共谋天下之事。鄙猥如马季良，谗谄如罗崇勋者，当疏之远之，不可宠以禄位，听采其言也。臣闻妇人内夫家而外父母家，况后妃与国同体，休戚如一，若赵氏安则百姓皆安，况于曹氏，必世世长享富贵明矣。为政之道，莫若至公。愿殿下熟察群臣中有贤才则举之，有功则赏之，职事不修则废之，有罪则刑之。俟皇帝圣体平宁，授以治安之业，自居长乐之宫，坐享天下之养，则圣善之德冠绝前古，虽周之文母，汉之明德，不足比也。"

乙酉，作受命宝，命欧阳修篆其文曰"皇帝恭膺天命之宝"。

发诸路卒四万六千馀人修奉山陵。

丙戌，以国子监所印《九经》及《正义》《孟子》、医书赐夏国从所乞也。

丁亥，以皇子右千牛卫将军仲铖为安州观察使、光国公，右内率府副率仲纠为和州防御使、乐安郡公，仲恪为博州防御使、大宁郡公。

翰林学士王珪上言：“圣体已安，皇太后乞罢权同听政。”即命珪草还政书。既而不行。

荧惑自去年八月庚辰夕伏，积二百四十九日。命辅臣祈襀于集英殿；己丑晨，见东方。

癸巳，权三司使蔡襄奏大行山陵一用永定制度，于是右司谏王陶上言：“民力方困，山陵不当以永定为准。”其后京西转运使吴充、楚建中、知济州田枲相继上言：“请遵先帝遗诏，山陵务从俭约，皇堂、上宫除明器之外，金玉珍宝一切屏去。”建中，须城人也。礼院编纂苏洵亦贻韩琦书切谏，至引华元不臣以责之，琦为变色。乃诏礼院与少府监议，唯省乾兴中所增明器而已，其他犹一用定陵制度。

右司谏、直集贤院、同修起居注郑獬上言：“今国用空乏，财赋不给，近者赏军，已见横敛，富室嗟怨，流闻京师。窃惟先帝节俭爱民，出于天性，无珠玉奇丽之好，无犬马游观之乐，服御至于浣濯，器玩极于朴陋，此天下所共知也。今山陵制度，乃取乾兴最盛之时为准，独不伤先帝节俭之德乎？臣以为宜敕有司条具名数，再议减节。”

帝自不豫以来，丧皆礼官执事，群臣奉慰，则垂帘不坐。乙未，大祥，始亲行礼，又卷帘坐受慰，人心少安。

丁酉，起复文彦博，固辞；表三上，乃听终丧。寻有诏给俸赐比宰臣之半，彦博又辞，许之。

戊戌，司马光上疏曰：“窃惟大行皇帝春秋未甚高，以宗庙社稷之重，超然远览，确然独断，知陛下仁孝可守大业，擢于宗室之中，建为嗣子，授以天下，其恩德隆厚，固非微臣所能称述。今不幸奄弃万国，陛下哀慕过礼，以至成疾，中外闻者，莫不感泣，知大行皇帝能为天下得人，治平之期，企踵可待。

“今者圣体痊平，初临大政，举措云为，不可不审。为政之要，在于用人，赏善罚恶而已。愿陛下难之重之，精心审虑，如射之有的，必万全取中，然后可发也。

“陛下思念先朝，欲报之德，奉事皇太后孝谨，抚诸公主慈爱，此诚仁孝之至，过人远甚。臣愿陛下虽天性得之，复加圣心，夙夜匪懈，谨终如始，以结亿兆之心，形四方之化，则福祚流于子孙，令闻垂于无穷矣。

“古者人君嗣位，必逾年然后改元。愿陛下一循典礼，勿有变更于中年也。

“三年之丧，自天子达于庶人一也。自汉氏以来，始从权制，以日易月。臣愿陛下虽仰遵遗诏，俯徇群情，二十七日而释服，至于宫禁之中，音乐、游燕、吉庆之事，皆俟三年然后复常，以尽送终追远之义焉。

“礼，为人后者为之子，故为所后服斩衰三年，而为其父母齐衰期，为所后者之亲皆如子，而为己之亲皆降一等，盖以持重于大宗，则宜降其小宗，所以专志于所奉而不敢顾私亲也。汉宣帝自以为昭帝后，终不敢加尊号于卫太子、史皇孙。光武起于布衣，亲冒矢石以得天下，自以为元帝后，亦不敢加尊号于巨鹿都尉、南顿君。此皆循大义，明至公，当时归美，后世颂圣。至于哀、安、桓、灵，咸自旁亲入继大统，皆追尊其祖父，此不足为孝，而适足犯义侵礼，取讥当时，见非后世。愿陛下深以为鉴，杜绝此议，勿复听也。”

己亥，群臣上表请临朝听政。表三上，乃许之。

庚子，立京兆郡君高氏为皇后，北作坊使遵甫之女。遵甫，继勋子也。母曹氏，皇太后亲姊。后四岁，与帝同育于禁中，仁宗常谓太后，它日必以相配，太后许诺。既长，出宫；庆历七

1275

年,归于濮邸,封京兆郡君,于是正位。

五月,癸卯,以太常少卿李受为左司郎中,屯田员外郎王猎为刑部员外郎,并充天章阁待制,受兼侍读,猎兼侍讲。昭宣使、端州刺史、右班副都知石全育领原州团练使,充入内副都知。故事,都知四人,至是并全育而五,诏后有阙勿补。

辽尼噜古、萧呼敦谋逆日甚。呼敦欲速发,尼噜古说其父重元可诈称疾,欲俟辽主临问,即图弑逆;既而忌耶律仁先在朝,谋不果发。尼噜古、呼敦合言于辽主曰:"仁先可任西北路招讨使。"辽主将从之,北院枢密使耶律伊逊谏曰:"仁先,先帝旧臣,德冠一时,不可遽离朝廷。"辽主悟,丙午,以仁先为南院枢密使,徙封许王。

庚戌,封长女为德宁公主,第二女为宝安公主,第三女为寿康公主。

诏:"山陵所用钱物,并从官给,毋以扰民。"诏虽下,然调役未尝损也。三司计山陵当用钱粮五十万贯石而不能备,或请移陕西缘边入中盐于永安县。转运副使薛向陈五不可,且乞如其数以献,许之。

以右司谏王陶为户部员外郎、直史馆,充皇子位伴读,屯田员外郎周孟阳、秘书丞孙思恭充皇子位说书。孟阳自以王官教授,与帝有潜龙之旧,而李受、王猎皆非帝故识,顾先得待制,由是觖望,固辞说书不拜。

丁巳,赐郑州公使钱五百贯,以灵驾所过故也。富弼既除丧,戊午,授枢密使、礼部尚书、同平章事。

庚申,翰林学士王珪奏:"谨按《曾子问》曰:'贱不诔贵,幼不诔长,礼也。惟天子称天以诔之。'《春秋公羊》说:'读诔,制谥于南郊,若云受之于天。'然乾兴元年夏既定真宗皇帝谥,其秋始告天于圆丘。史臣以为天子之谥,当集中书、门下、御史台五品以上、尚书省四品以上、诸司三品以上于南郊告天,议定,然后连奏以闻。近制唯词臣撰议,即降诏命,庶僚不得参闻,颇违称天之义。臣奉命撰上先帝尊谥,欲望明诏有司稽详旧典,先之南郊而后下臣之议,庶先帝之茂德休烈,有以信万世之传。"诏两制详议。翰林学士贾黯等议如珪奏,从之。

戊辰,皇子仲铖、仲纠始就东宫听读。是日,初御延和殿。帝疾犹未平,命辅臣祈福于天地、宗庙、社稷及景灵宫、寺观,又遣使祷岳、渎、名山。

六月,癸酉,帝复以疾不出。是时唯两府得入对柔仪,退,诣内东门小殿帝帷之外,复奏政事于皇太后如初。

先是礼院言大行祔庙,而太庙七室皆满,请增置一室,诏两制及待制以上与礼官考议。观文殿学士孙抃等议曰:"谨按《礼》曰:'三昭三穆,与太祖之庙而七。'《书》曰:'七世之庙,可以观德。'曰世为昭穆云者,据父子之正而言也。若兄弟则昭穆同,不得以世数数之矣。商祖丁之子曰阳甲,曰盘庚,曰小辛,曰小乙,四人皆有天下,而商之庙有始祖,有太祖,有太宗,有中宗。若以一君为一世,则小乙之祭不及其父祖丁,是古之兄弟相及,昭穆同而不以世数数之明矣。故晋之庙十一室而六世,唐之庙十一室而九世。中宗、睿宗之于高宗,恭宗、文宗之于穆宗,同居穆位。国朝太祖为受命之祖,太宗为功德之宗,此万世不迁者也。故太祖之室,太宗称孝弟,真宗称孝子,大行皇帝称孝孙。而《禘祫图》,太祖、太宗同居昭位,南向,真宗居穆位,北向。盖先朝稽用古礼而著之于祀典矣。大行皇帝神主祔庙,请增一室为八室,以备天子事七世之礼。"诏从之。

于是龙图阁直学士兼侍讲卢士宗、天章阁待制兼侍读司马光议曰："臣等谨按《礼》,天子七庙,三昭三穆,与太祖之庙而七。太祖之庙,百世不毁。其馀昭穆,亲尽则毁,示有终也。自汉以来,天子或起于布衣,以受命之初,太祖尚在三昭三穆之数,故或祀四世,或祀六世,其太祖以上之主,虽属尊于太祖,亲尽则迁。故汉元帝之世,太上庙主瘗于寝园。魏明帝之世,处士庙主迁于园邑。晋武帝祔庙,迁征西府君;惠帝祔庙,迁豫州府君。自是以下,大抵过六世则迁其神主。盖以太祖未正东向之位,故止祀一昭一穆;若太祖已正东向之位,则并三昭三穆为七世矣。唐高祖初祀四世,太宗增祀六世;及太宗祔庙,则迁洪农府君;高宗祔庙,又迁宣帝;皆祀六世,此前世之成法也。惟明皇立九室,祀八世,事不经见,难可依据。今若以太祖、太宗为一世,则大行皇帝祔庙之日,僖祖亲尽,当迁于西夹室。祀三昭三穆,于先王典礼及近世之制,无不符合,太庙更不须添展一室。"诏抃等再议。

于是复上议曰："自唐至周,庙制不同,而皆七世。自周以上,所谓太祖,非始受命之主,特始封之君而已。今僖祖虽非始封之君,要为立庙之始祖。方庙数未过七世之时,遂毁其庙,迁其主,考三代之礼,未尝有此。汉、魏及唐一时之议,恐未合先王制礼之意。臣等窃以为存僖祖之室,以备七世之数,合于经传事七世之明文,而亦不失先王之礼意。"诏恭依。

戊寅,以翰林学士、权三司使蔡襄为修奉太庙使。襄乃以八室图奏御,又请广庙室并夹室为十八间;从之。

帝自感疾,即厌服饵,韩琦尝亲执药杯以进,帝不尽饮而却之,药污琦衣。太后亟出服赐琦,琦不敢当。太后曰："相公殊不易。"皇子仲铖侍侧,太后曰："汝盍自劝之!"帝亦弗顾。

丁亥,诏:"今岁制科举人著作佐郎赵商等十七人权罢,将来到场,便赴秘阁就试。"商,安仁人。

以兵部郎中、权判大理寺陈太素知明州。太素任刑法二十馀年,朝廷有大狱,疑则必召与议。每临案牍,至忘寝食,大寒暑不变。子弟或止之,答曰:"囹圄之苦,其不堪甚于我也!"以耳疾,数求罢;执政以为任职,弗许;久之,乃出守。

癸巳,司马光上太后及帝疏曰:"皇帝圣体平宁之时,奉事皇太后,承顺颜色,宜无不如礼。若药石未效,而定省温清,有不能周备者,亦皇太后所宜容也。孔子曰:'孝哉闵子骞!人不间于其父母昆弟之言。'盖言诚信纯至,表里著明,而它人不能间也。孟子曰:'父子责善,贼恩之大者。'盖言骨肉至亲,正当以恩意相厚,不当较锱铢之是非也。伏望皇帝思孔子之言,皇太后无忘孟子之戒。万一奸人欲有开说,涉于离间者,当立行诛戮,以明示天下,使咸知谗佞之徒不能欺惑圣明也!"

帝初以忧疑得疾,举措或改常度,遇宦官尤少恩,左右多不悦者,乃共为谗间,两宫遂成隙。太后对辅臣尝及之,韩琦因出危言感动太后曰:"臣等只在外见得官家,内中保护,全在太后。若官家失照管,太后亦未安稳。"太后惊曰:"相公是何言!自家更切用心。"琦曰:"太后照管,则众人自然照管矣。"同列为缩颈流汗。或谓琦曰:"不太过否?"琦曰:"不如此不得。"间有传帝在禁中过失事,众颇惑之,琦曰:"岂有殿上不曾错一语而入宫门即得许多错!琦固不信也。"传者亦稍息。

戊戌,山陵使韩琦奏:"山陵诸顿所调物过多,乞选朝臣一员付之计度。"乃命盐铁判官楚建中往裁其数。时三司使蔡襄总应奉山陵事,凡调度供亿皆数倍,劳费既广,已而多不用,议者非之。

帝疾既平，犹未御正殿。御史中丞王畴上疏曰："今四方之人，翘足引首，倾耳注目，愿观新政者，累月于兹，而未御正殿以见群臣。议者皆谓圣躬既已平复，但以未经先帝卒哭，不忍视朝，此实天子之孝逾于高宗矣。今易月之期已在卒哭之外，惟引礼割情，顾思大谊，早御前殿，南面听政，赫然日升，万物咸睹，臣民之望也。"

秋，七月，乙巳，以侍御史吕诲为起居舍人、同知谏院。

辛亥，知谏院司马光言："窃见诸路转运使、提点刑狱、知州、军事各遣亲属进贺表至京，朝廷不问官职高下，亲属远近，一例推恩，此盖国初承五代姑息藩镇之弊，后来因循不能革正。国家爵禄，本待天下贤才及有功效之人，今使此等无故受官，诚为太滥。今纵不能尽罢此等恩泽，其进表人若五服内亲，或乞等第受一官，其无服非亲属者，并量赐金帛罢去，庶几少救滥官之失。"同修起居注郑獬亦以为言，且曰："昔真宗初即位，有事于南郊，旧例群臣皆得迁秩，而真宗以为侥幸太甚，遂命止加勋阶。真宗已尝革滥赏于南郊之初，则陛下亦宜绝缪恩于登极之后也。"执政谓已行之诏难于复改，遂寝其议。

壬子，初御紫宸殿，中书、枢密奏事。帝自六月癸酉不御殿，至是始见百官，感恸者久之。其后只日御前殿，双日御后殿，惟朔望则前后皆不御，至祔庙，始如故。

丙辰，夏主遣使来祭吊。其使者固求入对，弗许。谅祚所上表辄改姓李，赐诏诘之，令守旧约。司马光言："闻夏国所遣使人，前日不肯门见，固求入对，朝廷不许，勒归馆舍。窃以陛下继统之初，蕃戎皆欲瞻望天表；又闻向曾不安，意谓未能视朝，所以敢尔桀黠。今陛下已御正殿，臣谓何惜紫庭数步之地，使之稽首拜伏，瞻仰清光！庶识陛下神武之姿，必能镇服四海。"

丁巳，辽使祭大行皇帝于皇仪殿，遂见帝于东厢。帝恸哭久之。使者言及大行，辄出涕。后数日，辽使辞于紫宸殿，命坐赐茶。故事，当赐酒五行，自是终谅闇，皆赐茶而已。

辽皇太叔重元与其子尼噜古，久萌逆志，会辽主猎于滦河之太子山，扈从诸官多重元之党，尼噜古遂欲因此窃发。戊午，雍睦宫使耶律良闻其谋，以辽主笃于亲爱，不敢遽奏，密言于太后。太后托疾，召辽主告之，且曰："此社稷大事，宜早为计。"辽主诘良曰："汝欲间我骨肉邪？"良曰："臣若妄言，甘伏斧锧。陛下不早备，恐堕贼计。如召尼噜古不来，可卜其事。"辽主从其言，旋召南院枢密使耶律仁先告之，仁先曰："此曹凶很，臣固疑之久矣。"辽主命仁先察捕之。仁先出，还顾曰："陛下宜谨为之备。"尼噜古见使者来召，知事泄，羁使者于帐中，欲害之；使者以佩刀断帷而出，驰至行宫，以状闻，辽主始信。

尼噜古与萧呼敦遽招集其徒党，得四百人，奉重元将发，帐前雨赤如血，遂前趋帷宫。辽主仓卒欲往北、南院，仁先曰："陛下若舍扈从而行，贼必蹑其后。且南、北大王心未可知，岂可往乎！"仁先子托卜嘉曰："圣意不可违。"仁先怒，击其首。会宣徽使萧罕嘉努闻变驰至，执辔固谏，如仁先言，辽主悟，悉委仁先以讨贼事。仁先亟令环车为营，折行马作兵仗，率官属近侍三十馀骑阵柢栢外。贼势甚锐，太后亦亲督卫士御之。及战，南府宰相萧德身先搏贼，摧其锋，贼众披靡。尼噜古跃马突出，近侍详衮阿苏射杀之，重元众稍退。仁先以五院部萧塔喇所居最近，亟召之，分遣人集诸军。

1278

先是尼噜古广结徒党，而一时不能遽集。殿前都点检耶律萨喇图适在围场，闻乱，劫奚人猎夫来援,既至,闻尼噜古已死,大协,谓重元曰:"我辈惟有死战,胡为若儿戏,自取灭亡!今行宫无备,乘夜劫之,大事可济。若俟明旦,彼将有备,安知我众不携贰邪!一失机会,悔将奚及!"萧呼敦曰:"仓卒中黑白不辨,若内外军相应,则吾事去矣。黎明而发,何迟之有!"重元听呼敦计,令四面巡警。是夜,呼敦率同党拥立重元,僭位号,呼敦自为枢密使。及旦,重元与呼敦、萨喇图暨其党统军使萧特里德、兴圣宫大保古迪、陈王特布等率奚人二千直犯行宫。会萧塔喇以援兵至,北面林牙耶律迪里亦赴援,耶律仁先曰:"贼势不能久,当俟其气沮攻之。"乃令耶律伊逊、萧德、萧罕嘉努、萧惟信、耶律良等分领宿卫及援师,背营而阵,乘间奋击,贼稍却。罕嘉努谕诸猎夫曰:"汝曹去顺效逆,徒取族灭。何若悔过,转祸为福!"猎夫皆投仗首服。贼党大溃,重元率数骑走。仁先等追杀二十馀里,阵斩萨喇图,禽特里德、古迪,杀之;呼敦单骑遁至十七泽,投水死。辽主握仁先手曰:"平乱,皆卿之功也!"

己未,辽主命捕诛逆党,以萧呼敦首助乱,诛其五子;词连其父陈王孝友,并诛之。前枢密使萧革以子为重元婿,预逆谋,凌迟死。革得幸两朝,恣为奸恶,至是始正典刑,闻者快之。

尼噜古所交结多不逞之徒,萧特里德少不羁,好射猎,以详衮从伐夏,失利还,旋获罪决大杖,削爵为民。及复用,遂附尼噜古。古迪好戏狎,不修绳检,膂力过人,善击鞠。萨喇图尤凶暴。尼噜古所与谋者皆此类,故速败。

庚申,重元北走大漠,度不能免,叹曰:"尼噜古使我至此!"遂自杀。

辛酉,辽主论定乱功,许王耶律仁先进封宋王,加尚父,为北院枢密使;辽主亲制文以褒之,复命画滦河战图以旌其功。赵王耶律伊逊进封魏王,为南院枢密使。以萧罕嘉努为殿前都点检,封荆王。萧惟信加太子太傅,并赐功臣号。萧德封汉王。耶律迪里遥授临海军节度使。宿卫官耶律托卜嘉等并加上将军。诸护卫及士卒、庖夫、弩手等四百馀人,各授官有差。以耶律良首告变,命籍横帐,擢汉人行宫都部署。

辽北府宰相姚景行方以疾告归,中道,闻重元乱,收集行旅,得三百馀骑,偕南府宰相杨绩勤王,比至,贼已平。辽主嘉其忠,赐以逆人财产。

癸亥,辽特布(诉)〔诉〕为重元所胁,命削爵,流镇州。

八月,庚辰,王珪议上大行皇帝谥曰神文圣武明孝,庙号仁宗。

辛巳,诏军头司引见公事如故。

司马光言:"人君之职,有三而已:量材而授官,一也;度功而加赏,二也;审罪而刑罚,三也。材有短长,故官有能否;功有高下,故赏有厚薄;罪有大小,故罚有轻重。此三者,人君所当用心也。

"伏见国家旧制,百司细事,如三司鞭一胥史,开封府补一厢镇之类,往往皆须奏闻;崇政殿所引公事,有军人武艺国马刍秣之类,皆躬亲阅视。此盖国初权时之制,施于今日,颇伤烦碎。陛下龙兴抚运,圣政惟新,臣愚以为宜令中书、枢密院检详中外百司自来公事须申奏取旨及后殿所引公事,其间不系大体,非人君所宜躬亲者,悉从简省,委之有司。陛下养性安身,专念人君之三职,足以法天地之易简,致虞舜之无为,天下幸甚!"

癸巳,以生日为寿圣节。

九月,庚戌,诏以皇子位为兴庆宫。既而知谏院吕诲言唐有此宫名,改曰庆宁。

辛亥,以皇子仲铖为忠武节度使、同平章事、淮阳郡王,改赐名颢;仲纠为明州观察使、

(祈)〔祁〕国公,赐名颢;仲恪为耀州观察使、鄂国公,赐名頵。

戊午,上仁宗谥册于福宁殿。

辽萧革既获罪,论者追思耶律义先之言。己未,追封义先为许王。

壬戌,以皇子位伴读王陶为淮阳郡王府翊善,皇子位说书孙思恭为侍讲,太子中允、集贤校理兼史馆检讨韩维为太常丞、充记室参军。陶等请王受拜,不许。吕诲言:"王今未出阁,当且设师友,不宜遂置僚属。臣欲朝廷先正陶等名位,名位既正,则礼分自安。况王年已长,当早令出阁,开府建官。翊善、侍讲自为僚属,于事体即无所顺。"

帝既视朝前后殿,而于听事犹持谦抑。御史中丞王畴上疏曰:"庙社拥佑,陛下起居平安,临朝以时,仅逾半载,而未闻开发听断,德音遏塞,人情缺然。臣屡尝论奏,愿陛下拨去疑贰,日与二府讲评国论,明示可否;而迄今言动寂寥,中外未有所传。此盖议论之臣辞情浅狭,不能仰悟君听。伏望思太祖、太宗艰难取天下之劳,真宗、仁宗忧勤守太平之力,勉于听决大政,以慰母后之慈,勿为疑贰谦抑,自使盛德暗然不光也。"

冬,十月,戊辰朔,辽主如兴王寺。庚午,以六部太保耶律哈穆知南院大王事。

辽主如藕丝淀。

甲午,葬仁宗于永昭陵。

乙未,以左司郎中、知制诰张瑰为左谏议大夫。以瑰在先朝尝建言密定储副,特录其功也。

十一月,己亥,虞主至自山陵,皇太后迎奠于琼林苑。太后乘大安舆辇,如肩舆而差大,无扇筤,不鸣鞭,侍卫皆减章献之半,所过起居或呼万岁。庚子,虞于集英殿。

先是五虞皆在途,及是六虞犹用在途之礼,帝不亲祭。知制诰祖无择、知谏院司马光奏请亲虞,御史中丞王畴亦以为言。下礼院详议,谓宜如无择等奏,乃诏翼日亲虞。既而帝不豫,卒令宗正卿摄事,光即奏:"陛下幸听臣言,命有司设亲祭之礼,而今复不出,在列之臣,无不愕然自失。伏望陛下来日虽圣体小有不康,亦当勉强亲祭,以解中外之惑。"然帝竟以疾故,讫九虞不能出也。

甲辰,帝亲祭虞主而不哭,名曰卒哭。旧无卒哭之礼,于是用吕夏卿议,始行之。

丙午,祔仁宗神主于太庙,庙乐曰《大仁之舞》,以王曾、吕夷简、曹玮配享庙庭。

己酉,减东、西二京罪囚一等,免山陵役户及灵驾所过民租。

庚戌,诏:"州、军长吏举精于医术者令赴阙。"

辛亥,辽遣萧素等来贺即位。

甲寅,赐太常少卿孔叔詹金紫。叔詹监裁造务,以劳当迁,帝不欲以卿监赏管库之劳,故有是赐。自是以为例。

是月,司马光上皇太后疏曰:"仁宗皇帝忧继嗣之不立,念宗庙之至重,以皇帝仁孝聪明,选擢宗室之中,使承大统。不幸践阼数日,遽婴疾疹,虽殿下抚视之慈,无所不至,然医工不精,药食未效。窃闻向日疾势稍增,举措语言,不能自择,左右之人一一上闻,致殿下以此之故,不能堪忍,两宫之间,微相责望。群心忧骇,不寒而栗。臣是用日夜焦心陨涕,侧足累息,宁前死而尽言,不敢幸生而塞默也。伏以皇帝内则仁宗同堂兄之子,外则殿下之外甥婿,自童幼之岁,殿下鞠育于宫中,天下至亲,何以过此?又,仁宗立以为皇子,殿下岂可不以仁宗之故,特加爱念,包容其过失邪?况皇帝在藩邸之时,以至践阼之初,孝谨温仁,动由礼法,此殿下所亲见而明知也,苟非疾疹乱其本性,安得有此过失哉?今殿下虽日夕忧劳,徒自困苦。以臣愚见,莫若精择医工一二人,以治皇帝之疾,旬月之间,察其进退,有效则加之以重赏,无效则威之以严刑。未愈之间,但宜深戒左右,谨于侍卫,其举措语言有不合常度者,皆不得以闻,庶几不增殿下之忧愤。殿下惟宽释圣虑,和神养气,以安靖国家,纪纲海内,俟天地垂佑,圣躬痊复,然后举治平之业以授之,不亦美乎!"

光又以疏谏帝曰:"陛下龆龀为太后所鞠育,况今日为仁宗皇帝之嗣,承海内之大业,谓宜昏定晨省,亲奉甘旨,无异于事濮王与夫人之时也。近者道路之言,颇异于是。窃惟陛下孝恭之性,著于平昔,岂一旦遽肯变更!盖向者圣体未安之时,举动言语或有差失,不能自省,而外人讹传,妄为增饰,必无事实。然此等议论,岂可使天下闻之也!伏望疾愈之后,亲诣皇太后阁,克己自修,以谢前失,温恭朝夕,侍养左右,使大孝之美,过于未登大位之时。如此,则上下感悦,宗社永安,今日道路妄传之言,何能为损也!"

吕诲上皇太后书言:"汉马皇后鞠养章帝,劳瘁过于所生,母子慈爱,始终无纤芥之隙。伏愿殿下循修以为法度,念先帝之顾托,体圣躬之忧危,宫中间言,不可不察。"并以书劝帝尽孝道,亲药物。开陈切至,多人所难言。又乞早建东宫以固本根,杜绝窥觎,慰安人心。

方帝疾甚时,云为多乖错,往往触忤太后,太后不能堪。昭陵既复土,韩琦归自陵下,太后遣中使持一封文书付琦,琦启之,则帝所写歌词并宫中过失事,琦即对使者焚毁,令复奏曰:"太后每说官家心神未宁,语言举动不中节,何足怪也!"及进对帘前,太后呜咽流涕,具道所以,且曰:"老身殆无所容!"琦曰:"此病故耳,疾已,必不然。子疾,母可不容之乎?"太后不怿。欧阳修继言曰:"太后事先帝数十年,仁德著于天下。昔温成之宠,太后处之裕如;今母子之间,反不能容邪?"太后意稍和。修又言:"先帝在位岁久,德泽在人,故一旦晏驾,天下奉戴嗣君,无一人敢异同者。今太后深居房闼,臣等五六书生尔,若非先帝遗意,天下谁肯听从?"太后默然。

它日,琦等见帝。帝曰:"太后待我无恩。"琦对曰:"自古圣帝明王,不为少矣,然独称舜为大孝。岂其馀尽不孝邪?父母慈爱而子孝,此常事,不足道;惟父母不慈而子不失孝,乃为可称。正恐陛下事太后未至耳,父母岂有不慈者哉!"帝大感悟,自是亦不复言太后短矣。

先是十月,辅臣请如乾兴故事,只日召侍臣讲读,帝曰:"当俟祔庙毕,择日开经筵。"寻有诏,直须来春。司马光以为学者帝王首务,不宜因寒暑废,帝纳其言。

十二月,己巳,始御(延)〔迩〕英阁,召侍读、侍讲讲《论语》,读《史记》。吕公著讲《论语》不知不愠曰:"古之人,君令有未孚,人心有未服,则反身修德,而不以愠怒加之。如舜之诞敷文德,文王之皇自敬德也。"刘敞读《史记》至"尧授舜以天下",因陈说曰:"舜至侧微,尧越四岳禅之以位,天地享之,百姓戴之,非有它道,惟其孝友之德光于上下耳。"二人辞气明畅,帝竦体改容,知其以义理讽也。既退,王珪谓敞曰:"公直言至此乎!"太后闻之,亦大喜。

乙亥,淮阳王颢出阁。王辞两宫,悲泣不自胜,太后亦泣,慰谕遣之,自是日再入朝。

以仁宗御书藏宝文阁,命翰林学士王珪撰记立石。

庚辰,命翰林学士王珪、贾黯、范镇撰《仁宗实录》,集贤校理宋敏求、直秘阁吕夏卿、秘阁校理韩维兼充检讨官。敏求时知亳州,特召用之。

是岁,辽复以萧珠泽为西北路招讨使。珠泽前为呼敦所陷,呼敦既死,时议称其先为招讨,威行诸部,故复任。珠泽既莅官,训士卒,增器械,省追呼,严号令,人不敢犯,边境晏然。

夏改元拱化。

【译文】

宋纪六十一 起癸卯年(公元1063)正月,止十二月,共一年。

嘉祐八年 辽清宁九年(公元1063年)

春季,正月,己酉(初七),以翰林学士范镇知贡举。

辛亥(初九),辽国国主辽道宗前往鸳鸯泺。立皇子耶律浚为梁王。耶律浚为皇后所生,幼小时就会说话,爱学习,知书达礼。辽道宗曾说:"这个孩子聪慧,大概是上天赐给我的!"当时耶律浚六岁,被封为王。

癸丑(十一日),仁宗下诏给西夏国主毅宗赵谅祚:"你所派来的进奉人石方,声称是宣徽南院使,这不是属国陪臣应用的官号;今后应遵守告诫之诏,不得僭越名分拟定官号!"

丙寅(二十四日),以龙图阁直学士、知审官院韩赞兼判都水监。起初,设立都水监,是想加强水利管理,让知杂御史判领。到这时知杂御史赵抃以不懂水利事务而推辞,于是任命韩赞主管。

戊辰(二十六日),宰相韩琦进言:"秦州永宁寨,以前用纸钞买卖马匹,自从修建古渭寨,在永宁寨的西边,而蕃人、汉人大多在那里互相贸易,因而设置买马场,一般每年用去缗钱十余万,实在是耗费国家财用。"仁宗下诏令重新在永宁寨设置买马场,撤除设在古渭寨的买马场,蕃人部落的马匹运来了,直接在秦州出售。

己巳(二十七日),以充仪俞氏为昭仪,婕妤杨氏为修仪,周氏为婉容。

辛未(二十九日),辽国禁止百姓卖铜。

二月,癸未(十一日),仁宗生病。甲申(十二日),下诏令天下囚犯减罪一等,徒刑以下者释放。

乙酉(十三日),太子少傅、退休的田况去世,赠授太子太保,赐谥号宣简。田况聪明机敏,有文才武略,他评论天下事很多,例如将枢密院合并到中书省以统一执政机构;每日轮流由一名两制馆阁官员在便殿值班,以备皇帝顾问;以锡庆院来扩大太学规模;兴办镇戎军、原州、渭州等地营田;淘汰各路宣毅、广捷等多余的军队;预料西夏国赵元昊势力减弱会归降,一定命令他全部归还侵占的延州土地,不要过多答应给他每年钱财和允许他将青盐运入内地贩卖;请求杀戮在陕西陷没的主将的随行亲兵。他的议论很宏伟,然而没有完全被采纳施行。

最初,辽国侵犯澶州,掳掠几百人,将他们隶属于田况的父亲田延昭,田延昭哀怜他们,全部释放了他们,因而自己脱离辽国归顺了中原,生有八个儿子,大多有名气。田况,是长子。保州战役,田况杀死投降的士兵几百人,朝廷称赞他的果敢,后来便重用他。然而他最终也没有儿子,过继兄长的儿子为后嗣。

丙戌(十四日),中书省、枢密院官员在福宁殿的西阁奏事,看到仁宗使用的幄帐、褥垫都质地素淡陈旧,长久不曾更换。仁宗面对韩琦等人说:"朕住在宫中,自己的日常生活正是这

北宋皇室大驾卤簿图(局部)元 佚名

样。这些也是百姓的膏血呀,怎么可以轻易耗费呢!"

三月,甲辰(初二),诏令前任郓州观察推官孙兆、邠州司户参军单骧给仁宗诊脉。仁宗起初生病时,医官宋安遭等人进药,久不奏效,而孙兆与单骧都以医术知名,特地召他们诊治。丙午(初四),诏令中书省弹劾宋安道等人的罪行上报。

戊申(初六),太子太保、退休的庞籍去世。这时仁宗生病,停止上朝,哭吊祭奠都不能前往,只能派使者到其家吊唁并赐钱财以助丧事,追赠司空兼侍中,谥号庄敏。庞籍擅长处理官府事务,执法周密苛刻。军中犯法者,有的甚至被断肢杀头剖腹挖心分裂身体,有的被连续鞭挞至死,因此士兵畏惧服从;但是他统治百姓有宽厚仁爱之举。到他入朝为相,议论的人认为他的声望比治理地方时下降了。

甲寅(十二日),昭德军节度使、同平章事李昭亮去世,追赠中书令,赐谥良僖。李昭亮为人温和平易,熟悉当世事务,对于吏治颇精通敏锐,善于委任僚属,因此多次更换藩镇都没有过失。

壬戌(二十日),孙兆任殿中丞,单骧任中都令,仍令他们校正医书。封神应侯扁鹊为神应公。皇城使宋安道等人都降官职。

癸亥(二十一日),仁宗到内东门帐殿听政。

甲子(二十二日),仁宗在延和殿,赐进士福建人许将等一百二十七人及第,六十七人同出身,其他各科一百四十七人及第、同出身,又赐特奏名进士、各科一百人及第、同出身、各州文学、长史。

乙丑(二十三日),因仁宗身体康复,宰臣到东上阁门拜献章表祝贺。

辛未晦(三十日),仁宗在福宁殿驾崩。这天,仁宗饮食起居还算平静正常,到晚上初更时分,忽然起身,索要药物很急,而且召唤皇后。皇后来到,仁宗手指胸口却不能说话。召医官诊视,下药、用艾草按穴位烧灼,已来不及抢救了。三更时分,仁宗便驾崩了。左右内侍想打开宫门召来辅佐大臣,皇后说:"这种时候宫门怎么可以在夜间打开!暂且秘谕辅佐大臣黎明时进宫。"又从御厨房取出粥。医官已离宫,又召入,派人看住他们。

夏季,四月,壬申朔(初一),辅佐大臣进入皇帝的寝宫。然后商议决定,召皇子入宫,告诉他仁宗已经驾崩,让他继位。皇子惊恐道:"我不敢做,我不敢做!"于是转身往外走。辅佐大臣们一起拉住他,有的解开他的头发,有的将黄袍披在他身上,召殿前、马步军副都指挥使、都虞候及宗室中任刺史以上官职的人员到殿前听旨。

又召翰林学士王珪起草遗诏,王珪惊惶恐惧地不知道怎么写,韩琦对王珪说:"驾崩的皇上在位共几年?"王珪醒悟,才下笔。到下午太阳西斜时,百官都到齐了。仍穿着官服,只解下金带和所佩戴的各色鱼符,从垂拱殿门外哭着进去,排列在福宁殿前,哭声停止后,韩琦宣读仁宗遗诏。

皇子即皇帝位,在东楹接见百官。百官拜了又拜,回到原位置哭泣,然后出宫。新皇帝英宗想要守丧三年,命韩琦主持国政,辅佐大臣们都说不可以,这才作罢。

癸酉(初二),大赦天下。厚赏各军,如同乾兴年间仁宗即位时的做法。当时禁卫军中有人互相传告,说乾兴年间宫中赐给的食物里夹有金子。不久宫中果然赏赐食物,大家见食物中没有金子,就议论纷纷。殿前副都指挥使李璋叫来什长对他们说:"你们这些人平时的衣食都由皇上供给,现在皇上尚未临政,已经厚赏你们,你们有什么功劳,还说三道四的? 敢喧嚷吵闹的杀!"大家才安定下来。

判吏部南曹王瑞奏说:"公卿子弟尚在襁褓中就得到了官职,不曾到任,而赐给的衣服与勤劳多年的官员相等,怎么能表明对臣下的勉励呢! 请从他们到任之日起赐予衣服。"于是就定为律令。王瑞,是王质的弟弟。

派遣使臣向辽国及西夏国告丧。

三司奏请从内藏库支出一百五十万贯钱、二百五十万匹绸绢、五万两白银,资助修建皇陵和赏赐,英宗同意。

英宗刚即皇帝位,与辅佐大臣说话,都不称他们的名字。到将要责罚贬降医官时,有想为孙兆、单骧求情的人,对英宗说:"先帝起初服用孙兆等人的药,都有效果,不幸出现目前这种情况,这是天意,不是医官所能挽救的。"英宗收敛面容严肃地说:"听说孙兆等人都是由中书省、枢密院两府推荐的,真的吗?"辅佐大臣回答说:"是的。"英宗说:"既然这样,那么朕不敢参与知道,只由你们各位来裁决此事!"辅佐大臣们都感到惶恐。甲戌(初三),孙兆被贬到池州受当地管束,单骧被贬到峡州受当地管束,同时被责罚贬降的有十二人,唯独孙兆、单骧受贬到远地。

乙亥(初四),群臣上表请英宗临朝听政,英宗不同意。

英宗下诏说:"天下官名、地名、人的姓名与朕御名相同的都更改;改部署为总管。"

任命韩琦为山陵使。

在此之前,辅佐大臣们奏事,英宗必详细询问事情的原委经过,然后裁决,没有裁决不合理的,朝廷内外众口一词地称赞他是英明君主。这天晚上,英宗忽然得病,认不出人,语无伦次,又召已被责罚降职的医官宋安道、甄立里、秦宗一、王士伦等人进宫侍奉诊治。

丙子(初五),尊仁宗皇后为皇太后。

丁丑(初六),群臣三次上表请求英宗临朝听政。戊寅(初七),英宗下诏同意群臣的请求,不久又因病不能实现。有司请求改日,将仁宗入棺,司天监奏说占卜的结果是近日大殓对英宗和太后不利,英宗令只避开对太后不利的日子就行。乙卯(初八),举行大殓,英宗病情急剧加重,号叫狂奔,以至不能行礼。韩琦急忙扔掉手杖掀起宫帘,抱住英宗,呼喊内臣,嘱咐他们要格外小心保护皇帝。又与同僚入宫告请太后下诏,等到英宗临朝听政之日,请太后暂时一同处理国务。礼院奏请:"临朝听政之日皇帝同太后在内东门小殿垂帘,中书省、枢密院合班问安,依次奏事。或有临时召见的翰林学士,也允许到内东门小殿。皇太后处理政务时称'吾',群臣报上姓名在内东门问安。"英宗采纳此奏。

辛巳(初十),命辽国贺乾元节使、保静军节度使耶律谷等人献国书祭奠仁宗的灵柩,在东阶晋见英宗,令阁门司将国书与贡礼呈上。最初,辽国使者到了德清,朝臣中有的主张让他们退回去,有的主张等他们到了京城门外再告谕他们回去,议论没有结果。太常丞、集贤校理邵亢,请求允许辽国使者奉国书安放在仁宗灵柩前,使他能够晋见英宗,以便安抚边远的外族,英宗下诏采纳这个建议。当时龙图阁直学士周沆在宾馆中陪伴辽国使者,起初英宗没允许他晋见,先诏令他取来国书放在仁宗灵柩前。辽国使者坚决请求谒见英宗,说:"这样取走国书,不符合惯例。"英宗以正穿着丧服为由,拒绝接见。辽国使者拿着国书不肯交给阁门司,周沆说:"以前北朝有国丧,我朝使者到柳河就返回了。现在我朝廷重视邻国间的友好关系,听任北朝使者来到京城,在筵席上表达使命,恩礼已经很厚了,怎么还对取国书的方式不满呢!"辽国使者于是立即交出国书,这样英宗也最终接见了耶律谷一行。当时朝廷不知道辽国国主辽道宗耶律洪基的年龄,周沆乘机通过其他话题问及此事,辽国使者没有在意,立即以实相告。过了不久又后悔起来,看着周沆说:"现在我国君主又应以对兄长的礼节来事奉南朝了。"

壬午(十一日),辅佐大臣进宫,在柔仪殿西阁应对,皇太后亲临内东门小殿,垂帘听政。起初议定英宗与太后一起在东殿垂帘听政,辅佐大臣们合班依次奏事。到这天英宗正服药,暂且坐在柔仪殿东阁的西室,太后坐在东室。辅佐大臣们已入西室问候圣体健康,就顺便奏报军政大事,太后独自在东殿,他们又将军政大事在太后帘前奏报一次。

癸未(十二日),宫内送出仁宗的遗物赐给两府、宗室、近臣、主管军队的官员各有差别。富弼、文彦博当时正在家守丧,都派使者到其家赏赐。知谏院司马光进言:"国家的财政开支一向窘困,又遇到大丧,几代的收藏,几乎用尽。传闻各州、各军的官库没有钱的,有的借贷百姓的钱来供朝廷赏赐,一旦朝廷责令取办钱财,州军就用棍鞭来催逼百姓。在这种情况下,群臣怎能有心情来接受丰厚的赏赐!"因而坚决拒绝受赏,最终未得到允许。司马光就将所得到的珍珠作为谏院公用钱,将金子送给他的舅父。

甲申(十三日),宰相韩琦加官门下侍郎兼兵部尚书,进封卫国公,曾公亮加官中书侍郎兼礼部尚书,枢密使张昪、参知政事欧阳修、赵概同时加官户部侍郎,枢密副使胡宿、吴奎同时加官给事中。

知谏院司马光给皇太后上奏疏说:"殿下初次辅助社稷大政,各方的人,无不以耳闻目睹来验证您的大德。臣认为凡是用来供自己享用的名号物品礼仪,都应当大大减少,不可完全依照章宪明肃皇后过去的做法,来求得成就谦逊和顺的美德。大臣忠厚如王曾,清纯如张知白,刚正如鲁宗道,质直如薛奎这样的人,应当信任他们重用他们,与他们共同谋划天下的大事。而鄙猥如马季良,谀谄如罗崇勋这样的人,应当疏远他们,不可用俸禄官位来宠爱他们,听信采纳他们的意见。臣听见妇人以夫家为内,以父母家为外,何况后妃与国家一体,休戚与共,如果赵氏平安那么百姓都平安,何况对于曹氏,必会世代长享富贵,这是显而易见的。

1285

为政之道,没有比大公无私更重要的了。希望殿下详细考察群臣,其中有贤才就提拔他们,有功劳就奖赏他们,任职不好的就罢黜他们,有罪过的就法办他们。等到皇帝圣体平安康宁,把政治清明社会安定的国家大业交给他,您自己退居长乐宫,坐享天下的奉养,那么圣明美好的德行将会远远超过古人,即使周代的文母太姒,汉代的明德马皇后,也不足以相比。"

乙酉(十四日),制作皇帝受命玉玺,命欧阳修用篆书作文为"皇帝恭膺天命之宝"。

征调各路士兵四万六千余人修建供奉仁宗山陵。

丙戌(十五日),将国子监所印的《九经》及《九经正义》《孟子》、医书赐给西夏国,这是应其所求而赐。

丁亥(十六日),以皇子右千卫将军赵仲铖为安州观察使、光国公,右内率府副率赵仲纠为和州防御使、乐安郡公,赵仲恪为博州防御使、大宁郡公。

翰林学士王珪上奏说:"陛下圣体已经安康,皇太后应请求停止暂时的与陛下共同听政。"于是命王珪起草还政诏书,后来没有施行。

火星从去年八月庚辰(初六)傍晚隐伏起,共连续二百四十九天不再出现。命辅佐大臣在集英殿求福免灾;己丑(十八日)清晨,火星在东方出现。

癸巳(二十二日),权三司使蔡襄奏请大行皇帝仁宗山陵全部采用真宗永定陵的制度,于是右司谏王陶上书说:"民间人力物力财政困窘,仁宗山陵不应以永定陵的制度为准则。"其后京西转运使吴充、楚建中、济州知州田棐相继上书说:"请遵照先帝遗诏,山陵务从俭约,皇堂、上宫除明器随葬之外,金玉珠宝一律摒弃不用。"楚建中,是须城人。礼院编纂苏洵也给韩琦写信恳切劝谏,甚至引用春秋时宋国华元丧失为臣之礼的事例来指责他,韩琦为此变了脸色。于是英宗下诏令礼院与少府监商议,结果只省去乾兴年间给真宗增加的那些随葬器物而已,其他一切还是采用永定陵的制度。

右司谏、直集贤院、同修起居注郑獬上奏说:"现在国家费用困乏,财赋不够供给,最近犒赏军队,已看见官吏横征暴敛,富户的叹息怨恨,在京城流传。臣心想先帝节俭爱民,出于天性,没有对珠玉奇物的爱好,没有豢养犬马游玩观赏的兴致,御用衣物甚至于洗过无数次,器具玩物极其简朴鄙陋,这是天下人所共知的。现在山陵制度,却取乾兴时修陵规模最大的永定陵制度为标准,难道不会有损于先帝节俭的美德吗?臣认为陛下应当敕令有司逐条列出修陵用物名目,再商议减少节约。"

英宗自从生病以来,仁宗的丧事都由礼官操持,群臣敬奉问安,则垂帘不坐殿。乙未(二十四日),仁宗的大祥祭礼,英宗才亲自行礼,又卷帘坐殿接受群臣的问安,因而人心稍安。

丁酉(二十六日),起用正在服丧的文彦博归朝任职,文彦博坚决推辞;辞谢奏表上了三次,才同意他居满表期。不久又有诏书说赐给他相当于宰相一半的俸禄,他又推辞,英宗应允了。

戊戌(二十七日),司马光上书说:"臣心想大行皇帝仁宗年寿不很高,以宗庙社稷为重,高瞻远瞩,明确无误地独自决断,知道陛下仁慈孝道可以守住祖宗大业,从宗室中被选拔出来,立为皇位继承人,把国家交给陛下,其恩德之深厚,本不是微臣所能称颂讲述的。现在大行皇帝仁宗不幸匆匆抛下整个国家,陛下哀痛思慕超过了礼的规定,以至成疾,朝廷内外闻讯的人,无不感动涕泣,知道大行皇帝仁宗为天下找到了英明君主,太平盛世,指日可待。

"现在陛下圣体痊愈平安，开始治理国家，部署施令，不可不审慎。执政的关键，在于用人，赏善罚恶罢了。希望陛下将这些作为难事给予重视，精心审察考虑，如同射箭有目标，一定要有完全射中目标的把握，然后才可以发射。

"陛下思念先帝，想要报答他的恩德，侍奉皇太后孝顺恭谨，抚养各位公主慈祥亲爱，这确实是极仁极孝，远远超过一般人。臣希望陛下虽然天性如此，要再加上用心，日夜不懈，始终恭谨，以此团结亿万人心，形成天下良好的风气，那么福祚就会传给子孙，美誉就会永远流传。

"古代君主继位，一定过完本年然后改年号，希望陛下完全遵循古典礼制，不要在本年之中有所更改。

"父母去世孝子守丧三年，从天子到平民百姓都是一样的。自从汉代以来，才开始依照权变的制度，以一天代替一月。臣希望陛下虽然上遵先帝遗诏，下顺群臣心愿，二十七天后脱下丧服，至于在宫中，音乐、游乐宴饮、吉庆之事，都等三年过后再恢复正常，以为先帝尽送终追悼之义。

"礼法规定，为人后嗣的就是人家的儿子，所以为所继承的先人服斩衰三年，而为自己的亲生父母服齐衰一年，为所继承的先人的亲眷服丧都与其亲生儿子一样，而为自己的亲眷服丧都降一等，这是因为重视主持宗庙祭祀的大宗，就应当降低原来的小宗，用以专心于供奉所继承的先人而不敢照顾自己的私亲。汉宣帝认为自己是汉昭帝的后嗣，始终不敢给自己的亲祖父卫太子、亲生父亲史皇孙追加帝王尊号。汉光武帝以平民身份崛起，亲冒战争的弓箭擂石危险而得到天下，自认为是汉元帝的后嗣，也不敢给自己的亲祖父巨鹿都尉、亲生父亲南顿君追加帝王尊号。这都是遵循大义，彰明大公，当时赞美他们的德行，后世颂扬他们的圣明。至于汉哀帝、汉安帝、汉桓帝、汉灵帝，都是从旁系亲属入宫继承皇位，又都给他们的亲祖父追加尊号，这不能称为孝，而恰恰足以违犯礼义，在当时就受到讥讽，在后世则受到非议。希望陛下深深以此作为借鉴，杜绝给自己的亲祖父、亲生父亲追加尊号的建议，不再听信它。"

己亥(二十八日)，群臣上奏表请英宗临朝听政。奏表上了三次，英宗才同意。

庚子(二十九日)，立京兆郡君高氏为皇后，她是北作坊使高遵甫的女儿。高遵甫，是高继勋的儿子。皇后的母亲曹氏，是皇太后的亲姐姐。皇后四岁时，与英宗一起被养育在宫中，仁宗曾常对太后说，以后一定让他们相婚配，太后应允。高氏长大后，离开了皇宫；庆历七年，归嫁到英宗的濮王府邸，封京兆郡君，到这时成为皇后。

五月，癸卯(初二)，以太常少卿李受为左司郎中，屯田员外郎王猎为刑部员外郎，都充任天章阁待制，李受兼侍读，王猎兼侍讲。昭宣使、端州刺史、右班副都知石全育兼任原州团练使，充任入内副都知。旧例，都知为四人，到这时连同石全育就共有五人了，英宗下诏令以后有缺额不补。

辽国尼噜古、萧呼敦谋反行动日甚一日。萧呼敦想要迅速发动，尼噜古说他父亲耶律重元可以谎称患病，想等辽国主辽道宗前往探望时，就设法杀死辽道宗；不久因为畏忌耶律仁先在朝，阴谋结果不能实行。尼噜古、萧呼敦一起对辽道宗说："耶律仁先可以出任西北路招讨使。"辽道宗打算采纳他们的建议，北院枢密使耶律伊逊进谏道："耶律仁先，是先帝的老

1287

臣,德冠当代,不可这么突然离开朝廷。"辽道宗醒悟了,丙午(初五),任命耶律仁先为南院枢密使,改封许王。

庚戌(初九),英宗封长女为德宁公主,次女为宝安公主,三女为寿康公主。

英宗下诏说:"先帝山陵所用的钱财,都由官府供给,不要以此骚扰百姓。"诏书虽然下发,然而从民间征调的劳役并不曾减少。三司计算仁宗山陵应当用钱粮五十万贯石,但不能备齐,有人请求将陕西沿边上缴朝廷的盐移运到永安县销售。转运副使薛向为此陈述了五条不可这样做的理由,而且请求按仁宗山陵所需数目进献,英宗应允了。

以右司谏王陶为户部员外郎、直史馆,充任皇子位伴读,屯田员外郎周孟阳、秘书丞孙思恭充任皇子位说书。周孟阳自认为原是王官教授,在英宗做皇子时两人就有交情,而李受、王猎都不是英宗的旧相识,反而先取得待制职位,因此不满,坚决推辞皇子位说书职位,不接受任命。

丁巳(十六日),赐给郑州公使钱五百贯,这是因为仁宗灵柩从那里经过的缘故。

富弼守丧期已满,戊午(十七日),授任枢密使、礼部尚书、同平章事。

庚申(十九日),翰林学士王珪上奏:"谨按《曾子问》说:'低贱者不能作诔文评述尊贵者的功德,晚辈不能作诔文评述前辈的功德,这是礼。只有天子借天的名义来作诔文。'《春秋公羊传》说:'为天子宣读诔文,在南郊制定谥号,好比受之于天。'然而乾兴元年夏季已经议定真宗皇帝的谥号,同年秋季才在圜丘敬告上天。史臣认为天子的谥号,应当会集中书省、门下省、御史台五品以上、尚书省四品以上、诸司三品以上的官员在南郊祭告上天,讨论决定,然后联合上奏报告皇帝。近代制度只由文学侍臣撰写议定,就下发诏命,一般臣僚不得参与过问,大大违背了告天而谥的义理。臣奉命撰写并呈上先帝的尊谥,希望陛下明确诏命有司详考以往典章制度,先到南郊祭告上天而后发下臣的议论,这样大概先帝的大德伟业,得以流传万代了。"英宗下诏令中书舍人、翰林学士两制详细商议。翰林学士贾黯等人商议的结果与王珪的意见一致,英宗批准。

戊辰(二十七日),皇子赵仲铖、赵仲纠开始到东宫听讲读书。这天,英宗初次到延和殿。英宗的病还没有好,命辅佐大臣向天地、宗庙、社稷及景灵宫、寺院道观求福,又派使者向五岳、江河、名山祷告。

六月,癸酉(初三),英宗又因病不能上朝。这时只有中书省、枢密院两府的大臣才能进柔仪殿应对,他们退出后,到内东门小殿帘帷之外,又如开始那样向皇太后奏明政事。

在此之前,礼院奏说大行皇帝仁宗的神位入祔太庙,而太庙七室都满了,请求增设一室,英宗诏令两制及待制以上官员与礼官考查商议。观文殿学士孙抃等人议论说:"谨按《礼记》说:'周天子之庙,左边有三昭位右边有三穆位,与居中的太祖之庙合起来成为七代之数。'《尚书》说:'七代宗庙,可用作观察德行。'说一代为昭位一代为穆位,是依照父子之间的传位正统关系而言的。如果是兄终弟及那么昭位穆位为同一代,不能以昭位、穆位各为一代的数目来计算。商朝祖丁之子有阳甲、盘庚、小辛、小乙,四人都先后为天子,而商朝的太庙有始祖、太祖、太宗、中宗。如果以一君为一代,那么小乙的祭祀就不能上接他父亲祖丁,这是古代的兄终弟及、昭位穆位同为一代而不以昭位为一代穆位为一代来计算的明证。因此晋朝的太庙有十一室而只为六代,唐朝的太庙有十一室而只为九代。唐中宗、唐睿宗对于唐高宗、唐敬宗、唐文宗对于唐穆宗，同处穆位。本朝太祖为受天命之祖，太宗为有功德之宗，这是万代不会改变的。所以对太祖神室，太宗称孝弟，真宗称孝子，大行皇帝仁宗称孝孙。而《禘祫图》中，太祖、太宗同处昭位，神位向南，真宗处穆位，神位向北。这是先朝考查和运用古礼并将它体现在祭礼上的结果。大行皇帝仁宗的神位入祔太庙，请增设一室而为八室。以具备天子敬奉七代祖宗之礼。"英宗下诏批准此议。

这时龙图阁直学士兼侍讲卢士宗、天章阁待制兼侍读司马光上奏建议说："臣等谨按《礼记》所说，天子设七庙事奉祖宗，三个昭位及三个穆位，与太祖神位合为七庙。太祖之庙，百代不废。其余处在昭位穆位的，因时间久远血亲关系终止了就撤除，表明血亲关系的结束。自从汉朝以来，天子有的出自平民百姓，在受取天命建立国家之初，太祖还处在三昭三穆的数内，所以有的祭祀四代祖宗，有的祭祀六代，那些太祖以上的祖宗，虽然在亲属中比太祖要高辈分，但血亲关系终止便迁出太庙。因此汉元帝时，将太上皇的神位迁出太庙而埋在陵园。魏明帝时，将未仕的远祖神位迁到园邑。晋武帝神位入祔太庙时，迁出了远祖征西府君神位；晋惠帝神位入祔太庙时，又迁出了远祖豫州府君神位。从此以后，大抵过六代就将远祖神位迁太庙。也许因为太祖没有确定向东的神位，所以太庙中只祭一昭一穆；如果太祖已确定下向东的神位，那么连同左右三昭三穆就为七代祖宗了。唐高祖最初在太庙中祭祀四代祖宗神位，唐太宗时增到祭祀六代祖宗神位；到唐太宗神位入祔太庙时，就迁出弘农府君神位；唐高宗神位入祔太庙时，又迁出宣帝神位；都是祭祀六代祖宗，这是前代形成已久的祀法。只有唐玄宗在太庙内建九室，祭祀八代祖宗，此事不常见，难为依据。现在如果以太祖、太宗为一代，那么大行皇帝仁宗入祔太庙之日，僖祖因血亲关系终止，应当迁到西边夹室内。在太庙中祭祀三昭三穆，对先王的典章礼制和近代的制度而言，没有不符合的，太庙更不必增设一室。"英宗诏令孙抃等人再商议。

于是孙抃等人又上奏议论说："从唐朝到后周，太庙制度不同，但都是祭祀七代祖宗。从后周以上，所谓太祖，不是受天命建国家的君主，仅仅是首先追封的君主而已。现在我朝僖祖虽然不是首先追封的君主，但还算是建立太庙的始祖。如今正当庙数没有超过七代的时候，就撤除他的庙，迁出他的神位，考察夏、商、周三代的礼制，不曾有这种做法。汉、魏及唐朝一个时代的定义，恐怕不合乎先王制定典礼的本意。臣等私下认为保存僖祖的庙室，以具备事奉七代祖宗之数，符合经传上明确写着事奉七代祖宗的文字，而且也不失先王的原意。"英宗下诏令遵依此议。

戊寅（初八），以翰林学士、权三司使蔡襄为修奉太庙使。蔡襄便将八个庙室的图样奏呈英宗亲览，又请求扩大庙室和夹室为十八间；英宗批准此奏。

英宗自从生病，就厌烦服药，韩琦曾亲自端着药杯来劝服，英宗没有饮尽就推开药杯，药洒出杯弄脏了韩琦的衣服。太后急忙拿出服装赐给韩琦，韩琦不敢接受。太后说："相公实在不容易啊。"皇子赵仲铖侍奉在旁，太后说："你为什么不亲自去劝皇上服药！"英宗也还是不理睬。

丁亥（十七日），英宗下诏说："今年制科举人著作佐郎赵商等十七人暂且停试，将来到了科场，就直接到秘阁参加考试。"赵商，是安仁人。

以兵部郎中、权判大理寺陈太素为明州知州。陈太素任刑官二十余年，朝廷有重大案件,遇到疑难则必定召他参与商议。他每每审阅案卷,竟至废寝忘食,严寒酷暑之日也是这样。家人子弟有时劝阻他,他回答说:"囚犯在牢狱中的苦难,比我这种情形更不堪忍受!"因为耳朵有病,多次请求免官,执政大臣认为他称职,不同意;过了很久,才调出朝廷任知州。

癸巳(二十三日),司马光给太后及英宗上奏疏说:"皇帝圣体平安康健的时候,事奉皇太后,顺从太后的脸色心意,应当是没有不符合礼制的。如果药物没有奏效,皇帝圣体欠安,而侍奉起居问寒问暖有不够周到之处,也是皇太后所应当宽恕的。孔子说:'闵子骞真是孝顺啊!别人没有对他父母兄弟说挑拨离间的话的。'这是说诚信纯厚至极,表里如一,那么别人不能加以离间。孟子说:'父子之间计较是非,是最伤害感情的事。'这是说骨肉至亲,正应当以恩爱情意相重,不应当计较细小的是非。希望皇帝常想孔子的话,皇太后不忘孟子的告诫。万一奸邪之人要有进言,其中涉及挑拨离间,应当立即将其诛杀,以此昭示天下,使人们都知道谄佞之徒不能欺骗迷惑圣明之主啊!"

英宗起初因为忧愁疑虑得病,行为举止有时一反常态,对待宦官尤其严厉,左右内臣大多不高兴,于是共同制造谄言挑拨离间,皇太后和英宗之间就出现了裂痕。太后对辅佐大臣曾说起这种情况,韩琦就用耸人听闻的话触动太后说:"臣等只在外面能见到皇上,宫中保护皇上之事,全在太后身上。如果皇上失去了照顾,太后也不会安稳。"太后惊恐道:"相公说的是什么话!自家人当然更要用心照顾。"韩琦说:"太后照顾皇上,那么大家自然会照顾皇上了。"同僚为他说的这些话吓得缩颈流汗。有人对韩琦说:"话说的是不是太过分了?"韩琦回答:"不这样不能起到作用。"间或有传言说英宗在宫中犯过失的事,众人对此感动十分疑惑,韩琦说:"哪有在殿上不曾说错一句话而进入宫门就有了许多错误的!我根本不相信。"传言也渐渐消失了。

戊戌(二十八日),山陵使韩琦上奏:"山陵各库所调集的物品过多。请选一员朝臣由他负责计划用度。"于是命盐铁制官楚建中去裁减所调物品数额。当时三司使蔡襄总管山陵事务,凡调度供给都超出实际需要的几倍,劳民伤财已经很多,后来又大多弃置不用,议论此事的人都指责他。

英宗的病已痊愈,尚未到正殿听政。御史中丞王畴上奏疏说:"现在天下之人,翘足引颈,集中注意力,希望见到新的政治举措,至今几个月了,而陛下没到正殿来接见群臣。议论的人都说陛下圣体既然已经康复,只是因为未完成先帝百日祭后的卒哭之礼,不忍心临朝听政,这确实是天子的孝心超过了商朝的高宗啊。现在按以日代月的方式来计算时间,已经超过百日祭期了,希望陛下援引礼制抑制私情,顾念天下大义,早日亲临前殿,朝南听政,赫然如旭日东升,普照万物,这才是臣民所期望的啊。"

秋季,七月,乙巳(初六),以侍御史吕海为起居舍人、同知谏院。

辛亥(十二日),知谏院司马光奏说:"臣私下看见各路转运使、提点刑狱、知州、知军事各自派遣亲属到京城上献贺表,朝廷不问官职高低,亲属关系远近,一概推行封赏的恩惠,这大抵是开国之初承袭五代姑息藩镇的弊病,后来因循不能革除改正。国家的爵禄,本来是给天下贤才及有功劳的人的,现在使这些人无故获得官职。实在是封赏太滥了。如今纵然不能完全免去这些恩泽,那些进献贺表的人如果是五服之内的亲属,或者请按等级赐授一个官职,那些不在五服又非亲属的,都酌量赏赐金帛让其离去,这样或许能够稍微挽救授官过滥的失误。"同修起居注郑獬也为此阐述意见,并说:"从前真宗刚即位,在南郊祭天,按惯例群臣都可以升迁官职,而真宗认为这样侥幸升官太过分了,就诏令只加勋阶。真宗已经在初次南郊祭天时革除滥赏,那么陛下也应在登极之后禁绝不合理的恩赐。"执政大臣说已经实施的诏令难于再改,于是将这些建议置之不理。

壬子(十三日),英宗初次亲临紫宸殿听政,中书省、枢密院的大臣奏事。英宗自从六月癸酉(初三)不临殿,到这时才开始接见百官,百官感动得恸哭许久。从这以后英宗单日到前殿听政,双日到后殿听政,只是朔日望日就前殿后殿都不去听政,直到仁宗神位入祔太庙,才开始恢复正常的临朝听政。

丙辰(十七日),西夏国主毅宗赵谅祚派使者前来祭吊仁宗。那位使者坚决请求进宫应对,未获允许。赵谅祚所上奏表擅自改称李姓,英宗赐诏责问,令他遵守旧约。司马光奏说:"听说夏国所派使者,前些天不肯在阁门接受接见,坚决要求进宫面奏,朝廷不允许,勒令他返回宾馆。臣认为陛下继承大统之初,蕃戎都想瞻望陛下天颜;又听说曾经圣体欠安,心想不能临朝,所以才敢这样凶狠狡诈。现在陛下已临正殿,臣认为何必在乎宫廷几步大的地方,让他叩头跪拜,瞻仰清明圣光! 应让他看到陛下的神武英姿,必定能够镇服四海。"

丁巳(十八日),辽国使者在皇仪殿祭祀大行皇帝仁宗,接着在殿东厢拜见英宗。英宗恸哭了许久。辽国使者说到大行皇帝仁宗,就不禁流泪。过了几天,辽国使者到紫宸殿辞行,英宗命他坐下并赐茶。旧例,应当赐酒五巡,自此直到皇帝居丧满期,都赐茶而已。

辽国皇太叔耶律重元与其子尼噜古,萌生叛逆之心已久,正逢辽国主辽道宗到滦河太子山狩猎,随行的官员大多是耶律重元的党羽,尼噜古便想乘此机会发动叛乱。戊午(十九日),雍睦宫使耶律良得知他们的阴谋,因为想到辽道宗对亲人厚爱,不敢立即奏告,就秘密地报告了太后。太后假称有病,召见辽道宗告知此事,并且说:"这是关系社稷安危的大事,应早做计划。"辽道宗责问耶律良道:"你想离间我们骨肉之亲吗?"耶律良说:"臣如果胡说八道,甘愿死于斧锧之下。陛下不早做防备,恐怕会陷入叛贼的阴谋诡计。如果召见尼噜古而他不来,就可以推断此事是真。"辽道宗采纳他的意见,立即召来南院枢密使耶律仁先并告知他,耶律仁先说:"这帮人很凶,臣本来就怀疑他们很久了。"辽道宗命耶律仁先侦察捕捉他们。耶律仁先出来后,又回头对辽道宗说:"陛下应谨慎地为此做好准备。"尼噜古见使者来召,知道事机已泄,便把使者扣押在营帐中,想要杀害他;使者用佩刀划破帐幕逃了出来,骑马跑到行宫,以实情相报,辽道宗这才相信。

尼噜古与萧呼敦迅速召集他们的党羽,得到四百人,拥立耶律重元为领袖并将发动叛乱时,帐前下起血色一般的红雨,于是向前冲往辽道宗的帷宫。辽道宗仓促之际想要奔赴北院、南院,耶律仁先说道:"陛下如果甩掉随从人员而去,叛贼必定紧追在后。况且南、北院大王的心思还不可知道,岂能前往!"耶律仁先的儿子托卜嘉说:"圣上的意愿不可违背。"耶律仁先发怒,打他的头。碰巧宣徽使萧罕嘉努听说发生事变,骑马赶到,抓住辽道宗的马缰绳坚决谏阻,和耶律仁先说的一样,辽道宗醒悟了,将讨平叛贼的事务全都委托给耶律仁先。耶律仁先立即命令将车环绕起来作为营阵,折断行宫前的路障木架作兵器,率领属官近侍三十余人骑马列阵在木障外。叛贼来势凶猛,太后也亲自督领卫士抵御他们。等到交战时,南府宰相萧德率先与叛贼搏杀,挫败了他们的前锋,叛贼瓦解逃窜。尼噜古跃马突围,近侍详衮阿苏射死了他,耶律重元的党羽们渐渐后退。耶律仁先因五院部萧塔喇住地最近,急忙召来他,分别派人去召集各军。

在此以前,尼噜古广结党羽,而一时不能迅速聚集起来。殿前都点检耶律萨喇图正在围猎场,听说已经叛乱,就劫持奚族猎手赶来增援,来到后,得知尼噜古已死,大哭起来,对耶律重元说:"我们只有死战,怎么像是儿戏,这是自取灭亡!现在行宫没有防备,乘黑夜袭击它,大事可告成功。如果等到明天清晨,他们将有所防备,怎么知道我们这些人里不会有怀二心的呢!一旦失去机会,后悔将如何来得及!"萧呼敦说:"仓促之中黑白不分,如果行宫内外军队互相呼应,那么我们的事就完了。黎明进攻,有什么迟的!"耶律重元听从了萧呼敦的主意,命令在周围巡逻警戒。这天夜晚,萧呼敦率领党羽拥立耶律重元,冒称帝号,萧呼敦自称枢密使。到了清晨,耶律重元与萧呼敦、萨喇图及其党羽统军使萧特里德、兴圣宫太保古迪、陈王特布等人率领奚人二千直接进犯辽道宗的行宫。恰逢萧塔喇率援兵赶到,北面林牙耶律迪里也赶来援救。耶律仁先说:"叛贼的气势不会持久,应等他们气势衰落了再攻打。"便命令耶律伊逊、萧德、萧罕嘉努、萧惟信、耶律良等人分别带领宿卫军和援军,背靠营地列阵,乘机奋战,叛贼稍退。罕嘉努告谕各位猎手说:"你们背离顺从天命的皇上而效力叛贼,白白地自取灭族之祸。何不悔过自新,转祸为福!"猎手们都丢下武器俯首归服。叛贼因而大溃,耶律重元率领几名骑兵逃跑。耶律仁先等人追杀二十余里,交战中斩杀萨图喇,擒获特里德、古迪,杀死他们;萧呼敦一人骑马逃到十七泽,投水而死。辽道宗握着耶律仁先的手说:"平定叛乱,都是爱卿的功劳!"

己未(二十日),辽道宗命令捕杀叛党,因萧呼敦首先协助叛乱,杀了他的五个儿子;审讯的供词牵涉其父陈王萧孝友,一同杀死。前枢密使萧革因儿子是耶律重元的女婿,参与叛逆阴谋,被凌迟处死。萧革受宠于两朝,恣意作恶,到这时才被法律制裁,闻讯者叫好。

尼噜古结交的大多是为非作歹之徒:萧特里德年少时放浪形骸,喜好射猎,以详衮之职跟着征伐西夏国,失利而返,很快就犯罪处以大杖刑,削爵为民。等到再被起用,便依附尼噜古。古迪喜好嬉戏猥亵,不懂规矩,臂力过人,擅长踢球。萨喇图尤其凶狠残暴。尼噜古所与之合谋者都是这帮人,因此迅速失败。

庚申(二十一日),耶律重元向北逃到大沙漠,自忖不能幸免,叹息道:"尼噜古使我走到这个地步!"于是自杀了。

辛酉(二十二日),辽道宗依据平定叛乱的功劳,许王耶律仁先进封宋王,加尚父,任北院枢密使;辽道宗亲自撰文来褒奖他,又命画师绘成滦河战图来表彰他的功劳。赵王耶律伊逊进封魏王,任南院枢密使。以萧罕嘉努为殿前都点检,封为荆王。萧惟信加官太子太傅,都赐功臣称号。萧德封为汉王。耶律迪里遥授临海军节度使。宿卫官耶律托卜嘉等人一起加官上将军。各位护卫和士兵、厨师、弓箭手等四百余人,分别授予不同等级的官职。因为耶律良首先禀告事变情报,命令将他列入皇室名册,升任汉人行宫都部署。

辽国北府宰相姚景行刚因病告假回家,在中途,听说耶律重元叛乱,招集路上行人,得了三百余骑,和南府宰相杨绩一道前往效命君王,等赶到时,叛贼已平。辽道宗嘉奖他们的忠诚,将叛贼的财产赐给他们。

癸亥(二十四日),辽国特布诉说曾受耶律重元的胁迫,辽道宗命令削去爵位,流放镇州。

八月,庚辰(十一日),王珪进呈议定的大行皇帝谥号为神文圣武明孝,庙号仁宗。

辛巳(十二日),诏令军头司引见公事照旧。

司马光进言:"君主的职责,有三项而已:估量才干而授予官职,是其一;斟酌功劳而加以奖赏,是其二;审明罪行而处以刑罚,是其三。才干有小有大,因而官员有能耐有不能耐;功劳有高有低,因而奖赏有厚有薄;罪行有大有小,因而刑罚有轻有重。这三项,是君主应当留意的。

"臣见国家旧制,百司琐碎的事情,例如三司鞭打一名普遍吏员,开封府增补一个厢镇之类,往往都必须奏报皇上;崇政殿所送来的公事,有军人的武艺与国家马匹的饲料之类,都要皇上亲自审阅。这些大概是开国之初暂时的规定,沿用到现在,很是失之烦琐。陛下继承大统掌握国运,圣政维新,臣以为应该诏令中书省、枢密院详细审查中央与地方各部门送来的公事中须上奏取旨以及后殿送来的公事,其中不关国家大体,不是君主所应当亲自裁决的,一律从简或省去,交给有司处理。陛下养性修身,专心思考君主的三项职责,完全可以效法天地的平易简约,达到尧舜的无为而治,这样天下就大幸了。"

癸巳(二十四日),以英宗的生日为寿圣节。

九月,庚戌(十二日),英宗下诏以皇子居所为兴庆宫。不久知谏院吕海说唐代有这宫名,便改称庆宁宫。

辛亥(十三日),以皇子赵仲铖为忠武节度使、同平章事、淮阳郡王,改赐名顼;赵仲纠为明州观察使、祁国公,赐名颢;赵仲恪为耀州观察使、鄂国公,赐名颜。

戊午(二十日),在福庆殿奉上仁宗谥册。

辽国萧革获罪以后,评论的人追念耶律义先前说的话。己未(二十一日),追封耶律义先为许王。

壬戌(二十四日),以皇子居所伴读王陶为淮阳郡王府翊善,皇子居所说书孙思恭为侍讲,太子中允、集贤校理兼史馆检讨韩维为太常丞、充任记室参军。王陶等人请淮阳郡王赵顼接受拜见之礼,未获允许。吕海奏说:"淮阳郡王如今尚未离开宫阁,应当暂且设置师友,不应就设置属官。臣想请朝廷先确定王陶等人的名分官位,名位定下以后,那么礼仪上自然就稳妥了。况且淮阳郡王年纪已大,应当早日令他离开宫阁,建起王府设置属官。这样翊善、侍讲自然就是属官,于事体就没有不顺理的了。"

英宗已在前殿后殿听政,而在听取朝臣奏事意见时仍持谦逊的态度。御史中丞王畴上书说:"宗庙社稷保佑,陛下起居平安,按时临朝,已过半年,但没有听见陛下发表自己的意见,作出决定,圣德之音抑塞不发,人心觉得遗憾。臣曾多次上奏论述,希望陛下消除疑忌,每天与中书省、枢密院二府大臣讲评有关国事的论奏,明确指出可否;而至今言行寂寥,朝廷内外没有传闻。这大概是因为议论国事的大臣言词情理浅陋偏狭,不能引起陛下重视。臣恭谨地希望陛下思念太祖、太宗曾艰难夺取天下的功劳,真宗、仁宗忧虑勤勉地守卫太平的努力,致力于听取裁决大政,来告慰太后的慈爱,不要疑忌谦逊,自己使圣德黯然无光。"

冬季,十月,戊辰朔(初一),辽道宗去兴王寺。庚午(初三),辽国任命六部太保耶律哈穆知南大王事。

辽道宗到藕丝淀。

甲午（二十七日），安葬仁宗于永昭陵。

癸未（十六日），以左司郎中、知制诰张瓌为左谏议大夫。因为张瓌在仁宗朝曾建议秘密确定皇位继承人，特地记录他的功劳。

十一月，己亥（初二），虞祭时设立的仁宗神位从山陵送来，皇太后在琼林苑迎接祭奠。太后乘坐大安舆辇，像轿子却大一些，没有扇箑，不放鞭炮，侍卫人数都比章献太后少一半，所经过地方问安的人有的高呼万岁。庚子（初三），在集英殿安神虞祭。

在此之前，五次虞祭都在路途，到这第六次虞祭仍用在途中拜祭礼仪，英宗不亲自去拜祭。知制诰祖无择、知谏院司马光奏请英宗亲自去祭奠，御史中丞王畴也为此上奏。将这些奏文交给礼部院详细审议，礼院认为应按祖无择等人所奏那样办理，于是英宗下诏说第二天亲自去虞祭。不久英宗患病，最后命令宗正卿代为祭奠，司马光立即上奏说："承蒙陛下采纳臣言，命令有司筹备亲祭的礼仪，然而现在又不出祭，在场的群臣，无不惊愕失措。臣恭谨地希望陛下明天虽然圣体小有不适，也应当勉强亲自虞祭，以消除朝廷内外臣民的疑惑。"可是英宗终因疾病的缘故，直到第九次虞祭也没能出现。

甲辰（初七），英宗亲自祭祀仁宗神位而不哭，称为"卒哭"。过去没有卒哭之礼，这时听从吕夏卿的建议，开始实行。

丙午（初九），将仁宗神位入祔太庙，庙乐名称《大仁之舞》，以已故先朝大臣王曾、吕夷简、曹玮配飨于庙庭。

己酉（十二日），东、西二京的罪囚减罪一等，免去为仁宗山陵服役的人户和灵柩经过之处民户的租赋。

庚戌（十三日），英宗下诏："州、军长官推举精通医术的人令其前来京城。"

辛亥（十四日），辽国派萧素等人来庆贺英宗即位。

甲寅（十七日），赐太常少卿孔叔詹金印紫绶。孔叔詹监管裁造务，因勤劳应升迁，英宗不想以卿监的官职来赏他管理库藏的劳绩，所以才有此奖赏。从此成为惯例。

这月，司马光向皇太后上书说："仁宗皇帝忧虑后嗣没有确立，想到宗庙社稷的至关重要，因为当今皇帝仁孝聪明，从宗室中挑选出来，使他继承大统。不幸即位数月，就很快生病，虽然殿下慈爱地关心照料，无微不至，但医生的医术不高，药物无效。臣私下听说前些天皇帝病情渐重，举动言辞，不能自控，左右侍从将此情况一一禀报太后，致使殿下因此缘故，不能忍受，两宫之间，互有稍稍责怨。为此群臣心生忧惧，不寒而栗。臣因而日夜焦心落泪，侧足常叹，宁愿先死而尽言，不敢侥幸生存而沉默不语。臣以为皇帝对内是仁宗同堂兄长之子，对外是殿下的外甥女婿，自幼童之时起，殿下就将他养育在宫中，天下至亲，哪能超过如此情感？再者，仁宗立他为皇子，殿下岂可不因仁宗的缘故，特别加以慈爱关照，容忍他的过失呢？况且皇帝在藩王府第时，直到即位之初，孝谨温仁，举动合乎礼法。这是殿下亲眼看见而且明明知道的，如果不是疾病扰乱了皇帝的本性，怎么会有这些过失呢？现在殿下虽然日夜忧虑辛劳，也是徒劳地自受困苦。以臣之愚见，不如精心选择医生一二人，来治皇帝的病，十天到一月之内，观察其举动，有疗效就予以重赏，无疗效就施以严刑。皇帝未病愈期间，只应深戒左右侍从，小心侍奉护卫，皇帝言行有不合乎常规处，都不得禀报殿下知道，这样大概能不增加殿下的忧愤。殿下只有宽心排忧，和神养气，来安定国家，治理天下，等到皇天后土垂赐佑助,皇帝圣体康复,然后把治国平天下的大业授予皇帝,这难道不很好吗!"

司马光又上书劝谏英宗说:"陛下年幼时被太后养育,况且现在是仁宗皇帝的嗣子,继承天下的大业,按理应当晚间安定床衽而早晨请安慰问,亲自进献美味,与侍奉濮王及其夫人时没有不同。近来外面流言,与此很不一样。臣心想陛下孝顺恭谨的天性,平时已表现出来,哪里会一下子就改变了呢! 由于前些天圣体不适的时候,举动言语可能出现差错,不能自己察觉,而外人胡说乱传,恣意夸张,肯定没有事实。然而这些议论,岂能让天下人知道! 臣恭谨地希望陛下病愈之后,亲自到皇太后宫,克制修养自身,来为以前的过失谢罪,朝夕温顺恭谨,侍奉在太后左右,使大孝的美德,超过未登皇位之时。这样,就会上下感奋愉悦,宗庙社稷永远安定,今天外面乱传之言,怎么能造成损害呢!"

吕诲向皇太后上书说:"东汉马皇后抚养汉章帝,辛苦勤劳超过抚养自己所生儿子,母慈子爱,始终没有丝毫的隔阂。臣恭谨地希望殿下遵循个人的美德为行动的准则,顾念先帝的委托,体恤圣上身体的疾病,对宫中离间的话,不可不明察。"同时上书劝勉英宗尽孝心,主动服用药物。开口陈述,恳切周到,多是别人难以说出的话。又请求英宗早立东宫太子以巩固国家的根本,杜绝有人觊觎此位,安定人心。

当英宗病重时,言行多有错误,常常冒犯太后,太后不堪容忍。昭陵已经下棺盖土之后,韩琦从昭陵回来,太后派宫中使者拿一封文书交给韩琦,韩琦打开看,却是英宗写的歌词与他在宫中犯的过失的事,韩琦立即面对使者烧毁,令他回奏太后说:"太后常说皇上心神不宁,语言举动不合节律,有什么值得奇怪的呢!"等到进宫在帘前奏对时,太后呜咽流泪,详细地说明原因,并且说:"老身几乎不可容忍了!"韩琦说:"这是皇上生病的原因罢了,病好了,肯定不会这样。儿子生病,母亲能不容忍他吗?"太后不高兴。欧阳修接着说:"太后侍奉先帝几十年,仁德闻名天下。从前温成张贵妃受宠于先帝,太后处之从容宽厚;如今母子之间,反而不能相容吗?"太后的情绪才渐渐平和。欧阳修又进言说:"先帝在位年久,恩泽暖人,因此一旦驾崩,天下拥戴继位的皇帝,没有一人敢反对的。现在太后深居内室,臣等五六个书生罢了,如果不是先帝的遗愿,天下谁肯听从?"太后听了沉默无言。

另一天,韩琦等人晋见英宗。英宗说:"太后对我无恩。"韩琦回答说:"自古以来圣帝明王,不算少了,但只称舜是大孝。难道其余的都不孝吗? 父母慈爱而儿子孝顺,这是常事,不值得称道;只有父母不仁慈而儿子不失孝心,才是可以称道的。正担心陛下侍奉太后不周到啊,父母哪有不慈爱的呢!"英宗恍然大悟,从此也不再说太后的短处了。

在此之前的十月份,辅佐大臣请求按照乾兴年间的旧例,单日召侍臣讲读,英宗说:"应当等先帝神位入祔太庙完后,选择日子开始经筵讲读。"不久有诏书说,直到来年春天开始。司马光认为学习是帝王的首要任务,不应当因天气冷热而停止,英宗采纳了他的意见。

十二月,己巳(初二),英宗第一次到迩英阁,召侍读、侍讲讲《论语》,读《史记》。吕公著讲《论语》中的不知不愠时说:"古时候的人,君主的号令有不被人信服,人心有不服的,那就反过来自身加强品德修养,而不将愠怒加在别人身上。如虞舜的亲自敷扬文德,周文王的盛自敬德就是这样。"刘敞读《史记》至"尧授舜以天下"时,便陈述道:"当时舜的地位非常低微,而尧越过分管诸侯的四岳把帝位禅让给他,天地护佑他,百姓拥戴他,没有其他道理,只是他的孝顺父母友爱兄弟的品德如光芒照耀上下罢了。"两人言辞明白而神态和畅,英宗耸身改容,知道他们是用义理劝谏自己。退出之后,王珪对刘敞说:"您直言直语说到这个程度啊!"太后听说此事,也十分高兴。

乙亥(初八),淮阳郡王赵顼离开宫阁。他辞别英宗、太后两宫,悲泣不已,太后也哭泣起来,安慰他后送走了他,从此每天两次入朝。

将仁宗手书收藏在宝文阁,命翰林学士王珪撰文刻在石碑上,立碑于阁中。

庚辰(十三日),英宗命翰林学士王珪、贾黯、范镇撰修《仁宗实录》,集贤校理宋敏求、直秘阁吕夏卿、秘阁校理韩维兼任检讨官。宋敏求当时为亳州知州,特地召用他。

这年,辽国又以萧珠泽为西北路招讨使。萧珠泽曾经被萧呼敦陷害,萧呼敦死后,当时舆论称道他先前任招讨使时,声威达于各部,因此恢复他的职务。萧珠泽上任后,训练士兵,增添武器,减省催逼,严明号令,邻国不敢进犯,边境平安。

西夏国改年号为拱化。

续资治通鉴卷第六十二

【原文】

宋纪六十二　起阏逢执徐【甲辰】正月,尽十二月,凡一年。

英宗体乾应历隆功盛德　宪文肃武睿圣宣孝皇帝

帝名曙,濮安懿王第十三子,母曰仙游县君任氏,明道元年正月三日,生于宣平坊第。初,王梦两龙与日并随,以衣承之,复戏于空中。其一龙视王曰:"吾非王所能有也。"及帝生,赤光满室,或见黄龙游光中。四岁,仁宗养于内,宝元二年,豫王生,乃归濮邸。帝天性笃孝,好读书,不为燕嬉亵慢,服御俭素如儒者。景祐三年,赐名宗实,授左监门卫率府副率,累迁右卫大将军、岳州团练使。嘉祐七年八月,立为皇子,改今名。

治平元年　辽清宁十年【甲辰,1064】　春,正月,丁酉朔,改元。

戊戌,太白昼见。

景灵宫使、武宁节度使、同平章事宋庠请老,帝初即位,以大臣故,未忍遽从,乃命判亳州。庠前后所至,以慎静为治;晚,爱信幼子,颇致物议。至是谏官吕诲请敕庠不得以二子随,帝曰:"庠老矣,奈何不使其子从之乎?"

癸丑,诏减寿圣节所赐师号、紫衣、祠部戒牒。故事,圣节所赐三百道,而贵妃、修仪、公主犹别请。至是减为二百,而别请者在数中。

甲寅,雄州奏:"归信容城县报辽人追贼,有七骑奔入南界,逐出之。"诏河北沿边安抚司:"北界贼盗来奔,即逐出;若有劫略,捕送本国;如妇女老小避贼入境,善谕遣之。"

辽南府宰相杨绩出知兴中府。

知唐州、司农少卿赵尚宽再任岁满,特迁光禄少卿,赐钱二十万,复留。寻以母丧去。尚宽在唐州,前后凡五年,修旧起废,兴辑劝课,有实效焉。

同知谏院吕诲奏:"先朝两府及台谏官奏对,即左右近侍悉引避于两庑,故从容论议,事无泄于外者。臣近登对,皆不引避,立于殿隅板门之内。欲乞指挥,自今引避如故事。"从之。

辛酉,诏以仁宗配享明堂。

初,礼院奏乞与两制同议仁宗当配何祭。故事,冬、夏至祀昊天上帝、皇地祇,以太祖配;正月上辛祈谷,孟夏雩祀,孟冬祭神州地祇,以太宗配;正月上辛祀感生帝,以宣祖配;季秋大享明堂,祀昊天上帝,以真宗配。

翰林学士王珪等议:"唐代宗即位,用礼仪使杜鸿渐等议,季秋大享明堂,以考肃宗配昊天上帝;德宗即位,亦以考代宗配。王泾《郊祀录注》云,即《孝经》周公严父之道。今请循周公严父之道,以仁宗配享明堂。"

知制诰钱公辅议:"谨按《孝经》曰:'昔者周公郊祀后稷以配天,宗祀文王于明堂以配上帝。'又曰:'孝莫大于严父,严父莫大于配天,则周公其人也。'以周公言之则严父,以成王言之则严祖。方是之时,政则周公,祭则成王,亦安在乎必严其父哉!夫真宗则周之武王,仁宗则周之成王,虽有配天之业,而无配天之祭,未闻成、康以严父之故,废文王之祭而移之。以孔子之心推周公之祭,则严父也;以周公之心摄成王之祭,则严祖也。严祖、严父,其义一也。当始配之代,适符严父之说,章、安二帝亦弗之变,最为近古而合乎礼。唐中宗时,则以高宗配;在玄宗时,则以睿宗配;在永泰时,则以肃宗配。礼官杜鸿渐、王泾辈,不能推明经训,务合古初,反雷同其论以惑时主,延及于今,牢不可破。当真宗嗣位之初,倘有建是论者,则配天之祭,当在乎太宗矣。愿诏有司博议,使配天之祭不胶于严父,而严父之道不专乎配天。"于是又诏台谏及讲读官与两制、礼院再详定以闻。

御史中丞王畴以为珪等议遗真宗不得配,公辅议遗宣祖、真宗、仁宗俱不得配,于礼意未安,乃献议曰:"在《易》:'先王作乐崇德,荐之上帝以配祖、考。'然则祖、考配帝,从来远矣。请依王珪等议,奉仁宗皇帝配享明堂,以符《大易》配考之说、《孝经》严父之礼;奉迁真宗配孟夏雩祀,以放唐贞观、显庆故事;太宗皇帝依旧配正月上辛祈谷、孟冬祭神州地祇,馀依本朝故事。如此,则列圣并侑,对越吴穹,厚泽流光,垂裕万祀。必如公辅之议,则陷四圣为失礼,导陛下为不孝,违经戾古,莫此为甚。"

知谏院司马光、吕诲议曰:"孝子之心,孰不尊其父!圣人制礼以为之极,不敢逾也。孔子以周公有圣人之德,成太平之业,制礼作乐,而文王适其父,故引之以证圣人之德莫大于孝,答曾子之问而已,非谓凡有天下者皆当以其父配天,然后为孝也。近世祀明堂者皆以其父配上帝,此乃误释《孝经》之意而违先王之礼。景祐中,以太祖为帝者之祖,比周之后稷;太宗、真宗为帝者之宗,比周之文、武;然则祀真宗于明堂以配上帝,亦未失古礼,仁宗虽丰功美德洽于四海,而不在二祧之位。议者乃欲舍真宗而以仁宗配,恐于祭法不合;又以人情言之,是黜祖而进父也。必若此行之,不独违礼典,恐亦非仁宗之意。臣等窃谓宜遵旧礼,以真宗配五帝于明堂为便。"

观文殿学士、翰林侍读学士孙抃等奏:"谨按《易》称'先王作乐崇德,荐之上帝以配祖、考。'盖祖、考并可配天,符于《孝经》之说,可谓必严其父也。祖、考皆可配郊与明堂而不同位,不可谓严父、严祖其义一也。虽周家不闻废文配而移于武,废武配而移于成,然《易》之配考,《孝经》之严父,历代循守,固亦不为无说。仁宗继体保成,致天下于大安者四十二年,功德可谓极矣。今祔庙之始,遂抑而不得配帝,甚非所以宣章严父之大孝。臣等参稽旧典,博考公论,敢以前所定议为便。"诏从抃等议。

二月,戊辰,命韩琦提举修撰《仁宗实录》。

辛未,令西京左藏库副使、缘界河巡检都监赵用再任,从高阳关及河北缘边安抚司之请也。用才武果敢而熟边事,虏人以盐船犯边禁者,用剖船而沉之。虏人畏用,以其出常乘虎头船,谓之"赵虎头"。

己卯,诏春分祀高谋,罢用弓矢、弓韣、进酒脯及宫人饮福、受胙之礼,以在谅闇故也。

是月,辽禁南京民决水种粳稻。

三月,丁酉朔,诏:"三司用内藏库钱三十万贯修奉仁宗山陵,依乾兴例蠲其半,馀听渐还。"

命入内都知任守忠、权户部副使张焘提举三司修造案。句当公事张徽作仁宗神御殿于景灵宫西园,殿成,名曰孝严,别殿曰宁真。焘因请图乾兴文武大臣于殿壁。绘像自此始。

京师赋曲于酒,户有常籍,无论售与不售,或至破产以偿。焘请废岁额,严禁令,随所用曲多寡以售,自是课增数倍。尝与三司使议铸钱事,帝诘难,皆不能对,焘徐开陈,帝是之,既退,令左右记姓名。焘,亢兄子也。

己酉,司马光言:"窃闻近日陛下圣体甚安,奉事皇太后,昏定晨省,未尝废阙,岂独群臣百姓之福,乃宗庙社稷之福也。陛下既为仁宗之后,皇太后即陛下之母。今濮王既没,陛下平生孝养未尽之心,不施之于皇太后,将何所用哉!今陛下已能奉养如礼,而臣复区区进言者,诚欲陛下始终无倦,外尽其恭,内尽其爱,使孝德日新,以协天下之望而已。若万一有无识小人,以细末之事离间陛下母子,不顾国家倾覆之忧而欲自营一身之利者,愿陛下付之有司,明正其罪,使天下晓然皆知陛下圣明仁孝,不负大恩,而谗佞不能间也。"

光又言:"窃见祖宗之时,闲居无事,尝召侍从近臣,与之从容讲论,至于文武朝士、使臣、选人,凡得进见者,往往召之使前,亲加访问。所以然者,一则欲使下情上通,无所壅蔽,一则欲知其人能否,才器所任也。今陛下与当世士大夫未甚相接,民间情伪未甚尽知,宜诏侍从近臣,每日轮一员直资善堂,夜则宿于崇文院,以备非时宣召。其馀群臣进见及奏事者,亦望稍解严重,细加访问,以开广聪明,裨益大政。"

它日,光进对,又言:"皇太后,母也;陛下,子也。皇太后母仪天下已三十年,陛下新自藩邸入承大统,万一两宫有隙,陛下以为谁逆谁顺,谁得谁失?又,仁宗恩德在民,藏于骨髓,陛下受其大业而无以报之,将何以慰天下之望?凡人主所以保国家者,以有威福之柄也。今陛下即位将近期年,而朝廷政事,除拜赏罚,一切委之大臣,未尝询访事之本末,察其是非,有所予夺。臣恐上下之人,习以为常,威福之柄,浸有所移,则虽有四海之业,将何以自固?凡此利害之明,有如白黑,取舍之易,有如反掌。陛下今日回意易虑,犹为未晚。若固守所见,终无变更,臣恐日月浸久,衅隙愈深,不可复合,威权已去,不可复收,后虽悔之,无及已。"

光寻以言不用,恳求外补,帝令宰臣宣谕曰:"卿所言事,略皆施行。且供谏职,未须求出。"光复奏:"臣乡所言二事,若不能行,虽日(待)〔侍〕丹扆,有何所益!若奉养之礼,日增月益,访求治道,勤劳不倦,使慈母欢欣于上,百姓安乐于下,则臣虽在远方,亦犹在陛下之侧也。"

吕诲言:"近日圣体平复,而万机之事,未闻亲决。议者谓陛下避让,有所待焉;果如是,恐未为顺。两汉而下,母后临朝者,皆嗣君冲幼,亲为辅翼,并坐帝帷之下,专其听断;幼君既长,故有复辟之议。今日之事,有异于是。先帝拔陛下于宗族之中,以贤且长,付托之意,正为今日也。当陛下违豫之时,非皇太后内辅,则政无所寄;大臣建策于国,忠也。然而陛下临朝御前殿,百官朝罢,两府大臣方至内东门,是纲领柄权皆在于手,陛下自未专决,何所待也!伏望宸衷感悟,无以此为念。唯内勤孝养,率中宫尽礼,则妇姑之情相接,母子之爱益亲。躬修政务,操持威福,日与近臣讲求治道,事无过举,自然皇太后慰安,恩意无间,燕适深宫,优游清净,含饴弄孙,不复关政,岂非皇太后之心邪?"

诲遂言于皇太后曰:"殿下保佑圣子积三十年,辅翊又逾期岁,寰宇宁泰,庙社安固,慈恩至矣,圣功大矣。然以万机浩繁,劳身焦思,曾未少休,非所以燕怡福寿之本也。况皇帝躬亲治事,勤历如此,在于圣虑,应已慰安。臣愚以谓东殿帝帏,宜五七日一御,咨询大臣,无俾旷事,庶少均暇逸,于翊政之道亦无所损。豫宣教命,诞告朝廷,外形谦让之宜,中遂优游之乐,上顺天道,下厌群情,享是全美,岂不休哉!"

夏,四月,辛未,诏以河北州县官吏补义勇不足,令转运司劾治。都转运使赵抃奏:"初受诏,官多已罢,吏多死徙。今官吏多新至,若皆治,则新至者被罪。请以岁尽为限,不足乃劾治。"诏从之,其河灾州军,令以渐补。

初,抃至大名,时贾昌朝以故相守魏。抃欲案视府库,昌朝遣其属来告曰:"前此监司,未有案视吾藏者,公虽欲举职,恐事无比,奈何?"抃曰:"舍大名,则列郡不服矣。"即往视之。昌朝初不说,及是官吏以募义勇不足,当坐者八百馀人,抃奏请宽之,坐者得免而募亦随足,昌朝乃愧服。

丁丑,权御史中丞王畴上疏,请车驾行幸以安人心,于是执政及谏官相继有请,帝曰:"当与太后议之。"韩琦以白太后,太后曰:"上疾新愈,恐未可出。"琦曰:"上意亦自谓可出矣。"太后曰:"今素仗皆未具,更少须。"琦曰:"此细事,不难办也。"乃诏有司择日以闻。

先是司马光言:"前代帝王升遐,后宫下陈者,尽放之出宫,还其亲戚,所以遂物情,重人世,省浮费,远嫌疑也。窃惟先帝恭俭寡欲,后宫侍左右、承宠渥者至少,而享国日久,岁增月积,掖庭之间,冗食颇众,陛下以哀恤之初,未忍散遣。今山陵祔庙,大礼俱毕,谓宜举前代故事,应先帝后宫非御幸有子及位号稍贵并职掌文事之人,其馀皆给与妆奁,放遣出外,各令归其亲戚,或使任适人。书之史册,亦圣朝一美事也。"癸未,放宫人百三十五人。

甲申,御迩英阁,谕内侍任守忠曰:"方日永,讲读官久侍对未食,必劳倦。自今视事毕,不俟进食,即御经筵。"故事,讲读毕,拜而退,帝命毋拜,后遂以为常。

帝自即位感疾,至是犹未全安,每不喜进药。吕公著讲《论语》"子之所慎斋、战、疾",因言:"有天下者,为天地、宗庙、社稷之主,其于斋戒祭祀必致诚尽恭;古之人君,一怒则伏尸流血,故于兴师动众不可不谨;至于人之疾病,常在乎饮食起居之间,众人所忽,圣人所谨,况于人君,任大守重,固当节嗜欲,远声色,近医药,为宗庙自爱,不可不谨。"帝为之动容。后因辅臣奏事,语及公著,欧阳修曰:"公著为人恬静而有文。"帝曰:"比于经筵讲解甚善。"

司马光言:"伏见权御史中丞王畴建言,乞陛下循真宗故事,幸诸寺观祈雨,朝廷虽从其请,至今车驾未出。臣愚以为车驾暂出,近在京城之内,亦何必拘瞽史之言,选拣时日!伏望断自圣心,于一两日间,车驾早出,为民祈雨,以副中外之望。"甲午,祈雨于相国、大清寺、醴泉观。帝久不豫,至是士庶瞻望,欢呼相庆。

五月,己亥,诏:"自今水旱,命官祷于九宫贵神。"从胡宿言也。

丁未,命天章阁待制吕公著同修起居注,邵必编集仁宗御制。

戊申,皇太后出手书付中书,还政。先是帝疾稍愈,自去年秋,即间日御前后殿视朝听政,两府每날朝,入内东门小殿覆奏太后如初。韩琦欲还政天子,而御宝在太后所;乃因帝祈雨还,令御宝更不入太后阁。尝一日取十馀事禀帝裁决,悉皆允当。琦退,与同列相贺,因谓

曾公亮等曰："昭陵复土,琦即合求退;顾上体未平,迁延至今。上听断不倦如此,诚天下大庆。琦当于帝前先白太后,请一乡郡,须公等赞成之。"于是琦诣东殿,覆奏帝所裁决十馀事,太后每事称善。同列既退,琦独留,遂白太后求去,太后曰："相公安可退! 我当居深宫,却每日在此,甚非得已。"琦曰："前代如马、邓之贤,不免贪恋权势;今太后便能复辟,诚马、邓所不及。"因再拜称贺,且言:"台谏亦有章疏乞太后还政,未审决取何日撤帘?"太后遽起,琦即厉声命仪鸾司撤帘;帘既落,犹于御屏后微见太后衣也。

庚戌,帝始日御前后殿。

御史中丞王畴上疏曰:"今陛下南向负扆以临群臣,原其本始,由皇太后拥翊顾复而然;而推避威福,能以国柄专归陛下,虽古之贤后,不能加也。请诏二府大臣讲求所以尊崇母后之礼。若朝廷严奉之体,与岁时朔望之仪,车服承卫之等威,百司供拟之制度,它时尊称之美号,外家延赏之恩典,凡可以称奉亲之意者,皆宜优异章大,以发扬母后之功烈,则孝德昭于天下矣。"帝从之。即日,诏中书、枢密院参议尊崇皇太后仪范以闻。

辛亥,帝问执政:"积弊甚众,何以裁救?"富弼对曰:"须以渐厘改。"又问:"以宽为治如何?"吴奎对曰:"圣人治人固以宽,然不可以无节。《书》曰:'宽而有制,从容以和。'"又问前代宗室,弼对曰:"唐时名臣,多出宗室。"奎曰:"祖宗时宗室皆近亲,然初授止于殿直、侍禁、供奉官,不如今之过也;朝廷必为无穷计,当有所裁损。"

壬子,诏:"皇太后令称圣旨,出入唯不鸣鞭,它仪卫如章献明肃太后故事;有所取索,本阁使臣录圣旨付所司;其属中书、枢密院,使臣申状,皆覆奏,即施行。"

丙辰,上皇太后宫殿名曰慈寿,加宣徽北院使、保平节度使、判郓州曹佾同平章事。

初议除拜,帝以问宰相韩琦,琦曰:"陛下推恩元舅,非私外戚也。"以问枢密使富弼,弼对如琦。遂降制,而太后持其制弗下。帝固请,乃许。

学士院奏详定改律敕官文书与御名同者凡二十字,馀令依此以音义改避,从之。

壬戌,以帝康复,命辅臣谢天地、宗庙、社稷及宫观。

癸亥,宰臣韩琦等奏请尊礼濮安懿王及谯国太夫人王氏、襄国太夫人韩氏、仙游县君任氏,诏须大祥后议之。

司马光上皇太后疏曰:"窃闻道路之言,近日皇帝与皇后奉事殿下,恭勤之礼,其加于往时;而殿下遇之太严,接之太简,或时进见,语言相接,不过数句,须臾之间,已复遣去。如此,母子之恩,如何得达? 妇姑之礼,如何得施? 推其本原,盖由皇帝遇疾之际,宫省之内,必有谗邪之人,造饰语言,互相间谍,遂使两宫之间,介然相失,久而不解。殿下浚发慈旨,卓然远览,举天下之政归之皇帝,此乃宗庙生民之福。然臣窃料谗邪之人,心如沸汤,愈不自安,力谋离间。愿深察其情,勿复听纳,远斥其人,勿置左右,使两宫之欢,一皆如旧。则殿下坐享孝养,眉寿无疆,国家乂安,名誉光美;其与信任谗慝,猜防百端,终日戚戚,忧愤生疾者,得失相去远矣。"

闰月,癸酉,步军都虞候、端州防御使、知雄州赵滋卒,赠遂州观察使。滋在雄州六年,辽人惮之。辽大饥,旧制,米出塞不得过三斗。滋曰:"彼亦吾民也。"令出米无所禁,边人德之。驭军严,战卒旧不服役,滋役使如厢兵,莫敢有言。缮治城壁楼橹,至于簿书米盐,皆有条法。性尤廉谨,月得公使酒,不以入家。然傲愎自誉,此其短也。

戊寅，帝问执政："唐明皇治致太平，末年何以至此？"富弼对曰："明皇初平内乱，厉精求理，为政得人，所以治安。末年任非其人，遂至祸乱。人主惟在择人，决不可使奸人当国事也。"吴奎曰："明皇用王忠嗣统制万里，可矣；安禄山之桀黠，亦令统制万里，安得不兆乱乎！"帝皆以为然。

己丑，以御史中丞王畴为翰林学士。召枢密直学士、吏部郎中、知瀛州唐介为右谏议大夫、权御史中丞。帝面谕介曰："卿在先朝有直声，今出自朕选，非由左右言也。"

先是翰林学士冯京，数请解开封府事补外，帝问辅臣曰："京曷为求去？"韩琦曰："京领府事颇久，必以繁剧故求去耳。"又问："京为人何如？"琦曰："京在开封岁馀，处事无过，求之高科中，有足嘉者。"又问："贾黯何如人？"欧阳修曰："黯为人刚直，但思虑或有不至耳。"琦因言："群臣邪正，皆陛下所知，至于进退，实系天下利害，不可不察。"

六月，己亥，进封皇子淮阳郡王顼为颍王，仍令所司择日备礼册命。

增置宗室学官。诏大宗正："教授有不职者，辄举以闻。"

癸卯，贡院奏："准皇祐四年诏，娶宗室女补官者，不得应举。按贡举条制，进纳及工商杂类有奇才异行者，亦听取解。今宗室婿皆三世食禄，有人保任，乃得充选，岂可以姻连皇族，遂同赃私罪戾之人？乞许其应举，以广求贤之路。"从之。

丙午，宰臣韩琦等表请序位在颍王下，诏答不允。

帝既命增置宗室学官，以谓宗室数倍于前，而宗正司事亦滋多；丁未，复增置同知大宗正事一员，以左龙武卫大将军、宁州防御使宗惠为怀州团练使，领其职，且降诏申警之。宗惠，允升子也，帝在藩邸知其贤，故擢用焉。谢日，告以选任之意。宗惠乃即所居筑堂曰闻义，日与学士大夫讲肆其间，以身倡率宗属。两召对延和殿，许条奏朝政，由御药院进入。

戊申，诏："大敕系位，皇子顼在富弼上，颢在宋庠下。"

辛亥，诏增邈川首领嘉勒斯赉年赐，又增其妻子孙及亲信宓庐官封。

作睦亲、广亲北宅于芳林园，徙密州观察使宗旦等七人。其后有求徙者，又广宅而徙焉。

知太原府陈旭言母老，请扬、湖、越一州，庶便奉养；以边臣当久任，难于屡易，不许。

乙卯，帝谓宰臣曰："程戡何如人？"对曰："戡在鄜延已三岁，习边事。"帝曰："延州都监高遵教卒，戡数言其能绩，乞加赠恤。此高琼族子，朕知其为庸人也，戡必以后故耳。大臣苟如此，朕何所赖焉！"

戊午，以淮阳郡王府翊善王陶为颍王府翊善，赐金紫，记室参军韩维为直集贤院、诸王府记室参军，侍讲孙思恭为直集贤院、诸王府侍讲。时淮阳郡王进封颍王，而东阳郡王颢又将出阁，故迁陶，命兼翊善东阳，而维、思恭为两王记室、侍讲。

颍王性谦虚，眷礼宫僚；遇维尤厚，每事谘访，维悉心以对，至于起拜、进止，缓急皆陈其节。一日，侍王坐，近习以弓样靴进，维曰："王安用舞靴？"王亟令毁去。帝始疾甚，时出语颇伤太后，太后泣告辅臣，并咎两王，维等极谏曰："上已失太后欢心，王尽孝恭以继之，犹惧不逮；不然，父子俱受祸矣！"王感悟。它日，太后谓辅臣曰："皇子近日殊有礼，皆卿等择宫僚所致，宜召至中书褒谕之。"曹佾之除使相也，王欲使维等传太后意于辅臣，维及思恭不可，王卒使陶言之。维及思恭戒王曰："陛下亲总万机，内外上下，事体已正，王当专心孝道，均养三宫而已，它勿有所预也。"

辛酉，太白昼见。

太常寺奏："仁宗配享明堂，奠币用《诚安之曲》，酌献用《德安之曲》。"

驾部郎中路纶献其父振所撰《九国志》五十卷，诏以付史馆。振在真宗时知制诰；九国者，吴、南唐、闽汉、南汉、楚、西楚、吴越、蜀、后蜀也。

壬戌，岁星昼见。

癸亥，工部尚书、集贤院学士余靖卒，赠刑部尚书，谥曰襄。

秋，七月，庚午，诏："自今勿以孔氏子弟知仙源县。"从京东提点刑狱王纲所言，以重长民之官也。

壬申，辽决诸道囚。

丙子，以邈川首领嘉勒斯赉子诚州团练使栋戬为顺州防御使。

辛巳，辽禁僧尼私诣行在，妄述祸福，诱取财物。

八月，壬寅，辽主如怀州，谒太宗、穆宗庙。

丙辰，以宣政使、入内都知、安静军留后任守忠为保信节度副使，蕲州安置。

初，帝为皇子，令守忠宣召，守忠避不肯行；及帝即位不豫，遂交构两宫间。于是又擅取奉宸库金珠数万两以献皇后，因受赏赐，司马光、吕诲交章劾之。光言："守忠有大罪十，皆陛下所亲见，众人所共知，其馀欺慢为奸、恣横不法事，不可胜言，伏望陛下尽发其罪，明示四方，斩于都市，以惩奸慝。"帝纳其言，翼日，遂黜守忠。

丁巳，以上供米三万石赈宿、亳州水灾饥民。

九月，丁卯，诏复置武举。

初，有诏以是日开迩英阁，至重阳节当罢。侍讲吕公著、司马光言："先帝时，无事常开讲筵。近因圣体不安，遂于端午及冬至以后盛暑盛寒之际，权罢数月。今陛下初政清明，宜亲近儒雅，讲求治术，愿不惜顷刻之闲，日御讲筵。"从之。

丁丑，礼院奏："准画日孟冬荐享太庙，改为祫祭。案《春秋》，闵公即位二十二月，丧未除而行吉祫，《三传》讥之。真宗以咸平二年六月丧除，至十月乃祫祭。仁宗天圣元年四月在谅阴，有司误通天禧旧祫之数，在再期之内，按行祫祭，故四十二年之间，九稀八祫，例皆太速，事失于始，则岁月相乘，不可得而正矣。今年未大祥，未可祫，明年未禫，亦未可禘。今年十月，乞依旧时享。"从之。

辛巳，赠安远军节度使马怀德家请谥；礼院奏怀德已葬，难定谥，从之。

翰林侍读学士刘敞，以疾告满百日，求便郡。帝谓执政曰："如刘敞岂易得邪！"复赐以告；每燕见诸学士，必问敞疾少间否。癸未，命敞知卫州；未行，改汝州。三司言敞再得告，例不当给俸，诏令特给。

戊子，诏免龙图阁直学士兼侍读李(东)〔崍〕之进读，以其自陈有疾，求致仕也。帝谓(东)〔崍〕之曰："卿耆儒通识，期于咨访以辅不逮，岂止经术而已！"

先是帝疟欲肃正宫省，(东)〔崍〕之谏曰："陛下，长君也，立自齐邸，人方观望，愿曲为容覆。"尝令押赐颍王生日礼物，故事，王拜赐竟即退，帝谕王，令留(东)〔崍〕之食，冀其从容也。翼日见帝，具道王英睿仁厚，社稷之福，帝甚悦。

先是夏国贺登极进奉人吴宗等至顺天门，欲佩鱼及以仪物自从，引伴高宜禁之，不可；留止厥置一夕,绝供馈。宗出不逊语,宜折之如故事,良久,乃听入。及赐食殿门,诉于押伴张觐,诏令还赴延州与宜辨。宜者,延州所遣也。程戡授诏通判诘之,宗曰:"引伴谓'当〔用〕一百万兵,遂入贺兰穴',此何等语也!"通判曰:"闻使人目国主为少帝,故引伴有此对,是失在使人,不在引伴。"宗沮服。庚寅,赐谅祚诏,戒以自今宜精择使人,毋俾生事。司马光、吕诲乞加高宜罪,不报。

是秋,夏数出兵寇秦风、泾原,钞熟户,扰边寨弓箭手,杀掠人畜以万计,诏遣文思副使王无忌赍诏诘问。司马光言:"《周书》称文王之德曰:'大邦畏其力,小邦怀其德。'盖言诸侯傲很不宾,则讨诛之;顺从柔服,则保全之。不避强,不陵弱,此王者所以为政于天下也。伏见去岁先帝登遐,谅祚遣使者来致祭,延州差指使高宜押伴入京,宜言语轻肆,傲其使者,侮其国主,使者临辞自诉于朝。臣当时与吕诲上言,乞加宜罪,朝廷忽略此事,不以为意,使其怨恚归国。今谅祚招引亡命,点集兵马,窥边伺境,攻围堡塞,驱胁熟户八十馀族,杀掠弓箭手约数千人,悖逆如此,而朝廷乃更遣使赍诏抚谕。彼顺从则侮之,傲很则畏之,无乃非文王所以令诸侯乎!若使宜至彼,谅祚稽首服罪,禁止侵掠,犹或可赦。若复拒违王命,辞礼骄慢,侵掠不已,未知朝廷将何以待之?伏望陛下博延群臣,访以御边之策,择其善者而力行之。方今救边之急,宜若奉漏瓮沃焦釜,犹恐不及,岂可外示闲暇而养成大患也!"

壬辰,辽主幸中京,皇子梁王浚从辽主猎,矢连发三中。辽主顾左右曰:"朕祖宗以来,骑射绝人,威震天下。是儿虽幼,不坠其风。"后遇十鹿,射获其九,辽主喜,为设宴。

冬,十月,庚子,帝阅诸军班直将校武艺,擢授有差。

辛丑,直秘阁、同知礼院周孟阳告谢,谕阁门引对于延和殿久之。自是数召见,访以时事,最后至隆儒殿,在迩英阁后苑中,群臣所未尝至也。

癸卯,礼院奏:"魏国公宗懿无后,濮王无嫡孙。故事,宗室推本位最长者承袭,瀛州防御使宗朴,濮王第二子,今于本位最长。"诏封宗朴袭岐国公。

戊午,辽禁民间私刊印文字。先是辽书禁甚严,有以书传入宋地者,罪至死。至是复行此禁。

庚申,翰林学士贾黯奏:"近诏令内外荐举文武官堪备升擢及将领任使,臣见顷者下诏荐士,或其人已有荐者,而有它人荐之,则例皆责以别举。臣愚谓宜无限重复,可择所荐多者特加擢用,则庶几得人。"从之。

十一月,甲子,诏中外文字不得连用"受益"二字,以翰林学士贾黯奏仁宗旧名,所当避也。

辽定吏民衣服之制。

乙亥,命屯田郎中徐亿、职方员外郎李师锡、屯田员外郎钱公纪刺陕西诸州军百姓为义勇。

初,宰相韩琦言:"古者籍民为兵,数虽多而赡养至薄。唐置府兵,最为近之;天宝以后,废不能复。今之义勇,河北几十五万,河东几八万,勇悍纯实,出于天性,而有物力资产,父母妻子之所系,若稍加简练,与唐之府兵何异!陕西当西事之初,亦尝三丁选一丁为弓手,其后刺为保捷正军。及夏国纳款,朝廷拣放,于今所存者无几。河北、河东、陕西三路,皆西北控御之地,事当一体。请于陕西诸州亦点义勇,止刺手背,一时不无小扰,终成长利。"诏从之。

乃遣籍陕西义勇,得十五万六千八百七十三人。

于是知谏院司马光累奏,以为:"今议者但怪陕西独无义勇,不知陕西之民,三丁已有一丁充保捷矣。西事以来,陕西困于科调,比于景祐以前,民力减耗三分之二,加以近岁屡遭凶歉,今秋方获小稔,且望息肩;又值边鄙有警,众心已摇,若更闻此诏,必大惊扰。况即日陕西正军甚多,不至阙乏,何为遽作此有害无益之事!以臣愚见,河北、河东已刺之民,犹当放还,况陕西未刺之民乎!"帝弗听。光又六奏,及申中书自劾求去,亦终弗许。

尝至中书与韩琦辨,琦谓光曰:"兵贵先声,谅祚方桀傲,使闻陕西骤益二十万兵,岂不震慑!"光曰:"兵之贵先声,为无其实也,独可以欺之于一日之间耳;少缓则敌知其情,不可复用矣。今吾虽益二十万兵,实不可用;不过十日,西人知其详,宁复惧乎!"琦不能答,复曰:"君但见庆历间陕西乡兵初刺手背,后皆刺面充正军,忧今复然耳。今已降救榜与民约,永不充军戍边。"光曰:"朝廷尝失信于民,未敢以为然,虽光亦不能无疑也。"琦曰:"吾在此,君无忧。"光曰:"相公长在此可也;万一均逸偃藩,它人在此,因相公见成之兵,遣使运粮戍边,反掌间事耳。"琦默然,竟不为止。其后十年,义勇运粮戍边,率以为常矣。

丁丑,辽以乾文阁经籍多阙,下诏求书,命儒臣校雠。

己卯,知桂州陆诜奏交趾使所议事,帝因问:"交趾于何年割据?"辅臣对:"自唐至德中改安南都护府,梁正明中,土豪曲成美专有此地。"韩琦曰:"向以黎桓叛命,太宗遣将讨伐不服,后遣使招诱,乃始效顺。山路险僻,多潦雾瘴毒之气,虽得其地,恐不能守,但当怀柔之耳。"是冬,诜始按边至邕州,召左右江四十五峒首领诣麾下,阅简土丁,得精兵五万,补置将校,更铸印给之,奏免两江积欠税物数万。交趾大恐,因遣使朝贡,辞礼滋益恭。其后诜又奏请每岁一教土丁,仍自今三岁一造籍以闻。

以屯田员外郎、知襄邑县范纯仁为江东转运判官。初,纯仁以著作佐郎知襄城县,俗不蚕织,乃下令劝使植桑,有犯罪轻者,视所植多寡除其罚。民益慕效,后呼为著作林。及徙襄邑,县有牧地,初不隶县,卫士纵马暴民田,纯仁取一人杖之。主者怒,白其事于朝,有诏劾纯仁。纯仁言兵须农以养,恤兵当先恤农,朝廷是之,释不问,且听牧地隶县。牧地隶县自纯仁始。纯仁,仲淹子也。

庚辰,辽禁南京私造御用采缎、私自货铁及非时饮酒。命南京三司每岁春秋以官钱享将士。

十二月,庚子,知制诰祖无择献《皇极箴》,赐诏奖之。

丙午,以翰林学士、礼部侍郎王畴为枢密副使。帝尝谓辅臣曰:"畴善文章。"欧阳修曰:"其人亦劲正,但不为赫赫之名耳。"一日晚,帝御小殿,召畴草诏,因从容谈中外事,语移时。帝喜曰:"卿清直好学,朕知之久矣,非今日也。"不数日,遂有是命。畴辞不拜,帝遣内侍趣畴入,御延和殿以俟之,日已昳,须畴入,乃进内。

知制诰钱公辅封还词头,言畴望轻资浅,在台素餐,不可大用;又颇荐引近臣可为辅弼者。帝以初政除两府,而公辅沮格制命不行,丁未,责授滁州团练〔副〕使,不签书本州事。知制诰祖无择乞薄责公辅,且不即草诏。帝欲并责无择,中书救之;戊申,坐罚铜三十斤。

知谏院事吕诲言:"畴自登科三十五年,仕宦不出京城,进身由径,从而可知。公辅言其资浅望轻,盖欲朝廷选任贤才,未为过也。责降太重,士论纷纭,窃为陛下惜之。伏乞复公辅旧官,止夺其职,移知僻小州军,俾令思过,稍息纷纭之论。"天章阁待制兼侍讲吕公著亦上疏乞寝公辅责命,不报。后数日,龙图阁直学士卢士宗因奏审刑院事对便殿,从容又为上言,外议皆谓责公辅太重,讫不从。

以内侍省押班、文思副使王昭明为环庆路驻泊兵马钤辖,专管句本路兼管句鄜延路蕃部公事,庆州驻札;供备库副使李若愚为泾原路权驻泊兵马钤辖,专管句本路兼权管句秦凤路蕃部公事,渭州驻札。令体测蕃情,治其诉讼公事,及有赏罚,则与其帅议,而大事即以闻,各许岁乘驿奏事;团结强壮,预为经画,寇至,令老弱各有保存之所。后数日,又以西京左藏库副使梁实领秦凤,内殿承制韩则顺领鄜延,而令昭明、若愚专领本路。

谏官吕诲言:"自唐以来,举兵不利,未有不自监军者。今走马承受官品至卑,一路已不胜其害,况钤辖寄重,实均安抚使之权乎!乞朝廷罢之,精择帅臣,凡事一切付委,庶几阃外之权,得尽其用矣。"御史傅尧俞、赵瞻皆有论列,讫不从。瞻,盩厔人也。

王昭明等既至,召蕃部酋领,称诏犒劳,赏以银帛;籍城寨兵马,计族望大小,分队伍,给旗帜,使各缮堡垒,每人置器甲以备调发,仍约如令下不集,押队首领以军法从事。知延州程戡言:"蕃部所以亡去者,边吏苛暴,为西人诱略耳。今昭明等徒能呼首领,慰恤以言,犒以羊酒,恐未足以结其心也,而甚动边听。宜更置路分钤辖、都监各部一将军马兼沿边巡检使,勿复专蕃部事。"亦不从。

癸丑,以河北都转运使赵抃为龙图阁直学士、知成都府。抃前使蜀时,言蜀人好妖祀,聚众为不法,请以其首处死,馀皆黥流。及是复有此狱,皆谓不免;抃察其无它,谓囚曰:"汝辈能复业,吾释汝罪。"皆叩头乞自省。乃止坐为首者,馀释不问,蜀人大悦。它日,帝谓转运使荣諲曰:"赵抃为成都,中和之政也。"

是岁,畿内、宋、亳、陈、许、汝、蔡、唐、颍、曹、濮、济、单、濠、泗、庐、寿、楚、杭、宣、洪、鄂、施、渝州、光化、高邮军大水,遣使行视,疏治赈恤,蠲其赋租。

辽南京、西京大有年。西北路招讨使萧珠泽召入朝,封柳城郡王。

【译文】

宋纪六十二　起甲辰年(公元1064年)正月,止十二月,共一年。

宋英宗名曙,为濮安懿王第十三子,母亲称仙游县君任氏,明道元年(公元1032年)正月三日,生于宣平坊第。起初,濮安懿王梦见两条龙跟随太阳同行,用衣托着龙,又逗乐于空中。其中一条龙看着濮安懿王说:"我不是王所能拥有的。"等到英宗出生,满室红光,有人看见黄龙在红光中游动。四岁时,被仁宗养在宫内。宝元二年(公元1039年),豫王出生,英宗便回濮安懿王府邸。英宗天性笃孝,好读书,不贪图享乐,言行端庄稳重,衣着俭朴得像寒儒。景祐三年(公元1036年),被赐名宗实,授任左监门卫率府副率,累迁右卫大将军、岳州团练使。嘉祐七年(公元1062年)八月,被立为皇子,改为现名。

治平元年　辽清宁十年(公元1064年)

春季,正月,丁酉朔(初一),改年号。

戊戌(初二),太白星白天出现。

景灵宫使、武宁节度使、同平章事宋庠请求告老退休。英宗刚即位,因为宋庠是大臣的缘故,不忍立即批准,于是命他判亳州。宋庠先后任职所到之处,以慎重清静的态度办事;晚年,喜爱宠信小儿子,颇遭舆论非议。到这时谏官吕诲请求英宗敕令宋庠不得让两个儿子相随,英宗说:"宋庠老了,怎能不让他的儿子跟随他呢!"

癸丑(十七日),英宗下诏令减少寿圣节所赐的师号、紫衣、祠部发的度牒。旧例,寿圣节所赐度牒三百道以外,贵妃、修仪、公主还另有请求。到这时减为二百道,而另外请求的也在此数内。

甲寅(十八日),雄州奏称:"州治归信所辖容城县报告辽国人追贼,有七个骑兵奔入边界南面,将他们驱逐出去了。"诏令河北沿边安抚司:"边界北面的贼盗奔来,立即驱逐出去;如果有抢劫,就逮捕送回本国;如果妇女老小躲避贼盗而入境,就好好说服他们遣送回去。"

辽国南府宰相杨绩出任兴中府知府。

唐州知州、司农少卿赵尚宽第二次任职期满,特地升迁为光禄少卿,赐钱二十万,又留任唐州知州。不久因母亲去世离任。赵尚宽在唐州,前后共五年,修旧起废,兴修必要的工程,劝课农桑,有实效。

同知谏院吕诲上奏:"先朝中书省、枢密院及御史台、谏院的官员奏对政事时,左右近侍都退避到殿外两旁廊屋,因此从容议论,事情没有泄漏到外面去的。臣近来上殿奏对,左右近侍都不退避,站在殿角板门之内。想乞请陛下指令他们,从今以后按旧例退避殿外。"英宗同意。

辛酉(二十五日),英宗下诏以仁宗配享明堂祭祀大典。

在此之前,礼院奏请与中书舍人、翰林学士两制共同议定仁宗应当配享何种祭祀。旧例,冬至、夏至祭祀昊天上帝和皇地祇,以太祖配享;正月上旬的辛日祈谷,四月求雨,十月祭神州地神,以太宗配享;正月上旬的辛日祭祀感生帝,以宣宗配享;九月大祭明堂,祭祀昊天上帝,以真宗配享。

翰林学士王珪等人议论说:"唐代宗即位,采用礼仪使杜鸿渐等人的意见,九月大祭明堂,以皇考唐肃宗配享昊天上帝;唐德宗即位,也以皇考唐代宗配享。王泾《郊祀录注》说,这是《孝经》中讲的周公以父亲为尊的做法。现在请遵循周公尊父之道,以仁宗配享明堂祭典。"

知制诰钱公辅议论说:"谨按《孝经》说法:'从前周公在郊外祭祀后稷时以后稷配享上天,在明堂祭祀文王时以文王配享上帝。'又说:'孝顺莫大于尊父,尊父莫大于配享上天,而周公就是这样的人。'以周公而言则是尊敬父亲,以周成王而言则是尊敬祖父。当时,国政由周公掌管,祭祀由周成王主持,又哪里是一定尊其父呢!如今真宗就如周朝的武王,仁宗就如周朝的成王,虽然有配享上天的功业,但没有配享上天的祭祀,没听说周成王、周康王因尊父之故,废止文王的配享上天而将他移开。以孔子之心推论周公的祭祀文王,则是尊父;以周公之心代理周成王祭祀文王,则是尊祖。尊敬祖父、尊敬父亲,其道理一样。当开始配享之时,恰好符合尊父之说,汉章帝、汉安帝两位皇帝也没有改变,最为接近古人而符合礼法。唐中宗时,则以唐高宗配享;在唐玄宗时,则以唐睿宗配享;在唐代宗永泰年间,则以唐肃宗配享。礼官杜鸿渐、王泾之辈,不能推衍、阐明经义,务求合乎古代开始配享的礼法,反而随声附和尊父之论来迷惑当时的君主,延续至今,牢不可破。在真宗嗣立之初,倘若有提出这种建议的,那么配享上天的祭祀应当是太宗了。希望陛下诏令有司广泛议论,使配享上天的祭祀不局限于尊父,而尊父之道不专在配享上天。"于是英宗又诏令台谏官、讲读官与两制、礼院再详细论定后奏报。

御史中丞王畴认为王珪等人建议的放弃真宗不得配享,钱公辅建议的放弃宣祖、真宗、仁宗都不得配享,对于礼意来说不妥当,于是建议说:"在《易经》中有言:'先王制乐以尊崇有德之人,将其献给上帝以配享祖父、父亲。'这样看来,祖父、父亲配享上帝,由来已久了。请依照王珪等人的意见,奉仁宗皇帝配享明堂祭典,以符合《易经》配享父亲之说、《孝经》尊父之礼;奉迁真宗配享四月求雨的祭礼,以仿效唐太宗贞观、唐高宗显庆年间旧例;太宗皇帝依旧配享正月上旬上辛日祈谷、十月祭神州地祇,其余依照本朝旧例。如果这样,那么列位圣皇同时配享,祭祀苍穹,恩泽闪耀,惠及万代。一定按钱公辅的意见去办,就会陷于对四位圣皇无礼,导致陛下为不孝,违反经义背离古法,没有比这更严重的了。"

知谏院司马光、吕海议论说:"孝子之心,谁不尊其父!圣人制定礼法以此为最重要的内容,可不敢违背。孔子认为周公有圣人之德,成就太平的功业,制礼作乐,而周文王恰是他的父亲,因此援引周公来证明圣人之德莫大于孝,这不过是回答曾子的提问而已,并不是说凡是拥有天下的君主都应当以其父配享上天,然后才算孝。近代祭祀明堂的君主都以父配享上天,这是误解了《孝经》的意思而违背了先王之礼。景祐年间,以太祖为我朝皇帝的始祖,比之于周朝的后稷;太宗、真宗为我朝皇帝的祖宗,比之于周朝的文王、武王;然而在明堂祭祀真宗来配享上帝,也没有失去古代礼法,仁宗虽然丰功美德施及四海,但不在祖、宗二庙之位。议论者竟要舍弃真宗而以仁宗配享,恐怕于祭法不合;又以人情论之,这是黜退祖父而奉进父亲。一定要这样做的话,不仅违背礼法,恐怕也不是仁宗在天之意。臣等私下认为应当遵守旧礼,以真宗在明堂配享五帝为好。"

观文殿学士、翰林侍读学士孙抃等人上奏:"谨按《易经》说:'先王制乐以尊崇有德之人,将其献给上帝以配享祖父、父亲。'可见祖父、父亲都可以配享上天,符合于《孝经》的说法,可谓一定尊其父。祖父、父亲都可以配享郊祭与明堂祭但不同位,不可认为尊父、尊祖其义相同。虽然没听说周王室废弃文王配享而移给武王,废弃武王配享而移给成王,然而《易经》所说的配享父亲,《孝经》所说的尊敬父亲,历代都遵守,原本也不是没有根据。仁宗继承皇位保持成就,致使天下处于大安四十二年,功德可谓到顶点了。现在神主入祔太庙之初,就降低其地位而不得配享上帝,极不合乎宣示彰明尊父的大孝的做法。臣等参照旧时的典章,广泛研究公众的议论,敢肯定先前的定义为好。"英宗下诏采纳孙抃等人的建议。

二月,戊辰(初二),命韩琦主持修撰《仁宗实录》。

辛未(初五),令西京左藏库副使、缘界河巡检都

泥活字版印刷的《建康实录》　北宋

监赵用连任原职,这是依从高阳关及河北缘边安抚司的请求。赵用才具勇武果敢而熟悉边界事务,敌房以盐船触犯边界禁令的,赵用凿开他们的船只而使之沉没。敌房畏惧赵用,因他出巡常乘坐虎头船,称他为"赵虎头"。

己卯(十三日),英宗下诏说春分时节祭祀高禖神,停用弓箭、弓袋、进献酒脯以及宫女饮用祭过神的酒、接受祭过神的肉等礼仪,因为英宗还在守丧的缘故。

这月,辽国禁止其南京百姓开决河水种植粳稻。

三月,丁酉朔(初一),英宗下诏说:"三司用内藏库钱三十万修建仁宗山陵,依照乾兴年间事例减免其中一半,多余的钱允许逐渐缴还。"

命入内都知任守忠、权户部副使张焘掌管三司修造事务。勾当公事张徽在景灵宫西园建造仁宗神御殿,殿成,命名孝严,别殿命名宁真。张焘便请求在殿壁上画乾兴时文武大臣的图像。绘大臣像自此开始。

京城地区对卖酒收酒麹税,酒户登记在固定的名册中,不论酒售出与没售出都交税,有的甚至破产来偿税。张焘请求废除每年的固定税额,严明禁令,随酒户用酒麹的多少来出售,从此酒税增加了数倍。张焘曾参与三司使议论铸钱之事,英宗质疑,都不能回答,张焘从容地陈述己见,英宗认为正确,张焘退出后,英宗令左右内侍记下他的姓名。张焘,是张亢兄长之子。

己酉(十三日),司马光奏说:"臣私下听说近日陛下圣体非常健康,事奉皇太后,早晚请安,从未有缺,这岂止是群臣百姓之福,而且也是宗庙社稷之福啊。陛下既然是仁宗的后代,皇太后就是陛下的母亲。现在濮王已经去世,陛下平生孝顺奉养未尽之心,不施加在皇太后身上,将用在哪里呢!现在陛下已能按礼法奉养皇太后,而臣又区区进言的原因,实在是希望陛下始终不倦,在表面上竭尽恭敬之状,在内心里竭尽亲爱之心,使孝德日更新,以符合天下人的愿望罢了。倘若万一有不识大体的小人,以细枝末节之事离间陛下母子关系,不顾国家倾覆的忧患而想要谋取自己私利的,希望陛下将他交给有司,明确判定其罪过,使天下人都清楚地知道陛下圣明仁孝,不辜负仁宗的大恩,因而谗佞奸人不能挑拨离间。"

司马光又说:"臣看到祖宗在位时,闲居无事,常召侍从近臣,与他们从容地谈论政事,至于文武朝官、使臣、选人,凡是能进见的,往往召唤他们到近前,亲自加以询问。这样做的缘故,一则是想使下情上达,没有什么遮挡阻塞,二则是想了解那些人是否能干,才气适合任为何职。如今陛下与当代士大夫没有很多接触,民情的真假不太了解,应下诏令侍从近臣,每天轮流有一人在资善堂值班,夜晚就住在崇文院,以备临时宣召。其余群臣进见及奏事的,也希望稍稍去掉一些严肃,详细加以询问,以广开视听,补益大政。"

另一天,司马光进宫应对,又说:"皇太后,是母亲;陛下,是儿子。皇太后作为天下人母的仪范已经三十年,陛下刚从藩王府邸进宫继承皇位,万一两宫有隔阂,陛下认为谁对谁错,谁得谁失?再者,仁宗的恩德流布民间,深入人心,陛下接受其大业而没有什么报答他,将怎么能慰勉天下人的期望!凡君主所以能够保全国家,是因为握有施威降福的权柄。现在陛下即位将近一年,而对于朝廷政事,不论授官赏罚,一切都交给大臣,不曾过问事情的始末原委,审察其中的是非,而有所决断。臣担心上上下下的人,习以为常,施威降福的权柄,渐渐有所转移,那么虽然有天下大业,将怎么去巩固!所有这些利害的鲜明程度,如同黑白分明,取舍的容易程度,如同翻掌。陛下今天回心转意改变想法,还不算晚。如果固执己见,始终不肯改变,臣恐怕时间一久,感情上的裂痕会越来越深,不可再愈合,威权已经失去,不可再收回,以后即使后悔也来不及了。"

司马光不久因为奏言不被采纳,恳求调出京城任职,英宗令宰相告谕他说:"爱卿所说的事,大略都会施行。姑且还任谏官之职,不必要求调离京城外任。"司马光又奏说:"臣以前所谈的两件事,如果不能施行,虽然每天侍奉陛下不离寸步,又有什么益处呢! 如果陛下奉养太后之礼,日增月益,访求治好天下的策略,勤劳不倦,使慈母欢欣于上,百姓安乐于下,那么臣即便身在远方,也如同在陛下的旁边。"

吕海上奏说:"近日陛下圣体康复,而纷繁复杂的国务,尚未听说陛下亲自决断。舆论以为陛下退避谦让,是有所期待;果真如此,恐怕就不够妥当。两汉以后,母后临朝听政的,都是新皇帝年幼,而不得不亲自辅政,和幼君同坐在帘帏之下,独自听政断事;幼君年长之后,因此有将政权交还皇帝的议论。今天的情况,和这不同。先帝从宗室皇族之中挑选出陛下,是因为陛下贤德而且年长,托付之意,正是为了今天。当陛下生病的时候,倘若不是皇太后以内宫身份辅政,那么朝政就无所寄托;大臣献策请太后一起听政,是忠于朝廷的表现。然而陛下在前殿临朝听政,百官朝见完毕,两府大臣才到内东门向皇太后重奏政事,这就是朝廷纪纲权柄都在陛下手中握着,陛下自己不专断裁决,还等待什么呢! 臣恭谨地希望陛下圣心有所感悟,不要在此事上有顾虑。只要在宫内勤勉孝敬奉养,率领皇后竭尽孝礼,那么婆媳之情相互沟通融洽,母子之爱会越来越亲密。陛下亲自治理政务,操持赏罚,每天与近臣讲求治好天下之道,办事没有过失,自然皇太后会感到欣慰安心,对陛下恩情无间,安居在深宫,悠闲清静,享受含饴弄孙之乐,不再参与政事,这难道不是皇太后的心愿吗?"

吕海接着又对皇太后奏道:"殿下保佑圣子长达三十年,辅佐新皇又超过一年,天下太平安定,宗庙社稷稳固,慈爱之恩达到了极点,圣明功绩巨大。然而由于朝廷日常政务浩繁,殿下劳身焦虑,不曾稍有休息,这不是能安心怡养、福寿双全的根本。况且皇帝亲自治理政事,是这样的勤勉尽力,在殿下的心中,应当已经感到欣慰安心。愚臣认为东殿的帘帏,应五天或七天驾临一次,咨询大臣,不使他们荒废政事,使殿下能稍微均衡劳逸,对辅政之道也不会有所损害。殿下愉快地宣示教令,布告朝廷,表面上显得谦让合理,内心获得悠闲自在的乐趣,对上顺应天道,对下满足人心,享受这份完美,难道不很好吗!"

夏季,四月,辛未(初五),英宗因河北路州县官吏补充乡兵不足数,下诏令转运司弹劾治罪。都转运使赵抃上奏:"起初接到诏命时,官员多已免职,吏员多已处死或流放。如今官吏多是才上任的,如果都治罪,那么新上任的官吏就是无故受罪。请以今年年底为期限,再补充不足人数就弹劾治罪。"下诏同意此奏,那些遭受黄河水灾的州军,命令他们逐渐补足。

当初,赵抃到大名,那时贾昌朝以原任宰相身份任大名府知府。赵抃想要察看府库,贾昌朝派他的下属前来告诉说:"以往的监司,没有察看我的库藏的,公虽然想要行使职权,恐怕事无先例,怎么办?"赵抃说:"舍去大名不察看,那么各州都不服了。"便前去察看。贾昌朝最初很不高兴,到这时官吏因招募乡兵不足数,应当治罪的有八百多人,赵抃奏请英宗宽恕他们,有罪者得以获免,而招募乡兵也随之足数。贾昌朝于是惭愧地心服。

丁丑(十一日),权御史中丞王畴上书,请求英宗巡视地方以安人心,于是执政大臣和谏官相继提出类似的请求,英宗说:"应与太后商议此事。"韩琦将此事禀报太后,太后说:"皇上病刚好,恐怕不可以出行。"韩琦说:"皇上的意思也自认为可以出行了。"太后说:"现在居丧期间所用的素色仪仗都未准备,再稍等一等吧。"韩琦说:"这是小事,不难办。"于是诏令有司选择出行的日期上奏。

在此之前,司马光进言:"前代帝王升天以后,后宫的宫女,全部放她们出宫,回到其父母亲戚家中,这是顺应人心,重视人间亲情,节省多余的开支,远避嫌疑的做法。臣私下认为先帝恭谨节俭,清心寡欲,后宫宫女侍奉身边,承蒙宠爱的极少,而在位时间很久,岁增月积,致使宫廷之中,闲人很多,陛下因居丧之初,不忍将她们遣散离宫。现在先帝安葬山陵与神主入祔太庙,这些大礼都已完成,臣认为应援引前代成例,先帝后宫中除去宠幸有子女以及位号稍尊贵并且掌管文事的人,其余都给予妆奁,遣放出宫外,令其分别回到父母亲戚家中,或任凭她们随意嫁人。将此做法载入史册,也是圣朝的一件美事。"癸未(十七日),遣放宫女一百三十五人。

甲申(十八日),英宗到迩英阁,告谕内侍任守忠说:"现在白天的时间长,讲读官长久侍奉对奏而不吃东西,一定辛劳疲倦。从今天起处理政事完毕,不等奉上饮食,就到经筵听讲读。"旧例,讲读完毕,讲读官行叩拜礼后退下,现在英宗命他们不要叩拜,后来便以不叩拜为常规。

英宗自从即位后得病,至今仍未完全康复,常常不喜欢服药。吕公著讲《论语》"孔子所慎重对待的是斋戒、战争、疾病",趁势进言:"拥有天下的君主,是天地、宗庙、社稷的主人,他对于斋戒祭祀必须竭诚尽恭;古代的君主,一发怒就使许多人死亡流血,因此对于兴师动众的战争不可不慎重;至于人的疾病,常起因于饮食起居之中,是众人所疏忽、圣人所谨慎的事,何况君主责任重大,本来就应当节制嗜好欲望,远离声色,亲近医药,为宗庙社稷而自爱,不可不谨慎。"英宗为此感动得变了脸色。后来因为辅佐大臣奏事,语言中涉及吕公著,欧阳修说:"吕公著为人恬静而有文才。"英宗说:"他近来在经筵讲解得很好。"

司马光进言:"臣见权御史中丞王畴建议,请求陛下遵循真宗时旧例,亲临各佛寺道观祈祷上天降雨,朝廷虽然接受了这个建议,但至今陛下的车驾没有出行。愚臣认为陛下车驾暂时出宫,近在京城之内,又何必拘于史官的话,选择日子!臣恭谨地希望由陛下自己决断,在一两天之内,车驾早出,为民求雨,以满足宫廷内外臣民的愿望。"甲午(二十八日),英宗到相国寺、大清寺、醴泉观求雨。英宗长期生病,到这时士子庶民才得以瞻望圣容,都欢呼相庆。

五月,己亥(初四),英宗下诏说:"从现在起凡遇水灾旱灾,命官员向九宫贵神祈祷。"这是依从了胡宿的建议。

丁未(十二日),命天章阁待制吕公著一起编修起居注,邵必编集仁宗御制诗文。

戊申(十三日),皇太后送出亲笔信交付中书省,还政给英宗。在此之前,英宗的病稍有好转,从去年秋天起,就隔天到前后殿临朝听政,中书省与枢密院大臣每次退朝,如同起初那样进入内东门小殿复奏太后。韩琦想要太后将政权还给英宗,而御玺却在太后那里;于是趁英宗祭神求雨回朝之机,令将御玺不再放回太后阁中。韩琦曾有一天拿十几件政事禀报英宗裁决,裁决全都正确。韩琦退下,与同僚相互庆贺,乘便对曾公亮等人说:"永昭陵封土后,我就应该请求辞官;顾念皇上圣体没有康复,拖延至今。现在皇上听政断事这样勤勉不倦,实在值得天下大庆。我应当到帘前先禀报太后,请求辞去相位而到地方当一个州郡官,须请诸公赞助促成这件事。"于是韩琦前往东殿,向太后复奏英宗所裁决的十几件政事,太后对每件事都说处理得好。同僚退出后,韩琦单独留下,就禀报太后请求辞官离朝,太后说:"相公怎么可以辞退!我应当居于深宫,却每天在这里听政,实在是不得已。"韩琦说:"前代像东汉马太后、邓太后那样贤明,也不免贪恋权势;如今太后就能将朝政大权还给皇上,确实是连马太后、邓太后都不能及。"因而拜了又拜,表示祝贺,并且说:"台谏官也有章疏乞太后将国政还给皇上,不知决定在哪天撤帘?"太后立即起身,韩琦马上大声命令仪鸾司撤帘;帘子落下后,还从御座屏风后面略能看见太后的衣裙。

庚戌(十五日),英宗开始每天亲临前殿后殿听政。

御史中丞王畴上书说:"现在陛下面南而背靠屏风,君临群臣,究其本源,是由于皇太后护赞养育才得以如此;而且推让权势,能把治国权柄专归于陛下,即使古代的贤明太后,也不能超过她。请诏令二府大臣议论研究用来尊崇母后的礼节。如像朝廷历行奉养的体制,与一年四季朔日望日的礼仪、车驾服饰护卫的等级尊严,百司供应的制度,将来尊称的美号,娘家接见行赏的恩典,凡是这一切可以合乎侍奉太后之意的,都应特殊优待,显明光大,以发扬母后的功德烈绩,那么陛下的孝德就昭著于天下了。"英宗采纳了这个建议。当天,下诏令中书省、枢密院商议尊崇皇太后的礼仪规格将其上报。

辛亥(十六日),英宗询问执政大臣:"积弊很多,如何革除补救?"富弼回答说:"必须逐步地纠正。"英宗又问:"用宽厚的政策治国怎么样?"吴奎回答说:"圣人统治百姓本来就用宽厚的政策,然而不可以没有节制。《书经》说:'宽而有节制,从从容容以协和万家。'"英宗又询问前代宗室情况,富弼回答说:"唐代名臣,很多出自宗室。"吴奎说:"祖宗时代宗室都是近亲,然而最初授官只限于殿直、侍禁、侍奉官,不像今天授那么高的官位;朝廷一定要从长计议,应当对宗室授官有所减少、抑制。"

壬子(十七日),英宗下诏:"皇太后的命令称为圣旨,出入宫廷只不鸣鞭,其他仪仗护卫如章献明肃太后旧例;凡有所需用,太后本宫使臣录下圣旨交给主管部门;其中嘱咐中书省、枢密院办理的,使臣申报,都要复奏,批准后立即执行。"

丙辰(二十一日),尊加皇太后宫殿名称为慈寿,宣徽北院使、保平节度使、判郓州曹佾加官同平章事。

起初商议授官,英宗以此询问宰相韩琦,韩琦说:"陛下加恩大舅,不算偏私外家亲戚。"以此询问枢密使富弼,富弼回答是和韩琦一样。于是发下加官的制书,但是皇太后拿着制书不发下。英宗坚决请求,太后才同意。

学士院上奏详细审定修改了法律条文、任命官员的文书,与英宗名字相同的一共有二十个字,其余的文书令依照此例以同音同义字更改避讳,英宗批准。

壬戌(二十七日),因英宗康复,命辅佐大臣祭谢天地、宗庙、社稷及佛寺道观的神灵。

癸亥(二十八日),宰相韩琦等人上奏请求英宗对濮安懿王和谯国太夫人王氏、襄国太夫人韩氏、仙游县君任氏加礼以示尊崇,英宗下诏令等仁宗两周年祭礼之后再商议。

司马光上书给皇太后说:"臣私下听到人们传言,近日皇帝与皇后侍奉殿下,恭敬勤谨之礼,大大超过以前;而殿下对待他们太严厉,接见他们太简慢,有时谒见,互相交谈,不过数句,顷刻之间,就将他们打发出去。像这样,母子间的恩情,如何得以表达? 婆媳间的礼节,如何得以奉行? 究其根本原因,一定由于皇帝生病之时,宫中朝中,必有谗佞邪恶之人,制造流言蜚语夸大其词,互相暗中探听消息,挑拨离间,于是使两宫之间,彼此介意而失去和睦,久久不能缓解。现在殿下明智地发出慈爱的旨意,卓识远见,将天下的政事归还皇帝,这真是宗庙百姓的福气。然而臣私下预料谗佞邪恶之人,心如沸水,愈加焦躁不安,会极力策划离间两宫。希望殿下洞察真情,不再听取谗言,远远地斥逐那些奸人,不要将他们安置在左右,使两宫之间的欢娱融洽,一概如旧。这样殿下坐享孝敬奉养,万寿无疆,国家安定,名誉美好;这与信任谗佞邪恶,百般猜疑防范,终日愁苦,忧郁愤懑而生病痛相比较,得失就相差得太远了。"

闰月,癸酉(初八),步军都虞候、端州防御使、雄州知州赵滋去世,赠授遂州观察使。赵滋在雄州六年,辽国人畏惧他。辽国曾发生严重饥荒,按旧时制度,米运出塞外不得超过三斗。赵滋说:"他们也是我朝的百姓。"下令运米出塞不加什么限制,边塞的百姓对他感恩戴德。赵滋治理军队严格,作战士兵过去不服劳役,而他役使他们如同不参战的厢兵一样,没有人敢发牢骚。修缮城墙和瞭望台,以至于记录出纳米盐的簿册等等,都有明确的条文规定。其品性十分廉洁谨慎,每月得到的公务用酒,从不拿回自己家里。但是傲慢固执,自我标榜,这是他的短处。

戊寅(十三日),英宗问执政大臣:"唐明皇治国达到太平安定,到末年为什么落到这种地步?"富弼回答说:"唐明皇最初平定内乱,励精图治,为政任人得当,所以社会安定。末年任人不当,便导致祸乱发生。君主为政重在选任人才,决不可以使奸人主管国事。"吴奎说:"唐明皇任用王忠嗣统辖万里疆场,是可以的;而安禄山如此凶暴狡诈,也令他统辖万里疆场,怎么能不发生祸乱呢!"英宗认为都说得正确。

己丑(二十四日),以御史中丞王畴为翰林学士。征召枢密直学士、吏部郎中、瀛洲知州唐介为右谏议大夫、权御史中丞。英宗当面告谕唐介说:"爱卿在先帝朝中有正直的名声,现在出自朕的选拔,不是由左右的人举荐。"

在此之前,翰林学士冯京,多次请求解除开封府职事到外地去任职,英宗询问辅佐大臣说:"冯京为什么要求离去?"韩琦说:"冯京担任府事很久了,一定是因为事务繁重艰难而要求离任罢了。"英宗又问:"冯京为人怎么样?"韩琦说:"冯京在开封府一年多,处理政务没有过失,从他主持的科举考试在所录取的高名次中,有确实值得称道的。"英宗又问:"贾黯是怎样的人?"欧阳修说:"贾黯为人刚直,只是思考问题有时不够周到。"韩琦因而说:"群臣是邪是正,都是陛下知道的,至于进用谁黜退谁,实在关系到天下的利害,不可不明察。"

六月,己亥(初五),英宗进封皇子淮阳郡王赵顼为颍王,仍令有关部门选择吉日准备礼仪进行册命。

增设宗室学官。英宗下诏令大宗正:"教授有不称职的,就检举上报。"

癸卯(初九),贡院上奏:"按照皇祐四年的诏令,娶宗室之女授予官职的,不能应科考试。按照贡举条例,纳粟补官及从事工商杂业的人中有奇才异能的,也听任地方解送入试。如今宗室女婿都是三代享受俸禄,须有人保荐,才能参加科举考试,怎么可以因为他们与皇族联姻,就等同于贪污盗窃之类犯罪人员呢?请求允许他们应举考试,以广开求贤之路。"英宗依从此议。

丙午(十二日),宰相韩琦等人上表请求将自己的位次排在颍王之后,英宗下诏答复不可以。

英宗诏命增设宗室学官之后,认为宗室子弟是以前的好几倍,而宗正司事务也逐渐增多;丁未(十三日),又增设同知大宗正事一名,以左龙武卫大将军、宁州防御使赵宗惠为怀州团练使,兼任这一职务,并且下诏书告诫他。赵宗惠,是赵允升的儿子,英宗在藩王府第时知其贤明,因此提拔他任此职。谢恩之日,英宗告诉他选任的用意。赵宗惠就在他的住所建造厅堂,取名"闻义",每天与学士大夫在堂中讲习学问,以身作则地率领宗室子弟学习。英宗两次召他到延和殿应对,允许他逐条陈奏朝政事宜,由御药院进入宫中。

戊申(十四日),英宗下诏说:"重要敕令中排名的位次,皇子赵顼在富弼之前,皇子赵颢在宋庠之后。"

辛亥(十七日),英宗诏命增加对邈川首领嘉勒斯赉每年的赏赐,又增加他的妻子、儿孙及亲信的毡帐、官爵。

在芳林园修筑睦亲、广亲北宅,迁入密州观察使赵宗日等七人。此后有请求迁入的,又扩大宅院将他们迁入。

太原府知府陈旭声称母亲年老,请求调任扬州、湖州、越州中的一州,以便奉养母亲;因边境大臣应当长期稳定地任职,难于频繁调换,英宗不同意。

乙卯(二十一日),英宗对宰相说:"程戡是怎样的人?"宰相回答说:"程戡在鄜延任职已三年,熟习边境事务。"英宗说:"延州都监高遵教去世了,程戡多次禀报他的才能业绩,请求给予赠官抚恤。此人是高琼的族子,朕了解他不过是个平庸的人,程戡一定是因为皇后的缘故才这样罢了。大臣如果是这样,那么朕还依赖谁呢!"

戊午(二十四日),以淮阳郡王府翊善王陶为颍王府翊善,赐金鱼袋与紫衣,记室参军韩维为直集贤院、诸王府记室参军,侍讲孙思恭为直集贤院、诸王府侍讲。当时淮阳郡王进封颍王,而东阳郡王赵颢又将出宫阁到藩王府邸,因此提升王陶,命他兼任东阳郡王翊善,而韩维、孙思恭为两王的记室、侍讲。

颍王生性谦虚,礼遇王宫属僚;对待韩维尤其厚爱,每件事都要向韩维咨询请教,韩维也尽心回答,甚至起拜、进止之类小事,或缓或急都告诉怎样做。一天,韩维陪侍颍王闲坐,近侍将弓样靴子呈上,韩维说:"王哪里用得上跳舞用的靴子?"颍王立即命令毁掉。英宗病重之初,有时说话颇伤太后,太后哭着告诉辅佐大臣,同时责怪颍王、东阳郡王,韩维等人极力劝谏颍王道:"皇上已失去了太后的欢心,王竭尽孝顺恭敬来替皇上侍奉太后,还怕来不及;不这样的话,父子都要遭祸了!"颍王听罢心有感悟。后来有一天,太后对辅佐大臣说:"皇子近来特别有礼貌,都是众位爱卿选择宫中属僚辅佐的结果,应召至中书省褒奖勉励他们。"曹佾被授为使相时,颍王想让韩维等人将太后的意思传达给辅佐大臣,韩维与孙思恭认为不可以,颍王最终还是让王陶告诉了辅佐大臣。韩维与孙思恭劝诫颍王道:"陛下亲自总理朝政,内外上下,体制已经正常,王应当专心于孝道,同等地奉养太后、皇上与皇后而已,其他事情不要有所参与。"

辛酉(二十七日),太白星在白天出现。

太常寺上奏说:"仁宗配享明堂祭礼,祭奠缯帛时用《诚安之曲》,祭献酒酌时用《德安之曲》。

驾部郎中路纶献上他父亲路振所撰写的《九国志》五十卷,英宗诏令将书交付史馆。路振在真宗朝时任知制诰;九国,是指吴、南唐、闽汉、南汉、楚、西楚、吴越、蜀、后蜀。

壬戌(二十八日),岁星在白天出现。

癸亥(二十九日),工部尚书、集贤院学士余靖去世,赠官刑部尚书,谥号襄。

秋季,七月,庚午(初七),英宗下诏:"从现在起不要以孔氏子弟任仙源县知县。"这是听从京东提点刑狱王纲的建议,以表示推重直接管理百姓的官长。

壬申(初九),辽国判决各道囚犯。

丙子(十三日),以逊川首领嘉勒斯赍的儿子诚州团练使栋戬为顺州防御使。

辛巳(十八日),辽国禁止僧人尼姑私自到皇帝行宫,妄谈祸福,骗取财物。

八月,壬寅(初九),辽国国主辽道宗到怀州,拜谒辽太宗、辽穆宗的神庙。

丙辰(二十三日),以宣政使、入内都知、安静军留后任守忠为保信节度副使,在蕲州安置。

当初,英宗被立为皇子,令任守忠宣召,他退避不肯前往;到英宗即位后生了病,就在太后、英宗两宫之间进行挑拨离间。现在又擅自提取奉宸库金子珠宝几万两献给皇后,因而受到赏赐,司马光、吕海先后上奏弹劾他。司马光说:"任守忠有十大罪状,都是陛下亲眼所见,大家也都知道,其余欺诈轻慢作恶、恣虐蛮横不法之事,不可胜数,恭谨地希望陛下彻底揭发他的罪行,昭示天下,将他斩首于都市,以此惩戒奸佞邪恶之人。"英宗采纳此议,第二天,便贬黜了任守忠。

丁巳(二十四日),拨出上供宫廷的米三万石赈济宿、亳两州遭受水灾的饥民。

九月,丁卯(初五),英宗下诏令重新设置武举制度。

起初,英宗有诏令在这天开迩英阁讲读,到重阳节时停止。侍讲吕公著、司马光奏说:"先帝时,无事常开讲席。近来因陛下圣体欠安,于是就在端午节前后及冬至以后酷暑严寒的时期,暂停几个月。现在陛下新政清明,应当亲近儒雅,讲求治道,希望能不惜片刻闲暇,每天亲临讲席。"英宗采纳此奏。

丁丑(十五日),礼院上奏:"按以前所定祭日中初冬祭祀太庙神主,改为合祭远近祖先神主。按《春秋》,鲁闵公即位二十二个月,丧期未满就举行大祭祖先的吉禘之礼,因此《春秋三传》都讥讽他。真宗在咸平二年六月守丧满期,到十月才举行禘祭。仁宗天圣元年四月在守丧期内,有司错误地通报天禧年间旧禘之数,在两年之内,举行了禘祭,所以在二十四年之间,举行了九次禘祭八次祫祭,按惯例这都太快了,此事失误于起始,那么岁月久了,不可能得到纠正。今年还没到仁宗两周年大祭,不可举行袷祭,明年没到除去丧服的禫祭,也不可举行禘祭。今年十月,乞请依旧按时荐飨太庙。"英宗批准此议。

辛巳(十九日),赠授安远军节度使马怀德家所请谥号;礼院上奏认为马怀德已经安葬,难于再定谥号,英宗准奏。

翰林侍读学士刘敞,因病休假满一百天,请求到近便而事少的州郡任职。英宗对执政大臣说:"像刘敞这样的人才岂是容易得到的!"又赐他休假;每次宴饮接见各位翰林学士,必问刘敞的病稍好些否。癸未(二十一日),命刘敞为卫州知州;尚未赴任,改任汝州知州。三司说刘敞再次得到假期,按惯例不应当给予俸禄,英宗下诏令破例发给俸禄。

戊子(二十六日),英宗下诏免去龙图阁直学士兼侍读李柬之进宫侍读的差事,因为他自称有病,要求退休。英宗对李柬之说:"爱卿是年事已高的学者,学识渊博,希望向你咨询请教以弥补朝政的不足,岂只限于讲读经术呢!"

在此之前,英宗很想严格整顿宫廷官署,李柬之说:"陛下,是统治天下的君主,立自齐地濮王府第,人们正在观望,希望能够委婉地加以宽容、包涵。"英宗曾命李柬之押送赐给颍王的生日礼物,按旧例,等颍王拜谢赏赐完毕就退下,英宗告谕颍王,令他留李柬之吃饭,希望他从从容容。第二天李柬之拜见英宗,详述颍王聪慧仁厚,是社稷的福分,英宗听后十分高兴。

前些时候西夏国祝贺英宗登极的进奉人吴宗等人到顺天门,想要佩带金鱼袋及自用仪仗导从,负责接待的陪同官员高宜禁止这样做,吴宗不同意;高宜将他们扣留在马棚里呆了一宿,断绝饮食供应。吴宗出言不逊,高宜依照惯例驳斥他,使他折服,过了许久,才让他们进宫。等到殿门赐食时,吴宗向负责导引他们的张觐申诉此事,英宗下诏令他回延州和高宜论辩是非。高宜,是延州派的陪同官员。程戡将诏书交付延州通判去责问追究,吴宗说:"接待的引伴说'用一百万军队,就能攻入贺兰穴',这是什么话呀!"通判说:"听说你们使者视国君为少帝,因此接待的引伴才以此话相对,这错误在你们使者身上,不在我们的接待人身上。"吴宗沮丧地折服。庚寅(二十八日),英宗赐给西夏国主毅宗赵谅祚诏书,告诫他从今以后应当精心挑选使者,不要让他生出事端。司马光、吕诲请求治高宜的罪,英宗没作答复。

这年秋季,西夏多次出兵进犯秦凤、泾原,掳掠熟户,攻击边寨的弓箭手,杀掠人畜数以万计,英宗下诏派遣文思副使王无忌携诏书前往质问。司马光进言:"《周书》称颂周文王的德行说:'大国畏惧他的力量,小国怀念他的恩德。'这是说诸侯傲慢凶恶不礼貌地顺从,就讨伐诛灭它;顺从恭服,就保全它。不畏避强暴,不欺凌弱小,这是成就王业的人治理天下的原则。臣见去年先帝驾崩,赵谅祚派遣使者来祭奠,延州指派高宜陪同进京,高宜言语轻慢放肆,傲慢地对待西夏国使者,侮辱他们的国主,使者临辞别时自己向朝廷提出申诉。臣当时与吕诲上奏,乞请加罪于高宜,朝廷忽略此事,不以为意,使那些使者带着怨恨回国。如今赵谅祚招纳亡命之徒,调集兵马,窥伺边境,围攻堡寨,驱逐胁迫当地内属的少数民族八十余部落,杀掠弓箭手约几千人,悖逆到如此田地,而朝廷竟然还派使者持诏书去安抚告谕他们。

他们顺从时就予以侮辱,傲慢时就感到畏惧,恐怕不是周文王用来驾驭诸侯的办法吧!倘若本朝使臣到了那里,赵谅祚低头服罪,禁止部下侵掠,还或许可以赦免其罪;倘若再抗拒违背王命,言辞礼节骄纵轻慢,侵掠不止,不知朝廷将怎么对待他？希望陛下广泛延请群臣,询问防卫边境的策略,选择其中的良策而努力实行。当今拯救边境的急务,应如用漏水的瓮浇烧干了水的锅,还怕来不及,怎么可以对外显示悠闲无事而养成更大的祸患呢!"

壬辰(三十日),辽国国主辽道宗到中京,皇子梁王耶律浚随从辽道宗打猎,箭接连三发三中。辽道宗回头对左右侍从说:"朕自从祖宗以来,骑马射箭技艺超人,威震天下。这孩子虽然年幼,不失祖宗风范。"后来遇到十只鹿,射获其中九只,辽道宗非常高兴,为皇子设宴庆贺。

冬季,十月,庚子(初八),英宗检阅各军班直将校的武艺,升迁不同等级的官职。

辛丑(初九),直秘阁、同知礼院周孟阳入朝谢恩,英宗指示阁门内侍领着他到延和殿应对了很久。从此多次召见他,询问当时政事,最后又在隆儒殿召见,此殿在迩英阁后苑中,是群臣从没有到过的地方。

癸卯(十一日),礼院上奏:"魏国公赵宗懿没有后嗣,濮王没有嫡孙。旧例,宗室推出本辈最年长的承袭封爵,瀛洲防御使赵宗朴,是濮王的第二个儿子,现在本辈中年岁最大。"英宗下诏封赵宗朴承袭岐国公爵位。

戊午(二十六日),辽国禁止民间私自刊印文字书籍。在此之前,辽国关于图书的禁令很严,有将书传入宋朝地区的,判处死罪。到这时又实行这项禁令。

庚申(二十八日),翰林学士贾黯上奏:"近来陛下诏令朝廷内外荐举文武官员可供提升和任为将领的,臣见不久前下诏推荐士人,有的人已被推荐,而又有被其他人推荐,那么按照惯例都要求另外推荐别人。愚臣以为应当不限定重复推荐,可以选择被推荐次数多的人特别加以提拔任用,那么差不多就能得到人才。"英宗依从此奏。

十一月,甲子(初三),英宗下诏令朝廷内外所写文章书本不得连用"受益"二字,因为翰林学士贾黯奏说此二字为仁宗旧名,是应当避讳的。

辽国规定官吏百姓衣着服饰的制度。

乙亥(十四日),命屯田郎中徐亿、职方员外郎李师锡、屯田员外郎钱公纪将陕西各州军的百姓手背刺字作为义勇兵丁。

起初,宰相韩琦奏说:"古代将百姓登记入册而为兵,数量虽多而给养很少。唐代设立府兵,最接近这种做法;天宝以后,府兵制则废止而不能恢复了。现在的义勇兵丁,河北地区将近十五万,河东地区将近八万,勇敢剽悍,纯朴诚实,出自天性,而且有财物资产,是他们的父母妻儿所赖以生存的,如果稍加挑选训练,与唐代的府兵有什么区别!陕西在西部边境战事之初,也曾在三丁中选一丁做弓箭手,以后编为保捷正军。等到西夏国称臣归顺,朝廷将这些兵丁拣选后放归,至今所剩寥寥无几。河北、河东、陕西三路地区,都是西北防御外敌的重地,事情应当一样办理。请在陕西各州也一样挑选义勇兵丁,只刺手背,虽然一时不无小有骚扰,但最终会成为长远的利益。"英宗下诏采纳此议。于是派人登记陕西义勇兵丁,获得十五万六千八百七十三人。

为此知谏院司马光连续上奏,认为:"如今议政的人只怪陕西单单没有义勇兵丁,而不了解陕西的百姓,三丁中已有一丁充任保捷正军了。西边战事以来,陕西百姓困于各种赋役摊

中华传世藏书

續資治通鑑

1317

派,和景祐年间以前相比,民力减少消耗了三分之二,加上近几年屡遭饥荒,今年秋天粮食小有收获,还希望卸去肩上的沉重负担;现在又遇上边境有紧急情况,人心已经动摇,如果再听说此诏,一定会大为惊扰。况且目前陕西正规军很多,不至于兵员缺乏,为什么要急匆匆做这种有害无益的事情呢!以臣愚见,河北、河东两地区已刺字为义勇兵丁的百姓,仍应当放归,何况陕西没有刺字的百姓呢!"英宗不听。

司马光又连续六次上奏,直到向中书省申述,自我弹劾,请求离职,英宗最终也没同意。

司马光曾到中书省与韩琦争辩,韩琦对司马光说:"用兵贵在先声夺人,赵谅祚正桀骜不驯,让他听到陕西突然增加二十万兵力,岂能不受到震慑!"司马光说:"用兵贵在先声夺人,是因为虚张声势,并无其实,只可以欺骗敌人一时;稍过些时日敌人就知道实情,不可以再用此计了。现在我们虽然增加二十万兵力,实际上不可用来作战;不过十天,西夏人知道这一详情,难道还会害怕吗!"韩琦无法回答,又说:"您只看见庆历年间陕西乡兵最初在手背刺字,后来都在脸上刺印充当正军,担心现在又会这样吧。如今已将敕令张榜与百姓约定,永远不充军戍守边疆。"司马光说:"朝廷曾失信于百姓,不敢以为朝廷现在会这样,就是我也不能没有怀疑。"韩琦说:"我在朝中,您不要担心。"司马光说:"相公长期在这里可以;万一哪一天均衡劳逸调到外地,别人做这宰相,就用相公现成的兵,派遣役使他们运粮戍边,是反掌间的容易事情啊。"韩琦沉默不语,最终不为此而停办陕西义勇兵丁事宜。此后十年,义勇兵丁运粮戍边,普遍成为常事。

丁丑(十六日),辽国因为乾文阁所藏经典书籍缺失很多,下诏征收书籍,命儒臣校对。

已卯(十八日),桂州知州陆诜上奏交趾使者所议之事,英宗因此询问:"交趾在哪一年被割占的?"辅佐大臣回答:"从唐代至德年间改为安南都护府,到梁代正明年间,土豪曲成美就专占此地了。"韩琦:"从前因黎桓背叛君命,太宗派遣将领讨伐而未能降服,以后派遣使者招抚诱降,才开始归顺。交趾山路险峻偏僻,多云雾和瘴毒之气,即使得到那方土地,恐怕也不能守住,只应安抚笼络它才是。"这年冬季,陆诜开始巡视边境到达邕州,召集左右江四十五峒首领到其帐下,检阅并选拔当地壮丁,得到精兵五万,补设将校军官,又铸造印信给他们,上奏免除左右两江累积拖欠的税款物品数万。交趾大为恐慌,于是派使者前来朝贡,言辞礼节变得越发恭敬。后来陆诜又上奏请求每年训练一次当地壮丁,仍从今年起每三年造一次名册上报。

以屯田员外郎、襄邑县知县范纯仁为江东转运判官。起初,范纯仁以著作佐郎的官衔做襄城县知县,当地民俗不养蚕纺织,他便下令鼓励百姓种植桑树,有犯罪轻的人,视其种植桑树的多少来减免其惩罚。百姓日益羡慕效法,后来称当地所植桑林为著作林。当调至襄邑,县内有放牧之地,最初不属县府管辖,卫士跃马驰骋,糟蹋民田,范纯仁抓获一人施以杖刑。主管卫士的人大怒,向朝廷禀报了此事,有诏书要审判范纯仁。范纯仁说军队须靠农民供养,体恤军队应先体恤农民,朝廷认为他说得正确,就搁置不再追究,而且听任牧地隶属于县。牧地隶属于县从范纯仁开始。范纯仁,是范仲淹的儿子。

庚辰(十九日),辽国禁止南京私自制造皇家用的彩缎、私自经销铁器以及在不适当的时候饮酒。命令南京三司每年春秋季节用官钱宴飨军中将士。

十二月，庚子（初九），知制诰祖无择献上《皇极箴》，英宗赐诏褒奖他。

丙午（十五日），以翰林学士、礼部侍郎王畴为枢密副使。英宗曾对辅佐大臣说："王畴善于写文章。"欧阳修说："这人也刚正不阿，但不追求赫赫的名声罢了。"一天晚上，英宗临御小殿，召王畴起草诏书，趁便从容地谈起宫廷内外之事，谈了一段时间。英宗高兴地说："爱卿清廉正直好学，朕已经知道很久了，并不是今天才了解的。"没过几天，就有了这项任命。王畴推辞不接受，英宗派遣内侍催促王畴入见，自己到延和殿等候他，太阳已经偏西了，还硬是等到王畴进了宫，才进殿内。

知制诰钱公辅缄封退还任命王畴的谕旨，说王畴名望轻且资历浅，在台阁任职不过尸位素餐，不可重用；又推荐了好几位近臣中可以做辅佐大臣的人。英宗因刚刚亲政任命两府大臣，而钱公辅阻挠敕令不予奉行，丁未（十六日），将他贬为滁州团练副使，令他不得签署本州的事务。知制诰祖无择乞请轻责钱公辅，而且不立即起草贬官诏令。英宗想同时贬谪祖无择，中书省加以说情解救；戊申（十七日），祖无择被罚铜三十斤。

知谏院事吕诲进言："王畴自登科三十五年以来，任官不出京城，仕进有门路，从而可知。钱公辅说他资浅望轻，大概是想要朝廷选任贤才，不算过失。责罚贬降太重，士大夫议论纷纷，臣私下为陛下感到惋惜。诚恳地乞请恢复钱公辅原先的官位，只免掉他的职务，将他调往偏僻地小的州军任长官，使他思过，以稍加平息士大夫纷纭的议论。"天章阁待制兼侍讲吕公著也上书乞请放弃责罚钱公辅的诏命，英宗不做答复。几天以后，龙图阁直学士卢士宗趁上奏审刑院的事务在便殿对答时，从容地又为此事向英宗进言，说外面的议论都认为责罚钱公辅太重，英宗最终没有接受这些意见。

以内侍省押班、文思副使王昭明为环庆路驻泊兵马钤辖，专管本路并兼管鄜延路蕃部公事，驻在庆州；供备库副使李若愚为泾原路权驻泊兵马钤辖，专管本路并兼代理主管秦凤路蕃部公事，驻在渭州。命令他们体察蕃部情况，处理他们的诉讼公事，至于有什么赏罚，就与蕃部首领商议，但重要事情立即上报，都允许他们每年乘驿车奏事；令他们团结强壮的蕃人，预先进行谋划，敌寇来到，使老弱各有保护存身之地。几天以后，又以西京左藏库副使梁实兼管秦凤路，内殿承制韩则顺兼管鄜延路，而命令王昭明、李若愚专管本路。

谏官吕诲奏说："自从唐代以来，出师不利，没有不是出自监军的。如今走马承受官的品级特低，一路已不胜其害。何况钤辖被委以重任，实际等同于安抚使的权力呀！乞请朝廷废除这个职务，精心选拔统兵之臣，凡事一切都委托给他们，这样大概朝外的指挥权力，能够得以尽其用。"御史傅尧俞，赵瞻都有论述，但英宗最终不依从。赵瞻，是周至人。

王昭明等人到任之后，召集蕃部部落首领，声称奉诏对他们犒劳，赏给银两绢帛；登记城寨中的兵马，根据各族名望的大小，划分队伍，发给旗帜，让他们各自修筑堡垒，每人置办兵器甲胄以备征调派遣，仍约定如果军令下达后而不能集合人马，就将押队首领以军法处置。延州知州程戡进言："蕃部之所以逃离，是因为边境的官吏苛刻凶暴，这才被西夏国人引诱掠走罢了。现在王昭明等人只能召唤蕃部首领，用言语慰问体恤，用羊肉酒食进行犒劳，恐怕不足以笼络其心，然而王昭明等人的做法却轰动了边地视听。应另设路分钤辖、都监，各统管一部分军马兼任沿边巡检使，不要再专管蕃部的事。"英宗也不同意。

中华传世藏书

續資治通鑒

1319

癸丑(二十二日),以河北都转运使赵抃为龙图阁直学士、成都府知府。赵抃以前在蜀地任转运使时,奏说蜀人喜好怪异的祭祀,聚众做不法的事,请将其为首者处死,其余的都在脸上刺字后流放。到这时他出任成都知府又有这种案件,人们都认为不可免罪;赵抃审察后发现这些人除祭神外没有其他企图,便对囚犯说:"你们如果能恢复正当职业,我就赦免你们的罪行。"这些人都叩头乞求获得改过自新的机会。于是赵抃只惩治了为首者,其余的都释放不予追究,蜀人大为喜悦。此后的一天,英宗对转运使荣谭说:"赵抃治理成都,是中正平和之政。"

这年,京畿之内,宋州、亳州、陈州、许州、汝州、蔡州、唐州、颖州、曹州、濮州、济州、单州、濠州、泗州、庐州、寿州、楚州、杭州、宣州、洪州、鄂州、施州、渝州、光化军、高邮军发大水,朝廷派使者巡视灾情,疏治河道,赈济抚恤灾民,免除灾区的赋税。

辽国南京、西京大丰收。西北路招讨使萧珠泽被召入朝,封为柳城郡王。